dicionário de
artes decorativas
& decoração de interiores

flor-de-lis. *s. f.* Motivo ornamental muito aplicado nas artes decorativas européias. Consiste, basicamente, numa flor de três pétalas (inspirada no lírio), sendo a do meio reta e mais alta e as laterais encurvadas para os lados; as pétalas são unidas por uma faixa horizontal e se prolongam em pés mais curtos de forma análoga. ~ Em heráldica, a flor-de-lis é o emblema da realeza na França a partir talvez, da Idade Média; no séc. XIV esse emblema passou a ser representado com três flores-de-lis de ouro em campo azul. ~ A flor-de-lis vermelha é o símbolo de Florença.

dicionário de
artes decorativas
& decoração de interiores

Stella Moutinho
Rúbia Bueno do Prado
Ruth Londres

Lexikon | obras de referência

Sumário

Agradecimentos	VII
Apresentação	VIII
Prefácio	X
Ao leitor	XII
Dois verbetes	XIV
Como consultar este dicionário	XVIII
Corpo de A a Z	1
Índice Onomástico	492
Nominata	509
Bibliografia	516

RUTH RODRIGO OCTAVIO LONDRES
(1921-1992)

Presença de uma ausência.
Saudades, Rúbia e Stella.

A AURÉLIO BUARQUE DE HOLANDA, mestre e amigo, homenagem de Stella.

Agradecimentos

Agradecemos aos amigos o apoio, a compreensão e o incentivo que nos deram e que tornaram possível a realização deste Dicionário.

Aldemar d'Abreu Pereira	Lúcia e João de Lima Pádua
Ana Lúcia Zacharias	Lydia e Helios Bastos Tigre
Ana Rosa Hopkins	Manoel Francisco Brito
André Schwob	Marcelo Roberto Ferro
Andréa e Manoel Bastos Tigre	Marcos Carneiro de Mendonça
Angela Chamma	Maria Antonia Tigre
Anna Guerra Duval	Maria Helena e Jacques Boulieu
Ascânio MMM	Maria Inês Pereira Leite
Baby Latif	Maria José Carneiro
Carlos Salles	Maria Silvia de Sampaio Doria
Claudia Botelho do Amaral	Marina Baird Ferreira
Cristiana Botelho	Myrthes e Alcyr de Paula Freitas Coelho
Elza Bebiano	Renan Chehuan
Elzita de Souza Leão	Ricardo Joppert
Ênio Silveira	Rita Moutinho
Gilda Becker von Sotten	Rose Marie Rodrigo Octavio
Gilda e Paulo Sampaio	Ruth Lopes Pontes
Henrique Sergio Goldberg	Sérgio Rodrigues
Irene Moutinho	Solange Godoy
Isolda de Mello Flores	Thelma e Sizínio Pontes Nogueira
João de Souza Leite	Thereza de Souza Leão Cavalcanti
Laura Nery	Vera Bastos Tigre
Laura Oliveira Rodrigo Octavio	Vera de Alencar
Leda e Manoel Francisco do Nascimento Brito	Virgínia Maria Ferri
Lelli de Orléans e Bragança	Viviane de Oliveira Tostes
Leonardo Visconti	Washington Dias Lessa
Lice de Faria Frazão	Yedda Quadros Fonseca
Lúcia e Guilherme Bettencourt	Zélia e Alcides Bernardino de Campos

e Jorge de Souza Hue, nosso patrono.

A Tina Bianchini Giorgi (1933-1999), conhecedora estudiosa e apaixonada por tapetes e pratas, com saudade, nosso reconhecimento.

O encontro com Nair de Paula Soares foi decisivo para que este Dicionário viesse à luz. A Rafael Rodrigues e à toda equipe da PVDI, nossa gratidão.

Apresentação

É gratificante saudar esta nova edição do Dicionário de Artes Decorativas e Decoração de Interiores, o primeiro no gênero editado no Brasil. Pretenderam suas autoras, responder ao interesse crescente de um público que abrange não apenas curiosos e amadores mas também estudiosos, técnicos e profissionais que lidam com mobiliário e outros objetos como manifestações da arte em todas as épocas.

É um trabalho que resultou do exercício amoroso de suas autoras na manipulação de vocações diferentes que se complementaram de maneira feliz. A refinada familiaridade com a alquimia da palavra, temperando o rigor com elegância e espírito, fruto de longa experiência lexicográfica. A percepção do objeto, filtrado por uma visão culta e também irônica fazendo compreender a dupla posição ocupada por este mesmo objeto, ao capricho da ciranda do tempo, na alternância de seu papel de conquistado e de conquistador. Por fim, a terceira contribuição, também importante, que se refere a tudo que cada objeto nos transmite através de sua imagem; a prática de saber ver, não apenas olhar, convidando à difícil tarefa de isolar e compor, num jogo permanente de exatidão e também de inteligente tolerância.

Defrontamo-nos, ainda, nesta obra, com superposição de duas situações de aparente oposição. Cada verbete nos coloca face ao objeto em si, descrito com o devido despojamento e rigor, conferindo-nos uma visão objetivo-pragmática. Há, porém, um convite para desvendarmos o que nele se esconde, a sua carga afetiva, o seu conteúdo subjetivo-sentimental, o seu grau de cumplicidade conosco e com seu tempo.

As artes decorativas e o mobiliário, bem como outras criações correlatas, ligadas ao prazer estético, refletem não apenas os estados da vida do homem social, mas ainda um explosivo caldeirão de ideias.

Alianças comerciais, conflitos militares, invenções e descobertas ao lado da evolução dos valores político-religiosos ou do desenvolvimento do saber, estão na origem dos grandes movimentos de renovação da arte tanto nos tempos modernos como nas idades mais longínquas.

Todos os estilos que conhecemos até o final do séc. XVIII são fruto da disciplina imposta aos artistas visando à obtenção de uma unidade. A Academia, as corporações, o mecenato real e o aristocrático, inspiram e fornecem os padrões desejados. As modificações que originam a sucessão dos estilos vinculam-se a algum acontecimento importante que imprime marca profunda em uma sociedade culta que lhe dá endosso.

A Revolução Francesa, intervindo desde seu início na estabilidade de uma classe dominante, dá o seu golpe de misericórdia em um processo secular quando, em 1791, dissolve a Academia e suprime as corporações. Este fato vem modificar definitiva e fundamentalmente a situação do artista. Despojado de sua habitual clientela que lhe fornecia a certeza de um gosto, e livre da tutela modeladora das já citadas instituições, vê-se ele face a uma espécie de orfandade que lhe confere, não inicialmente a consciência de uma maturidade, mas que lhe provoca uma inebriante explosão de liberdade criadora. De agora em diante, à custa de todo risco e perigo, ele é o padrão.

Simultânea à situação do artista, opera-se uma modificação na consciência da burguesia ascendente, impregnada dos sucessos alcançados. A volúpia de suas disponibilidades abre campo a uma nova liturgia - a cultuação do objeto -, explicitando sua posse e manipulando seu símbolo. A expansão de um mercado consumidor potencializado pela máquina, a divulgação de um sem número de ideias por meios de comunicação cada vez mais atuantes, lançam de roldão, na convivência cotidiana, incontrolável quantidade de objetos que correspondem a novas utilizações

A obra de arte, muitas vezes levada à condição de produto industrial, se coisifica. A multiplicação exagerada de um determinado objeto sujeita-se ao massacre de inúmeras mutilações que atingem sua matéria, forma, escala e até mesmo função. Por distanciamento e falta de controle do gesto original, o objeto perde sua identidade resvalando à categoria do *kitsch*.

Devemos considerar que o ato da criação não está ligado necessariamente a compromissos de utilidade ou custo, e sim a um momento de liberdade sem concessão ao obrigatório, ao diário. Este ato de coragem explicita a visão quase profética dos criadores, tangencial ao abismo, que nos coloca face a uma nova relação. Quase como a descoberta do código de um novo mundo, desfazendo as amarras que nos prendiam ao passado.

Os móveis ocupam uma curiosa posição entre os artefatos criados pelo homem. Pode-se afirmar sem exagero, que mais do que a pintura, a escultura e mesmo a arquitetura eles nos revelam o espírito de uma época. A inter-relação dos diversos elementos que compõe um Interior a cada época, dá-nos a visão de um museu vivo da alma daqueles que o habitam. Cada móvel de per si é um molde da forma humana, cheio de significações mágicas ou simbólicas, guardando, vez por outra, vestígios de rituais primitivos.

Através das informações deste Dicionário, podemos estabelecer uma síntese dos diversos elementos que compõe a matéria da história das artes decorativas, numa visão a partir do âmago dos objetos, tomados quase como seres, permanentes testemunhos do gesto e do tempo do homem.

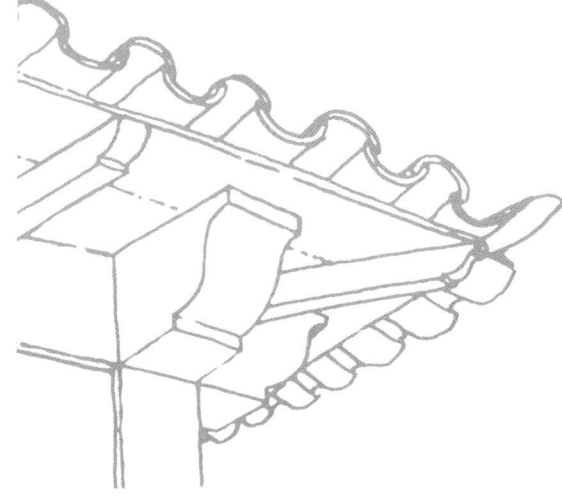

JORGE DE SOUZA HUE
arquiteto e decorador

Um Dicionário de Artes Decorativas de Aalto, Alvar a Zwiebelmuster

O universo das artes decorativas e os temas que lhe são correlatos estão, no entendimento da tradição culta, ligados ao conceito de "espaço doméstico". Tal espaço abriga uns tantos bens que constituem a cultura material do grupo social que o ocupa. Estes bens, por sua vez, são expressão de suas representações e valores. Importa, ao observá-los, tanto o ato de feitura e a aparência final de cada um deles, quanto o modo pelo qual, num momento datado, aparecem organizados e articulados. Seu processo de produção pode, contudo, incorporar uma intenção transcendente ao mero desempenho da função inculcada por sua forma, dando-lhes novos sentidos, sempre marcas da cultura que os trouxe à luz. Quando a função de um de tais artefatos deixa de ser apenas utilitária, e a ela se somam finalidades de natureza simbólica, entre as quais fazer despertar êxtase pela apreciação da graça de sua forma, aí se está a falar de arte decorativa. O sentido de trascendência, contudo, por mais variado que seja, parece ter estado sempre ligado à capacidade que tem o bem material produzido de atrair a atenção; como queria René Huyghe, dans les arts les plus anciens, préhistoire ou Égypte, la ligne ne sert pas seulement à représenter; elle est un plaisir de l'oeil.

Os objetos têm, assim, um perfil funcional por vezes acrescido de um valor ornamental definido por padrões de apreciação específicos do grupo que está a observá-lo. Por exemplo, no Rio de Janeiro dos tempos coloniais uma credência litúrgica policromada podia ser apreciada por suas linhas ou por sua presença na contiguidade do altar mor, era um dos apoios do serviço sagrado. Esta mesma credência gozará de igual favor no presente, mas as razões podem não ser exatamente as mesmas. Novas funções serão dadas a ela. Mas o dom de um observador qualquer, ontem ou hoje, em deleitar-se diante de sua forma, agregará a ele um sinal positivo em face do olhar de seus pares. Se, por outro lado, a percepção desta excelência não for atingida, o observador pagará sua incúria com uma dose de exclusão. Ora, como essa hierarquia do bom gosto se processa? Desde sempre os valores têm sido estabelecidos com base em determinadas instâncias, as instâncias de consagração, as quais tomam a si a possibilidade de arbitrar e enaltecer o conteúdo de um domínio específico. Quem se apropriou da função de consagrar o que pertence ou não ao mundo das artes decorativas? Max Weber destacou em sua obra a tarefa dos grupos em situação privilegiada de status no ditar convenções, em suma, em apontar o tom do estilo de vida a seguir. A chamada "arte popular" só passou a gozar de estima ao ser decifrada pela tradição culta. A arte decorativa pode ser entendida, então, como um sistema simbólico com função expressiva de marcar distinções.

Não há apenas uma instância a consagrar o apreciável, existem culturas de gosto, e a sua disposição não obedece a um eixo hierárquico do mais ao menos, isto só ocorre a partir do olhar de quem observa. O lugar das formas sociais é o lugar das galáxias, inexiste definição espacial absoluta, é um sempiterno "estar em relação". Mas é perceptível um movimento com direção precisa. Por exemplo, os moradores de uma modesta casa de arrabalde terão também, por certo, sua tradução do belo; mas muito do que lá é assim considerado poderá consistir numa interpretação que se debruça sobre padrões importados. É, contudo, na tradição ocidental, que o "bom gosto" de elite irá normatizar a pertença ao universo das artes decorativas. Isto conduzirá a oscilações na correspondência entre forma e função. Curiosamente, tais artefatos podem ser elencados entre itens em que estas duas categorias sempre se justapuseram; mas não têm, com certeza, a garantia da presença perene de um sentido transcendente. Um lampião com bojo de opalina foi feito para alumiar, mas também para agradar por sua beleza. Era arte decorativa no século XIX, ainda o é, maximizado pela pátina que o tempo lhe deu, nos dias de hoje, mesmo que a capacidade de trazer luz não derive mais de sua estrutura original, venha de uma adaptação à eletricidade, ou que permaneça útil apenas por sua beleza e pelo caráter de lugar de memória. Uma fat lady em terracota da dinastia Tang disposta numa sala de estar do Ocidente escandalizaria o amador chinês do passado; tabu, conservar em ambiente profano um bem funerário de terracota. Não obstante, colecionar bronzes rituais da remota dinastia Chou desde muito tempo atestava o elevado nível de estima social gozado por quem assim procedesse.

Estas divagações sobre espaço e limites do universo das artes decorativas são a outra face de experimentá-lo: o senso comum também se enreda nestas questões, e o faz com uma certa sem cerimônia, na tabula rasa das balizas e dos significados. Quando, por exemplo, Eça de Queirós, no afã de identificar Dâmaso Salcede com a gente do Ramalhete, afirma enfático que este pelava-se por bric-à-bracs; no momento em que uma senhora de escassas luzes e muitas patacas se defronta com uma jardinière Charles Dix e considera jamais ter visto "barzeira tão linda!"; quando, enfim, a quantidade dos bens móveis da casa é regulada por critérios de medida enfeixada num espectro iniciado no horror vacui do mundo vitoriano e contrabalançado pelo less is more dos dias que correm, está a se bordejar o universo das artes decorativas. Fora da tradição culta, falar de artes decorativas é falar dos objetos de arte, das antiguidades, de design, de decoração de interiores, de exposições periódicas que atraem público desejoso de obter reconhecimento por estar no piloto dos gostos possíveis.

Em meio a um repertório de tal forma vasto e disperso, em que temas se encontram com artefatos, onde ideias percorrem campos de natureza distinta, é de axial importância a publicação deste extraordinário, útil e por apurado dicionário, organizado nos mais confiáveis moldes da lexicografia brasileira.

Carlos Eduardo de Castro Leal
Doutor em Antropologia pela Universidade de São Paulo

Ao Leitor

O **Dicionário de Artes Decorativas e Decoração de Interiores** foi planejado e elaborado para apresentar ao público de língua portuguesa uma obra de referência que reunisse amplo número de definições e de informações até então dispersas em livros de arte e em revistas, em publicações de divulgação, em artigos de enciclopédias e em trabalhos de profissionais, de estudiosos e de outros pesquisadores.

Este Dicionário versa sobre duas áreas intimamente relacionadas. Pelos assuntos abordados, tanto ele pode servir a leitores especializados quanto àqueles movidos simplesmente por interesse cultural. Procurou-se dar ao texto forma simples e concisa, reservando-se tratamento mais detalhado aos termos básicos do universo das artes decorativas. O vocabulário relativo aos diversos passos que envolvem uma decoração de interiores mereceu um tratamento preciso, capaz de propiciar a comunicação que a matéria exige.

Deu-se especial atenção às artes decorativas no Ocidente, sua aplicação e execução, seus criadores, sua razão de existência, suas transformações. Entretanto, foi reservado um espaço a certos aspectos da cultura e da arte não ocidentais (em particular as do Extremo Oriente e as do Islã) como fontes que são de inspiração e de influência nas artes decorativas e suas ramificações.

O leitor poderá recorrer ao Dicionário para uma simples consulta. O mais certo, porém, é que venha a ser atraído por meandros inesperados. Assim, buscando saber a origem da palavra **faiança**, termina por se demorar no minucioso verbete **cerâmica**, para depois, através de uma referência, ler sobre **chinoiserie** e descobrir, mais adiante, no verbete **China**, informações sobre motivos simbólicos chineses. Ou então, se desejar saber algo sobre a longínqua *Queen Anne*, ser conduzido ao período **Dom João V** e chegar ao **Barroco**, à riqueza de nossa arte setecentista. Ou ainda, atraído por uma cadeira de **Breuer** e seguindo o filão, encontrar a **Bauhaus**, ou **Le Corbusier**, ou os caminhos do **design** no Brasil. Para tanto, organizou-se uma cerrada malha de remissões e confrontos.

Optou-se por não incluir, no rol dos verbetes, joias e artigos de vestuário, armas e instrumentos musicais e científicos, muito embora eles encerrem na feitura, na decoração e no acabamento, as características de peças decorativas.

Como complemento imprescindível a um trabalho deste gênero, estabeleceu-se um amplo repertório de ilustrações, sendo as fotografias, na maioria, colhidas em coleções particulares existentes no Brasil. Cerca de um terço representam peças provenientes dos acervos de famílias cariocas, paulistas, mineiras e pernambucanas. São reflexos da intimidade, do requinte, dos hábitos dessas famílias que, com naturalidade, se cercavam de coisas que fossem ao mesmo tempo úteis e belas.

Objetos herdados ou adquiridos - mais do que peças de adorno - eram coisas necessárias ao dia a dia; a estes se incorporavam outros, vindos de mãos amigas - os presentes, as lembranças - escolhidos a propósito para celebrar uma data, um acontecimento. Na sociedade brasileira oitocentista, essas peças refletiam preferências que se pautavam nos costumes e nas modas da Europa. E assim tinha que ser, já que todas elas provinham da tradição artístico/artesanal firmada no correr dos séculos, quer em Portugal, quer em outros países.

Neste espírito, cuidou-se de situar historicamente as palavras definidas e salientar ou mencionar sua significação no contexto social e artístico do Brasil e de Portugal.

Por decorrência natural, um número considerável de palavras e locuções estrangeiras enriquece a obra e, a título de subsídio, certos vocábulos do nosso léxico aparecem acompanhados de sua etimologia e da tradução em outros idiomas.

É este universo do útil e do belo que flui através dos verbetes deste Dicionário.

STELLA MOUTINHO
museóloga (diplomada pelo
Museu História Nacional,
turma de 1938) e lexicógrafa.

RÚBIA BUENO DO PRADO
decoradora

RUTH LONDRES
artista plástica

A beleza é o nome de qualquer cousa que não existe.
Que dou às cousas em troca de agrado que me dão.

Alberto Caeiro

Artes Decorativas

A palavra arte, no sentido etimológico e numa acepção ampla, abrange tudo aquilo que o homem pode executar para atender a suas necessidades valendo-se da faculdade de manipular, com saber e habilidade, certos elementos da natureza. Num conceito específico, considera-se arte tudo que o homem executa e que o conduz à fruição estética, à emoção, à reflexão, a uma visão interior sempre renovada. As artes decorativas, com suas implicações culturais, históricas, simbólicas, estéticas e afetivas, podem ser vistas sob esses dois prismas: voltam-se para as coisas concretas feitas e usadas pelo homem não só na dimensão de seu cotidiano, como também na de seu mundo imaginário ou religioso, de seu prazer estético. Cada objeto - do passado ou do presente - que nasce das mãos do artífice, fala aos sentidos pela visão e pelo tato; suas qualidades decorrem da natureza física do material usado e dos processos de execução e de decoração. § O artífice, realizando os mesmos gestos, fortaleceu a experiência de sua arte e deu origem a técnicas transmissíveis a outros artífices. Assim nasceram as artes da cerâmica, da madeira, dos metais, do couro, da tecelagem, da cestaria, que vão se estender a áreas específicas como a da ourivesaria, do esmalte, do marfim, da encadernação, da renda, dos trabalhos de agulha. Incontáveis obras foram preservadas pelo tempo e chegaram a gerações posteriores. Algumas destinavam-se ao homem comum; outras, as mais apuradas e de materiais mais raros, ao limitado número dos poderosos. São testemunhos da luta pela sobrevivência e pelo domínio, são manifestações da imaginação criadora que transcende o próprio objeto. § No Ocidente, as artes decorativas, na sua evolução, atingiram grande apuro nos sécs. XVII e XVIII fortalecidas por uma sólida tradição artesanal. Mas até a aurora da era industrial, essa variedade de objetos raros e/ou belos, frutos de técnicas estabelecidas, de estilos reconhecidos, de culturas diversas, não possuía uma rubrica comum. Cada ramo tinha suas definições e regras e repertório próprio afeto à respectiva corporação. A expressão "artes decorativas" só foi registrada pela primeira vez, na França (*arts décoratifs*), em 1791; talvez fosse a manifestação inconsciente de solidariedade face à ameaça dos novos meios de produção e distribuição. § As artes decorativas marcaram seu lugar - insubstituível - ao lado dos produtos industrializados. Não deixaram de seguir seu roteiro e constituíram a principal fonte de inspiração dos elementos ornamentais de objetos manufaturados: neles, e em suas decorações e formas multiseculares, vão se apoiar as "artes aplicadas". § Nas últimas décadas do séc. XIX, configura-se a nostalgia das puras criações artesanais e nascem novas experiências estéticas de cunho absolutamente original; o papel das artes decorativas revigora-se, seus modelos encontram um público interessado. A partir do séc. XX, elas convivem em harmonia com os produtos da estética industrial, com o que o *design* pode oferecer de mais prático ou mais original.

Decoração de Interiores

Na virada do séc. XIX, quando a arquitetura de vanguarda, reformando os conceitos de projeto e construção, dá destaque e prioridade aos detalhes e objetos de uma casa, nasce a decoração de interiores: a arte e a prática de estabelecer uma relação consciente entre o homem e sua morada. Ela se afirma como a arte de planejar e arrumar os espaços interiores produzidos pela arquitetura de modo a criar um ambiente propício para as pessoas se abrigarem, viverem, trabalharem. Apresenta-se, pois, como uma conquista do mundo moderno. § No Ocidente, muitos passos foram dados na história do modo de viver, marcado por migrações, guerras e mudanças políticas, econômicas e culturais, até que se alcançasse um certo grau de estruturação social (sécs. XIV e XV). Só então as casas começam a ser providas de móveis, de objetos não apenas utilitários, de certos traços de conforto e de qualidade de vida indispensáveis à privacidade. Nos séculos seguintes, ao lado do luxo e da magnificência das cortes, vão se instaurando ambientes menos formais, mais apropriados ao convívio social. Os salões setecentistas exibem mobiliário diversificado e primorosamente executado nas dimensões compatíveis com as pessoas que ali circulam, sentam-se, conversam, reúnem-se para as refeições. § Com o Neoclassicismo veem-se as primeiras tentativas de decoração integrada à arquitetura, nos meios aristocráticos. Entretanto, desde o final do primeiro quartel do séc. XIX as circunstâncias econômicas e sociais determinam novas formas de viver; nas casas burguesas opta-se por uma pseudodecoração desprovida de criatividade, opulenta, pesada, impessoal. Como consequência, nas últimas décadas do século, profissionais e diletantes, cansados desses ambientes, unem-se para criar casas planejadas de acordo com os novos ventos que sopram. Esse consenso renovador faz com que as donas de casa despertem para as possibilidades de um lar mais atraente em termos estéticos, e a elas se dirigem as primeiras revistas especializadas que, mais adiante, se multiplicam. Chega-se a uma qualidade de bem-estar e de bom gosto que decorre de um todo harmonioso concebido com competência. § Face à complexidade da vida moderna, a decoração de interiores se diversifica basicamente em dois ramos, um voltado para a decoração residencial e outro, com subdivisões específicas, voltado para a decoração não residencial. As atividades de seus profissionais se aprimoram; prendem-se de um lado à arquitetura, ao meio ambiente, à função social, à psicologia, às possibilidades econômicas e, de outro, ao mundo dos detalhes do fazer artesanal e do *design*. Isto torna-se possível pela justa aliança dos traços inerentes ao progresso com a cadeia de experiências acumuladas pela tradição.

Como consultar este dicionário

1

O dicionário se compõe de entradas com verbetes curtos referentes a definições e informações, e verbetes enciclopédicos que englobam dados históricos, técnicos, etc.

1.1 As entradas são em negrito e, nas palavras do vernáculo, indica-se a categoria gramatical e o gênero.

Exemplo

charão. *s. m.*

1.2 Excetuam-se as entradas constituídas por locuções, por nomes próprios e nomes de estilos e por palavras e locuções estrangeiras.

Exemplos

estampa japonesa. Xilogravura feita no Japão (...)

Loos, Adolf (1879-1933). Arquiteto tcheco (...)

Rococó. Estilo nascido na França por volta de 1730 (...)

Deutscheblumen. [Alem.'flores alemãs'.] Decoração floral naturalista aplicada à porcelana (...)

1.3 Certas palavras homônimas e homógrafas têm entradas separadas e numeradas com a função de distinguir os significados referentes a áreas específicas.

Exemplos

espelho¹. *s. m.* Superfície polida que reflete a luz (...)

espelho². *s. m.* V. escudete.

espelho³. *s. m.* V. degrau.

1.4 Cada verbete é dividido por sinais gráficos para facilitar a leitura; tais sinais são:

// separação por acepções

~ interrupção na mesma ordem de ideias

§ mudança na natureza das informações (história, técnica, decoração, etc.)

§§ referência a Portugal e/ou Brasil

• locuções em versalete

* Verbetes existentes no Dicionário (em verbetes enciclopédicos – como, p. ex., mobiliário –, dado o grande número de referências, omite-se a maioria dos asteriscos)

1.5 Certos vocábulos e locuções no interior do verbete são registrados em negrito quando se faz necessário dar realce.

1.6 No final dos verbetes indicam-se:

[ ] Entre colchetes, remissões para completar as informações [V. + outro verbete] ou [... v. tb. + outro verbete (ilustr.)] e para comparar [Cf. + outro verbete.]

Exemplo

Ming. Dinastia chinesa [V. China e porcelana chinesa de exportação, e v. tb. mandarim (ilustr.). Cf. Ch'ing.]

— O travessão remete:

a) A locução no interior do verbete.

Exemplo

Bukhara. (...) [V. tapete oriental – tapete turcomano]

b) À tradução, quando oportuno em outros idiomas: francês e inglês e, eventualmente, alemão, italiano e espanhol.

Exemplo

degrau. *s. m.* apoio do pé (...) [V. escada.] – Fr.: marche; ingl.: step; ital.: scalino; esp.: peldaño.

2 Nas entradas com palavras em outro idioma, indica-se, entre colchetes, a língua a que pertencem e, eventualmente, a tradução.

Exemplo

>**willow pattern.** [Ingl. 'motivo do salgueiro'.]

2.1 No corpo dos verbetes, as palavras estrangeiras são registradas em itálico.

Exemplo

>(...) Gallé chamou suas experiências *marqueterie du verre* (marchetaria do vidro)

3 Os verbetes com fio horizontal na abertura e no final, indicam a presença de ilustrações.

Exemplo

>**cômoda.** s.f. Móvel de encostar dotado de gavetas destinado a guardar roupas e outros objetos (...).

3.1 Os verbetes que aparecem sobre fundo reticulado, constituem referências biográficas e profissionais acerca de pessoas de destaque no campo dos assuntos tratados no Dicionário.

3.2 Como complemento a estes verbetes, elaborou-se um Índice Onomástico com dados relativos a pessoas mencionadas no curso da obra.

Exemplos

>**Aalto,** Alvar (1896-1976). Arquiteto e designer finlandês.

>**Aleijadinho.** Antônio Francisco Lisboa. dito o (1730-1814). Escultor, entalhador e arquiteto brasileiro

4 Abreviaturas

a. C.	antes de Cristo
acep.	acepção
adj.	adjetivo
alem.	alemão
alt.	altura
antr.	antropônimo
c.	cerca de
Cf.	confronte
cid.	cidade
cm.	centímetros
compr.	comprimento
d. C.	depois de Cristo
esp.	espanhol
fr.	francês
gr.	grego
ilustr.	ilustração, ilustrações
ingl.	inglês
ital.	italiano
jap.	japonês
larg.	largura
lat.	latim
loc.	locução
m.	metro
p. ex.	por exemplo
p. ext.	por extensão
pal.	palavra
pl.	plural
port.	português
prov.	provavelmente
rest.	restritivo
s.	substantivo
s. f.	substantivo feminino
s. m.	substantivo masculino
séc.	século
tb.	também
top.	topônimo
v	ver

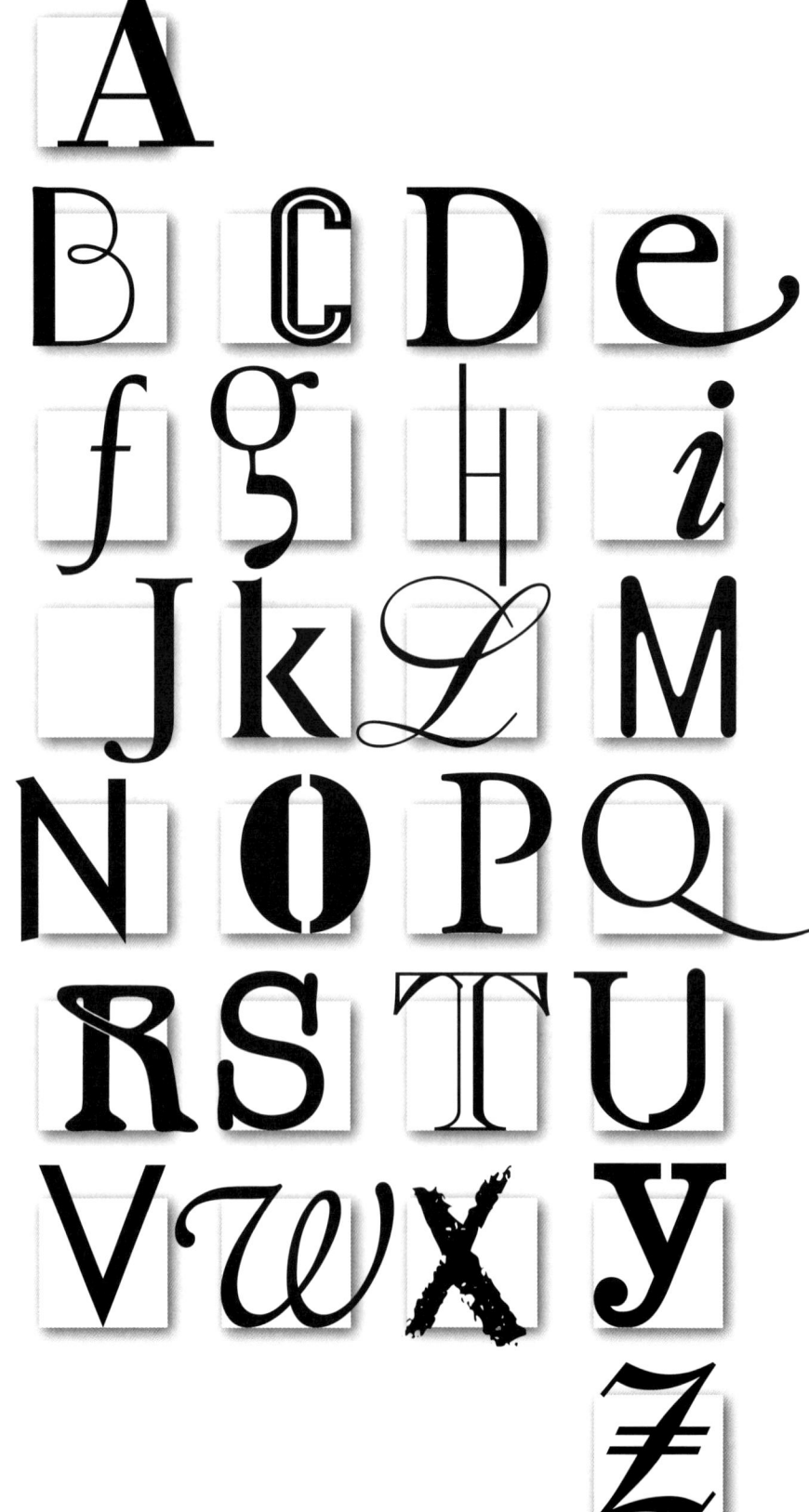

Aalto, Alvar (1896-1976). Arquiteto, urbanista e *designer* finlandês que representa com brilho o estilo escandinavo nesses diversos ramos. Suas ideias criam novas vertentes no campo do *design* e Aalto torna-se famoso por seus móveis de madeira vergada. Na época em que começam a fazer sucesso as cadeiras de estrutura metálica e tubular (de Stam, de Breuer), ele se inspira nelas para, corajosamente, dar tratamento não convencional à madeira, à velha madeira secularmente usada no mobiliário. Utiliza a bétula clara, acetinada quando polida, e muito resistente, mesmo encurvada. ~ Na década de 1930 Aalto fundou em Helsinki (Finlândia) uma firma para fabricar objetos, móveis e tecidos por ele criados, e negociar com esses artigos aos quais chamou "acessórios de arquitetura" – o que sugere, a um tempo, características funcionais e decorativas. ~ Os móveis de Aalto, bem como seus projetos arquitetônicos (Pavilhão da Finlândia na Exposição de Paris de 1937; Prefeitura de Saynatslo na Finlândia) revelam preocupação prática, elegância de linhas e um senso inato das formas e das texturas. [Cf. *design*, Internacional e Escandinávia.]

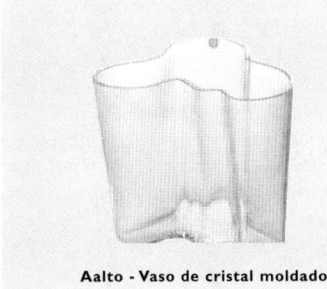

Aalto - Vaso de cristal moldado.

aba. *s. f.* Designação genérica das extremidades salientes de obras de alvenaria, de carpintaria, de serralheria, etc. // A parte dobrável do tampo de certas mesas e outros móveis. [V. mesa de aba e cancela. Cf. saia¹.]

ábaco. *s. m.* A parte superior do capitel* de uma coluna; tem por fim criar apoio para o arco ou a arquitrave. [V. coluna.]

abajur. [Do fr. *abat-jour*.] *s. m.* Acessório destinado a reduzir a intensidade da luz e/ou proteger a vista de um foco direto. Feito de pergaminho, cartão, plástico, vidro fosco, tecido e metal laminado, suas formas mais frequentes são o tronco de cone, o cilindro, a meia esfera (daí receber também a designação de cúpula). Pode pender do teto ou ser acoplado a um suporte de lâmpada. ~ No caso da lâmpada de mesa – que é também objeto de adorno – existe uma proporção a ser observada entre o abajur e o pé. A sobriedade da forma valoriza o suporte, enquanto pregas, franzidos, drapeados, vidros coloridos constituem, por si, pontos de interesse e pedem suportes lisos. Durante o período *Art Nouveau*, os abajures de vidro colorido, como os de Tiffany*, destacam-se pela beleza, pelo trabalho e pela imaginação. ~ O abajur é um objeto marcadamente decorativo, e por isto a palavra passou a designar também o conjunto cúpula-suporte nas lâmpadas de mesa. [V. lâmpada. Cf. pantalha.]

abelha. *s. f.* Inseto laborioso, produtor do mel. Simboliza a ordem, a prosperidade, o poder. ~ Sua importância era tanta para o homem antigo que, entre os hebreus, representava a alma e o verbo e, entre os gregos, a deusa Deméter e a ressurreição. Depois, foi dada como exemplo pelos mestres da Igreja. ~ A abelha é motivo ornamental característico do estilo Império*. Napoleão Bonaparte, ao adotá-la como símbolo, teve em vista suas qualidades e impôs a seu desenho a forma de uma flor de lis invertida (sugerindo a vitória da Revolução sobre a realeza na França).

abóbada. *s. f.* Em arquitetura, teto de superfície encurvada, que deixa livre um espaço interno mais ou menos amplo. A abóbada é construída de pedras ou tijolos (aduelas) apoiados uns nos outros de modo a suportar o próprio peso e as cargas externas; equilibra-se por meio de pontos de apoio (pés-direitos ou encostas) em paredes ou pilastras. Difere do arco quanto à função e à forma: este demarca um vão, enquanto a abóbada cobre uma área. ~ A evolução da abóbada acompanhou os progressos da técnica de construção.

Abóbada de aresta Abóbada de berço Abóbada de barrete de clérigo

Conhecida na Antiguidade, surge nas construções da Suméria (III milênio a.C.); a abóbada da cripta mortuária de Micenas (Grécia) data de cerca de 1500 a.C. Não aparece em nenhuma construção grega do período clássico, mas renasce em Roma e passa a desempenhar importante papel na arquitetura ocidental. Caracteriza o espaço interno das igrejas e abadias românicas, das catedrais góticas, dos edifícios e igrejas renascentistas e de construções posteriores. [Cf. arco.] – Fr.: *voûte* e *arche*; ing.: *vault*; alem.: *Gewolbe*; esp.: *bóveda*. • Tipos de abóbada: *abóbada de arestas*; *abóbada de barrete de clérigo* ou *de claustro*; *abóbada de berço*, *de canudo*, *de pleno cimbre* ou *semicilíndrica*; *abóbada de lunetas*; *abóbada em cúpula*; *abóbada ogival*.

abrash. [Pal. árabe.] *s. m.* Nos tapetes orientais, modificação na intensidade do colorido que se observa no sentido da trama* em faixas mais ou menos amplas. O *abrash* deve-se ao uso, por parte dos nômades, de lãs que receberam banhos de tintura em ocasiões diferentes. Pode, à primeira vista, parecer um defeito, mas é, ao contrário, a prova de que o tapete é antigo e de que nele foram usados corantes vegetais. [V. tapete oriental.]

Detalhe de tapete (parte).

abstracionismo. *s. m.* Manifestação artística que se caracteriza pelo emprego da matéria, das formas, das linhas ou das cores por si mesmas, sem que representem coisas reais ou imaginárias. Nas artes plásticas, expressa livremente, e de modo subjetivo, a sensibilidade do artista e seu mundo interior, sem depender de um conteúdo figurativo. ~ Como corrente estética, surge no início do séc. XX, e apresenta duas tendências características: uma, sensível e informal, em que cores e formas são ditadas por um impulso emotivo; outra, formal e geométrica, em que predomina um planejamento intelectual, racional. Entre seus representantes destacam-se, no primeiro caso, Kandinsky, Delaunay, Pollock, Paul Klee, Miró; no segundo, Mondrian, Vasarely. [V. abstrato.]

abstrato. *adj.* Nas artes plásticas e decorativas, diz-se de qualquer forma não objetiva (livre ou geométrica) desligada de uma representação formal, ou seja, independente do aspecto exterior de que as coisas se revestem e por meio do qual são reconhecidas. // Que pertence ou é relativo ao abstracionismo* em qualquer de suas manifestações § As formas abstratas têm sido sempre usadas em diferentes épocas e civilizações; assim, na Grécia antiga, é notável a decoração abstrata da cerâmica na chamada fase geométrica. A decoração islâmica e a marajoara são também exemplos do tratamento abstrato em formas mais ou menos elaboradas. ~ Motivos abstratos são amplamente empregados como elementos decorativos em ornatos de fachadas, móveis, azulejos, tecidos, papéis de parede, etc. [Cf. figurativo.]

acabamento. *s. m.* Modo de tratar os elementos empregados no arremate final, na conclusão de uma obra (de alvenaria, de cerâmica, de pintura, de marcenaria, etc.). É fator que depende em grande parte do artífice, e deve atender às condições técnicas e ao lado estético, conferindo à obra marca de qualidade. [Cf. *antique finished.*]

acadêmico. *adj.* Relativo ou próprio do academismo; orientado para regras e cânones tradicionais, corretos, ligados a uma noção determinada de beleza. // Diz-se, com sentido depreciativo, do artista e/ou da obra que se prende ao já feito, a um convencionalismo desprovido de imaginação, alheio a qualquer inovação.

academismo. *s. m.* Nas artes plásticas, doutrina surgida na Itália em fins do séc. XVI como reação às liberdades do maneirismo*; pregava a volta aos modelos clássicos da Antiguidade e do Renascimento. Dela originou-se um método de ensino em que se ministram lições com base nas concepções estéticas do classicismo. ~ O termo italiano *accademia* foi criado pelos irmãos Caracci para sua *Academia de pintura*, de Bolonha (Itália), em 1592, e tem origem na palavra grega que designava o *Jardim de Academo* onde Platão ensinava. [Cf. classicismo.]

acaju. [Pal. de origem tupi, através do fr. *acajou*.] *s. m.* Designação comum a diversas madeiras de cor avermelhada, entre elas o mogno.

acanto. *s. m.* Planta espinhosa nativa da região mediterrânea cuja folha, por seus recortes acentuados, inspira expressivo motivo ornamental. Na Grécia antiga aparece como elemento típico do capitel da ordem coríntia e depois, em Roma, da compósita. No mundo greco-romano, as folhas de acanto são encontradas como ornatos em edifícios, monumentos funerários, adereços de cerimônia. ~ Tal é o apelo decorativo do acanto, que os estilos podem ser diferenciados pela forma dada a sua folha: bordas agudas entre os gregos, arredondadas em Roma, rígidas e estilizadas na arte bizantina e românica, naturalista no gótico, acompanhada de gavinhas no Renascimento. Artistas e artesãos repetem tais modelos nos estilos subsequentes; a riqueza de suas linhas curvas faz desse motivo um dos preferidos nos relevos, nos acabamentos de móveis e objetos do Barroco. No mobiliário inglês, a partir do séc. XVII, a folha de acanto marca os joelhos*, os pés e outras partes dos móveis e esse gosto se estende aos outros países da Europa. §§ O acanto aparece no móvel português e brasileiro do séc. XVIII, por influência inglesa. Na arquitetura barroca brasileira é motivo ornamental e sofre muitas vezes alterações compreensíveis dada a distância dos modelos originais. [V. ordem coríntia e ordem compósita. Cf. cardo.]

acessório. *s. m.* Cada um dos elementos que completam uma decoração; são destinados ao embelezamento e/ou ao conforto ambiental (cortinas, luminárias, etc.) ou à aplicação funcional em escritórios, banheiros e cozinhas. De grande importância no planejamento de interiores, sua escolha (como a dos detalhes e dos objetos de adorno) manifesta o gosto pessoal na criação de um ambiente.

acharoado. *adj.* e *s. m.* Diz-se de ou pintura que se aplica a um móvel ou a outro objeto e que imita o verdadeiro charão. ~ Como o ingrediente essencial deste verniz oriental – a resina da *Rhus vernicifera* – não podia ser obtido na Europa, a partir do fim do séc. XVII passou a ser empregada substância análoga aplicada em diversas camadas com a mesma técnica da laca, nas cores negra, vermelha e verde. Algumas peças são de tal perfeição que não seria possível distingui-las dos trabalhos orientais se não fossem os motivos decorativos, em geral *chinoiseries**, de gosto nitidamente europeu. Essa decoração era feita sobre a pintura com pó de ouro fixado com mordente. Móveis, caixas, relógios, escritórios recebiam esse tratamento e conheceram grande voga no séc. XVIII. No séc. XIX, bandejas, biombos, mesinhas acharoadas têm ramos de flores e outras decorações românticas; o material usado é a madeira, o *papier mâché*, o ferro, o papelão, conforme a peça. §§ Móveis acharoados, alguns de feitio achinesado, foram feitos em Portugal na época de D. João V e D. José I. [V. charão. Cf. lacado e *vernis Martin*] – Fr.: *laqué*; ingl.: *japanned, lacquered*; alem.: *Lackiert.*

aclive. *s. m.* Inclinação de terreno considerada de baixo para cima. [V. declive e rampa.]

aço. *s. m.* Designação de diversas ligas de ferro e carbono que, tratadas por processos especiais são capazes de adquirir propriedades de maleabilidade e elasticidade sem perda de resistência. O aço é a liga metálica que pode atingir maior dureza. Sua superfície apresenta-se lisa e brilhante, mas pode ser lavrada, pintada, etc. Até o advento do aço inoxidável, foi material sujeito à oxidação e à corrosão e merecia cuidados especiais para ser conservado. ~ A produção do aço foi, a princípio, limitada (por dificuldades técnicas e custo elevado), atingindo proporções consideráveis a partir da era industrial, com aplicações extremamente diversificadas. O uso do aço abrange desde armas, meios de transporte, construção civil, ferramentas e maquinaria, até o mobiliário, utensílios domésticos, objetos de adorno, obras de arte. Apesar de conhecido desde a Antiguidade, o seu emprego na arquitetura (junto com o vidro e o concreto) tornou-se, a partir de meados do séc. XIX, decisivo na evolução desta arte e da decoração. [Cf. ferro.] – Fr.: *acier*; ingl.: *steel*; alem.: *Stahl*; esp.: *acero*.

aço inoxidável. Aço especial resistente aos agentes da corrosão e que, segundo a composição química, se classifica pela percentagem de cromo e, eventualmente, de cromo e níquel. É material de tonalidade cinzento-prateada cuja superfície pode ter polimento acetinado, escovado, espelhado ou opaco. Em muitos casos, o aço inoxidável, por ser mais resistente e de menor custo, substitui com vantagem o alumínio ou as ligas metálicas revestidas de banho de prata. Vale ressaltar seu emprego na fabricação de talheres (inicialmente foi usado apenas nas lâminas das facas), em certos instrumentos e em objetos pré-moldados como cubas e bancadas de pias, baixelas, etc. ~ Uma de suas modalidades é o aço escovado, de aspecto fosco e nobre, muito usado nas estruturas de móveis de linha contemporânea. Em chapas recortadas, reveste paredes e tetos, criando atmosfera sofisticada. – Fr.: *acier inoxydable*; ingl.: *stainless steel*; alem.: *Rostfreier Stahl*.

acrílico. *s. m.* Resina sintética transparente e de grande resistência, derivada do petróleo. Em placas, substitui o vidro nas mais diversas aplicações, sendo mais brilhante do que este; risca-se, porém, com facilidade. Qualquer objeto transparente pode ser moldado em acrílico. Colorido ou não, esse material é empregado em objetos de adorno (caixas, porta-retratos, múltiplos), em acessórios de mesa, de escritório, de banheiro, em suportes variados. Possibilitando bonitas combinações de cores, é usado também em vitrais, divisórias, painéis, abajures. [Cf. vidro.]

açucareiro. *s. m.* Vasilha de prata, porcelana, louça, estanho, metal prateado, aço, ágate, etc., em que se serve açúcar. § A utilização do açucareiro no Ocidente acompanha a expansão do consumo do açúcar como adoçante, e é relativamente recente. Os árabes, que usavam o açúcar para fins medicinais, introduziram-no na Espanha no séc. VIII e a cana passou a ser cultivada no sul da Europa atingindo até mesmo a ilha da Madeira. Era produto escasso e, como as especiarias, de alto valor; ministrado principalmente como sedativo, raramente era usado para adoçar bebidas ou na confeitaria. Seu consumo aumentou depois que a cana foi levada para o Novo Mundo e passou a ser cultivada em maior escala. No Brasil, os portugueses estabeleceram os primeiros engenhos em S. Paulo, em 1532, e os canaviais se espalharam por diversos pontos do litoral. ~ No séc. XVII o açúcar figura nas mesas de luxo, mas ainda é raro e de alto preço; há mesmo referências a ele em inventários e presentes de casamento. No séc. XIX o mercado de açúcar na Europa apresenta nova alternativa: o açúcar de beterraba, descoberto no século anterior e que tem aspecto e propriedades análogas ao da cana. § As diferentes formas de açucareiro, algumas muito decorativas, correspondem aos tipos de açúcar (o mascavo, o cristalizado, o refinado em pó ou em cubos). Até o séc. XIX, guardado como preciosidade, o açúcar era servido em caixas, em geral de prata, e fechadas à chave. Mas já nessa época surgem outros recipientes de prata, de porcelana decorada que passam a fazer parte dos serviços de chá e café; são geralmente dotados de tampa e duas alças. Nos serviços ingleses esses açucareiros não têm tampa: destinam-se ao açúcar em tablete servido com pinça. ~ Aliás, na Inglaterra, os açucareiros assumem variadas formas: *sugar casters*, cestas de prata rendada com alça e interior de vidro ou, um curioso recipiente que imita uma pá usada nas minas de carvão e que é depositado num suporte. [V. *caster*.] – Fr.: *boîte à sucre*, *sucrier*; ingl.: *sugar bowl*, *sugar basin*, *sugar basket*, *sugar box* (conforme a forma); alem.: *Zukerdose*.

Açucareiro de prata portuguesa com friso em relevo e gomos.   **Açucareiro de antimônio.**

acústica. *s. f.* Parte da física que trata da natureza, da produção, da propagação e da recepção do som. ~ Em arquitetura, é objeto de técnicas que garantem boa propagação do som num determinado ambiente. As vibrações sonoras incidem nas superfícies do local onde o som é emitido e, conforme a disposição destas superfícies e/ou de suas características, obtém-se melhores ou piores condições sonoras. Consegue-se uma boa acústica quando, em qualquer ponto do ambiente, ouve-se, sem alteração, sem eco e com boa ressonância o som produzido num determinado ponto. ~ Nos teatros, nas salas de concerto ou de aula, etc., a capacidade de propagação do som está subordinada às leis da física e da arquitetura. Na Antiguidade, eram notáveis as qualidades acústicas dos teatros ao ar livre (como o de Epidauro, na Grécia), em que as próprias disposições topográficas do local eram aproveitadas com excelentes resultados. § Nas salas de som, os fatores importantes para uma boa acústica são a forma do local, o tamanho e a localização do emissor ou emissores (alto-falantes). Para evitar distorções, é necessário equilibrar com cuidado os materiais utilizados nos revestimentos; os porosos absorvem principalmente os sons agudos, e os não porosos os graves. Elementos que proporcionam boa acústica são materiais estofados, piso acarpetado, teto em planos refletores, além de paredes com revestimento próprio.

Adam. Estilo decorativo inglês de características neoclássicas. [V. Adam, Robert.]

Adam, Robert. (1728-1790) Arquiteto e decorador inglês do terceiro período georgiano. Depois de uma viagem à Itália, introduziu na Inglaterra um novo estilo que tomou seu nome e foi inspirado especialmente nas decorações pompeianas e no palácio de Diocleciano em Spalato. Com seus irmãos John e James, conseguiu atingir uma unidade fundamental em todo o esquema de sua arte, a arquitetura, integrando nesta a decoração, e conferindo-lhe características neoclássicas. ~ Adam utiliza formas leves de estuques em medalhões, frisos, painéis ou em elegantes escadarias; emprega também uma nova gama de cores como o rosa-velho, o verde-amêndoa, o azul claro, o cinza, o amarelo-palha dispostos numa suave policromia. O mobiliário, em geral de mogno, tem estrutura elegante e simples, com curvas escassas, dimensões equilibradas, ornamentação com festões, entalhes, colunas estriadas e caneladas; certos exemplares são dourados ou pintados. Sobre as lareiras de mármore, pela primeira vez aparecem os espelhos. O estilo Adam influenciou, na Inglaterra, outros estilos como Hepplewhite e Sheraton e também exerceu forte influência no mobiliário dos E.U.A., através da colonização inglesa. §§ Em Portugal e no Brasil, reflete-se no estilo Dona Maria I. [V. Neoclássico e georgiano. Cf. Hepplewhite e Sheraton.]

adega. [Do lat. *apotheca*, 'depósito de comestíveis'.] *s. f.* Parte de uma casa destinada, geralmente, a guardar e conservar bebidas. Requer condições especiais: temperatura uniforme (entre 10 e 18 graus centígrados), umidade moderada, possibilidade de renovação de ar, isolamento de vibrações do exterior. Na Europa, a adega ocupa tradicionalmente o subsolo das antigas construções e tem, por natureza, essas condições ideais. Entre nós, quer devido ao clima, quer ao tipo de construção, é preciso, em geral, recorrer a revestimentos específicos (pedra, tijolos vidrados, etc.). ~ Em Portugal, diz-se cave. – Fr.: *cave*; ingl.: *wine cellar*; alem.: *Weinkeller*.

adobe. [Pal. de origem árabe.] *s. m.* Tijolo de barro, seco ao sol. Para ganhar mais consistência, juntam-se-lhe, às vezes, fibras vegetais. É material conhecido desde a Antiguidade, muito usado em certas regiões do Oriente Médio, das Américas Central e do Sul. As construções são de pouca resistência à água e aos choques, por isto raros exemplares se conservam. O adobe é, até hoje, empregado em muitas circunstâncias, especialmente nas regiões secas. [Cf. taipa.]

aduela. *s. f.* Pedra ou tijolo em forma de cunha que, nas construções, entra na composição de superfícies curvas de proteção (arcos* e abóbadas*). A aduela central de um arco chama-se *pedra de fecho* ou *chave*. // A face interior da ombreira, voltada para o vão da porta ou da janela.

afastamento. *s. m.* Em decoração, espaço livre que permite a circulação, ou produz o equilíbrio de um ambiente, no que toca à disposição dos móveis. Para fins de cálculo de espaço, numa planta-baixa, leva-se em conta a largura, a profundidade de cada móvel em relação ao cômodo. [Cf. Hoffmann, J.]

Afghan. Tapete oriental originário do Turquestão e do Afeganistão (Ásia). Outrora produzido pelos nômades, é, atualmente, fabricado em manufaturas. Caracteriza-se pelo colorido: fundo vermelho escuro com motivos azul-marinho, pretos, ou, às vezes, marrom-avermelhados. Esses motivos constam de grandes *guls* estilizados, regularmente dispostos, e de barra larga com diferentes faixas (gregas, motivos florais). O veludo é alto e os tapetes têm de 1.000 a 2.500 nós por decímetro quadrado. [V. *gul* e tapete oriental – tapete turcomano.]

Tapete Afghan (parte). (séc. XIX)

afresco. *s. m.* Nas artes plásticas, técnica de pintura mural em que os pigmentos são dissolvidos em água e aplicados sobre a argamassa ainda úmida; quando secas, as tintas se cristalizam e adquirem grande durabilidade e resistência. ~ O afresco foi conhecido desde a Antiguidade (Mesopotâmia, Egito, Creta, Grécia, Roma); desempenhou importante papel na arte cristã do Ocidente, nas igrejas românicas, na arte italiana pré-renascentista (Giotto) e no Renascimento (são famosos os afrescos de Rafael e Miguel Ângelo no Vaticano). §§ No Brasil, destacam-se, entre muitos, os afrescos do teto do Teatro Municipal, de Eliseu Visconti, e os de Portinari para o antigo Ministério da Educação e Saúde, atual Palácio Gustavo Capanema, ambos no Rio de Janeiro. ~ Tb. se diz fresco. [V. pintura.]

ágata. *s. m.* Pedra de brilho ceroso, formada de zonas concêntricas de diferentes cores. Há diversos tipos de ágata e a maioria apresenta-se em tons de terra, em marrons avermelhados com zonas de formas muito curiosas. Desde a Antiguidade essa pedra foi usada na fabricação de joias, inclusive de camafeus. As ágatas simplesmente cortadas e polidas podem figurar, por sua beleza, como objetos de adorno (cinzeiros, pesos de papel, placas, etc.). §§ A ágata é encontrada no Brasil em certas rochas basálticas, no solo e no leito dos rios, e suas variedades são muito apreciadas no estrangeiro e exportadas quer em peças trabalhadas, quer em bruto. [Cf. ônix.]

ágate. *s. m.* Ferro esmaltado usado em utensílios de cozinha e de higiene, em material de ambulatórios e hospitais, etc.; é de fácil manutenção, entretanto a superfície esmaltada pode rachar ou quebrar com facilidade. Por isso, hoje, o ágate é substituído por outros materiais como o aço inoxidável, o vidro temperado, etc.

aglomerado. *s. m.* Placa prensada, de maior ou menor espessura, constituída de partículas de madeira (de uma ou mais qualidades) às vezes misturadas a outros materiais (fibras, feltro). As partículas são unidas por uma resina sintética e submetidas a prensagem a alta temperatura. Os aglomerados apresentam-se em dimensões padronizadas e normalmente se empregam em trabalhos que exigem solidez e peso, como portas, armários embutidos, tampos de mesa, etc. A superfície é bruta e necessita acabamento (folheado de madeira de lei, laminado, etc.). Material resistente e econômico, o aglomerado tem a vantagem de não empenar. No revestimento de paredes constitui ótimo isolante térmico e acústico. [V. madeira. Cf. compensado.]

água. *s. f.* Em arquitetura, superfície plana e inclinada de um telhado por onde escorrem livremente as águas da chuva. Os telhados podem ser classificados por essas vertentes inclinadas: telhado de uma água, de duas águas. (Curiosamente, o telhado de um só plano é chamado de "meia-água".) [V. telhado.]

aguada. *s. f.* Nas artes plásticas, técnica de pintura que consiste em colorir uma superfície, geralmente de papel, com tinta diluída em água; produz formas com delicados efeitos de esbatido. Originária do Extremo-Oriente, a técnica difundiu-se na Europa durante o séc. XVII. – Fr.: *lavis*; ingl.: *wash*.

água-forte. *s. f.* Nas artes plásticas, processo de gravura funda que aproveita a ação corrosiva do ácido nítrico (*acqua fortis*) nas partes expostas da superfície de uma chapa, em geral de cobre, recoberta com verniz de cera. O desenho é feito na cera com um estilete de ponta de aço que risca fundo e deixa a nu o metal; seguem-se a mordedura (banho em solução de ácido), a limpeza da chapa, a aplicação da tinta e a impressão sobre papel. A reprodução é feita em série, e o valor das gravuras depende da tiragem. É uma técnica em que predomina o traço, e em que se usa, em geral, tinta preta; com ela pode-se obter excelentes efeitos de claro-escuro. A água-forte surgiu no séc. XVI e entre os primeiros aquafortistas encontram-se Dürer e Jacques Callot; notáveis obras nessa técnica foram produzidas por Rembrandt. [V. gravura².] – Fr.: *eau-forte*; ingl.: *etching*.

água-furtada. *s. f.* Vão do telhado, entre as tesouras, que se atinge por escada própria, e que é aproveitado como dependência da casa (quarto, depósito, estúdio, etc.). [V. mansarda.]

águia. *s. f.* Ave de rapina de notável vigor. Seu voo alcança grandes alturas, é, por isto, símbolo religioso no Oriente e símbolo de poder no Ocidente. ~ Os antigos diziam que encarnava a principal divindade celeste – o Sol – e ninguém ousava fixá-lo sem que seus olhos se queimassem. Na Grécia era atributo de Zeus (Júpiter) e foi adotada como emblema por César, por Napoleão, por diversas nações. A tradição confere à águia poderes excepcionais, colocando-a acima das contingências terrestres. No cristianismo é o atributo de S. João Evangelista. ~ A águia é a mais nobre das figuras heráldicas, aparece de frente com a cabeça de perfil, de asas abaixadas (como nos emblemas napoleônicos e nas armas dos E.U.A.). A águia de duas cabeças figura nas armas imperiais da Áustria e da Rússia. § Como elemento decorativo a águia assume essas mesmas formas nos ornatos arquitetônicos, no mobiliário, na prataria, e em outras peças como, p. ex., nos espelhos côncavos norte-americanos surgidos na época da Independência, ou em certas estantes de igreja esculpidas em forma de águia com as asas estendidas.

alabastro. *s. m.* Pedra calcária ou gipsífera finamente granulada, translúcida e esbranquiçada, de fácil polimento, e com a qual se fazem lustres, esculturas, peças de adorno. De aspecto semelhante ao do mármore, não possui a mesma resistência deste.

albarello. [Ital.] *s. m.* Recipiente de cerâmica muito popular na Europa, desde a Idade Média, e que se destinava a guardar drogas, ervas, etc. Sua forma é aproximadamente cilíndrica, com uma leve depressão central; não tem tampa e o gargalo (pargo) apresenta uma reentrância na borda para que ali se adaptasse e amarrasse uma folha de pergaminho. ~ Esta peça, de origem persa, passou a ser fabricada na Itália no séc. XV, em maiólica, e ostenta a decoração característica dessa louça; outras manufaturas do oeste europeu, inclusive as de Portugal, também produziram *albarelli* muito populares até o fim do séc. XVIII. A peça tem sido reproduzida para fins decorativos especialmente em cerâmica italiana. ~ Em Portugal, dizia-se *canudo de farmácia*. [V. maiólica. Cf. pote de farmácia.]

Alcobaça. [Cid.] Centro de cerâmica popular portuguesa.

Alcora. [Top. esp.] Importante fábrica de faiança espanhola fundada no início do séc. XVIII, e de cuja equipe faziam parte oleiros de Moustiers. Produziu, além de pratos e placas com grotescos*, bustos de negros e centros de mesa. No estilo Rococó, realizou peças ousadas em cores de alta temperatura (placas com pinturas e molduras vultosas, estatuetas de mulheres com trajes típicos, jarros-d'água). A marca de Alcora é um "A" maiúsculo. [V. cerâmica (*grand feu*), faiança e Moustiers. Cf. Talavera de la Reina.]

alcova. *s. f.* Espécie de nicho encaixado no interior de um quarto e reservado somente à cama; pode ser fechado ou não. Na Idade Média, e até o advento da cama como móvel independente, era a solução habitual. No período renascentista e mesmo no Barroco, a alcova se distinguia pela presença de uma balaustrada ou de arcos ornamentados que a isolavam. É usada até hoje nas casas de camponeses de certas regiões. // No Brasil colonial, designação de quarto interno onde dormiam moças solteiras. Nas casas antigas, com longos corredores, sobretudo nas geminadas, era quarto de dormir pequeno, abrindo para o interior. // P. ext., quarto de dormir, especialmente de casal.

aldrava. *s. f.* Peça de metal com uma parte móvel e outra fixada à folha anterior da porta de entrada; percutida, chama a atenção de quem está dentro de casa. Seu uso deu ensejo a trabalhos artesanais bastante decorativos (carrancas e máscaras de leão com argolas, mãos de bronze, figuras femininas, etc.). // Tranqueta de madeira ou de metal de simples manejo para abrir ou fechar portas e janelas.

Aldrava de ferro (MG - séc. XIX)

alegoria. *s. f.* Composição artística (literária, pictórica ou escultórica) na qual imagens fictícias expressam ideias abstratas ou associações em diferentes níveis de compreensão ou de interpretação. ~ Na literatura, como a fábula e a parábola, utiliza a linguagem dos símbolos quer nos relatos das primitivas cosmogonias, quer nos temas do Antigo e do Novo Testamento. No Ocidente, essas alegorias verbais foram, naturalmente, transpostas para as artes visuais e, na iconografia medieval, representam os temas do Evangelho ou os dogmas cristãos; com o Renascimento reaparecem motivos alegóricos greco-romanos e de outros povos da Antiguidade. § Grandes artistas têm elevado a alegoria ao mais puro simbolismo: Botticelli (o quadro *A Primavera*); Veronese (os painéis *A União Feliz*, *A Infidelidade*, *O Respeito* e *A Decepção* ou *As Penas do Amor*); Bronzino (o quadro *Alegoria da Luxúria* ou *Vénus, Cupido e o Tempo*); Tiepolo (o teto da Rezidenz de Würtsburg *Alegoria do Casamento*); Boucher (o quadro *Cupido Prisioneiro*); Rude (a escultura *A Marselhesa*); Klimt (os murais da Universidade de Viena, *A Medicina*, *A Filosofia*, *A Jurisprudência*); Picasso (o painel *Guernica*); Portinari (os painéis *A Guerra* e *A Paz* do Palácio das Nações Unidas em Nova Iorque). ~ A alegoria presta-se ao tratamento formal e enfático do realismo acadêmico, valorizando temas históricos e morais, como em muitas obras do séc. XIX. § As artes decorativas valem-se da alegoria em objetos de culto e de poder e peças ornamentais para expressar as crenças, os valores morais, as imagens abstratas; sua recorrência tem tratamentos tão diversos quantos são os meios empregados, as civilizações, os estilos. Merecem destaque as alegorias galantes na pintura da porcelana e nas estatuetas do Rococó (séc. XVIII), tendo como assunto, p. ex., as Estações, as Virtudes, os Quatro Elementos, os Ofícios, e, especialmente, o Amor, representado em inúmeras figuras de Cupido.

Aleijadinho. Antônio Francisco Lisboa, dito o (1730-1814). Escultor, entalhador e arquiteto brasileiro nascido em Vila Rica, atual Ouro Preto. Filho do arquiteto e mestre de obras português Manuel Francisco Lisboa, e de sua escrava Isabel, iniciou com o pai o aprendizado artístico e, na "escola viva" que era a elite artesanal de Vila Rica teria ampliado seus conhecimentos. As obras do Aleijadinho começam a aparecer por volta de 1760 (talhas da Igreja de Caeté; Fonte do Padre Faria, em Vila Rica, esta a primeira obra em pedra-sabão). Considera-se de sua autoria o risco da Igreja de São Francisco de Assis (Ouro Preto). Dedicou-se por cerca de trinta anos ao desenho e à execução de frontispícios, retábulos, portadas, etc., para as igrejas de Sabará, São João d'El Rei e outras cidades mineiras. Esculpiu imagens em madeira e pedra-sabão, como, p. ex., São Miguel para a igreja de São Miguel das Almas em Ouro Preto; São Pedro Nolasco e São Raimundo Nonato, imagens de roca* para a igreja das Mercês e Perdões em Ouro Preto; o Cristo crucificado para a igreja de Catas Altas. Em 1790, recebeu a encomenda das figuras dos Passos da Paixão para o Santuário de Bom Jesus de Matosinhos, da cidade mineira de Congonhas do Campo, e em 1800 a dos Doze

Profetas para o adro da Igreja. Em 1810 desenhou o frontispício da Igreja Matriz de Santo Antônio de São José d'El Rei (atual Tiradentes, também em Minas). Aos 50 anos, contraiu moléstia deformante que o mutilou gradativamente, atormentando-o até a morte; trabalhava no fim da vida com imensa dificuldade, as ferramentas atadas ao que lhe restava das mãos. Artista de grande poder inventivo, teve a capacidade de assimilar os modelos europeus a seu alcance, reelaborando-os e dando-lhes o cunho de sua personalidade e de suas vivências. As obras de Antônio Francisco Lisboa, especialmente as da maturidade, representam uma valiosa contribuição para o Barroco ocidental. [V. Barroco e Barroco brasileiro.]

Profeta Ezequiel. Escultura em pedra sabão (1800-1805).
Aleijadinho, Congonhas do Campo-MG

alfaia. *s. f.* Designação comum a móveis, colchas e outros objetos úteis ou de adorno, de uso coletivo ou pessoal. A palavra é de origem árabe e, não raro, se associa à ideia de suntuosidade e luxo nas casas, palácios, igrejas; aparece com frequência em antigos inventários. [Cf. arca.]

algodão. *s. m.* Tecido natural feito com as fibras puras do algodoeiro; são fibras com qualidades têxteis excepcionais e que apresentam elasticidade, brilho e propriedades de absorção. § A tecelagem do algodão já era conhecida na Índia, talvez desde o II milênio a.C. Teria chegado ao Egito em épocas remotas; os egípcios que praticavam a tecelagem do linho já nas primeiras dinastias, produziram tecidos de algodão da melhor qualidade (fibra longa) por volta do séc. V. a. C.; as faixas de algodão que envolviam as múmias são de tecido tão fino quanto os dos modernos teares mecânicos. Os gregos teriam conhecido o algodão através das expedições de Alexandre Magno na Ásia (séc. III a. C.). ~ Na Europa, o algodão parece ter sido introduzido pelos árabes (séc. VIII) e, nos países ocidentais, logo se inicia, de forma incipiente, a sua produção, em nada competindo com a da lã e a do linho. ~ Na América pré-colombiana a fibra já era trabalhada, e são notáveis os tecidos artísticos encontrados no Peru; alguns indígenas do Brasil, à época do descobrimento, produziam tecidos muito rudimentares. § A fiação e a tecelagem do algodão desenvolveu-se no séc. XVIII com as inovações técnicas introduzidas na manufatura de tecidos. Alarga-se o cultivo do algodoeiro que passa a ser relevante fator econômico para a Inglaterra e os E.U.A. Este país, a Índia, a China, o Egito, e também o Brasil, são importantes produtores. § O fio do algodão constitui matéria-prima para tecidos das mais variadas qualidades, desde sacaria (algodãozinho) até panos finos (opala, voile, fustão, cretone, percal, cetim de algodão, chintz, e muitos outros), além de produtos como linhas, barbantes, etc. O algodão tem diferentes aplicações para o vestuário e para a casa; é fresco, de fácil lavagem, resiste à maresia e presta-se para a estamparia em padronagens e técnicas diversas. Atualmente, são comuns os tecidos mistos de algodão e fibras sintéticas. [V. estamparia[1] e tecelagem. Cf. linho.] – Fr.: *coton*; ingl.: *cotton*; alem.: *Baumwolle*.

alizar. [Pal. de origem árabe 'aquilo que cobre', 'túnica'.] *s. m.* Antiga designação do revestimento de parede feito com madeira, azulejo, mármore, etc., e que vai até certa altura ou chega até o teto, [Cf. lambri.] // Guarnição de madeira que cobre a junção da esquadria das portas e janelas com a parede, e que dá a esta o arremate necessário; nas portas, o alizar recebe , em geral, o mesmo acabamento do rodapé. [Cf. marco.] // Régua assentada no piso para proteção das paredes, impedindo que sejam riscadas por encosto de cadeira ou por outro móvel.

almofada[1]. [Pal. de origem árabe.] *s. f.* Peça macia, mais ou menos fofa, que serve para repousar o corpo e é feita de material flexível (pano, couro e congêneres) geralmente forrado, costurado e cheio de penas, de paina, de algodão, de flocos de cortiça ou de espuma, etc. ~ Vinda do Oriente, provavelmente foi introduzida na Europa pelos árabes. A almofada teve larga difusão como encosto, assento e adorno. No Renascimento, coxins de veludo ricamente bordados eram usados para repouso dos pés. ~ A almofada é acessório de decoração muito versátil pela riqueza de formas, de cores, de materiais, de bordados, de desenhos, e pela aplicação em sofás, cadeiras, bancos, camas, ou mesmo no chão, propiciando o relaxamento corporal. [V. trabalhos de agulha.] – Fr.: *coussin*; ingl.: *cushion*; alem.: *Kissen*.

almofada². *s. f.* Designação genérica de elementos decorativos de madeira, alvenaria, etc. constituídos de uma superfície de extensão relativamente pequena, quase sempre quadrangular, lisa ou com relevo, contornada de molduras, filetes, reentrâncias, etc.; as almofadas são geralmente dispostas com regularidade nas paredes, tetos, portas e janelas, peças de mobiliário, etc. ~ O termo é usado especificamente em carpintaria e marcenaria e há belos exemplos em nosso acervo colonial. [V. moldura. Cf: almofada¹, almofadado, artesão² e painel.]

almofadado. *s. m.* Paramento das fachadas ou das paredes internas, dotado de almofadas de pedra ou outro material de alvenaria; pode ter arestas vivas, ou ser arredondado, chanfrado, apainelado (com molduras salientes ou reentrantes) ou lavrado e esculpido de diversas maneiras. O almofadado da Casa dos Bicos, em Lisboa p. ex., é do tipo chamado ponta-de-diamante. [Cf. almofada²]

almofariz. [Pal. de origem árabe.] *s. m.* Recipiente de pedra, metal ou madeira no qual se trituram ou pisam certas substâncias sólidas com auxílio de um pilão; gral, morteiro. De uso muito antigo, servia de início para moer grãos; depois tornou-se utensílio empregado nas farmácias e nas cozinhas, havendo exemplares de feitura original.

alpendre. *s. m.* Cobertura apoiada, de um lado, na parede externa da casa, suspensa por colunas ou pilastras, e que serve de proteção a portas e vãos de acesso. É, em geral, de uma só água. Pode, também, estar embutida entre as paredes da fachada compreendendo, então, um espaço aberto reentrante. Aparece frequentemente nas antigas construções rurais brasileiras. // Cobertura saliente, em balanço, que serve de proteção à porta de entrada de uma casa. Alguns desses alpendres eram feitos com armações de ferro elegantemente trabalhadas e cobertas de vidro. [Cf. marquise².]

alto-relevo. *s. m.* Decoração ou peça escultórica de um só plano, cujas figuras ou outros objetos apresentam-se em volume com profundidade superior à metade da grandeza do modelo real; nele, pode-se, ou não, aplicar a perspectiva*. [V. baixo-relevo e escultura.] – Fr.: *haut-relief*; ingl.: *high relief*, *relief sculpture*; alem.: *Hochrelief*.

Alt Wien. [Alem. 'Velha Viena'.] Manufatura de porcelana austríaca. ~ Poucos anos depois da descoberta da porcelana de pasta dura em Meissen, instalou-se na capital da Áustria, em 1719, a segunda fábrica do mesmo produto, então uma inovação muito promissora que fazia face à demanda de porcelana chinesa. A fábrica, que contou com a participação de especialistas oriundos de Meissen, produziu a princípio porcelana feita com caulim de Passau, menos branco do que o da Saxônia; depois veio uma argila mais fina da Hungria. As formas dos serviços e centros de mesa, das estatuetas, são semelhantes às alemãs e a decoração tem os mesmos motivos (*chinoiseries**, *Indianishceblumen**) além de ornatos dourados e prateados barrocos ao gosto vienense (*Laub-und-Bandelwerk* 'trabalho de folhagens e volutas'). Bons modelistas colaboraram na execução das peças. ~ Em 1744 a manufatura passa para o controle do Estado sob a Imperatriz Maria Teresa; começa, então, a aparecer a marca em forma de escudo. Nessa fase, as estatuetas são muito interessantes: pastores e pastoras, deuses e deusas, músicos, pousados em bases rococó. ~ Trabalhando com os modelos em voga, Viena produziu depois belas peças em estilo Neoclássico* com ornatos em ouro e reservas com paisagens, temas clássicos, retratos. ~ Ao lado de bustos de *biscuit** representando a família imperial ou pessoas notáveis, plasmam-se, também em *biscuit*, estatuetas inspiradas em pinturas pompeianas, em esculturas antigas. ~ A fábrica fechou em 1864 e grande número de antigas porcelanas em branco foram vendidas e decoradas nos ateliês particulares (*Hausmalers*) [V. Meissen e porcelana de pasta dura.]

alumínio. *s. m.* Metal leve, branco, brilhante, pouco duro, inalterável ao ar, e que pode ser reduzido a lâminas muito finas. Risca-se com facilidade e resiste mal aos choques. Tem aplicações amplas tanto na indústria, como na construção e nos acabamentos arquitetônicos. Emprega-se o alumínio em peças fundidas (esquadrias, portas, venezianas, tubos, etc.) ou em chapas lisas, onduladas, granuladas, etc., em diversos tipos de revestimento, inclusive como forro acústico; para cobertura, existem, as chamadas **telhas de alumínio**. O alumínio anodizado, branco ou colorido, é brilhante e resiste à corrosão. A produção industrial do alumínio abrange inúmeros objetos de utilidade prática como utensílios de cozinha, luminárias, etc. [Cf. aço inoxidável.]

alvenaria. *s. f.* A arte e a técnica de pedreiro; processo tradicional de construção em que se usa pedra ou tijolos ligados ou não com argamassa*. A palavra designa também o conjunto dos elementos que constituem os muros, as paredes, os alicerces, etc. Para acabamentos de alvenaria, além da pedra ou do tijolo aparentes, emprega-se o reboco (liso ou chapiscado), a massa fina, a pintura e ainda o revestimento de pastilhas, azulejos, pedra, mármore, etc. ~ Historicamente, a alvenaria permitiu que importantes construções de diversas épocas tenham chegado até nossos dias, o que não acontece com outros materiais como a madeira, o barro, etc. ~ Nos interiores, a alvenaria tem sido empregada em certo tipo de mobiliário fixo: camas, sofás, mesas de apoio ou bancadas; já em construções antigas havia sido usada como assento nas conversadeiras dos vãos de janela. – Fr.: *maçonnerie, blocage*; ingl.: *masonry, stonework, brickwork*; alem.: *Mauerwerk*.

amarelo. *s. m.* Na natureza, a cor do ouro, do topázio, da gema de ovo. É a cor dotada de maior luninosidade e de maior visibilidade, empregada em sinais de alerta; é ativa e terrestre, simboliza a luz, a sabedoria, a riqueza. O amarelo vivo provoca a aceleração do sistema nervoso (o pintor Van Gogh usou generosamente essa cor em telas ensolaradas e, por meio dela, expressou sua angústia). ~ Em decoração, como cor quente que é, dá a impressão de elevar a temperatura ambiente; usado em excesso, pode até irritar ou cansar. Como resultado desse dinamismo, paredes amarelas como que avançam e a peça parece menor; entretanto o amarelo puro, quando suave, é alegre para interiores de pouca luz, e nos jardins, acessórios amarelos contrastam alegremente com o verde. ~ Nas tonalidades em que se mistura a cores sóbrias (marrom, cinza), o amarelo pode perder as características de brilho e estímulo, adquirindo tons discretos, terrosos, outonais. Já as gradações em que se mistura o vermelho são, naturalmente, vivificantes, enquanto alguns tons esverdeados chegam a dar sensação de mal-estar. ~ Matizes do amarelo: amarelo-âmbar, amarelo-canário, amarelo-gema, amarelo-enxofre, amarelo-ouro, etc. [V. cor.] – Fr.: *jaune*; ingl.: *yellow*; alem.: *Gelb*.

amarração. *s. f.* Em arquitetura e construção, disposição dos materiais, em especial dos tijolos, de modo a formar um todo único e estável. [V. aparelho[1].] // Em marcenaria, sistema de travessas para fixar as pernas dos móveis, e que geralmente são amarradas em "X" ou em "H".

âmbar. [Do ár. *anbar* 'cachalote', 'âmbar cinzento'.] *s. m.* Substância fóssil vegetal, resinosa, semitransparente ou opaca; é homogênea e capaz de receber polimento. De tonalidade quente, dourada ou avermelhada, foi muito procurado pelos romanos (era proveniente das terras bárbaras do norte da Europa) que com ele faziam pequenos frascos e outras peças, além de objetos de adorno pessoal. ~ Atualmente ainda é empregado em joalheria (colares, piteiras, etc.) e em marcenaria fina, bem como em pequenas esculturas e amuletos. É também chamado **âmbar amarelo**. ~ Não se deve confundir com o **âmbar cinzento** (fr.: *ambre-gris*; ingl.: *amber, ambergris*), matéria de origem animal (do cachalote), sólida, maleável, empregada em perfumaria. – Fr.: *ambre jaune, succin*; ingl.: *amber*; alem.: *Gelber Bernstein*.

ambiente. *s. m.* Em arquitetura, qualquer espaço interior ou exterior que compreende uma função, ou seja, uma perfeita adequação a uma necessidade humana (moradia, trabalho, lazer, etc.). Cabe ao arquiteto, ao decorador, ao usuário determinar os elementos estéticos e/ou práticos que compõem um ambiente. Quanto ao tamanho, os ambientes nem sempre são grandes ou pequenos pela metragem de que se dispõe, mas pela boa adequação da área à função que lhe é destinada. [Cf. espaço.]

âmbula. *s. f.* V. cibório.

ampulheta. *s. f.* Antigo instrumento para medir o tempo, e que consta de um recipiente de vidro transparente e arredondado, com a parte central afunilada formando dois segmentos ligados por finíssimo orifício de medida certa. É cheio de areia, também na medida exata, e hermeticamente fechado. Colocado em posição vertical graças a um suporte, a areia escorre pelo orifício, marcando com precisão um certo período de tempo. [Cf. relógio] – Fr.: *sablier*; ingl.: *sandglass*; alem.: *Sanduhr, Stundenglas*.

amuleto. *s. m.* Pequeno objeto (figura, medalha, figa, triângulo, etc.) ao qual se atribuem forças mágicas passivas capazes de prevenir ou curar doenças e evitar malefícios àqueles que o trazem junto ao corpo ou guardam com cuidado. Sua origem é imemorial e consta de crenças e hábitos de todos os povos, primitivos ou civilizados, em todas as épocas. ~ No antigo Egito p. ex., as múmias eram cobertas de amuletos de ouro, bronze, pedra, louça, etc. destinados a garantir a imortalidade da alma. [Cf. balangandã, talismã e fetiche.]

andiroba. *s. f.* Madeira de lei, empregada principalmente em marcenaria, de um vermelho acastanhado que lembra o mogno; de textura fina, moderadamente pesada, é fácil de trabalhar e pouco retrátil, isto é, não costuma empenar.

ânfora. *s. f.* Antigo vaso grego feito de cerâmica e usado para armazenar água, azeite, vinho, etc.; tem forma ovoide e é dotado de duas pequenas asas e de uma base. ~ Atualmente, designa qualquer peça de forma análoga feito de porcelana, de metal, de alabastro, de barro, etc., usado como objeto de adorno; entre estes, destacam-se ânforas neoclássicas do último período georgiano* ou as de estilo Diretório* e Império*. [V. cerâmica (história) e Grécia (vasos). Cf. urna.]

angelim-rajado. *s. m.* Madeira da floresta amazônica, de fundo amarelado com estrias e faixas paralelas em tom vermelho escuro. É pesada, dura e resistente.

angico-vermelho. *s. m.* Madeira pardo-avermelhada, pesada e dura, boa para tacos, dormentes, vigas, postes, etc.

anjo. *s. m.* Ser espiritual, intermediário entre Deus e o homem. Os anjos são considerados mensageiros da divindade ou guardas de indivíduos ou nações. § Na teologia cristã, admite-se uma hierarquia dos anjos que se distribui em três ordens, cada qual com três coros: 1) ***Tronos*** (rodas de fogo com asas dotadas de olhos), ***Querubins*** (cabeças ladeadas por duas asas) e ***Serafins*** (anjos com três pares de asas); 2) ***Dominações***, ***Virtudes*** e ***Potestades***, representados usando alvas até os pés; 3) ***Principados***, ***Arcanjos*** e ***Anjos*** (propriamente ditos), que usam trajes de guerreiros. ~ São objeto de devoção especial, no Cristianismo, os arcanjos Miguel, Rafael e Gabriel. ~ Na arte sacra do Ocidente, a representação dos anjos é importante elemento simbólico e/ou decorativo; obedecia, a princípio, aos sinais hierárquicos, mas, a partir do Barroco, essas figuras celestes passam a ser representadas livremente. §§ No Barroco brasileiro*, que repetia as criações europeias da Contrarreforma (do Barroco e do Rococó) os anjos aparecem generosamente, não raro em obras magníficas; são interpretados com liberdade em trabalhos de talha, em escultura e em pinturas.

Anjo de prata de características maneiristas, acompanhado de Cupido que carrega uma pequena concha. Pedestal com decoração rococó.
(alt. 29 cm)

anodizado. *adj.* Diz-se de certos metais como, p. ex., o alumínio que são recobertos por uma camada superficial protetora de óxido a que se pode incorporar ou não substâncias corantes.

antefixo. *s. m.* Em arquitetura, elemento ornamental (folhagem, grifo, etc.) que se coloca nas extremidades de um frontão ou de um telhado. Seu uso foi recorrente nas construções neoclássicas e também no arremate de certos móveis.

anthémion. [Pal. grega, de *ánthos* 'flor'.] *s. m.* Ornato que consiste numa faixa em que se alternam palmetas* ou um motivo floral que lembra a madressilva (ingl.: *honeysuckle*) e flores de lótus estilizadas. É característico do Neoclássico*. [V. ornato.]

Antiguidade¹. *s. f.* A época mais recuada da História e que abrange o Neolítico, as primeiras civilizações e o período greco-romano, antes e depois de Cristo até o início da Idade Média*. [V. Egito, Grécia, Mesopotâmia e Roma. Cf. antiguidade².]

antiguidade². *s. f.* Designação comum a qualquer objeto de arte decorativa (sacro, palaciano, burguês ou popular) que, pela raridade, pela feitura esmerada e/ou peculiar, pelo material empregado, tem maior ou menor valor, dados os fatores históricos e/ou os caprichos da moda. ~ As peças antigas atingem, com frequência, preços elevadíssimos e são vendidas em antiquários, apresentadas em feiras ou disputadas em leilões*. Legislação aduaneira estabelece sua circulação entre diferentes países e, de modo geral, considera-se como antiguidade o objeto com as características acima que tenha mais de cem anos. (Isto não impede que peças mais recentes sejam muito procuradas e alcancem altos preços). ~ As antiguidades são objeto de coleções, e também têm sido usadas na decoração de interiores com certa liberdade e ecletismo para valorizar e personalizar ambientes. [V. antiquário e falsificação. Cf. antiguidade¹.] – Fr.: *antiquité*; ingl.: *antique*; alem.: *Antik*.

antimônio. *s. m.* Elemento químico sólido, frágil, de cor prateada, usado em certas ligas. [V. estanho.].

antiquário. *s. m.* Conhecedor de antiguidades; profissional especializado em peças antigas, capaz de negociar com elas e, muitas vezes, de autenticá-las. // P. ext., loja onde são encontradas antiguidades como móveis, objetos decorativos, louças, pratas, tapetes, tapeçarias, etc. Os antiquários mais conceituados dão certificado de validade às peças adquiridas. [V. antiguidade² e autenticação.]

antique finished. [Ingl. 'com acabamento de antiguidade'.] Indicação que acompanha certos objetos decorativos novos com acabamento igual ao de peças antigas.

antropomórfico. *adj.* Que tem forma humana.

anunciação. *S.F.* Na iconografia cristã, tema que representa a aparição do anjo Gabriel à Virgem Maria para anunciar-lhe que será a mãe de Jesus, conforme se relata no Novo Testamento (Lucas, I, 26).

apainelamento. *s. m.* V. painel.

aparador. *s. m.* Designação genérica dos móveis de encostar usados em geral nas salas de refeições para depositar, apresentar e, às vezes, guardar os objetos destinados ao serviço de mesa; bufê, bufete. § Até o séc. XVII, sendo relativamente reduzidos os utensílios para se comer e beber (vasilhas, tigelas, travessas, pratos, taças, jarros, canecas), estes eram guardados em móveis com prateleiras, os quais depois, passaram a ter portas. ~ Diversos modelos aparecem no séc. XVIII e, no séc. XIX, os aparadores fazem parte das mobílias de sala de jantar que obedecem a diferentes estilos; sua forma inspira-se em móveis de épocas passadas, com a característica de ter sempre o tampo livre para apoio do serviço a cerca de 90 cm do chão. Podem ter portas, gavetas ou prateleiras na parte inferior, e alguns, mais imponentes, têm acréscimos acima do tampo (prateleiras, armários envidraçados, espelhos); certas mobílias têm, não raro, mais de um aparador de formas e tamanhos diferentes. ~ Modernamente, para as mesas-aparadores, as soluções são múltiplas e nelas emprega-se a madeira natural ou lacada, o aço, a cana-da-índia, o acrílico, etc. [Cf. guarda-louça e *sideboard*.] – Fr.: *buffet à étagère, crédence, dressoir, desserte*; ingl.: *cupboard, dresser, sideboard* e *credenza* (pal. ital.); alem.: *Kredenz, Anrichte*.

aparelhado. *adj*. Em construção, em pintura, em carpintaria, diz-se da base preparada para proporcionar condições perfeitas à execução de uma obra. Assim, uma parede só pode receber pintura a óleo ou esmalte, se estiver aparelhada, ou seja, sem depressões ou ranhuras. A madeira e a pedra são consideradas aparelhadas quando niveladas e sem falhas.

aparelho¹. *s. m*. Em construção, designação dos diversos modos de dispor as pedras e os tijolos em paredes, embasamentos, abóbadas, etc., a fim de obter uma boa amarração. Desde tempos remotos, os aparelhos diferem de acordo com as épocas e as regiões. Atualmente, o termo está mais ligado à alvenaria de tijolos: estes são assentados formando fiadas e, conforme a disposição, tem-se o aparelho inglês, o flamengo, e o de amarração em cruz, etc. [V. amarração, parede e tijolo.] // O termo designa também a primeira demão de tinta em parede de alvenaria e em superfície de madeira, ou ferro, ou, ainda, o aplainamento da madeira. [Cf. aparelho².]

aparelho². *s. m*. Conjunto de peças destinadas a conter os alimentos às refeições, e que se caracteriza pela unidade no desenho das formas e da decoração; serviço. Os aparelhos de jantar constam de travessas, sopeira, legumeira, molheira, pratos, etc.; os aparelhos de chá e de café, de bule, açucareiro, leiteira e xícaras. [V. baixela e serviços. Cf. aparelho¹.]

aparente. *adj*. Diz-se de qualquer elemento de construção ou de decoração que fica visível, sem revestimento, ou sem ser embutido (tijolo, concreto, encanamento, fiação). No Centro Pompidou em Paris tem-se um importante exemplo em que os detalhes da estrutura são aparentes.

aplique. [Do fr. *applique*.] *s. m*. Luminária fixada à parede, mais ou menos a dois metros do chão, e que contribui para a iluminação de um ambiente; pode produzir luz difusa ou direta, às vezes voltada para o teto. § Praticamente todos os estilos decorativos têm apliques correspondentes, adaptados à iluminação de cada época (velas, gás, eletricidade). ~ No séc. XVIII os apliques eram muitas vezes fixados em placas de metal ou de porcelana decorada, ou ainda em outras de espelho que refletiam luz. Com a iluminação a gás essas luminárias (com braços) passaram a ter globos ou tulipas de cristal fosco ou lavrado. Os apliques antigos, de estilo, apresentam-se em geral aos pares, de cada lado de espelhos, portas, etc.; adaptados à eletricidade, são procurados para decorações tradicionais. ~ O aparecimento da eletricidade acarreta novas formas, abolindo-se, por vezes, os braços; dependendo do gosto e da imaginação tem-se até lanternas de carro e de barco, peças de madeira entalhada, etc. ~ Os *designers* do *Art Déco** e da Bauhaus* inovam e têm muitos seguidores; apliques com formas geométricas são feitos em metal cromado, cobre, etc. associados a quebra-luzes de vidro translúcido; a luz brota das paredes, complementa os *designs* sofisticados. Surgem também as meias bacias de metal ou de estuque como recurso de iluminação indireta. [V. iluminação. Cf. arandela.] – Fr.: *applique*; ingl.:*sconce*.

Aplique de talha dourada com dois braços.
(França - séc. XVIII)

Aplique de talha dourada que pertenceu à igreja de S. Pedro, hoje demolida.
(Rio de Janeiro)

aquamanile. [Lat. medieval.] *s. m*. Jarro de água em geral de bronze, latão ou prata, moldado e gravado, usado na Idade Média para lavar as mãos à mesa. Assumia formas zoomórficas, especialmente a de leão; a água era vertida pela cabeça, e a alça, partindo do dorso, também tinha forma arqueada do animal.

aquarela. *s. f.* Nas artes plásticas, técnica de pintura que consiste na aplicação de tintas especiais, diluídas em água, sobre papel ou cartão apropriado, o que confere à obra aspecto leve, delicado. É uma técnica que exige destreza e rapidez, uma vez que não permite retoques e seca muito rapidamente. Por suas qualidades e limpidez, a aquarela presta-se para representar de preferência a luz, a névoa, enquanto o guache, também solúvel na água, tem características opacas. ~ As obras feitas com esse processo necessitam da proteção de vidro. § Usada no Egito, foi também empregada em iluminuras de manuscritos medievais, e, mais tarde, para colorir desenhos e gravuras. No séc. XVI Dürer elevou a aquarela à categoria de arte independente, na qual, mais tarde, se destacaram entre outros, os paisagistas ingleses Turner e Constable. ~ A aquarela integrava a educação das "moças prendadas" da burguesia do séc. XIX e início do XX: até hoje, podemos encontrar trabalhos guardados como relíquias de família. Alguns revelam talento e qualidades artísticas passando a fazer parte do acervo de coleções e galerias. [V. guache e pintura².] - Fr.: *aquarelle*; ingl.: *water colour*; alem.: *Aquarell, Wasserfarbe*.

aquatinta. *s. f.* Gravura em metal cuja técnica foi criada no séc. XVIII para reproduzir desenhos em preto e branco e, mais tarde, em cores. A placa com a imagem a ser gravada é recoberta por resina pulverizada que a ela adere por aquecimento; as partes brancas do desenho são protegidas por verniz, enquanto o restante da superfície é mordido pelo ácido e adquire tons mais ou menos escuros. Goya foi o maior mestre nesta arte (as séries *Caprichos* e *Desastres da Guerra*), que também foi adotada por artistas contemporâneos como Picasso, Miró e Rouault, entre outros. [V. água-forte e gravura².]

arabesco. *s. m.* Composição decorativa com motivos lineares que cobrem ritmicamente toda uma superfície; esses motivos podem ser folhas, gavinhas ou linhas curvas e quebradas em formas abstratas (não incluem a figura humana). Esse tipo de desenho parece ter origem em ornatos feitos por artesãos sarracenos radicados na Europa (Veneza, séc. XV).

aramado. *s. m.* Grade quadriculada de arame resistente. ~ Pode ser aplicada na confecção de diversos tipos de acessórios usados informalmente tanto em salas e quartos como em banheiros ou cozinhas; aparece, assim, em painéis presos à parede para pendurar objetos variados, em bandejas, em prateleiras de diferentes tamanhos e utilidades, em saboneteiras, em cestas, e até mesmo em divisórias e pequenos móveis como estantes e carrinhos de chá. [Cf. *high-tech*.]

arandela. [Do esp. *arandela*] *s. f.* Pequena peça circular de vidro ou de metal, furada no centro, e que se adapta à parte superior de um castiçal para recolher a cera derretida das velas; usa-se também nos círios levados nas procissões. Em certos castiçais de metal, a arandela é uma espécie de taça com aba, removível, na qual se coloca a vela. [Cf. bobeche.] - Fr.: *bobèche*; ingl.: *bobeche* ou *bobache*. // Aplique de metal, madeira, cristal, etc., com um ou mais braços, antigamente destinado a receber velas ou bicos de gás. [V. iluminação e luminária. Cf. aplique.]

Bico de gás com braço de opalina. (séc. XIX)

arca. *s. f.* Móvel em forma de grande caixa com tampa geralmente plana e retangular, e que se destina a guardar roupas, alfaias, valores, etc. § Foi utilizada desde tempos muito recuados (conhecem-se arcas do antigo Egito), e sua presença é assinalada em diferentes regiões. ~ A arca era peça de mobiliário de grande importância na Idade Média, e tanto servia a ricos como a pobres. Devido aos recursos ainda limitados da marcenaria, as arcas tinham as faces de madeira com grandes tábuas fixadas por placas de ferro recortado; escudetes* decorados correspondiam às fechaduras* de dimensões avantajadas. Nas casas, as arcas repousavam sobre suportes. Havia modelos especiais como as **arcas de viagem**, com argolas para o transporte e as **arcas de noiva**. ~ Na Renascença italiana aparece o *cassone*, **arca palaciana** ricamente trabalhada em relevos e pinturas. Desde o séc. XVI vinham do Oriente as arcas de sândalo contendo tecidos e especiarias. No séc. XVII surgem, na Península Ibérica, belas arcas cobertas de couro. Com o desenvolvimento da marcenaria, a arca setecentista recebe molduras, entalhes, almofadas*, e começa a ser substituída pela cômoda, mas não desaparece do mobiliário, permanecendo como peça decorativa e utilitária. §§ Em Portugal, a arca teve papel primordial como "móvel de guarda", tal como no resto da Europa. No séc. XVI foi influenciada pela arte moçárabe, decorada com filetes formando incrustações geométricas, ou com as tradicionais e elaboradas ferragens; estas, mais tarde, foram substituídas pelo metal amarelo rendilhado à maneira indo-portuguesa. No séc. XVII destacam-se as arcas entalhadas com tremidos, losangos, etc.; suas dimensões são maiores. ~ A arca adapta-se ao Brasil colonial e segue os modelos portugueses; temos notáveis exemplares deste período, em especial os de jacarandá, com almofadas contornadas por molduras e tremidos, algumas dotadas de gavetões na parte de baixo. [V. mobiliário. Cf. arcaz, arqueta e baú.] – Fr.: *coffre*; ingl.: *chest*; alem.*Koffer*.

Arca de vinhático com fechadura de ferro malhetado executada por um mestre holandês.
(Minas Gerais - séc. XVIII)

arca-banco. *s. f.* Designação recente, no Brasil, do banco de origem portuguesa típico do mobiliário setecentista em geral de origem mineiro-goiana. De formato longo, seu assento é uma caixa com tampa de levantar, dotada de fechadura; o encosto é reto, preso a duas colunas nas extremidades que às vezes se prolongam em braços. Esse móvel foi usado no Brasil a partir do séc. XVIII em alpendres e nas entradas das casas. No fim do séc. XVIII e no séc. XIX é muito encontrado nas sacristias e, como os outros bancos, tem braços e encosto recortados. [V. banco. Cf. arquibanco e escano.]

arcada. *s. f.* Abertura em parede ou muralha com forma de arco ou de arcos contíguos. // Galeria dotada de arcos sucessivos, em geral abertos para o exterior em claustros, praças, ruas, etc. Existem esplêndidas arcadas românicas e góticas, bem como as que compõem os edifícios muçulmanos. // Modernamente o termo designa passagens cobertas, guarnecidas com pilastras e destinadas ao uso de pedestres, nas cidades. [V. arco.]

arcaz. *s. m.* Móvel de madeira, de dimensões consideráveis, com feitio de grande arca, dotado de tampo fixo e de gavetões e, às vezes, portas; nas igrejas e conventos, destina-se a guardar paramentos e objetos do culto. §§ Em Portugal, até o séc. XVIII esse móvel tinha a designação de *caixão de sacristia*. No Brasil, era, e ainda é, elemento importante nas sacristias de antigos conventos e igrejas; nos projetos desses edifícios religiosos o arcaz era concebido para se integrar no ambiente arquitetônico. Por isto figura entre as peças de maior magnificência nas sacristias, alguns com ricos acabamentos, que incluem belas ferragens de prata. [Cf. arca.]

Arcaz com gavetas e portas. (Minas Gerais - séc. XVIII)

arco. *s. m.* Elemento estrutural curvo que serve para demarcar um vão, suportando cargas. Pode ser de alvenaria, de ferro, de concreto armado. ~ Os arcos mais antigos na tradição histórica são os de alvenaria; as pedras ou tijolos que entram em sua formação – as aduelas* – terminam por uma aduela superior (chave ou fecho); os arcos descarregam o peso e as cargas que transmitem sobre os pés-direitos*, que podem fazer parte de uma parede ou constituir colunas ou pilares. ~ O arco veio do Oriente e foi intoduzido na Europa pelos romanos que o utilizaram em edifícios, anfiteatros, aquedutos, pontes, ou, ainda, como obras isoladas, os ***arcos de***

triunfo, para celebrar grandes feitos. [Cf. abóbada.] – Fr.: *arc, arche*; ingl.: *arch*; alem.: *Bogen*. • Entre os arcos mais importantes, destacam-se: *Arco pleno* ou *de pleno cimbre* – O que tem como perfil a meia circunferência; é tb. chamado **arco de meio ponto**, **semicircular** e **de volta inteira**. *Arco abatido ou rebaixado* – O que tem a curva inferior à do arco pleno. *Arco de ferradura* – Aquele em que a semicircunferência é ultrapas-sada, e mede mais de 180 graus; é tb. chamado *arco bizantino* ou *mourisco*. *Arco ogival* – O que é formado por duas curvas que se cortam e produzem um vértice na parte superior; é característico do estilo gótico. [V. ogiva.] *Arco polilobado* – O que é formado por vários arcos ou lobos; é característico de diversas construções mouriscas. *Arco lanceolado* – O que é uma variação do arco mourisco e nele a parte central se eleva em ponta lembrando uma lança. ~ Os arcos são também designados segundo as curvas que determinam: *arco parabólico*, *elíptico*, etc.

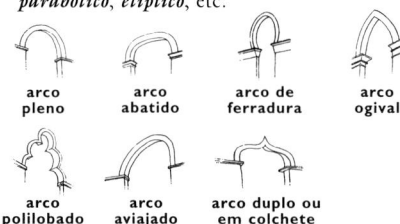

arco pleno   arco abatido   arco de ferradura   arco ogival

arco polilobado   arco aviajado   arco duplo ou em colchete

arcobotante. *s. m.* Numa construção, arco exterior destinado a suportar o empuxo de abóbada ou telhado. Seu perfil é carac-terístico da fachada posterior e das laterais nas catedrais góticas.

arco-cruzeiro. *s. m.* Nas igrejas, arco de meio ponto* que separa a nave da capela-mor. §§ Nos templos coloniais brasileiros esses arcos, de madeira ou de pedra, são encimados, na chave, por composições escultóricas (escudos, anjos) em geral referentes ao patrono ou à invocação da igreja.

ardósia. *s. f.* Pedra xistosa, geralmente cinza-azulada ou esverdeada, resistente ao desgaste e impermeável à umidade; lousa. É facilmente separável em lâminas delgadas utilizadas principalmente na feitura de telhados, mas também em revestimentos internos, lápides funerárias, etc. Pode ser esmaltada com belos resultados. ~ Nos países europeus é tradicional seu emprego em telhados, formando diversos planos. No Brasil, seu emprego limitou-se a certo número de residências luxuosas em estilo francês. [V. telhado.] – Fr.: *ardoise*; ingl.: *slate*; alem.: *Schiefer*.

área. *s. f.* Superfície delimitada de uma figura plana. // Numa construção, a dimensão da área total, ou da área de cada peça, estabelecida pelas paredes, e comportando medidas de comprimento e largura. • *Área interna* – Num edifício, espaço aberto interior destinado, em geral, a iluminar e/ou arejar. *Área de serviço* – Nos apartamentos, a parte aberta ou envidraçada destinada a lavanderia, armários de limpeza, etc., em geral anexa à cozinha e que se comunica com a entrada de serviço do prédio.

arenito. *s. m.* Rocha composta de partículas silicosas ou de quartzo agregadas em meio argiloso ou calcário; grés. ~ As lajes de arenito são muito usadas em pisos internos ou externos.

aresta. *s. f.* Ângulo formado pela interseção de dois planos. // Em arquitetura e decoração, o ângulo vivo ou perfeito na pedra, na madeira ou outro material; canto. ~ A técnica da construção é rigorosa em relação às arestas; na alvenaria, elas derivam do bom assentamento dos tijolos e pedras e também da boa aplicação dos materiais de revestimento.

argamassa. *s. f.* Nas construções de alvenaria, mistura de um aglutinante (cal* ou cimento*) com areia e água. Destina-se ao assentamento de pedras e tijolos; é massa mais ou menos consistente, dotada de plasticidade, e solidifica-se com o tempo. [V. alvenaria.] – Fr.: *gâchis, mortier*; ingl.: *mortar*; alem.: *Mortel*.

argila. *s. f.* Substância terrosa (silicato de alu-mínio hidratado) que, amassada com água, pode ser facilmente modelada; ao secar, sob a ação do calor, adquire grande dureza, embora seja friável. É empregada na cerâmica e na escultura. As diferentes argilas distinguem-se pela plasticidade, cor, grau de impurezas, etc. • A *argila gorda* ou *pura*, como o caulim, é mais plástica e apropriada para moldagens e cerâmica fina; com ela se obtém a porcelana. A *argila magra*, ou *figulina*, é porosa e quebradiça; é o barro com que, nas olarias, se fazem telhas e tijolos. [V. caulim, cerâmica e porcelana.]

argola. *s. f.* Anel de material resistente que serve para prender ou puxar alguma coisa. // Anel de ferro ou outro material usado como alça para facilitar o transporte de caixas, arcas e certos recipientes. // Anel móvel de aldrava.
• *Argola de guardanapo* – Objeto de prata, porcelana, marfim, madeira, etc. vazado em forma cilíndrica, oval ou prismática, e que é usado como porta-guardanapo. Essas argolas são peças de utilização individual e trazem muitas vezes nome ou iniciais, tendo fina decoração. [Cf. porta-guardanapos.] – Fr.: *rond de serviette*; ingl.: *napkin ring*.

Argolas de guardanapo de prata e de marfim.
(sécs. XIX e XX)

Arita. V. Imari.

Arlequim. *s. m.* Personagem da comédia italiana que representa um criado esperto e bem humorado. Sua roupa é formada por triângulos ou losangos de diversas cores e ele usa meia-máscara e pequeno chapéu preto. ~ Tem sido representado em cerâmica e porcelana desde o séc. XVIII. [V. *Commedia dell'arte*. Cf. Colombina e Pierrô.]

Arlequim e Colombina, porcelana policromada.
(França- c. 1920 - alt. 0,34 m)

armário. *s. m.* Móvel de grande ou pequeno porte, com uma ou mais portas, e que se destina a guardar roupas, alimentos e objetos diversos. § Na evolução do mobiliário, os primeiros armários medievais estariam integrados à construção; seriam vãos abertos na espessura das paredes, com prateleiras e portas, e, nas sacristias, destinavam-se a guardar objetos sacros ou sobras de alimentos para os pobres. Acredita-se que os armários soltos tenham aparecido nas igrejas antes de passar ao uso doméstico, em que predominava a arca; aliás os primeiros armários não seriam mais do que duas arcas sobrepostas (às vezes ainda com argolas laterais) e que se abriam pela frente por meio de portas (muitos exemplares dos sécs. XVI e XVII têm ainda a parte superior e a inferior separadas por gavetas). § *História*. O armário apresentou, desde logo, grande afinidade com a arquitetura: dada a superfície frontal ampla, em sua estrutura considera-se a base, as colunas, a cornija*. No séc. XIV certos exemplares alemães já têm as portas com o traçado vertical e os ornatos do estilo gótico. Os grandes armários aparecem na Renascença, e no séc. XVI tornam-se populares; as peças mais notáveis são provenientes dos Países Baixos e do norte da Alemanha. Pela solidez e dimensão da estrutura, surge a necessidade de usar, além da madeira maciça, madeiras finas para o revestimento; às vezes com incrustações; as portas têm sólidas fechaduras e dobradiças. Levado pelos artesãos flamengos, o armário é difundido na Europa e, no correr do séc. XVII, ocupa, gradativamente, um lugar importante no mobiliário. Persistem os modelos pesados, com almofadas salientes e cornijas. Para que se tornem mais leves, repousam sobre pés em forma de bola, de garra ou de leão deitado. ~ Na mesma época, contrastando com os armários europeus, na China, os armários são simples e lisos; quando lacados, sua decoração se estende por toda a superfície; o interior, cuidadosamente acabado, é pintado de outra cor; têm lindas ferragens recortadas, redondas ou quadradas, de metal branco ou dourado. ~ No séc. XVIII, de acordo com a utilização, já se tem armários altos, ou superpostos a uma cômoda, para pendurar roupa. Os de dois ou três corpos, nos diversos estilos se sucedem no correr do século. São muito característicos, na Inglaterra georgiana, os armários para livros com portas envidraçadas e a parte de baixo fechada, para papéis. ~ No séc. XIX, com o advento da produção industrializada de móveis e com o aumento do poder aquisitivo (as pessoas passam a ter mais roupas) o armário é peça importantíssima nas mobílias de quarto.

Em meados do século, começa a aparecer o espelho externo, sobretudo nos guarda-casacas. ~ Modernamente, a tendência é de que os **armários embutidos** se integrem na estrutura arquitetônica, num curioso retorno – agora em dimensões maiores e com outros acabamentos – dos primitivos armários medievais. Outros, não embutidos, mas adaptados ao local, ocupam as paredes até o teto, programados para um total aproveitamento de espaço. Nas zonas de serviço, os antigos guarda-comidas e guarda-louças transformam-se em armários embutidos ou de parede, planejados em cada centímetro quadrado, isolados ou integrados a bancadas. Quanto aos **armários modulados**, oferecem soluções às necessidades de cada um, com gaveteiros, calceiros, prateleiras, etc.; são em geral, peças simples, discretas, com portas de madeira lisa (envernizada ou pintada), de treliça, de venezianas, etc. ~ Nas cozinhas, usa-se frequentemente a fórmica; nelas e nos escritórios, além da madeira, emprega-se o metal no corpo do armário. §§ O aparecimento, e a difusão do armário na Europa, coincidem, mais ou menos, com a descoberta do Novo Mundo; ele reflete, no Brasil colonial, em escala mais modesta, a evolução que sofreu na Europa e, especialmente, em Portugal; surge simples, tosco, ainda escasso. Conhecem-se os armários embutidos e os de canto das sacristias e das casas setecentistas, e alguns armários-arca, além de exemplares divididos ao meio por gavetas. Os modelos portugueses feitos no Brasil em jacarandá ou vinhático têm em geral dois corpos da mesma largura ou portas com dois batentes, e alguns têm divisões e nichos. Os entablamentos* são simples, e a base, com grossa moldura, se apoia em pés de garra ou em bolas; às vezes têm gavetas na parte inferior. Tudo faz crer que os armários de influência renascentista tenham chegado ao Brasil com os holandeses no séc. XVII; retirando-se estes, sua influência permaneceu. No séc. XVIII, encontramos também armários acharoados, pequenos, imitando os chineses. Outros, sobretudo em Minas, têm moldura e almofadas pintadas em cores, ou decoração de motivos florais, ingênuos e campestres. Embora não tenha sido muito comum na época colonial, o armário, já no séc. XVIII era encontrado nas fazendas, engenhos e casas senhoriais; pintado ou entalhado, sua feitura era, em geral, rústica. Os exemplares que ainda hoje se conhecem, embora não tenham o acabamento primoroso das nossas papeleiras, arcas, cômodas e oratórios, são muito decorativos. [V. mobiliário. Cf. arca, guarda-roupa, guarda-comida e guarda-louça, aparador, dunquerque, cristaleira.] – Fr.: *armoire, placard*; ingl.: *armoire, cupboard, wardrobe*; alem.: *Schrank*.

Armário de época com decoração de *parchemin plissé*.
(Portugal - séc. XVI)

Armário rústico chamado "de botica", com almofadas e enfeites de latão.
(S. Paulo - séc. XIX)

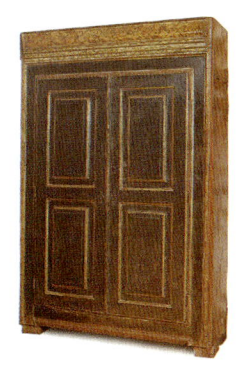

Armário de sacristia (para embutir), pintado de verde escuro com policromia na cornija.
(Minas Gerais - séc. XVIII)

armas. *s. f. pl.* V. brasão.

armoriado. *adj.* Decorado com armas ou brasões pintados, esculpidos ou aplicados; brasonado.

arqueta. *s. f.* Pequena arca* feita de madeira natural ou com revestimento de couro. // Caixa de esmolas em igrejas e confrarias.

arquibanco. *s. m.* Banco coletivo de grandes proporções dotado de espaldar. Parece ter tido uso especialmente nos conventos e nas sacristias e, em Portugal, recebeu as designações de *bancão* e *altibanco*. [V. banco. Cf. arca-banco e escano.]

arquitrave. *s. f.* Em arquitetura, a parte do entablamento que fica abaixo do friso é sustentada pelos capitéis das colunas; une, horizontalmente, os suportes verticais. [V. entablamento.]

Arraiolos. [Top. português.] Designação dos tapetes provenientes dessa região do Alentejo em Portugal; são tapetes bordados a agulha em toda a superfície de uma tela de cânhamo, estopa, aniagem ou outro tecido forte em que se possam contar facilmente os fios. § Não existem documentação ou referências acerca da origem dos tapetes de Arraiolos. ~ Os poucos espécimes mais antigos que se conhecem datam da segunda metade do séc. XVII; à época, os tapetes, de alta qualidade, seriam de feitura particular (oriundos sobretudo dos conventos) e destinavam-se a capelas privadas, a palácios episcopais, ou a presentes de luxo. São bordados muitas vezes sobre o linho, e seus desenhos copiam os dos tapetes persas com a introdução curiosa da estilização de animais locais. O ponto, miúdo, não segue uma só direção, dada a minúcia dos motivos, e revela a habilidade e a capacidade de adaptação das artesãs. As cores são ricas (o que indica a perfeição dos métodos de tinturaria), destacando-se um vermelho claro, depois desaparecido. ~ Numa segunda fase, já se revela intenção lucrativa: o ponto, bastante mais graúdo, corre no mesmo sentido; os produtos – a lã e o pano – são menos finos. No correr do séc. XVIII a indústria está organizada e próspera, quase que exclusivamente na região de Arraiolos. Aos poucos, os motivos orientais são substituídos por outros inspirados na estamparia de algodão ou em elementos pitorescos improvisados pelas bordadoras. ~ A indústria decai no fim do séc. XVIII, os motivos parecem tirados dos livros de bordados de marcar. ~ Só um século mais tarde esboçaram-se sinais da ressurreição dessa arte; foram se formando bordadoras, as lãs voltaram a ser tingidas conforme as receitas antigas. Em 1916 abriu-se uma oficina em Arraiolos que já manifestou bastante vigor; seguiram-se outras em Santarém, Évora, Lisboa. ~ O esquema geral de composição mantém-se ainda fiel ao modelo oriental: campo com decoração distribuída equilibradamente, barras com elementos repetidos; os motivos são florais ao lado de diversos animais e outras formas, aparecendo ocasionalmente figuras. Ocorrem também padrões repetidos à maneira dos azulejos*. § O chamado ponto de Arraiolos é ponto cruzado oblíquo, variante do ponto de cruz, e tem sido praticado em outras regiões da Europa (como o secular ponto de trança eslavo). Normalmente executa-se o trabalho no sentido do eixo transversal do tapete, exceto nas barras em que podem os pontos correr no sentido longitudinal. O avesso não deve apresentar qualquer sinal de remate. § A arte popular portuguesa soube assimilar os ricos desenhos persas, e foi capaz de reproduzir, com a simples técnica do ponto de Arraiolos, a complicada decoração oriental que envolve milhares de pontos por decímetro quadrado. [V. bordado, ponto brasileiro e tapete.]

Cópia de tapete do séc. XVIII executada pela Fundação Espírito Santo (parte). (Lisboa - séc. XX)

Art Déco. [Redução da expressão fr. *art décoratif* 'arte decorativa'.] Movimento decorativo surgido após a I Guerra Mundial (1914 – 1918) e que se caracterizou por uma completa renovação de valores estéticos e vivenciais. Estes valores, esboçados desde começos do séc. XX, firmaram-se durante a Exposição Internacional de Artes Decorativas e Industriais, de Paris, em 1925. Nos anos que se seguiram, o movimento esteve no apogeu na Europa e na América; era, na época, designado apenas como "estilo moderno" (assim como se dizia "pintura moderna" ou "literatura moderna"). Por volta de 1960 foi redescoberto, divulgando-se, então, a designação *Art Déco*. § Nos primeiros anos do século, a efervescência inovadora da expressão artística eclodiu tomando inúmeros caminhos na pintura, na escultura, na literatura, na música, no teatro, na dança. ~ Nas artes decorativas, certos artistas, influenciados pela estética do escocês Mackintosh*, do austríaco Josef Hoffman* e de outros criadores de vanguarda da passagem do século, afirmam-se na reação contra a exuberância naturalista do *Art Nouveau*. ~ Os recentes conceitos de vida exigem soluções mais enxutas e diretas; em lugar das linhas dinâmicas, inquietas, busca-se a harmonia numa certa simplicidade linear; valoriza-se o acabamento, o equilíbrio, os coloridos alegres (influência dos *Ballets Russes*); surgem novos recursos para a iluminação, procura-se adaptar o *design* ao conforto; os móveis estofados são amplos, com curvas cheias; as cortinas, leves ou pesadas, caem em elegantes drapeados. ~ Em Paris, polo das tendências propostas, artistas como o escritor Jean Cocteau, o escultor Bourdelle, os pintores Picasso, Braque, Léger ao lado de grandes criadores da moda feminina como Paul Poiret e Erté, inspiram os profissionais da área da decoração e surgem as obras de alto requinte de Louis Sue, Ruhlmann*, Paul Follot, Francis Joudain, René Lalique*. O mobiliário presta-se mais aos trabalhos dos ebanistas* do que às sólidas construções dos *menuisiers**, as superfícies de linhas simples são recobertas por minuciosas decorações estilizadas (relevos, incrustações). Entrelaçamentos geométricos abstratos, formas muito estilizadas da natureza, convivem com motivos de inspiração egípcia ou indochinesa. Veem-se animais esguios (antílopes, gazelas), grandes folhagens. A figura feminina, muito presente, é longilínea, de formas pouco acentuadas, vestida com drapeados à Isadora Duncan, os cabelos são curtos, a expressão concentrada, como que consciente de uma liberação manifesta. O novo modelo de mulher é simbolizado, no dizer de alguém, pela rosa* estilizada de Mackintosh, muito usada como motivo ornamental. § A exposição de 1925 procurou dar maior destaque ao artesanato francês e a uma produção marcadamente individual, e os trabalhos voltaram-se para uma clientela de luxo. Esse posicionamento materializa-se no transatlântico Normandie construído sob o patrocínio oficial do governo da França, e lançado ao mar em 1935: "uma grande criação francesa, obra-prima de nossa técnica naval e da nossa arte" no dizer da revista *L'Illustration* em seu número comemorativo. Nesse navio, o luxo atinge o fausto; a arquitetura interna, monumental, verticalizada, com grandes espaços de concepção retilínea, tem revestimentos de baixos-relevos, de laca dourada, de espelhos com pinturas; o colorido é suave, realçado pela luz difusa das luminárias (imensas nos grandes salões) assinadas por grandes vidreiros. § Os norte-americanos acolhem e absorvem as inovações da Exposição de Paris mas, já em 1929, a exposição do *Metropolitam Museum* de Nova Iorque, organizada por Eero Saarinen*, indica outra vertente e procura encorajar a criação de novas fórmulas menos elitistas, próprias para a vida contemporânea e a produção em maior escala. ~ É ainda a época em que convivem, no *Art Déco*, tanto uma cadeira esculpida de Follot quanto uma de estrutura tubular, tanto um painel figurativo de laca assinado por Jean Dunand quanto tapetes de linhas abstratas, tanto um móvel sofisticado com incrustações quanto uma *chaise longue* muito simples e de grande conforto, tanto um centro de mesa com figuras de Lalique* quanto uma luminária de cobre polido. § Na decoração de interiores, a partir dos anos vinte já é nítido o consenso de que o planejamento de uma casa deve ser coerente nos mínimos detalhes. As próprias pessoas, com seus hábitos, seu vestir, inseriam-se no "espírito moderno": de uma joia de Cartier a um alto edifício de Nova Iorque, de um acessório de banheiro ao desenho de um automóvel, tudo era marcado pelas formas e pela mentalidade da época. Essa mentalidade é bem representada nos desenhos publicitários, nas fotografias, nos cartazes que expressam as vivências do cotidiano; por outro lado, o cinema, com seu apelo mágico, revela e divulga esse dia a dia transformado num mundo "ideal". § Entrementes, a crise econômica que começa em 1929 traz seus desafios para o consumidor e para a arte. O estilo *Art Déco* se populariza, adapta-se à produção em massa para se tornar acessível à classe média. Por prestar-se a imitações de baixo custo, sofre uma deterioração na última fase, empobrecido num "modernoso" de linhas duvidosas, puxando para o *kitsch*. ~ Antes da II Guerra Mundial (1939 - 1945), as revistas de decoração, com raras exceções no terreno do luxo, começam a se voltar para novas propostas: divulgam o que se pode fazer com bom gosto e harmonia, revivendo estilos ingleses e provençais do séc. XVIII – as curvas reaparecem. § Deve-se notar que, paralelamente, entre as duas guerras, as mesmas tendências de revisão das primeiras décadas do séc. XX tomam outros rumos de importância capital, como se verá com a obra da nova arquitetura e do *design**, com o vigor e a criatividade dos ensinamentos da Bauhaus*, com o despojamento da decoração escandinava. § No final do séc. XX, a produção do *Art Déco*, revalorizada como de direito, tem suas peças originais expostas em museus ou disputadas por colecionadores. §§ No Brasil, intelectuais e artistas, emergindo do meio conservador acadêmico, manifestam sua afinidade com os novos valores estéticos vindos da Europa e introduzem na arte traços genuinamente nacionais. Em 1922 realiza-se, em São Paulo, a Semana de Arte Moderna*, e o movimento modernista ganha impulso nos anos que se seguem. O *Art Déco* está muito ligado a esta fase. ~ Depois de 1930, começa a se alterar a fisionomia das principais cidades do país e erguem-se os primeiros prédios de apartamentos nos bairros residenciais (no Rio de Janeiro ainda perduram interessantes exemplos de *Art Déco* em Copacabana, em Botafogo e no Flamengo). No centro do Rio e de São Paulo recortam-se os perfis dos "arranha-céus" (Edifício d´A Noite na capital do país, Edifício Martinelli na capital paulista). Vale lembrar uma primorosa realização, hoje desaparecida: o Cinema São Luís no Rio, projetado pelo arquiteto Jaime da Fonseca Rodrigues, exemplo homogêneo de *Art Déco*, com a iluminação indireta dos sucessivos arcos da sala de projeção, a escadaria em curva e o amplo saguão revestido de mármore e espelhos. ~ Concomitantemente, as teorias da arquitetura funcional vão ganhando adeptos nos meios de vanguarda. Em São Paulo edifica-se a primeira "casa modernista" do arquiteto Gregory Warchavchik, que desperta grande interesse; seu estilo retilíneo opõe-se ao neocolonial* então muito prestigiado na construção residencial. ~ A sociedade mais requintada e de maiores recursos adere às novas concepções do bem viver; nos interiores as antigas arrumações são substituídas por móveis e objetos ditados pelo novo gosto parisiense; dá-se, às vezes, uma espécie de fusão entre as finuras da decoração *art déco* e as linhas liberadas dos recentes preceitos do *design*. Para essas decorações, muitas peças são importadas (móveis, lâmpadas, bronzes, cerâmicas, cristais, tapetes, painéis decorativos), mas já se fazem sentir modificações na produção local, sobretudo no setor da marcenaria de luxo, com as execuções aprimoradas do Liceu de Artes e Ofícios* de São Paulo, das casas Laubish Hirth* e Leandro Martins* no Rio de Janeiro. [Cf.*ArtNouveau*.]

Armário pequeno de desenho assimétrico com prateleiras e gavetas laterais. Madeira incrustada, ferragens cromadas, motivos de flores estilizadas em baixo-relevo. Fabricação de Laubisch Hirth.
Coleção Renan Chehuan (Brasil, Rio de Janeiro - c. 1930 alt. 100 cm x 150 cm)

[arte popular   arte religiosa]

Peça decorativa de faiança moldada com flores estilizadas e revestimento de esmalte brilhante de cor creme. (França - c. 1925 - alt. 28 cm)

Art Déco. Relógio em ônix de duas cores com duas corsas de bronze e cornos de marfim.
Coleção Renan Chehuan (França - de época - 50 cm x 25 cm)

arte popular. Arte espontânea criada pelo povo e que abrange atividades literárias, musicais, plásticas das camadas sociais com menor grau de instrução formal. Atende às necessidades materiais, expressivas, lúdicas ou espirituais desse mesmo povo. ~ Em sua abordagem plástica, encerra objetos utilitários, decorativos, religiosos, etc., em geral executados por artistas anônimos que não pertencem à população urbana e industrial. São cesteiros, marceneiros, latoeiros, seleiros, rendeiras, bordadeiras, ceramistas, entalhadores, e outros, herdeiros de cada ofício e das tradições locais. As formas adotadas são características e geram novas formas: um artista influencia outro no seu âmbito e, muitas vezes, a arte chega a se desdobrar numa espécie de escola, como acontece, p.ex., com a cerâmica de Pernambuco. ~ Para sobreviver, diante das pressões do mundo contemporâneo, a arte popular necessita ficar à margem, preservando sua função que é a de ser criada dentro da própria vida do povo. Entre essas pressões, está o fato de que é fonte de interesse turístico, e seu esmero e originalidade tendem a desaparecer ante o apelo de lucro fácil e do convite à produção de *souvenirs*. ~ Ao atingir os centros urbanos, a arte popular, como contribuição decorativa, pode ser absorvida pelas classes de maior poder aquisitivo; perde o caráter utilitário e vai se estabelecer como base dos artesanatos. As formas mais expressivas e plasticamente válidas firmam-se e chegam a atuar sobre a arte erudita que nelas se revitaliza e renova. [Cf. artesanato.]

Família de retirantes. (Caruaru, Pernambuco - séc. XX)

Figura executada por Mestre Nuca. (Pernambuco - séc. XX)

arte religiosa. Tanto nas sociedades não alfabetizadas como nas civilizadas, a arte tem íntima relação com o mundo mágico e simbólico, e com o sagrado e/ou metafísico. Nas sociedades fortemente marcadas pela ascendência religiosa, sejam elas a civilização egípcia ou as grandes civilizações pré-colombianas da América, sejam o hinduísmo, o islamismo ou o cristianismo, arte e religião se integram com intensa repercussão estética e emocional. O impacto das manifestações artísticas sobre o espírito tende a crescer quando associado a qualquer tipo de experiência religiosa e, por isto, as classes sacerdotais delas se valem desde as primeiras civilizações históricas. Nas liturgias coletivas, a arte é o elemento que toca os sentidos e que assegura o domínio das doutrinas religiosas sobre as experiências subjetivas. § No Ocidente cristão, a Igreja medieval lança mão das artes de maneira irrestrita; com a Reforma protestante há uma retração no apelo às artes visuais (embora o mesmo não tenha ocorrido com a música), mas a Contrarreforma católica vai buscar nas artes plásticas e na arquitetura o apoio necessário para sua afirmação. § A descoberta do Novo Mundo coincide com esta fase da arte cristã nas suas expressões barroca* e maneirista*. Para os portugueses e espanhóis, a conquista das almas seria uma finalidade tão importante quanto a busca de riquezas e do poder. Esse tríplice interesse vai dominar e destruir as formas da arte autóctone mais adiantada que eles não aceitam na sua concretude. Junto com a catequese implantam-se nas colônias ibéricas as diversas manifestações da arte sacra europeia, que irão se desenvolver de maneira opulenta e original, em contraste com as condições precárias do meio. Essa arte sacra irá constituir uma parte importante do acervo cultural dos países da América Latina e o Brasil, como se sabe, não escapou a esse fenômeno. §§ A atitude e as atividades da Igreja Católica, graças aos jesuítas, aos franciscanos e aos beneditinos, contribuíram, sem dúvida, de maneira decisiva até o fim do séc. XVII para a formação cultural da colônia portuguesa; as obras de arquitetura e arte religiosa localizaram-se especialmente na Bahia e em Pernambuco, e mais tarde no Rio de Janeiro, além de outras cidades do litoral. Houve, porém, interferência política a partir da descoberta do ouro e, no séc. XVIII, as ordens religiosas não obtiveram licença para se instalar no território de Minas. As tarefas do culto estavam afetas aos padres seculares e às irmandades religiosas e a estas se devem as grandes obras do Barroco Mineiro. [V. Aleijadinho, Barroco brasileiro e imagens sacras brasileiras.]

artesanato. [Do it. *artigianato*, pelo fr. *artisanat*.] *s. m.* A arte e a técnica do trabalho manual não industrializado, realizado por artesão, e que escapa à produção em série; tem finalidade a um tempo utilitária e artística. A palavra designa também o conjunto das peças de produção artesanal e o conjunto dos artesãos de um determinado gênero. § O artesanato abrange os diferentes ramos da arte popular – cerâmica, tecelagem, cestaria, escultura, trabalhos em couro, madeira e metal, bordado, renda, tapeçaria, etc. – sempre estreitamente ligados à cultura a que pertencem. A habilidade e o pendor artístico unem-se não só às condições econômicas e sociais como também ao material disponível no meio em que se processa. Daí sua variedade. De todo modo, quer em objetos utilitários (vasilhame, vestuário, ferramentas, armas, instrumentos musicais), quer em trabalhos de cunho social ou religioso (representação de personagens e atividades locais, imagens feitas por santeiros, ex-votos*, máscaras religiosas) sempre são marcantes a originalidade e, até certo ponto, a qualidade única e individual que os incorporam ao acervo cultural da região de origem. § No Ocidente, o artesanato organizado e regulamentado surge na Idade Média, nos burgos onde o comércio é atividade principal, apoiado na produção dos artífices. Os primeiros artesãos eram servos na quase totalidade e, à medida que se libertaram, formaram as *corporações*; estas obedeciam a regras rígidas e a trajetória do artesão ia do *aprendizado* à *mestria*. No séc. XV, os descobrimentos marítimos e a ampliação do comércio alteram esse quadro e se fazem sentir os primeiros efeitos das inovações tecnológicas. ~ Nos séculos seguintes, impõe-se a reorganização dos métodos de produção, vai acabando o artesanato dentro das corporações, o antigo mestre desaparece. A ***Revolução Industrial*** triunfa. § No Extremo Oriente, na Índia, nos países islâmicos, foi extraordinário o desenvolvimento do artesanato; não se distinguia o artista do artesão. Ali também havia corporações de ofícios que sobreviveram graças à capacidade de adaptação e à maior liberdade e flexibilidade em absorver novas habilidades técnicas ainda não conhecidas pelos europeus. Quando o movimento de expansão comercial atingiu o Oriente, as manufaturas daqueles países eram numerosas e seus produtos de alta qualidade. Incorporavam-se de tal modo à tradição e aos costumes que puderam subsistir às pressões do desenvolvimento industrial, enquanto no Ocidente do séc. XIX o artesanato entrava em crise. § Depois ele se recuperou e os objetos artesanais voltaram a ser apreciados pelo que significam de liberdade, de singularidade, de pureza, por oposição à produção de consumo. Representam uma abertura muito rica no campo da decoração de interiores não só pelas razões acima, como pelo preço relativamente acessível. O artesão de arte é em geral oriundo da classe média e o artesanato urbano é influenciado pela moda e pelas correntes de arte erudita. §§ No Brasil, o trabalho dos artesãos é rico e variado. A influência indígena, portuguesa e africana se manifestou no artesanato colonial, muito ligado às necessidades básicas da população. Suas formas se consolidaram e constituem uma tradição. Sucintamente, destacamos: no Amazonas, a indústria de redes; no Nordeste, a arte do couro aplicada à indumentária do vaqueiro; no Maranhão e na Bahia, a produção de bonecas de pano, e ainda, na Bahia, os balangandãs* e objetos de culto afro-brasileiros; no Ceará e em Santa Catarina, as rendas* de almofada ou bilro; no Rio de Janeiro e no Espírito Santo, os trabalhos com asas de borboletas azuis aplicadas em pesos de papel, quadros, bandejas; a partir do século passado, essa arte tem sido controlada em defesa das espécies. No Paraná, caixas e outros objetos de madeira com motivos embutidos; no Rio Grande do Sul, facões de prata, cuias de chimarrão gravadas e boquilhas também de prata, arreios de couro* pirogravado com complementos de prata, além de trajes regionais, e objetos feitos com chifres de boi; merece destaque o artesanato mineiro e o de certas regiões do centro que englobam tecelagem, tapetes, tapeçaria, couro, metais, pedra-sabão, vidro, cópias de móveis rústicos coloniais. A cerâmica e a cestaria encontram-se em rica variedade nas diversas regiões; são notáveis ainda pela originalidade as esculturas de Pernambuco (Vitalino, Nuca, os artistas de Tracunhaém) e em Minas a cerâmica do Vale do Jequitinhonha. [Cf. arte popular.]

artesão^1. *s. m.* Pessoa que se dedica ao artesanato ou às artes decorativas, que trabalha manualmente, podendo produzir obras às vezes únicas quanto à feitura e à criatividade. Não raro os artesãos trabalham por conta própria ou com pequena equipe, muitas vezes pessoas da família. Sua arte passa frequentemente de pais a filhos. [V. artesanato. Cf. artesão^2.]

artesão^2. *s. m.* Painel quadrangular, hexagonal ou com outra forma poligonal, que se aplica a tetos planos ou curvos numa disposição sucessiva que cobre, em geral, quase toda a área. Muitas vezes tem ornatos na parte central, e é limitado por molduras em relevo. §§ A arte colonial brasileira é pródiga em exemplos desses ornatos. Assim, a abóbada da catedral de Salvador (antiga igreja do Colégio dos Jesuítas e que tem ainda elementos pré-barrocos) tem um conjunto de artesões que formam cruzes e hexágonos e parecem inspirados em modelo encontrado no livro *Regole generali di architettura* (1537) de Sebastiano Serli. ~ A palavra "artesão" (pl. artesões) parece derivar de "artesa", caixote de fundo estreito onde era amassado o pão. [V. caixotão. Cf. almofada^2, artesão^1 e artesoado.]

artes aplicadas. O conjunto das atividades voltadas para criação e a decoração de objetos utilitários, em especial os produzidos industrialmente.

artesoado. *adj.* Diz-se de teto, abóbada, etc. ornados com artesões ou caixotões e divididos por molduras. [V. artesão^2 e caixotão.]

Art Nouveau. [Fr. 'arte nova'] Movimento eminentemente decorativo que marcou a virada do séc. XIX e abrangeu a arquitetura, a decoração, as artes aplicadas, as artes gráficas. Atingiu o apogeu com a Exposição Universal de Paris, de 1900, para a qual convergiram todos os produtores de arte adeptos das novas tendências. § Em cerca de dez anos (entre 1895 e 1905) dá-se uma verdadeira reviravolta nos valores estéticos e no gosto: arquitetos e outros profissionais e criadores de arte, abandonando o historicismo* imitativo e conservador patrocinado pela sociedade próspera oitocentista, inauguram um estilo em harmonia com o século que desponta, e que reúne à fantasia, à exuberância das concepções uma visão absolutamente inovadora, inspirada nas mudanças que se passavam no campo da cultura, da técnica, da economia. ~ As origens do *Art Nouveau*, embora ligadas, por diversas formas, ao desgaste dos recursos arquitetônicos e decorativos em vigor, encontram-se, basicamente, em duas fontes principais: primeiro, o movimento britânico *Arts and Crafts*, que rejeitava um sistema acadêmico e artificial e propunha a volta à natureza e às puras raízes do artesanato; depois, a surpresa, a admiração, o encantamento despertado na Europa pela descoberta da arte japonesa, com suas linhas econômicas e elegantes, sua composição assimétrica, seu colorido plano nas estampas* gravadas em madeira, seu uso da forma e dos materiais (cerâmica, laca, metal), sua sobriedade, pureza e liberdade nos espaços interiores. § No *Art Nouveau*, é preciso distinguir as duas correntes estéticas e plásticas, bem diversas, que se desenvolveram desde as origens: a corrente curvilínea, sensual, orgânica mais difundida de início, e a corrente contida, lógica, geométrica que reagia aos transbordamentos da primeira. Nesta, dominam a assimetria, a exuberância, as linhas sinuosas que fluem e se desdobram como rodamoinhos, como chamas, como algas: a natureza é recriada em motivos vegetais (papoulas, nenúfares, cardos, longos caules, gavinhas), em animais (pavões, libélulas, borboletas) e, na sensualidade do corpo feminino e dos cabelos longos, ondulantes. Na segunda corrente do *Art Nouveau* aparecem linhas singelas, predominantemente geométricas, que se desenvolvem normalmente, se entrecruzam, seguem paralelas, convergentes, divergentes; os motivos da natureza são estilizados com extremo requinte. § A volta ao apelo visual e táctil que foi o impacto do *Art Nouveau* é marcada pela interação da arquitetura e da decoração, estendendo-se esta aos mínimos detalhes. As fachadas, jamais convencionais em suas linhas curvas ou retas, não raro com diferentes valores de equilíbrio, têm sacadas decoradas com relevos surpreendentes ou grades de ferro e outros detalhes, as janelas apresentam formas insólitas; no interior, tudo corresponde a um novo modo de pensar o espaço, a iluminação, o mobiliário; vitrais figurativos, azulejos em relevo, papéis de parede, luminárias, nada foge à integração visada. Pode-se dizer que nasce, então a **decoração de interiores**. § Paralelamente, o estilo marca profundamente as artes gráficas (letras concebidas de forma absolutamente nova se harmonizam com desenhos e vinhetas em edições de luxo, em revistas e cartazes); influi nas artes cênicas (cenários e figurinos de óperas, de balés), e até mesmo na imagem e planificação de edifícios coletivos (escolas, igrejas, bibliotecas, teatros, estações). ~ Nos costumes, o fim do século XIX traz a libertação da rigidez vitoriana, a mulher começa a rever sua condição na sociedade, o vestuário se adapta à vida urbana. ~ Expressão viva do *Art Nouveau* foi a norte-americana Loie Fuller que, com sua "dança serpentina", criou um bailado orgânico, de uma plasticidade livre, com metros e metros de seda ondulante manipulada sob luzes de diversas cores. Sua figura, modelada em bronze, tornou-se símbolo das concepções abertas, contestadoras que se firmavam no fim do século. § Na **Grã-Bretanha**, entre 1880 e 1900, os ideais do movimento *Arts and Crafts* podem ser descritos como um primeiro estágio do *Art Nouveau*: destacam-se o desenhista, artesão e poeta William Morris*, os arquitetos Thomas Webb, Mackmurdo*, Ashbee, Voysey e sobretudo Mackintosh* e seus companheiros de **Glasgow**, o pintor Whistler, os ilustradores Walter Crane e Aubrey Beardsley, o desenhista Christopher Dresser, o homem de negócios A. L. Liberty*. ~ Depois de 1890, o interesse pelas inovações britânicas faz com que esses pioneiros sejam acolhidos no "continente" como verdadeiros profetas. Um dos primeiros a promover o movimento foi o arquiteto belga Van de Velde* cujas atividades contribuíram para a emergência, em **Bruxelas**, das primeiras manifestações claramente definidas do *Art Nouveau* na arquitetura, como a *Maison Tassel* (1892) projetada por Victor Horta*; nessa capital, marcada por uma vanguarda simbolista, reuniu-se riquíssimo acervo do estilo, incluindo-se a *Maison Stocklet* projetada pelo austríaco J. Hoffmann*. A criatividade dos belgas muito concorreu para a expansão do *Art Nouveau* nos outros países. ~ Na **França**, o arquiteto Hector Guimard* deixa-se conquistar pelo novo estilo e sua realização mais famosa foi o desenho para as entradas das estações do metrô de Paris, em que soube associar ao novo meio de transporte de massa estruturas de ferro sinuosas, vegetalizantes sugestivamente pintadas de verde escuro; elas são evocativas da Paris de 1900, tanto quanto o *cancan* ou os cartazes de Toulouse-Lautrec e de Mucha. Os ebanistas dão novo tratamento aos móveis que têm assinatura do próprio Guimard, de Majorelle*, de Gallé*; os joalheiros criam verdadeiras obras-primas do estilo, usando novos recursos como fez René Lalique*. A cidade de Nancy* celebrizou-se pelas ousadas manifestações na arte do vidro estimuladas pela figura singular de Émile Gallé, esteta, vidreiro, ebanista, em torno do qual formou-se a chamada *Escola de Nancy*. ~ Na **Alemanha**, principalmente em Munique e Darmstadt, o novo estilo, depois de um período brilhante relativamente curto em que se valorizou o artesanato de arte, desviou-se para outra vertente baseada em valores mais práticos, com a fundação da *Deutscher Werkbund* voltada para as criações do desenho industrial e que seria a semente da Bauhaus*. ~ **Escócia**, *Holanda* e *Escandinávia* adotaram linhas mais sóbrias e esta tendência teve a expressão mais característica e criativa na *Áustria* onde a geometria das formas mostra grandes afinidades com a estética de Mackintosh; em Viena, meio cultural extremamente avançado, o movimento *Secession** reuniu artistas como Klimt, Wagner*, Hoffmann*, Moser. Sua influência ultrapassa as fronteiras do Império austro-húngaro. ~ No polo estético oposto, o catalão Antoni Gaudí* foi o mais completo e pessoal dos arquitetos do *Art Nouveau* deixando, principalmente em **Barcelona**, obras de uma originalidade, uma espiritualidade e uma força incomparáveis. ~ Nos **E.U.A.**, o maior criador do estilo, L. C. Tiffany*, dedicou-se ao vidro artístico e conquistou, com suas obras, o requintado meio parisiense. § O movimento *Art Nouveau* teve duração efêmera mas intensa. Nenhum outro estilo foi conhecido por tantas designações entre os seus contemporâneos: *Arts and Crafts* e *Liberty* (Inglaterra), *Jugendstil* (Alemanha e Escandinávia), *Secession* (Áustria), *Floreal* e *Liberty* (Itália), *Modernismo* (Espanha), *Modern Style* (Bélgica e França, sendo que a versatilidade francesa encontrou outras designações, algumas pitorescas: *Style Guimard*, *style métro*, *style nouille* 'estilo macarrão'). A expressão *Art Nouveau*, depois a mais difundida, é proveniente do nome da galeria *L'Art Nouveau* aberta em Paris em 1895 por **Samuel Bing**, entusiasta do movimento; ali viam-se objetos modernos interessantes, móveis, tecidos, joias, baixelas, tapetes, porcelanas, lâmpadas. Na exposição de 1900, as peças expostas por Bing foram de tal nível que diversos governos as adquiriram para figurar nas coleções de grandes museus. É curioso notar que, já em 1902, a designação parece começar a ter curso na França: Hector Guimard publica um artigo cujo título é *L'Art Nouveau: opinion d'un architecte* para a revista americana *Architectural Record*. § Antes da I Guerra Mundial (1914-1918) o *Art Nouveau* já estava saindo de moda, degenerando num excesso de decoração de superfície, desligado de qualquer preocupação estética. Mas a repercussão de seus valores artísticos e funcionais foi decisiva abrindo caminho para a integração das artes no séc. XX. [V. *Arts and Crafts Movement*. Cf. *Art Déco* e *La Belle Époque*.] §§ No Brasil, o *Art Nouveau* ou "Arte Nova", como se dizia, recebe desde logo os influxos do movimento europeu. ~ No Rio de Janeiro – centro político, econômico e intelectual do país – a nova tendência estética encontra adeptos atuantes entre os jovens artistas e escritores; brilha no mundo do desenho e das artes gráficas (livros, revistas literárias, semanários) e nos projetos de detalhes arquitetônicos (cerâmica, vitrais, gradis, estuques). Numerosas fachadas e interiores são planejados para particulares. Já o mundo oficial e financeiro não se sensibiliza com as inovações; permanece fiel ao estilo tradicional, aos modelos das grandes capitais europeias. Foi este o espírito que presidiu a escolha das fachadas para a nova Avenida Central onde predominam os moldes ecléticos e historicistas. O Teatro Municipal é, externamente, como que uma réplica da *Opéra* de Paris (entre os projetos apresentados no concurso para este edifício, houve um, não aceito, marcadamente *art nouveau*). No interior do teatro, porém, encontram-se afrescos, luminárias, mosaicos, detalhes de decoração tipicamente no estilo. ~ Num nível de menor ostentação, constrói-se, aqui e ali, na cidade, uma escola ou outro prédio do governo em que, num ecletismo discreto, os arquitetos incluíram traços da estética vienense. ~ Mas o *Art Nouveau* não fica só na capital da República; chega a São Paulo com a expansão econômica: na recém-aberta Avenida Paulista, construiu-se, em 1905, no mais puro estilo e com projeto de decoração de Victor Dubugras, a residência de Horácio Sabino, demolida na década de 1950; no tradicional bairro de Higienópolis, a Vila Penteado, projetada por Carlos Ekman, ainda está de pé. ~ Com o surto da borracha, o estilo atinge – com material e modelos importados diretamente da Europa – o Amazonas e o Pará: os mercados de Manaus e de Belém, e, nesta cidade, a loja Paris n'América. ~ Num país novo como o nosso, a vigência do *Art Nouveau*, essencialmente urbano, foi passageira, sobrepujada pelas novas "modas". Por outro lado, as demolições, decorrentes da valorização imobiliária, fizeram desaparecer em cerca de 50 anos, um estilo que, embora estranho ao meio, não deixou de ter algo em comum com uma tradição fortemente marcada pela fantasia, pela exuberância e pelo requinte artesanal do nosso Barroco que, paradoxalmente, na época estava esquecido ou era ignorado.

Cachepô de cerâmica inglesa. (de época)

Placa de estanho moldado. (de época)

Alto-relevo em mármore de Carrara com perfil de mulher, assinado L. Verona. Coluna de madeira entalhada com detalhes vazados. (França - c. 1900)

Arts and Crafts Movement. [Ingl. 'Movimento de Artes e Ofícios artesanais'.] Corrente estética surgida na Inglaterra na segunda metade do séc. XIX sob a inspiração de William Morris, líder das artes decorativas, do crítico de arte John Ruskin, dos pré-rafaelitas* e de muitos outros artistas inconformados com os valores vitorianos. Essencialmente anti-acadêmico, esse movimento representou o começo de um novo enfoque das artes decorativas, no qual aparecem conotações humanísticas e sociais. ~ Conscientes da deterioração do artesanato e do gosto face à produção industrial, os membros do movimento procuraram a revalorização do trabalho manual (*handicraft*) considerando-o a "raiz da arte". Assim, reviveram as artes gráficas manuais, a estamparia artesanal de tecidos e papéis de parede; buscaram a estilização com simplicidade, a decoração imaginativa feita por artesãos qualificados. Desejando manter e recriar a tradição pura (inspirada na arte gótica), muitos arquitetos criam *guilds* ('corporações', 'associações') para atender a uma clientela de maior discernimento intelectual e estético e promover os ideais do movimento. ~ Embora criticado por seu aspecto elitista, o *Arts and Crafts* difundiu-se em outros países e se identificou com o *Art Nouveau* em seus primórdios. ~ Outra vertente, com o arquiteto R. Ashbee, numa reconciliação inevitável com a máquina, vai dar origem, em começos do séc. XX, às novas teorias do *design* estabelecidas pela nova arquitetura e mais tarde pela Bauhaus*. [V. *Art Nouveau*, A. H. Mackmurdo e W. Morris.]

árvore da vida. Motivo ornamental muito frequente na arte oriental, e que representa uma árvore estilizada de ramos distribuídos mais ou menos simetricamente. ~ A associação entre a árvore da vida e a manifestação divina encontra-se na tradição de todas as religiões. No Cristianismo, o homem que sucumbe à tentação da "árvore do Bem e do Mal" é resgatado pela cruz erguida no alto do monte, a árvore da vida espiritual, da ressurreição. ~ Para os orientais, a árvore simboliza a vida em perpétua evolução, o caráter cíclico da regeneração; sua verticalidade abrange os três níveis do cosmos que por meio dela se comunicam: as raízes prendem-se à parte subterrânea, o caule e os primeiros ramos à terra e o cimo ao céu, à luz. ~ Na Índia, os *Upanishad* representam o universo como uma árvore invertida, cujas raízes mergulham no céu e cuja seiva se transmite aos homens. A "árvore do mundo", sob a qual Buda alcançou a iluminação, representa, na iconografia primitiva, o próprio Buda. § A estilização da árvore está presente em diversas manifestações artísticas e decorativas, em especial nos tapetes orientais (Bakhtiyar*, Samarkand*). ~ O mesmo motivo é visto na forma de grande árvore assimétrica em tecidos de algodão indiano; nas colchas, ocupa todo o campo que cobre a cama (acredita-se, por certas características do desenho, que tenha origem em padrões em voga na Inglaterra no séc. XVII enviados para os tecelões indianos e adaptados à tradição local). ~ Na tapeçaria ocidental moderna a árvore aparece como motivo de inspiração; é belíssima a criação de William Morris* *The Woodpecker Tapestry* ('A tapeçaria do pica-pau'), feita em 1881.

asa perdida. V. jarro.

assemblage. [Fr. 'o ato de juntar, de reunir'.] *s. m.* Nas artes plásticas, composição produzida pela incorporação de objetos vários aos materiais tradicionais da arte. O objeto não artístico (uma corda, um jornal) adquire significado estético e simbólico no novo contexto, sem, no entanto, perder a própria identidade. Essa prática, resultante de novas tendências artísticas, surgiu por volta de 1912 com as colagens cubistas de Picasso e Braque e com as esculturas futuristas de artistas italianos; o dadaísmo* e o surrealismo* exploraram também suas possibilidades. A clássica distinção entre pintura e escultura desaparece com o *assemblage*; seu papel foi muito importante no desenvolvimento das artes no séc. XX. ~ O termo foi cunhado na década de 1950 pelo francês Jean Dubuffet, e tanto se aplica às obras planas como às tridimensionais. [Cf. cubismo e futurismo.]

assento. *s. m.* Qualquer móvel de descanso onde as pessoas se sentam. // A parte do móvel destinada a este fim. (A palavra é mais usada nesta acepção). [V. banco, cadeira e sofá.] – Fr. *siège*; ingl. *seat*; alem. *Sitz*.

assimetria. *s. f.* Distribuição dos elementos de uma composição de maneira não equilibrada em relação a um eixo ou a um centro. Na natureza, predominam a assimetria, o dinamismo oriundo de uma desordem apenas aparente. ~ A aplicação deste princípio em arte ou em decoração produz resultados vivos em que a harmonia é encontrada através da disposição de formas e cores. [Cf. simetria.]

assoalho. *s. m.* Piso de madeira assentado com tábuas ou com tacos; convém a qualquer peça da casa, sendo menos indicado em cozinhas, banheiros, lavanderias e congêneres. Sua manutenção era, outrora, trabalhosa exigindo lavagem ou aplicação de cera; tornou-se mais simples com a difusão dos processos de vitrificação. ~ O assoalho de tábuas é o mais antigo; entre nós, o pinho de Riga*, importado, era madeira muito usada. Quanto ao assoalho de tacos, pode-se apresentar formando desenhos em mosaico ou simplesmente em peças de forma retangular, pré-fabricadas e coladas no chão. [Cf. parquê e tábua corrida.]

astecas. *s. m. pl.* Povo que habitava as terras do México e que foi conquistado pelos espanhóis (1519-1521). Sua capital, Tenochtitlán, era o centro de um império hierarquizado em que dominava o culto da violência e do sangue; nas ruínas da cidade, além da imensa "Pedra Solar", conhecida como *Calendário Asteca* (compêndio dos conhecimentos e tradições desse povo), encontrou-se o jaguar de pedra onde eram depositados os corações das vítimas de cruentos sacrifícios, e a estátua-monólito da deusa Coatlicue, estilizada com requintes (o rosto formado por duas cabeças de serpente, os braços e o saiote pelo corpo desses animais, enquanto à altura da cintura avulta uma caveira e do peito pende um colar de mãos decepadas); essa deusa seria a quintessência de uma civilização que evidentemente não se enquadrava nos moldes cristãos e que foi violentamente sepultada pelos espanhóis. ~ Os Astecas assimilaram a cultura dos povos vencidos (Olmecas, Toltecas, Zapotecas). Sua arte é proveniente de tradições muito antigas com grande variedade de temas e motivos (águias devorando corações, perfis de caveiras ritmicamente repetidos, a serpente emplumada). ~ Aqueles povos possuíam conceitos comuns como o do planejamento das cidades e o das pirâmides com perfil em patamares, paredes inclinadas com painéis esculpidos e escadarias altas e íngremes. Entre os astecas, a escultura, a cerâmica, a pintura, a ourivesaria produziram obras vigorosas de forte apelo expressionista e decorativo. O escultor Henry Moore considera que as obras talhadas na pedra pelos astecas nunca foram suplantadas por outras civilizações em inventividade e fidelidade ao material no tratamento de formas tridimensionais. [Cf. Incas.]

atril. *s. m.* V. leitoril.

Aubusson. [Cid. da França.] Designação genérica de tapeçarias e/ou tapetes produzidos na França, na cidade desse nome e adjacências. ~ Acredita-se que as primeiras manufaturas de tapeçarias murais, de caráter doméstico, tenham se instalado naquela cidade por volta do séc. XV orientadas por artesãos flamengos; no séc. XVII seu conjunto foi elevado à categoria de "manufatura real" e gozou de prestígio no século XVIII. ~ Fornecia tapetes de parede para a nobreza e depois para a burguesia; mais tarde, diminuindo a procura destes, passaram a produzir tapetes de chão feitos na mesma técnica, e a palavra "aubusson" tornou-se sinônimo de tapete raso (sem pêlo). Nos oitocentos essa técnica se estendeu pela Europa e pela América. Seus motivos, a princípio inspirados nos tapetes persas, depois adotaram desenhos florais e arquitetônicos, refletindo o gosto das diferentes épocas. [V. tapeçaria e tapete. Cf. Beauvais, Gobelins, Lurçat e Savonnerie.]

austríaco. *adj.* Diz-se do móvel desenhado e construído por Michael Thonet. [V. mobiliário e Thonet.]

autenticação. *s. f.* Ato de reconhecer como verdadeira uma obra de arte, um objeto antigo, uma assinatura. Para se obter esse reconhecimento, recorre-se a um *expert* (ou perito) de competência e idoneidade comprovadas que fornece um laudo atestando a origem e o valor da peça em questão. [V. cópia, imitação e falsificação. Cf. antiquário.]

avental. *s. m.* No mobiliário luso-brasileiro, peça recortada com entalhes que enfeita e amplia a parte inferior da caixa de mesas, meias-cômodas e mesas de encostar do séc. XVIII. [V. mobiliário.]

aventurina. *s. f.* Variedade de quartzo ou de feldspato com reflexos brilhantes devido à inclusão de lamelas de mica, hematita, etc. // Vidro em geral marrom escuro com partículas douradas obtidas pela mistura de cristais de cobre no vidro derretido. ~ Conhecida na Antiguidade, a aventurina foi redescoberta em Veneza no séc. XVI e passou a ser usada na massa de contas e de certos objetos decorativos ou na superfície destes. // P. ext., dá-se essa designação aos revestimentos com efeitos semelhantes, em especial ao da laca.

azul. *s. m.* Na natureza, a cor do céu sem nuvens em dia claro, do mar alto nas mesmas condições, da safira, do miosótis. Sendo uma cor fria, provoca, ordinariamente, sensação de tranquilidade, de repouso e é aconselhável em ambientes de estudo, de meditação, de recuperação. Associado ao verde, vivifica e refresca, lembrando o céu e a água combinados com as plantas da natureza. É a cor da imensidão. ~ O azul forte, junto ao amarelo e ao vermelho, vibra no diapasão da alegria. Matizes: azul-celeste, azul-pavão, azul-piscina, azul-nattier, azul-marinho, azulão, etc [V. cor.]

azul e branco. Decoração feita sobre cerâmica ou porcelana branca com azul cobalto. // A louça assim decorada. ~ Essa técnica, conhecida no Oriente Médio, já no séc. IX, dali teria sido levada para a China durante a dinastia Yuan (1279-1368). São particularmente bonitas as porcelanas azul e branco produzidas no período Ming (1368-1644) e sua fabricação prosseguiu durante a dinastia Ching. A decoração azul e branco, introduzida na Europa, teve grande aceitação e passou a ser executada em diversos países. [V. baixo-esmalte, cerâmica e porcelana.] – Ingl.: *blue and white*.

azulejo. [Do árabe *az-zulaiy* 'ladrilho'. Atribui-se também a origem da palavra a "azul", cor característica dos azulejos portugueses, mas a hipótese dessa etimologia não se confirma.] *s. m.* Ladrilho plano ou em relevo, com uma das faces vidrada. Destina-se ao revestimento de paredes e outras superfícies internas e externas que exigem impermeabilização, e pode ser usado também decorativamente em painéis, frisos e molduras. § Material de grande durabilidade, não se deixa riscar e resiste à corrosão e à umidade. Por isto, exemplares de azulejos encontrados em escavações arqueológicas chegaram até nós quase em perfeito estado. De proveniência antiquíssima, o azulejo parece ter sido conhecido no Egito e em Creta, mas foi a civilização assíria (séc. VII a. C.) que nos legou composições em que aparecem grandes figuras formadas às vezes por mais de 50 peças. Pouco utilizado na Grécia e em Roma, o azulejo foi produzido pelos persas que herdaram a tradição da Mesopotâmia e a transmitiram aos árabes e a Bizâncio. ~ Foi introduzido no Ocidente pelos mouros, por volta do séc. XII, através da Espanha (Málaga, Sevilha, Granada). Entre os mais belos exemplares dessa procedência encontram-se os do Alhambra de Granada (séc. XIV); nas cores azul-celeste, verde, amarelo, violeta, branco e negro, formam combinações geométricas muito decorativas, desenvolvendo traçado de laçaria como, p. ex., uma estrela tendo no centro um quadrado, um hexágono, um octógono ou um polígono de dezesseis lados. Da Península Ibérica os azulejos passaram para outros países tomando grande impulso na Holanda (Delft). ~ Motivos florais em relevo, de inspiração *Art Nouveau*, dão vida nova a azulejos mais recentes; merecem menção os produzidos por Gaudi* em Barcelona. [V. ladrilho.] §§ Em Portugal, os azulejos parecem ter sido empregados nas construções civis e religiosas desde o séc. XV. A princípio vinham da Espanha, mas depois desenvolveu-se a produção própria; a olaria portuguesa suplantou a espanhola. Ainda no séc. XVII, painéis ou paredes de azulejos policromados com padrões geométricos repetidos são muitas vezes limitados por barras e molduras. Pouco a pouco vão assumindo fisionomia particular: são inteiramente decorados e formam importantes composições; Lisboa destaca-se como principal centro produtor e consumidor de azulejos. ~ A arte atinge o apogeu no séc. XVIII, e são amplamente empregados os motivos característicos do Barroco* e do Rococó*. A par dos grandes painéis cercados por molduras muito ornamentadas (cenas religiosas, bíblicas ou profanas, muitas vezes do gênero *chinoiserie*), aparecem lambris* com decorações semelhantes e figuras isoladas: os *avulsos* e os *registros*. Predominam os desenhos azuis sobre fundo branco, às vezes com detalhes amarelos e cor de vinho tendendo para o rosado. ~ O Rococó perdura até o fim do séc. XVIII e convive com o estilo Dona Maria*; este adapta-se bem aos azulejos, com sua decoração leve que lembra grotescos* ou afrescos pompeianos; os motivos neoclássicos (grinaldas, plumas, fitas) da Fábrica Real têm, em geral, pintura policromada e sua produção se estende até começos do séc. XIX. ~ A fabricação de azulejaria decorativa, que decresceu em meados do século, ganhou novo alento na transição para o séc. XX através dos azulejos da Fábrica de Faianças das Caldas da Rainha*, com características *art nouveau* (relevos, efeitos irisados) frutos da criatividade de Rafael Bordalo Pinheiro. Alguns artistas conservadores como Jorge Colaço fizeram reviver, no séc. XX, composições de timbre historicista. § O Brasil recebe azulejos portugueses a partir do séc. XVII para revestir as paredes de igrejas e claustros no litoral e em Minas; com seus efeitos dinâmicos e complexos, eles constituem uma das grandes riquezas de nosso patrimônio: harmonizam-se com a talha dourada, com a pedra, com os estuques, as pinturas. ~ Da primeira fase setecentista – chamada em Portugal "Ciclo dos Mestres" – são os painéis da Capela Dourada em Recife e a *Última Ceia* do refeitório do convento franciscano de Salvador. No reinado de D. João V produz-se a azulejaria barroca, teatral, com decoração rebuscada, paisagens extensas que servem de cenários a motivos religiosos e alegóricos. Entre nós figura um dos mais vastos conjuntos de azulejos do mundo: o do convento de São Francisco em Salvador, só igualado pelo convento de São Vicente de Fora em Lisboa. Os azulejos pombalinos* difundiram-se no Brasil graças às companhias comerciais criadas nessa época; são encontrados no convento de Santo Antônio do Recife, nas igrejas de N. S. da Purificação de Santo Amaro na Bahia, do Carmo de Ouro Preto, de Santa Teresa de Olinda. Os azulejos Dona Maria I fazem-se representar, sobretudo, pelos grandes painéis do antigo Solar do Conde dos Arcos em Salvador (c. 1802-1806) e que se acredita sejam provenientes da Fábrica do Rato*. ~ No Brasil oitocentista difunde-se o emprego dos azulejos no revestimento de fachadas, o que deu impulso à azulejaria portuguesa nessa fase, incrementando a criação de fábricas em Lisboa e no Porto. São azulejos de *padrão* com decoração abstrata, em que cada peça constitui um elemento autônomo ou se combina com outras para formar motivos que se encadeiam. Os exemplos mais característicos estão nas casas de São Luís do Maranhão, até hoje conservadas. ~ Modernamente, os azulejos brasileiros representam recurso arquitetônico e decorativo. Vale mencionar os expressivos azulejos com desenhos de Portinari que representam a vida de São Francisco de Assis, na Capela da Pampulha em Belo Horizonte.

Detalhe de azulejo de padrão do Museu do Açude.
Acervo Museus Castro Maya - Rio de Janeiro
(Portugal - séc. XIX)

Painel com cenas d'après Fragonard (parte). (Portugal - séc. XVIII)

Paisagem com medalhão no estilo Dona Maria I. Acervo Museus Castro Maya - Rio de Janeiro (Portugal - sécs. XVIII / XIX)

babado. *s. m.* Tira de tecido, renda, etc., cosida só de um lado com franzidos ou pregas, e que serve de guarnição e/ou acabamento em obras de costura. Os babados de tecido fino imprimem às guarnições ideia de leveza, de frescor. [V. trabalho de agulha.] – Fr.: *falbala, volant*; ingl.: *flounce, ruffle*; alem.: *Volant*.

Baccarat. [Top. fr.] Manufatura de cristais fundada na França no séc. XVIII, famosa até hoje pela perfeição dos objetos finamente lapidados ou gravados, notáveis pela transparência, brilho, resistência e bela sonoridade ao toque. Seu período áureo ocorreu mais ou menos entre 1820 e 1860, quando produziu cristais de mesa, vasos e luminárias, além das peças de opalina em grande variedade e de cores delicadas, e dos célebres pesos de papel. ~ Serviços de copos, garrafas, jarros, vasos, candelabros, lustres, continuam a ser executados em modelos tradicionais e outros que acompanham as tendências do momento. [V. cristal, bico de jaca e pesos de papel e v. tb. cremeira e garrafa (ilustr.).]

Compoteira com bordas recortadas em folhas e tampa com pináculo com gota-d'água.

bacia. *s. f.* Vasilha redonda de bordas largas para conter água; tem o diâmetro maior do que a altura, destina-se ao uso doméstico, e pode ser de louça, metal, ágate, etc. ~ Antigamente a bacia era usada para abluções e banhos, formando, não raro, um conjunto com jarro alto. As bacias e jarros de porcelana pintada e de prata lavrada faziam parte dos acessórios de quarto. ~ Como antiguidade e/ou objeto de adorno, certas bacias de opalina ou da Companhia das Índias, realçam, por sua importância, determinadas decorações; outras, de latão antigo são aproveitadas como cachepôs, ou cubas nas pias de lavabos. [V. jarro e lavatório.] – Fr:. *cuvette*; ingl.: *basin*; alem.: *Becken*.

Bacia de porcelana chinesa da famille rose.
(diâmetro 91cm)

baixela. *s. f.* O conjunto de recipientes que, no serviço de mesa, destinam-se a apresentar os alimentos preparados para as refeições principais (sopeiras, legumeiras, travessas, molheiras, pratos, jarros, fruteiras, taças, *sous-plats*). As baixelas são normalmente de metal (prata, metal prateado, aço inoxidável, estanho) e nelas distinguem-se peças rasas (que os ingleses chamam *flatware*) e as fundas, não raro com tampa (*hollow ware*). Pratos, travessas, tigelas diversas se originam diretamente de uma chapa metal a que se dá a forma desejada, enquanto sopeiras, legumeiras, etc., obedecem a processos mais complicados. ~ Durante séculos, nas peças achatadas, a placa de metal era cortada no feitio desejado e prensada e martelada entre fôrmas de pedra, uma côncava outra convexa; para as fundas, empregava-se basicamente a técnica do torno: finas chapas de metal eram presas ao molde e, em movimentos giratórios, recebiam a forma, amoldadas por instrumentos de madeira. Antes do desenvolvimento da solda, alças e ornatos salientes eram presos com arrebites, e os bicos eram em geral prensados em duas partes e unidos pelo calor. Até o fim do séc. XVIII esses processos foram largamente usados, e os acabamentos eram feitos à mão. No séc. XIX, surgiram processos mecânicos mais aperfeiçoados mas, ainda assim, tem-se peças de especial finura no lavor. ~ Grandes ourives assinaram baixelas de prata de diferentes procedências e estilos, cujos elementos, não raro desmembrados, encontram-se em coleções e museus. [V. prata (história) e Germain. Cf. serviço.] – Fr.: *argenterie, vaisselle*; ingl.: *tableware*; alem.: *Tafelservice*.

Peças de baixela de prata. (França - séc. XIX)

baixo-esmalte. *s. m.* Pintura resistente à alta temperatura, e que se aplica à cerâmica antes do esmalte. As cores usadas no baixo-esmalte são o azul derivado do cobalto, o vermelho, do cobre, e o verde, o marrom e o preto, do ferro. [V. cerâmica, porcelana e azul e branco.]

baixo-relevo. *s. m.* Nas artes plásticas, escultura num só plano. As formas sobressaem do fundo e são trabalhadas num relevo que representa menos da metade do volume real do modelo, em geral sem perspectiva. É considerado pelos escultores como de difícil execução, uma vez que se trata de estrutura tridimensional com um mínimo de projeção. ~ O baixo-relevo aplica-se, tanto em arquitetura quanto em artes decorativas, sobre superfície geralmente plana, formando painéis com figuras, guirlandas e frisos. Fachadas, placas diversas em metal, cerâmica, etc., medalhas, ornatos de madeira entalhada, diferentes tipos de objetos religiosos ou utilitários têm as faces enriquecidas com essa decoração. ~ Os frisos dos Arqueiros e dos Leões da Mesopotâmia, as métopes do Partenon, as lápides funerárias gregas, os medalhões de Della Robbia, os retábulos das igrejas renascentistas e barrocas, a porcelana de Wedgewood são alguns exemplos de baixos-relevos. [V. alto-relevo e escultura.] – Fr.: *bas-relief*; ingl.: *bas relief*, *low relief*; alem.: *Baasrelief*.

Bakhtiyar. Tapete oriental proveniente da Pérsia central. O fundo é geralmente dividido em quadrados e losangos ornados alternadamente com motivos de animais ou plantas (ciprestes, ramos floridos) e limitado por uma barra com três faixas, típica dos tapetes persas. Certos exemplares são cobertos de motivos florais e de arbustos estilizados tendo muitas vezes ao centro a árvore da vida. De dimensões variáveis, alguns tapetes são bastante grandes; o número de nós oscila em geral entre 1.200 a 2.000 por decímetro quadrado. [V. tapete oriental - tapete Persa. Cf. Qum.]

Tapete Bakhtiyar (parte).

balaio. *s. m.* Cesto de palha ou outro material análogo, geralmente redondo, com ou sem tampa. Peça típica de artesanato, destina-se ao transporte ou à guarda de inúmeras coisas. Pode ter também aplicação decorativa como acessório de mobiliário informal. [V. cestaria.]

balança. *s. f.* Instrumento destinado a medir o peso de qualquer objeto. Existem balanças de braço e de molas. As que são dotadas de braços e de pratos (pendentes ou apoiados), quer sejam pequenas como as de farmácia, quer grandes como as dos antigos açougues, apresentam belos trabalhos em metal e são usadas na decoração. – Fr.: *balance*; ingl.: *balance*, *pair of scales*; alem.: *Waage*.

balanço. *s. m.* Em arquitetura, parte de uma construção que avança na face de uma parede, de um muro e que é de tal modo construída que não necessita de sustentação (sacadas, marquises, etc.). Num interior, prateleiras, consolos, etc., podem também ser projetadas em balanço. ~ O emprego da estrutura em balanço nas cadeiras foi uma conquista do mobiliário moderno. [V. cadeira em *cantilever* ou em balanço. Cf. consolo e mísula.] – Ingl.: *cantilever*.

balangandã. [Pal. onomatopéica.] *s. m.* Amuleto e/ou ornamento de feitura artesanal usado pelas negras da Bahia, especialmente em dias festivos e com trajes característicos. Destinava-se a afastar os maus-olhados e malefícios ou a fins propiciatórios, votivos, evocativos, etc., assumindo formas variadas e pitorescas: figas, partes do corpo ou da casa, corações, crucifixos, astros, peixes e romãs (além de outros animais ou frutas), tambores e pandeiros, etc; a essas peças, em geral de prata, mesclavam-se outras feitas de pedras ou de madeira, além de moedas, sementes, etc. Esses amuletos eram reunidos em pencas presas numa argola (*galera*), e dependurados numa corrente; quando suspensos à cintura, os balangandãs chocalhavam, daí o seu nome. Os exemplares mais antigos, alguns mesmo de ouro, são preciosidades do artesanato brasileiro e fazem parte da rica ourivesaria baiana. O termo também designa a própria penca de balangandãs. [V. amuleto.]

Balangandãs antigos.

balaustrada. *s. f.* Em arquitetura, série de elementos verticais (balaústres, grades, etc. ou anteparos bidimensionais de materiais diversos) presos na parte superior a um parapeito ou a um corrimão de madeira, de ferro, de alvenaria; sua finalidade é servir de apoio e de guarda em sacadas, patamares, escadas, terraços, pontes, etc. ~ As balaustradas de pedra ou de ferro, quando externas, obedecem ao estilo da construção; nos interiores, as de madeira aparecem como importante elemento de decoração em escadas, balcões e sacadas. ~ A balaustrada clássica da Renascença* consistia num parapeito largo com balaústres ornamentados. Modernamente estes são substituídos, amiúde, por hastes de metal que suportam corrimão, ou por painéis de vidro, de plástico, etc. § Nos móveis, por influência arquitetônica, as balaustradas, formadas por colunas ou tabelas recortadas, são elemento estrutural de camas, aparadores, etc. §§ No Brasil, balaustradas de madeira entalhada ou torneada guarnecem o interior da maioria das igrejas barrocas e as do séc. XIX (cancelos*, púlpitos, sacadas). ~ Nesse mesmo século, ou no início do séc. XX, grades de ferro fundido com motivos muito ornamentados, ou hastes unidas por curvas em "S" e por frisos, constituíam balaustrada características da arquitetura urbana. Na mesma época, em certas cidades, por influência europeia, as balaustradas de madeira recortada (em geral pinho-de-riga) obedeciam ao mesmo desenho dos lambrequins*. [V. balaústre, Cf. galeria e grade.] – Fr.: *balustrade*; ingl.: *balustrade*, *railing*, *banister*; alem.: *Balustrade*.

balaústre. *s. m.* Pequena coluna de secção variável, feita de madeira, metal, pedra, estuque, etc. e que é usada em arquitetura e na decoração interna, disposta em fila com outras iguais, para sustentar um parapeito, um painel, um corrimão. Em geral tem secção circular e fuste* com perfil característico marcado por uma parte central bojuda e que se estreita nas extremidades; pode ser esculpido, torneado ou moldado. ~ Nas artes decorativas esse tipo de balaústre participa da estrutura de certos móveis (como camas e aparadores) e sua forma aparece também em certos objetos como castiçais, candelabros, copos de pé alto ou vasos. ~ Certos balaústres de madeira podem ser bidimensionais, recortados com o mesmo perfil em curva e contracurva e lembram as tabelas* de cadeiras e sofás. §§ Nos cancelos* de certas igrejas coloniais, são notáveis as formas dos balaústres de madeira torneada, como os de autoria do Aleijadinho na Igreja do Carmo de Sabará e na Matriz da Conceição do Mato Dentro. [V. balaustrada.] – Fr.: *balustre*; ingl.: *baluster*.

balcão. *s. m.* Varanda estreita ou sacada em pavimento acima do térreo guarnecida de balaustrada vazada ou cega, e para onde dão uma ou mais portas; o balcão pode ser em balanço* ou sustentado por mísula* ou cachorro, e pode ou não ter cobertura. ~ Desde a Roma antiga os balcões dos edifícios públicos eram usados para a aparição de autoridades. Nos países islâmicos, os balcões circundam a parte superior dos minaretes e, na arquitetura japonesa, balcões de madeira guarnecem toda a volta, ou parte, de cada pavimento. Na Europa, a partir do Barroco, os balcões são típicos da arquitetura residencial dos países da Europa ocidental (Portugal, Espanha, França e Itália). §§ No Brasil, vindo da Península Ibérica, o balcão foi muito empregado nas construções do período colonial, incluindo-se os fechados com muxarabis*. [Cf. balaustrada e sacada.] – Fr.: *balcon*; ingl.: *balcony*; alem.: *Balkon*.

baldaquim. [Do it. *baldacchino*.] *s. m.* Dossel ornamentado erguido sobre um trono, um leito, etc. A palavra italiana deriva de Baldacco (Bagdá, cidade da Pérsia), de onde provinham antigamente os ricos tecidos usados nesses dosséis. ~ Nos atos religiosos e procissões, os baldaquins, sustentados por lanças ou bastões, serviam para dignificar objetos do culto, especialmente o Santíssimo Sacramento. ~ Com dossel fixo de tecido e armado sobre estrado, o baldaquim destinava-se a príncipes e bispos. ~ Nas obras de arquitetura, ele tem colunas de mármore, de bronze, de madeira, etc., é coroado por uma espécie de cúpula guarnecida de ornatos e esculturas, e é armado sobre um estrado isolado; um dos mais famosos é o da Basílica de S. Pedro, em Roma, da autoria de Bernini. [V. dossel.]

balde de gelo. Vaso aproximadamente cilíndrico ou em forma de urna, em que uma ou mais garrafas de vinho ou outra bebida são postas para refrescar entre pedras de gelo. ~ Apareceu por volta do séc. XVI e seu uso era destinado à aristocracia, já que o gelo constituía um luxo reservado a poucos. Os recipientes mais antigos eram feitos de porcelana, faiança ou metal; belos exemplares de prata são obras de ourives e têm requintes de decoração. Vasilhas de menor porte eram usadas para refrescar os copos. § No fim do séc. XVII e nos sécs. XVIII e XIX havia outros recipientes de dimensões e formas diversas que figuravam como peças auxiliares do serviço de mesa. Frequentemente apresentavam-se como tinas de madeira revestida de chumbo, com aros e argolas de latão. Outros, de feitios variados, provinham dos ateliês de ebanistas (na Inglaterra eram designados *cellaret*). [Cf. *rafrîchissoir* e *wine cooler*.] – Fr.: *seau à glace*; ingl.: *wine cooler* e *ice pail*. // P. ext. Recipiente com tampa, revestido internamente de um isolante térmico e que se destina a conservar pequenas pedras de gelo.

baldrame. *s. m.* Designação genérica dos alicerces de alvenaria ou das vigas de concreto armado nas fundações de qualquer tipo. // Viga de madeira que serve para sustentar os barrotes do assoalho, ou para fixar paredes (desde as de pau a pique até as de alvenaria).

bambinela. *s. f.* Cortina geralmente dividida em duas partes, cada uma apanhada de um lado. É usada como adorno de portas e janelas, e feita de tecido pesado (veludo, damasco); pode ter sanefas* e ser arrematada com franjas e galões. Caracteriza os salões vitorianos* ou Napoleão III* do séc. XIX. [V. cortina. Cf. braçadeira.]

bambu. *s. m.* Gramínea de colmo longo (*Bambusa vulgaris* e *Bambusa arundinacea*) que forma touceiras, algumas muito altas. O colmo dessa planta, reto, despido, marcado pela distância entre os nós, presta-se para a fabricação de móveis leves e informais; é usado, de ordinário, no aspecto natural, mas pode ser esmaltado. ~ No Japão e na China, o bambu é um dos principais motivos na pintura, e sua representação é mais do que uma arte, é um símbolo. [V. cana-da-índia. Cf. junco, *rattan* e vime.]

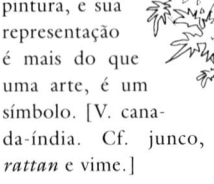

Bambu.

banca. *s. f.* Carteira, secretária. // Mesa retangular para fins diversos como o trabalho manual, a escrita, o jogo, etc. // Antiga designação dada na Bahia a mesa de encostar com três lados decorados.

bancada[1]. *s. f.* Banco comprido para várias pessoas. // Conjunto de assentos unidos dispostos em série e destinados geralmente aos membros de uma assembleia, de uma confraria, etc.

bancada[2]. *s. f.* Designação de mesa de apoio com finalidades funcionais diversas em cozinhas, banheiros, bares, quartos de criança, etc. Presa à parede ou não, é, às vezes, integrada a um armário.

bancal. *s. m.* Pano para cobrir bancos e mesas.

banco. *s. m.* Designação genérica de diversos tipos de asssento com ou sem encosto e/ou braços, e que, conforme o comprimento, se destinam a uma ou mais pessoas. § O banco teria sido, a princípio, apenas uma tora de madeira, e sua evolução se prende às contingências sociais e históricas de cada época e de cada povo. A "cadeira curul" dos altos magistrados romanos era, de início, um banco de dobrar em "X" e depois banco retangular de quatro pernas. Estes modelos se transmitiram até a Alta Idade Média, quando o faldistório* sobre estrado servia de trono. ~ Dada a instabilidade da vida na Europa medieval, o banco, de fácil transporte, era o assento indicado, de uso corrente em todas as classes; assim, até o séc. XV, atendia às necessidades da vida doméstica tanto nos meios populares como nos palacianos. Nas salas medievais de palácios e castelos, amplas e mal vedadas contra as correntes de ar, os bancos eram peças de destaque, ao lado do leito com cortinas. Modestos banquinhos de três pés e bancos lisos, corridos, eram usados nas cozinhas junto ao fogo. ~ No séc. XVI, havendo maior segurança, o mobiliário se torna mais pesado e surge o banco incorporado às camas e armários. Na Itália renascentista já se nota a preocupação decorativa que irá passar a outras partes do continente. Ao esmero no formato, associam-se tecidos para almofadas e couro tacheado, que suavizam a dureza da madeira. Mas o conforto não era relevante, e só a etiqueta e a hierarquia determinavam o tipo de assento. ~ Na França, na corte de Luís XIV (séc. XVII), o rei ocupava o leito ou uma cadeira solene, e os nobres, quando convidados a sentar, transportavam seus *placets* (bancos retangulares) e *ployants* (bancos de dobrar) cujas alturas eram fixadas entre 41 e 25 cm; as pessoas menos gradas, sentavam-se no chão em *carreaux* (almofadas retangulares). ~ No séc. XVIII, o salão substitui o quarto e a cadeira passa a ocupar o primeiro plano no mobiliário. § Embora não primando pelo conforto por exigir postura rígida e alerta, o banco persiste com diversas aplicações: como assento individual, transporta-se facilmente, e sua feitura é mais simples e mais econômica. ~ Os bancos coletivos figuram em salas de espera, refeitórios, igrejas, etc. São característicos em todas as formas de mobiliário rústico em que domina a madeira. ~ Os bancos de ferro fundido, de alvenaria, de mármore, de granito, de ripas de madeira fixadas em armações de ferro, e tantos outros, são elementos correntes em varandas, coberturas, jardins. ~ Da China vem o banco em forma de barril de porcelana muito usado como elemento decorativo. §§ O banco chega ao Brasil, através de Portugal, nas várias modalidades conhecidas na Europa. São do começo do séc. XVII o chamado ***banco corrido*** ou "banco de mesa", a arca-banco, o tamborete dobrável, a cadeira rasa (banco retangular de quatro pés) e os "bancos de altar" para mais de uma pessoa. No mobiliário brasileiro setecentista surge o típico "banco mineiro", de tábua corrida, e cujo encosto é suportado por colunas e às vezes braços. Na segunda metade do séc. XVIII, a cadeira rasa e o tamborete passam a ser torneados; aparece o mocho e todos esses bancos seguem o estilo das elaboradas cadeiras Dom João V e Dom José I. Os exemplares regionais continuam a se inspirar nos modelos portugueses e mineiro-goianos. As madeiras mais usadas são o jacarandá, a cajarana, o vinhático, a sucupira. ~ Merecem referência os raros bancos indígenas alguns com formas zoomórficas, outros como toros de madeira trabalhados numa só peça [Cf. cadeira.] – Fr.: *banc*; ingl.: *bench*; alem.: *Bank*. • **Banco de escravo** – Banco rústico, baixo e que, embora sem encosto, é confortável e se adapta anatomicamente graças à forma do assento, semelhante à de um cocho: muitas vezes tinha uma gaveta na parte inferior para os escravos guardarem seus poucos pertences. **Banco de sacristia** – Designação usada com frequência, e sem maior precisão, para indicar diversos tipos de bancos compridos, com encosto mais ou menos trabalhado e que se encontravam comumente em igrejas e conventos. [V. mobiliário. Cf. arca-banco, banqueta, cadeira, escabelo, mocho e tamborete.]

Banco policromado.
(Minas Gerais - séc. XIX - compr. 200 cm)

Banco pequeno com assento de palhinha.
(Minas Gerais - séc. XIX)

Banco de assento raso, de jacarandá, com pernas e travessas torneadas.
(Brasil - séc. XIX)

bandeira. *s. f.* Parte superior, em geral fixa, das portas e das janelas, e que é separada dos batentes por uma trave; tem por finalidade favorecer a ventilação e/ou a iluminação do interior. §§ Nas casas brasileiras do séc. XIX, as bandeiras em arco ou de outras formas, com caixilhos de desenhos variados e, muitas vezes, vidros coloridos, eram de grande efeito estético. São de notar, também, as grades de ferro nas bandeiras de portas e janelas externas, em especial aquelas que apresentam raios num semicírculo. [V. vitral (ilustr.). Cf. janela e porta.]

bandeja. *s. f.* Receptáculo aberto (de madeira, metal, acrílico, etc.), com o fundo bastante amplo e completamente plano, dotado de bordas baixas, com ou sem alças, e que serve para apoiar, transportar ou apresentar objetos diversos, em geral de uso doméstico. ~ Presença constante e necessária, a bandeja, no dualismo de sua mobilidade e imobilidade, tem uma posição discreta no contexto das artes decorativas. Figura, porém, entre os objetos que merecem especial atenção de parte de artesãos e *designers*. Entre um simples tabuleiro de madeira ou de palha trançada e uma rica bandeja de prata, alinham-se outras muitas com características variáveis: as bandejas de laca (lisa ou decorada) vindas do Extremo Oriente; as de latão vindas de diversas regiões do Islã; as inglesas, de madeira, com galeria simples de metal; as de ferro pintado, com fundo preto e desenhos florais, ao gosto do séc. XIX; as de metal prateado (cópias das de prata que as antecederam) para o serviço doméstico e, para o mesmo fim, as de aço inoxidável, as de acrílico, de plástico liso ou estampado e tantas outras. ~ Por volta do início do séc. XIX, as bandejas grandes apresentavam-se com serviços de chá e de café, ou com garrafas e copos; quando sustentadas por pés ou cavaletes, serviam, e servem, como mesas de apoio.~ Quanto às bandejas de prata, embora não fossem os objetos mais originais produzidos pelos prateiros, eram indispensáveis em diferentes circunstâncias: as bandejas pequenas ou as salvas levavam, nas mãos das crianças, as alianças nos casamentos e, nas mãos dos serviçais, um copo d'água ou uma carta; e algumas bandejas maiores, ou tabuleiros, eram tão pesadas que tinham um forro de madeira, sendo conduzidas por dois empregados. §§ No Brasil e em Portugal, as bandejas de prata constituem uma das riquezas de nossa ourivesaria. Certos colecionadores deram-se ao requinte de reunir bandejas de galeria, com o mesmo modelo (redondas ou hexagonais, p. ex.) que exibiam empilhadas formando pirâmides. [V. prata e salva. V. tb. *papier mâché* (ilustr.). Cf. bar, *butler's tray* e tabuleiro.] – Fr.: *plateau*; ingl.: *tray*; alem.: *Serviertablett*.

Bandeja de metal pintado com incrustações de madrepérola. (séc. XIX)

bandô. [Do fr. *bandeau*.] *s. m.* Acabamento situado na parte superior de cortina, estore, etc., usado no lugar de sanefas. Consta de uma tira rígida de tecido, couro, ou outro material, terminada em festões, bicos, dentes ou simplesmente reta e ornada ou não com passamanaria, grelôs, crochê, taxas, etc. [V. cortina. Cf. sanefa.]

banheiro. *s. m.* Peça de casa destinada à higiene corporal e equipada com os diferentes aparelhos necessários para tal fim. § Passada a tradição romana dos banhos públicos, e a islâmica que refletia antigo costume oriental, o banheiro, até o séc. XIX, não existia nas casas do mundo ocidental; bacias, jarros, penicos, banheiras de madeira e de cobre eram transportados para os locais onde os usuários pudessem ter maior comodidade; o bidê aparece citado pela primeira vez no séc. XVIII entre os objetos de Madame de Pompadour, favorita do rei Luís XV da França. ~ Depois, com o aparecimento da água encanada, e maior preocupação com a higiene, o banheiro foi assumindo, aos poucos, as características que hoje conhecemos. Mas havia, com relação a ele, o mesmo pudor, a mesma repressão com que era tratado o corpo. ~ A princípio os sanitários eram afastados, até mesmo localizados fora de casa – eram os "quartinhos" ou "casinhas"; e os "quartos de banho" ficavam longe dos aposentos principais, já com banheiras fixas, de mármore ou de ferro esmaltado com pés de garra; as pias ainda se situavam do lado de fora, numa copa ou área. ~ Os primeiros banheiros eram peças soturnas, com ladrilhos escuros; foram depois substituídos por banheiros padronizados, assépticos, de azulejos e aparelhos brancos. Os mais requintados tinham barras coloridas de azulejos em relevo e fabricavam-se aparelhos de louça com bonitas decorações florais. ~ A partir da década de 1920, os acessórios de banheiro começam a merecer a atenção dos *designers* e, posteriormente, se esses cômodos diminuíram de tamanho ganharam em sofisticação, decorados de maneira imaginosa e com recursos muito variados. – Fr.: *salle de bain*; ingl.: *bathroom*; alem.: *Badezimmer*.

banqueta. *s. f.* Pequeno banco alongado e estreito. // Parte anterior do tampo do altar, onde se colocam castiçais que ladeiam o crucifixo e, às vezes, jarras ou palmas. // P. ext., o conjunto formado pela cruz e os castiçais do altar.

banzo. *s. m.* V. escada.

bar. *s. m.* Local onde se guardam e servem bebidas. ~ Em casas e apartamentos o bar é ponto de convívio social; pode ser um recanto sofisticado com as características do bar convencional, destinado ao público, dotado de balcão alto, bancos também altos e prateleiras e outros dispositivos para garrafas e copos. Nas salas, não raro, há outras opções: o bar faz parte da decoração e pode ser armado em grandes bandejas que repousam sobre móveis fixos ou sobre cavaletes; nelas são dispostos copos e bebidas. Armários, contadores, arcas, partes de estantes também são aproveitados para guardar e servir bebidas.

barbotina. *s. f.* Argila fluida empregada na decoração de peças de cerâmica e na junção ou colagem de suas partes. ~ Conhecida para fins ornamentais no vasilhame da Antiguidade, seu uso está intimamente ligado à arte dos oleiros. Na Europa, foi usada na região renana por volta do séc. III. [V. cerâmica. Cf. engobo.]

bargueño. [Esp.] *s. m.* V. *vargueño*.

barômetro. *s. m.* Instrumento que se destina a medir a pressão atmosférica e permite fazer, aproximadamente, a previsão do tempo. ~ Inventado no séc. XVII, o barômetro consistia em um tubo fechado numa das extremidades e invertido sobre uma cuba contendo mercúrio. O aparelho era acondicionado numa caixa ordinariamente redonda e com braço longo. As caixas recebiam decoração semelhante à dos relógios e, muitas vezes, formavam com eles um conjunto. Com o aparecimento do barômetro aneroide, baseado na dilatação dos metais (1848), foi possível reduzir as dimensões do instrumento, mas, de certo modo foi mantida a primitiva forma do barômetro de mercúrio. [Cf. relógio.]

Barroco. Estilo que vigorou no período artístico e cultural que se estende desde fins do séc. XVI até meados do séc. XVIII; abrange, portanto, a época posterior ao Renascimento* e anterior ao Neoclássico*. § O fenômeno barroco é bastante complexo e apresenta aspectos que decorrem das transformações históricas do momento: pode ser visto como ruptura dos padrões clássicos de ordem e de proporção, dominantes no Renascimento; ou como afirmação das novas tendências da Igreja em face da Reforma protestante; ou, ainda, como busca de uma integração entre valores espirituais e valores materiais, entre o céu e a terra, numa nova visão cristã. Nele predominam a exuberância de ornatos, a assimetria, o movimento, a imaginação, a dramaticidade, os contrastes. § Pelas circunstâncias históricas, o Barroco está vinculado ao propósito de impressionar, de impor-se mediante forte apelo emocional. Assim convinha à Igreja, assim convinha às monarquias absolutas; na arquitetura, cercam-se de esplendor igrejas e palácios. Da Roma papal essa arquitetura se irradia para a Europa central e ocidental e, através da Península Ibérica, atinge a América. § *Arquitetura.* A primeira manifestação arquitetônica, ainda no séc. XVI, é a igreja de *Gesú* (Jesus) em Roma construída para a recém criada ordem dos jesuítas. O projeto obedece ao espírito da Contrarreforma e visa a abrigar um maior número de fiéis e dar-lhes uma boa visão do altar. Adota-se a planta em cruz latina* (em substituição à forma da cruz grega* das igrejas renascentistas). O plano interno dessa igreja constituiu um padrão amplamente seguido com variações durante o séc. XVII. Na fachada, ainda retilínea, já aparece a voluta*, elemento característico das frontarias barrocas. Contribuía para focalizar o altar uma grande cúpula que propiciava a incidência de uma luz mais forte do que a da nave; nessa igreja de *Gesú*, a pintura do teto ultrapassa o espaço interior e abre-se "para atingir o céu" pelo recurso da perspectiva ilusionista*. ~ No séc. XVII as fachadas em Roma são movimentadas, com paredes curvas, alas que envolvem a frontaria. O arquiteto por excelência do Barroco romano é Francesco Borromini, autor da igreja de *Sant´Agnese* na Praça Navonna; Piero della Cortona é outro arquiteto importante (igreja de *Santa Maria della Pace* cujo pórtico avança num amplo semicírculo). E, numa belíssima exploração do espaço aberto, Gian Lorenzo Bernini, com seu natural brilhantismo, concebe e realiza as duas grandes colunatas cobertas da Praça de S. Pedro, um gigantesco oval que se fecha na fachada da Basílica. § Fora da Itália, e sempre servindo aos poderosos, o Barroco se manifesta na França no suntuoso Palácio de Versalhes, de Jules Hardouin Mansart, perfeitamente integrado ao parque desenhado por Le Nôtre. Na Inglaterra, Christopher Wren projeta a Catedral de S. Paulo em Londres, enquanto o principal exemplo francês de arquitetura religiosa é a igreja dos *Invalides* em Paris; na Europa Central, as curvas, a ornamentação pujante vão se estender até o séc. XVIII. ~ O paisagismo e o urbanismo complementam a arquitetura; a natureza é enriquecida por estátuas, fontes com grupos escultóricos, chafarizes. § *Artes visuais.* A noção espacial é aberta, capta-se o momento fugidio; o espectador participa da obra de arte. ~ A escultura é mística e/ou grandiloquente. O gênio de Bernini define essa escultura viva, instantânea (o grupo de Santa Teresa nos coloca no centro de uma experiência mística; vemos Davi, tantas vezes representado, agora no ato de lançar a pedra sobre Golias). A sensualidade, a força, são convincentes nos mármores de Bernini, de Girardon. Na Espanha as obras sacras são de uma dramaticidade que encontra eco na literatura. ~ A pintura abandona a simetria da composição renascentista e adota o movimento diagonal, o claro-escuro, os planos próximos e distantes; os elementos em *trompe-l´oeil** se confundem com a arquitetura. Novos temas se acrescentam ao repertório sacro ou mitológico: os retratos expressivos de nobres burgueses, a paisagem campestre e a urbana, os interiores intimistas, as naturezas-mortas. ~ Grandes nomes da pintura povoam o Barroco: em Flandres e nos Países Baixos, Rembrandt, Rubens, Hals, Vermeer, Ruisdael; na Itália, Caravaggio, os Carracci; na França, La Tour, Chardin, Claude Lorain, Le Nain; na Inglaterra, Van Dyck; na Espanha, Velazquez, Zurbarán, Ribera, Murillo. § *Artes*

decorativas. O Barroco tem como motivos ornamentais volutas, conchas, plumas, palmas, festões que marcam a ourivesaria, a cerâmica, o mobiliário; este é influenciado pela arquitetura, decorado com frontões, colunas espiraladas, relevos. ~ Quanto à decoração interior, não há como dissociá-la da arquitetura. Nas igrejas reina a suntuosidade nos altares, nos púlpitos, nos túmulos; os arquitetos da igreja de São Nicolau em Praga, por exemplo, distribuem espaços curvos, pilastras duplas, frontões partidos, estátuas dramáticas, profusão de ouro, de mármore, de pinturas. Esse modelo tem algumas afinidades como Barroco que iria florir nas igrejas brasileiras. Bernini, mais uma vez demonstra sua criatividade nas soluções internas da Basílica de S. Pedro no magnífico baldaquim* de bronze com suas colunas em espiral e na majestade mística da Cadeira de S. Pedro. § Em meados do séc. XVII o estilo vai se tornar mais leve e gracioso e assume as formas do Rococó. §§ Em Portugal, o Barroco se esboça no séc. XVII, mas só no séc. XVIII, com a magnificência da corte de D. João V, artistas estrangeiros vão dar novos rumos à arquitetura e às artes. No grandioso Mosteiro de Mafra manifesta-se a influência alemã e italiana, enquanto em Lisboa, no Porto, em Braga, obras mais fantasistas sugerem a temática rococó: no Santuário do Bom Jesus do Monte, em Braga, com sua alta escadaria ornada de estátuas e chafarizes; no Palácio de Queluz, em Lisboa, com sua Sala do Trono de teto de concha com ornamentação de rocalha dourada. Os escultores realizam belas imagens sacras e as talhas (muitas delas feitas com jacarandá do Brasil) são profusamente aplicadas nas igrejas em retábulos, grades, tetos, púlpitos, órgãos, etc., são tipicamente portuguesas. O mobiliário, a azulejaria, a ourivesaria conhecem o esplendor; o ouro do Brasil e o fausto que envolvem o reinado de D. João V fomentam um desenvolvimento artístico excepcional, em que a talha dourada e o azulejo formam conjuntos decorativos garantindo a Portugal um lugar de destaque na arte barroca. [V. arte religiosa, Barroco brasileiro, Dom João V e Dom José I. Cf. Rococó.]

Barroco brasileiro. No Brasil, o Barroco oriundo de Portugal ocorre tardiamente, estendendo-se até o início do séc. XIX, e adquire considerável importância pela força e originalidade da arquitetura e escultura. § No séc. XVII ainda se nota na arquitetura religiosa a influência renascentista maneirista, e as diversas ordens (jesuítas, franciscanos, beneditinos) constroem edifícios que sobressaem na modéstia do ambiente colonial (igreja de N. S. das Neves e Convento de São Francisco, em Olinda, igreja de N. S. de Monte Serrate e o Convento do Carmo, em Salvador e, no Rio de Janeiro, igreja dos Jesuítas do Morro do Castelo (hoje desaparecida). Reconquistada a paz depois da expulsão dos holandeses (1654) o Barroco começa a despontar no Nordeste ainda com traços da tradição anterior (igreja de N. S. dos Prazeres em Recife, igreja do Colégio da Companhia de Jesus, atual Catedral de Salvador, Mosteiro de São Bento, no Rio de Janeiro, em cuja igreja abacial a obra de escultura e talha de Frei Domingos da Conceição é das mais ricas do Brasil). No fim do séc. XVII, a descoberta do ouro marca o começo de um ciclo que propiciou, sobretudo em Minas Gerais, exuberantes manifestações artísticas (arquitetura, escultura, talha, mobiliário, imaginária, ourivesaria). § Na arquitetura mineira do séc. XVIII, as igrejas (encomendadas pelas irmandades, já que a metrópole proibira o estabelecimento das poderosas ordens religiosas) fornecem soluções inéditas (entre outras, N. S. do Rosário, em Ouro Preto, N. S. do Carmo, em Diamantina e, finalmente, o Santuário de Bom Jesus de Matosinhos, em Congonhas do Campo). ~ No Nordeste mantém-se mais sensível a influência portuguesa (igrejas de S. Pedro dos Clérigos e N. S. do Carmo, em Recife; igreja de S. Francisco de Assis, em Salvador, além da fachada churrigueresca da igreja da Ordem Terceira de São Francisco, na mesma cidade, igreja de Santo Antônio, em João Pessoa); o mesmo acontece no Rio de Janeiro em mais estreito contato com Portugal (igrejas de N. S. da Glória do Outeiro, de N. S. do Carmo). ~ No interior dos templos setecentistas o Barroco se expande suntuoso nas talhas de jacarandá e ouro (o opulento interior da igreja de São Francisco, em Salvador, o da igreja da Ordem Terceira de São Francisco da Penitência e da igreja Abacial de S. Bento, no Rio de Janeiro, o da igreja de N. S. do Ó, em Sabará, o da de Santo Antônio, em Tiradentes, entre tantas outras). § Na arquitetura civil, mais contida, destacam-se, em Salvador, alguns solares e a Santa Casa, e no Rio de Janeiro o atual Paço da Cidade; mas é sobretudo Minas que ostenta os dois mais belos exemplos: a Casa da Câmara e Cadeia de Vila Rica, depois Palácio dos Governadores e hoje Museu da Inconfidência de Ouro Preto, e a equilibrada Casa dos Contos, também em Ouro Preto. Chafarizes, pontes, residências enriquecem as cidades mineiras e as tendências europeias se projetam entre os artistas e artesãos locais com as distorções naturais devidas à distância. § Nas artes plásticas, destacam-se especialmente o Aleijadinho, Manuel Inácio da Costa e Francisco Xavier de Brito (escultura) e Manuel da Costa Ataíde (pintura). § O Barroco brasileiro, praticamente ignorado no correr do séc. XIX, foi redescoberto no séc. XX; seus monumentos, suas cidades foram tombados e têm merecido a atenção de especialistas do Brasil e do estrangeiro (como o historiador de arte francês Germain Bazin). Contudo, parte desse precioso patrimônio dispersou-se, uma vez que as peças barrocas, por sua feitura e originalidade, adquiriram um valor considerável aos olhos de antiquários e colecionadores. [V. Aleijadinho, Barroco e talha. Cf. Dom João V e Dom José I.]

basculante. *s. f.* e *m*. Janela e bandeira cujas folhas se movimentam por meio de báscuto (alavanca que trabalha sobre um pino), abrindo vãos que facilitam a entrada do ar. Nas janelas, essa folhas são duas ou mais, em geral horizontais e de vidro, com caixilhos de madeira, ferro ou alumínio, enquanto as bandeiras costumam ter uma única folha. As vidraças das basculantes, quando foscas, impedem que o interior seja devassado; por isso, e por oferecer segurança, esse tipo de janela foi muito empregado em construções a partir da década de 1930, embora não apresente qualidades estéticas e, em nosso clima, não permita grande ventilação. [V. bandeira e janela.]

basse-taille. [Fr.] *s. f.* V. esmalte[1].

batente. *s. m*. Ombreira ou marco onde a porta ou a janela se encaixam quando fechadas. // O entalhe feito nessa ombreira, para tal fim. // A folha móvel das portas e janelas; naquelas que têm dois batentes, a parte que se fecha primeiro é, em geral, dotada de régua onde a segunda folha encosta. // Essa régua. [V. janela e porta.]

batik. [Malaio 'pintado'.] *s. m*. Processo de pintura de tecidos (especialmente o algodão) em que, certas áreas, cobertas de cera, não recebem a cor; obtem-se efeitos multicores pela repetição do processo tantas vezes quantas sejam necessárias. O estampado que resulta tem a característica de apresentar riscos causados pelas fissuras da cera. ~ O *batik*, muito difundido no Sudeste asiático, foi aperfeiçoado em Java (Polinésia) e introduzido na Europa pelos holandeses. Hoje já se empregam processos industriais que imitam os tecidos artesanais; mas, estes, com a valorização do artesanato, têm possibilidades muito grandes quer como criação artística, quer como artigos de consumo. [V. estampado.]

baú. *s. m*. Caixa de base retangular, com tampa convexa ou plana, feita de madeira recoberta em geral de couro tacheado, e usada, desde fins da Idade Média, para guardar ou transportar roupas, alfaias, etc. [Cf. arca.] §§ Em Portugal, baús de couro pintado com fechaduras de metal amarelo e tachas, de influência hispano-árabe, apareceram por volta do séc. XV. ~ O baú deve ter chegado ao Brasil com os primeiros colonizadores e foi usado, no interior, como mala. No período colonial, entre os móveis rústicos aqui executados há referência a "canastras encouradas" e a baús de "couro de moscóvia", e alguns conservavam o pelo do animal: eram o **baú de noiva**, **baú de viagem**, **baú de tropeiro**. ~ Modelos semelhantes foram repetidos em Minas e outras regiões, e neles as tachas formam diversos desenhos (corações, flores, etc.) ou trazem iniciais e datas. // Caixa retangular de folha de flandres com tampa (abaulada ou não) e decoração policromada com motivos florais ingênuos, e que figurava entre os pertences da gente simples. São representativos da arte popular*.

Bauhaus. [Pal. alemã formada pelo verbo *bauen* 'construir' e pelo substantivo *Haus*, 'casa'.] Escola de concepção pioneira criada em 1919 por Walter Gropius na cidade de Weimar (Alemanha); tinha por finalidade, no dizer de seu fundador, a "formação de uma nova geração de arquitetos intimamente relacionados com os modernos meios de produção". Transferida para Dessau (1925-1932), suas atividades cessaram com o advento do nazismo. Era seu propósito enfatizar a importância do artesanato, não mais em contraposição à máquina (conforme preconizara William Morris*), mas pelo aproveitamento dela, associação da marca pessoal à produção industrial. Segundo Gropius, arquitetos, escultores e pintores deveriam voltar-se para o artesanato pois a base do "saber fazer" encontra-se na origem de toda criação artística. § A Bauhaus pôs em prática princípios até então alheios ao ensino vigente. Tinha como meta principal a construção (*der Bau*) e organizou-se a partir de um curso preliminar (*der Vorkurs*) de seis meses, seguido de um curso de três anos para formação aprofundada. No *Vorkus* procurava-se dar ao aluno uma visão global de sua futura atividade levando-se em conta os pendores e o talento natural; ministrava-se o ensino elementar da forma através de trabalhos experimentais. No curso de formação, o aluno trabalhava na oficina escolhida num clima de liberdade criadora. O espírito da Bauhaus buscou a beleza íntima das coisas, a simplificação do objeto, a economia de detalhes, para que se chegasse a sua essência; para isso era vital a fusão do artista e do artesão, do mestre e do aluno, do *design* e da construção. ~ Foram convidados para professores grandes artistas vinculados à nova estética, especialmente representantes da pintura abstrata e cubista consideradas essenciais para o desenvolvimento da nova arquitetura. Durante quatorze anos, intelectuais, artistas e artesãos trabalharam e ensinaram na Bauhaus. O sucesso da pedagogia do *Vorkurs* deveu-se a artistas como Lyonel Feininger, Johannes Itten, Lazlo Moholy-Nagy, Josef Albers (este foi aluno e depois professor, assim como Marcel Breuer*). Foram desenvolvidos métodos de exploração da forma e dos materiais, concentrando-se no estudo da cor, da textura, do movimento. Nos cursos de formação trabalharam artistas como Paul Klee (pintura e vidro colorido), Wassily Kandinsky (pintura mural), Lyonel Feininger (artes gráficas), Oskar Schlemmer (cenografia), Herbert Bayer (artes gráficas e publicidade), Marcel Breuer (decoração de interiores), Gerhard Marks (cerâmica), Georg Muche (tecelagem), Lazlo Moholy-Nagy (ateliê de metais). ~ Embora a arquitetura fosse a meta principal, o departamento dessa matéria só se organizou em 1927; entretanto, os três diretores da escola – Gropius, Han Meyer e Mies Van der Rohe*– foram arquitetos e a sede da escola em Dessau – projeto de Gropius – tornou-se um modelo da moderna arquitetura. ~ Todos, artistas e artesãos, lutaram para expressar uma visão do modernismo, cada qual com sua tendência pessoal. § A Bauhaus não representou um sistema, mas um envolvimento que acolhia diversas correntes e Gropius frisava seu caráter internacional (entre mestres e discípulos). Esse espírito transferiu-se para outros países quando o regime nazista forçou o fechamento da escola. A Bauhaus se expandiu muito além das fronteiras nacionais, a começar pelos Estados Unidos e Inglaterra para onde emigraram muitos de seus membros. §§ O Brasil não ficou alheio a sua influência e a Bauhaus marcou a geração de arquitetos que emergiu na década de 1930. [V. *design* e Gropius. Cf. Funcionalismo e Internacional.]

Beau Brummel. [Do antr. ingl. Brummel (George), nome de um famoso dândi britânico (1778-1840), também chamado 'o belo Brummel'.] Sofisticada mesa de toalete para homem com espelhos móveis; surgida no séc. XVIII, recebeu posteriormente esta designação. [Cf. toucador.]

Beauvais. [Cid. da França.] Tapeçaria proveniente da manufatura do mesmo nome, criada na França, em 1664, sob os auspícios de Luís XIV. Desde o séc. XV, alguns tapeceiros haviam se radicado na cidade, mas datam do séc. XVII as peças de maior importância: a série *As conquistas do Rei*; as de grotescos*, de fundo amarelo com personagens em primeiro plano e colorido brilhante; e a série *Os chineses*, talvez baseada em documentos trazidos pelos missionários, e em nada semelhantes às *chinoiseries** que apareceram mais tarde. ~ No séc. XVIII, a técnica torna-se mais aprimorada; François Boucher produz séries importantes com elegante traço rococó; dominam os motivos campestres, embora, com o Neoclássico*, sejam abordados temas mitológicos e da Antiguidade. No séc. XIX, a manufatura se especializa em tapeçarias para estofamento. Destruídas suas instalações em 1940, Beauvais foi incorporada à Manufatura dos Gobelins. [V. tapeçaria. Cf. Aubusson e Gobelins.]

beiral. *s. m.* A parte do telhado formada por uma ou duas fiadas de telhas, e que avança além das paredes externas das casas a fim de dar-lhes proteção e de facilitar o escoamento das águas; muitos beirais são providos de calhas. ~ O beiral pode ser sustentado por mãos-francesas, ou construído em balanço. Neste caso, tem-se o *beiral de cachorro* em que o madeirame do telhado se prolonga em elementos horizontais da parede, e o *beiral de cimalha* em que a parede se alarga na parte superior formando molduras. §§ Nas antigas casas brasileiras os beirais – de cachorro e de cimalha – muitas vezes com acabamentos ornamentados, dão caráter de equilíbrio e elegância às fachadas, completando a linha dos telhados. Nas casas do litoral era frequente o *beiral em ninho de andorinha* ou *de beira seveira*, também chamado "cimalha de boca de telha", constituído de fiadas de telhas engastadas na alvenaria formando degraus que se afastam da parede à medida que sobem e se aproximam da beira. [V. balanço, cimalha e mão-francesa.] – Fr.: *égout*; ingl.: *eaves, roof-edge*.

Beiral de cimalha. **Beiral de cachorro.** **Beiral ninho de andorinha.**

belchior. *s. m.* Loja de objetos velhos e/ou usados, de curiosidades expostas de modo simples, desarrumado, empilhado, indiferente à apresentação; brechó. – Fr.: *bric à brac*; *boutique de brocanteur, de chineur*; ingl.: *second-hand dealer, junkman*; alem.: *Bric-à-brac*.

beliche. *s. m.* Conjunto de duas ou três camas superpostas formando um todo de ordinário com escada. No mobiliário atual, foi adotado para resolver problemas de espaço, inspirado nos beliches estreitos e fixos dos navios. [Cf. cama.]

Belle Époque, La [Loc. fr. 'A béla época'.] Designação genérica do período que se estende do final do séc. XIX até a I Guerra Mundial (1914-1918), e que marca o apogeu das grandes potências europeias. É uma época em que reina, de certo modo, entre as classes mais favorecidas, um sentimento de confiança nos homens e suas realizações, de disponibilidade diante da vida, de procura dos prazeres, das belas coisas. Eduardo VII da Inglaterra dita a moda e os costumes. Paris, com seus *boulevards*, exposições, grandes *magasins*, teatros, cafés-concertos e salões, é o centro de onde emanam os valores do Ocidente. A Torre Eiffel ergue sua estrutura de ferro como símbolo do progresso. Os primeiros automóveis circulam, os primeiros aeroplanos aparecem, a eletricidade começa a se impor. Nas duas ou três décadas de sua vigência, a *Belle Époque* deixou marcas culturais muito importantes e, desse tempo, ficou uma certa nostalgia que atravessa o séc. XX, como que em contraposição às conquistas e conflitos sociais, à expansão tecnológica e econômica, às novas tendências artísticas, aos inovadores padrões de comportamento. ~ Na decoração, ao "moderno" se opõe a "moda nostalgia", com suas curvas lânguidas, suas rendas e bordados; reeditam-se cartazes, redescobre-se a arte de Gallé*; retorna-se, em suma, ao *Art Nouveau*. §§ No Brasil, a *Belle Époque* coincide com o advento da República. O Rio de Janeiro sofre grandes transformações, ainda obedecendo aos modelos historicistas e ecléticos do séc. XIX. Na Praia Vermelha erguem-se os edifícios da Exposição de 1908, comemorativa do centenário da Abertura dos Portos pelo príncipe D. João; para os prédios da nova Avenida Central (hoje Rio Branco), institui-se um memorável concurso; à entrada dessa importante artéria ergue-se o Palácio Monroe (hoje demolido) e, logo adiante, o Teatro Municipal (em estilo eclético, com finíssima decoração e ostentando magnífico teto pintado por Eliseu Visconti), a Biblioteca Nacional, a Escola de Belas-Artes (hoje Museu de Belas-Artes). ~ A vida literária e artística no Rio é intensa. Na recém-decorada Confeitaria Colombo, reúne-se a "fina-flor" da sociedade, da política, da intelectualidade e da boêmia. O belíssimo salão de chá – com seu serviço primoroso – ostenta magníficos espelhos emoldurados com fina talha e um mobiliário que oscila entre o *Art Nouveau* e o Rococó*. ~ O país concentra-se nas capitais em ascensão econômica graças ao café e à borracha. Constrói-se Belo Horizonte. ~ Procura-se transplantar as modas, os estilos, os padrões culturais da Europa, principalmente da

França; todos os produtos manufaturados (ou quase todos) e o instrumental técnico são importados. Na pintura, o realismo se reflete na obra de Henrique Bernardelli, Belmiro de Almeida, Pedro Weingartner, Almeida Júnior, enquanto outros artistas já trazem de Paris as primeiras telas impressionistas (Visconti, Amoedo, Parreiras). [Cf. *Art Nouveau* e Ecletismo.]

Beluche. Tapete oriental feito por tribos nômades, em especial populações beluches do Khorassan no Sudeste do Irã e do Afeganistão ocidental, regiões vizinhas do Beluchistão. A lã é de boa qualidade, o pelo é raso e um tanto sem brilho. Os motivos são locais ou de outras proveniências; muito variados, compreendem formas repetidas, geométricas ou não (losangos, hexágonos, *guls**, *minah khanis**, tarântulas). Os exemplares mais importantes são os tapetes de oração, provenientes do Khorassan, com nicho retangular e decoração variada que inclui, não raro, a árvore da vida. O colorido é característico: vermelho e azul muito escuros com toques brancos e em certos casos a cor natural da lã do camelo. O Beluche tem geralmente dimensões pequenas e conta de 1.000 a 1.500 nós por decímetro quadrado. [V. tapete oriental – tapete turcomano.]

Tapete de oração.

Béranger, Julien e Francisco Manoel. Pai e filho, ebanistas brasileiros radicados em Pernambuco. § O pai, Julien, mestre marceneiro francês, estabeleceu oficina no Recife por volta de 1826 e formou um grupo de artesãos qualificados. Utilizando o jacarandá, criou móveis tipicamente brasileiros que se agrupam no chamado estilo pernambucano ou Béranger. A forma inspira-se nas linhas império*; motivos naturalistas inspirados na flora nativa são esculpidos ao lado de outros do repertório tradicional. Os móveis de Julien Béranger têm polimento brilhante e uniforme (tal como se usava então na Europa) e consta que foi ele quem introduziu o verniz de boneca no Brasil. § Julien faleceu em 1853 e teve um ilustre continuador em seu filho Francisco Manuel, pintor, desenhista, entalhador que aperfeiçoou a técnica em Paris e, a partir de 1845, instalou-se na capital pernambucana produzindo mobiliário mais leve, caprichosamente elaborado no mesmo estilo do pai; nele já se faz sentir alguma influência do Biedermeier* em voga na Europa. § Os móveis pernambucanos incluem cadeiras, consolos, mesas e grande número de canapés; não se conhecem armários, cômodas ou marquesas. Na estrutura sobressaem os entalhes com formas generosas. Nos encostos dos sofás a madeira se apresenta como um todo vazado em curvas que se aproximam e afastam convergindo para os motivos centrais; a parte superior, em harmonia com o desenho, é formada por duas barras onduladas unidas por um florão, uma concha, um vaso; os braços são enrolados e voltados para fora, e prolongam as linhas sinuosas dos entalhes.

Nas cadeiras o espaldar é mais simples e tem, em geral, uma travessa recortada e a barra superior esculpida ultrapassando os montantes; os braços são em volutas com recortes e partem do meio do encosto. As pernas das cadeiras são ora em curva e contracurva, ora simples ou quadrangulares (prenunciam as de pé de cachimbo*); as dos canapés são mais volumosas e decoradas, com as curvas vistas de frente. Nesses móveis, os assentos caracterizam-se pela elevação da moldura onde se fixa a palhinha. § Os Béranger fizeram escola, e móveis semelhantes passaram a ser fabricados na Bahia, no Maranhão e em outros pontos do Nordeste. [V. canapé.]

Canapé de jacarandá. (Pernambuco - séc. XIX)

berço. *s. m.* Pequena cama com bordas altas e, em geral, suporte para cortinado, feita de madeira, junco ou metal. Móvel muito antigo, era dotado de dispositivo para embalar; repousava sobre bases curvas ou era suspenso e preso a dois pinos que permitiam o movimento oscilatório. Os berços eram patrimônio de família e passavam de geração a geração, tanto os de feitura rústica quanto os destinados às crianças ricas e da aristocracia. ~ No Ocidente, exemplares sólidos, de madeira maciça, foram representados em pinturas de gênero dos sécs. XVII e XVIII. Um berço típico de ambientes abastados, aconchegante, com seu fino cortinado, é o tema central do quadro *O Berço* da pintora impressionista Berthe Morisot (1874). ~ Certos berços são obras-primas de arte decorativa, em madeira lavrada ou incrustada, com ornatos de bronze, como o berço do "Rei de Roma", filho de Napoleão I. – Fr.: *berceau*; ingl.: *cradle*; alem.: *Wiege*; esp.: *cuna.* // P. ext., cama de criança com grades e estrado que pode ser abaixado ou levantado de acordo com a idade. // Objeto de madeira, metal, etc. com base em arco convexo (lembrando um berço de criança) à qual se prende o mata-borrão, e que fazia parte dos apetrechos de escritório, sendo alguns finamente trabalhados. // Em construção, local destinado a depositar ou acondicionar certos utensílios e equipamentos. // Em gravura, o mesmo que granidor*.

bergère. [Fr.] *s. f.* Grande poltrona estofada com os contornos de madeira, surgida na França na época de Luís XV (séc. XVIII). Mais profunda e mais ampla e confortável do que a cadeira de braços, caracterizou-se, depois, pela forma do encosto arredondado ou em gôndola* que permitia repousar a cabeça tanto na parte de trás como dos lados. // Cadeira de braços estofada com encosto alto e orelhas laterais; surgiu na Inglaterra por volta de 1700, no mobiliário *Queen Anne**, com a designação de *wing chair*, e é chamada na França *bergère en confessional* ('em forma de confessionário'). ~ Atualmente a palavra se refere, entre nós, à poltrona estofada de forma semelhante. [V. cadeira e poltrona. Cf. *duchesse* e *marquise¹*.]

Berlin. [Cid. da Alemanha.] Porcelana oriunda de sucessivas fábricas localizadas na cidade de Berlim, e cuja produção começou por volta de 1750 com serviços de jantar, belas estatuetas (figuras de crianças) e figuras de pássaros, obras de antigos artesãos de Meissen. Predominavam modelos com pinturas delicadas ainda em discreto Rococó* (com bordas vazadas e partes em relevo). A porcelana de Berlin sofreu influência neoclássica ao gosto do rei Frederico II da Prússia e, depois de 1820, mais ou menos, adaptou-se ao estilo Biedermeier*. ~ Em meados do séc. XIX, aparece a *Seger-Porzellan*, empregada em vasos com formas chinesas em vermelho sangue de boi, roxo, amarelo. No séc. XX, são produzidas figuras em trajes modernos, além de objetos *art nouveau* e *art déco*; alguns, de formas elegantes e simples, serviram de modelo para serviços de mesa executados posteriormente na Europa e nos E.U.A. ~ Segundo a época, as marcas de Berlin são, na primeira fase, um "W" (Wegely) azul, depois um "G" (Gotskowski) e, mais conhecida, a marca da Fábrica Real (c. 1765): um cetro azul, longo e esguio com diferentes detalhes. Mais tarde (1837-1870), aparecem na porcelana de Berlin as letras K P M* por *Königliche Porzellan-Manufaktur* ('Manufatura Real de Porcelana'), marca muito divulgada.

Bertoia, Harry (1915-1976). Escultor e *designer* de móveis italiano, radicado nos E.U.A., criador da "cadeira Bertoia" que consta de uma só peça côncava feita de uma rede de fios de aço cromado, com almofada no assento, e adaptada a um suporte que lhe dá grande flexibilidade. [V. cadeira.]

bibelô. [Do fr. *bibelot*.] *s. m.* Designação genérica de pequenos objetos decorativos, bonitos e/ou curiosos, que se coloca sobre os móveis sem finalidade útil.

Porta-menu com criança e vasinho para flores. (séc. XIX)

Figura de biscuit policromado. (meados do séc. XIX)

biblioteca. *s. f.* Coleção de livros. // Edifício, sala ou conjunto de salas destinados ao público, ou ao uso particular, onde se guardam livros e outras publicações, documentos, etc., e onde há instalações para a leitura, a pesquisa, ou o estudo. § Sabe-se que na Grécia as grandes escolas de filosofia do séc. IV a. C. possuíam bibliotecas. A de Aristóteles serviu de modelo para a de Alexandria, a mais importante da Antiguidade, destruída pelo fogo no séc. III da era cristã; com seus papiros e rolos de pergaminho, foi o maior repositório da cultura helenística, semítica e romana. ~ Na Idade Média, as bibliotecas dos mosteiros, especialmente dos beneditinos, reuniam os conhecimentos da época e preservavam a tradição cristã; cada uma tinha um *scriptorium* onde eram copiados os manuscritos. ~ No Renascimento*, o espírito humanista favorece o aparecimento das bibliotecas públicas (a de Lourenço de Medici, em Florença; a do Vaticano, em Roma). ~ Com o surgimento do livro impresso, difundiu-se o hábito da leitura e, a partir do séc. XVII, criaram-se, sucessivamente, as bibliotecas nacionais (a de Paris; a do Museu Britânico, em Londres; a de Viena; a do Congresso, em Washington), além das pertencentes às grandes universidades. Mais tarde, multiplicaram-se as bibliotecas públicas e tornou-se relevante a integração do arquitetônico e do funcional. A primeira grande inovação ocorreu no séc. XIX, com a estrutura metálica da sala de leitura da biblioteca do Museu Britânico. ~ As bibliotecas construídas em edifícios monumentais vão se tornando inadequadas e, no séc. XX, arquitetos, *designers* e bibliotecários se unem para desenvolver um sistema modular de maior flexibilidade, e que se adapte às normas da biblioteconomia. ~ A biblioteca da *School of Arts*, de Glasgow (Escócia), projetada por Mackintosh*, em 1907, foi das primeiras a ter detalhes específicos que convidam ao recolhimento e ao estudo (linhas ascendentes, móveis sóbrios e confortáveis, iluminação adequada); é um exemplo de revolução estética e funcional nessa área. § Em termos de decoração, nas casas e apartamentos espaçosos, as bibliotecas apresentam-se em geral num gênero tradicional que condiz com sua finalidade. As estantes com seus livros, fechadas ou abertas, são naturalmente o ponto de referência. Uma escrivaninha, poltronas para a leitura, mesas de apoio, uma escadinha conversível (ingl.: *library steps*) que dá acesso às prateleiras altas, complementam o ambiente, que deve convidar à leitura. §§ Em Portugal, a biblioteca da Universidade de Coimbra é uma obra-prima da arte portuguesa do séc. XVIII pela originalidade da concepção do Barroco* e do Rococó*: arcos decorados, tetos pintados, estantes coroadas com trabalhos de talha e galerias suportadas por colunas em pirâmide invertida formam um conjunto de grande harmonia. ~ No Brasil, a Biblioteca Nacional, do Rio de Janeiro, onde se encontra o precioso acervo trazido pelo príncipe D. João em 1808, foi construída no início do séc. XX obedecendo às normas oitocentistas: prédio de grandes proporções, escadarias, amplo saguão, pé-direito altíssimo; vem sofrendo remodelações capazes de adaptá-la às necessidades atuais. [V. estante e v. tb. escada (ilustr.).] – Fr.: *bibliothèque*; ingl.: *library*; alem.: *Bibliothek*.

bicha. *s. f.* V. burilada.

bico de jaca. *s. m.* Tipo de lapidação profunda do cristal, com pequenas pirâmides ou prismas justapostos formando superfície áspera que lembra a casca de uma jaca. O cristal de chumbo por suas qualidades de refração e brilho presta-se para esse trabalho. Nos sécs. XVIII e XIX, a Inglaterra produziu *decanters* e outros objetos em bico de jaca e outras formas poliédricas (*cut glass*). A cristaleria francesa Baccarat* realizou belas e cintilantes peças (copos, garrafas, compoteiras, etc.) com essa decoração (*taillé en dièdre* ou *en diamant*). A fábrica portuguesa de Vista Alegre* adotou os mesmos modelos e, no Brasil imperial, o cristal bico de jaca dessas duas manufaturas foi importado em grande escala pelas famílias da aristocracia. ~ Serviços de bico de jaca e outros objetos são feitos também de vidro ou cristal moldado [V. cristal e vidro.]

Copo de cristal Vista Alegre, talhado em bico de jaca.

bico de pena. *s. m.* Técnica de desenho em que se utiliza pena de bico fino e tinta de escrever, especialmente nanquim, para compor desenhos de traços numerosos, finos e destacados. // A obra assim executada.

Biedermeier. Estilo decorativo de transição surgido na Alemanha e na Áustria durante o período de crise que sucedeu às conquistas napoleônicas (c. 1815) e se estendeu até mais ou menos 1848, com ramificações na Escandinávia e no norte da Itália. A designação provém do nome do personagem fictício Gottlieb Biedermeier, inventado por um escritor vienense com a intenção de fazer a caricatura da vulgaridade, da presunção, do puritanismo da classe média que surgia; mas o nome ganhou tal popularidade que, de ridículo, passou a ser símbolo de uma época, de um gênero de vida, e chegou a ser aplicado à arquitetura e à pintura daquele período. ~ O estilo, que marca sobretudo o mobiliário, teve como precursor um grande ebanista alemão K. F. Schinkel (1781 - 1841), com seus móveis sólidos, simples e confortáveis. Entretanto, o gosto e os meios da burguesia germânica favoreceram uma tendência para ornamentação mais vistosa, para valores ecléticos: detalhes neoclássicos e Império* (cisnes, golfinhos, grifos) convivem com motivos barrocos (conchas, frontões bipartidos). ~ O mais importante criador de móveis foi o austríaco Josef Ulrich Danhauser (1780-1829) cujas peças renovaram o aspecto dos interiores abastados de Viena e foram acolhidas na Europa Central e mesmo em outros países. As formas e decorações ainda se prendem ao Neoclássico*, mas os ângulos se arredondam, as linhas nítidas combinam com madeiras claras onde sobressaem incrustações escuras. As cadeiras são muitas vezes em gôndola*, têm pernas em curva, braços em volutas. Nas salas, poltronas e sofás estofados contribuem para o encanto aconchegante,

gemütlich, do ambiente despretensioso mas elegante, onde quase nunca faltava a presença de um piano. Nestes interiores, floresceu o romantismo* germânico de tão grande influência nas artes. Cf. *Restauration* e Luís Filipe.]

Secretária de origem alemã. (séc. XIX)

bilha. *s. f.* Vaso de barro, estanho, cobre, etc., bojudo, de gargalo estreito e uma alça lateral ou superior; tem formato decorativo e destina-se a conter líquidos potáveis. [Cf. cântaro, jarro e moringa.] – Fr.: *cruche*; ingl.: *pitcher*; alem.: *Krug*.

bilharda. *s. f.* Travessa central da amarração* em "H" das cadeiras.

bilro. *s. m.* Pequena peça de madeira ou metal em forma de fuso destinada a fazer renda de almofada. // P. ext., peça de madeira torneada de forma semelhante usada na decoração de leitos e catres portugueses, especialmente no séc. XVII, e que aparece também no Brasil, até mesmo em exemplares rústicos posteriores. ~ Pequeno bilro em forma de pera foi aplicado em série nas bordas de certos móveis de inspiração europeia de meados do séc. XIX, talvez por influência do Neogótico* (lembra o gótico flamejante) então em voga; caracteriza um gênero de móveis brasileiros daquela época, especialmente os da Bahia.

biombo. [Do jap. *biobu.*] *s. m.* Conjunto de painéis unidos por dobradiças e abertos em zigue-zague. ~ Usados outrora para proteger do frio e do vento, os biombos hoje se destinam a dividir ambientes, isolar uma parte da casa ou impedir que seja devassada, delimitar um canto especial ou, simplesmente, dar uma nota decorativa. § Na Idade Média, as grandes salas eram protegidas das correntes de ar por pesadas tapeçarias* e não se conhecia o biombo; este parece ter sido usado na Europa só a partir do séc. XVI, trazido do Oriente. Num documento português daquele século, há referência a "dois biombos, isto é, panos de armar de tanta estima que todos desejam ver" oferecidos por um potentado japonês a um padre missionário. Nos sécs. XVII e XVIII o biombo conheceu grandevoga, sobretudo os ricos exemplares chineses de Coromandel*; depois apareceram outros mais leves, de tapeçaria ou de papel pintado. O biombo era peça de mobiliário muito usada nos quartos, e aparece em inúmeros quadros e gravuras de costumes. ~ Por ser dobrável, pode ser transportado com facilidade; exige, porém, estrutura sólida a fim de suportar o movimento de suas folhas cuja largura deve ser suficiente para garantir a estabilidade; os biombos grandes precisam ter, por isto, maior número de folhas. Quanto à altura, o mínimo de 1,75 m. é, em geral, necessário para que funcione como tapume. Nos climas frios, porém, biombos baixos, são colocados em frente à lareira para impedir a reverberação do fogo. ~ Soluções múltiplas e criativas se apresentam para os biombos e os painéis podem ser de pano, de couro, de laca, de madeira inteiriça, vazada, ou esculpida, de caixilhos com gravuras, de vime, de palhinha, de treliça, de veneziana. [V. Coromandel (ilustr.). Cf. divisória.] – Fr.: *paravent*; ingl.: *screen*; ital.: *guardavento*; alem.: *Windschirm, Spanische wand*.

Biombo de seis folhas. Madeira, papel, guache e tecido. Período Edo ou Tokugawa (1615 - 1867).
Acervo Museus Castro Maya - Rio de Janeiro (Japão - 170 x 450 cm)

bisagra. *s. f.* Dobradiça*. // Nas caixas e arcas, dobradiça que se prolonga em lingueta.

biscoiteira. *s. f.* Caixa de metal, de vidro, de louça, etc., destinada a guardarbiscoitos de fabricação caseira. Antigos exemplares em prata, porcelana ou cristal são hoje peças decorativas.

Biscoiteira art nouveau de prata e cristal.

biscuit. [Fr.] *s. m.* Porcelana branca fina cozida ao forno duas vezes e não vidrada, e que, pela delicadeza da textura, é usada na fabricação de estatuetas, bibelôs, medalhões, etc. As possibilidades decorativas do *biscuit* foram aplicadas pela primeira vez em Sèvres (1753). Essa porcelana presta-se para a reprodução de esculturas antigas ou outras. [V. porcelana. Cf. *Parian ware* e Sèvres.]

Reproduções de esculturas de Thorvaldsen.
(Dinamarca - Fábrica Real de Porcelana de Copenhague - séc. XIX - alt. 30 cm)

bisel. *s. m.* Aresta cortada obliquamente.

bisotê. [Do fr. *biseauté*, 'cortado em bisel'.] *adj.* Diz-se do espelho ou do vidro plano de certa qualidade e espessura, cujos bordos são cortados em bisel.

Bizâncio. Cidade situada na costa europeia do Estreito de Bósforo, fundada pelos gregos; é a atual Istambul, na Turquia, antiga Constantinopla, e foi capital do Império Romano no Oriente (330-1453), também chamado Império Bizantino. Essa cidade reuniu, desde os primórdios da era cristã, os atributos de herdeira do Helenismo*, de sede do cristianismo e de centro de convergência de influências bárbaras, três elementos que marcam sua arte simbólica e suntuosa. § Em seus aspectos mais significativos – a arquitetura e a pintura – o *estilo bizantino* se estabeleceu por volta do séc. VI, com características que permaneceram até a tomada de Constantinopla pelos Turcos no séc. XV. A arte prende-se à teologia e ao culto cristão, e atinge um alto grau de espiritualidade devido ao controle exercido pela Igreja sobre as formas de expressão, impessoais e estáticas no seu simbolismo. As numerosas igrejas têm a forma de cruz grega* e são dotadas de majestosas cúpulas; a mais notável é a de *Hagia Sophia* ('Santa Sabedoria'), em Istambul, erroneamente conhecida como "Santa Sofia". Esse templo, construído segundo um plano radial, reflete, nos afrescos e nos mosaicos, a noção vigente da hierarquia do universo; domina a cúpula principal a figura do Pantocrátor* (Cristo Todo-poderoso); abaixo dele anjos e arcanjos; a Virgem* aparece numa das cúpulas laterais; nas paredes, os santos ocupam a parte superior e os fiéis a parte de baixo. § A arte do mosaico* chega ao apogeu em Bizâncio; figuras ricamente vestidas, cenas bíblicas, símbolos cristãos, são representados em cores vivas num grafismo expressivo em que os motivos convencionais se destacam sobre um fundo de ouro. ~ O mesmo efeito aparece na pintura, em que as imagens isoladas, com grandes olhos penetrantes, como que parecem soltas sobre um fundo também de ouro. ~ A escultura foi praticada especialmente em peças decorativas, na maioria ligadas ao ritual cristão, mas também às solicitações de uma sociedade requintada. O marfim é esculpido em pequenos objetos, em coberturas de livros sacros, em relicários, etc. Florescem a ourivesaria, os esmaltes, os ricos tecidos, os bordados a ouro e prata. § Na Europa ocidental, o formalismo do estilo Românico que vigorou até o advento do naturalismo gótico, procede da arte bizantina; e os manuscritos iluminados, que se espalharam pela Itália e pela Sicília, forneceram à pintura italiana pré-renascentista seus elementos formativos. § O estilo bizantino expandiu-se nos países da Igreja Ortodoxa Oriental, especialmente na Rússia onde permaneceu intacto até o séc. XVII. [V. formalismo. Cf. Roma e Românico.]

black-a-moor. [Ingl.] Figura de mouro negro esculpida em madeira e que carrega, acima da cabeça, uma pequena bandeja circular ou um candelabro. Essa peça apareceu no séc. XVII, é tipicamente barroca, e esteve em grande voga na corte de Luís XIV da França. Os exemplares mais requintados são provenientes de Veneza; ostentam rico vestuário dourado ou apresentam-se como atléticos escravos entalhados em ébano, seminus e agrilhoados com grossa corrente. [Cf. *guéridon*.]

black-a-moor. (Veneza - séc. XVIII)

blanc de chine. [Fr. 'branco da China'.] Porcelana chinesa branca, fina e brilhante, proveniente das manufaturas de Tê-hua*, na província de Fukien. As peças mais significativas (elegantes estatuetas femininas, bichos, vasilhas, incensórios) são do séc. XVII e começos do séc. XVIII (dinastia Ch´ing*). Esses objetos influenciaram as porcelanas europeias setecentistas. [V. porcelana.]

bobeche. [Do fr. *bobèche*.] *s. f.* Peça côncava, geralmente circular, que se adapta à parte superior de castiçais, tocheiros e candelabros; tem uma abertura central que permite a colocação de vela, e destina-se a recolher a cera que dela escorre. Pode ser de metal ou de vidro; certos exemplares de maior porte têm a forma de tulipa e aparecem especialmente em castiçais e tocheiros de igreja. [Cf. arandela.]

Boêmia. [Top.] V. cristal e vidro.

boiserie. [Fr.] *s. f.* Revestimento de madeira com trabalho de marcenaria. [V. lambri e painel.]

bolacha. *s. f.* Ornato em forma de rodela característico de certos móveis portugueses e brasileiros, especialmente os do séc. XVIII. As bolachas superpostas ou justapostas, às vezes intercaladas com torcidos, formam as pernas ou as travessas de mesas, contadores, etc.; usam-se também, mais volumosas,

como pés de arcas e armários. [V. Nacional português.]

Detalhe de perna de mesa. (séc. XVIII)

bomba. *s. f.* V. escada.

bombê. [Do fr. *bombé* 'convexo'.] *adj.* Diz-se do móvel, em especial da cômoda, com a frente e os lados muito convexos e que vão se estreitando para baixo. Essa forma é característica do estilo Rococó francês. [V. cômoda e Luís XV.]

Cômoda bombê. (séc. XIX)

Bom Pastor. Na iconografia cristã, a imagem de Jesus representado como pastor que carrega uma ovelha aos ombros, e cuja simbologia advém da parábola da ovelha desgarrada. § Na imaginária indo-portuguesa, o Bom Pastor tem a figura do menino Jesus sentado, com uma ovelha no ombro e outra a seu lado. São preciosas as imagens do Bom Pastor de marfim, de nítida inspiração oriental pela atitude meditativa do Menino que tem às costas uma representação da árvore da vida. A base dessas imagens é uma alta peanha com cenas sacras esculpidas na técnica minuciosa da arte hindu. [Cf. imagem sacra e marfim.]

Imagens indo-portuguesas de marfim.

bonbonnière. [Fr.] *s. f.* Pequena caixa de prata, porcelana, cristal, laca, etc., em geral decorada, e que serve para guardar bombons, balas, confeitos. Às vezes tem formas caprichosas, como, p. ex., ovo, coração, pássaro, e é usada como adorno.

Bonbonnièrre art nouveau de porcelana de Sèvres. (de época)

Bonbonnièrre de prata em forma de pato cujas asas e dorso constituem a tampa. (Itália - séc. XX)

boneca. *s. f.* Brinquedo que representa a figura humana, muito necessário à imaginação infantil. ~ Moldadas em barro, madeira, prata, couro, as bonecas são de origem muito antiga, quer como brinquedos, quer como elementos mágicos e religiosos. Foram encontradas nos túmulos egípcios, nas catacumbas dos primeiros cristãos, mas raríssimos exemplares se conservaram. ~ A produção de bonecas na Europa é conhecida desde o Renascimento*, e as cabeças, a princípio de madeira, terracota, alabastro, cera, começaram a ser fabricadas industrialmente. ~ No séc. XV os mais famosos brinquedos eram provenientes de Nurembergue (Alemanha); no sécs. XVII e XVIII surgem as primeiras casas de bonecas, documentos expressivos do modo de viver de uma época, de uma cultura. ~ A maioria das bonecas conservadas datam do séc. XIX, quando se tornaram muito difundidas; os primeiros bebês apareceram na Inglaterra. As cabeças de porcelana ou de *biscuit* têm olhos que abrem e fecham. Os corpos articulados começam a ser feitos de massa ou de celuloide. A França produz lindas bonecas vestidas à moda parisiense; os bebês usam sofisticadas roupinhas de criança. ~ Dos últimos 150 anos, muitas bonecas foram guardadas como relíquias de família; outras são objetos de coleções ou de decorações muito femininas, especialmente as da *Belle Époque**. ~ Durante o período *Art Déco**, os pierrôs*, as bonecas de pano vestidas com esmero espalhavam-se em quartos e salas, rivalizando com as almofadas*. ~ Bonecas e bichos de pano, de feitura artesanal, enfeitam quartos de criança. §§ No Brasil, a arte popular é rica em bonecas de madeira, de barro, de pano usadas como brinquedos ou como elementos de folguedos do povo. São curiosíssimas as bonecas de pano sexuadas feitas no Maranhão. – Fr.: *poupée*; ingl.: *doll*; alem.: *Puppe*.

bone china. [Ingl. 'porcelana de ossos'.] Porcelana de pasta híbrida feita com cinza de ossos, caulim e grés; é mais forte do que a porcelana de pasta tenra e mais macia do que a de pasta dura. ~ A qualidade e a composição da cinza de ossos – de um branco muito puro – era conhecida desde meados do séc. XVIII na Inglaterra, na Alemanha e na França, e esse material foi aplicado à porcelana de pasta tenra* e ao vidro conhecido como *Milchglas**. Mas o desenvolvimento da fórmula que se tornou a massa padrão da porcelana inglesa do séc. XIX é atribuído a Josiah Spode. É uma porcelana resistente, de um bonito branco cor de marfim e, desde logo, seu emprego se generalizou na Inglaterra; Wedgwood* adotou-a em 1812 com sucesso em peças elegantes e originais. ~ De formato e acabamento variado, encontram-se modelos de *bone china* decorados com ouro, e de colorido brilhante, ao lado de outros mais sóbrios que aparecem especialmente nos serviços de mesa. [V. cerâmica e porcelana. Cf. Spode.]

bonheur-du-jour. [Fr.] *s. m.* Pequena escrivaninha, com uma parte mais alta fechada com gavetas ou escaninhos, surgida na França no séc. XVIII e que se destinava às senhoras; era, em geral, ricamente decorada com marchetaria, pinturas, etc. Suas formas são múltiplas e às vezes o *bonheur-du-jour* era adaptado como mesa de toalete. É considerado uma das mais femininas peças de mobiliário.

Bonheur-du-jour. (séc. XIX)

bonzai. [Jap.] Árvore em miniatura cultivada no Japão segundo processos especiais: cresce em vasos baixos para limitar o espaço, e tem as raízes e os ramos novos podados para impedir o desenvolvimento. Essas árvores são miniaturas quanto à forma, mas expressam reais imagens da natureza.

Borcialu. V. Hamadan.

bordado. *s. m.* Trabalho de agulha que consiste em recobrir ou ornamentar um tecido com pontos de vários gêneros formando desenhos. O bordado é feito com fios de linha, lã, seda, ou outras fibras, em diferentes cores, e nele se emprega também o ouro e a prata e, às vezes, contas e miçangas; não raro é executado com auxílio de bastidor (de pé ou não) para esticar a fazenda. § É imensa a variedade de bordados; entre outros destacam-se: a) os bordados que realçam o contorno ou constituem o próprio desenho (ponto de haste, ponto de cadeia, ponto cheio, ponto de sombra, etc.); b) os que têm desenhos abertos nos fios do tecido (crivo, labirinto, ponto ajur, ponto de rodes, etc.); c) os feitos de fios contados no tecido como ponto de cruz e *petit point*; d) os feitos com aplicações. § *História.* Pouco restou dos bordados antigos, feitos de matéria perecível, e que são conhecidos através de representações na arte, ou de referências. Na Bíblia já se mencionam bordados a ouro; na Ilíada, Homero descreve Helena diante de uma grande tela bordando as figuras de guerreiros. O bordado praticado na Grécia e em Roma passa a Bizâncio enriquecido pela tradição oriental, nos chamados "tecidos historiados", que reproduzem com agulha e linha cenas religiosas e outras, animais, pássaros, plantas. ~ Na Idade Média, o bordado é usado nas cortes e nas ricas abadias, quer na indumentária, quer em coxins e reposteiros, quer nos paramentos litúrgicos; estofos bordados cobrem os esquifes de personagens ilustres. As vestes sacerdotais eram tão ornamentadas que passaram a ter seus motivos fixados num concílio. ~ Damas da nobreza dedicavam-se a esses trabalhos, dentre os quais o mais notável é a chamada *Tapeçaria de Bayeux* ou da *Rainha Matilde* (a designação é imprópria, uma vez que se trata de uma tela bordada, estreita e muito longa, onde são representadas imagens da conquista da Inglaterra pelos normandos em 1066); ali apresentam-se 1.255 movimentados personagens, cavalos, armas, além de inscrições explicativas (é um documento histórico rico em informações). ~ Do séc. VII ao séc. XVI, hábeis desenhistas e bordadores ingleses estabelecem a reputação do *opus anglicanum*, tipo de bordado religioso. No séc. XIII começam a ser representados complicados brasões, algumas vezes diretamente sobre o tecido, outras em aplicações. As armas que aparecem nos estandartes e bandeiras flutuantes desenvolvem a técnica do bordado sem avesso. Encadernações ostentam ricas decorações com fios de ouro, e as bolsas presas à cintura são igualmente muito ornamentadas. ~ Os sarracenos, que trabalhavam magnificamente em seda e ouro, transmitem sua arte à Espanha e à Sicília de onde ela se difunde pelas cidades italianas que se tornam importantes centros de bordados. ~ Do séc. XV ao séc. XVII o luxo se reflete no esplendor do bordado profano dos estofos, do vestuário; o rei Luís XIV* da França tem vários bordadores a seu serviço, e sua mulher, Madame de Maintenon, preocupa-se em ensinar a arte de bordar às moças da nobreza. No séc. XVIII, os bordados de lã sobre talagarça se expandem e são usados no estofamento de móveis. § Com o aparecimento da máquina de bordar, a indústria do bordado abrange um amplo mercado, e deixa de ser privilégio das elites ou de se restringir à arte popular. Mas como trabalho manual, o bordado é ainda realizado profissionalmente ou como passatempo. É especialmente importante como obra artesanal, com sugestivas características regionais. • O *bordado branco*, que deveria ser chamado "bordado sobre branco" (bordado cheio, festonê, *richelieu*, caseado), sobre linho ou algodão é tipicamente europeu e teria surgido para fins litúrgicos muitas vezes associado a rendas; logo foi usado para roupas de baixo, lençóis e toalhas de mesa guarnecidos com monogramas e desenhos. O mesmo gênero passa a ser feito com linha de cor, como, p. ex., o bordado da Ilha da Madeira. ~ O *bordado de pontos contados* sobre o tecido, como, p. ex., o ponto de cruz, é encontrado há séculos como indústria doméstica das populações rurais. Sua origem pode ser reconhecida pelo desenho, pelos pontos e pelo colorido. Desenvolveu-se na Grécia, na Itália e na Espanha nos sécs. XV a XVIII; às vezes apresenta-se em uma só cor em várias gradações. Passou depois aos países eslavos, à Hungria, à Escandinávia, com grande riqueza de cores. ~ A *pintura em bordado*, também chamada "pintura de agulha" ou "matizado", tenta reproduzir modelos figurativos; é um gênero que gozou de prestígio no Renascimento*, quando a indumentária passou a ostentar colorido variado em brocados e fazendas de ramagens. ~ Na China, os mais famosos trabalhos matizados são as roupas imperiais da dinastia Ch´ing (1644-1911). O xale do traje típico da mulher espanhola – o *mantón de Manilla* – de seda, coberto de flores bordadas com fios matizados e com franja longa, era obra de bordadeiras chinesas. [V. trabalhos de agulha.] – Fr.: *broderie*; ingl.: *embroidery*.: alem.: *Stickerei*; ital.: *ricamo*.

Quadro de seda negra com rico bordado a ouro e fios de cor. (China - séc. XIX / XX)

borla. *s. f.* Ornato em forma de campânula, constituído de inúmeros fios pendentes, muito usado como enfeite ou acabamento em certos trabalhos de agulha*. As borlas de passamanaria têm muito emprego em certo tipo de decoração. [Cf. passamanaria e franja.] – Fr.: *houpe*; ingl.: *tassel*; alem.: *Quaste, Troddel*.

borne. [Fr.] V. pufe.

borrão. *s. m.* Na louça inglesa do séc. XIX, pequeno defeito em que a pintura, em geral azul, se espalha ligeiramente no esmalte. // A louça com essa característica. É chamada na Inglaterra *flow blue*. [V. louça inglesa.]

boteh. [Pal. oriental, talvez do norte da Índia.] Motivo ornamental muito frequente nos tapetes orientais; tem a forma de uma pera estilizada com cabo encurvado, ou de uma gota-d´água com a parte superior pendente para um lado. ~ De proveniência controvertida, seu significado presta-se a várias interpretações: amêndoa, figo, chama, pena, cipreste e, dizem, representa uma curva do rio Ganges na região de Caxemira. ~ O motivo, que pode ter diversas dimensões, é repetido de maneira regular em toda a extensão do campo; aparece com linhas curvas, mas pode assumir, às vezes, formas geométricas. Os centros de produção onde se emprega o *boteh* localizam-se em Serabend, Mir, Kirman, Kachan, Senneh, Qum. ~ O motivo aparece também nos xales de caxemira*. [V. tapete oriental (motivos).]

boudoir. [Fr.] *s. m.* Pequeno quarto onde outrora as senhoras se vestiam e/ou repousavam; sua decoração prestava-se a delicadas minúcias de feminilidade. [V. Luís XVI.]

Boulle, André Charles (1642-1732). Ebanista francês famoso por ter introduzido no mobiliário um tipo de revestimento com incrustações de tartaruga e de cobre, e aplicações esculpidas em ormolu. A serviço de Luís XIV, produziu peças nobres e suntuosas (mesas, escrivaninhas, cômodas, armários, relógios) para Versalhes e para outras partes da Europa. Graças a suas inovações, os pontos vulneráveis na estrutura dos móveis são reforçados com peças de canto, molduras, motivos alegóricos, máscaras em bronze, e as superfícies são recobertas por um gênero de marchetaria que recebeu seu nome. ~ Os móveis de Boulle em estilo Luís XIV são muito trabalhados, bastante pesados pela forma e pelos ornatos; serviram de modelo para outros mais leves nos sécs. XVIII e XIX. [V. Luís XIV, incrustação, marchetaria e ormolu.]

bow window. [Ingl.] Janela ou série de janelas com caixilhos envidraçados, que se projetam externamente para além da linha da parede; esse balanço* pode ter forma retangular, poligonal ou curva, e amplia a área interna de um cômodo. ~ Nas construções de fins do séc. XIX, destacam-se nas fachadas dos imóveis de apartamentos, os *bow windows* que, com sua estrutura metálica e envidraçada iluminam os interiores e funcionam como jardins de inverno*. Esse elemento arquitetônico foi especialmente tratado pelos arquitetos do *Art Nouveau* * e vale ressaltar as belas soluções encontradas pela rica imaginação do catalão Antoni Gaudí*, com suas formas vegetalizantes. (Também se diz *bay-window*). [V. janela.]

braçadeira. *s. f.* Tira de pano, passamanaria, etc., geralmente destinada a prender cortinas e bambinelas*; é presa à parede por peça de bronze ou outro metal.

braço. *s. m.* Guarda lateral de cadeira, banco, poltrona ou sofá, para repouso dos braços. Foi adotado desde a Antiguidade em tronos e bancos; mais tarde, com os progressos do mobiliário é peça distintiva das cadeiras de braços. É formado por um elemento horizontal, não raro esculpido e que pode ter na extremidade cabeça de animal, voluta ou outra forma determinada pelos estilos; a mão se apoia naturalmente neste remate arredondado. O braço é fixado nas costas da cadeira e num suporte vertical muitas vezes trabalhado. [V. cadeira.]

branco. *s. m.* A cor da neve, do leite, da açucena, do giz. Cientificamente é a luz não decomposta, ou seja, a síntese de todas as cores. Simboliza a pureza e a paz. Dá impressão de limpeza, de assepsia e, por isto, é usado em banheiros e hospitais. ~ A tendência da decoração, a partir da década de 1960, resgatou o branco desses espaços frios para dar-lhe todas as possibilidades de luz, de invenção. A irradiação das paredes, dos tecidos, dos móveis brancos dá luminosidade a um ambiente, as outras cores adquirem maior vibração; o amarelo, o vermelho, o laranja, chegam a ofuscar quando em confronto com o branco. Um ambiente branco tem efeitos surpreendentes: nele, uma escultura branca, ou um objeto, destacam-se pelo volume e textura, e pela tonalidade das paredes também brancas. O branco pode ter tons amarelados ou acinzentados: branco-gelo, branco-fumaça, branco-marfim, branco-pérola. [V. cor.] – Fr.: *blanc*; ingl.: *white*; alem.: *Weiss*.

brasão. *s. m.* Insígnia de nobreza; armas. // Representação gráfica ou em relevo do conjunto dos sinais heráldicos de uma família nobre, de uma cidade, de uma nação. §§ No séc. XIX, brasões brasileiros figuram na arquitetura, no mobiliário, nas louças, etc., com as armas do Império, da família imperial e das famílias enobrecidas. Merecem menção as louças brasonadas dos titulares brasileiros, bem como as da nobreza portuguesa vinda para o Brasil com o príncipe D. João VI em 1808. [V. heráldica e brasonado. Cf. louça brasonada.] – Fr.: *blason*; *armoiries*; ingl.: *coat of arms*; alem.: *Wappen*.

braseiro. *s. m.* Recipiente onde se colocam brasas para aquecer um aposento; é portátil, em geral dotado de pés e de uma cobertura vazada. Pode ser de barro, de louça, de metal; no séc. XVIII houve até braseiros de prata, mas os mais comuns são os de bronze e de latão. ~ Na Europa, o seu uso é corrente desde tempos muito antigos, especialmente nas regiões mediterrâneas onde as casas nem sempre tinham lareiras. São ainda usados na Itália e na Espanha, ao lado de outros métodos de aquecimento. ~ Os braseiros espanhóis, de procedência árabe, são especialmente decorativos. – Esp. e fr.: *brasero*; ingl.: *brazier*.

brasonado. *adj.* Que tem armas ou brasões esculpidos, pintados ou aplicados; armoriado. [V. brasão e louça brasonada.]

braúna. *s. f.* Madeira pardo-negra das matas brasileiras da Bahia até São Paulo. Usada em construções civis e carpintaria, é dura, difícil de trabalhar. É também conhecida como canela-parda.

Breuer, Marcel (1902-1981). Arquiteto norte-americano, nascido na Hungria, grande criador de móveis do séc. XX. Participou dos trabalhos da Bauhaus, e emigrou para os E.U.A. em 1937. Na década de 1920 projetou cadeiras no gênero Rietveld*, porém mais leves, menos cubistas, marcando seu afastamento dos modelos tradicionais e dos que apareciam com o *Art Déco**. Introduziu no mobiliário as superfícies cromadas, as cadeiras de tubos de aço e os móveis com unidades moduladas. Sua célebre ***cadeira Wassily*** (1925), homenagem ao pintor Wassily Kandinsky, é uma poltrona de tubos de aço cromado (dizem inspirados nas curvas de uma bicicleta) que sustentam as tiras de couro do assento, do encosto e dos braços; essa cadeira foi adotada no mobiliário da Bauhaus, e parece ter inspirado a poltrona de Le Corbusier*. ~ Em, 1926, a concepção de sua cadeira singela com estrutura em *cantilever* ou balanço coincide com a de Mies van der Rohe*, e sua versão consta de um único tubo de aço recurvado, no qual duas placas de metal ou de palhinha formam o assento e as costas. Esse desenho, clássico, de grande simplicidade, tornou-se o modelo de inúmeras outras cadeiras, e ainda é fabricado comercialmente. ~ Mais tarde (1935-1937), o artista dedicou-se a outras pesquisas brilhantes: com madeira vergada, realizou uma elegante espreguiçadeira e, com madeira folheada, uma mesa engenhosamente planejada numa só peça. Breuer definia seu trabalho como "tecnologia civilizadora". [V. cadeira e Bauhaus.]

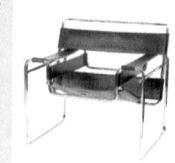

brim. *s. m.* Tecido forte de linho, algodão, fibra sintética, etc., acetinado pelo lado direito, e que tem grande aplicação na confecção de cortinas, estofados, almofadas, forros, etc.

brise-bise. [Fr. 'quebra-brisa'.] *s. m.* Pequena cortina de tecido fino ou de renda que guarnece as vidraças de janelas e portas. [Cf. cortina.]

brise-soleil. [Fr. 'quebra-sol'.] *s. m.* Elemento arquitetônico destinado a impedir a insolação direta e/ou o aquecimento do interior pelos raios solares, sem prejuízo para a iluminação e para a ventilação. Aparece, eventualmente, na arquitetura de todos os tempos, mas suas funções se definem na moderna arquitetura do séc. XX (c. 1933, com Le Corbusier). Consta de um conjunto de placas móveis ou fixas, horizontais ou verticais, que passam a integrar as fachadas expostas ao sol. §§ Incorporado com sucesso à nova arquitetura brasileira, despertando objeções nuns, aplausos noutros, o *brise-soleil*, por sua importância em nosso clima, aparece em diversas soluções: no antigo Ministério da Educação e Saúde (atual Palácio Gustavo Capanema) no Rio de Janeiro, esses elementos são horizontais; na mesma cidade na fachada da "Obra do Berço" são empregados por Oscar Niemeyer verticais e móveis, e, no prédio da A.B.I. (Associação Brasileira de Imprensa), Marcelo Roberto caracterizou a fachada com *brise-soleils* verticais e fixos [V. Le Corbusier.]

brita. *s. f.* Pedra fragmentada em pedaços diminutos largamente empregada no concreto armado. ~ Espalhada em alamedas e jardins, tem a vantagem de drenar água. (Tb. se diz pedra britada).

brocado. *s. m.* Rico tecido decorativo feito de seda e realçado por desenhos em relevo, não raro enriquecidos com fios de ouro e prata; muito usado na indumentária, foi também aplicado à decoração a partir do séc. XVII. [Cf. damasco.] – Fr.: *brocard*; ingl.: *brocade*.

bronze. *s. m.* Liga metálica de cobre e estanho, cujo uso é conhecido desde tempos remotos; seu nome está mesmo ligado à idade histórica que sucede ao Neolítico e que se caracteriza pelo aparecimento dos primeiros utensílios de metal. Numerosíssimas peças de bronze (armas, ferramentas, vasos, moedas, esculturas), obtidas graças à facilidade de fusão e moldagem dessa liga, nos foram legadas pela Antiguidade. § Na China*, o bronze foi conhecido e aperfeiçoado em peças de qualidade excepcional (já no séc. XV a. C., teriam sido produzidos vasos encontrados em escavações). Por volta do séc. III de nossa era, a arte do bronze passa à Coreia e logo ao Japão onde são executados objetos requintados (vasos, espelhos, gongos, etc.) além de estátuas. ~ O uso dessa liga espalhou-se entre as primeiras civilizações por volta do II milênio a. C. (Mesopotâmia, Egito, Creta), e, na Grécia, atinge grande desenvolvimento, sobretudo em pequenas peças; são raros os grandes bronzes clássicos como o *Auriga*, de Delfos e o *Posídon*, do Museu Nacional de Atenas. Os romanos assimilaram a arte helênica, e a estatuária se desenvolveu (as 3.000 estátuas do Circo de Roma). ~ Conhecem-se peças de bronze produzidas pelos artesãos medievais (Jean Dinant), mas foi no Renascimento* que o bronze artístico teve grande impulso na decoração de igrejas, palácios, praças. A escultura vale-se dele para obras de estatuária; Benevenuto Cellini* recupera a magistral técnica dos romanos com seu *Perseu*, e Giovanni Bologna é figura dominante. Lorenzo Ghiberti realiza os magníficos baixos-relevos para a *Porta do Paraíso* do Batistério, de Florença. As pequenas peças atingem a perfeição da Antiguidade clássica, numa arte que capta com minúcias o espírito da época. ~ No séc. XVII, o bronze torna-se complemento necessário de móveis feitos com madeiras exóticas, muito esmerado em desenho e execução; no séc. XVIII, surge, na França, o bronze dourado, frequentemente empregado em detalhes do mobiliário, em luminárias, etc. A arte prossegue em peças tradicionais oitocentistas, e nas estatuetas, vasos e cinzeiros *art nouveau*. O metal volta a ser trabalhado por artistas contemporâneos em formas renovadas. Muitas peças são assinadas. § O bronze é material muito versátil: o metal fundido não tem as mesmas limitações impostas à madeira e à pedra diretamente trabalhadas; é resistente na feitura de extremidades delicadas, amolda-se em panejamentos e, por ser oco, quando moldado, torna-se mais leve nas grandes peças. Mas sua principal qualidade é a própria textura que oferece ao artista muitas oportunidades de acabamento – desde superfícies rugosas até as extremidades polidas e macias. ~ O processo de moldagem, consistia no que se chamou *cire-perdue*. ~ A superfície do bronze natural é clara e pode ser preservada por verniz transparente ou outro à base de laca escura ou avermelhada; mas ela torna-se, em geral, patinada, quer por exposição ao tempo, quer por processos químicos; neste caso, nas peças antigas, as cores eram obtidas por fórmulas mantidas em segredo. Para o bronze dourado usa-se ouro pulverizado, submetido ao calor. ~ No séc. XIX, com a galvanização, surgem novas possibilidades para o metal. § O bronze, por suas qualidades, propicia, tanto hoje, como na Antiguidade, e melhor do que qualquer outro material, a imortalidade das obras de escultura. Fr.: *bronze* e (literário) *airain*; ingl.: *bronze*; alem.: *Bronze*. [V. ormolu.]

Bruxelas. [Cid. da Bélgica.] V. renda. // V. tapeçaria.

buclê. [Do fr. *bouclé.*] *s. m.* Tipo de tapete cujos fios (de lã, de fibras naturais ou sintéticas) não são cortados, formando laçadas rasas e fixadas ao suporte, pelo avesso, por uma espécie de resina. É tapete forte, que serve também como carpete, e é muito indicado para locais movimentados. [V. carpete e tapete.]

Buen Retiro. [Top. esp.] Manufatura de porcelana fundada em Madri em meados do séc. XVIII. Os primeiros artesãos eram italianos que haviam trabalhado em Capodimonte, e seus produtos eram muito semelhantes aos da fábrica napolitana. Sua obra de maior vulto é o salão do Palácio Real de Aranjuez com teto e paredes de porcelana ornadas de figuras em relevo denotando grande imaginação, tudo no gênero *chinoiserie**. No fim do século a fábrica produziu elegantes vasos neoclássicos. Sua marca foi, a princípio, a flor de lis e depois dois "CC" entrelaçados. [V. Capodimonte.]

bufê. [Do fr. *buffet.*] *s. m.* Aparador com tampo retangular livre, destinado às salas de refeições.

bufete. [Do fr. *buffet.*] *s. m.* Designação antiga de mesa de uso corrente em Portugal e no Brasil no séc. XVII, e que era dotada de gavetas e tampo retangular liso com balanço lateral. Era mais alto do que a mesa de cavalete, e usado de encontro às paredes ou no meio das cozinhas. Conta-se que, em Minas, os gavetões dessas mesas rústicas serviam para esconder pratos de comida quando chegavam as visitas. ~ Bufetes menores eram utilizados para escrever ou como suportes de oratórios*. ~ No séc. XVIII, a designação passa às mesas de centro com tampo do tamanho da caixa e pernas torneadas, ornadas com goivados e tremidos, feitas de jacarandá e outras madeiras do Brasil. [V. mesa - mesa mineira.]

bugia. *s. f.* Pequena vela de cera proveniente de Bugia (Argélia). // Castiçal pequeno.

Bukhara. Designação comercial dos tapetes orientais tecidos por diversas tribos turcomanas – em especial os Tekké –, e que eram canalizados para os grandes centros de consumo da Europa através da cidade de

"Le désespoir": escultura assinada Daloup.
(França - começo do séc. XX - alt. 21 cm)

"Mulata e seresteiro" escultura de Raul Pederneiras.
(Brasil - começo do séc. XX - alt. 18 cm)

Sino do tipo Bo Zhong (modelo da dinastia chinesa Chou (1049-771 a.C.), réplica do sino de Bongduk Sa, na Coreia. Decorado com Yin-Yang, com entidades budistas e flores de lótus.
Coleção Dr. R. Joppert - Rio de Janeiro (Coreia - sécs. XVII / XVIII)

Bukhara no Uzbequistão. ~ São tapetes que se destacam pela excelência da lã e pela beleza e simplicidade do desenho: os motivos octogonais (*guls** ou pata de elefante) são repetidos com regularidade sobre o campo. O fundo do campo e das barras apresenta-se em diversas gamas de vermelho desde um tom escuro, cor de vinho, até o tirante a castanho; alguns, mais raros, são cor de marfim. Os *guls* são basicamente em negro ou azul escuro com toques de branco ou verde. Não só tapetes eram produzidos nos teares das várias tribos nômades: sacos, cobertas, longas tiras para decorar as tendas, painéis para vedar a entrada, obedecem aos mesmos padrões e são identificáveis pelos motivos octogonais (estes, nas peças menores, são muitas vezes achatados ou cortados). ~ Os exemplares mais finos e tradicionais, vindos de Tekké, são conhecidos no comércio como *Royal Bukhara*, os de oração (Hadchlu) como *Princess Bukhara*. ~ Outros tapetes chamados Bukhara têm procedências e dimensões diversas e são designados como Salor Bukhara, Yomoud Bukhara, Pakistan Bukhara; divergem também nas características e na qualidade. [V. tapete oriental – tapete turcomano, Tekké e Hadchlu.]

bule. [Pal. de origem oriental, talvez do malaio *búli* 'frasco'.] *s. m.* Recipiente em geral bojudo, dotado de bico longo e alça, no qual se faz a infusão do chá, e que se destina a servi-lo; é feito de cerâmica, porcelana, prata, metal prateado ou esmaltado. // P. ext., recipiente análogo para servir café e outras bebidas em infusão. § A definição mais antiga de bule é do Padre Rafael Bluteau em seu *Vocabulário Português e Latino* (1712): "frasquete de louça da Índia, agudinho para cima", e ela coincide com a época do aparecimento do chá no Ocidente. ~ O chá é originário da China e, no séc. IX passou ao Japão, onde a "cerimônia do chá" tornou-se ritual; difundiu-se por outros países asiáticos e, em fins do séc. XVII, foi introduzido na Europa, tornando-se muito popular principalmente na Inglaterra e na Holanda. ~ Sabe-se que no Extremo Oriente não se usava o bule para servir o chá: a água fervendo do bule ou chaleirinha era derramada sobre as folhas colocadas numa tigela e, para abafar, punha-se sobre esta uma tampa de louça. Os primeiros bules europeus, de cerâmica, foram produzidos em Delft* e em Meissen* e imitavam as formas chinesas: corpo cilíndrico, bico reto, alça curva, tampa abaulada. ~ Os bules setecentistas, de prata, passam a ter a forma ligeiramente cônica, bico e cabo formando ângulo reto; depois assumem formas poligonais ou de pera, já com alça e bico opostos. Em meados do séc. XVIII aparecem bules esféricos com base fixada num pé. Nas últimas décadas, os bules neoclássicos são muitas vezes ovais, sem pé, com tampa chata, bico reto e decoração gravada. Nas peças de prata são comuns as alças de madeira. § Os serviços* de chá e café já existiam no séc. XVIII, mas a maioria dos exemplares conhecidos foram produzidos no início do séc. XIX; neste século, a duquesa de Bedford criou na Inglaterra o hábito logo generalizado do *afternoon tea* ('chá da tarde'). Os serviços eram arranjados em bandejas, ao lado de xícaras e de um samovar (*tea kettle** ou *tea urn**) para água quente, e as peças usadas atingiram alto grau de requinte. §§ Os grandes prateiros portugueses executaram belos serviços de chá e, entre nós, encontram-se muitos exemplares do séc. XIX [Cf. cafeteira e chocolateira.] – Fr.: *théière*; ingl.: *teapot*; alem.: *Teekanne*.

Bule de chá de porcelana Vista Alegre feito especialmente para a Confeitaria Colombo no Rio de Janeiro. (Portugal - séc. XX)

Bule de café de prata em forma de pera.
(Inglaterra - meados do séc. XIX)

Conjunto de bules de Christofle em forma aproximada de barril. (França - começo do séc. XX)

burgau. [Talvez do tupi *perigoá*, pelo port. antigo *burgão*.] *s. m.* Espécie de madrepérola espessa, iridescente, de tonalidade em geral rosa-arroxeada; burgandina. Extraído de certos moluscos de diferentes procedências, incluindo-se os mares do Atlântico Sul, foi muito usado na Europa em cabos de facas e outros objetos, e na decoração de diferentes peças. Na China, aplicou-se o burgau em incrustações na porcelana, e os japoneses o utilizaram em trabalhos de laca* chamados pelos europeus de *laque burgauté*. [V. madrepérola.]

buril. *s. m.* Instrumento de aço temperado usado na execução de gravura em metal, madeira, etc. e que é constituído de uma haste com uma extremidade cortante (achatada, em bisel ou em losango) e a outra presa a um cabo de madeira. [V. água-forte, gravura[1] e xilogravura.]

burilada. *s. f.* Marca de prata em forma de zigue-zague que se usava em Portugal; bicha, cobrinha. É feita com buril pelo ensaiador* para atestar o teor do metal e aparece normalmente entre a marca do prateiro e a da cidade. Outros países adotam a burilada como, p. ex. o México. [V. prata portuguesa e brasileira. Cf. *hall-mark*.]

busto. *s. m.* Obra de escultura que representa a cabeça, os ombros e parte do peito da figura humana. [V. escultura (ilustr.).]

butler's tray. [Ingl.: 'bandeja de mordomo'.] Bandeja retangular de origem inglesa, feita de madeira, e cujas galerias inteiriças em forma de arco, levantam-se ou abaixam por meio de dobradiças de bronze ou latão. Apoia-se sobre um cavalete dobrável.

butterfly table. [Ingl. 'mesa-borboleta'.] Mesa de origem norte-americana dotada de abas laterais que, levantadas, aumentam-lhe o tamanho. [V. mesa de aba. Cf. *drop leaf table*.]

C

cabaret. [Fr.] *s. m.* Conjunto de porcelana ou de prata formado por pequena bandeja com bule, leiteira, açucareiro e uma ou duas xícaras, surgido no séc. XVIII. ~ Quando destinado a duas pessoas chama-se *tête à tête*, quando a uma, *solitaire*.

Cabaret de porcelana de Limoges.
(França - séc XIX)

cabeceira. *s. f.* A extremidade da cama onde repousa a cabeça. // Nessa extremidade, a peça vertical de madeira, de metal, estofada, etc., que dá à cama as principais características; espaldar. Pelo contraste entre o plano vertical e a horizontalidade da cama, constitui um ponto de atração na decoração do quarto. A cabeceira normalmente se destaca da parede onde se encosta, salvo nas camas colocadas paralelamente, como nas de estilo Diretório* e Império*, que têm as duas extremidades da mesma altura e decoração idêntica. §§ Nos sécs. XVII e XVIII, as cabeceiras caracterizam fortemente o mobiliário português e, consequentemente, o do Brasil, destacando-se as que têm balaústres torneados e bilros*; o medalhão, almofadado ou não, é frequente no séc. XVIII nas cabeceiras barrocas – Dom João V* e Dom José I* – com arremate central de conchas, volutas, feixes de plumas, etc., e profusão de entalhes. As de estilo D. Maria I*, a princípio têm medalhão esculpido com delicada guirlanda de flores e folha e colunas laterais, e mais tarde incrustações de madeira clara com os motivos do estilo. De feitura regional, destacam-se as cabeceiras dos leitos mineiros, com espaldar de influência barroca e balaústres torneados. [V. cama (ilustrações).] – Fr. *chevet de lit*; ingl.: *headboard*; alem.: *Kopfende*.

cabide. *s. m.* Gancho ou braço avulso, de madeira, metal ou outro material rígido, fixado a certa altura de uma superfície vertical e que, numa casa, destina-se a pendurar roupas e acessórios de vestuários, toalhas, etc. // Suporte amovível, ou peça de mobiliário, dotados de um conjunto desses ganchos para neles se pendurar chapéus, casacos, etc.; porta-chapéus. ~ Antigamente um cabide desse tipo era obrigatório na entrada das casas; muitas vezes com espelho e prateleiras, era preso à parede ou pousado no chão. De madeira ou de ferro fundido, tinha, geralmente, base para suporte de guarda-chuvas. – Fr.: *portemanteau*; ingl.: *hatrack, coathanger*. [V. mancebo e V. porta-chapéus (ilustr.).]

cabinet. [Ingl.] *s.* V. contador

cabinetmaker. [Ingl.] *s.* Ebanista

cabochom. [Do fr. *cabochon*.] *s. m.* Pedra preciosa ou semipreciosa oval, ou circular com uma face convexa, de superfície lisa, não facetada. // Motivo decorativo de forma semelhante.

cabra. *s. f.* V. *cabriole leg*.

cabriola. *s. f.* V. *cabriole leg*.

cabriole leg. [Ingl.] Perna de móvel com curva e contracurva, semelhante aos membros traseiros da cabra (daí o nome); cabra, cabriola. ~ Concebida para os móveis romanos, desapareceu, depois, do mobiliário europeu; foi, porém, tradicionalmente conhecida na China e, por influência oriental, introduzida na Inglatera por volta de 1700. Marca os móveis setecentistas (*Queen Anne**, Chippendale*, Dom João V*, Dom José I*) e foi adotada por ebanistas e fabricantes de móveis. ~ Terminando com pés de garra e bola, casco, bolacha, etc. tem os joelhos muitas vezes decorados com folhas de acanto ou cabochons. Estruturalmente foi importante porque permitiu a eliminação das travessas em cadeiras e mesas. §§ Muito frequente em Portugal, era conhecida como "perna de cabra" e, no Brasil colonial designada "perna torta". [V. mobiliário e perna. Cf. curva e contracurva.]

caçamba. *s. f.* Balde preso a uma corda para tirar água dos poços. Enquanto dominou o transporte a cavalo, caçambas pequenas, dotadas de corrente, faziam parte do equipamento dos cavaleiros; delas se conhecem belos exemplares feitos por prateiros brasileiros. (Essa peça é também impropriamente conhecida como "guampa".) // Estribo fechado, em forma de chinelo, usado pelos cavaleiros. [V. estribo.]

cachaço. *s. m.* A parte superior do espaldar das cadeiras.

cachepô. [Do fr. *cache-pot*] *s. m.* Recipiente ornamental de porcelana, cerâmica, bronze, madeira, cestaria, etc., destinado a conter um vaso com planta natural. O uso de cachepô parece ter se estabelecido no séc. XIX para dissimular os banais vasos de barro vindos das estufas e dos jardins, e que enfeitavam os salões. Acredita-se que os primeiros cachepôs tenham sido adaptação dos bonitos baldes de gelo de porcelana muito comuns desde o séc. XVIII.

Par de cachepôs de metal prateado com recortes vazados. Interior de vidro azul que sobressai em cabochons na superfície do metal.
(França - começo do séc. XX)

Cachepô piramidal de cerâmica de Caldas da Rainha. (Portugal - começo do séc. XX)

cachorro. *s. m.* Em arquitetura, peça saliente, com uma parte cravada na parede e que serve para sustentar beirais de telhado ou pisos de sacadas ou balcões. ~ Certos antigos cachorros de pedra eram decorados com figuras de animais. §§ Nas construções coloniais brasileiras são característicos os cachorros de madeira que sustentam os largos beirais. [Cf. beiral.] // Cão de chaminé.

cadeira. *s. f.* Assento para uma pessoa dotado, em princípio, de encosto e, eventualmente, de braços. Por sua íntima associação com o homem, e ao contrário dos outros móveis destinados ao repouso, à guarda ou à exposição dos objetos, a cadeira forma com seu ocupante um todo, a pessoa sentada não esconde, antes realça, as qualidades de desenho e construção, e a cadeira como que determina a atitude de quem senta. Talvez por essa integração, as partes da cadeira são designadas pelos nomes das partes do corpo humano: assento, pernas, pés, costas, braços. § *História.* A cadeira data de milênios; deriva na forma do antigo ***trono***, em geral fixo e de significado simbólico por se destinar à realeza e à liturgia. Sua estrutura pouco mudou até este século; no Egito (c. 2600 a. C.) já aparece definida na forma e nas proporções e alguns exemplares chegaram até nós (entre outros, o trono encontrado no túmulo de Tutankhamon, folheado de ouro e ricamente esculpido e ornamentado). ~ A cadeira típica da Grécia – o *klismós* – é conhecida sobretudo através das estelas funerárias (sécs. V e IV a. C.); tem costas reclinadas e pernas de sabre* muito afastadas para trás e nas quais se nota a preocupação com a estrutura na sua junção com o assento. ~ No Teatro de Dioníso, em Atenas, encontram-se, na primeira fila, cadeiras de pedra, fixas e conjugadas que se distinguem das arquibancadas destinadas ao povo. No mobiliário romano, bastante evoluído, repete-se o *klismós* e aparecem outras formas, entre as quais a *cadeira curul.* ~ Do Oriente, chegaram até nós desenhos e pinturas chinesas que mostram, a partir do séc. VII, cadeiras com linhas curvas que, mais tarde, irão inspirar o mobiliário europeu. ~ No Ocidente, durante a Alta Idade Média, com exceção de alguns tronos (como o do bispo de Ravena, o de Carlos Magno) os modelos da Antiguidade clássica são praticamente abandonados e adota-se o banco com assento generalizado; a cadeira de braços, com espaldar alto muitas vezes prolongado em dossel, era, então, reservada às figuras da mais elevada hierarquia (acredita-se que o encosto maciço tivesse por fim defender o alto personagem de um ataque pelas costas). ~ Na Renascença, certas cadeiras italianas – os *sgabelli* – não são mais do que bancos dotados de costas e com dois trapézios de madeira inclinados em lugar de pernas; duros e incômodos, são sobrecarregados de entalhes. ~ Mais confortáveis e logo difundidas pela Europa são as cadeiras dobráveis em 'X', do século XVI – a dantesca e a Savonarola. Depois surgem as cadeiras de braço de composição retangular com linhas simples e rígidas, fortemente travejadas, ainda destinadas às pessoas gradas. Apesar da opulência das classes dominantes, nos sécs. XVI e XVII não se tem ainda noção de conforto; as cadeiras são condicionadas à etiqueta. Não se conhecia a maneira reclinada e cômoda de sentar e as pessoas ficavam tesas, com as pernas ligeiramente afastadas. Só o couro, usado na Espanha e na Holanda em assentos e barras de encosto, quebra essa rigidez. ~

Os assentos setecentistas tornam-se mais orgânicos, ajustam-se ao corpo; aperfeiçoam-se formas mais adequadas aos esforços transmitidos aos suportes, como as pernas em curva e contracurva. Na França, por volta de 1750, as cadeiras rococó, para uso da aristocracia apenas, têm linhas e proporções capazes de associar conforto e elegância; na Inglaterra, mais democrática, valorizam-se linhas curvas mais sólidas, sem muitos ornatos, e a *cabriole leg** reduz o entrave das amarrações. ~ Do fim do séc. XVIII até o séc. XX, com as variantes próprias dos estilos, dos costumes, do tipo de fabricação, as cadeiras mantêm, em princípio, as mesmas formas; as principais inovações devem-se, no séc. XIX, ao austríaco Thonet* com suas cadeiras de madeira vergada. ~ Na década de 1920, depois da I Guerra Mundial a tendência volta-se para uma estrutura simples, anatômica. Arquitetos e projetistas pesquisam novas linhas e novos materiais como, p. ex., a estrutura de aço tubular; é

Cadeira rústica toda de jacarandá com encosto trapezoidal dotado de hastes de reforço, pernas que se afastam na parte inferior, influenciada por modelo inglês do séc. XVII. É chamada no Brasil "cadeira de bacalhau".

Cadeira singela de carvalho e palhinha no estilo Luís XIII. Moldura entalhada e vazada no encosto, e montantes e pernas torneados.
(Alemanha - séc. XIX)

Cadeira de jacarandá e couro.
Acervo Museus Castro Maya - Rio de Janeiro
(Minas Gerais - cerca de 1750)

Cadeira de sola. Couro lavrado e policromado. Execução rústica em estrutura de influência europeia.
Acervo Museus Castro Maya - Rio de Janeiro
(Peru - séc. XVIII)

Cadeira de quarto com pernas baixas no estilo Luis XV.
(França - séc. XIX)

Cadeira no estilo Nacional-português. Assento e espaldar de couro lavrado e policromado com pregaria graúda. Pináculos de metal. Pernas torneadas e testeira entalhada.
(de época - Portugal - séc. XVIII)

importante concepção inovadora o princípio do balanço* (ingl. *cantilever*) com Stam*, Mies*, Breuer* e outros. A estrutura e a forma passam a constituir um todo homogêneo. ~ Com o desenvolvimento da madeira laminada e do plástico moldável, depois da II Guerra Mundial, surgem outras possibilidades (Aalto*, Mathson, Eames*) dentro da tendência à simplicidade, à estrutura límpida, à integração do espaço arquitetônico. § No dizer de Lúcio Costa, as cadeiras refletem "as várias maneiras de sentar: cadeiras próprias para atitudes ativas como sejam as de escritório, de piano, de sala de jantar; ou mais cômodas, do tipo "meio repouso", apropriadas para espera, conversa ou leitura; ou então de grande conforto – poltronas estofadas e espreguiçadeiras". §§ As cadeiras no Brasil vão refletir as características das portuguesas a partir do séc. XVI. Portugal absorveu, através da Espanha, os tipos de assentos comuns na Europa, marcando-os, porém, com o cunho nacional. As cadeiras seiscentistas de estrutura retangular com molduras de goivados e tremidos, espaldar e assentos encourados e taxeados ou revestidos de ricos tecidos, eram destinadas aos altos dignitários. No fim do séc. XVII esboçam-se as linhas curvas, mas as cadeiras conservam a primitiva nobreza; tornam-se mais esguias, e a ornamentação é fina e profusa, o acabamento apurado; o assento de sola substitui o veludo em cadeiras com ou sem braços. ~ São essas cadeiras portuguesas que chegam ao Brasil em raros exemplares destinados às altas figuras do clero e da administração. O uso da madeira brasileira, especialmente do jacarandá, possibilita excelente obra de marcenaria e os artesãos portugueses formam oficiais na colônia. São comuns as cadeiras dobráveis e os tamboretes. ~ Na primeira metade do séc. XVIII, coincidindo com o começo do surto do ouro e o fausto da corte de D. João V, vigora o Barroco*, as cadeiras se enriquecem

Cadeira de jacarandá de espaldar alto. Tabela recortada. Cachaço com entalhes; aba recortada e entalhada; joelho saliente; amarração em H. (Brasil - séc. XVIII)

Cadeira dobrável com tabela e assento de couro. (Brasil - séc. XIX)

Cadeira em gôndola, Luís Filipe, com estrutura de mogno, braços em curva e contracurva com volutas. (de época)

Cadeira de braços Império. Guarnições antropomórficas de bronze. (c. 1820)

Cadeira com pés de sabre e montantes que se prolongam na curva do assento. (Brasil - séc. XIX)

Cadeira de jacarandá no estilo Chippendale. Espaldar com tabela recortada em fita. Cachaço com entalhes e extremidade revirada. Assento de couro com tachas miúdas e aba entalhada. Pernas dianteiras com joelhos entalhados e pés de garra e bola. (de época: Portugal - séc. XVIII)

Cadeira Restauration. Mogno e palhinha. Encosto em gôndola e pernas de sabre. (França - c. 1830)

nas linhas e ornatos em talha alta e cheia; de início, domina na estrutura a solidez dos modelos do séc. XVII com novos elementos de origem inglesa (*Queen Anne**); no espaldar aparece a tabela* que desce recortada até o assento; entalhes concheados no cachaço*, folhas de acanto nos joelhos das pernas de cabra, pés de garra e bola, de bolacha e de sapatas. ~ No período Dom José I diversas influências incidem sobre as cadeiras portuguesas: as Chippendale*, com tabelas vazadas, outras no estilo Luiz XV*; a talha é rasa, mais leve no cachaço, com enfeites de plumas, flores-de-lis e outros motivos rocalha; a tabelas são, às vezes, decoradas até o assento; na última fase, aparecem cadeiras com encosto e assento almofadados e espaldar em forma de violão; outras ainda, são douradas ou de palhinha. ~ Os desenhos tornam-se mais simples nas cadeiras pombalinas depois da crise causada pelo terremoto de Lisboa (1755). ~ No final do séc. XVIII, reinado de D. Maria I, a sobriedade retilínea e regular inspira-se nos estilos Luiz XVI*, Adam* e Hepplewhite*; as cadeiras singelas, com filetes de madeira clara, são especialmente leves e elegantes. ~ No correr do séc. XIX, vários modelos ecléticos de origem europeia adaptam-se ao Brasil (Império*, *Restauration**, Biedermeier*, Luís Filipe* e outros). A madeira lisa, encerada, é substituída pela envernizada em conjuntos de sala de visitas formais, com sofás recortados, cadeiras de braço e outras singelas. Por outro lado, as cadeiras de pé de cachimbo são muito difundidas e correspondem à simplicidade das casas brasileiras na segunda metade do século; populares também são as cadeiras austríacas. §§ Modernamente, arquitetos e *designers* brasileiros têm criado peças leves no desenho e no peso com armações de madeira, junco ou metal capazes de assegurar a estabilidade e o ajuste das proporções ao corpo humano; merece destaque a "poltrona* mole" de Sérgio Rodrigues, premiada internacionalmente. [V. amarração, assento, braço, encosto, pé, perna, tabela, testeira e travessa. Cf. banco e sofá.] – Fr.: *chaise*; ingl.: *chair*; alem.: *Stuhl*; esp.: *silla*; ital.: *sedia*. • Na enumeração de cadeiras que se segue, verifica-se a associação dos requisitos indispensáveis – estrutura,

Cadeira de braços com detalhes e linhas no estilo Hepplewhite. (Portugal - séc. XIX)

Cadeira Império de mogno com guarnições de bronze. (França - começo do séc. XIX)

Cadeira Dona Maria I de jacarandá com filetes de pau-marfim (Brasil - começo do séc. XIX).

Cadeira de canto com hastes torneadas no encosto. (fins do séc. XIX)

Cadeira giratória, de braços, com espaldar trapezoidal e assento e encosto de palhinha. (Brasil - séc. XIX)

Cadeira singela Biedermeier. Encosto em grampo. (Alemanha - séc. XIX)

Cadeira de amamentar vitoriana. (Inglaterra - séc. XIX)

conforto e qualidades artísticas e artesanais – aplicada aos três tipos básicos: as de armação rígida (que constituem a maioria), as dobráveis e as de armação que se move ou se desloca parcialmente (são cadeiras peculiares como as poltronas reclináveis ou as de encosto graduável, as cadeiras de balanço com molas, as giratórias, as de rodinhas, as flexíveis graças ao princípio do balanço*). *Cadeira austríaca.* V. Thonet. *Cadeira bacalhau.* Cadeira singela cujo encosto, com recortes simples, tem forma aproximadamente trapezoidal. *Cadeira Barcelona.* V. Mies van der Rohe. *Cadeira Bertoia.* V. Bertoia. *Cadeira costureira.* Cadeira singela de pernas curtas (cerca de 30 cm) em geral usada para costurar ou para calçar sapatos; entre nós encontram-se exemplares Dom José I e outras do séc. XIX em medalhão ou pé de cachimbo. *Cadeira cowboy.* V. *chaise longue* e Le Corbusier. *Cadeira curul.* (do lat. *sella curulis*) Cadeira nobre, de bronze ou de marfim, sem encosto e com braços, destinada aos altos dignitários romanos, e que também foi usada na Alta Idade Média. *Cadeira dantesca* ou *de Dante.* Cadeira dobrável, surgida em Florença (Itália) no séc. XV; constava de quatro montantes com incrustações de marfim ou madrepérola, cruzados em "X", dois a dois, de modo a suportar o assento e o encosto de couro. [Cf. cadeira Savonarola.] *Cadeira de arruar.* Liteira individual usada outrora nas cidades para transporte de pessoas de certa distinção. [Tb. se diz "cadeirinha".] *Cadeira de balanço.* A que se apóia numa armação em arco capaz de fazê-la oscilar a um leve movimento do corpo. [Cf. cadeira em balanço.] *Cadeira de braços.* A que é dotada de encosto e braços e que obedece às mesmas técnicas de construção e aos mesmos modelos da cadeira singela. [Cf. poltrona.] *Cadeira de campanha.* Cadeira de braços, dobrável, com assento e encosto de lona; é também conhecida como "cadeira de diretor de cinema". *Cadeira de canto.* Cadeira de forma peculiar cujo assento, quadrado, de couro, palhinha ou tecido, avança formando ângulo e opondo-se ao encosto; este é baixo, em curva e se prolonga em braços. Esse móvel era corrente no séc. XVIII e entre nós encontram-se diversos

Cadeira com encosto em forma de lira.

Cadeira singela de jacarandá. Encosto dividido por uma trave curva e parte superior em curva que ultrapassa os montantes. Pernas torneadas em bolachas.
(Brasil - c. 1830)

M. Thonet - Cadeira singela que figura no catálogo de 1873.
(de época)

Cadeira singela Napoleão III. Madeira pintada e incrustações de madrepérola.
(de época - França - séc. XIX)

Cadeira de braços de jacarandá e palhinha. Espaldar com medalhão oval de moldura dupla e lisa. Assento arredondado na frente e perna com pé de cachimbo. (Brasil - séc. XIX)

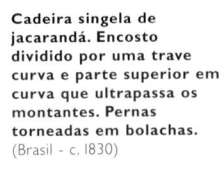

Cadeira singela pertencente a certa mobília de sala de um dos Paços Imperiais. Madeira clara enegrecida. Encosto com medalhão oval contendo o emblema do Império com coroa ladeada por dois dragões com entalhes altos. Pés e moldura do assento com entalhes neorrococós.
(segunda metade do séc. XIX)

exemplares da época além de outros do séc. XIX. ***Cadeira de escritório.*** *No séc. XVIII, cadeira com pernas e encosto dispostos normalmente, mas que tem as dimensões e o formato das cadeiras de canto.* ***Cadeira de grampo.*** Cadeira singela da época vitoriana cujo encosto, vazado, lembra os grampos que as senhoras usavam para prender os cabelos. ***Cadeira de medalhão.*** Cadeira da época vitoriana com ou sem braços e cujo encosto, de palhinha ou estofado, tem moldura em forma de medalhão. ***Cadeira de procissão.*** Banco de lona dobrável em "X", também chamado "cadeira de viagem". ***Cadeira em balanço*** ou ***em cantilever.*** Cadeira de construção simples, concebida pelo arquiteto e *designer* holandês Mart Stam* em 1924, e baseada no princípio arquitetônico do balanço*; tem a estrutura de aço tubular vergado, e o peso não mais recai sobre o quatro pés, mas sobre dois suportes cuja resistência é assegurada pelo equilíbrio do desenho e pela qualidade do material. [V. Breuer e Mies van der Rohe. Cf. cadeira de balanço.] ***Cadeira em gôndola.*** A que tem encosto arredondado e envolvente em geral prolongando-se em braços. [V. *bergère* e *Restauration.*] ***Cadeira empilhável.*** Cadeira leve de plástico com assento e encosto de forma anatômica moldados em geral numa só peça; as unidades desse modelo se encaixam perfeitamente umas nas outras e, quando recolhidas, podem ser guardadas em pequeno espaço. ***Cadeira Hill House.*** Cadeira singela de altíssimo espaldar formado por hastes horizontais, com a parte superior quadriculada, idealizada por C. Mackintosh* em 1902. Muito elegante mas frágil para o uso, foi desenhada para pontuar com suas linhas escuras o ambiente rosa e branco de um quarto de Hill House, mansão nos arredores de Glasgow, Escócia. ***Cadeira Martha Washington.*** Cadeira de braços, popular nos E.U.A. em fins do séc. XVIII

Liceu de artes e ofícios. Cadeira de balanço de jacarandá. Réplica de modelo inglês.
(S. Paulo - séc. XX)

Cadeira singela art decó. Encosto em curva com montantes inclinados
(Brasil - c. 1930)

Cadeira Windsor. Cópia feita pelo Liceu de Artes e Ofícios de S. Paulo. (c. 1940)

Cadeira singela Napoleão III em *vernis Martin* preto com decoração dourada.
(de época - França - séc. XIX)

Cadeira de barbeiro com a parte superior do encosto formando canto e pernas altas com curva e contracurva.
(Brasil - séc. XIX)

Cadeira de braços de forma rebuscada e eclética.
(fim do séc. XIX)

Cadeira de vime
(Rio de Janeiro - c. 1930)

com assento e espaldar estofados, sendo este alto e ligeiramente inclinado, o que favorece uma confortável posição reclinada. *Cadeira mole.* V. poltrona mole. *Cadeira pé de cachimbo.* Cadeira singela ou de braços feita de jacarandá e cujo encosto caracteriza-se pelo cachaço em curva suave com quatro arcos na parte inferior formando três pontas; o assento é de palhinha e as pernas dianteiras em curva e contracurva terminam em pés arredondados lembrando vagamente um cachimbo curvo. São tipicamente brasileiras e datam de meados do séc. XIX. O antigo Teatro Lírico do Rio de Janeiro foi equipado com cadeiras deste tipo com braços de recortes curvos. *Cadeira rasa.* Designação dada em Portugal, nos sécs. XVII e XVIII, a certo tipo de banco retangular. *Cadeira Savonarola.* Cadeira dobrável em "X", surgida na Itália no séc. XV e que consta de taliscas curvas cruzadas formando os pés e os braços, de encosto removível e de estreito assento também de taliscas dobráveis. [Cf. cadeira dantesca.] *Cadeira singela.* Cadeira sem braço, facilmente transportável; de aplicações variadíssimas, merece destaque a de *sala de jantar* que deve ser confortável, própria para a permanência à mesa. *Cadeira Wassily.* V. Breuer. *Cadeira Windsor.* Cadeira tradicional da Inglaterra rural do séc. XVII, toda de madeira com assento maciço onde se inserem hastes que vão formar braços e encosto, e cujos quatro pés cilíndricos são afastados na base. É tambem chamada "cadeira colonial americana".

G. T. Rietveld -
Cadeira "Red and Blue" (1918).
Réplica do modelo original.

M. Breuer - Cadeira "Wassily".
Estrutura de tubo de aço recurvado e niquelado. Assento em tecido ou couro. (1925)

M. Breuer - Cadeira "Cesca" (1928).
Estrutura de ferro cromado, em cantilever.
Assento e encosto de palhinha.
(design de Marcel Breuer - década de 1930)

Mackintosh – Cópia da cadeira Hill House, projetada em 1902. Estrutura de madeira pintada de negro. Assento de veludo rosa ou verde.
(segundo especificação do autor)

H. Bertoia. Cadeira em forma de concha com trançado de fios de aço revestidos de vinil. (1950)

Mies Van Der Rohe - Cadeira Barcelona (1929). Estrutura de aço cromado. Assento e encosto capitonês presos com cintas de couro.

cadeiral. *s. m.* Série de cadeiras de braços, unidas, que ocupam os dois lados do altar-mor ou do coro das igrejas; são destinadas aos monges e cônegos e dispostas em um ou mais patamares. ~ Os cadeirais das mais antigas basílicas eram de pedra; do séc. XII em diante passaram a ser de madeira maciça trabalhada, não raro com assento dobrável, e constituem peças importantes do mobiliário eclesiástico (o cadeiral da Catedral de Toledo, p. ex., apresenta cenas históricas e religiosas esculpidas com riqueza de detalhes e nunca repetidas). §§ Em Portugal, os cadeirais de castanho ou feitos com madeira do Brasil, formam imponentes conjuntos com seus respaldos e peanhas entalhados em relevos narrativos.

cadogan. [Antr. ingl.] Bule de chá de cerâmica de origem britânica; não tem tampa e inspira-se num jarro de vinho chinês, piriforme, que se enchia pelo fundo, percorrendo o líquido um tubo que terminava junto ao bico. [Cf. bule]

Cadogan de louça inglesa. (prov. séc. XIX)

caduceu. *s. m.* Antigo símbolo conhecido como atributo do deus Hermes (Mercúrio), e que é constituido de uma haste na qual se enrolam, em sentidos inversos, duas serpentes em posição ascendente; na parte superior ostenta duas asas abertas. Simboliza o comércio e é insígnia de arauto.

Caduceu. Xilogravura de Johann Froben.
(1460-1527)

cafeteira. *s. f.* Bule alto de prata, porcelana, louça, cobre, latão, metal prateado, aço, ágate, etc., destinado a servir café. § Essa bebida, que se extrai dos frutos do arbusto do gênero *Coffea*, é tida como originária da Etiópia, de onde passou à Arábia; por suas qualidades vivificadoras e excitantes, o café era consumido nas mesquitas durante os longos serviços religiosos. ~ No Oriente Médio, para o chamado "café turco", institui-se um ritual próprio: o pó finíssimo (moído num aparelho de cobre, longo, de engrenagens miúdas) é colocado aos poucos numa panela de cobre ou latão onde se ferve água açucarada; depois, a bebida vai sendo servida numa cerimônia demorada. § Através dos árabes, detentores de seu fornecimento até o fim do séc. XVII, o café invadiu a Europa, levado por viajantes. Estabelecimentos destinados a seu consumo foram abertos em Paris, Londres, Viena. Tentou-se, com sucesso, seu plantio no Caribe e na América do Sul. No Brasil, foi introduzido em 1727, vindo da Guiana Francesa. § Para servir essa bebida, tão rapidamente aceita no Ocidente, adotaram-se cafeteiras com formato semelhante aos dos bules de chá. Até meados do séc. XVIII, o corpo era reto e bico longo; este podia receber a forma de cabeça de animal ou outra decoração. No correr do século, a cafeteira foi se tornando mais alta e elegante; assim, nos serviços de prata portuguesa ela em geral se destaca pela altura e importância. [V. bule.] – Fr.: *cafetière*; ingl.: *coffeepot*; alem.: *Kaffekanne*.

Cafeteira de prata George III. (Inglaterra - séc. XVIII)

Cafeteira de metal prateado constituída de duas peças: filtro sobre pequeno bule.
(Alemanha - séc. XIX)

caibro. s. m. Peça de madeira de secção retangular empregada em armações de telhados e de assoalhos; nestes, apoia-se nos barrotes, naqueles, no espigão da cumeeira. [Cf. viga]

caixa. s. f. Recipiente de material rígido, dotado de tampa solta ou articulada e de fundo chato, e que serve para guardar ou transportar coisas sólidas. A forma, o tamanho e o material da caixa são tão variados e numerosos quanto os objetos a que ela se destinam. – Fr.: *boîte*; ingl.: *box*; alem.: *Kasten, Kiste*. • **Caixa de chá.** V. *tea caddy* e W.M.F. (ilustr.). **Caixa de esmolas.** V. arqueta. **Caixa de rapé.** V. tabaqueira.

caixa-banco. s. m. V. banco

caixilho. s. m. Parte da esquadria de madeira ou metal que se prende ao aro das portas e janelas, e consta de armação geralmente retangular para conter vidraças, veneziana, treliças, etc. // P. ext., moldura de quadros, desenhos, avisos, etc.

caixotão. s. m. Na decoração arquitetural, cada uma das grandes almofadas ou artesões reentrantes que guarnecem a superfície de um teto, uma abóboda, uma cúpula. Pode ser de madeira, estuque, etc. e ter molduras salientes em formas poligonais – quadrados, retângulos, losangos, etc. Em muitos casos o caixotão é ricamente ornamentado com florões, pinturas, etc. Essa decoração vigorou com esplendor no Renascimento*. §§ Entre nós, contamos com belos exemplares nas igrejas coloniais (Igreja de N. S. do Ó em Sabará, Igreja de Santo Antônio no Recife, capela-mor da Igreja do Convento de Santo Antônio no Rio de Janeiro). [Cf. almofada² e artesão².]

cake-stand. [Ingl. 'suporte de bolo'] s. Pequeno móvel de apoio, leve e articulado, que consta, em geral, de montantes e três prateleirinhas redondas utilizadas como suporte para pratos na hora do chá.

cal. s. f. Substância branca (óxido de cálcio) que se obtém pelo aquecimento das pedras calcárias a altas temperaturas; por suas propriedades aglomerantes, a cal é elemento imprescindível na composição da argamassa e ocupa lugar importante na história dos processos de construção. • De acordo com o tratamento e a proveniência, apresenta-se sob diferentes aspectos: a *cal virgem*, *viva* ou *cáustica* é aquela em que o óxido de cálcio permanece; a *cal apagada*, *extinta* ou *hidráulica* é aquela em que o óxido de cálcio foi transformado pela mistura com água. §§ No Brasil colonial, depósitos pré-históricos de conchas forneceram a matéria-prima de onde se tirava a cal para construções de alvenaria de pedra. – Fr.: *chaux*; ingl.: *lime*; alem.: *Kalk*.

Caldas da Rainha. [Cidade de Portugal] A Fábrica de Faianças das Caldas da Rainha que, em Portugal, até 1884 não passava de uma indústria com peças tradicionais, tornou-se conhecida quando assumiu sua direção o caricaturista e escultor português **Rafael Bordalo Pinheiro**. Este artista modelou certos objetos muito expressivos representando figuras populares (o padre, o sacristão, a alcoviteira, o Zé Povinho), além de diversos objetos (como pratos de parede com naturezas mortas em alto relevo e cores fortes, vasos, cachepôs, cinzeiros com decoração análoga), azulejos decorados em relevo com motivos *art nouveau*. Muitas dessas peças figuraram com sucesso na Exposição de Paris de 1899. [V. azulejo, cachepô (ilustração) e cerâmica portuguesa.]

Caldas da Rainha. Jarro com tampa, representando figura de velha camponesa. Escultura de Rafael Bordalo Pinheiro.
(Portugal - fim do séc. XIX)

Caldas da Rainha. Terrina representando uma galhinha numa cesta.
(Portugal - fins do séc. XIX)

caldeira de água-benta. Recipiente aberto feito de metal e destinado a conter água benta para ser aspergida em cerimônias religiosas. §§ As caldeiras de prata com pé e alça figuram entre as preciosidades de ourivesaria sacra brasileira do período colonial. [Cf. hissope.]

Caldeira de água-benta e hissope de prata.
(Portugal - séc. XIX)

cálice. s. m. Vaso usado na liturgia católica para consagrar o vinho na missa; dada sua importância, é feito de metal nobre e tem, em geral, o pé e o bojo trabalhados, nos exemplares mais ricos, com incrustações de pedras preciosas, esmalte, etc. Conhecem-se belas peças, algumas datando da Alta Idade Média. §§ No séc. XVII, a ourivesaria portuguesa produziu cálices que se destacam pela beleza e esmero na decoração. // Pequeno copo em geral com pé para vinhos finos, licores, etc. [V. copo]

calvário. s. m. Na arte cristã, representação do Cristo crucificado no monte Calvário. A figura do Redentor aparece em geral entre o bom e o mau ladrão, tendo ao pé da cruz, desolados ou patéticos, Nossa Senhora e S. João Evangelista. Outros personagens da Paixão – como Maria Madalena, as santas mulheres, os soldados, ou mesmo anjos, vêm complementar a cena. §§ Essa manifestação de fé cristã é proposta com originalidade na imaginária portuguesa; tem como figura central a imagem do Cristo na cruz e, abaixo dele, numa composição piramidal, os demais personagens em maior ou menor número, esculpidos com grande imaginação. [V. crucifixo e marfim (imaginária do Oriente português).]

cama. [Do lat. hispânico *cama*, 'leito no solo'.] s. f. Em princípio, qualquer móvel ou superfície macia e fofa onde alguém possa deitar-se e/ou dormir; leito. A palha, as folhas secas, o colchão satisfazem essa necessidade. § A cama convencional, que consta de uma estrutura horizontal retangular colocada acima do chão, e sobre a qual se estende um colchão, acompanha o homem civilizado no nascimento, na vida e na morte. § *História*. Esse móvel parece ser tão antigo quanto a cadeira* e, nos primórdios, mais do que esta destinava-se a pessoas privilegiadas. Diferentes tipos de cama receberam decoração artística, e neles, a estrutura de madeira ou metal era complementada pelo uso dos tecidos em cobertas e cortinas. No quarto, a cama apresentava-se como a peça mais importante, espécie de refúgio protetor dentro da própria habitação. Sabe-se, através de desenhos, que isto acontecia na China, onde algumas camas tradicionais tinham mesmo o aspecto de uma pequena casa, com varanda e teto, e eram colocadas no meio do quarto. ~ No Egito (c. 3000 a. C.), existiam camas com enxergão de tiras, pernas baixas, pés de leão (curiosamente voltados todos para o mesmo lado); não tinham cabeceira (os egípcios usavam uma espécie de travesseiro de madeira) e a parte dos pés era alta e esculpida. ~ Na Grécia, a cama teria tanta importância que, na *Odisseia*, o reconhecimento de Odisseu (Ulisses) por Penélope só se consumou quando ele, ao voltar, depois de vinte anos, descreveu com detalhes só conhecidos pelos dois, como havia sido construído o leito conjugal. ~ Em Roma, as camas, com as guardas da cabeceira e do pé inclinadas e mais elevadas faziam parte do mobiliário patrício; este tipo de cama chegou até nós, com as modificações cabíveis, sob a forma de móvel de repouso. ~ Na Europa medieval, sem condições de aquecimento, a melhor solução para evitar as correntes de ar era instalar a cama num vão da parede – a alcova – e fechá-la com cortinas, hábito que se conservou entre os camponeses; mas boa parte do povo dormia mesmo em enxergões no chão ou sobre estrados baixos. ~ No período gótico*, a cama já era concebida como móvel de cerimônia e os panejamentos às vezes se fechavam como tendas, e pendiam de baldaquins. ~ No Renascimento*, as camas passam a ser grandes, não raro repousando sobre estrados e com dossel; nelas a madeira adquire características sólidas, arquitetônicas, pela horizontalidade das cornijas e pelo perfil altivo das colunas. A mesma decoração se prolonga muitas vezes no madeiramento do quarto. ~ Nos sécs. XVII e XVIII, época das monarquias absolutas, ainda prevalecem as pomposas camas de quatro colunas, com cortinas de modo a preservar a intimidade, atender ao conforto e possibilitar as exigências da etiqueta. Todos os palácios tinham uma câmara com seu "leito de estado"; na corte de Luiz XIV* de França, o *lever du Roi* ('despertar do Rei'), era cerimônia oficial em que príncipes de sangue, duques, cortesãos tinham tarefas estabelecidas: suspender a cortina, apresentar os objetos necessários à higiene, as peças do vestuário; ali o rei dava a primeira audiência do dia. ~ No séc. XVII, na França, certas mulheres de alta condição recebiam, socialmente, no leito (em alcovas chamadas *ruelles*), e desse hábito surgiram os célebres salões mundanos e literários. ~ As camas de quatro colunas do Barroco* e do Rococó* revestem-se de requintes artísticos e os dosséis são sustentados por cariátides ou outros elementos decorativos; em certos leitos, pesados brocados pendiam do teto, coroados por peças de talha ou de bronze, ou avançavam da parede numa armação em balanço. ~ O Neoclássico* criou um outro tipo de cama que se inspirava nos leitos romanos, com estrado e extremidades "em gôndola"; era encostado à parede e suas cortinas, simetricamente abertas no meio, pendiam de alta coroa esculpida. ~ O mesmo gênero ganhou importância no estilo Império* e sofreu adaptações nos estilos *Restauration** e Biedermeier* (séc. XIX) ~ A cama oitocentista registra a ênfase na simplicidade prática; de modo geral os progressos se orientam para prover a cama de condições de higiene e conforto no que se refere a colchões, lençóis, travesseiros. Ao lado das camas de madeira que integram as mobílias de quarto, surgem outras de ferro, metal dourado, cabeceira capitonê, etc. ~ Depois da I Guerra Mundial (1914-1918), novos valores começam a se impor ao conforto, à integração na vida moderna, ao aproveitamento do espaço, ao quarto com funções polivalentes; surgem os divãs encaixados entre armários, os sofás-camas, os beliches, as bicamas. São oferecidas interessantes e variadíssimas soluções decorativas. §§ No Brasil, a evolução da cama reflete as tendências portuguesas. No Reino, à época do descobrimento, a cama com armação de madeira ou metal e cortinas era ainda regalia de poucos. No séc. XVII, já se fazem camas com dossel apoiado em quatro colunas e cabeceira trabalhada (balaustradas com arcos, bilros, rendilhados caprichosos ou incrustações). O jacarandá do Brasil é usado com sucesso. Outras camas portuguesas têm colunas torneadas ou com discos superpostos fortemente estrangulados; mais tarde surgem as colunas em espiral. ~ Na colônia, a princípio usou-se a rede, mas já aparece, frequentemente, o catre, fixo ou dobrável. Entre os abastados encontram-se alguns leitos com colunas torneadas e sobrecéu, talvez vindos de Portugal. Os leitos setecentistas feitos no Brasil têm as colunas mais grossas e outros, mais rústicos, apresentam balaustradas com tabelas recortadas de execução mais fácil; muitos ainda conservam a estrutura do século anterior e na época foram conhecidos em Minas como "camas de galeria". Essas camas, não raro, têm enxergões de couro lavrado, de sola ou de palhinha. Continuam sendo feitas até o início do séc. XIX e figuram nos inventários brasileiros. Repetem-se aqui, para privilegiados, os modelos Dom João V* e Dom José I*. No último lustro do séc. XVIII, período Dona Maria I*, as camas são muito interessantes, embora não haja unidade de estilo: muitas são peças de transição, com entalhes rocalha* misturados a flores, laços e caneluras Luís XVI; na última fase, predomina o Neoclássico tanto na estrutura mais simples como na decoração em frisos e incrustações de madeira clara. À época da Independência, ao lado móveis híbridos regionais como a "cama mineira", o luxuoso estilo Império se restringe à Corte. ~ As camas de madeira feitas no Brasil no séc. XIX são, em geral, réplicas de modelos europeus; os quartos de dormir das pessoas de posses são pesados, com mobilia completa. Mais tarde passam a ser importadas da Inglaterra e da França as belas camas de metal dourado, o que ocorreu até o princípio do séc. XX. [V. cabeceira e mobiliário. Cf. leito, camilha e catre.] - Fr.: *lit*; ingl.: *bed*; alem.: *Bett*; ital.: *letto*. • **Cama de armação.** Cama de quatro colunas com baldaquim* e/ou cortinado. **Cama de campanha.** Cama dobrável, de lona ou couro, com as pernas em "X" usada por militares ou em viagens; Napoleão Bonaparte usava em suas campanhas (1796-1815) um modelo em ferro depois muito difundido. ***Cama de viúvo.*** No antigo mobiliário brasileiro, cama com largura de mais de 90 cm e menos de 1,40 m.

Cama. Cabeceira jacarandá, de inspiração barroca. Remate superior com detalhes irregulares. (Brasil - séc. XVIII)

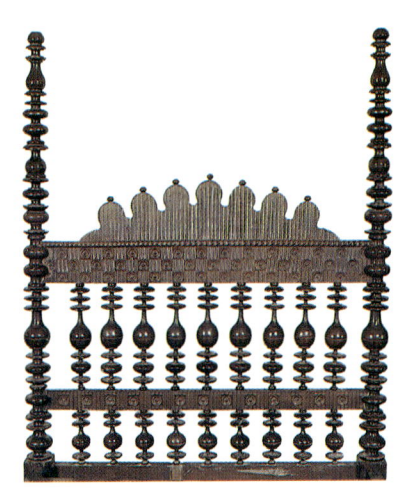

Cama. Cabeceira em estilo regional mineiro, rematada com recortes. Barras decoradas com tremidos e círculos. Colunas com bolachas e carrapetas. (Minas Gerais - sécs. XVII/XVIII)

camafeu. *s. m.* Pedra dura (ágata, ônix, sardônica) ornada com figura em relevo. A pedra tem duas camadas diversamente coloridas, e presta-se para ser trabalhada de modo que a figura esculpida na camada superior sobressaia do fundo liso, mais escuro ou mais claro. ~ Resultado semelhante pode ser obtido com a concha de certos moluscos ou com o vidro em camadas. ~ O interesse pelos camafeus – conhecidos desde a Antiguidade – se intensificou no Renascimento, quando essa arte alcançou grande perfeição na representação de efígies ou cenas. Nos sécs. XVIII e XIX avulta o seu emprego na joalheria (diademas, pulseiras, broches, abotoaduras, etc.). [V. concha – concha helicoidal. Cf. *intaglio*, *overlay* e glíptica.] - Fr.: *camée*; ingl. e ital.: *cameo*; alem.: *Kamee*.

camaïeu. [Fr.] *s. m.* Pintura em que são empregadas diferentes gradações de uma mesma cor, muito aplicada em cerâmica, porcelana e esmalte. [Cf. grisalha.]

camilha. *s. f.* V. preguiceiro.

Camilha de jacarandá com seis pés. (Minas Gerais - séc. XVIII)

cana-da-Índia. *s. f.* Designação comum a diversos tipos de bambu*, em especial aos que se destinam à fabricação de móveis, bengalas, sombrinhas, etc. – Fr.: *canne*; ingl.: *cane*.

canapé. [Do fr. *canapé*.] *s. m.* Espécie de sofá que tem, geralmente, a estrutura de madeira visível e bem acabada. Derivado do banco com encosto trabalhado e braços, aparece no mobiliário português a partir do séc. XVII. // Assento para mais de uma pessoa e que serve também para o repouso diurno, com braços inclinados, um deles se prolongando às vezes num meio encosto. [V. sofá e v. tb. Béranger, Dom João VI e Dom José I (ilustr.). Cf. divã, *lit de repos*, marquesa, *méridienne*, preguiceiro e *récamier*.]

canastra. *s. f.* Cesta larga e de pouca altura, com ou sem alças. // Caixa ou mala com argolas laterais antigamente usada para viagem e, muitas vezes, transportada no lombo de animais.

cancelo. (ê) *s. m.* Balaustrada que, nas igrejas, separa a capela-mor do corpo da nave, e esta dos altares laterais. [V. balaústre.]

candeeiro. *s. m.* Antigo lampião portátil (com pé, ou de suspensão) alimentado por óleo, querosene ou gás, peça ainda hoje muito usada em lugares onde não chega a eletricidade. (Em Portugal a palavra designa diferentes tipos de luminária.) [Cf. lampião]

candeia. *s. f.* Pequena lamparina de bico, feita de metal, de barro, etc., presa à parede ou não, e cujo pavio é alimentado por óleo.

candelabro. *s. m.* Grande castiçal com dois ou mais braços, a cada um dos quais corresponde uma luz; pode ser de prata ou outro metal, de porcelana, cristal, etc., e apresenta-se geralmente em pares. Usado desde a Idade Média, era simples e funcional, e sua feitura se aprimorou a partir do séc. XVIII. §§ Os candelabros de prata figuram entre as mais belas obras dos prateiros portugueses; alguns são desmontáveis, transformando-se o pé em castiçal. [V. castiçal e tocheiro.] – Fr.: *candelabre*; *chandelier*, ingl.: *candelabrum*; alem.: *Kandelaber*.

Candelabro de cinco braços que se encaixam num pé. (Portugal - séc. XIX - alt. 42 cm)

canéfora. *s. f.* Estátua decorativa que carrega uma cesta à cabeça; às vezes é empregada à guisa de cariátide*.

canela. *s. f.* Madeira de lei cujas variedades principais são: a **canela sassafrás** (*Ocotes pretiosa*) de coloração que vai do pardo-amarelado ao pardo-castanho claro ou escuro, e que se estende do sul de Minas até o Rio Grande do Sul; e a **canela preta** (*Nectandra molis*) de cor semelhante à outra, apresentando às vezes manchas escuras, e cuja zona de ocorrência vai do Espírito Santo a Santa Catarina. Ambas servem para a confecção de móveis, de portas e janelas, e obras gerais de carpintaria. De peso médio, dureza média e poros fechados, a canela tem cheiro ativo e não é atacada pelos insetos. [V. madeira.]

canelura. *s. f.* Em arquitetura, cada um dos sulcos paralelos verticais abertos nas colunas, pilastras, balaústres, etc., cuja secção é um arco de círculo côncavo. As caneluras justapostas aparecem nas colunas greco-romanas e voltam a ser empregadas na arquitetura renascentista e neoclássica. [V. ordem. Cf. meia-cana] – Fr.: *cannelure*; ingl.: *fluting*; alem.: *Kannelure*.

cânhamo. *s. m.* Fibra industrializada extraída do caule da *Canabis sativa*, erva alta, originária da Ásia e amplamente cultivada. Usada na fabricação de tapetes e tecidos para estofamento, cortinas, forração, etc.; é rústica e apropriada para ambientes tropicais.

canjica. *s. f.* Saibro grosso, claro que vem misturado com pedras miúdas ou cascalho. // O conjunto de pedras miúdas (seixos rolados ou fragmentos britados) usado no revestimento de paredes, muros e paramentos.

cantaria. [De "canto", o mesmo que "pedra grande".] *s. f.* Pedra aparelhada, ou seja, com as faces alisadas para serem assentadas em diferentes construções. A cantaria sob forma de paralelepípedo é empregada em muros e paredes e também na pavimentação. Os canteiros habilitados trabalham a pedra sob outras formas para aduelas, vergas, ombreiras, soleiras, mísulas, cachorros, colunas, frontões, etc. Placas de cantaria de pouca espessura podem revestir paredes de alvenaria e neste caso dá-se a designação de ***falsa cantaria***. §§ No Brasil, especialmente no Rio de Janeiro, a tradição dos canteiros do norte de Portugal se manifesta em belas molduras de portas e janelas em detalhes de muros e fachadas, em colunas, em escadarias, em antigos chafarizes. [V. granito e pedra.]

cântaro. *s. m.* Vaso grande e bojudo de boca larga e, em geral, duas asas; é feito de barro, folha, latão, etc., e usado especialmente para transporte de líquidos. [Cf. bilha].

Cântaro de latão.
(Portugal - séc. XIX - alt. 28 cm)

canterbury. [Ingl.] Na Inglaterra, no séc. XVIII, bandeja com pés e divisões usada para talheres e pratos. // Pequeno móvel de pés, dividido por grades paralelas e destinado a guardar partituras de músicas ou revistas. Na Inglaterra vitoriana, essa peça, de madeira, passou a ser muito ornamentada; havia ainda, exemplares de *papier mâché* ou de bambu.

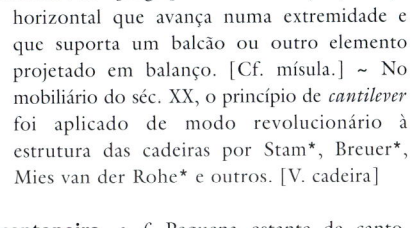

cantilever. [Ingl.] Em construção, braço horizontal que avança numa extremidade e que suporta um balcão ou outro elemento projetado em balanço. [Cf. mísula.] ~ No mobiliário do séc. XX, o princípio de *cantilever* foi aplicado de modo revolucionário à estrutura das cadeiras por Stam*, Breuer*, Mies van der Rohe* e outros. [V. cadeira]

cantoneira. *s. f.* Pequena estante de canto, decorativa, com duas ou mais prateleiras de tamanhos diferentes, frente em curva e fundo em ângulo reto com montantes em geral recortados; destina-se a ser pendurada no canto formado por duas paredes. // Reforço de metal nas quinas e cantos de móveis. // Peça em ângulo reto, presa à parede e que sustenta prateleiras; consolo.

cão de chaminé. Armação metálica para apoiar a lenha na lareira; cachorro. [V. lareira] – Fr.: *chien de cheminée*; ingl.: *andiron*.

capela. *s. f.* Nas igrejas, recinto onde fica um altar para uma devoção especial.

capela-mor. *s. f.* A capela mais importante de uma igreja, voltada para a porta principal, e onde se localiza o altar-mor.

capitel. *s. m.* Em arquitetura, a parte superior de uma coluna, que assenta sobre o fuste* e é em geral protegida pelo ábaco*. Determina, por sua forma, as ordens greco-romanas e é importante na caracterização dos estilos. [V. coluna e ordem.] • Em diferentes estágios históricos e situações geográficas sobressaem os capitéis com inúmeros recursos decorativos: ***Capitel bizantino.*** O que tem decoração geométrica e ábaco em bisel. ***Capitel coríntio.*** V. ordem corintia. ***Capitel dórico.*** V. ordem dórica. ***Capitel egípcio.*** O que é ornamentado com a flor de lótus, com a folha de papiro ou de tamareira, e com figuras hieráticas que tomam a forma de uma corola aberta. ***Capitel gótico.*** O que é mero arremate do fuste com folhagens sem maior expressão. ***Capitel indiano.*** O que tem ornamentação pujante com figuras, animais, flores e frutos. ***Capitel jônico.*** V. ordem jônica. ***Capitel mourisco.*** O que apresenta formas quadrangulares arrematando fuste cilíndrico. ***Capitel românico.*** O que tem figuras de decifração rica e variada, geométricas ou figurativas;

neste caso, relata na pedra temas simbólicos e cenas do Antigo e do Novo Testamento. – Fr.: *chapiteau*; ingl.: *capital*; alem.: *Kapital*.

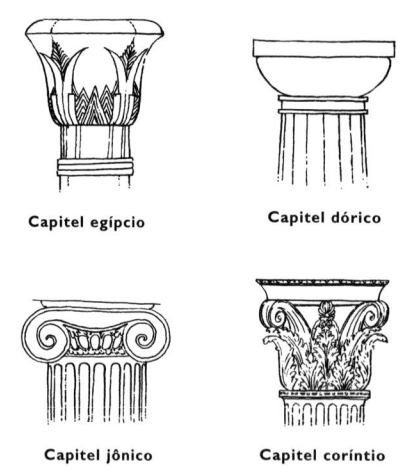

Capitel egípcio

Capitel dórico

Capitel jônico

Capitel coríntio

capitonê. [Do fr. *capitonné.*] *s. m.* Certo tipo de estofamento em que o tecido, o couro, etc., é fixado, de espaço a espaço, por botões, formando losangos; estes têm, muitas vezes, os lados marcados por pregas. No séc. XIX o capitonê conheceu grande voga em ambientes vitorianos* e Napoleão III*. [Cf. matelassê.]

Capodimonte. ou *Capo di Monte*. [Top. ital.] Porcelana fina produzida pela manufatura fundada por Carlos III, rei de Nápoles em 1743, em terras do palácio do mesmo nome. De pasta tenra, (geralmente de um branco puro e leitoso), sua produção é escassa mas de boa qualidade; a massa podia ser modelada em formas delicadas e constituía bom suporte para a pintura. Motivos de flores e paisagens revestem-se de exuberância napolitana; figuras da *Commedia dell'arte** e outros personagens são característicos dessa fábrica que produziu toda a decoração rococó* do Salão de Porcelana do Palácio de Portici, revestido de placas em relevo do gênero *chinoiserie**. ~ Quando, em 1759, Carlos III de Nápoles assumiu o trono da Espanha, a fábrica e os artesãos de Capodimonte foram transferidos para Madri e contribuíram para a criação da fábrica de Buen Retiro. ~ Conhecem-se poucas peças genuínas, e muitas tidas como Capodimonte são provenientes da Doccia que, por volta de 1860 apoderou-se de muitos moldes da antiga fábrica. [V. Buen Retiro, Doccia e Nápoles.]

caramanchão. *s. m.* Pavilhão de recreio, em geral aberto, com estrutura leve de ferro, madeira, bambu e mesmo alvenaria, podendo ter teto, ou ripado coberto por trepadeiras; serve de abrigo e de ornamento em jardins e parques. ~ Nos parques dos sécs. XVII e XVIII, esteve muito em voga, apresentando-se não raro com formas achinesadas; figurou até princípios do séc. XX em jardins urbanos.

cardo. *s. m.* Motivo decorativo inspirado na planta do mesmo nome, de caule e folhas pilosas e espinhentas, nativo na região mediterrânea e depois difundido na América do Sul. A flor, arredondada, hirsuta, foi estilizada na decoração arquitetônica medieval em capitéis, grades, etc. [Cf. acanto.] – Fr.: *chardon*; ingl.: *cardoon*; alem.: *Distel*.

cariátide. *s. f.* Na arquitetura da Grécia antiga, estátua feminina que servia de coluna de sustentação a arquitraves, como as célebres cariátides do Eréction, de Atenas. O nome vem da região de Cária (Ásia Menor), cujos habitantes tomaram o partido dos persas por ocasião da invasão da Grécia por Dario; reduzidos à escravidão pelos gregos vitoriosos, estes passaram a representar, em obras arquitetônicas, as mulheres dominadas sustentando grandes pesos. ~ A designação se estendeu a qualquer figura humana destinada ao mesmo fim, em geral em esculturas de grande vigor como, p. ex., os *atlantes*, hercúleas figuras masculinas. §§ No Barroco brasileiro há diversos exemplos de atlantes, em talha, no interior das igrejas; são notáveis os da Igreja de São Francisco, em Salvador (Bahia).

carpete. [Do ingl. *carpet.*] *s. m.* Tapete que reveste a totalidade do piso de um cômodo, ou de uma série deles. Feito de uma grande variedade de materiais (lã, fibras naturais e sintéticas) com diversos processos de fabricação (pelo, buclê, fibras prensadas), um bom carpete deve poder ser pisado sem se desgastar, soltar os pelos ou ondular. Os carpetes apresentam-se em peças de larguras diversas, e podem ser unidos sem que se percebam as emendas; quanto à colocação, podem ser esticados ou colados. [Cf. tapete.] – Fr.: *moquette*; ingl.: *wall-to-wall carpet*.

carranca. *s. f.* Máscara disforme e/ou caricata, de pedra ou de bronze, que adorna as bicas de fontes e chafarizes, lançando água pela boca; também aparece como suporte de argolas em aldravas*, como ferragem e como adorno de certos objetos. ~ Em arquitetura, carrancas são esculpidas como cachorros* ou modilhões* nos beirais dos edifícios. // No Brasil, espécie de figura de proa das embarcações do rio São Francisco, esculpida em madeira; de original feitura artesanal, tem impressionante impacto decorativo. Como outras esculturas desse tipo, sua finalidade é mágica. Representa-se por uma figura hierática, zoomórfica ou antropomórfica, de traços exagerados, e que se inclina para a água na proa dos barcos. Acredita-se que afugenta o malefício do "espírito das águas", conhecido em velhas lendas e mitos. É vista de costas pelos tripulantes e, por isto, sua cabeleira é sempre caprichosamente trabalhada. A origem da carranca do São Francisco parece ser africana, uma vez que as figuras de proa dos barcos portugueses têm formas convencionais (delfins, figuras aladas, volutas).

Carranca de madeira do rio São Francisco.

cartão. *s. m.* Nas artes plásticas, pintura que serve de modelo para a execução de obras de maiores proporções como murais e tapeçarias, respeitados o traço do artista, as proporções e o colorido. Os cartões de Goya para tapeçarias são hoje admirados como importantes obras da primeira fase do artista. [V. tapeçaria.]

cartaz. *s. m.* Anúncio em geral de grande formato, feito em folha impressa com dizeres e, muitas vezes, com ilustrações; é afixado em paredes, muros ou armações próprias, para levar determinado assunto ao conhecimento do público. Na promoção de espetáculos e diversões, de produtos de consumo ou, mesmo, de iniciativas culturais (exposições, revistas) sua principal finalidade é atrair a atenção. Não existem regras para sua execução; importa o impacto conciso, momentâneo, sobre o espectador, ou o apelo da forma visual. § O desenvolvimento do cartaz ilustrado está intimamente ligado aos recursos da indústria gráfica, porquanto, nele, a imagem tem importância primordial para a transmissão da mensagem. ~ A expansão da litografia na segunda metade do séc. XIX possibilitou o aparecimento de cartazes de baixo preço e colorido brilhante; o resultado foi uma extraordinária diversificação de imagens, algumas de autores anônimos, outras de grandes artistas. ~ Em Paris, reformada por Haussmann, os cartazes apareceram como forma pictural inusitada, quebrando a austeridade das paredes. Seu berço foi o ateliê de litografia do pintor Jules Chéret. Os cartazes artísticos trazem a marca inovadora da pintura das últimas décadas dos oitocentos, destacando-se as criações de Toulouse Lautrec (*Moulin Rouge, La Goulue, Aristide Bruant, Jane Avril*) ao lado das de Bonnard, Steinlein, Mucha e outros. Pode-se acompanhar a evolução das correntes artísticas de 1890 até I Guerra Mundial, tendo sido o principal impulso deflagrado pelas tendências decorativas do *Art Nouveau**. Logo criam-se os cartazes da *Secession** austríaca e da alemã, depois vêm os cubistas, os expressionistas. Entre as duas guerras, o futurismo, o decorativismo, a angularidade do *Art Déco**, as experiências gráficas da Bauhaus*, o construtivismo soviético se fazem representar. ~ Na década de 1920 o francês Cassandre, autor de sugestivos cartazes publicitários, parafraseando Le Corbusier*, considera o cartaz "máquina de anunciar". ~ A partir dos trabalhos da Bauhaus (Moholy-Nagy), os profissionais do *design* e da programação visual assumem função expressiva; torna-se sensível a influência social e política dos cartazes. ~ A fotografia adquire especial importância na divulgação do turismo. ~ Os cartazes, na sociedade de consumo, se popularizam e abrangem uma vastíssima área ligada aos produtos industriais e a serviços diversos. ~ Da década de 1950 em diante ocorre uma recuperação das formas artesanais e artísticas, com cartazes suíços, poloneses, italianos, japoneses, até cartazes hippies. § Na trajetória de pouco mais de um século, o cartaz enriqueceu a relação artista/sociedade e atuou como intermediário por sua capacidade de atingir o grande público. Para os grandes eventos organizam-se concursos de interesse no campo artístico e no publicitário. § Com o cartaz ocorre uma reversão paradoxal; feito para o exterior ou para funcionar como os antigos murais, ele passa a figurar nos interiores em versões graficamente excelentes, e é tratado como quadro. Decoram as paredes as melhores reproduções das primeiras obras do gênero ou exemplares criados por artistas contemporâneos. [V. litografia. Cf. mural e *poster*.] – Fr.: *affiche*; ingl.: *poster*; alem.: *Affiche, Plakat*; esp.: *cartel*.

carteira. *s. f.* Móvel com tampo inclinado sobre uma caixa onde se guardam papéis e objetos destinados à escrita. A carteira, pode ter pés altos (para se escrever de pé) e, eventualmente, gavetas. [Cf. banca, escritório, escrivaninha, *davenport* e papeleira.]

cartela. [Do ital. *cartella*.] *s. f.* Ornato arredondado usado em arquitetura e no mobiliário, com moldura simples ou decorada, e espaço vazio central para receber inscrição ou monograma. No Renascimento*, as cartelas começaram a ter molduras ricas, chegando ao apogeu no Barroco*. // Ornato esculpido ou pintado imitando folha de papel ou pergaminho enrolada nas extremidades, podendo ou não conter inscrições; cártula. // Mostruário de tecidos, tapetes, etc.

cártula. *s. f.* V. cartela.

carvalho. *s. m.* Madeira de lei retirada da bela e imponente árvore do mesmo nome (*Quercus genus*). É resistente, uniforme e bela, tem, em geral, coloração castanho claro e, desde a Antiguidade, teve extensa aplicação. No norte da Europa, foi madeira preferida para o mobiliário desde a Idade Média, e usada também nas estruturas visíveis de certos edifícios. O carvalho foi substituído em parte pela nogueira no séc. XVIII, o que determinou uma alteração no tipo de mobiliário: o móvel maciço cedeu lugar, na marcenaria fina, ao móvel folheado ou marchetado com linhas curvas e estrutura mais leve. §§ No Brasil, não se fabricam móveis dessa madeira, e as peças antigas aqui existentes foram trazidas da Europa e são bastante raras. [V. mobiliário. Cf. nogueira.] - Fr.: *chêne*; ingl.: *oak*; alem.: *Feich*. // Motivo ornamental inpirado na folha recortada do carvalho ou em seu fruto, a bolota.

carvão. *s. m.* Nas artes plásticas, bastão ou lápis feito de carvão e usado para desenhos acabados ou para esboços. O traço apaga-se facilmente, havendo, assim, necessidade de fixá-lo por meios apropriados. Por essa característica é muito empregado em croquis e esboços de obras de pintura – telas e murais. O artista também usa o carvão para registrar, em rápidos desenhos, obras que irá desenvolver. – Fr.: *fusain*.

cassone. [Ital.] *s. m.* V. arca.

castanho. *s. m.* A madeira do castanheiro.

caster. [Ingl.] Pequeno recipiente, em geral cilíndrico, hexagonal ou em forma de balaústre, com tampa abaulada e removível dotada de furinhos. Apareceu na Inglaterra no fim do séc. XVII, e era usado para pulverizar açúcar e certas especiarias (pimenta, canela). É em geral feito de prata ou de metal prateado.

Par de casters de prata.
(Inglaterra - começo do séc. XX)

castiçal. *s. m.* Utensílio destinado à iluminação, com bocal na parte superior, onde se coloca a vela. Feito geralmente de metal (prata, bronze, latão, estanho), pode também ser de cristal, porcelana, ágate, etc. ~ O pé varia de acordo com a finalidade, ora baixo – tipo palmatória, ora médio – o mais frequente, ora alto – o mais imponente; em geral tem de 16 cm a 30 cm de altura. ~ Ao perder a aplicação prática com o advento da eletricidade, os castiçais, especialmente os de prata, tornaram-se objetos de adorno, usados com velas acesas apenas nas mesas de jantar. §§ São característicos entre nós, os castiçais em estilo Dona Maria I* com haste longa em forma de balaústre cinzelado e base oitavada e recortada, e os em estilo Império* com haste do mesmo tipo e base com quatro patas, gênero que continuou a ser produzido no correr do séc. XIX. [Cf. candelabro, palmatória e tocheiro.] – Fr.: *bougeoir* e *candelabre*; ingl.: *candlestick*; alem.: *Leuchter*.

Castiçal de igreja, de prata repuxada, montado em três partes.
(América espanhola - séc. XVIII - alt. 26 cm)

Par de castiçais de prata.
(França - séc. XVIII - alt. 28 cm)

Par de castiçais em forma de ânforas litúrgicas pertencentes à antiga igreja de S. Pedro no Rio de Janeiro (hoje demolida).

catre. [Do malaiala *Kattil* prov.] *s. m.* Em Portugal, cama entalhada ou acharoada vinda da Índia e da China no séc. XVI. // Nos sécs. XVII e XVIII, cama de estrutura simples, sem colunas e dossel; alguns exemplares ainda têm cabeceira ornada de entalhes vazados e espiralados à maneira dos móveis indo-portugueses. // Cama simples e pequena. // Cama de campanha ou de viagem, dobrável, com perna em "X". // Cama de vento. // Cama tosca. [V. cama.]

caulim. [Do chinês *kao ling* 'colina alta'] *s. m.* Argila pura, refratária, branca e friável, elemento essencial para a fabricação de porcelana de pasta dura (40 ou 50%). ~ Conhecido na China desde o séc. VIII, aproximadamente, possibilitou o desenvolvimento da indústria da porcelana. ~ Em princípios do séc. XVIII começaram na Europa as primeiras tentativas para descobrir a velha técnica chinesa, mantida em absoluto segredo. Isto tornou-se possível quando as primeiras jazidas foram encontradas na Alemanha e o caulim passou a ser empregado em Meissen* e Viena*. [V. Ch' ing e porcelana.]

causeuse. [Fr. 'conversadeira'] *s. f.* Sofá pequeno criado na França no séc. XVIII. É uma ampliação do *fauteuil* cujo assento foi alargado para receber duas pessoas. Móvel de caráter íntimo, foi um dos preferidos nos salões das grandes damas como Madame de Pompadour. [V. *fauteuil* e sofá. Cf. *confident*, conversadeira e *love seat.*]

cavalete. *s. m.* Suporte portátil usado como apoio para tábuas ou peças análogas; mesa de refeição, de trabalho e outras podem ser montadas com esta base. A forma corrente de cavalete é a de armação com dois pés inclinados em forma de "A" e unidos ao alto por uma trave; uma armação destas em cada extremidade de um tampo dará a estabilidade necessária à mesa improvisada. ~ A mesa medieval, que a princípio não fazia parte do mobiliário, era armada, quando necessário, sobre cavaletes. // Na mesa fixa, designação de um tipo de pé constituído por duas hastes fortes, de secção retangular, inclinadas e unidas por uma trave, e cuja forma lembra o "A" de um cavalete, cortado na parte de cima. Dois pés com esse feitio, unidos por um tampo retangular, serviam de suporte às mesas espanholas e italianas do séc. XVII; podiam ser recolhidos por meio de hastes flexíveis de ferro e a mesa era, assim, desmontável. Esses pés evoluíram para outros curvos, semelhantes a uma lira, e as duas formas passaram aos Países Baixos. § Nos móveis contemporâneos, usam-se pés de cavalete de madeira, de bambu, de metal, etc., com acabamento esmerado, para apoio de tampos de vidro temperado, de madeira, de acrílico; compõem-se desse modo mesas, escrivaninhas e aparadores. [V. mesa – mesa holandesa e mesa mineira.]

cavilha. *s. f.* Pino de madeira, pedra ou metal destinado a unir ou fixar peças de madeira, a manter solidários dois elementos de uma construção, a obturar orifícios, etc. A cavilha pode ter cabeça numa extremidade e na outra uma fenda para prendê-la por meio de uma chaveta; pode ter ainda a forma de um "L" ou de um "V". ~ Para o reconhecimento de um móvel antigo é importante observar se é montado com cavilhas de madeira em lugar de pregos.

caviúna. *s. f.* Madeira de lei aromática, dura, pesada, muito resistente e de largo emprego na construção civil e naval e na feitura de móveis, instrumentos musicais e outros objetos. É proveniente da árvore do gênero *Machaerium incorruptibile* e encontra-se em Minas, Goiás, S. Paulo, Paraná. Seu colorido varia do pardo ao marrom escuro arroxeado. É conhecida também como cabiúna, pau-rosa e pau-violeta. [V. madeira. Cf. jacarandá.]

caxemira. [Do ingl. *cashmere*.] *s. f.* Lã muito macia e fina, oriunda do pelo de uma cabra de Caxemira, região do Himalaia (Índia). ~ O tecido dessa lã, feito à mão e com fios multicoloridos, é de alta qualidade. Foi usado em xales com campo e barras decoradas com flores, vasos, *botehs**. Importados no fim do século XVIII, esses xales eram usados pelas senhoras europeias como agasalho e complemento de vestuário, durante o período Diretório e Império. Seu uso se ampliou no séc. XIX e, no tempo das crinolinas, os xales chegaram a ter cerca de 2,50m de comprimento. ~ Manufaturas da França e da Escócia produziam, então, belíssimas peças de caxemira, sempre com lã importada e obedecendo os mesmos padrões de complicados e minúsculos motivos. [V. Paisley] ~ A região de Caxemira produz também tapetes feitos à mão, bonitos mas pouco resistentes.

cebola. *s. f.* Formato de certas cúpulas encontradas na arquitetura da Europa Central e da Rússia. // Formato de pé de móvel que lembra uma cebola. // V. *Zwiebelmuster*.

céladon. [Fr.] Designação europeia de um tipo de cerâmica e porcelana chinesa com esmalte de coloridos característicos obtidos com óxidos de ferro, e cujas variações, do verde-oliva ao verde pálido acinzentado ou azulado, decorrem da quantidade de oxigênio e de monóxido de carbono presente nos fornos. ~ As peças mais antigas seriam anteriores ao aparecimento da porcelana (séc. IV e III a. C.); as provenientes do norte da China são mais escuras e espessas, enquanto as do sul são mais finas e de tonalidades mais claras. ~ Os mais belos exemplares de *céladon* foram produzidos durante a dinastia Sung* (960-1269); têm discreta e estilizada decoração em relevo (flores, pássaros, peixes). Os *céladons* do sul ou de Lung Ch'uan foram exportados para Coreia e o Japão, onde o mesmo gênero de louça passou a ser produzido. ~ Mais tarde peças de *céladon* chegaram à Europa, e ali, no séc. XVIII, algumas delas tiveram a pureza de suas linhas e decorações "enfeitadas" com rebuscadas guarnições de ormolu*. ~ A palavra *céladon* tem origem incerta: segundo alguns, parece derivar do nome *Céladon*, personagem de um romance francês do séc.XVII, que usava roupas de tonalidade verde acinzentado; segundo outros, seria uma corruptela do árabe Salah-ed-din (Saladino), que enviou um rico presente dessa louça ao sultão de Damasco no séc. XII. [V. cerâmica.]

Cellini, Benvenuto (1500 - 1571) Escultor e ourives italiano de maior prestígio no fausto renascentista. Trabalhou em Roma e trabalhou na França a convite do rei Francisco I. ~ Dos belos objetos em prata e ouro que executou só lhe é atribuído com segurança o saleiro de grandes proporções concluído para o rei de França; as figuras mitológicas (Netuno e a Terra) modeladas em ouro, o recipiente em forma de barca, as deidades marinhas, constituem uma cena movimentada que muito ultrapassa a finalidade da obra. ~ Cellini descreveu suas obras e sua vida numa *Autobiografia* que reflete com sabor a época em que viveu. ~ Foi um artífice de excepcionais dotes profissionais e artísticos e o seu *Perseu* que está no Bargello em Florença é um dos mais expressivos exemplos da escultura maneirista. [V. Maneirismo e saleiro. Cf. Medusa.]

centro de mesa. *s. m.* Peça de prata, porcelana, cristal, etc., de feitura caprichada que se destina a guarnecer o centro das mesas de refeições. Pode ser muito extensa e comportar vários elementos (vasos, figuras, castiçais) ou ser constituída de uma única peça (uma floreira, p. ex.), não raro sobre bandeja de espelho. ~ Na França, no fim do século XVIII, foram feitos grandes centros de mesa de faiança, e mais tarde de porcelana, para as mesas de banquetes, e que substituíram as imponentes peças montadas pelos confeiteiros. ~ Em 1816, Dom João VI mandou de presente ao Duque de Wellington, vencedor de Napoleão, um centro de mesa de prata, com figuras, de grandes proporções: foi executado em Lisboa pelo prateiro português Domingos Antonio de Sequeira, e nele há elementos evocadores das glórias de Portugal, entre os quais se incluem índios brasileiros. ~ Baccarat* realizou um tipo de centro de mesa de cristal moldado (*rivière*) que consta de peças independentes, curvas, alongadas e baixas, podendo ser agrupadas para formar desenhos, de acordo com o tamanho da mesa. ~ No período *Art Nouveau**, são elegantes os centros de prata com hastes contorcidas servindo de base e de onde partem folhas e flores em forma de campânula. Este centro tem valor decorativo por sua própria forma, mas pode ganhar vida e colorido com arranjo de flores naturais. [Cf. *épergne.*] – Fr.: *milieu de table*, *surtout de table*; ingl.: *table center*; alem.: *Tafelaufsatz.*

Centro de mesa neorrococó, de prata, sobre bandeja com espelho (França - começo do séc. XX - compr. 70 cm)

cerâmica. [Do grego *keramikós* 'feito de argila'.] *s. f.* A arte da fabricação de objetos de argila modelada a frio e endurecida ao calor do fogo; a arte do oleiro. // Os objetos assim fabricados e que compreendem desde o simples tijolo até a mais fina porcelana. § A longa cadeia ininterrupta da arte do oleiro passa por uma evolução que soma esforços num ofício particularmente delicado e de aprendizagem demorada; em milhares de anos esses esforços viram-se recompensados e criaram verdadeiras obras-primas. Nos estágios adiantados da produção, a profissão de ceramista engloba químicos, torneiros, escultores, pintores e outros especialistas que, para superarem os caprichos da modelagem, do fogo, dos esmaltes, precisam de anos de preparo e experiência. § *Fabricação e tipos de cerâmica.* Princípios milenares perduram, e duas operações primordiais marcam os trabalhos do oleiro: a **modelagem** e o **cozimento**. A ideia de modelar o barro e secá-lo ao sol teria precedido por longuíssimo período a do cozimento. Graças talvez ao acaso e à observação de uma primeira cozedura ao ar livre, o homem começou a explorar os efeitos do fogo sobre as terras argilosas; passou então ao uso do **forno**. ~ O barro de oleiro caracteriza-se pela maleabilidade e, quando convenientemente diluído, depois de triturado, constitui o que se chama a **massa**; esta sofre uma operação preliminar para misturar seus ingredientes e tornar-se homogênea. ~ Para dar forma aos objetos, o oleiro dispõe de diversos processos: o mais antigo consiste em dar feitio apenas pela pressão dos dedos. Depois, a necessidade de diversificar e aprimorar a obra teria levado à invenção da roda de oleiro*, e a bola de massa, posta no torno (a roda de oleiro) ganha forma numa técnica que exige habilidade. O terceiro processo é a moldagem* que já era conhecida na Grécia arcaica; pode-se supor que os primeiros moldes foram a casca de certas frutas esvaziadas da polpa. § O homem trabalhou durante milênios com a **cerâmica porosa**: as peças são submetidas a temperaturas em torno de 500° e sofrem certas alterações químicas que lhes fixam as formas (a massa crua e úmida é quebradiça) mas não elimina a porosidade. Depois dessa primeira queima obtém-se o que se chama **biscoito**. Foram assim as primeiras cerâmicas elaboradas pelo homem, com ou sem decoração: porosas, opacas, de textura um tanto áspera (tijolos, telhas, vasilhame incipiente). ~

A preocupação de decorar a cerâmica deve ter animado os oleiros desde muito cedo, e a ornamentação em relevo parece ter precedido a pintura, quer pela aplicação de filamentos, pastilhas, pingos ou bordaduras, quer pela abertura de sulcos; depois apareceu um novo princípio decorativo – o *engobo** – que consiste em colocar, com pincel, argila colorida sobre a superfície seca do vaso, ou em mergulhar a peça num banho de argila clara e, em seguida, proceder à decoração em esgrafito*. ~ A cerâmica porosa deixava passar os líquidos e deu-se então uma nova conquista: a das coberturas protetoras – os *esmaltes**. Graças à observação da tendência à vitrificação da argila em contato com substâncias alcalinas, descobriram-se, gradativamente, três tipos de revestimento. Primeiro, uma fina camada brilhante, mais decorativa do que protetora (película sílico-alcalina como nos vasos gregos, ou de constituição metálica como na cerâmica persa e nas faianças hispano-mouriscas); depois, uma camada protetora mais eficaz com esmalte de chumbo que é transparente e deixa visível o suporte (o barro com suas várias cores) quando a peça é submetida a uma segunda queima; e, finalmente, o esmalte de estanho que é opaco e branco o que permite à massa suportar decoração pintada. ~ Abre-se uma fase mais avançada da cerâmica, com maiores possibilidades artísticas: a da pintura, que pode receber dois tratamentos básicos. Inicialmente empregou-se o que os franceses chamam *grand feu* ('fogo alto' – alta temperatura); passado pela primeira queima, o biscoito (massa cozida) é mergulhado num banho de esmalte que se deixa secar; executam-se então os desenhos a pincel e a peça vai ao forno muito aquecido a fim de cozer o esmalte e a decoração. Nunca é demais ressaltar o virtuosismo que exige essa técnica; qualquer retoque é impossível e, por outro lado, as cores sofrem com o calor alterações que o artista nem sempre pode prever. O número de cores que suportam a alta temperatura do cozimento do esmalte é restrito, eis porque os ceramistas de outrora procuraram enriquecer a paleta, e conseguiram fixar as cores sobre o esmalte já cozido; é a técnica do *petit feu* ('fogo baixo') em que o revestimento de esmalte é executado do mesmo modo que para o *grand feu* mas a peça é cozida sem decoração. Depois o artista pintor usa cores que têm um solvente cujo efeito é fixar a pintura no esmalte já cozido mediante um terceira cozedura a temperatura baixa. ~ O legado da cerâmica porosa (em ingl. *earthenware**) é inestimável: vasos gregos, faianças, maiólica. § A *cerâmica dura* (em ingl. *stoneware**) marca nova etapa: a argila é misturada com substâncias vitrificáveis, notadamente rochas feldspáticas graças às quais, depois da queima, o biscoito já é de fato, impermeável. Nesse caso situam-se as cerâmicas opacas, vitrificadas, de composição variável (o *grés**, o pó de pedra) que são cozidos a alta temperatura e caracterizam-se pelo grão fino, superfície lisa e cor variável (marrom, vermelho, cinza, branco, preto). Podem ser cobertas de esmalte incolor ou colorido, ou de *saltglaze**. § *História.* Conhecida desde as épocas mais remotas, a cerâmica tem sido importantíssima fonte de informações arqueológicas. Provavelmente não teve uma origem única, e os diferentes estágios de sua evolução podem ser observados nos vestígios das civilizações pré-históricas. Ao contrário da madeira, dos metais, dos têxteis, não está sujeita à deterioração quando exposta ao ar, e, por isso, espécimes de todas as épocas sobrevivem até hoje. ~ Devido à sua fragilidade, porém, a cerâmica só veio a substituir, no uso doméstico, materiais mais

Tigela de cerâmica porosa. Artesanato popular. (México - começo do séc. XX)

Prato de cerâmica com desenho de pássaro. Assinado Picasso. (França - séc. XX)

resistentes como o couro, as cestas, a madeira, quando, no Neolítico, o homem deixou a vida nômade. Por ser maleável, multiplicou as formas do vasilhame e suas aplicações – acrescentaram-se alças, pés, bicos. As peças mais antigas, de fundo convexo, foram sendo substituídas por outras de maior estabilidade, de fundo chato. Os vasos campaniformes e outros eram utilizados para conter líquidos e alimentos e também como urnas mortuárias. ~ Os remanescentes arqueológicos tanto incluem fragmentos de barro fino, oriundos de centros mais adiantados, como os de olaria rude produzidos nas próprias aldeias. As formas e as técnicas ou eram transmitidas de pais a filhos, ou de uma região a outra por meio das rotas comerciais, das migrações, etc. ~ Os oleiros egípcios, desde o Neolítico aproveitaram a excelente argila do Nilo e produziram cerâmica vidrada de formas esbeltas, embora sem conhecer o uso de roda de oleiro que só teria aparecido na Mesopotâmia no fim do IV milênio a. C. ~ A cerâmica assíria, a babilônia e a persa particularizaram-se pelas técnicas aplicadas nas monumentais construções desses povos; ficaram quase intactos os ladrilhos vitrificados de surpreendente efeito decorativo que formam grandes figuras – os *Arqueiros*, os *Leões* – com colorido amarelo, azul, turquesa, verde, roxo. ~ No *Ocidente*, a civilização extrordinária que floresceu desde o III milênio a. C. nas costas do mar Egeu pôde ser estudada, em parte, graças à cerâmica. Creta, Micenas e outros sítios produziram peças que já se podem considerar artísticas: a decoração pintada inspira-se na fauna e na flora locais. Assim nasce a cerâmica ocidental que conhece grande brilho em solo helênico. § A cerâmica da *Grécia** é um ponto marcante nas artes decorativas, e fixam-se então técnicas, formas, tipos de decoração. No período arcaico (séc. X a IV a. C.) adota-se a decoração geométrica (traços marrons sobre fundo claro) e as formas dos vasos se definem: ânfora, cratera, hídria, quílix e outras, são usadas para água, vinho, azeite, unguentos. Nos sécs. VII e VI a. C. floresce o estilo jônico, em que predominam outra vez as figuras, ainda rústicas e de influência oriental; são os vasos de *figuras negras* (sobre fundo vermelho, aplica-se o negro, delineiam-se as silhuetas e os detalhes são gravados com incisões). A famosa cerâmica ática vai constituir o melhor exemplo da vida e dos costumes do mundo antigo, reflexos de uma arte pictural avançada e que desapareceu. Atenas passa a exportar seus produtos, disputados no mundo mediterrâneo, e surgem centros cerâmicos na Magna Grécia (sul da Itália). No fim do séc. VI a. C. os oleiros atenienses alteram a técnica e produzem vasos com *figuras vermelhas*; pintam o fundo de preto e nele se destacam movimentadas cenas cujos detalhes podem ser traçados com minúcia (panejamentos, músculos, expressão facial). Corridas, batalhas, temas mitológicos constituem inestimável documentação histórica. ~ Mais tarde, no período helenístico (sécs. III e I a. C.), fazem-se vasilhas moldadas com decoração em relevo imitando peças de metal; são notáveis tambem as figurinhas de Tanagra*. ~ A cerâmica etrusca (do centro da península italiana) assume características próprias depois do séc. IV a. C. e mais tarde evolui para as formas de arte greco-romana. ~ No séc. I a. C. os romanos adotaram a técnica da *terra sigillata* em que o objeto é enformado num molde suscetível de imprimir-lhe desenhos e figuras em relevo (cenas mitológicas, decoração vegetal), e recoberto com esmalte de chumbo. ~ Ao alvorecer da nossa era, as

Antiga bacia de barbeiro de cerâmica azul e branco. (Espanha)

Terrina de cerâmica em forma de repolho, com tampa. (Portugal - séc. XX)

técnicas clássicas fundem-se com as orientais em Bizâncio, onde oleiros, vidreiros, esmaltadores são mestres nas artes ornamentais (louça fina, lâmpadas, ladrilhos, mosaicos). § Durante a Alta Idade Média, enquanto na Europa ocidental a arte da olaria ainda se encontra em período obscuro (valorizam-se as artes dos metais), a cerâmica do **mundo islâmico**, herdeiro de uma longa tradição, é muito desenvolvida e constitui um dos mais belos apectos das artes decorativas. Atinge o apogeu na Pérsia e no Oriente Médio (Anatólia) nos sécs. IX a XIII e seu brilho está vinculado ao requinte oriental e à riqueza da corte dos califas, protetores das artes. Aparentemente os oleiros de elite mudavam-se ao sabor do prestígio e da fortuna dos califados e os principais centros teriam sido Bagdá, Cairo, Samarcanda, Alepo. ~ Os muçulmanos são responsáveis por algumas inovações, entre elas a redescoberta do esmalte de estanho no séc. IX e a pintura metálica, além da aplicação de camadas de engobo* para decoração em relevo ou o desenho em esgrafito. A arte da cerâmica muçulmana rivaliza com a da **China** (que a antecedeu) e vai ser decisiva na Europa, penetrando na Espanha, com os árabes. § O esmalte de chumbo, transparente, era conhecido no fim da Idade Média, no **Ocidente**, em peças de formas vigorosas e rudes. Os primeiros objetos de esmalte de estanho, opaco, surgem na Itália renascentista atribuídos ao ceramista **Lucca Della Robia**, e a riqueza da decoração policrômica projeta-se na França, na Alemanha, na Espanha, nos Países Baixos, na Inglaterra (maiólica*, faiança*, Talavera*, Delft*). De esmalte de estanho são também os ladrilhos e azulejos* ibéricos e os de Delft, bem como as estufas* da Europa central. O grés*, surgido na Alemanha no séc. XVI, desenvolve-se tecnicamente na Inglaterra a ponto de dominar o mercado europeu no séc. XVIII; mas a produção da cerâmica declina com o grande surto da porcelana. ~ Outras cerâmicas europeias muito difundidas são as que têm decoração a engobo colorido (Itália e Inglaterra) e pintura com reflexos metálicos (*luster**). Na França, no início do séc. XVIII, quando foi derretida a prataria da corte para custear as guerras de Luís XIV, a aristocracia voltou-se para a faiança (e depois para a porcelana) sob diversas formas decorativas: relógios, pias de parede, terrinas em forma de frutas e legumes, além dos centros para mesas de banquetes; seu uso generalizou-se entre as cortes europeias. ~ Até o séc. XIX, a cerâmica europeia apresentou como categorias principais a *terracota* com esmalte de chumbo e de estanho, o *grés*, a porcelana de *pasta mole* e de *pasta dura* e a britânica *bone china**. A *louça inglesa** no séc. XIX continuou a ter grande prestígio para um mercado interno de menor poder aquisitivo, e para exportação; produziu-se então um grés opaco – o *ironstone* – decorado com motivos pseudochineses e japoneses; empregou-se a decalcomania na louça doméstica. Em meados do século, o gosto pelos ornatos excessivos e rebuscados que reinou em todos os setores das artes decorativas influenciou a cerâmica, e esta só volta a ter expressão própria com o *Art Nouveau** (cachepôs, figuras, vasos). ~ Muito desenvolvida industrialmente a cerâmica renasce para as artes aplicadas graças ao *design*. ~ Os artistas oleiros tiveram grande importância no séc. XX; interessados na cerâmica do Extremo Oriente, adaptam antigas formas em interpretações individuais; as tendências das artes plásticas refletem-se no artesanato, especialmente o abstracionismo, já tão bem aplicado por oleiros da Antiguidade. Artistas famosos como Gauguin, Matisse, Léger, Braque, Miró e sobretudo Picasso produzem peças assinadas, às vezes únicas. ~ Na decoração ocidental, peças artesanais de barro, com suas diferentes formas e tamanhos criam volumes de excelente efeito e, por sua simplicidade, adaptam-se a ambientes variados. § A cerâmica do **Extremo Oriente**, produzida originalmente na China, passou à Coreia e daí ao Japão. Entre os chineses conhecem-se no Neolítico urnas funerárias com motivos geométricos. As técnicas e formas foram se aprimorando (terracota e grés) para atingir um estágio importante no período T'ang* (618-910) com o uso do engobo ou dos esmaltes coloridos em peças monocromáticas ou policromadas (grandes figuras encontradas nos túmulos, estre elas belíssimos cavalos). Dos fornos imperiais e outros, na dinastia Sung* (960-1279) sucedem-se com certa continuidade alguns tipos de cerâmica famosos, depois reproduzidos pelos próprios chineses (Kuan, Lung-ch'uan e outros). No período Yuan* (1280-1368) produz-se pela primeira vez a porcelana translúcida. ~ No Japão o uso da cerâmica, embora praticado no III milênio a. C. foi relativamente reduzido, recorrendo-se de preferência às vasilhas de madeira natural ou revestida de laca. Excetuam-se certas figuras funerárias vigorosas mas rudes na execução (do séc. III ao VI). A louça e a porcelana eram reservadas para circunstâncias especiais; suas formas e motivos valorizavam certos efeitos casuais no modelado e na decoração, em contraste com o requinte da formas chinesas. Do séc. XV em diante, a arte do oleiro japonês foi marcada pela elaborada cerimônia do chá* e os mestres desse ritual exerceram influência na feitura de uma cerâmica muito despojada que apela tanto para a aparência como para o tato; o modelos chineses foram substituídos por outros nativos. Uma das variedades mais famosas é a louça *raku** tipicamente japonesa. § Vale mencionar, ainda, a cerâmica **pré-colombiana**, tanto nas adiantadas civilizações da América Central e México e da região andina, quanto entre tribos de cultura mais rudimentar. Até a chegada do europeus, fazia-se modelagem à mão, com diversas técnicas, mas desconhecia-se o torno. Vasilhame, peça rituais e funerárias, muitas delas zoomórficas e antropomórficas, encontram-se em toda a extensão do continente; merece destaque a arte policromada dos Maias, na América Central e, no Peru, a da cultura mochica (séc. VII) com os jarros em forma de cabeça humana de um realismo próximo ao do retrato. §§ No Brasil, a cerâmica pré-cabralina, doméstica ou ritual, era modelada pela mão das mulheres como, aliás, em todas as sociedades primitivas, com processos ingênuos e simples, sem a roda e sem ferramentas. Dava-se forma ao vaso fazendo cordas de massa que eram enroladas a partir de um fundo plano para depois se obter a largura e a altura desejadas, ou então, como em tantas outras culturas, moldava-se a tabatinga sobre cestos (na decoração da cerâmica aparecem motivos lineares que lembram o trançado das cestas). A peça, pintada antes da queima, ia ao forno que consistia num buraco aberto no chão. Nas regiões de Marajó e Santarém (Pará), foram encontrados vestígios de uma arte original relacionada com rituais religiosos e funerários. A prática da cerâmica sobrevive entre os indígenas de certas tribos como os Karajás. ~ No período colonial, merecem especial destaque os santos e relicários de barro cozido do séc. XVII, alguns obras de verdadeiros escultores como Frei Agostinho da Piedade e Frei Agostinho de Jesus. ~ O artesanato de cerâmica encontra-se espalhado por todo o Brasil, com alguns polos de rara originalidade como o pernambucano de Caruaru (Vitalino) e de Tracunhaém (Mestre Nuca), e a cerâmica mineira do vale do Jequitinhonha. Num campo mais requintado e erudito, os ateliês são dirigidos por artistas não raro inspirados na linha da moderna cerâmica europeia (Itália, França, Alemanha) ou nas formas e decorações da cerâmica tradicional do Japão. ~ A indústria brasileira de cerâmica, desenvolvida sobretudo na segunda metade do séc. XX, produz grande variedade de artigos de uso doméstico e material para construção civil (azulejos, pisos, etc.) e acompanha os progressos da técnica e do *design* dos demais países. Em Pernambuco, o escultor e pintor Francisco Brennand criou para a indústria produtos de linhas e colorido característicos e fez surgir formas artísticas em objetos cujo *design* sólido e despojado reveste-se de, certo modo, da fantasia e da secura da arte folclórica do Nordeste. [V. faiança, porcelana e terracota.] – Fr.: *céramique*; ingl.: *ceramics*, *pottery*; alem.: *Keramik*.

cerâmica portuguesa. A produção de azulejos e outros artefatos de barro cozido é antiga tradição em Portugal, talvez por influência árabe. Até o séc. XVI a arte da olaria foi de muito boa qualidade, produzindo potes de grandes dimensões e "boticas" (recipientes de farmácia) notáveis pela feitura. Com a importação da louça da China, a cerâmica lusa decai e só no período pombalino (séc. XVIII) dá-se novo impulso à indústria que se beneficia de insenções e privilégios e recupera a tradição de qualidade. § As regiões oleiras de Portugal distribuem-se no norte, no centro e no sul. ~ **Norte**. A cerâmica do Porto, localizada nesta cidade e em Vila Nova de Gaia, é uma das mais notáveis de Portugal, célebre pela qualidade da pasta, pelo brilho, pelas formas. São diversas as manufaturas portuenses algumas anteriores ao séc. XVIII, e houve constante intercâmbio entre elas. A importante **Fábrica de Miragaia**, fundada em 1775 no Porto, produziu numerosa louça de pó de pedra semelhante à inglesa e peças ornamentais; no séc. XIX tinha sucursais em Lisboa, Setúbal, Funchal e Luanda. Seu esmalte policromado comporta o azul, o verde, o roxo, o amarelo, o laranja. Desfeita a fábrica em 1850, seus artífices e suas fôrmas passaram para a *Fábrica de Santo Antonio* do Vale da Piedade, em Gaia (fundada em 1785), que no séc. XIX começara a produzir cerâmica artística de faiança e pó de pedra (vasos, figuras e azulejos). Reproduzem-se modelos renascentistas e outros, recobertos de esmalte branco ou colorido; são urnas, estátuas com figuras alegóricas, animais, ao lado de pinhas decorativas e de bustos realistas (como o da rainha D. Maria II) que vão ornamentar jardins, nichos, fachadas e portões. Muitas dessas peças são encontradas no Brasil. Entre as inúmeras fábricas de cerâmica portuense incluem-se a do *Cavaco* ou *Cavaquinho*, a de *Fervença*, a de *Torrinha de Carvalhinho*. ~ Ainda no norte o distrito de Viana do Castelo produz tradicional louça para consumo popular e objetos decorativos, vindo de Barcelos a melhor argila; no séc. XVIII sobressaiu ali a *Fábrica de Darque* cujos produtos rivalizam com os de Rato (Lisboa). Mais ao sul, em Aveiro e arredores, muitas manufaturas produziram boa louça e azulejos. ~ *Centro.* Muito antiga é a cerâmica de *Coimbra* que já florescia no séc. XIII e que, depois do período de crise, ganhou impulso graças às medidas lançadas pelo marquês de Pombal, ministro de D. José I. Chegou-se a competir com a Fábrica do Rato na produção de louça fina branca, feita a estampilha, de louça popular com pinturas de cenas exóticas sobre fundo de folhagens verdes, e ainda vasos de jardim, balaústres, azulejos. ~ Em *Caldas da Rainha* sucederam-se gerações de oleiros provavelmente desde os tempos de D. Leonor, apreciadora das águas termais do lugar; as manufaturas ali estiveram sempre em atividade até o séc. XIX. Uma grande renovação ocorreu em Caldas quando *Rafael Bordalo Pinheiro* assumiu a direção em 1884; artista requintado e espírito empreendedor e tenaz, imprimiu à cerâmica alto grau de desenvolvimento técnico e de recursos estéticos. O talento de Bordalo enriqueceu a indústria com novas formas, com estilizações da natureza, com o domínio de uma paleta muito rica (branco lácteo, vermelho, azul de Sèvres); ele modela e dá vida a um grande número de tipos populares que fixa em figuras ou adaptações como bilhas, cinzeiros, centros de mesa, jarros, andorinhas em voo. ~ *Sul.* No séc. XVIII, Lisboa, com a política de proteção e incentivo de Pombal às artes e indústrias, conhece grande desenvolvimento como centro cerâmico; multiplicam-se as manufaturas e destaca-se a *Fábrica do Rato* de onde saem peças primorosamente executadas ao lado de objetos de uso comum (canudos e potes de farmácia, boiões para guardar doces). No Rato foram modeladas estatuetas graciosas e outras peças que refletem a vida opulenta da capital, incluindo-se vasos grandes para os jardins aristocráticos. Nas cercanias da cidade, instalou-se em 1850 a *Fábrica de Louças de Sacavém* cujos produtos não se limitaram ao mercado interno e voltaram-se também para o Brasil. Entre Mafra e Ericeira funcionaram também inúmeras olarias de louça vidrada. ~ No Alentejo e no Algarve, a indústria cerâmica parece datar do tempo de D. João III (séc. XVI). É característica a louça de *Estremoz* que produz no séc. XIX peças vermelhas não vidradas (talhas, bilhas, cântaros, moringas, garrafas, copos) num gênero que, variando de decoração, proliferou em outras partes do Alentejo. § A cerâmica artesanal portuguesa, com traçado original e tintas vivas, é um dos grandes atrativos das feiras das diferentes cidades e vilas, e pode ser encontrada de norte a sul do país. [V. azulejo, Caldas da Rainha e Rato, v. tb. estátua (ilustr.).]

Pinha de cerâmica aberta e recortada. Fábrica de Santo Antônio do Porto.
Acervo Museus Castro Maya - Rio de Janeiro (séc. XIX ou XX - alt. 63 cm)

Vaso de cerâmica portuguesa da fábrica de Miragaia, com decoração azul e branco e borda e alças amarelas.
(Porto - séc. XIX - alt. 48 cm)

cerejeira. *s. f.* Madeira dura e pesada extraída das árvores do gênero *Prunus*, de cor branco-avermelhada ou amarelada, dura e pesada, e que se usa na Europa em marcenaria de luxo, instrumentos musicais, etc. // Madeira compacta extraída de certas árvores da família das mirtáceas, odorífera, de cor vermelho-claro, muito flexível, que recebe bem o verniz e é boa para a marcenaria. Muito usada no Brasil. [V. madeira.]

cerimônia do chá. V. cha-no-yu.

ceroferário. *s. m.* Castiçal que representa uma figura humana, (por analogia com "cerofenário", acólito que, nas procissões, leva um toucheiro ou um círio).

Par de castiçais de prata em forma de ceroferário. (Séc. XIX - alt. 18 cm)

cesta. *s. f.* Receptáculo feito de fibras vegetais dotado ou não de alça, de asas ou de tampa. ~ Peça artesanal de uso doméstico, sempre existiu em diferentes tempos e lugares para guardar, transportar roupas, alimentos e diversos objetos. Seus tamanhos variam, desde as cestas-celeiros, maiores que um homem, de certos povos primitivos, até delicadas bolsas e caixinhas. § As cestas se incorporam à decoração de interiores como peças auxiliares de mobiliário ou como acessórios. As cestas vindas do Extremo Oriente são tradicionalmente bem trabalhadas e originais, e nelas se empregam tiras finíssimas formando desenhos de uma ou mais cores. [V. cestaria] // Objeto com formato de cesta (de prata, de porcelana, etc.). – Fr.: *corbeille*; ingl.: *basket*; alem.: *Korb*.

cestaria. *s. f.* A arte de entrelaçar e/ou costurar fibras naturais secas, para produzir cestas, balaios, esteiras e outros objetos. § Ocupação simples em que a matéria-prima se oferece praticamente pronta, exigindo poucas ferramentas, a cestaria é uma das formas mais antigas de artesanato, conhecida desde o Neolítico (certos espécimes encontrados no Iraque datam de cerca de 5000 a. C.). Na Europa e no Peru acredita-se já fosse conhecida no II milênio a. C. É provável, mas não comprovado, que a arte da cestaria tenha precedido à da cerâmica* e à da tecelagem*; certos motivos pintados no vasilhame primitivo de cerâmica lembram o movimento das fibras nas cestas. ~ A cestaria mantém os mesmos processos de fabricação desde os tempos mais antigos: a técnica mais primitiva seria o uso de fibras longas, torcidas numa espécie de corda enrolada em espiral e costurada com o mesmo material para formar receptáculos redondos ou ovais. A mais comum, e que resulta num trabalho de grande resistência, é a que adota processos análogos aos da tecelagem, ou seja, o entrelaçamento regular das fibras: numa armação de fibras verticais em que se estabelece a forma desejada, são trançadas outras, do mesmo material, formando ou não desenhos. ~ A matéria-prima empregada na cestaria inclui o vime*, o junco*, o bambu*, os cipós, a piaçaba, diversos tipos de palha*, etc. (hoje empregam-se fibras sintéticas que, de certo modo, descaracterizam a pureza dessa arte). §§ No Brasil, a cestaria foi praticada pelos índios que teciam e ainda tecem palmas, juncos, tucum, etc. É forma de artesanato muito difundido. [V. balaio, cesta, esteira, palhinha.] – Fr.: *vannerie*; ingl.: *basketry*

cetim. *s. m.* Tecido de seda, macio e lustroso, que apresenta fios longos e brilhantes pelo direito, resultantes da maneira de tecer. O termo aplica-se a outros tipos de tecidos com essas características feitos com outras fibras e empregados no vestuário e demais peças costuradas. ~ O cetim de seda pura - *cetim Macau* - é armado e dá excelente confecção; sempre foi usado na indumentária luxuosa, bordado ou não, assim como o veludo, o tafetá, os brocados. ~ O *cetim de algodão*, feito deste material ou de fibra sintética, por ser encorpado e resistente e ter bom caimento, é próprio para cortinas, colchas, etc. [V. tecelagem.]

chafariz. *s. m.* Construção de alvenaria, pedra, bronze, ferro fundido, etc. que, antigamente, servia para fornecer água à população e para bebedouro de animais. Até o séc. XIX, os chafarizes, as fontes das praças, os poços eram construídos nos logradouros públicos e tinham formas curiosas ou elegantes e belos ornatos. §§ No Brasil, o granito e a pedra-sabão foram empregados na construção de importantes chafarizes como os de Tiradentes e Ouro Preto; o bronze foi adotado nas belas obras de Mestre Valentim* que se encontram no Rio de Janeiro.

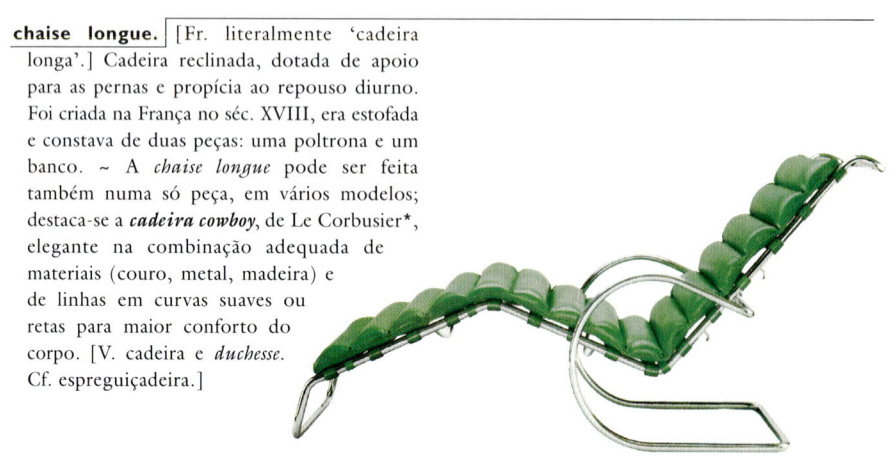

chaise longue. [Fr. literalmente 'cadeira longa'.] Cadeira reclinada, dotada de apoio para as pernas e propícia ao repouso diurno. Foi criada na França no séc. XVIII, era estofada e constava de duas peças: uma poltrona e um banco. ~ A *chaise longue* pode ser feita também numa só peça, em vários modelos; destaca-se a *cadeira cowboy*, de Le Corbusier*, elegante na combinação adequada de materiais (couro, metal, madeira) e de linhas em curvas suaves ou retas para maior conforto do corpo. [V. cadeira e *duchesse*. Cf. espreguiçadeira.]

Mies Van der Rohe - Chaise longue de estrutura tubular de metal cromado com presilhas e almofadas em couro. (1931)

chamalote. *s. m.* Tecido geralmente de seda, de textura semelhante à do tafetá, mas que se caracteriza, por apresentar, do lado direito, efeitos ondulados. É usado em fitas, na confecção de roupas de luxo e em decorações de estilo. [V. tecelagem.] – Fr.: *moiré*.

champlevé. [Fr.] V. esmalte[2].

chanfrado. *adj.* Diz-se do objeto que foi cortado em bisel; escantilhado.

cha-no-yu. [Jap. 'cerimônia do chá'.] Prática ritual zen que teve início por volta do séc. XII e na qual, numa atmosfera de grande simplicidade mas de forte sentido cultural e espiritual, amigos se reúnem em torno do chá e de seus utensílios. O mais famoso mestre dessa cerimônia foi Rikyu (séc. XVI) que estabeleceu o estilo *wabi* – simplicidade, quietude, ausência de ornamento – criando significativo padrão estético. [V. Japão. Cf. *raku*.]

chapisco. *s. m.* Reboco áspero preparado com areia e cimento, próprio para revestimento exterior.

charão. [Do chinês *chi liau*, 'verniz, óleo'.] *s. m.* Verniz de laca tradicionalmente empregado na China e no Japão para revestimento fino de objetos de madeira, de papelão, de ferro, etc; laca. ~ O charão foi introduzido na Europa no séc. XVI pelos portugueses; impressionados por essa técnica que desconheciam, registram suas observações, e a palavra se esboça pela primeira vez no *Tratado de Cousas da China* de Frei Gaspar da Cruz: "com hú pao muito bem feito a modo de mão fechada, envernizado, a muito bom verniz, que chamam 'acharam'". E outro cronista, Padre Gaspar Coelho assim se refere em suas *Cartas do Japão*: " E os jaezes dos cavalos (....) com as selas e os estribos de 'charão' preto que reluziam como espelhos". [V. laca. Cf. acharoado.] – Esp.: *charol*.

charneira. *s. f.* Antigo conjunto de duas chapas de madeira ou metal unidas por um eixo e presas a portas e janelas para permitir-lhes o movimento. [V. dobradiça.]

chave. *s. f.* V. fechadura.

Chelsea. [Top. ingl.] Porcelana produzida em Londres no séc. XVIII. As peças mais antigas, de massa muito fina e translúcida e formas originais (cremeiras* e saleiros*), são anteriores a 1750; por essa época, a fábrica produziu serviços de chá e de jantar inspirados em protótipos de Meissen* e alguns pratos e travessas apresentam bonitos motivos florais. A partir de 1758, a massa torna-se mais opaca, o esmalte mais espesso e a influência artística de Sèvres* se faz sentir em aparelhos, figuras e pequenos objetos (vidros de perfume, *étuis**) com decoração rococó. Essa indústria trabalhou associada à de Derby de 1770 a 1784, quando fechou definitivamente. Na porcelana de Chelsea veem-se, sucessivamente, as seguintes marcas: um triângulo gravado, uma âncora levantada, uma âncora vermelha (a melhor fase), uma dourada e, finalmente, no período Chelsea-Derby, um D com uma âncora entrelaçada. [V. Derby.]

chesterfield. [Ingl.] Tipo de sofá amplo, todo de couro, de cores severas, estofado em capitonê, com encosto e braços da mesma altura (cerca de 70cm do chão). É móvel sóbrio, muito usado em bibliotecas. [V. sofá e capitonê.]

chevron. [Fr. 'tesoura de telhado'.] *s. m.* Motivo constituído de linhas quebradas dos tapetes turcomanos. [V. tapete oriental – Tapete turcomano.]

chiffonnier. [Fr., deriv. de *chiffon*, 'tecido', 'pano'.] *s. m.* Cômoda alta e estreita, própria para guardar lenços, joias, papéis, pequenos objetos; surgiu na França no séc. XVIII. Alguns exemplares chegaram a ter dezesseis gavetas, mas o móvel com sete gavetas (em fr. *semainier**) é o que tem proporções mais equilibradas – dizia-se que cada gaveta se destinava a um dia da semana. [V. cômoda. Cf. *chiffonnière*.]

chiffonnière. [Fr., feminino de *chiffonnier*.] *s. f.* Pequena cômoda de meados do séc. XVIII, com três gavetas frontais e uma lateral, e ainda uma tábua corrediça para se escrever. // Pequena mesa com gaveta e prateleira. [V. mesinha. Cf. *chifonnier*]

chifre. *s. m.* Material originado das armas de certos mamíferos, muito empregado desde tempos antigos; tem aplicações diversas, ora em objetos esculpidos, ora em incrustações, ora em lâminas finas aplicadas como uma espécie de mosaico, no revestimento de móveis, caixas, porta-retratos, etc. ~ Os próprios cornos recurvados de certos bovinos têm sido usados como copos rústicos; esses copos eram, muitas vezes, montados em prata (no fim da Idade Média, foram, mesmo, copiados pelos ourives). Os chifres também serviam como trompas de caça ou para dar avisos a distância. [Cf. guampa.] – Fr.: *corne*; ingl.: *horn*; alem.: *Gehörn*.

Pássaro esculpido em chifre, numa só peça.
(Origem desconhecida - séc. XX)

Porta-joias de chifre com monograma e decoração em prata. (França - séc. XIX)

ch'i-lin. (Chin.) V. unicórnio.

China. País da Ásia oriental. A história da civilização chinesa é notável por sua linha ininterrupta a partir do III milênio a. C.; era, então, incipiente, enquanto floresciam as culturas do Egito, da Suméria, do Vale do Indo. Depois do desaparecimento desses impérios, na China, século após século, repetia-se e aperfeiçoava-se o trabalho de artesãos e camponeses, enquanto as dinastias reinantes se sucediam. O núcleo dessa civilização concentrou-se no chamado Império do Centro (localizado na curva do rio Amarelo) e permaneceu inalterado, apesar de períodos de convulsão política e de invasões; expandiu-se, em épocas diversas, para além das "dezoito províncias" de leste, para a Manchúria, a Mongólia, o Tibete, o Turquestão oriental. Sob o patrocínio dos imperadores, houve fases de grande progresso e as capitais imperiais polarizavam os valores econômicos, políticos e culturais. § Depois do Neolítico, configuram-se as seguintes dinastias chinesas: Shan-Yin ou Shang (c. 1766-1122 a. C.) que nos legou belos vasos rituais de bronze; Chou (1027-771 a. C.); Han* (c. 206 a. C. – 220 d. C.) considerada pelos chineses a mais marcante de sua civilização; as Seis dinastias (220-589), período conturbado, de transição em que se dá a popularização do Budismo; T'ang* (618- 910) e Sung* (960-1270) ambas de extrema importância para a unidade do Império chinês; Yuan* (1280-1368) fundada pelos mongóis que invadiram o Império; Ming* (1368-1644) novamente chinesa e que implantou a monarquia absoluta; Ch'ing* (1644-1912), que permaneceu até o advento da República. ~ A continuidade cultural deve-se à filosofia de vida e à coexistência do Confucionismo, do Taoísmo e do Budismo. Confúcio (551-479 a. C.) prega a moderação, a prática das virtudes para se atingir a paz espiritual; Lao Tse (séc. I) prega a filosofia quietista, o princípio da unidade: a integração no ritmo da vida; o Budismo (que começa a ser implantado talvez no séc. I) eleva a paz espiritual a um nível místico. Dentro desses princípios e crenças, o chinês foi levado a encontrar prazer no convívio ameno com pessoas, no respeito às coisas da natureza. As boas maneiras norteiam a conduta. § Quanto ao modo de vida, por tradição, as residências chinesas constam de pavilhões em volta de um jardim fechado (pequeno lago, uma árvore, uma pedra grande – paisagem em miniatura). A *arquitetura* é leve, com tetos recurvados e colunas simples (lembrando as primitivas tendas dos nômades), mesmo nos andares superpostos dos pagodes*. As casas de material sólido, comportam móveis com formas estáveis, multisseculares (cadeiras, mesas variadas, arcas, armários, bancos, biombos); são baseados na técnica da marcenaria, da incrustação, da laca, em peças elegantes belamente decoradas. ~ Na *pintura*, o bambu*, emblema da longevidade, é a planta mais representada; as paisagens de altas montanhas, rios profundos, pontes, representam o cenário para minúsculos personagens – o homem integrado na grandiosidade do cosmo. ~ Os artistas representam a visão do mundo através de formas simbólicas trabalhadas com amor na cerâmica*, no bronze*, nas pedras esculpidas, artes aprimoradas ao longo do III e do II milênios a. C. Com a dinastia Han, estabelecem-se os padrões rituais e estéticos que se mantêm coerentes e são aplicados também ao jade*, ao marfim*, ao *cloisonné*, à laca*, à caligrafia, à pintura em rolos*, ao tecido e bordados*, aos tapetes*, em diferentes épocas. § Quando a China abriu suas rotas terrestres de comércio para o exterior durante a dinastia Yuan, o Ocidente começou a tomar conhecimento de sua arte, de sua indústria, de seus inventos; Marco Polo conheceu a corte de Kubla Khan, e o relato de suas viagens revelou um mundo novo à Europa. ~ No séc. XVI, sobrevém um contato mais estreito, por via marítima e, sob a dinastia Ming, viajantes, comerciantes, missionários, surpreendidos e atraídos, divulgam o que encontraram na China; a porcelana*, a laca*, as sedas abrem frentes diversificadas ao comércio e às indústrias de luxo na Europa. § Nas artes decorativas foi, sem dúvida, a *porcelana* que causou maior surpresa e admiração, e, desde logo, procuraram os europeus dominar o segredo de sua fabricação; o interesse por esse material foi tão grande que incentivou uma verdadeira espionagem junto aos centros produtores. Na língua inglesa a palavra *china* passou a ser sinônimo de porcelana (1579). ~ Portugal foi o primeiro a explorar as coisas da China (séc. XVI), o que mais tarde passou a ser feito pelas importantes companhias de comércio da Inglaterra, da Holanda e da França. § *Símbolos e motivos ornamentais chineses*. Tratados com riqueza de imaginação e habilidade, merecem especial destaque no campo das artes decorativas. Na sua diversidade, revelam as constantes de uma sabedoria que expressa as relações entre o eterno e o efêmero, o espaço e o tempo, o céu e a terra. ~ As *três abundâncias* ou *bênção tríplice* – a fecundidade, a longevidade e a felicidade – são representadas respectivamente pela romã, pelo pêssego e pelo limão de Buda. As *cinco bênçãos* – a longevidade, a riqueza, a serenidade, a virtude e a morte serena -, por cinco morcegos em várias estilizações. ~ A *imortalidade* é expressa pelo conhecido motivo *Shou**, o círculo em que se inserem arcos e retas simetricamente dispostos. ~ Com delicado senso do temporal, os chineses escolheram as flores para simbolizar os *meses* em que florescem: são elas a peônia*, o lótus*, a papoula, a flor da ameixeira, do pessegueiro, da cerejeira, da romãzeira e outras. ~ As *forças da natureza* – o céu, o vento, a terra, a água, o fogo, o trovão, o vapor, a montanha, aparecem muitas vezes numa forma circular ou octogonal, e envolvendo o símbolo da dualidade da natureza, o Yin – Yang*. ~ No céu, os animais do *Zodíaco** são o dragão*, a lebre, o tigre, a raposa, o rato, o porco, o cão, o galo*, o macaco*, a cabra, o cavalo e a cobra. A *Lua* é uma lebre apoiada nas patas traseiras (ela expele o "elixir da vida"), ou é um sapo de três pernas. O *Sol* é um pássaro de três patas dentro de um círculo. ~ Os *pontos cardeais* são representados pelo dragão (leste), a fênix* (sul), a tartaruga (norte) e o tigre branco (oeste). ~ Entre os *motivos religiosos* vale lembrar a figura taoísta de *Shou-lan* representado com cabeça grande e fronte saliente, ora só, ora acompanhado dos oito imortais (*Pa Hsien*), cada qual com aspecto, emblema e atitudes característicos. ~ Os *símbolos budistas* são oito: a "roda de lei", o guarda-sol de aparato, a concha*, o baldaquim*, o lótus*, o vaso, os dois peixes e Ch'ang, o nó sem fim*. ~ Os leões de Buda (*Fo**), representados em decorações pintadas, em relevos, em esculturas, são os guardas dos templos budistas enquanto o dragão azul (*ch'ing lung*) protege os templos taoístas. ~

Quatro animais fabulosos destacam-se como seres sobrenaturais: o *dragão** (o imperador, a Primavera), a *Fênix** (a imperatriz), o *Ch'i-lin* ou *kylin** (que prenuncia bons acontecimentos), a *tartaruga* (guerreiro negro, o inverno). ~ Entre as coisas inanimadas, os artistas chineses representam os *oito objetos preciosos*: chifres de rinoceronte cruzados, pedra musical, folha de artemísia, uma joia, uma moeda, uma pintura, um par de livros ou pranchas e o símbolo da vitória. § Os caracteres ideográficos chineses são usados, não raro, como formas decorativas, e uma fina caligrafia tem importante função estética e simbólica. § As formas materiais da civilização chinesa, tão coesa e apurada, foram absorvidas, como contribuições estéticas ou funcionais, ou como elementos exóticos, pelo mundo ocidental, mas os valores do espírito que as inspirou, ciosamente guardados no início, não foram recolhidos e compreendidos, e a sabedoria chinesa só vem sendo desvendada pelos ocidentais no séc. XX à luz de novas propostas de conhecimento e de vida. [V. porcelana e porcelana chinesa de exportação e v. tb. bordado e travesseiro chinês (ilustr.). Cf. *chinoiserie*, Japão e Oriente-Ocidente.]

Vaso de cerâmica. Dinastia Sung.
Acervo Museus Castro Maya
Rio de Janeiro (China - alt. 30 cm)

Cavalo de cerâmica policromada.
(China)

Ch'ing. A última dinastia imperial chinesa que governou de 1644 a 1912 e sucedeu à dinastia Ming*. Foi estabelecida pelos manchus que dominavam as províncias do norte, e que adotaram a forma de governo da dinastia anterior e ampliaram o império chinês (diz-se que foi nessa fase que os chineses genuínos passaram a usar rabicho para se distinguirem dos conquistadores). ~ Para o Ocidente foi um período de relevância, em especial sob o governo de K'ang Hsi* (1662-1722): este imperador incentivou as artes, que mantiveram as características do período anterior dentro de um espírito tradicional com aspectos originais na pintura e na porcelana. Nesta ocorrem importantes inovações e grande apuro técnico; os esmaltes coloridos chegam a grande perfeição nos vasos monocromáticos (nos coloridos sangue de boi*, *céladon**, negro, vários tons de azul) e a decoração com motivos policromos torna-se famosa (*famille verte**, *famille jaune**, *famille noire**, *famille rose**). Nas outras artes já se nota, porém uma tendência a alterar a antiga pureza; o mobiliário torna-se mais carregado, o mesmo acontecendo com o jade e o bronze. ~ K'ang Hsi aproximou-se dos missionários jesuítas e, em seu reinado, deu-se um fato de relevo na história da cerâmica: as cartas do Padre d'Entrecolles (1712-1722) discutem o segredo da manufatura da porcelana chinesa e orientam as primeiras pesquisas neste sentido feitas na Europa. ~ Relatos jesuíticos referem-se aos jardins chineses e outros elementos que iriam criar o gosto pelas coisas orientais. A laca, o papel de parede, os tecidos bordados, além da porcelana, eram avidamente procurados no mercado europeu; foi esta demanda que determinou uma quebra na tradição chinesa e a criação de uma *indústria para exportação* nos sécs. XVIII e XIX. ~ Só no séc. XX passaram a ser conhecidas e apreciadas as obras de arte chinesas das primeiras dinastias. [V. porcelana e porcelana chinesa de exportação.]

chinoiserie. [Fr.] *s. f.* Certo tipo de decoração em moda nos sécs. XVII e XVIII que representa a interpretação ocidental dos costumes e dos estilos chineses trazidos pelos viajantes europeus. Foi aplicada livremente por artistas e artesãos ocidentais no mobiliário, na porcelana, nos tecidos em diversos objetos (e mesmo em carruagens e liteiras), muitas vezes combinada com motivos europeus. Os móveis, especialmente os dos estilos Rococó* e Chippendale* exibiam formas achinesadas, não raro recebiam pintura (laca* ou douração*), e eram decorados com figuras, paisagens, relevos caprichosos. Biombos de Coromandel* eram desmontados e transformados em painéis de contadores e armários. A porcelana e a faiança (Meissen*, Delft*, Nevers*, Nymphenburg*, Worcester*) tinham decoração chinesa e as formas sofreram transformações por influência oriental. Os tecidos reproduziam padrões encontrados em panos e papéis de parede de origem chinesa. No séc. XVIII, as residências aristocráticas ostentavam cômodos achinesados (Capodimonte* e Buen Retiro*, p. ex., realizaram salas com *chinoiseries* em porcelana); os jardins* abandonaram as linhas geométricas por traçados irregulares em que aparecem pagodes e caramanchões. Com a reação neoclássica, essa moda declina, mas as formas chinesas europeizadas não desaparecem dos interiores (*Royal Pavillion* de Brighton, Inglaterra) e, na louça inglesa*, é característico o conhecido *willow pattern** ('motivo de salgueiro'). §§ A arte portuguesa foi especialmente sensível a esta moda (telhados recurvados nas pontas, azulejos decorados com cenas pseudo-orientais, móveis acharoados com pinturas douradas, nos períodos Dom João V e Dom José I. ~ No Brasil, a Igreja de N. S. do Ó, em Sabará (Minas) constitui elegante exemplo de influência chinesa não só no seu aspecto exterior (o telhado do campanário) como no arco do cruzeiro recoberto com painéis de graciosas chinesices. [V. China. Cf. *japonaiserie.*]

chintz. *s. m.* Fazenda de algodão com desenhos de flores coloridas; foi introduzido na Inglaterra no correr do séc. XVIII e muito usado em móveis, cortinas, etc. A palavra inglesa *chintz* é variação de um vocábulo hindi derivado do sânscrito, que designava tecidos estampados de algodão indiano, conhecidos na Europa desde o séc. XVI. ~ Atualmente, o tecido, liso ou estampado, recebe no lado direito um tratamento especial que lhe confere aspecto encerado; é a um tempo forte e brilhante, e suas cores alegres com padronagem muito variada compõem ambientes de tendências diversas. [V. estampado.]

Chippendale. Estilo de mobiliário georgiano* (com diferentes fases) muito difundido na Inglaterra e que inspirou muitos móveis de épocas posteriores. [V. Chippendale, Thomas e cadeira (ilustr.).]

Chippendale, Thomas (1718 - 1779) Artista e ebanista inglês, um dos mais famosos desenhistas de móveis do segundo período georgiano, criador do estilo de mobiliário que leva seu nome. ~ Personagem típico da brilhante sociedade inglesa da segunda metade do séc. XVIII, foi contemporâneo de figuras ilustres como o ceramista Wedgewood*, o americano Benjamin Franklin, os irmãos Adam. Teve como sócio seu filho Thomas (1749 - 1822) e Thomas Haig. Empreendeu a decoração de inúmeras mansões inglesas. Depois de sua morte, a firma continuou a produzir móveis finos e bem acabados no estilo Neoclássico ao gosto do final do séc. XVIII. § Na Inglaterra, nos períodos *William and Mary** e *Queen Anne**, a influência holandesa foi marcante no mobiliário e nos acessórios; só com Thomas Chippendale os desenhistas e ebanistas ingleses estabelecem a própria escola, e adota-se então o mogno (que se presta para tratamento a um tempo fino e firme) em vez da nogueira. ~ O estilo de mobiliário criado por Thomas Chippendale foi divulgado graças à publicação de seu livro *The Gentleman and Cabinetmaker Director* ('Guia do Cavalheiro e do Ebanista'), em 1754, no qual figuram desenhos de móveis de grande elegância com motivos livremente inspirados nas tendências em voga na época (influência chinesa, gótica e, sobretudo, Luís XV) adaptados aos usos e tradições britânicas; são cadeiras sólidas e bem proporcionadas, *settees** (alguns com o encosto característico que repete, duas ou mais vezes, o das cadeiras), cômodas e contadores, estantes envidraçadas, camas, mesas, *tip-top tables** e outras mesinhas, escrivaninhas, *tea chests*, etc. § Por volta de 1750, a moda da *chinoiserie** se apossou da Europa; Chippendale desenhou contadores, camas, cadeiras com motivos e formas achinesadas, com arremates que lembram pagodes, encostos e cabeceiras vazados com o motivo do nó infinito* (hastes que se cruzam). Alguns anos mais tarde, adota o Rococó*, influenciado pelas curvas e volutas do estilo francês, mas imprime sempre a suas criações uma marca de imaginação pessoal (em seu livro aparecem p. ex., molduras rococó encimadas por um mandarim com guarda-sol, ou decoradas com aves pernaltas). ~ As cadeiras são características do estilo: têm *cabriole legs** com folhas de acanto nos joelhos e pés de garra e bola e, mais tarde, pernas retas de influência neoclássica; distinguem-se sobretudo, pelos encostos com motivos de fitas* em forma de laços ou de "SS" entrelaçados e tabelas elegantemente recortadas. [V. cadeira, georgiano, Luís XV e Neoclássico. Cf. Adam, Hepplewhite e Sheraton.]

Chiraz. [Top. persa] Tapete oriental proveniente da região do Irã onde se encontra a cidade do mesmo nome. É tipicamente tapete de nômades, com desenho simples e geométrico. Tem frequentemente um medalhão poligonal, ou mais de um distribuídos no sentido do comprimento e ligados entre si; eles são de cor clara ou azul escuro, e destacam-se do fundo vermelho do campo. Pequenos motivos vegetais e, sobretudo, pequenos animais ou pássaros podem animar o fundo; encontram-se também, muitas vezes, séries de listas estreitas paralelas dispostas de diversos modos. O acabamento lateral é um cordão em geral feito com lã de duas ou mais cores. O número de nós raramente ultrapassa 1.500 por decímetro quadrado. [V. tapete oriental – tapete persa. Cf. Kashgai.]

Tapete Chiraz (parte). (Pérsia - 170 cm x 122 cm)

Chirvan. Tapete oriental da região do Azerbaijão (Cáucaso), com a variedade de motivos que caracterizam os tapetes dessa região: fileiras de medalhões poligonais com motivos *kharsiang**, que se sucedem com vivo colorido contrastante, ornando todo o campo; outras têm no campo estrelas de oito pontas ou animais e plantas estilizados. ~ As barras são tipicamente caucasianas com arabescos. O número de nós vai de 1.500 a 3.000 por decímetro quadrado. [V. tapete oriental – tapete caucasiano.]

chocolateira. *s. f.* Recipiente dotado de bico curto, alça e tampa, no qual se prepara e serve o chocolate líquido e quente. § O chocolate, extraído de uma planta nativa do México, era bebida preciosa entre os povos pré-colombianos daquela região; descoberto pelos conquistadores (1519), foi levado para a Espanha onde se tornou monopólio do Estado. Conhecido pelos europeus através do contrabando destinado à Holanda, seu uso divulgou-se talvez por influência da Rainha Maria Teresa de França, que era espanhola. No fim do séc. XVII já o chocolate era servido nos cafés, então em moda. ~ A chocolateira só passa a ser usada nessa ocasião, e se caracteriza por ter, em geral, a tampa solta, com um orifício atravessado por um bastão destinado a mexer energicamente a bebida e torná-la mais leve. Belos exemplares foram executados em prata, *vermeil*, porcelana, estanho; os mais populares, também muito decorativos, eram de louça ou de cobre e latão. [Cf. bule e cafeteira.] – Fr.: *chocolatière*; ingl.:*chocolate pot*; alem.: *Schokoladenkanne*.

Chocolateira de estanho. (séc. XIX)

Christofle. [Antr. fr.] Manufatura de talheres, baixelas e outras peças de metal com banho de prata, fundada na França por Charles Christofle (1805-1863). A princípio produziu peças de prata e em 1842 obteve o monopólio na França do processo de prateação por eletrólise. ~ A fábrica adotou formas e motivos Luís XV e Luís XVI (como nos modelos *croisé**) e foi apoiada por Napoleão III que encomendou um grande serviço para jantar (1853). Christofle introduziu um novo material (mais pesado e sonoro) a que chamou metal "Gallia", com o qual foram feitas peças *art nouveau* e *art déco*. ~ A alta qualidade de sua produção deu a Christofle renome mundial, e a fábrica tem, até hoje, excelentes *designers* e representantes em diversos países. [V. prateação e v. tb. bulê (ilustr.).]

Tea kettle de Christofle, guilhochê, sobre suporte e com pegador da tampa em forma de flor.
(França - séc. XIX)

Churrigueresco. Estilo espanhol muito ornamentado, introduzido por J.B. Churriguera e que vigorou nos primeiros anos do séc. XVIII. Pode ser considerado uma manifestação do Barroco* tardio. Na América espanhola o estilo foi ainda enriquecido com motivos locais. [Cf. plateresco.]

ciano. *s. m.* V. cor.

cibório. *s. m.* Vaso sagrado do culto católico, com forma de cálice, onde se guardam as hóstias consagradas; âmbula. ~ Deve ter tampa justa com uma cruz no topo e deve ter a superfície interior dourada.

Cibório de prata.

cigarreira. *s. f.* Estojo ou caixa de metal, couro ou outro material, que se destina a conter cigarros, e cujas dimensões são proporcionais a estes. ~ Houve um período em que o uso da cigarreira difundiu-se socialmente e, para pessoas requintadas, certos exemplares eram feitos de ouro e prata com trabalho de ourivesaria.

cimalha. *s. f.* Em arquitetura, a palavra designa: a) a moldura superior de uma cornija* ou de uma arquitrave*, com perfil côncavo no alto e convexo em baixo; b) elemento destinado a rematar, na parte superior, a fachada de um edifício, e que, em geral, oculta o telhado; c) saliência da parte mais alta da parede onde se assentam os beirais. // No mobiliário, a parte mais elevada e saliente de armários, estantes, etc., semelhante às cimalhas arquitetônicas.

cimento. *s. m.* Substância em pó usada em construção como aglomerante para ligar materiais (tijolos, pedras, etc.); endurece rapidamente, e pode também ser moldado.• *Cimento armado.* V. concreto armado. *Cimento branco.* O que é empregado para dar acabamento às juntas de ladrilhos, azulejos, louça sanitária, etc. e, como o cimento comum, pode receber corantes. *Cimento Portland.* Cimento artificial obtido pelo aquecimento e fusão de pedras calcárias e argilosas, e que, depois de pulverizado, tem ótimo emprego em construção. Foi descoberto na Inglaterra em 1824 e, por sua qualidade, difundiu-se no correr do séc. XIX apresentando-se em diversas variedades.

cinzeiro. *s. m.* Receptáculo destinado a receber a cinza dos cigarros, charutos, etc. Seu uso está associado à expansão da indústria do tabaco. ~ De forma e materiais diversos (louça, vidro, metal, plástico) inclui exemplares de apreciável valor decorativo: os cinzeiros de bronze *art nouveau*, com esculturas em relevo nas bordas, não raro peças assinadas; os de cerâmica ou porcelana, produtos da escultura ou da arte popular, em que o prato é associado a formas vegetais e outras; os de cristal ou de pasta de vidro, grossos e pesados, alguns com belas cores transparentes, além das inúmeras criações do moderno *design*. Portáteis e ubíquos, os cinzeiros, hoje com menos uso, foram utilizados como elementos de propaganda, às vezes com curiosas formas. – Fr.: *cendrier*; ingl.: *ashtray*; alem.: *Aschenbecher*.

Cinzeiros de bronze assinados. (de época)

cinzel. *s. m.* Instrumento de aço com uma extremidade cortante usado para esculpir matérias duras (pedra, madeira, etc.) ou para decorar e dar acabamento às obras de prata ou outros metais. Suas pontas variam segundo o efeito que se queira dar ao cinzelado. [Cf. buril e escopro.] – Fr.: *ciseau*; ingl.: *chisel*.

cinzelado. *s. m.* Decoração em relevo feita com cinzel.

circulação. *s. f.* Em arquitetura, movimentação ou deslocamento das pessoas, livre e desimpedido, num espaço interno ou externo. Esses percursos devem ser estudados observando-se o maior rendimento funcional, principalmente nos locais de grande movimento, ou nos setores de serviço, nas salas de refeições, nos corredores, nas escadas.

cire-perdue. [Fr. 'cera perdida'.] *s. f.* Processo de moldagem de metais que consiste em recobrir o modelo de barro com uma camada de cera à qual se superpõe o gesso (preso ao barro por filamentos com orifícios por onde irá escorrer a cera ao ser aquecida). A forma da escultura fica livre num molde oco que, por sua vez, receberá o metal fundido. [V. bronze e moldagem.]

cisne. *s. m.* Ave que, quando desliza mansamente nas águas, sobressai pela elegância do porte devido ao pescoço esguio, alongado e curvo, e pela plumagem branca ou negra. Numerosos mitos estão ligados a esse animal, entre eles o de Leda (Grécia) e o de Lohengrin (Germânia). ~ A beleza do cisne incitou a sua representação como objeto de adorno, especialmente em floreiras de prata, porcelana, cerâmica. // Motivo ornamental constituído pela cabeça e pela linha sinuosa do pescoço do cisne, que aparece no mobiliário romano, no dos estilos Império* e *Restauration**, Luís Filipe* e, no Brasil, nos móveis ecléticos de meados do séc. XIX. ~ Uma das obras-primas da porcelana setecentista é o *Serviço dos cisnes* executado em Meissen*; são cerca de duas mil peças que incorporam motivos em relevo com cisnes, movimento de água e plantas aquáticas integradas em diferentes formas numa síntese entre função e decoração.

Mesa-consolo de jacarandá com pernas em forma de pescoço de cisne e travessas cruzadas com urna central. (Brasil - primeira metade do séc. XIX)

claraboia. *s. f.* Vão no teto de uma casa, fechado por vidro e que permite a iluminação de cômodos internos, destituídos de janelas.

claro-escuro. *s. m.* Nas artes visuais, termo usado desde o séc. XVII para designar o efeito de contraste entre luz e sombra nas obras de pintura e em desenhos e gravuras monocromáticas. Entre os mais destacados mestres do claro-escuro encontram-se Caravaggio e, sobretudo, Rembrandt.

classicismo. *s. m.* Nas artes plásticas e na arquitetura, o conjunto de características estéticas em que dominam a harmonia e a proporção estabelecidas na Grécia antiga e adotadas em Roma. No Renascimento* ressurgiram esses padrões que se difundiram nos séculos seguintes em diferentes contextos culturais. [V. ordem. Cf. academismo e Neoclassicismo.]

clássico. *adj.* Diz-se da arte do período greco-romano ou daquela que, tomando como padrão as obras desse período, preocupa-se em obedecer aos cânones então estabelecidos. // Diz-se daquilo que é modelar por ser tradicional ou de alta qualidade, e cujo valor pode ser posto à prova. // Diz-se do que é convencional, do que repete modelos anteriores.

cloisonné. [Fr. 'dividido em compartimentos'.] *s. m.* Trabalho decorativo feito com esmalte sobre metal, em que as formas e as cores são separadas por filamentos também metálicos. Conhecido no Oriente desde a mais remota Antiguidade, o *cloisonné* teve grande esplendor na Alta Idade Média, especialmente em Bizâncio (séc. XII). A técnica reviveu na China por influência dos viajantes europeus e, no séc. XVII, foram feitos belos incensórios de *cloisonné* para os templos budistas; dali difundiu-se para outros pontos do Extremo Oriente onde, até hoje, são produzidas belas peças, cópias das antigas, e outras. [V. esmalte².]

Grande prato-medalhão cloisoné. (China - séc. XIX - diâmetro 93cm)

cobogó. *s. m.* V. elemento vazado.

cobre. *s. m.* Metal avermelhado, dúctil e maleável, o primeiro a ser utilizado pelo homem. § Já nas mais antigas civilizações era extraído da natureza e quando se descobriu que podia ser submetido a processos de purificação, inaugurou-se a metalurgia. ~ O metal, associado a outro, passou a ser aplicado no fabrico de diversos objetos (armas, ferramentas, utensílios domésticos, moedas, etc.) ~ Entre os povos do Mediterrâneo, as rotas do cobre conduziam a navegação até os limites do Oceano Atlântico em busca das minas da Espanha. § O cobre é trabalhado de preferência em folhas que podem ser marteladas e afeiçoadas para a feitura de diversos recipientes. Nas civilizações mais adiantadas foi considerado metal útil apenas para vasilhame doméstico e abandonado para armas e ferramentas; mas, por ser facilmente alterado em contacto com outras substâncias, não podia ser usado diretamente no armazenamento ou na cocção de alimentos; aplicava-se internamente aos vasos uma camada protetora. § O cobre é utilizado nas ligas com que se fazem objetos de bronze e latão; nas de chumbo e níquel, constitui, muitas vezes, a base para a prateação*. Foi empregado como suporte nos trabalhos de esmalte* e, mais tarde, praticamente puro, para fins práticos e não decorativos, no material elétrico. ~ Em contacto com o ar, forma-se no cobre uma camada de azinhavre, de cor verde. Os altos telhados dos edifícios nórdicos revestidos de cobre são característicos por terem essa coloração [V. bronze e latão]. – Fr.: *cuivre*; ingl.: *copper*; alem.: *Kupfer*.

cobrinha. *s. f.* Designação dada no Brasil à marca feita na prata em forma de zigue-zague. [V. burilada.]

coco. *s. m.* Vasilha de uso doméstico feita com o coco-da-baía que, de limpo e seco, recebe acabamento e revestimento próprios e um cabo. ~ Como material exótico, o coco foi utilizado na Europa no séc. XVI em taças montadas em prata. // Vasilha análoga, de metal, dotada de cabo longo muito usada no Brasil para tirar água de um recipiente maior. ~ Cocos de prata repuxada com rica decoração figuram entre as peças profanas realizadas pelos prateiros brasileiros.

Coco de prata repuxada.
(Brasil - séc. XIX - compr. 37cm)

colagem. *s. f.* Nas artes plásticas, composição bidimensional feita com elementos colados sobre um suporte em geral pintado; papel, pano e outros materiais são empregados nessa técnica em que jornais e outras folhas impressas têm, além do impacto visual, a expressão do texto ou das letras. A colagem teve início com as obras de Picasso e Braque, no curso do movimento cubista*. [Cf. *assemblage*.]

colcha. *s. f.* Coberta de cama destinada a proteger os lençóis e compor a decoração de um quarto de dormir. ~ No passado, as colchas eram feitas de tecidos nobres, e conhecem-se belas colchas com finíssimos bordados produzidas na Europa ou vindas da China, além das colchas de renda e/ou bordado branco (*lingerie*) muito em moda no séc. XIX e começo do séc. XX. Como arte popular, as colchas de retalhos, de matelassê, de *patchwork**, de crochê*, de algodão da Índia, representam tendências de diversas épocas e regiões. [V. bordado e trabalhos de agulha. Cf. árvore da vida.]

coleção. *s. f.* Reunião de objetos que têm relação entre si. Estes são tantos, e tão variados, que não poderiam ser totalmente arrolados; abrangem todos os polos de interesse que o homem possa ter. Citamos alguns, especialmente atraentes ou evocativos: obras de arte (quadros, esculturas), antiguidades (móveis, pratas, porcelanas, cristais), peças de artesanato (cerâmica popular), coisas específicas (bronzes chineses, objetos *art nouveau* e *art déco*, pratos, relógios, leques, bichos, pesos de papel, caixinhas, postais, vidros ou garrafas), peças referentes a hábitos ou costumes (cachimbos, arreios, chicotes, ferramentas, chapéus), objetos religiosos (santos, peças litúrgicas), objetos rituais (figuras, máscaras, objetos simbólicos). Há ainda coleções com base erudita: os autógrafos, os livros raros, as moedas e medalhas, os selos. ~ O colecionador volta-se, naturalmente, para objetos de sua preferência, e o que caracteriza, realmente, a coleção é o prazer e a emoção da procura dos objetos, o intercâmbio, as trocas. ~ As coleções constituem importantes centros de interesse e podem ter valor decorativo. Quando muito numerosas, as peças são em geral catalogadas e guardadas, até mesmo para melhor conservação, e só algumas ficam expostas, às vezes em rodízio. ~ As grandes coleções passam frequentemente de propriedades privadas a acervos de museus, por aquisição, doação ou legado, como no caso do *Victoria and Albert Museum*, da *Wallace Collection* (Londres), da *Frick Collection* (Nova Iorque), do *Musée Nissim de Camondo*, do *Musée Jacquemart-*

André (Paris), do *Museo Picasso* (Barcelona), do *Museo Lazaro Galdeano* (Madrid), do Museu do Espírito Santo (Lisboa) e de tantos outros. §§ No Brasil, as coleções de mobiliário, prataria, porcelana preservam, de certo modo, a memória nacional. De coleções particulares nascem museus como, entre outros, os da Fundação Raymundo Castro Maya (Rio de Janeiro), o da Fundação Maria Luíza e Oscar Americano (S. Paulo), o Museu Mariano Procópio (Juiz de Fora), o Museu Carlos Costa Pinto (Salvador).

Colheres de prata para diversos fins. (de época)

colher. *s. f.* Utensílio doméstico que consta de uma parte côncava e de um cabo, e que se destina a comer, servir e mexer os alimentos. // Qualquer objeto análogo destinado a outros fins. § Nas antigas civilizações a colher era uma espécie de espátula talhada num pedaço de madeira, de osso ou de pedra. Nas tumbas egípcias, foram encontradas colheres de madeira cujos cabos representavam divindades com atributos humanos ou animais; destinavam-se a mexer ou aplicar cosméticos. Os gregos e romanos teriam passado a adotar para as colheres materiais permanentes – bronze ou prata. No fim da Idade Média e no Renascimento, as colheres de prata eram peças isoladas, em forma de concha ou de figo, às vezes com sulcos ou relevos, e cujos cabos trabalhados tinham muitas vezes motivos especialmente encomendados aos ourives, que assinavam as peças. De acordo com os tempos e os costumes, as colheres variaram e se diversificaram, mas só no séc. XVIII se configurou a sua aplicação como talher de mesa ao lado da faca e do garfo, obedecendo a uma unidade de decoração. Nos faqueiros, elas têm dimensões e formas diferentes, segundo sua finalidade. [V. prata (História) e talher. Cf. *rat-tail* e *saupoudreuse*.] - Fr.; *cuiller*; ingl.: *spoon*; alem.: *Luffel*; esp.: *cuchara*; ital.: *cucchiaio*.

Colheres de prata inglesa com apóstolos.

Colheres de prata inglesa e de prata russa.
(de época)

Colheres de prata de dimensões apropriadas para servir sopa, arroz e molho. (diversas procedências - de época)

Colheres de prata inglesa para servir açúcar.
(de época)

Colombina. s. f. Graciosa personagem feminina da comédia italiana, companheira de Arlequim* e de Pierrô*; usa em geral meia máscara e saia rodada. [V. *Commedia dell'arte*.]

Colonial brasileiro. V. Neocolonial.

coluna. s. f. Em arquitetura, suporte vertical de forma geralmente cilíndrica e relativamente longa que serve de apoio a tetos, abóbodas, arcos, entablamentos, etc., sendo também importante elemento decorativo. Pode ser de pedra, alvenaria, madeira ou metal. A coluna tradicional consta, em princípio, de três partes: *base*, *fuste** e *capitel*. § As colunas seriam, na origem, troncos de árvores fincados no solo e distribuídos de modo a sustentar o peso de um teto. A ideia inicial é tão simples e natural que pode ser encontrada na arquitetura de todos os povos antigos, na China, na Mesopotâmia, na Pérsia e nos magníficos templos egípcios. ~ Foram, porém, os gregos que estabeleceram os princípios de sua construção: observando talvez a forma das árvores, deram-lhe diâmetro pouco maior junto ao solo do que na parte superior. E, associando a capacidade de suportar a carga à harmonia da forma, optaram por uma altura que corresponde, em geral a seis vezes o diâmetro da base; com este módulo, teria nascido a coluna dórica. ~ A forma com que se apresentam as colunas nos estilos clássicos determina-lhes a ordem; na Grécia antiga encontramos a ordem dórica, a jônica e a coríntia, que passaram a Roma. Sob outros critérios, foram substituídas, na Idade Média, pelas colunas românica e gótica; reapareceram mais ou menos estilizadas no Renascimento e períodos subsequentes. ~ Na arquitetura contemporânea, a coluna assume formas muito puras, e sua finalidade precípua é a sustentação das estruturas. Valorizada pelos funcionalistas (que adotam os pilotis) adquire conformações que fogem à do primitivo fuste cilíndrico; é o caso da coluna bifurcada de Oscar Niemeyer que vai permitir, no térreo, intercolúnios mais amplos do que os normais. Nelas o material empregado é, em geral, o concreto armado. ~ Nos apartamentos, as colunas estruturais constituem um desafio à arte dos decoradores. [V. capitel, módulo e ordem. Cf. pilar e pilastra.] — Fr.: *colonne*; ingl.: *column*; alem.: *Säule* // No mobiliário, coluna é o elemento de sustentação vertical, de certa extensão, que pode estar inserido na própria estrutura do móvel, como nos armários, ou solto, como nas camas de quatro colunas ou de certos aparadores, podendo ou não servir de apoio a um sobrecéu ou a uma prateleira [Cf. montante.]. • Na arquitetura, entre as principais colunas distinguem-se, quanto à forma, numa ordem cronológica aproximada: *Coluna egípcia*. V. capitel egípcio. *Coluna dórica*. V. ordem. *Coluna jônica*. V. ordem. *Coluna coríntia*. V. ordem. *Coluna compósita*. V. ordem. *Coluna toscana*. V. ordem. *Coluna românica*. A que surgiu na alta Idade Média, em geral com pouca altura, e cujo capitel tem decoração profusa com símbolos cristãos, episódios do Velho e do Novo Testamento, elementos da fauna e da flora. *Coluna gótica*. A que no fim da Idade Média sustenta as ogivas; é, em geral, alta, e contribui para valorizar o espaço interno; quando de maior espessura, apresenta-se em feixes e o capitel é apenas uma terminação do fuste. *Coluna salomônica* ou *torsa*. A que tem o fuste em espiral, muitas vezes decorado com parras, flores e outros ornatos, é característica do Barroco* e há belos exemplos em talha nas igrejas coloniais brasileiras [V. talha (ilustr.).]. • Quanto à construção tem-se: *Coluna monolítica*. A que é feita com um bloco de pedra. *Coluna de tambores*. A que tem o fuste feito de muitos blocos de altura inferior ao diâmetro; os antigos gregos optaram por esta solução devido à qualidade do mármore que empregavam. *Coluna nichada*. A que tem a metade longitudinal do fuste embebida no paramento de uma parede.

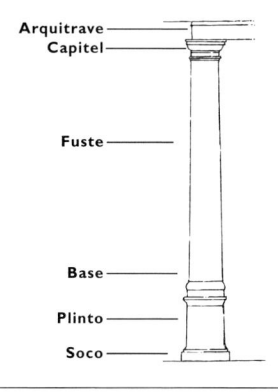

Commedia dell'arte. [Ital.] Gênero teatral de origem italiana, de caráter cômico e popular, cujos personagens (Arlequim, Colombina. Pedrolino, Pantaleão) em geral mascarados e com trajes e atitudes individualizados, foram muito representados na cerâmica e na porcelana a partir do séc. XVIII. [V. Arlequim, Colombina e Pierrô.]

cômoda. *s. f.* Móvel de encostar dotado de gavetas superpostas e destinado a guardar roupas e outros objetos. § Sua atual aparência resulta da evolução da antiga arca: a partir de meados do séc. XVI as arcas e baús de viagem passaram a ter gavetas embaixo do compartimento maior, aberto pela tampa. Pouco a pouco o móvel foi assumindo a forma atual e, no séc. XVII, já substituía a arca. A princípio era montado sobre pés de bola ou sobre suportes com as pernas unidas por travessões; os puxadores de madeira passaram a ser de metal com escudetes decorados. A designação inglesa *chest of drawers* ('arca de gavetas') resume essa evolução. ~ No fim do séc. XVII Boulle* foi dos primeiros a adotar a cômoda na França, enquanto na Inglaterra criava-se a cômoda dupla (*chest on chest*) bem mais alta, e da qual se origina o *tallboy**. ~ No séc. XVIII a cômoda vai se tornando mais leve com os lados ligeiramente convexos e a frente abaulada; as pernas são em curva e contracurva. Usa-se a marchetaria, o acharoado e, na França, o estilo Luís XV é marcado pelas *cômodas bombês** e pela opulência dos ornatos de ormolu* (muitas vezes os puxadores se transformam em folhagens e perdem a identidade). Com o Neoclássico* as formas simplificam-se: estrutura retilínea com pernas caneladas, painéis de marchetaria. ~ No quadro oitocentista, depois das extravagâncias do estilo Império* retoma-se uma certa simplicidade; as cômodas adquirem colunas laterais, motivos em leque e perdem, em parte, as qualidades ostensivamente decorativas para se incluírem entre as peças mais funcionais do mobiliário. O estilo *Restauration** e o Biedermeier* incorporam a cômoda à mobília de quarto, acompanhando camas, armários e outros móveis. ~ Em toda a Europa, cômodas rústicas de madeira entalhada ou policromada mantêm uma certa tradição e são características das casas dos camponeses e das cidades de província; muitos modelos (como, p. ex., o provençal*, passaram a ser copiados no mobiliário industrializado). §§ Em Portugal, a cômoda aparece como "móvel de guarda" no séc. XVII, mas só no séc. XVIII chega ao Brasil e apresenta-se em diversas formas. Primeiro como ***meia cômoda***, em geral com duas gavetas ou um gavetão; as pernas são altas, de curva e contracurva e joelheira "de saída brusca", no estilo Dom João V*, com puxadores de metal em volutas, avental* e saia* entalhados com as características rocalha (conchas e folhagens estilizadas). Com o estilo Dom José I* as ***cômodas inteiras*** têm duas gavetas no alto e três gavetões, não raro de altura decrescente de baixo para cima; algumas têm colunas laterais esculpidas e pés baixos e largos com volutas (pés de peanha). ~ Da mesma época é a ***cômoda-papeleira*** cuja parte inferior têm gavetas e suporta uma papeleira* com tampo de arriar, servindo para escrever e tendo internamente escaninhos e gavetinhas. No final do século, na primeira fase do estilo Dona Maria I*, são comuns as ***cômodas três-quartos***, de caixa ondulada com duas gavetas e dois gavetões, pernas prolongadas em pilastras, às vezes decoradas com incrustações e que lembram o estilo Luís XVI* no seu início. Depois tornam-se retas, muitas são acharoadas, outras ainda têm embutidos delicados. As cômodas Dona Maria I, do início do séc XIX, distinguem-se pela simplicidade e elegância das linhas retas marcadas por filetes de madeira clara. ~ Na fabricação de móveis oitocentistas no Brasil, os estilos adotados não escapam às influências europeias quase sempre com ênfase numa relativa sobriedade que decorre das aplicações práticas do móvel; os cantos são em aresta viva ou arredondados ou com coluna, a decoração tem muitas vezes leques*, os espelhos* são de marfim, os puxadores de madeira torneada. [V. mobiliário e v. tb. bombê, provençal (ilustr.). Cf. arca.] – Fr.: *commode*; ingl.: *chest of drawers*; alem.: *Kommode*. • **Cômoda de navio.** Variação de cômoda usada por marinheiros, constituída por caixas que, transportadas separadamente, eram superpostas a bordo e formavam uma unidade de linhas retas, aspecto sólido e discreto, com ferragens de latão embutidas. ~ São muito bonitas as cômodas de navio inglesas, de mogno, com fino acabamento.

⌈ cômoda-papeleira   compósito ⌉

Meia-cômoda setecentista, de vinhático. Aba entalhada em volutas. Espelhos de fechadura em marfim.
(Brasil - período Dom José I)

Cômoda de madeira local decorada com marchetaria. Tampo recortado e pilastras em meio balaústre.
(Holanda - séc. XIX)

cômoda-papeleira. V. cômoda.

Companhia das Índias. V. porcelana da Companhia das Índias.

compensado. *s. m.* Madeira não maciça preparada em lâminas delgadas e que se apresenta em placas; pode ser de fibras entrecruzadas ou de partículas aglomeradas, o que torna mais leves certas peças como portas de armários, prateleiras, fundos de gavetas e de móveis em geral, além de painéis e divisórias. ~ Como aplicação moderna da madeira, tem, ainda, outras vantagens: maleabilidade, facilidade de corte, emendas e encaixes, e possibilidade de ser produzida em grande escala com medida padrão, facilitando a produção de mobiliário de baixo custo. [V. madeira. Cf. aglomerado, contraplacado e laminado.]

composê. [Do fr. *composé*, 'composto'.] *s. m.* Conjunto de dois tecidos estampados com o mesmo colorido e com padrões análogos tratados de modo diferente. A combinação destes tecidos (em geral de algodão) produz ótimo efeito visual.

compósito. *adj.* Pertencente ou relativo à ordem compósita. [V. coluna e ordem.]

compoteira. *s. f.* Vasilha de vidro ou louça própria para servir compotas e outros doces em calda; é, em geral, dotada de tampa e de pé alto, lembrando certa taças. ~ São especialmente bonitas as compoteiras de cristal branco ou em cor (de Baccarat* ou outras procedências), e que foram também reproduzidas em vidro prensado para uso popular.

Compoteira Baccarat em overlay verde sobre cristal incolor. (França - séc. XIX)

concha. *s. f.* Invólucro calcáreo de certos animais, especialmente dos moluscos; apresenta-se na natureza em formas arredondadas, algumas caprichosamente belas, com recortes e caneluras, aspecto vítreo ou áspero e, em muitos casos, coloração irisada. ~ Nos sécs. XVII e XVIII foi moda revestir certas superfícies (de grutas ou pequenos objetos) com diversos tipos de conchas, formando motivos tipicamente rocalha*. O trabalho com conchas era ocupação amadorística e, na época vitoriana*, faziam-se delicadas flores de conchas que, armadas em buquês, eram muito decorativas. // Motivo ornamental usado em arquitetura, no mobiliário e em diversos objetos, que tem como modelo a concha em leque (vieira); é encontrado em diferentes estilos, com predominância no Barroco* e no Rococó*. – Fr.: *coquille*; ingl.: *shell*; alem.: *Muschel*. • **Concha em leque.** Designação comum às conchas dos moluscos bivalves marinhos que se caracterizam por ter as valvas com sulcos radiados em relevo; mais de 400 espécies vivem em todos os mares podendo atingir grandes profundidades. ~ Pias de água benta eram feitas com grandes conchas naturais depois passaram a ser entalhadas com a mesma forma em pedra ou moldadas em metal. ~ Recipientes que imitam a concha em leque são usados para beber ou, nos batizados, para verter água benta. ~ Por ter sido originalmente esta a forma de certas colheres, as que têm a parte côncava em calota e destinam-se a servir sopa e outros alimentos, receberam a mesma denominação. ~ Entre as conchas em leque uma das mais conhecidas é a vieira, símbolo heráldico, e que era usada no chapéu dos romeiros (sobretudo os de Santiago de Compostela) - Fr. *coquille Saint-Jacques* 'concha de São Tiago'; Ingl.: *scallop shell*. **Concha helicoidal.** Concha alongada, aproximadamente cônica e que se enrola em espiral; mede até 30 cm e tem três camadas, apresentando grande variedade de cores, formas e relevos. ~ Pelo brilho e tonalidade das camadas internas algumas prestam-se para a feitura de camafeus*. ~ A concha em hélice tem sido usada por muitos povos como buzina ou trompa. Os antigos acreditavam que o ruído misterioso produzido por suas circunvoluções era a voz dos deuses, e que ela servia de trombeta ao deus marinho Tritão.

Concha de prata para servir sopa. Motivo de concha no estilo Queen Anne. (compr. 41 cm)

Concha batismal de prata. (Guatemala - séc. XVII)

Caixa de Sheffield Plate para pequenas guloseimas, em forma de duas conchas que se fecham. (Inglaterra - de época)

concreto. *s. m.* Material de construção constituído basicamente de uma mistura de água, cimento, areia e pedra britada em proporções prefixadas, formando massa plástica que, solidificada, tem a consistência de pedra; betão. – Fr.: *béton*; ingl.: *concrete*. • **Concreto armado.** O que resulta da associação do concreto simples com armações de ferro redondo* classificado em vários diâmetros, e com disposição previamente estudada; é armado em diversas espécies de formas e, quando a massa se solidifica, adquire grande resistência a diferentes tipos de esforço. Inventado no fim do séc. XIX, foi chamado "cimento armado"; seu emprego generalizou-se na construção (escoras, fundações, postes, vigas, lajes, tetos, escadas, etc.), e atingiu notável progresso. Na construção de edifícios, o concreto armado possibilita o projeto e a realização de estruturas independentes e arrojadas, não mais condicionadas à resistência das paredes. Desse fato decorre uma dupla consequência: por um lado, o concreto armado abre novos campos para a arquitetura, e, por outro, as exigências das concepções arquitetônicas incitam a novas conquistas. (Em Portugal, o concreto armado designa-se "betão armado"). – Fr.: *béton armé*: ingl.: *reinforced concrete*. **Concreto aparente.** O que, nas construções, não recebe revestimento e exige, por isso, melhores condições de acabamento. **Concreto pré-moldado.** O que se apresenta em blocos preparados em moldes, para uso posterior.

concretismo. *s. m.* Nas artes plásticas, movimento de vanguarda surgido na segunda década do sec. XX; partiu, como outras escolas, do desdobramento do cubismo e do abstracionismo geométrico. Não aceitava o formalismo* e procurava trabalhar com linhas e cores, resgatar os valores da obra de arte com recursos estruturais que a valorize. ~ O suíço Max Bill (1908-1994) divulga o movimento que teve grande repercussão, inclusive entre os novos arquitetos. ~ O holandês Piet Mondrian (1872-1944), a partir da pura abstração, cria o neoplasticismo ("realidade nova") e eleva a arte a grande profundidade de expressão. ~ O uruguaio Torres Garcia (1874-1949) é um exemplo do alcance do movimento nos meios internacionais. §§ No Brasil, a arte concreta teve grande importância no ambiente artístico e cultural a partir da l950 com Ivan Serpa, Ligia Clark, Hélio Oiticica e outros. ~ No domínio da literatura em S. Paulo destacam-se os irmãos Campos, Décio Pignatari e outros. No Rio, sob influência de Ferreira Gullar, cria-se o neoconcretismo [V. construtivismo e Stijl, de]

confident. [Fr.] *s. m.* Pequeno sofá surgido na França no séc. XVIII com assento ligeiramente curvo de modo que seus dois ocupantes se voltem um para o outro. ~ Hepplewhite* registra como *confidante* pequeno sofá com dois assentos removíveis, exteriores aos braços. [Cf. *causeuse* e *love seat.*]

Confident em estilo Luís XVI. (séc. XIX)

connaisseur. [Fr. 'conhecedor'.] *s. m.* Pessoa que, pelo interesse e/ou pela experiência, conhece a fundo arte, objetos decorativos, antiguidades, vinhos ou qualquer outra coisa de feitura apurada ou de características significativas.

consolo. *s. m.* Em arquitetura, elemento saliente que avança numa parede; destina-se a suportar partes que se projetam em balanço (sacadas, beirais), ou a receber vasos, estátuas, plantas, etc. [Cf. modilhão, mísula, mão-francesa.] // P. ext. V. cantoneira. // No mobiliário, tipo de mesa cujo tampo, alongado e relativamente estreito, é encostado à parede e se apoia numa ou duas mísulas, ou em duas pernas encurvadas; é simplesmente móvel de apoio para exposição de objetos ou para serviço, usado em vestíbulos, salas, galerias, e que, modernamente (no séc. XX) tem aplicação como aparador. ~ *A table en console* ('mesa-consolo') surgiu na França no séc. XVIII e é muito característica, com a estrutura (análoga ao consolo arquitetônico) constituída de uma aba e dois pés em curva e contracurva aproximando-se na parte inferior; sobre a aba repousa o tampo de mármore. A parte entalhada tem superabundância de volutas e concheados no mais elaborado estilo Rocalha*. A madeira é muitas vezes dourada. ~ No fim do século, com o Neoclássico*, o consolo se modifica, conservando o caráter de mesa de encostar; o tampo é suportado por quatro pés sendo só os da frente esculpidos ou guarnecidos de bronze nos estilos Diretório* ou Império*. ~ Os modelos oitocentistas vão se tornando mais sóbrios nas linhas *Restauration** e Luís Filipe*, para reaparecerem muito rebuscados em novas versões rococó. ~ Móvel versátil, o consolo presta-se para inúmeras interpretações, com tampo de mármore ou cristal apoiado em mísulas de metal, madeira entalhada, pedra. Consolos de linhas simples e leves, em que o vidro se contrapõe a suportes de metal foram criados por *designers* do *Art Déco*. §§ No Brasil do séc. XIX, os consolos de jacarandá são marcantes no mobiliário Dom João VI* e Béranger* e em versões posteriores. [V. cisne (ilustr.). Cf. mesa – mesa de encostar.]

construtivismo. *s. m.* Entre os movimentos de renovação da arte, tendência que se articulou, como inúmeras outras, no período que antecedeu à Primeira Guerra Mundial (1914-1918). Foi na Rússia (ainda czarista) que ocorreram as experiências mais avançadas do abstracionismo; estas se tornam mais visíveis e vão corroborar com as mudanças ocorridas com a revolução de 1917 em seus primórdios. O movimento ativo também no Ocidente, se integrou com outras artes como a arquitetura e o design gráfico. [V. abstracionismo. Cf. construtivismo.]

contador. *s. m.* Móvel em forma de caixa com muitas gavetas pequenas, às vezes dotado de portas na face fronteira; é relativamente alto, montado sobre colunas ou pés, ou outro suporte, e destina-se à guarda de documentos e valores. § Originário do Oriente, foi introduzido na Itália no séc. XVI e dali propagou-se por toda a Europa. No séc. XVII os contadores eram as peças mais suntuosas do mobiliário, feitos de madeiras raras, com marchetaria, entalhes, incrustações de marfim e tartaruga, baixos-relevos; alguns, vindos do Oriente, eram recobertos de laca, com desenhos. Os contadores flamengos e alemães dessa época apresentam não raro elaborados requintes quase arquitetônicos. ~ Na Inglaterra, deu-se a esta peça o nome de *cabinet* e ela era tão importante que, até hoje, os ebanistas têm a designação de *cabinet makers* ('fabricantes de *cabinets*'). §§ O contador teve grande importância no mobiliário português de luxo e, entre os móveis lusos, foi o que sofreu maior influência oriental. Chega a Portugal no séc. XVI, oriundo da Índia; concomitantemente, artesãos indianos estabelecidos no Reino executam exemplares no estilo indo-português. São peças com seis, nove e até dezesseis

Pequeno consolo com quatro pernas em curva e contracurva unidas com volutas que se tocam. (Brasil - séc. XIX)

Consolo de jacarandá em estilo de transição. Tampo reto e duas gavetas. Linhas curvas nas pernas e na prateleira. (Brasil - meados do séc. XIX)

gavetas justapostas e superpostas (algumas às vezes falsas), decoradas com embutidos à maneira indiana (motivos geométricos ou elementos vegetais e animais e com ferragens e tachas de latão; os suportes podem ter um gavetão e pernas com formas exóticas. ~ No séc XVII, o contador é todo de madeira (pau-santo, vinhático, jacarandá) e a caixa é composta de múltiplas gavetas com tremidos*, goivados*, espelho de metal rendilhado e puxadores de latão; as laterais têm almofadas* com as mesmas características das gavetas, e têm pingentes, reminiscências das argolas dos primitivos contadores portáteis; alguns têm saiais* ricamente recortados; as pernas são altas formadas de bolachas*, bolas e torcidos, com amarração. Esses móveis foram muito reproduzidos posteriormente. ~ No Brasil, o contador aparece em fins do séc. XVII em raros exemplares vindos de Portugal ou mesmo da Índia (era móvel de luxo que podia ter um valor três vezes superior ao de uma cama, p. ex.). [Cf. *vargueño*.] - Fr. e ingl.: *cabinet*.

contraplacado. *s. m.* Chapa resultante da sobreposição de folhas delgadas de madeira, com as fibras cruzadas unidas por meio de cola especial e submetidas a pressão. Apresenta espessura variável dependendo do número e da grossura das folhas, e alcança grandes dimensões. Tem as vantagens da madeira (elasticidade, leveza, etc.) acrescidas de maior resistência, homogeneidade e indeformabilidade. Empregado na construção, na marcenaria e na carpintaria, tem também outras aplicações: os painéis *Guerra e Paz* que Portinari pintou para o edifício das Nações Unidas em Nova Iorque foram feitos no Rio de Janeiro sobre madeira contraplacada e depois armados no local. [Cf. compensado.]

contraste. *s. m.* Sinal que se põe nos metais preciosos para indicar que são de lei. // Profissional que avalia o quilate dos metais e pedras preciosas. §§ Em Portugal e no Brasil colonial, a Contrastaria era um estabelecimento do Estado, e o contraste era o ensaiador, o oficial autorizado por lei para ensaiar as ligas de metais preciosos e avaliar pelo toque o grau de pureza das peças feitas pelos ourives. Em 1688 o Senado da Câmara de Lisboa propôs que a nomeação do contraste fosse vitalícia para assegurar um exame imparcial. [V. prata. Cf. *hall-mark*.]

conversadeira. *s. f.* Espécie de sofá ou cadeira com dois assentos em forma de "S" para facilitar a conversação íntima. // Nas construções antigas, assento de madeira, pedra ou alvenaria* situado em cada lado do vão das janelas, aproveitando a espessura das paredes, de modo que as pessoas ali sentadas ficassem uma em frente à outra.

convite. *s. m.* V. degrau.

copa. *s. f.* Peça da casa intermediária entre a cozinha e as salas. Nas residências, em hotéis, em hospitais, etc., serve para a distribuição do serviço durante as refeições. Nas casas antigas era cômodo obrigatório, base para o trabalho de "copeiros" e "copeiras"; hoje tende a desaparecer com a redução dos espaços domésticos, ficando acoplada à área da cozinha. [V. cozinha.] // V. taça.

Copeland, William (1797-1868). Ceramista e industrial inglês. [V. Spode.]

Copenhague. [Cid. da Dinamarca.] Porcelana produzida nos arredores de Copenhague pela *Kongelige Porcelainsfabrik* ('Fábrica Real de Porcelana'), de 1775 até hoje. Desde sua implantação, a manufatura produziu porcelana fina, de pasta dura, com modelos florais e outros na linha de Sèvres e de Berlim, além das peças muito elegantes decoradas de azul cobalto; entre estas, serviços completos com o modelo *Muschel* ('concha') que apresenta superfície com delicadas estrias onduladas e desenhos azul-e-branco característicos. É encontrado em toda a Dinamarca e continua a ter grande aceitação. ~ O serviço de jantar *Flora Danica* com mais de duas mil peças, cada qual pintada com um exemplar da flora local, é ricamente decorado e foi feito para Catarina de Rússia entre 1789 e 1797. ~ A fábrica, embora passando por diferentes fases, vem mantendo um alto padrão de gosto e qualidade na produção de aparelhos de jantar, vasos com paisagem, estuetas realistas de camponeses e animais, e outros objetos, nos quais domina uma palheta de azuis e cinzas esfumaçados. ~ Também foram feitas peças de *biscuit**, muitas delas reproduzindo esculturas de Thorvaldsen. § Em 1853, foi fundada a Fábrica de Porcelana Bing & Grondahl, nos mesmos moldes da Fábrica Real e que produziu obras requintadas, inclusive o serviço de jantar *Heron*, com motivos que prenunciam o *Art Nouveau**.

Em 1895 a Bing & Grondahl lançou pratos comemorativos do Natal, no que foi seguida pela Fábrica Real em 1908; são pratos de cerca de 20 cm muito bem pintados em azul, com temas natalinos e nos quais se destaca, sempre, o brilho da estrela de Belém. ~ A porcelana das duas fábricas, conhecidas simplesmente como "Copenhague", se assemelha, e alguns artistas trabalharam para ambas. A marca da Fábrica Real consiste em três linhas azuis onduladas, e a da Bing & Grondahl em três torres unidas também azuis. [V. porcelana.]

**Porcelana de Copenhague.
Casal de camponeses.** (Dinamarca - séc. XX)

cópia. *s. f.* Reprodução fiel de uma obra de arte ou de um objeto decorativo. A cópia se distingue da falsificação no sentido de que não é apresentada como autêntica; ao ser executada e/ou negociada pode ser comparada com o original ou, no caso deste não se achar disponível, deve haver menção à sua existência e veracidade. ~ Nos museus importantes, encontram-se à venda cópias de obras de arte famosas, e cabe ao comprador julgar do mérito do trabalho copiado. Muitos copistas dedicam-se a reproduzir quadros célebres dos grandes museus e o trabalho em curso pode ser observado e comparado com o original ali exposto. ~ Réplicas de esculturas em gesso são usadas para vários fins, didáticos ou culturais, particularmente obras da estatuária clássica. Ainda no que se refere à escultura, são consideradas autênticas um certo número de cópias do mesmo modelo (normalmente quatro) quando reconhecidas e assinadas pelo autor. ~ No caso das gravuras, reproduz-se a matriz em um certo número de exemplares (ou cópias) numerados e assinados, todos considerados autênticos: são tidos, em geral, como mais valiosos os de numeração mais baixa. ~ Nos móveis, as cópias são frequentes em especial quando há necessidade de se reproduzir uma peça que, no uso, exige mais de um exemplar (cadeiras de sala de jantar, p. ex.), ou de atender a um fim precípuo: interesse decorativo ou informativo (reconstituição de um ambiente da época, exposição num museu). [Cf. falsificação e imitação.]

copo. *s. m.* Recipiente destinado a conter bebidas; distinguem-se os copos de pé, derivados das antigas taças, e os de fundo chato, em princípio com a forma de tronco de cone invertido. O material usado é de preferência o vidro e o cristal, mas os copos de prata são encontrados em todas as épocas; outros de barro, de couro, de estanho, de louça, figuram entre os objetos necessariamente utilizados pelo homem. § Os copos variam de acordo com a finalidade: para água, vinho branco, vinho tinto, vinho do Reno, champanhe, porto, xerez, conhaque, cerveja, vodca, até os pequeninos de licor, além de outros mais recentes para *long drink* ou *on the rocks*; podem ser decorados ou não, cada qual com feitio e dimensão próprios. § Numa mesa posta, de cerimônia, os copos de cristal constituem elementos de realce, erguendo-se na horizontalidade do arranjo, e as cristalerias se esmeram em produzir belos modelos. É curioso, porém, conhecer a opinião dos que, na França, praticam a arte de beber: os entalhes, os arabescos, as formas complicadas, os vidros de cor, impedem a visão dos reflexos da luz no colorido do vinho; por isso, deve-se preferir o cristal simples, nítido, transparente, em formas que permitam imprimir ao copo leve movimento de rotação que faz desprender-se o decantado *bouquet* do vinho. §§ Copos de fundo chato figuram entre os objetos de prata feitos no Brasil, ora lisos, repuxados ou martelados, ora com decoração em frisos gravados a buril; aparecem nos estilos Dom João V* (com cartelas ou concheados rococó), Dona Maria I* (gravados com laços, flores e finos perolados) e Império * (frisos, guilhochês, barra e gregas). [V. serviço de copos (ilustr.). Cf. cálice, *Römer* e taça.] – Fr.: *verre*; ingl.: *glass* e *beaker* (copo de fundo chato e feitio de tronco de cone); alem.: *Glas*. • ***Copo de corrente*** ou ***copo de montaria***. Copo que foi usado no Brasil desde o séc. XVIII pelos viajantes; assemelhava-se a uma pequena e rica caçamba, com alça trabalhada e longa corrente terminada em argola, a qual servia para que o cavaleiro pudesse colher água num poço ou numa fonte sem precisar apear do cavalo. Esse copo é chamado de guampa* por analogia com o que, no Sul, era feito com chifre de boi e montado em prata.

Copos de cristal overlay. (de origem europeia - séc. XIX)

cor. *s. f.* Impressão produzida nos órgãos da visão pelas radiações luminosas. § Em princípio, as cores estão em tudo que nos cerca, integrando nosso universo visual e, por meio delas, a luz torna visíveis as formas; na ausência da luz a cor deixa de existir, e nossa visão não mais percebe a forma das coisas. A cor é luz e matéria, é luz refletindo-se na matéria. § Nas diversas religiões e mitologias, as cores têm simbologia específica. Assim, no Ocidente, o branco é pureza, o vermelho é princípio de vida e sangue, o roxo é nobreza, o negro é luto e gala, o verde é esperança. Essa linguagem é, porém, arbitrária: a mesma cor, o amarelo, era, na antiga Grécia, a cor das prostitutas, enquanto no Oriente significa sabedoria e é a cor das vestes sagradas. ~ Há também significados universais para as cores como no caso da sinalização, das bandeiras nacionais, etc. § Como elementos físicos perceptíveis através da decomposição da luz, as cores formam-se pela emissão de ondas de maior ou menor comprimento e podem ser de *emissão direta* (cores de luz) ou de *emissão indireta* (cores de tinta e pigmento) ~ A fonte direta é gerada pela própria luz e constitui o sistema chamado aditivo. São as cores do espectro visível: vermelho, laranja, amarelo, azul, anil e roxo. A luz branca do Sol – o *branco* – é a soma de todas as cores de luz, enquanto o *preto* absoluto só existe na ausência total de luz. ~ A fonte indireta – sistema subtrativo – é gerada pela reflexão parcial da luz que incide sobre uma superfície colorida; as ondas emitidas são aquelas que a superfície não absorve. Este sistema – que se vincula aos pigmentos – tem como *cores primárias* o amarelo, o *ciano* e o *magenta*; a soma das três cores produz o *marrom*. Como *cores secundárias*, tem o *verde*, o *violeta* e o *laranja* que resultam da mistura das cores primárias duas a duas, ou seja, o amarelo + ciano geram o verde, ciano + magenta o violeta e magenta + amarelo o laranja. A *cor complementar* é a que é excluída na mistura das outras duas; são cores complementares: magenta e verde, amarelo e violeta, ciano e laranja. Quando misturadas, as cores complementares resultam em *cor neutra*. § Nas artes decorativas e em decoração de interiores leva-se em consideração, em princípio, o sistema subtrativo ou seja, as cores resultantes de corantes ou pigmentos. Pela sensação que as cores despertam, além das acima mencionadas e seus incontáveis *matizes*, tem-se ainda o que chamamos de *cores frias* (os azuis, os roxos, os verdes, os cinzas) e *cores quentes* (o laranja, os vermelhos, os amarelos, os terras). ~ A variedade dos matizes de cada cor e suas gradações, além do branco, do negro, dos cinzas, dos castanhos, podem desfechar efeitos estéticos e psicológicos. Sobretudo o colorido das paredes e dos tetos irá influenciar um ambiente. A superfície branca difunde todas as radiações, por oposição ao preto que absorve todas. As cores escuras aproximam uma parede ou rebaixam um teto. Em qualquer esquema, o branco, o preto e o cinza assim como as cores neutras, relacionam-se com todas as outras; as cores quentes adquirem maior expressão junto ao preto, enquanto as frias são valorizadas pelo branco. Tecidos, tintas, couro, pedra, metais, por suas diferentes texturas, comportam-se de maneira peculiar em relação a cada cor. § Como se viu, as cores dependem da composição da luz, da matéria corante de que se revestem as coisas e da intensidade do foco luminoso. O artista irá jogar também com as relações entre as cores, com a influência que elas exercem umas sobre as outras pela vizinhança, pelos contrastes cientificamente comprovados. ~ A decoração deve se valer de todos esses elementos para obter os melhores efeitos. [Cf. amarelo, azul, branco, laranja, preto, roxo, verde e vermelho.] – Fr.: *couleur*; ingl.: *colour*; alem.: *Farbe*.

coração. *s. m.* Figura de desenho cuja forma tem certa semelhança com a do órgão da circulação sanguínea: é uma forma fechada, curvilínea, de traçado simétrico, e que tem, na parte superior, duas semicircunferências unidas num bico reentrante; os arcos externos destas prolongam-se em curva e contracurva e unem-se na parte inferior formando bico saliente. ~ Essa figura é o símbolo do amor e, de sua forma esquemática, originam-se diversos motivos ornamentais. ~ Está presente sobretudo em decorações da arte popular europeia (pinturas, entalhes, bordados) e na forma de diversos objetos como caixinhas, berloques, almofadas. ~ No fim do séc. XVIII, os cabos das colheres e garfos têm esse motivo livremente representado e delineado com filetes muito simples; diz-se que esse desenho, de inspiração neoclássica, foi feito para os talheres da rainha Maria Antonieta de França, tendo sido depois amplamente reproduzidos por Christofle* e outros fabricantes. [V. motivos ornamentais e talher (ilustração).]

corda. *s. f.* Reunião de fios de natureza vegetal ou artificial, torcidos uns sobre os outros, o que lhes dá grande resistência; seu maior ou menor comprimento permite amarrar, puxar, içar, etc. diversos tipos de coisas. §§ Peça essencial de marinharia, tem grande importância nas tradições portuguesas. Assim é o motivo decorativo usado em arquitetura e no mobiliário, e que representa cordas e nós estilizados; é típico do estilo manuelino*. [V. motivos ornamentais.]

Coreia. Península situada no extremo leste da Ásia entre a China e o Japão. ~ Estreitas ligações culturais com a China condicionaram sua arte que tem, não obstante, características próprias. ~ A escultura é, na maioria, budista, com estátuas expressivas às vezes monumentais. ~ Na arquitetura, além de palácios e templos, destacam-se os primeiros pagodes* de pedra do Extremo Oriente. ~ Na cerâmica, muito desenvolvida, as peças com decoração *mishima* são especialmente originais (esmalte *céladon* * com incrustações de engobo* brancas e pretas – pequenas flores, estrelas, ramos). ~ A porcelana japonesa, notadamente a de Arita, recebeu forte contribuição dos oleiros coreanos. Por outro lado, peças de cerâmica de aspecto rústico, amarronzadas, também atraíram a atenção dos japoneses que as adotaram na cerimônia do chá.

coríntio. [De Corinto, cid. da Grécia] *adj.* Pertencente ou relativo à ordem coríntia, cujas colunas têm capitel ornado com folhas de acanto *estilizadas. [V. coluna e ordem.]

cornija. *s. f.* Série de molduras sobrepostas e salientes que rematam, na parte superior, uma parede, uma porta, uma lareira, um móvel. As cornijas variam com os estilos. [V. moldura. Cf. cimalha.]

cornucópia. *s. f.* Vaso em forma de corno recurvado, que é representado contendo frutos, flores, moedas, etc., derramados profusamente para além de sua abertura na parte mais larga. ~ Atributo mitológico da Abundância, símbolo da Agricultura e do Comércio, a cornucópia tem sido motivo ornamental muito representado em diversas épocas e estilos. [V. motivos ornamentais.] – Fr.: *corne d'abondance*; ingl.: *cornucopia*.

coroa. *s. f.* Aro que cinge a cabeça de alguém como adorno ou sinal de dignidade ou majestade. ~ Na Antiguidade, era distinção concedida por atos de destaque (a coroa de louros dos grandes generais, a coroa olímpica dos atletas). Na Idade Média, os príncipes e nobres usavam a coroa como símbolo de autoridade, e ela passou a ser imposta aos soberanos cristãos na cerimônia de sua investidura – a coroação. ~ Como insígnia heráldica, a coroa figura na parte exterior do brasão, e sua forma indica os diferentes graus nobiliárquicos. [Cf. resplendor.] – Fr.: *couronne*; ingl.: *crown*; alem.: *Krone*. • **Coroa aberta.** A que consta de um aro (coronel) ornado de pontas em número variável e cada uma decorada com flores estilizadas ou outros motivos. **Coroa do Divino.** Em Portugal e no Brasil, coroa fechada de prata, encimada por um globo com uma pomba, símbolo do Espírito Santo. [V. Divino.] **Coroa fechada.** Coroa na qual as pontas do coronel (aro) se prolongam em arcos (diademas) unidos no topo por uma esfera, uma cruz ou outro símbolo de majestade. A partir do séc. XIV adotou-se essa forma para a coroa real. §§ As coroas fechadas mais antigas feitas no Brasil (de Nossa Senhora e do Divino) eram em uma só peça (coronel e arco com uma única emenda); as do séc. XIX são divididas em partes que se prendem ao aro.

Coroas de Nossa Senhora, de prata.
(Brasil - séc. XVIII)

Coromandel. [Do top. Coromandel, região costeira da Índia.] *s. m.* Certo tipo de biombo de laca ou de madeira escura, comportando desenhos em cores e com aplicações de madrepérola e marfim. ~ Os biombos, executados na China, foram ali encontrados pelos europeus no séc. XVI; entretanto, devem seu nome ao local de onde eram despachados para o Ocidente pelas companhias de Comércio das Índias. São peças preciosas, de raro efeito decorativo. ~ No séc. XVIII, em plena voga da *chinoiserie**, esses biombos chegaram a ser desmontados e transformados em painéis. [V. biombo.]

Biombo de Coromandel do período K'ang Shi. Oito folhas representando cenas de vida palaciana. (China - sécs. XVII/XVIII)

corrimão. *s. m.* Peça extensa, compacta e roliça, de madeira, pedra, metal, etc., colocada ao longo e na parte superior da balaustrada de uma escada a uma altura de 80 cm ou 90 cm. Quando inclinado o corrimão serve de apoio para a mão. Muitas vezes ele repousa em balaústres* trabalhados (escadas barrocas, escadas *art nouveau*,). [V. balaustrada e escada. Cf. parapeito.] – Fr.: *rampe e main courante*; ingl.: *handrail*.

cortiça. *s. f.* Material extraído principalmente do sobreiro, árvore da região mediterrânea. É impermeável e muito leve, e nele as células mortas do córtex formam cavidades cheias de ar. Sua coloração é castanho claro. Tem diversas utilidades (boia, defensa, isolador acústico) mas sua principal aplicação é no fabrico de rolhas. ~ A cortiça em folhas de diversas espessuras é usada em painéis ou placas para forração de paredes ou revestimento de certos objetos ou partes de móveis. Nas paredes, pela textura e pela cor tem marcante efeito decorativo; é também empregada nas salas de som.

cortina. *s. f.* Peça de pano ou outro material usada para resguardar e/ou guarnecer janelas e, às vezes, portas; contribui para criar um ambiente, corrigir a frieza das janelas, restaurar o equilíbrio, acentuar o estilo. ~ As cortinas de tecido podem ser leves (para preservar da luz, dos olhares indiscretos) ou pesadas (para escurecer ou abafar ruídos), e se caracterizam pelo colorido e pela textura. São obras de costura e, quanto à confecção, podem ser franzidas ou pregueadas, cruzadas, ou apanhadas por braçadeira*, etc.; requerem feitura especializada com os adequados forros, ferragens, etc. Quanto ao comprimento, podem ir do alto ao peitoril da janela ou até o chão, e a parte superior fica ou perto do teto ou ao nível do batente (no primeiro caso realça a altura da janela , no segundo, a largura). ~ Outras modalidades de cortinas: as japonesas, as de bambu, as de contas, os estores*, os panôs*, as persianas*, as lâminas verticais. [V. trabalhos de agulha.] – Fr.: *rideau*; ingl.: *curtain*; alem.: *Gardine, Vorhang*.

couro. *s. m.* A pele curtida de certos animais. § As peles foram usadas para vestuário desde o Paleolítico, e o processo de curti-las para se obter o couro (mais flexível e duradouro), parece ter surgido no Neolítico. É certo que o couro foi usado no Egito desde 5000 a. C. aproximadamente, para roupas, sandálias, bolsas e frascos. Entre os povos da Ásia Menor e do mar Egeu, esse material era aplicado para diversos fins e servia de defesa e proteção aos guerreiros, conforme se vê em menções feitas no Velho Testamento e nos poemas de Homero. Usado na Grécia, o couro, depois, se difundiu por todo o Império Romano. ~ Os povos bárbaros da Europa também faziam uso dele, e na Alta Idade Média, as armaduras e escudos de couro eram reforçados com ferro. Marco Polo refere-se às couraças dos chineses e mongóis (séc. XII). § No norte da África (Marrocos), os árabes curtem o couro de cabra que passa à Espanha e, no séc.VIII, Córdoba tornou-se famosa pela produção de couro fino, a princípio natural ou tinto de vermelho, depois decorado até com ouro e prata. No séc. XIV aperfeiçoam-se as técnicas de decorar o couro repuxado e pintado. Nessa época, ao artesãos mouros emigram da Espanha para os Países Baixos onde se concentram, no séc. XVI, os principais centros de produção; fazem-se até mesmo painéis pendentes nos interiores, cobertas de mesa e pequenos objetos. As corporações de tanoeiros, sapateiros e outras, muito bem organizadas, refletem a importância do produto. § No mobiliário, o couro aparece nos encostos e assentos das cadeiras e bancos desde o fim da Idade Média. Só no séc. XIX, as peles curtidas passam a ser utilizadas no estofamento. § Desde épocas remotas, os processos de preparação do couro foram se aperfeiçoando e diferenciando, e o uso do tanino constituiu importante progresso na técnica dos curtumes. ~ Depois de preparado, o couro pode ser estendido numa armação, e as lâminas, mais ou menos finas, são cortadas e costuradas; ou pode ser submetido ao processo de *cuir bouilli* ('couro fervido'): é amaciado na água fervendo, adaptado a um molde sólido com a forma desejada e seco ao calor moderado até endurecer, sendo assim moldado para a feitura de jarros, copos, estojos, etc.; o couro é então impregnado de cera ou forrado de resina (no caso de vasilhames). Só então, a superfície é pintada e decorada. § A decoração faz-se por punção*, incisão (couro cinzelado*) ou repuxamento* sobre relevo esculpido na madeira. ~ Motivos ornamentais podem ser aplicados na superfície com ferros, com ou sem acréscimo de ouro; essa técnica já era conhecida entre os coptas do Egito nos primeiros séculos da era cristã, e usada nas capas de livros; é aplicada especialmente na encadernação e na superfície de caixas, molduras, carteiras, etc. § No fim do séc. XIX foram introduzidos grandes melhoramentos técnicos no preparo do couro pela aplicação de sais de cromo, obtendo-se um couro liso e forte (*cromo*) de grande importância sobretudo na indústria de calçados. § As peles de diferentes animais (vaca, boi, ou bezerro; cabra ou cabrito; porco; avestruz, cobra, crocodilo, lagarto, veado ou outros) têm características e aplicações distintas. § Entre os tipos de couro destacam-se o **marroquim**, o **cordovão**, o **moscóvia**, o **cromo**, a **pelica**, o **velino**, a **camurça**, a **vaqueta**, a **sola**, o **couro cru**. §§ No Brasil, durante a fase da economia pastoril, aproveitou-se o couro em larga escala. No Norte e no Sul era usado em assentos e catres, correias, botas, roupas, guaiacas, coldres, baús, até mesmo como protetor de portas e janelas. No Nordeste, vaqueiro e cavalo são protegidos da fauna e da flora da caatinga por artefatos de couro com características locais que definem o aspecto de seus portadores. ~ Por influência de tradição europeia, e sendo o cavalo, no Brasil, o meio de transporte por excelência, era o animal ajaezado, muitas vezes, com o máximo apuro, pois revelava a condição do cavaleiro; o setor de **selaria** era confiado a artífices especializados, às vezes, com a colaboração de prateiros e de especialistas em bordado no veludo; o couro dos arreios é artesanal. [V. encadernação, pergaminho e sola.] - Fr.: *cuir*; ingl.: *leather*; alem.: *Leder*.

covilhete. *s. m.* Pratinho de louça próprio para apresentação de doces. // Tigelinha ou pequena malga para uso individual. Aparece frequentemente com as bordas em gomos na louça da Companhia das Índias.

cozinha. *s. f.* Peça da casa onde se preparam os alimentos; é setor de trabalho importante em qualquer habitação, e tem sofrido expressiva evolução. § Historicamente, a mais rudimentar das cozinhas faz parte da vida do homem desde a descoberta do fogo para cozer os alimentos: uma trempe e uma fogueira são, até hoje, cozinhas de tropeiros, pastores, excursionistas. ~ Nas casas de camponeses, nas casas modestas, a cozinha foi, e ainda é, ponto de reunião, lugar aquecido, bem vivido onde a família se reúne para as refeições. ~ Nas residências, até o séc. XIX as cozinhas eram sombrias, sem ventilação adequada; depois, foram se transformando em locais claros, bem planejados. ~ A cozinha moderna, como a antiga, não prescinde do fogão, da pia e de uma mesa ou bancada cuja colocação depende da área disponível; a eles se juntam outros elementos decorrentes da tecnologia, além dos recursos decorativos dos materiais de revestimento. ~ Estudos de ergonomia concluem que, na cozinha, o espaço vazio é supérfluo, atrasa o trabalho; a área deve ser concentrada, racional. Uma parte da cozinha pode ser reservada para mesa e cadeiras ou bancos, substituindo a copa. A imagem da cozinha moderna é múltipla, bonita, planejada, funcional. Na nova forma de viver, ela volta, com outros recursos, a ser ponto de reunião. [Cf. copa.] - Fr.: *cuisine*; ingl.: *kitchen*; alem.: *Kuche*.

craquelê. [Do fr. *craquelé*. 'rachado'] *s. m.* Rede de rachaduras produzidas no vidro, no esmalte da louça ou em superfícies envernizadas, por contração ou dilatação do suporte, formando um entrelaçamento irregular de fendas finíssimas. Caracteriza certos tipos de cerâmica. O vidro* com craquelê foi inventado pelos venezianos que o designaram *vetro in ghiaccio* ('vidro em gelo').

cratera. [Do grego *kratér*.] *s. f.* Um dos tipos de vaso de cerâmica utilizados pelos gregos. É de grandes dimensões, não tem gargalo, aumenta de largura da base para a borda, e é dotada de duas alças laterais. Servia para misturar água e vinho. [V. cerâmica e Grécia (ilustração).]

creamware. [Ingl.] *s.* Faiança fina cuja pasta tem coloração creme pela presença da sílica e que é revestida de esmalte de estanho*. Surge na Inglaterra em Staffordshire como um dos resultados das diversas pesquisas em curso, e a técnica é desenvolvida por Wedgewood (1765). ~ Esse produto era de custo relativamente acessível, durável e bom suporte para a decalcomania*, além de poder ser tratado com decoração vazada. Foi adotado por inúmeras manufaturas inglesas e exportado para o continente; dominou o comércio da cerâmica e chegou mesmo a representar uma ameaça para a porcelana em pleno sucesso. [V. cerâmica, Staffordshire e Wedgewood.]

credência. [Do it. *credenza* 'crença, fé' ou 'aparador'.] *s. f.* Antigamente, mesa em que se colocavam as iguarias que seriam provadas antes de sua apresentação às refeições de reis e nobres; ali dava-se a certeza de que o alimento não continha veneno. [Cf. salva.] // Mesa pequena que serve de aparador. // Nas igrejas, mesa colocada perto do altar e onde são dispostas as galhetas e outros apetrechos litúrgicos.

Credência de igreja com pintura de época.
Avental recortado e pés de garra e bola.
(Portugal - séc. XVIII)

Credência de igreja com pintura de época.
(Portugal - séc. XVIII)

cremeira. s. f. Jarro baixo de forma ovalada (ou de navio), com bico largo e alça, usado para servir creme de leite com chá, café, etc. [Cf. leiteira] // Recipiente que integra aparelhos de jantar ou de lanche; parece uma pequena sopeira, com tampa e duas alças, e é pousado em geral sobre uma travessa formando uma só peça. Destina-se a servir acompanhamentos cremosos de iguarias salgadas ou sobremesas. [Cf. molheira.] // Pequeno pote individual de porcelana, dotado em geral de uma alça e tampa, e que se usa para conter cremes doces. Nos antigos serviços de louça essas peças eram dispostas em bandejas ou sobre suportes com pé com os mesmos elementos decorativos (a mesma designação é dada a esse conjunto).

Par de cremeiras, com seus pratinhos, de cristal Baccarat com pegadores de prata.
(França - séc. XIX)

crescente. s. m. A forma da Lua na fase de quarto crescente, emblema de certos países islâmicos. A palavra é usada para designar o islamismo. [V. Islã] – Fr.: *croissant*; ingl.: *crescent*.

criado-mudo. s. m. Antiga mesa de cabeceira alta, com gavetinha, tampo muitas vezes de mármore e compartimento com portinhola. Fazia parte da mobília de quarto do séc. XIX e começo do séc. XX. O criado-mudo caiu em desuso, mas os exemplares de época voltam a ser procurados como mesa de apoio. [V. mesa de cabeceira.]

Cremeira de porcelana constituída de dois suportes e doze potinhos com tampa.
(França - séc. XIX)

crisântemo. [Do gr. *chrysós* 'ouro' + *anthos* 'flor'.] s. m. Designação comum a diversas plantas ornamentais da família das compostas, originárias do Extremo Oriente; suas flores, de cores suaves, são arredondadas, com muitas pétalas densamente dispostas. ~ No Japão, a flor do crisântemo simboliza a perfeição e está representada no seu emblema heráldico de forma estilizada.

criselefantino. [Do gr. *chrysós*, 'ouro' + *elephantinós*, 'de marfim'.] *adj.* Diz-se da escultura ou de outro objeto feito de ouro e de marfim. ~ Na Grécia, as monumentais estátuas de Zeus (Olímpia) e Palas Atena (Atenas) tiveram essa característica: nelas foram aplicadas folhas de ouro e placas de marfim sobre um arcabouço de madeira. // Diz-se do objeto feito de marfim e metal dourado, como as conhecidas estatuetas de bronze da *Belle Époque* com cabeça, mãos e pés de marfim finamente esculpidas. As bases, de mármore, ônix, etc., complementam as estatuetas. São peças assinadas por Alonso, Chiparus e outros artistas.

Estatueta criselefantina representando figura feminina. Ass. E. Wofram
(França - começo do séc. XX)

cristal. *s. m.* Vidro muito límpido e incolor, feito em geral de sílica, óxido de chumbo e potássio; tem grande brilho e alto grau de refração, o que possibilita a produção de trabalhos artísticos. As peças de cristal têm uma aparência fluida, refletem a luz e cintilam, e emitem um som musical quando percutidas. § O cristal pode receber diversos tratamentos: gravação em *intaglio** ou em relevo, lapidação em ponta de diamante, corte ou desbaste em facetas e curvas, polimento com lixas giratórias especiais; pode ter a superfície em parte revestida de esmalte ou ser gravado a ouro; e pode, enfim, receber camadas coloridas que, desbastadas em certos pontos, deixam aparecer o cristal incolor (como nos copos de pé usados para vinho branco). § A técnica de fabricação do cristal foi aperfeiçoada pelos venezianos no séc. XV, que denominaram esse material *vetro in cristallo* ('vidro em cristal') , devido à sua semelhança com o cristal de rocha. Desde então, objetos de cristal à base de quartzo, cálcio e potássio (taças, canecos, garrafas, vasos, copos, etc.) foram produzidos na Europa Central, especialmente na Boêmia, e depois, passaram à Alemanha e ao resto da Europa. § Segundo a procedência e a matéria-prima utilizada, o cristal varia de brilho, dureza e claridade, decorrendo daí diferentes métodos decorativos. O cristal duro, feito na Alemanha, propiciava a decoração gravada e, na Holanda, essa arte atingiu grande

Estatueta "Starfish" com base geométrica no estilo Art Déco. Ass. Chiparus.
Coleção Renan Chehuan (alt. 70 cm)

perfeição, usando-se a ponta de diamante em peças de pouquíssima espessura. Na Inglaterra, um tipo de cristal de chumbo, descoberto no séc. XVII, permitiu a criação de delicados modelos de copos, castiçais, etc.; e, no séc. XVIII, um novo método de decoração abandona os modelos figurativos gravados e possibilita a lapidação de facetas piramidais que captam a luz. ~ Em oposição à mecanização da indústria do vidro e ao barateamento do produto, houve, no séc. XIX, uma revivescência das técnicas manuais na feitura e na decoração de peças ornamentais de cristal e de serviços completos para mesa. Desenvolvem-se, então, as grandes cristalerias como Baccarat*, Saint-Louis*, Val-Saint-Lambert* e outras, que mantêm sua produção até hoje, ao lado de manufaturas mais recentes como a de Orrefors*, da Suécia. [V. vidro. Cf. cristal de rocha.] • *Cristal da Boêmia*. Designação genérica do vidro muito puro originado da arte e da técnica dos vidreiros centro-europeus dos sécs. XVI e XVII, e que foi produzido, a princípio, em diversas manufaturas da Boêmia (República Tcheca) e da Silésia (Alemanha). ~ Por volta de 1685, foi descoberto um vidro constituído de determinada proporção de cálcio e de potássio dotado de alto grau de limpidez, claridade e brilho, e capaz de receber lapidação profunda. O novo material, conhecido especificamente como "cristal da Boêmia", conquista o mercado europeu setecentista e se apresenta em belas formas e com rica decoração figurativa de timbre barroco. A produção decai com a descoberta da porcelana (séc. XVIII), mas depois das guerras napoleônicas (começo do séc. XIX) a indústria toma grande impulso e, no período Biedermeier*, passa a produzir belas peças de cristal facetado em cores brilhantes e límpidas. A cor (vermelho-rubi, azul-cobalto, verde) é colocada sobre o vidro incolor e, pelo entalhe, aparece a base transparente. A técnica do *overlay** também foi muito empregada com esmalte branco sobre o cristal colorido. [V. vidro.]

cristal de rocha. Variedade de quartzo transparente, incolor e límpido; é rocha muito dura e, para ser desbastado, são necessárias ferramentas especiais. ~ Os antigos, diante da limpidez do cristal de rocha diziam-no "filho das águas"; foi considerado pedra preciosa e usado em trabalhos de ourivesaria e outros, no Egito, na China, na Grécia, em Roma. Na Idade Média, foi empregado na feitura de objetos sacros e profanos. Na Itália, artistas quinhentistas se especializaram na criação de obras de *intaglio** com elaboradas cenas e outras decorações. §§ O Brasil é importante produtor de cristal de rocha, e o exporta para diversos fins. ~ Os belos poliedros dessa rocha, em diferentes formações, emitem energia positiva. [Cf. cristal.]

Bola de cristal de rocha. Acervo Museus Castro Maya - Rio de Janeiro (China - séc. XVIII).

cristaleira. *s. f.* Armário envidraçado onde são guardados objetos de vidro e de cristal, garrafas, copos, etc., e que fazia parte da mobília da sala de jantar. Depois de cair em desuso, revive em decorações de cunho nostálgico.

crochê. [Do fr. *crochet*.] *s. m.* Tecido de lã, linha, barbante, etc., de antiga tradição na feitura de peças de vestuário e de rendas. É genuinamente artesanal, só pode ser feito à mão, com agulha de gancho. Presta-se para a confecção de almofadas, tapetes, colchas, abajures, e para acabamentos e detalhes em decoração. [V. renda (Irlanda) e trabalhos de agulha.]

croisé. [Fr.] *s. m.* Ornato contínuo típico do estilo Luís XVI, que consta de feixe de hastes de folhagem ou de filetes paralelos como que presos por fitas cruzadas de espaço a espaço. É muito frequente no acabamento de peças de prata ou de metal prateado (baixelas, serviços de chá, talheres). [V. Christofle e ornato.]

cromagem. *s. f.* Processo eletrolítico por meio do qual uma superfície metálica é revestida de uma película de cromo, de um prateado brilhante, levemente azulado. Por sua durabilidade e fácil conservação, a cromagem é largamente adotada em acessórios domésticos (trincos, torneiras, luminárias, etc.). No período *Art Déco** passou a ser empregada em peças de *design* requintado.

crucifixo. *s. m.* Cruz latina* com a imagem de Jesus crucificado. É a mais alta expressão do Cristianismo, presente nos altares, reverenciado tanto em obras de elevado valor artístico como em obras de arte popular. ~ O crucifixo pode ser preso à parede ou solto, e, neste caso, é pousado, e tem por base uma peanha. A imagem de Cristo é geralmente esculpida, mas, nos crucifixos mais antigos, era pintada na madeira. ~ Na arte cristã Jesus aparece a princípio com a sobriedade de expressão do fim da Idade Média, passando depois ao rigor anatômico Renascentista* para chegar à dramaticidade do Barroco* notável sobretudo na arte espanhola. ~ A figura do Crucificado tem como características a posição dos braços (horizontais ou erguidos), o torso com costelas salientes, o cendal com laçada, os pés superpostos. As imagens esculpidas são normalmente policromadas, com os cabelos e a barba escuros, os traços fisionômicos marcados, as feridas muitas vezes dramaticamente pintadas com o sangue gotejando. ~ Na crucificação representa-se Jesus agonizante (cabeça erguida, boca entreaberta, olhos voltados para o céu) ou morto (cabeça pendente, olhos e boca fechados, chaga aberta no peito). Certas imagens têm a coroa de espinhos. §§ Os crucifixos setecentistas luso-brasileiros de madeira têm base e terminais trabalhados dentro dos estilos Dom João V*, Dom José I*, Dona Maria I*, com resplendor, raios e placas de prata. Certas imagens de marfim são de origem indo-portuguesa. ~ No Brasil temos obras-primas do Aleijadinho*: o crucifixo do Santuário de Congonhas do Campo e o da Matriz de Catas Altas, ambos em Minas Gerais. [V. cruz. Cf. calvário.]

Crucifixo. Imagem de marfim sobre cruz de jacarandá com guarnições de prata. (Portugal - séc. XVII)

Crucifixo de madeira entalhada. Assinado GTO Geraldo Teles de Oliveira, escultor mineiro. (Arte popular. Coleção Rafael Rodrigues - Brasil - séc. XX.)

Crucifixo de madeira entalhada e encarnada.
(Minas Gerais - XVIII)

cruz. *s. f.* Antigo instrumento de suplício constituído de duas traves que se cruzam perpendicularmente. É o símbolo da Cristandade, portanto elemento sagrado no mundo ocidental, em que se ressalta o martírio de Cristo. ~ Certos povos da Antiguidade usaram diversos tipos de cruz como motivos ornamentais, sem nenhum significado simbólico. • *Cruz de Cristo.* Cruz latina com braços se alargando nas pontas como trapézios; é um dos emblemas reais de Portugal, e foi levada pelas caravelas portuguesas em sua trajetória marítima. *Cruz de Lorena.* A que tem dois braços horizontais, sendo o superior menor; foi o emblema da França livre durante a II Guerra Mundial. *Cruz de Malta.* Cruz grega cujos braços se alargam em ângulos. *Cruz dos martírios.* Cruz latina que traz os instrumentos da Paixão de Cristo. *Cruz de Santo André.* A que tem a forma de "X". *Cruz em T ou em Tau.* A que tem a haste horizontal passando na extremidade superior da haste vertical; parece ter sido a cruz empregada na crucificação de Cristo, por ser a mais comum na época (o *titulus* – tabuinha em que se escrevia a causa da condenação – era afixado acima da cabeça do condenado, e isto levou os primeiros artistas cristãos a pensar que a haste vertical ultrapassava a horizontal). *Cruz gamada.* A que tem os braços terminando com a forma da letra grega gama. [V. suástica.] *Cruz grega.* A que tem os braços iguais cortando-se ao meio. *Cruz latina.* A que tem a trave horizontal mais curta que a vertical e colocada acima do quarto superior desta; é a cruz sagrada dos cristãos, a cruz do crucifixo, a cruz arquiepiscopal, a cruz processional, a cruz do cruzeiro. *Cruz processional.* Cruz levada na extremidade de uma longa haste à frente das procissões (na arte luso-brasileira, essa cruz, de prata, é importanete trabalho de ourivesaria).

cruz latina

cruz grega

cruz de Santo André

cruz de Lorena

cruz de Cristo

cruz de Malta

cruz florida

cruz em T (tau)

cruz ansata (angh)

cruz céltica

cruzeiro. *s. m.* Grande cruz latina* erguida nos adros das igrejas, em praças, em cemitérios. [V. cruz.] // A parte da igreja compreendida entre a capela-mor e a nave central. [Cf. arco-cruzeiro.]

cubismo. *s. m.* Importante movimento da pintura moderna que surgiu na França em 1909 e logo se difundiu nos meios de vanguarda. Pretendia reduzir os seres, os objetos e a natureza a esquemas geometrizados, abolindo a perspectiva* pela decomposição das formas e a modulação das cores, numa tentativa de transmitir a sensação de estrutura total (tridimensional). As primeira pesquisas cubistas devem-se a Picasso e Braque seguidos por Juan Gris, Léger e outros. ~ O movimento estendeu-se à escultura e às artes decorativas, nestas com artistas decoradores como Ruhlmann* e Louis Sue.

cuenca. [Esp. 'cavidade', 'concha'.] *s. f.* Técnica de decoração de ladrilhos em que os motivos são impressos no barro de modo a estabelecer um limite em relevo entre eles. [V. ladrilho. Cf. *cuerda seca*.]

cuerda seca. [Esp. 'corda seca'.] Técnica de decoração de cerâmica, de origem árabe, usada na Espanha a partir do séc. XVI. Consiste em limitar os desenhos com um fio de substância metálica antes de aplicar o colorido, de modo a evitar que, sob a ação do fogo, as diversas cores se misturem. [V. ladrilho. Cf. cuenca.]

cuia. *s. f.* Vasilha feita com o fruto da cuieira, planta nativa do norte do Brasil; a casca do fruto cortada ao meio é posta para secar depois de ter sido esvaziada da polpa. É de uso popular e destina-se a conter alimentos, em especial a farinha de mandioca, servindo também para colher e derramar água. A superfície da cuia, dura e lisa, presta-se para ser decorada com pinturas coloridas ou entalhes. São muito conhecidas as cuias negras do Pará. // Cabaça que se usa no sul do Brasil para tomar chimarrão e que, por ter a abertura estreita e as paredes grossas, é capaz de manter o calor da bebida; nessa abertura introduz-se um canudo de prata – a bomba –, com que é sorvido o mate. As cuias são muitas vezes lavradas ou com inscrições e têm acabamento de prata. No Rio Grande do Sul, onde há uma tradição de lavores de prata, foram feitas cuias decoradas desse metal e montadas num pé; para as senhoras, havia cuias de porcelana; mas esses dois modelos de luxo não dão ao mate o sabor que tem na cuia original.

Cuia para mate, de prata, de feitura artesanal.
(Brasil - sem data)

cumeeira. *s. f.* A parte mais alta do telhado.

cupboard. [Ingl.] *s.* V. aparador.

cupido. *s. m.* Designação que os romanos davam ao deus do Amor. Sua figura aparece esculpida ou pintada em inúmeras obras de arte e peças decorativas como um lindo menino de cabelos cacheados carregando um arco e uma aljava com as flechas destinadas a suas vítimas. [V. alegoria.]

cúpula. *s. f.* Em arquitetura, abóbada hemisférica, vista quer internamente quer do exterior. Suas dimensões variam, mas a altura, sempre elevada, presta-se para as construções imponentes e comporta no interior decorações diversas (aberturas, pinturas, mosaicos). [V. Renascimento. Cf. abóbada.] // Por analogia, abajur* das lâmpadas de mesa e outras.

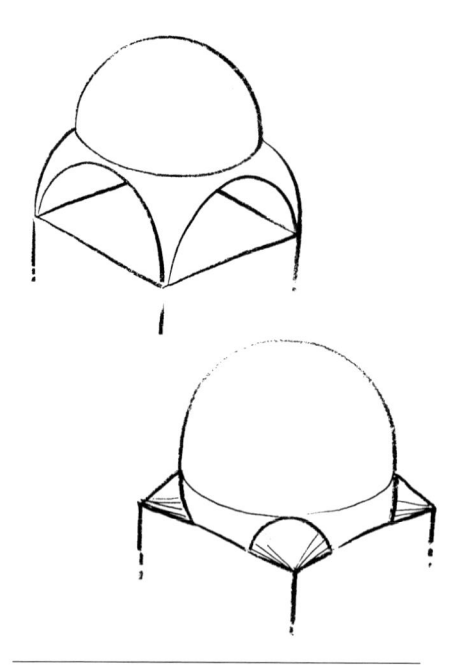

curva e contracurva. Forma muito recorrente nas artes decorativas, que se apresenta em duas curvas em direções opostas, como um "S" ou sua inversão; pode ser singela ou enrolada em volutas. ~ A partir de fins do séc. XVII aparece nas pernas de inúmeros móveis europeus. [V. *cabriole leg* e tb. *étagère* e consolo (ilustr.)]

custódia. *s. f.* Peça circular com duas faces de cristal destinada, na liturgia católica, a guardar e expor a hóstia consagrada. Por metonímia, a palavra designa também o ostensório. ~ As custódias ou ostensórios, por serem guardas do Santíssimo Sacramento, são obrigatoriamente obras de ourivesaria, e enriquecem, pela beleza e variedade de formas, os acervos da arte sacra ocidental. Na Espanha quatrocentista, a custódia assumiu imponentes formas arquitetônicas de que é exemplo a monumental Custódia da Catedral de Toledo feita pelo mestre alemão Henrique de Arfe; tem a aparência de uma torre gótica feita de ouro, prata e esmalte, e mede 2,50m de altura. §§ Em Portugal, é mundialmente famosa a Custódia de Belém de autoria do ourives Gil Vicente (séc. XVI). ~ No Brasil, vale mencionar a custódia-cálice de prata dourada em estilo renascentista, feita no séc XVII, e que pertence ao Mosteiro de S. Bento no Rio de Janeiro, e ainda a custódia de prata dourada do Convento da Lapa na Bahia (séc. XVII), e a de ouro do Convento de Desterro na mesma cidade (1807); ambas têm o pé com decoração barroca sendo a custódia propriamente dita rodeada de raios múltiplos. [V. ostensório.]

cut-card. [Ingl.] Decoração da prata em que se superpõem à superfície da peça finas folhas do metal recortado. Esse trabalho foi usado na França e na Inglaterra nos sécs. XVII e XVIII. [V. prata.]

cutelaria. *s. f.* A arte e a técnica de fabricar instrumentos de corte como facas, tesouras, canivetes. // O conjunto desses objetos. [V. faca.]

cut glass. [Ingl. 'vidro cortado'.] V. vidro (vidro lapidado).

Cuvilliés, François (1695-1768). Arquiteto e decorador flamengo de formação francesa. A serviço da corte da Baviera, criou o típico Rococó alemão, incluindo as elegantes decorações em ouro sobre fundo branco do Pavilhão de Amalienburg e do Palácio da *Residenz*, ambos em Munique. É também autor do teatro da *Residenz* em que suntuoso panejamento em *trompe l'oeil** testemunha a imaginação requintada e o bom gosto do artista. [V. Rococó.]

cuzquenho. [Do top. Cuzco, cidade do Peru.] *s. m.* Pintura que, na época colonial floresceu no Peru, com temas de inspiração cristã europeia, mas com técnica e estilo próprios. Os quadros têm como personagem a Virgem, a Santíssima Trindade, os santos, cenas da Sagrada Família, a que se juntam figuras e assuntos locais. A paleta é sóbria, com o fundo e as vestes pontilhadas de ouro. Muitas obras têm tratamento singelo e ingênuo. ~ Nos primitivos cuzquenhos a pintura era realizada numa tela com um chassi que constituía a própria moldura do quadro. Posteriormente, molduras esculpidas e douradas, com pequenos espelhos embutidos, obras do artesanato local, rematam esses quadros.

D

Dadaísmo. *s. m.* Movimento artístico surgido em Zurich (Suíça), em 1916, entre intelectuais e artistas de várias nacionalidades como protesto contra os valores da civilização ocidental e seus reflexos na I Guerra Mundial. ~ O termo se origina da palavra francesa *dada* ('cavalo' no vocabulário infantil); esta, na intenção bem característica do movimento, foi escolhida ao acaso pelos seus iniciadores. Para eles a criação artística deveria se libertar dos padrões vigentes, visando a suprimir qualquer relação entre o pensamento e a expressão. Essa corrente se extinguiu por volta de 1922, não sem antes exercer forte influência em movimentos posteriores.

daguerreótipo. *s. m.* Primitiva forma de fotografia inventada pelo francês Jacques Daguerre em meados do séc. XIX; foi o primeiro passo para substituir a pintura na realização de retratos de pessoas da época. As imagens (de indivíduos e de grupos) conservam a fidelidade ao modelo, apesar do aspecto um pouco esmaecido e frágil das reproduções. ~ Os daguerreótipos, para maior proteção, eram cobertos de vidro e montados em moldura ou estojo de couro, com *passe-partout*. §§ No Brasil estabeleceram-se alguns ateliês de daguerreotipia, principalmente no Rio de Janeiro, e seus fotógrafos viajavam periodicamente para o interior atendendo a encomendas de fazendeiros, senhores de engenho e coronéis para retratá-los e às respectivas famílias. [Cf. fotografia.]

damasco. *s. m.* Tecido lavrado de seda, numa só cor com flores e/ou arabescos acetinados contrastando com o fundo fosco, ou vice-versa. Usado desde a Idade Média para trajes de aparato, paramentos sacerdotais, colchas, etc., presta-se para decorações de luxo. ~ Damasco, uma das mais antigas cidades da Ásia Menor, foi centro de importantes atividades artesanais (couro, cobre, fazendas), e o tecido trazido da região foi introduzido na Europa pelos cruzados, no séc. XI; foi copiado na Itália, e mais tarde em Flandres. ~ A indústria têxtil passou, depois, a aplicar a mesma técnica para a lã, o linho, o algodão – os chamados tecidos adamascados. As toalhas de linho adamascado branco, hoje raras, contribuíam para a bonita aparência de uma mesa posta. §§ Na tradição católica brasileira, as colchas de damasco de seda pura, em belas cores, guarnecidas de franjas, enriqueciam as sacadas por ocasião das grandes festividades religiosas. [V. tecido. Cf. brocado.]

damasquinado. *adj.* Diz-se do ferro e de outros metais decorados com desenhos de ouro e prata, segundo técnica empregada no Oriente Médio e conhecida na Europa através de obras vindas de Damasco (Síria).

Daum. Designação do vidro artístico produzido em Nancy (França) pela manufatura Daum Frères. A partir da última década do séc. XIX, os irmãos Auguste e Antoine Daum, vidreiros, tendo como êmulo Emile Gallé, criam seu *atelier de décoration* rodeando-se de excelente equipe. ~ Trabalhadas com a *pâte de verre* a quente ou a frio, as peças de Daum incorporam a atmosfera pertubadora de fantasia e simbolismo, de imersão na natureza transfigurada, próprias do estilo *Art Nouveau**. ~ Na produção de Daum não existe a distinção entre peças industrializadas e artísticas. A técnica, a princípio baseada no tratamento tradicional de recobrir o vidro com esmalte, evoluiu para o aproveitamento do colorido da própria massa. Em certos objetos de Daum são empregados processos complexos como a aplicação a quente de motivos em relevo no curso da fabricação. Foram inovações de Daum: o tratamento da superfície com pequenas facetas "marteladas" que acrescentam novos efeitos de luz, e o uso de vidro colorido pulverizado espalhado na massa quente. ~ A decoração criada por Daum tem aspectos diversos desde as formas esculturais dos objetos até os motivos vegetais e as paisagens estilizadas que circundam vasos e lâmpadas. A liberdade de criação é manifesta, talvez em respeito à personalidade de seus artistas como o artista vidreiro Amalric Walter*. Certas peças demonstram influência japonesa na distribuição e leveza dos traços. ~ Aproveitando os recursos da eletricidade, as lâmpadas de Daum têm abajur de vidro formando conjunto com o pé, e a iluminação realça o colorido e o trabalho na translucidez da massa vitrificada. ~ Dos ateliês de Daum saem as primeiras lâmpadas com foco de luz no interior do pé, inovação que, segundo consta, não foi bem recebida na época. ~ Daum acompanhou a evolução decorativa das principais tendências do início do século XX e, depois da fase *art nouveau*, produziu peças *art déco*, menos ornamentadas, de formas indefinidas, geometrizadas e de grande plasticidade, valorizadas pela transparência. [V. Nancy, *pâte de verre* e vidro. Cf. Gallé.]

Vaso redondo de pâte de verre em tons de verde com paisagem circular e árvores em relevo. Ass. Daum.
(Nancy, França - começo do séc. XX)

davenport. [Ingl.] Pequena escrivaninha* de tampo inclinado, com gavetas laterais (muitas vezes com segredo), e que foi criada na Inglaterra em fins do séc. XVIII.

Davenport. (Inglaterra - fim do séc. XVIII)

decadente. *adj.* Diz-se do estado de espírito nascido como reação a correntes intelectuais e/ou artísticas de manifesta rigidez e austeridade. A qualificação, de cunho depreciativo, foi, em muitos casos, assumida por aqueles que adotavam tal postura, uma vez que ela prenunciava padrões estéticos, literários ou morais conflitantes com os valores estabelecidos. O Rococó*, o *Art Nouveau**, o Simbolismo*, os Pré-rafaelitas*, mereceram dos conservadores, ao surgir, essa qualificação.

decalcomania. *s. m.* Processo mediante o qual as figuras impressas num papel em geral umedecido, são transpostas para superfície lisa de outro papel, de porcelana, de cerâmica, de madeira, etc. e calcadas de modo que, ao retirar-se, permaneça o desenho estampado. ~ O método foi adotado com sucesso na decoração da porcelana e da faiança a partir de fins do séc. XVIII, aplicado em cores de baixo esmalte. O decalcomania azul, com desenhos orientalizantes, paisagens, cenas de caça, etc., foi adotado inicialmente por Spode* (Inglaterra) e, nos oitocentos, tornou-se muito popular em louças produzidas em grande escala. ~ Usa-se o decalcomania em frisos ou em motivos centrais na decoração de porcelana fina com acabamentos e detalhes feitos a pincel. Esse processo pode ser facilmente discernido da verdadeira pintura à mão. — Fr.: *décalcomanie*; ingl.: *transfer painting*; alem.: *Abziehbild*.

decanter. [Ingl. 'aquilo que decanta' (o vinho transvasado para outro recipiente).] Garrafa de vidro ou de cristal, de gargalo estreito, com tampa em geral do mesmo material, usada para servir certos tipos de vinho (porto, xerez) e bebidas destiladas. ~ Muito bonitos são os exemplares oitocentistas em cristal de chumbo, lapidados em ponta de diamante. ~ Nos navios e trens usava-se o *ship's decanter** (*decanter* de navio), garrafa de forma mais ou menos cônica com base ampla e pesada para dar estabilidade. [V. garrafa. Cf. *wine label*.] – Fr.: *carrafe*; alem.: *Karrafe*.

Decanter de cristal prensado. (França - séc. XIX - alt. 26cm)

decapê. [Do fr. *décapé*, particípio de *décaper*, 'remover camada de pintura ou gordura'.] *s. m.* Processo de tratamento da madeira, em que se recobre a peça com uma camada de gesso; removido o excesso, permanece o que penetrou nas fibras da madeira, cuja superfície fica esbranquiçada. Pode-se obter o decapê colorido adicionando-se um corante ao gesso. É pouco recomendável em madeiras finas, pois estas ficam descaracterizadas.

declive. *s. m.* Inclinação de terreno considerada de cima para baixo por oposição ao aclive, e cujo ponto de refrência encontra-se na base. Na "desordem equilibrada" da natureza e em soluções paisagísticas, o aclive e o declive dão movimento à paisagem. [Cf. aclive e rampa.]

découpage. [Fr. 'recorte'.] *s. m.* A arte de recortar figuras independentes que são coladas sobre uma superfície formando quadros; para acabamento, aplica-se uma ou mais camadas de verniz ou de tinta, esta complementando o trabalho. ~ Usado na decoração de certos móveis do séc. XVIII, reviveu no séc. XX como arte popular em peças de mobiliário, abajures, biombos, cestas de papel, cadernos, etc.

defumador. *s. m.* Recipiente de metal, cerâmica ou pedra, geralmente com tampa perfurada, usado desde tempos remotos para queimar incenso ou substâncias aromáticas. ~ Embora utilizado na Europa, o defumador foi mais difundido no Oriente, associado a práticas religiosas. Os chineses nos legaram defumadores de bronze ostentando símbolos taoístas (período Han*) e, posteriormente, confeccionaram peças em forma quadrangular com alça e quatro pés e outras circulares sobre tripé (período Ming*). ~ Nos sécs. XVII e XVIII os europeus começaram a produzir curiosos modelos (casas, bichos etc.) de cerâmica e porcelana. No Japão, no séc. XIX, foram feitos vistosos defumadores de bronze para exportação. [Cf. incensório, perfumeiro e turíbulo.] – Fr.: *brûle-parfums*; ingl.: *incense burner, pastille burner*; alem.: *Räuchergefäss*.

Par de defumadores de esmalte com decoração floral. (China - época Ch'ing - séc. XVIII)

degradê. [Do fr. *dégradé.*] *s. m.* Diminuição ou aumento gradativos na intensidade de uma cor.

degrau. *s. m.* Plano sólido horizontal para o apoio do pé na subida e na descida; é elemento constitutivo da escada, embora num desnível pequeno, dois ou três degraus não sejam assim considerados. § Designa-se *piso* a parte horizontal do degrau, e *espelho* a parte vertical (em muitas escadas da arquitetura contemporânea os degraus são vazados, sem espelho). ~Degraus com espelho alto exigem grande esforço de quem sobe; degraus com piso largo propiciam passos lentos, solenes e, a partir do Barroco*, foram empregados em escadas de aparato; degraus estreitos perturbam o equilíbrio. ~ O degrau ou os degraus que precedem a escada propriamente dita são mais largos do que este, espalham-se para os lados e como que convidam ao acesso da escada; são, por isto, denominados **convites**. [V. escada.] - Fr.: *marche*; ingl.: *step*; alem.: *Stufe.*; esp.: *peldaño* ; ital.: *scalino*.

delavê. [Do fr. *délavé*, 'desbotado', 'descorado'.] *adj.* Diz-se do tecido descorado por uma técnica especial, de modo que sua coloração não fica uniforme, e sim desigual na intensidade, apresentando manchas.

Delft. [Top. holandês.] Faiança produzida na cidade de Delft (Holanda) do séc. XVI até nossos dias. ~ No início a louça com esmalte estanífero e motivos inspirados nos maiólica* foi produzida em muitas cidades dos Países Baixos, entre as quais Delft. No séc. XVII os holandeses abandonaram as cores de alta temperatura pelo azul e branco* muito apreciado depois que se conheceu a porcelana chinesa (importada pela Companhia Holandesa das Indias Orientais a partir de 1609) e já usado em outros centros europeus. Depois de 1650, Delft ocupa posição proeminente na produção do azul e branco devido à habilidade dos mestres que ali reproduziam motivos orientais. Tal foi o sucesso, que as instalações se ampliaram para produção de peças ornamentais e utilitárias – azulejos, serviços de mesa, vasos (alguns de grandes dimensões) , *tulipières**, suportes de perucas, etc. As melhores peças são *chinoiseries** criadas com riqueza de imaginação; outras peças têm motivos de flores e pássaros, reproduções de quadros de gênero, marinhas, paisagens. A decoração policromada foi usada ao lado da azul e branco e, no fim do século, enriquecida com o emprego do vermelho. No séc. XVIII, reproduzem decorações da *famille verte** e Imari*, e nelas se inspiram para criação de novos modelos. ~ No fim do século, Delft é afetada pela concorrência da porcelana alemã e da francesa, mas a tradição é preservada por suas qualidades artísticas e pelo valor de certos mestres. ~ No séc XIX a louça inglesa domina o mercado, mas Delft se recupera em 1876 com métodos de produção em larga escala; reproduz com êxito modelos do séc. XVII e mantém daí por diante uma produção qualificada. ~ As marcas de Delft são numerosas devido à grande presença de oleiros na região (só a Guilda de S. Lucas registra oitenta e nove nos sécs. XVII e XVIII, cada qual com identificação própria (nomes, letras, figuras, datas) segundo a época e a fábrica de origem. § A vitrificação com esmalte* de estanho de Delft foi levada para a Inglaterra onde a palavra passou a designar este tipo de cerâmica, também ali chamada *delftware* ou simplesmente *delft*. [Cf. faiança.]

Prato-medalhão azul e branco com paisagem marinha. (Holanda - séc. XIX - diâmetro 35 cm)

Par de vasos policromados e assinados de inspiração Imari. (Holanda - séc. XVIII - alt. 30 cm)

delineavit. [lat. 'desenhou'.] Palavra que acompanha, muitas vezes, num desenho ou numa gravura, o nome do artista. Usa-se também a abreviatura DEL. [V. gravura.]

demão. *s. f.* Camada de tinta aplicada sobre uma superfície; mão. Conforme o número de camadas a pintura pode ter melhor textura, acabamento ou duração. A cor inicial é muitas vezes alterada por uma segunda ou terceira demão.

demolição. *s. f.* O ato de desfazer ou deitar por terra uma construção. // P. ext., os restos do material aproveitável de um prédio demolido. Este material, muitas vezes de valor, pode dar a uma construção nova ou a um interior, a beleza e a noção de "coisa vivida". Telhas de canal, alizares de cantaria, grades de ferro, balaústres de madeira, portões, azulejos, tábuas de assoalho, representam em certos casos, soluções acertadas. §§ Nas cidades brasileiras, de crescimento rápido e de tradição relativamente recente, as demolições representam como que um traço de união com o passado, com o artesanato e com certos materiais nobres que o tempo afasta.

denteado. *s. m.* Ornato formado de sucessivos recortes quadrangulares salientes, regularmente espaçados. ~ Na parte inferior das cornijas* das ordens jônica* e coríntia*, o denteado era feito em relevo com pequenos cubos, o mesmo ocorrendo no mobiliário neoclássico. [V. ornato.] - Fr.: *crénelé*.

dentes. *s. m. pl.* Série de tijolos ou pedras salientes deixados propositalmente numa parede para permitir a ligação com outra, em obra posterior.

deque. [Do ingl. *deck*, 'convés'.] *s. m.* Piso feito de tábuas assentadas com pequeno espaço entre si, o que permite o fácil escoamento da água; é usado especialmente em casas de praia e de campo, em varandas rústicas ou ao redor de piscinas.

Derby. [Top. ingl.] Porcelana inglesa do séc. XVIII notável pela bela decoração. A fábrica produziu serviços de mesa e objetos decorativos ou úteis; fechou no séc XIX, mas outras tantas se estabeleceram na região. Nas marcas de Derby aparece não raro uma coroa com letras e dimensões que variam. [Cf. Chelsea.]

desbaste. *s. m.* Trabalho preparatório feito na pedra ou na madeira para dar-lhes as linhas básicas da forma que se deseja realizar.

descanso. *s. m.* Designação comum a qualquer objeto sobre o qual alguma coisa se assenta ou repousa. // Em arquitetura, cada um dos patamares das escadas em muitos lanços. • ***Descanso de cabeça.*** Suporte para cabeça usado em lugar de travesseiro. No antigo Egito, as camas não tinham cabeceira e a cabeça repousava em descansos de madeira. No Oriente, especialmente na China, os descansos de cabeça de forma côncava eram feitos de cerâmica e às vezes cheios de água quente. [V. travesseiro chinês (ilustr.)] – Ingl.: *headrest.* ***Descanso de prato.*** Objeto chato usado às refeições para impedir que o calor das travessas atinja o tampo da mesa. Pode ser de metal, de cerâmica, de madeira, de palha; os de metal rendado, com pés, são complementos da baixela. ***Descanso de talher.*** Pequena peça alongada de metal, vidro, etc., que se coloca ao lado direito do prato para nela se depositar os talheres às refeições informais.

Conjunto de descansos de talher, de metal prateado, com desenho art déco, em forma de animais.
(França - c. 1930)

desenho. *s. m.* Representação da forma de um objeto real ou imaginário sobre qualquer superfície por meio de linhas, traços, pontos ou manchas; o desenho tende a representar o tema racionalmente, por meio de valores formais, prescindindo muitas vezes da cor e do volume. ~ O lápis, o pincel, a pena, o carvão, etc., são utilizados para tal fim, mas também pode-se considerar os traços abertos na madeira, na pedra, no couro, no vidro, na massa, como tantas outras formas de desenho. § Nas artes plásticas, são notáveis os desenhos com diferentes técnicas, quer os originais e únicos, quer os reproduzidos em gravuras. § As primeiras manifestações por meio de desenhos datam da pré-história e, em certas grutas e rochas aparecem de modo às vezes surpreendente pelo realismo e pela abordagem plástica. ~ Os desenhos que recobrem os monumentos egípcios, os que decoram as peças de cerâmica da Grécia antiga, a tradicional arte do desenho a pincel praticada na China e no Japão são outros tantos momentos especiais de expressão artística. ~ No Ocidente, podemos citar, entre inúmeros grandes desenhistas, Dürer, Holbein, Rembrandt, Goya, Turner, Picasso. [Cf. pintura.] - Fr.: *dessin*; ingl.: *drawing*; alem.: *Zeichnung*; esp.: *dibujo.* // P. ext., o esboço, o debuxo, o risco de um projeto arquitetônico, de um objeto, e a forma geral, o delineamento, ou o perfil de alguma coisa. • ***Desenho em escala.*** O que, para efeito de representação e de trabalho, reduz uma fachada, uma planta, um móvel, etc., à dimensão do papel, mantendo-se entre o original e o desenho proporções exatas. [V. escala.]

desenho industrial. A arte e a técnica de desenhar e/ou projetar objetos manufaturados considerando-se os materiais utilizáveis, os meios de produção, a embalagem, etc., e tendo em vista não só as necessidades da produção em massa como também o aspecto funcional e estético. Nessa busca de melhor convivência entre o homem e as coisas, leva-se em conta, além das condições citadas, certos aspectos do próprio homem: sua psicologia, sua capacidade de trabalho, suas dimensões, etc. [Cf. *design*.]

design. [Ingl. Nas acepções tradicionais (sécs. XVII e XVIII), a palavra significa: 'plano concebido pela mente´; 'desígnio', 'propósito', 'intenção', 'fim que se tem em vista', 'dispositivo ou engenho concebido segundo um plano'; 'adaptação dos meios ao fim'; 'esboço preliminar de uma obra de arte'; 'delineamento, combinação de detalhes e execução de uma ideia artística (plástica ou gráfica)'. Modernamente, significa também: 'desenho e especificações para a fabricação de um produto'; 'a forma estabelecida deste produto' (Adaptação das definições dos dicionários *Webster's Ninth New Collegiate Dictionary* e *Oxford Concise Dictionary*). No séc XX, a palavra sucinta, mas abrangente em sua significação, entra no vocabulário do alemão, do francês, do português e de outras línguas (o italiano *disegno* e o espanhol *diseño* correspondem, basicamente, às modernas acepções inglesas)]. Entende-se por *design*: a) planejamento para a feitura de qualquer objeto destinado ao uso do homem, executado por processos industriais e concebido à sua medida; b) o modelo, a imagem bi ou tridimensional adotados como forma para o objeto projetado, depois de atendidas todas as exigências técnicas e socioeconômicas; c) a materialização dessa forma como produto fabricado em larga escala ou, mais raramente, fabricado em número reduzido ou mesmo como objeto isolado. ~ O *design* volta-se para dois campos: o da programação visual, que lida majoritariamente com os aspectos bidimensionais do produto, e o do desenho do produto, que lida com os aspectos funcionalmente tridimensionais. O produto acabado do *design*, graças a sua forma, comporta uma mensagem, assume um significado que irá determinar sua relação global física, psíquica, cultural, etc. com o usuário e seu meio. § No curso do tempo, os objetos de uso, feitos um a um, manualmente, já tinham a forma associada à função a que se destinavam, fosse esta utilitária, religiosa ou simbólica. As formas se definiram cedo, e as modificações (bem como a decoração) respondiam às necessidades que lentamente se impunham num contexto sociocultural em evolução. Não se pode dizer que a feitura desses objetos obedecessem a um plano ou projeto como modernamente se entende; mas é inegável que uma cadeia de gestos e decisões cada vez mais complexa presidia a sua elaboração – desde a invenção até o uso. ~ As primeiras oportunidades de planejamento organizado pertencem ainda à fase pré-industrial (sécs. XVI/XVII) quando os livros impressos começam a divulgar desenhos de peças de ourivesaria ou de mobiliário ao lado de grande repertório de ornatos. Gravadores, pintores, escultores, arquitetos concebem e ditam formas que se materializam pelas mãos dos artesãos. O padrão de luxo e a preocupação estética marcam esta produção, e já existe uma interação inconsciente entre aqueles que fazem e fornecem os objetos e seus clientes. ~ Com a Revolução Industrial (sécs. XVIII e XIX), essa relação torna-se mais complexa por imposição da produção em série; a função estética passa a segundo plano. A máquina introduziu um componente inteiramente novo nos problemas do planejamento funcional e estético, mas, na indústria, inicialmente isto passa despercebido. Só a partir de meados do séc. XIX o assunto começa a ser repensado; um exemplo é o empreendimento industrial do austríaco Michael Thonet* no setor do mobiliário. ~ O *Arts and Crafts Movement**, na Inglaterra, e as experiências mais amplas do *Art Nouveau** abrem espaço para a nova "estética industrial". Em 1907 cria-se na Alemanha a *Deutsche Werkbund* com o fim de unir esforços de artistas, industriais e artesãos em busca de expressão por meio de formas inovadoras; dela participam, entre outros, Hermann Muthesius, Peter Behrens, Van de Velde*. A ideia se desenvolve com a Bauhaus* (1919-1933) que leva avante as propostas do arquiteto Walter Gropius*, seu fundador; em cada setor da escola, os laboratórios voltam-se para o planejamento de artigos destinados à produção industrial. Prepara-se os alunos para serem mais do que artesãos: eles devem compreender a sequência dos atos necessários ao aparecimento do produto acabado. ~ Entre as duas guerras, o *design* moderno liberta-se de antigas normas estéticas e se estabelece purificado, despojado quanto à forma e coerente quanto à função. Manifesta-se nos diversos países e, entre seus expoentes, distinguem-se Marcel Breuer*, Le Corbusier*, Alvar Aalto*, Frank Lloyd Wright*, Mies van der Rohe*. Nas décadas de 1920 e 1930 foram criados modelos, especialmente no mobiliário, que se tornaram clássicos na história do *design*. Com as marcas de utilidade, simplicidade e beleza, o *design* industrial se incorpora à corrente dos movimentos estéticos para depois adquirir condições de maior difusão e ser aceito pela cultura popular. § A estética industrial desenvolveu-se consideravelmente nos E.U.A. não só por ter este país acolhido, depois de 1933, os grandes mestres da Bauhaus, como pelas imensas possibilidades industriais de seus meios tecnológicos e de investigação, pela massa de consumidores, pelas grandes empresas interessadas em chamar os projetistas que despontavam (Raymond Loewy, Elliot Noyes, Henry Dreyfuss, Walter Teague). Passada a II Guerra Mundial, a indústria encontrou-se em situação de aplicar os amplos recursos tecnológicos adquiridos nos anos anteriores. A necessidade de reconstrução gerou novo impulso na planificação e na mecanização. O *design* industrial se integra na vida moderna, atinge utensílios, ferramentas, mobiliário, veículos, vestuário, objetos com que o homem entra em contato direto com seu cotidiano. Na Inglaterra, o trabalho dos *designers*, com participação do *Royal College of Arts*, penetra maciçamente na maior parte dos setores industriais (Misha Black, Robin Day). ~ Nos países nórdicos os produtos são concebidos com especial bom gosto para o mobiliário, a cerâmica, o vidro, o metal (Arne Jacobsen*, George Jensen*, Finn Juhl, Alvar Aalto*, Tapio Wirkkala). § Depois de 1950, é notável a produtividade e a atividade dos *designers* nos E.U.A., como Charles Eames*, Eero Saarinen*, Harry Bertoia*. O *Museum of Modern Art* de Nova Iorque cria uma coleção selecionada das principais formas de *design* do séc. XX . ~ Entretanto, o desenvolvimento de maior impacto cultural, visual e técnico deu-se na Itália do após-guerra; a *Triennale* de Milão mostra ao mundo o *design* de carros, peças de mobiliário, máquinas de escrever, objetos diversos criados por personalidades como Marcello Nizzoli, Marco Zanuso, Carlo Scarpa, Ettore Sottsass, bem como favorece o aparecimento da revista *Domus* de Gio Ponti. § Para promover e apoiar a produção do *design* e, consequentemente para dar autonomia à profissão, um grupo de especialistas dos E.U.A., da Grã-Bretanha, da França, dos países escandinavos criou, em 1957, o *International Council of Societies of Industrial Design* (Conselho Internacional das Sociedades de Design Industrial) – o ICSID – que agrupa diferentes sociedades nacionais. Esta entidade tomou a si dar unidade às diversas definições de *design* industrial e estabelecer as bases da profissão de *designer*. Considera o *design* como um fator de "humanização no desenvolvimento tecnológico". A formação do *designer* deve ser orientada no sentido de favorecer a determinação das prioridades formais dos produtos, ou seja, a integração estética, funcional, técnica, social e econômica necessárias para se obter maior adaptação à vida moderna. § Coerente com seu sentido dinâmico, o *design* evoluiu no final do séc. XX para novos enfoques, novas pesquisas que se voltam para a subdivisão do processo: do momento da criação até o produto final, o *design* passa por etapas de investigação e análise, de desenho e detalhamento, de organização dos meios de fabricação e outras, cada qual com trabalho especializado. Esse processo gera protótipos que serão apresentados e poderão ser adotados pela indústria total ou parcialmente. Não se trata mais de elaboração individual do projetista a serviço de uma empresa; trata-se do trabalho de uma equipe, ~ Respeitado o postulado original da relação forma/função, o *design* parte para uma posição menos severa que explora as possibilidades de comunicação através de materiais, cores, símbolos, conotações culturais. Um exemplo é o movimento Memphis, criado em Milão pelo *designer* contemporâneo Ettore Sottsass que explora uma liberdade quase lúdica (mas com base cultural) na combinação de formas, materiais e cores. §§ No Brasil, por volta de 1930, arquitetos e artistas de vanguarda absorvem a linguagem pioneira da Europa desde o começo do século. A passagem de Le Corbusier* pelo Brasil no início dos anos 30 marcou uma geração de arquitetos que já desenvolvem uma linguagem brasileira ligada ao funcionalismo*. O curso dado por R. Sambonnet, vinte anos depois, em S. Paulo, e que culminou com a vinda de Max Bill, foi outra etapa decisiva. Em 1963, já sob o influxo da escola de Ulm*, e tendo como principal orientador Karl Heinz Bergmiller, cria-se no Rio de Janeiro a ESDI - Escola Superior de Desenho Industrial -, iniciativa que representa a preocupação de estruturar a atividade de *designer* industrial no país. A partir desta primeira iniciativa, mais de uma dezena de escolas se desenvolvem. É de notar que a expressão "desenho industrial", influenciada pela forma inglesa *industrial design*, representa uma opção local, semanticamente afim, mas unilateral. Observa-se que a mesma exigência de situar essa atividade da vida moderna caracteriza o uso de expressões que enfatizam outros aspectos do *design* como, na França, *esthétique industrielle*, equivalente a "arte industrial", ou, na Inglaterra, *engeneering*, que distingue o aspecto tecnológico e industrial das atividades artesanais. ~ O *design* no Brasil, que começa captando influências externas, procura, depois, adaptá-las e recriá-las dentro do contexto nacional. ~ O desenvolvimento da indústria a partir da década de 1960 amplia o campo de trabalho e determina espaços para os diferentes desafios que se apresentam. ~ Um dos setores mais desenvolvidos é o do *design* de móveis, não só residenciais como de escritórios. É inegável a importância do emprego de nossas madeiras, mas o recurso a outros materiais impõe-se igualmente nas criações do pioneiro Joaquim Tenreiro, de Lina Bo Bardi, Eduardo Corona, Carlo Fongero, entre outros. O arquiteto Sérgio Rodrigues, criando em 1961 a "poltrona Sheriff", teve seu *design* premiado na Itália e acolhido na já mencionada *Design Collection* do MOMA de Nova Iorque (esta coleção inclui trabalhos de outros projetistas brasileiros). No setor de **comunicação visual**, o *design* muito deve a Alexandre Wollner (1928 -) e Aloisio Magalhães (1927 - 1982), ambos professores da ESDI e pioneiros na implantação de importantes projetos de ***identidade visual*** para empresas brasileiras. O desenvolvimento destes e de outros projetos análogos, por implicar na necessidade de um trabalho sistêmico de equipe, resultou na formação de várias gerações de profissionais de comunicação visual no Brasil.

desnível. *s. m.* Diferença de nível num terreno; quando muito acentuado ou inadequado ao aproveitamento, é corrigido por aterro ou terraplanagem. Pode ser pretexto para obtenção de efeitos estéticos, valorizando ou dando visão mais ampla a uma paisagem. ~ Nos interiores, é recurso adotado para quebrar intencionalmente uma grande área, ou dividir ambientes pela alteração do pé-direito, pelo realce dado a determinado espaço em relação ao todo. [Cf. escada, degrau e rampa.]

desserte. [Fr.] V. aparador.

desvão. *s. m.* Em arquitetura, vão debaixo do telhado, espaço entre o telhado e o forro que pode ou não ser ocupado por água-furtada ou sótão.

detalhe. *s. m.* Característica que, por pequena que seja, marca o valor estético e/ou função de um objeto, de um ornato, de um acessório. Os detalhes são complementos individualizantes nas linhas gerais de um todo em arquitetura e decoração. Há detalhes permanentes (de funções, formas e materiais) e outros acidentais e intencionais: o realce de um objeto decorativo, a disposição de um arranjo floral, etc. [Cf. acessório e ornato.]

Deutscheblumen. [Alem. 'flores alemãs'.] Decoração floral naturalista, de cores alegres e vivas, aplicada à porcelana; os modelos de seus desenhos teriam sido extraídos dos tratados de botânica. Foi criada em Meissen*, no séc. XVIII e depois difundida por diversas fábricas europeias. [Cf. *Indianischeblumen*.]

Travessa de porcelana de Meissen.
(Alemanha - séc. XVIII)

dez dinheiros. V. dinheiro e prata portuguesa e brasileira.

diagonal. *s. f.* Num polígono, a reta que une dois vértices não consecutivos. ~ Em decoração, a diagonal imaginária de uma sala é elemento de união de ambientes e/ou de circulação entre eles.

diâmetro. *s. m.* Reta que une dois pontos de uma circunferência, passando pelo centro. É a medida levada em consideração quando se trata de qualquer objeto circular. Na Grécia antiga, o diâmetro das colunas foi adotado como módulo arquitetônico.

diletante. *s. m. e f.* Pessoa que se dedica a uma arte ou outra atividade por gosto e não profissionalmente.

dimensão. *s. f.* Extensão medida num ou em mais de um sentido no espaço. § Em decoração, consideram-se as três dimensões nos espaços interiores: comprimento, largura e altura as quais vão caracterizar um ambiente limitado pelas paredes, pelo piso e pelo teto. ~ Devem ser observadas as proporções das partes em relação ao todo para que haja equilíbrio e harmonia. Móveis grandes não se adaptam a uma sala de dimensões reduzidas, tornando-a menor, enquanto as cores claras, darão impressão de mais espaço a uma área relativamente pequena. Por seu comprimento, uma galeria, um corredor, prestam-se para a disposição de quadros, de móveis estreitos. Num local de trabalho, é mais importante a disposição dos móveis e do material a ser usado do que propriamente as suas dimensões. [V. ergonomia.]

dinanderia. [Do fr. *dinanderie.*] *s. f.* O conjunto dos objetos de cobre e de latão (utensílios domésticos, luminárias, objetos de culto) fabricados na cidade de Dinant (Bélgica) e arredores a partir do séc. XII. Pela feitura esmerada, esses objetos tiveram grande difusão; depois, foram se abrindo outros centros de dinanderia na França, na Alemanha, na Itália. A indústria começou a decair no séc. XVIII. // P. ext., o conjunto dos objetos de cobre, latão e bronze.

dinheiro. *s. m.* Título pelo qual se avaliava a prata em Portugal, supondo-se que esta, quando pura, estaria dividida em 12 partes iguais. Esse critério vigorou desde fins do séc. XVI até o séc. XIX. ~ Um manual quinhentista assim se refere ao ofício da prata: *"... saberás que a ley da prata em Portugal eh de 11 dinheyros s. scilicet 11 partes de prata fina mais uma de cobre, e quãdo ouvires nomear prata de ley de 10 dinheyros, ás de entender que o que daqui falta para 12 dinheyros he de cobre."* [V. prata portuguesa e brasileira e prata - prata de dez dinheiros e prata de onze dinheiros.]

dintel. *s. m.* V. lintel.

díptico. *s. m.* Painel pintado ou entalhado constando de duas folhas que em geral se dobram e fecham. Os dípticos podem ser quadros de bom tamanho ou pequenas obras de arte como os de marfim do final da Idade Média. // P. ext., nas artes plásticas, o conjunto formado por dois quadros que têm entre si íntima correlação de assunto e de forma. [Cf. tríptico e políptico.]

Diretório. Estilo decorativo que predominou na França durante o segundo período revolucionário (1795-1799), e se prolongou no início do séc. XIX. Representa a transição entre os estilos Luís XVI e Império, e se enquadra no Neoclássico, caracterizando-se, assim, pela fidelidade às linhas puras e simples. § Móveis e objetos têm decoração inspirada nas antigas esculturas greco-romanas e nas obras pompeianas* recentemente descobertas; aparecem também motivos egípcios por influência das conquistas de Napoleão Bonaparte. Os motivos ornamentais mais recorrentes são losangos, leques e flechas, ao lado de urnas esculpidas, leões alados, palmetas, rosáceas inscritas, margaridas, bustos femininos alados, esfinges, flores de lótus. Aparece em menor escala decoração com os símbolos da Revolução Francesa: a vitória alada, as tábuas da lei, o barrete frígio, o galo gaulês. § Com a nova ordem, foram abolidas as corporações com seus códigos rígidos, o que possibilitou uma produção mais fantasista, menos elaborada que a do tempo da monarquia. Porque a época era de contenção, o emprego do bronze dourado foi reduzido. ~ Os móveis são de mogno natural ou de faia pintada de cinza, amarelo, branco, verde, em tonalidades claras ou escuras, e ornados de desenhos ou pinturas, de placas de porcelana. As cômodas são simples, retilíneas; as cadeiras têm encosto trapezoidal ou ligeiramente inclinado para trás, e pernas traseiras em forma de sabre*; as camas, ao longo da parede, têm cabeceira e pé simétricos terminados em voluta; nos quartos, surge a psichê* com seu grande espelho. ~ Aparecem os tecidos drapeados em cores lisas, ou em *toile de Jouy**, pendentes do teto e enquadrando as camas, ou revestindo as paredes. O principal ebanista desse período foi o francês Georges Jacob*. § O estilo Diretório influenciou fortemente as artes menores como a ourivesaria e a indumentária. [V. Neoclássico. Cf. Império e Luís XVI.]

distribuição interna. Divisão dos cômodos de uma casa de modo racional, levando-se em conta as necessidades e os hábitos de seus moradores. (Tb. se diz apenas divisão.) É importante que a função social, o rendimento de serviço de cada setor da casa e seu entrosamento sejam observados tendo em vista a economia de movimentos, a privacidade, e a estética, naturalmente. Nos apartamentos, a chamada distribuição francesa é longitudinal, com salas na frete e corredor comunicando com a parte de serviço e os quartos e suítes no fundo; já a distribuição radial em plantas aproximadamente quadradas faz-se, segundo as dimensões, a partir de uma sala central ou de um pequeno *hall* interno. [V. galeria¹, *hall*, vestíbulo.]

divã. [Do turco *diwan* 'sala guarnecida de almofadas onde se reunia o conselho do Sultão no Império Otomano', 'estrado com almofadas'.] *s. m.* Espécie de leito estofado, sem encosto com uma cabeceira reclinada e que serve para recostar, deitar e sentar. ~ Surgiu na Europa no séc. XVII como grande assento para diversas pessoas; no correr do séc. XVIII tornou-se menor, mais confortável e foi usado para repouso diurno. Os divãs com estrutura de madeira aparente têm formas elegantes nos modelos neoclássicos e do estilo Império. ~ No séc. XIX passa a figurar nos salões, nos *boudoirs**, nos gabinetes, completamente estofado com capitonê e franjas - sob esse aspecto, retorna, de certo modo, às origens orientais. [Cf. *récamier*.]

Divino. *s. m.* Designação popular do Divino Espírito Santo. // Na iconografia cristã, a imagem de uma pomba que representa o Espírito Santo. §§ A festa religiosa do Divino, estabelecida em Portugal na Idade Média em devoção ao Espírito Santo foi trazida para o Brasil com os primeiros colonizadores e gozou de imenso prestígio. Dela participava a população que escolhia o "Imperador do Divino" (criança ou adulto) a quem eram atribuídos poderes especiais durante os festejos; ele tomava assento num palanque e recebia a coroa. [V. coroa – coroa do Divino.]

Imagem em prata moldade e cinzelada representando o Divino Espírito Santo, com resplendor em raios. (Brasil - prov. séc. XIX)

divisória. *s. f.* Parede, meia parede ou outro elemento vertical que se usa para vedar ou separar um espaço, criando-se dois ambientes. ~ Divisórias de compensado, aglomerado ou mesmo de madeira empregam-se em escritórios e outras áreas comerciais. Modernamente, biombos, estantes, grades de madeira ou de ferro, elementos vazados, plantas de interior são alguns recursos aplicados em divisórias parciais. [Cf. biombo e parede.] - Fr.: *cloison*; ingl.: *partition*; alem.: *Teilwand, Trennwand*.

dobradiça. *s. f.* Peça de metal que consta de duas chapas retangulares unidas por um eixo; aplicadas uma ao batente outra ao marco de portas e janelas, se articulam para que estas se abram ou se fechem. ~ Há dobradiças de diferentes formas e tamanhos (algumas destinadas a outros objetos); as de outrora, de ferro batido e de bronze eram peças artesanais, decorativas e bem trabalhadas. Nas construções populares usava-se a charneira* ou o gonzo*. ~ A solidez das dobradiças é importante, sobretudo em relação ao peso que vão suportar, bem como o número delas em relação ao comprimento da folha. • *Dobradiça contínua* ou *dobradiça de piano*. A que é longa, ocupando toda a extensão de uma folha. *Dobradiça reversível*. A que permite o movimento das folhas para os dois lados, muito usada em biombos e portas de vaivém. §§ No Brasil colonial, pode-se assegurar que as dobradiças eram artigos de luxo e acredita-se que seu uso só se iniciou no séc XVIII, e em raros casos. Normalmente essa peça era substituída por gonzos de madeira. - Fr.: *charnière*; ingl.: *hinge*; alem.: *Scharnier*.

doce de leite. *s. m.* Motivo ornamental em forma de losango em relevo que aparece em peças rústicas do mobiliário colonial brasileiro. [V. mesa (ilustr.)].

Doccia. [Top. ital.] Fábrica de porcelana fundada em Florença (Itália) no séc. XVIII e que se distinguiu pela feitura de grupos de certa importância de autoria do escultor M. Soldani. O estabelecimento passou por várias fases, produziu belas peças *art nouveau* e, no correr do séc. XX, ótimas criações de *designers* italianos. [V. Capodimonte.]

Dom João V. Estilo decorativo luso-brasileiro que corresponde aproximadamente ao reinado do rei D. João V de Portugal (1706-1759). § Graças à descoberta do ouro no Brasil, privilégio da coroa, a corte se beneficia e ostenta um fausto verdadeiramente perdulário; realizam-se grandes obras como o Mosteiro, a Igreja e o Palácio de Mafra e o Santuário do Bom Jesus do Monte (Braga).

Há intercâmbio de artífices orientais com a metrópole (influência indiana e chinesa) e o rei incentiva a vinda de artistas e artesãos italianos, ingleses, franceses. Ourives e prateiros levam a efeito trabalhos de grande riqueza. A arte do azulejo, de forte impacto decorativo, tem motivos e molduras do mais puro Barroco. § Esse período é marcado em especial pelo mobiliário, e apresenta, basicamente, três fases. ~ Na *primeira fase*, com predomínio da tradição nacional vinda do séc XVII, os móveis são severos, retilíneos e sólidos: armários e arcas com pés de bola, faces ornadas de losangos com tremidos; cadeiras de sola lavrada e com tachas; mesas e contadores com pés de bolacha*, tremidos e cordas, e ferragens e puxadores de latão; camas de galeria com torcidos e bilros*. Todos os móveis são de feitura apurada, visualmente belos pela estrutura e pelo acabamento. Esses modelos continuam a ser repetidos no correr do século mas, paralelamente vai se estabelecendo uma ruptura gradativa com a tradição. ~ Na *segunda fase*, as linhas se arredondam, os motivos barrocos predominam; aparecem formas elegantes e adaptáveis ao corpo. Pouco a pouco as características dos móveis ingleses Rainha Ana* e georgianos* vão se implantando em Portugal: pernas em curva e contracurva* de saída brusca abaixo do aro das cadeiras e da caixa das mesas, pés de garra e bola, folhas de acanto e conchas aplicadas no cachaço dos espaldares, nas joelheiras, nas abas e saiais; os encostos vazados são suportados ao centro por tabelas* que terminam no assento; aparecem cadeirais* com esses encostos repetidos. A imaginação e habilidade dos artífices se esmera em detalhes decorativos; as talhas* são profundas e recortadas, e muitos móveis têm frisos e pés dourados. Surgem as mesas de encostar com três faces decoradas; as cômodas e papeleiras, a princípio de ângulos vivos, depois têm linhas curvas. ~ No final do reinado de D. João V, Na *terceira fase*, a tendência das linhas e da decoração volta-se para a França e sente-se a influência do Rococó*: cadeiras com encosto em forma de violão com moldura ora vazada, ora forrada com tecido, ora de palhinha; camas de aparato com detalhes de plumas e volutas nas cabeceiras; cômodas com linhas acentuadamente curvas e móveis acharoados com *chinoiseries**. É o apogeu do estilo, e datam de então notáveis exemplares de mobiliário profano e religioso. O jacarandá* importado do Brasil presta-se para a realização de obras de grande apuro artesanal. §§ Na colônia, móveis de luxo seguem os modelos portugueses, especialmente na Bahia, em Pernambuco e em Minas; revelam feitura esmerada e grande criatividade. No interior dos templos, nas sacristias dos conventos, começam a surgir grandes obras de talha e esculturas de artesãos brasileiros; os motivos da terra acrescentam-se àqueles trazidos do Reino. Por outro lado, são executados móveis populares singelos (arcas, armários, mesas, bancos, camas e catres) alguns com entalhes rústicos semelhantes aos móveis de gala, outros com desenhos ingênuos, muitas vezes policromados. [V. Barroco, Barroco brasileiro e mobiliário. Cf. Dom José I e Nacional português.]

Dom João VI. Gênero de móveis que vigorou no Brasil entre 1810 e 1830, aproximadamente, e que manifestou características tipicamente locais. A denominação foi adotada *a posteriori* por analogia com os estilos portugueses setecentistas que se associam ao nome dos monarcas. § O príncipe D. João (1767-1826), herdeiro do trono de Portugal, assumiu a regência por impedimento de sua mãe D. Maria I em 1792. Em 1808, determinou a transmigração da corte portuguesa para o Brasil em face da ocupação do país pelas tropas de Napoleão Bonaparte. Tornou-se rei de Portugal em 1816, quando ainda se encontrava no Brasil. § Como decorrência da instalação da corte no Brasil, transformações profundas aconteceram na área política, econômica, social e cultural. ~ No campo das artes decorativas, os Braganças e seu séquito abriram perspectivas de luxo e conforto desconhecidos na modesta vida da capital. Até então, marceneiros e ourives produziam as peças mais requintadas quase exclusivamente para uso e fausto da Igreja e seus dignitários (daí referências a "cama de bispo", "tronos de bispo"); a feitura mais apurada baseava-se nos modelos portugueses ao lado de interpretações locais – algumas notáveis –, obras dos artífices nativos. ~ Segundo inventários, no fim do séc. XVIII os móveis de uso eram: mesas de cavalete e de aba e cancela, bancos de encosto, cadeiras de dobrar, canapés, cômodas, armários, oratórios; para dormir ainda era muito usada a rede, embora houvesse menção a alguns leitos. § Instalada no paço de S. Cristóvão, a família real importou móveis estrangeiros, especialmente franceses no estilo Império*, a partir da segunda década dos oitocentos; é este estilo que goza da preferência da aristocracia (ele está vinculado ao tempo da Independência). ~ A população abastada acompanha a corte, e os marceneiros esmeram-se dando ensejo ao aparecimento de uma interpretação brasileira de linhas e entalhes inspirados nos estilos Império* e *Regency* (ambos em voga na Europa), sem abandonar certos aspectos neoclássicos do estilo D. Maria I ainda em voga. § Os móveis são sóbrios e sofrem transformações estruturais: o console deixa de ser fixo e passa a ter quatro pernas; as cômodas e roupeiros são retilíneos com a gaveta superior mais estreita e saliente, e colunas laterais; as mesas de centro têm tampo redondo e coluna central abalaustrada; nas cadeiras aparece a perna de sabre* e predominam os assentos de palhinha*. A madeira usada é, de preferência, o jacarandá*. ~ Quanto aos entalhes, são característicos os rolos de fumo* nos encostos e guardas; aparecem os pescoços de cisne, bem como golfinhos, em marquesas* e canapés; nestes, pérolas distanciadas dão leveza aos encostos. Frisos de estrias e meias-canas convexas contornam as estruturas, e decoram esses frisos os losangos e rosetas com gomos, estrias concêntricas ou pontas de diamante*. Os cantos das gavetas, as ilhargas das cômodas, as portas de armários são decorados com leques*. Desaparecem as ferragens: os espelhos de fechadura são embutidos, de marfim ou de osso; os puxadores são torneados. ~ Esse traços inconfundíveis imprimem caráter genuinamente brasileiro ao mobiliário, o que levou certos especialistas a buscar o nome que melhor expressasse a época em que apareceram. Chegou-se, assim, à designação de "estilo Dom João VI", que, na verdade, não é mais do que um ponto de referência para reunir uma produção altamente qualificada e que teve grande penetração no país, tanto no mobiliário urbano como no das grandes propriedades rurais das primeiras décadas do séc. XIX. Esses móveis deixaram incontestável tradição. [V. Dona Maria I. Cf. Missão Artística Francesa e *Regency*.]

Canapé Dom João VI, de jacarandá, com guarnição em forma de asa de morcego no encosto, braços encurvados com apoios em rolo de fumo, rosetas nas extremidades da moldura e pés torneados.
(Brasil - começo do séc. XIX)

Dom José I. Estilo decorativo luso-brasileiro que corresponde ao reinado de D. José I de Portugal (1750-1777). Sucede, sem solução de continuidade, ao estilo Dom João V, cuja última fase já apresenta as características que irão se acentuar na segunda metade do século. Os motivos ornamentais barrocos são marcados pela influência francesa (Luís XV*, Rococó*) e pelas formas inglesas (Chippendale*) acrescidos de ornatos tipicamente portugueses. ~ O estilo se afirma depois do terremoto de Lisboa, (1755) e, na reconstrução da cidade determinada pelo Marquês de Pombal, prevalecem a princípio o rigor e a simplicidade (por isto, nesta fase, o estilo foi chamado em Portugal de "pombalino"). § O mobiliário se fixa em normas definidas quanto à forma, os ornatos, as dimensões; a talha é menos profunda, desaparecem as amarrações, as pernas em curva e contracurva* são inteiriças (formam o canto do aro dos assentos e da caixa das mesas) e têm as joelheiras menos acentuadas; os pés de garra e bola são menores e aparecem outros com estilizações vegetais. § De todos esses fatores resultam móveis em que, já no terceiro quartel do século, é notória a preocupação com requinte. A elegante ornamentação torna-se um fim em si mesma. Os entalhes se espalham generosamente no espaldar das cadeiras, na linha inferior das meias-cômodas e das mesas de encostar, com espaços vazados e recortados. § As cômodas e papeleiras abauladas na frente evoluem em saliências e reentrâncias e repousam sobre grandes sapatas*. ~ As camas vão se tornando luxuosas, com colunas esguias, em espiral, rematadas por pináculos (às vezes de prata); muitas têm baldaquim; as cabeceiras são recortadas em volutas, conchas, palmas e, mais tarde, flores que emolduram em muitos casos medalhões almofadados. ~ As cadeiras se padronizam quanto às dimensões e apresentam-se em grande variedade; alguns espaldares tornam-se mais baixos e largos, e os montantes mais estreitos e, no fim do período, o encosto emoldurado à Luís XV* (estofado ou de palhinha) substitui a tabela; o cachaço, ainda no estilo anterior, termina em feixe de plumas ou com rebaixo central. Surgem novas formas de influência inglesa – as cadeiras de canto* e de escritório* –, e também as cadeiras de bacalhau*, todas de madeira; as de dobrar são frequentes e acompanham o estilo. Os canapés têm encosto com espaldares ligados. ~ As mesas de centro têm, não raro, amarração em "X" com pinha no ponto central para fixar as pernas em curva e contracurva que formam os cantos da caixa; são adotadas as mesas inglesas de aba e cancela*, as de jogos, as de pé de galo. Reaparecem os móveis pintados, acharoados e dourados. §§ No Brasil, ao lado das peças coloniais rústicas, são executados finos móveis entalhados em jacarandá. Entre os exemplares típicos da época, encontram-se os arcazes* das sacristias e das irmandades religiosas, os oratórios* com entalhes nas molduras e frontões e interior com pinturas floridas, os armários pintados a cola com flores e ornatos rococó. ~ Na arquitetura barroca brasileira, o estilo Dom José I está presente nos ornatos das fachadas das igrejas e nos seus interiores profusamente esculpidos, pintados e dourados, nos lampadários e tocheiros de prata ricamente ornamentados, na imaginária de grande teor artístico. A figura do Aleijadinho* impõe-se no fim deste período como a de maior expressão artística. [V. Barroco Brasileiro. v. tb. cadeira (ilustrações). Cf. Dom João V e Dona Maria I.]

Mesa de encostar Dom José I, de jacarandá, com caixa ondulada, duas gavetas emolduradas, escudetes de marfim, pequena aba recortada com entalhes rasos e ilhargas com decoração rocalha. (Brasil - séc. XVIII)

Dona Maria I. Estilo decorativo luso-brasileiro que floresceu durante o reinado de D. Maria I de Portugal (1777-1792) e a regência de seu filho D. João. § De acordo com a tendência do final do séc. XVIII, o estilo caracteriza-se pelo espírito de renovação e pela sobriedade próprios do Neoclassicismo francês (Luís XVI* e Diretório*) e inglês (Adam*, Hepplewhite* e Sheraton*). § Em Portugal, ocorre uma diferenciação no mobiliário: o móvel burguês é de fabricação nacional, enquanto o da corte é, na maioria, importado ou então feito com modelos copiados da França, da Inglaterra, da Itália; mas a interpretação portuguesa neles imprime um cunho particular. ~ Nos primeiros anos do reinado de D. Maria os elementos decorativos não se definem e, ao lado do movimentado e elegante Rococó* (volumes curvos, volutas, assimetria decorativa) delineiam-se formas mais sóbrias, cilíndricas e prismáticas, com estrias e caneluras, fios de pérolas, festões e laços; os corpos dos móveis tornam-se retangulares, as prumadas das cadeiras são retas. Surge um elemento novo: a incrustação em filetes* de madeira clara nas superfícies lisas. ~ As cadeiras simples ou de braço, no estilo inglês, têm encosto oval ou em escudo com decoração discreta de varetas recurvadas, laços, plumas; são típicos os pequenos medalhões, em geral de fundo branco, com delicadas pinturas, especialmente *chinoiseries**; outras cadeiras têm linhas retas, estruturas esguias com o encosto em tiras horizontais ornados em filetes. Os sofás formam com as cadeiras, conjuntos de sala leves e graciosos. ~ São inúmeras as mesinhas, também com filetes, com pernas esguias e com gavetas. ~ Aparecem armários envidraçados e relógios à maneira inglesa. ~ Arcas, cômodas e papeleiras são quase desprovidas de entalhes e de ornamentação, salvo os embutidos. Emprega-se um tipo de verniz de alto brilho que realça a elegância sóbria das linhas e acentua os trabalhos de incrustação. ~ O móvel mais característico do estilo Dona Maria I é a cama que tem colunas e pés retos e delgados e, às vezes, sobrecéu. As cabeceiras são, muitas vezes, hexagonais ou ovais, algumas decoradas com pinturas figurativas ou marmoreadas, outras com medalhão central de seda ou couro; os montantes são de secção quadrangular, circular ou poligonal e, não raro rematados por pinhas ou urnas. As camas mais luxuosas têm o espaldar coroado com flores e plumas, urnas, máscaras e ornatos entalhados que descem em graciosos festões de folhas; as mais típicas têm flores, pássaros, símbolos do amor e da fidelidade formando belos desenhos incrustados de pau rosa ou pau marfim. § No estilo Dona Maria, o Neoclássico francês e o inglês foram se mesclando com elementos Diretório e Império; motivos pompeianos* convivem com outros evoluídos de modelos anteriores. O estilo se estende por duas décadas do séc. XIX, ou seja, pelo reinado de D. João VI e pelo de D. Pedro I no Brasil independente. §§ Com a vinda da família real para o Brasil em 1808, adquirimos excelente acervo de peças do estilo Dona Maria, bem como mão de obra especializada no mobiliário, na ourivesaria, etc. As pratas dessa época são muito simples, com fios de pérola nas orlas, trabalhos de guilhochê feitos a carretilha, desenhos finos gravados com laços e flores. O mobiliário é produzido em diversos pontos do país; usa-se o jacarandá e o vinhático. Características regionais são notadas na Bahia, em Pernambuco, em Minas; nos móveis pernambucanos, p. ex., aparecem cajus e abacaxis, bem brasileiros, ao lado de tulipas de influência holandesa. No final do período reaparecem os relevos (gomos* paralelos, motivos de margarida* e de leque*) e os espelhos de fechadura de osso tornam-se frequentes. Surgem as marquesas e os sofás-camas de palhinha. Os modelos mais simples, de preço mais acessível, foram produzidos em grande escala e, no correr do século, estiveram relegados ao esquecimento até que, em épocas recentes, passaram a ser muito procurados. [V. Dom João VI e Neoclássico. Cf. Dom José I, Diretório e Império.]

Secretária Dona Maria I com incrustações de madeira. (Portugal - fim do séc. XVIII)

Cômoda Dona Maria I com filetes de madeira clara e escudetes incrustados de osso. (Brasil - começo do séc. XIX)

donzela. s. f. Peça cilíndrica de vidro ou de cristal transparente, em geral ligeiramente abaulada no centro. É uma espécie de manga de maiores dimensões, com duas aberturas (na base e no alto), para abrigar e proteger um castiçal com vela. [Cf. manga e redoma.]

Donzela de cristal. (séc. XIX - alt. 60 cm)

dórico. [De dório, indivíduo do antigo povo que conquistou o Peloponeso (Grécia) no séc. XII a. C.] adj. Relativo ou pertencente à ordem dórica, cujas colunas têm caneluras simples e capitel formado de anéis também simples sobre ábaco quadrangular. [V. coluna e ordem.]

dossel. s. m. Peça ornamental de madeira ou tecido que forma uma espécie de teto de aparato sobre um altar, um trono, um púlpito, uma cama; sobrecéu. [Cf. baldaquim.] - Fr.: dais; ciel de lit; ingl.: canopy; tester.

double face. [Fr. 'face dupla'] adj. Diz-se de tecido, biombo, divisória, etc. que não têm avesso e cujas duas faces podem ser usadas igualmente.

Doulton. [Antr. ingl.] Manufatura de cerâmica fundada em Lambeth (Londres) em 1815 e que produziu, no correr do séc. XIX, peças decorativas e utilitárias de *stoneware**. Associada à Escola de Arte de Lambeth contou com artistas cujas criações obtiveram grande sucesso e foram repetidas em larga escala atendendo ao gosto vitoriano. ~ Na década de 1880 começaram a trabalhar com porcelana fina em Staffordshire, exportando para o continente e para a América. §§ No Brasil do início do século a marca "Royal Doulton" (foram fornecedores da Casa Real a partir de 1901), com suas peças decorativas de um vermelho sangue de boi e com desenhos sombreados em negro, figurou nas boas lojas de presente do Rio de Janeiro e de São Paulo.

douração. *s. f.* A arte de fixar uma fina camada de ouro sobre superfície de madeira, metal, porcelana, vidro, gesso, couro, etc. § Existem dois processos de fixação do ouro, conhecidos desde a Antiguidade; um utiliza a folha de ouro e outro ouro em pó. ~ A folha tem espessuras mínimas que chegam a pequenas frações de milímetro; o pó de ouro é obtido por trituração. § Os egípcios foram mestres na arte de aplicar folhas de ouro nos sarcófagos das múmias e no mobiliário. Os chineses decoravam a madeira, a cerâmica e mesmo tecidos com desenhos em ouro. Os gregos praticavam a douração na madeira, na pedra, nas esculturas de mármore e já conheciam o processo de dourar os metais. A douração marcava o esplendor dos templos e palácios de Roma. ~ Na Idade Média a douração continuou a ser praticada na Europa e sua importância se intensificou com a pompa da Igreja. O ouro foi fartamente usado nos salões aristocráticos sobretudo nos sécs. XVII e XVIII. O mobiliário recebe, então, aplicações de ouro ou este é utilizado em ornatos e ferragens feitos de ligas de metal (como o ormulu*). § Os processos de douração variam segundo a finalidade e o suporte a ser dourado; a princípio, utilizava-se uma boa base adesiva – o mordente – para fixar o ouro em pó ou a película de ouro, que podiam ser aplicados a frio (hoje não mais) ou a quente. ~ Um processo muito difundido consistia em empregar um amálgama de pó de ouro e mercúrio na peça previamente preparada, o que se fazia a quente; o fogo volatizava o mercúrio e fixava o ouro; repetia-se a operação até a camada de ouro ter a espessura necessária para receber o polimento. Esse procedimento, aplicado sobre metais desde a Antiguidade, passou a ser usado a partir do séc. XVII na louça e mais tarde na porcelana; hoje é raramente adotado por ser nocivo à saúde, uma vez que os resíduos de óxido de mercúrio são altamente tóxicos. ~ Modernamente são empregados na douração dos metais processos eletrolíticos; contudo, devido ao preço do ouro, faz-se douração artificial com cobre. ~ Na porcelana, no couro, na madeira, vigoram processos tradicionais. §§ No Brasil, no período colonial, a douração da madeira foi muito difundida, reflexo dos hábitos de luxo da corte portuguesa enriquecida com o ouro das minas. A decoração da talha das igrejas e das imagens sacras (de barro e de madeira) era feita com finíssimas folhas de ouro sobre as superfícies aparelhadas com gesso. [V. encadernação, criselefantino, galvanoplastia, ouro e *vermeil.*] - Fr.: *dorure*; ingl.: *gilding*; alem.: *Vergoldung.*

dragão. [Do grego *drákon*, 'serpente'.] *s. m.* Animal fabuloso que aparece em diferentes mitologias sob formas similares, mas com simbolismos diversos. Na iconografia ocidental, é geralmente representado como um monstro com corpo e cauda de lagarto ou serpente coberto de escamas, asas de morcego, garras de leão e cabeça pequena de cuja boca, emanam línguas de fogo. § Na tradição do Oriente Médio (que passou à Grécia e ao Ocidente) identifica-se como a serpente, princípio ambivalente do bem e do mal. Aparece como guardião severo de tesouros ocultos (o Velocino de ouro, na Grécia, o tesouro de Siegfried na Germânia), ou como símbolo do mal e dos poderes demoníacos (o ódio, a maldade, a ignorância, a obscuridade). Na arte cristã, é esmagado em combate por São Jorge e São Miguel. § Na Ásia Oriental, apesar da aparência repelente, o dragão é benigno e comporta aspectos diversos, sendo ora terrestre, ora aquático, ora celeste, uma vez que o céu e a terra se encontram, não são mais que princípios ativos, espirituais. ~ Para os chineses, o dragão tem sete traços distintos: chifres de veado, cabeça de camelo, olhos de demônio, pescoço de cobra, ventre de molusco, escamas de carpa, garras de águia, sola dos pés de tigre, orelhas de boi. ~ O *K'uei*, dragão chinês arcaico, é terrestre e aparece nos primitivos bronzes e jades, enquanto o *lung*, símbolo do espírito das águas e da primavera, é guarda do templo taoísta e é, também, símbolo do Imperador. ~ É curioso que na China e no Japão, o dragão, embora considerado como força aérea, seja raramente representado com asas; excepcionalmente, o dragão alado é cavalgado pelos Imortais e os conduz ao céu. ~ Na arte do Extremo Oriente o dragão tem representações múltiplas e constantes, esculpido no bronze, na pedra, no jade, na madeira ou pintado nas obras de porcelana, e outras. § Em heráldica, o dragão é representado com cabeça de lobo, asas de morcego e cauda de serpente ou de crocodilo. [V. China – motivos simbólicos.]

Motivo chinês.

drapeado. *s.m.* Tipo de panejamento formando apanhados com ondulações, e que depende do caimento do tecido. ~ Nos sécs. XVII e XVIII os dosséis* dos leitos de aparato têm drapeados de tecidos nobres (veludo, damasco). Esse recurso é característico dos estilos Diretório* e Império* nas camas com cortinas abertas no centro, ou forrando tetos que lembram tendas. ~ No séc. XIX, em sanefas, cortinas, reposteiros, dosséis, os drapeados são elementos na decoração de salões e quartos de dormir. ~ Cortinas e cortinados de tecidos vaporosos, cruzados ou não, são presos com elegantes drapeados transparentes, como ocorreu nas grandes janelas envidraçadas do *Art Déco**.

Dresden. [Top. alem.] *s. m.* V. Meissen.

dresser. [Ingl.] V. aparador.

drop leaf table. [Ingl. 'mesa com aba de abaixar'] Designação genérica das mesas de aba destinadas a ocupar pouco espaço; abrangem tipos com diferentes dispositivos para baixar ou erguer as abas. ~ A forma mais antiga é a *gate leg table**, do séc. XVII. No século seguinte, aparecem na Inglaterra outros tipos: *Pembroke table*, mais elegante com pernas fixas delgadas e abas que se sustentam por meio de pequeno suporte de madeira preso ao corpo do móvel; e *sofa table*, do fim do século, mais alongada, com pés afastados que possibilitavam sua instalação em frente a um sofá para que duas pessoas, lado a lado, pudessem utilizá-la (essa mesa, hoje em dia, é colocada, de preferência, atrás dos sofás). Esses dois modelos são especialmente decorativos entre os móveis setecentistas ingleses. [V. mesa.]

Mesa do período Regency, com quatro gavetas (sendo duas falsas) e tampo de couro.
(Inglaterra - começo do séc. XIX)

drum table. [Ingl. 'mesa tambor'.] Mesa redonda, de sala, com caixa em forma de tambor, tampo recoberto de couro e coluna central com três pés; pode ter gavetas ou não. Foi criada na Inglaterra, no período *Regency**. [V. mesinha.]

Drum table com uma gaveta falsa.
(E.U.A. - séc. XIX)

duchesse. [Fr.] *s. f.* Móvel de repouso surgido na França setecentista e que consta, em geral, de três peças: uma *bergère* em gôndola ligada a outra semelhante e mais baixa por meio de um banco igualmente estofado; o conjunto forma uma *chaise-longue*. [V. *bergère*.]

dumbwaiter. [Ingl. 'mordomo mudo'] Pequena mesa de apoio geralmente com três bandejas circulares superpostas de tamanho decrescente, e que giram sobre um eixo; serve de móvel auxiliar junto às mesas de refeição. Criada no séc. XVIII, teve grande aceitação, e seu modelo continuou sendo repetido com prateleira fixas. [V. mesinha.]

Duncan Phyfe. V. Phyfe, Duncan.

Dunquerque. [Do top. fr. *Dunkerque*.] *s. m.* Pequeno armário da altura de um consolo*, de pouca profundidade, com porta(s) envidraçada(s) ou não. Foi usado, de início, como móvel de apoio. ~ Ao que parece, no séc. XIX, recebeu essa curiosa designação porque servia para apresentar diversos tipos de bibelôs, muitos deles importados de Paris, da casa "*Le Petit Dunkerque*".

Dunquerque de forma e decoração ecléticas, com gaveta central e prateleiras laterais.
(fim do séc. XIX)

Dunquerque de origem europeia, de mogno envernizado com porta central e tampo de mármore. Guarnições de folhas de acanto e de florões em relevo. (c. 1850)

Eames, Charles (1907-1978). Arquiteto americano, influente *designer* de meados do séc. XX: as cadeiras de plástico moldado numa só peça em forma de concha, bem como outros modelos seus, foram amplamente reproduzidos, e serviram de base para novas formas do mobiliário doméstico e de escritório. ~ A chamada "cadeira Eames" é uma cadeira singela que consiste em dois elementos de madeira laminada unidos por uma estrutura de tubos de metal e dotados de almofadas. ~ Os desenhos de Eames denotam a tendência estética que, a partir da década de 1940, evolui das formas geométricas rígidas para outras mais orgânicas e esculturais. Eames foi o introdutor do uso do plástico de avião no mobiliário. [V. cadeira. Cf. Saarinen.)

Early American. [Ingl. 'americano dos primeiros tempos'.] Designação genérica (dada a *posteriori*) do estilo colonial dos E.U.A. Na formação deste país, predomina a influência inglesa na Costa Atlântica, mas a colonização espanhola, a francesa e a holandesa também trazem forte contribuição em outras regiões; dessas primitivas fontes, originam-se as diferentes modalidades do *Early American*. ~ O gosto pelo mobiliário com essas diversas características floresceu posteriormente tanto com relação a peças originais, ciosamente preservadas, como a cópias de ótima qualidade oferecidas no comércio e divulgadas pelas revistas americanas de decoração.

earthenware. [Ingl. 'louça de barro'.] V. cerâmica.

ebanista. [Do fr. *ébéniste* para designar *menuisier en ébène* 'marceneiro especialista em ébano'.] s. m. e f. Profissional que se dedica à ebanistaria, ou seja, a projetar e produzir móveis finos. A designação coube, a partir do séc. XVII, àquele que, na França, desenhava móveis de qualidade e era responsável por sua produção e acabamento, dirigindo marceneiros e outros profissionais especializados. Entre os grandes ebanistas dos sécs. XVII e XVIII citam-se Boulle*, Riesener* e Jacob*, na França, e Chippendale*, Sheraton*, Hepplewhite*, Adam* na Inglaterra. §§ No Brasil, os Béranger*, pai e filho, foram dois grandes ebanistas do séc. XIX. [V. ébano e mobiliário. Cf. *menuisier*.] – Ingl.: *cabinetmaker*; alem.: *Kunsttischler*.

ebanistaria. s. f. A arte de fabricar móveis finos (originalmente de ébano e de outras madeiras exóticas) que se distinguem pelo valor decorativo. O trabalho de acabamento da madeira, o folheamento, as incrustações, a marchetaria, os entalhes, a aplicação de ornatos e ferragens, bem como o desenho equilibrado e a estrutura sólida, são aspectos indispensáveis a essa especialidade. [V. ebanista e marcenaria.]

ébano. s. m. Madeira extraída de certas árvores nativas nas regiões tropicais e que, por suas qualidades (bela coloração muito escura, brilho, dureza, peso, resistência), tem sido aplicada na feitura de móveis, de peças torneadas, de teclas de piano, etc. ~ As melhores espécies, oriundas da Índia e do Ceilão, do gênero *Diospyrus ebenum*, distinguem-se pelo cerne de um negro azeviche capaz de ser utilizado em peças requintadas e sólidas, em trabalhos de talha, em incrustações; a textura fina proporciona acabamento esmerado e belo lustro. ~ O ébano foi empregado na Índia desde épocas recuadas e foi mencionado por gregos e romanos. Tornou-se conhecido no Ocidente no séc. XVI, trazido pelos portugueses e logo conquistou o mercado europeu de luxo. Foi aplicado no mobiliário que sofria importantes transformações, especialmente nos rebuscados contadores da época. ~ Sua importância foi tal, que os maiores fabricantes de móveis foram designados pelos franceses como *ébénistes* (1676). [V. ebanistaria e marcenaria. Cf. jacarandá.] – Fr.: *ébène*; ingl.: *ebony*; alem.: *Ebenholz*

Escultura de ébano (África, Angola - década de 1980)

ecletismo. s. m. Em diferentes filosofias e religiões, a prática de selecionar e reunir teses ou doutrinas que, embora provenientes de sistemas diversos, são capazes de se conciliar e coexistir. § Nas artes e em outras manifestações estéticas, o ecletismo é algo análogo, uma vez que a justaposição de estilos ou de realizações irá obedecer à busca de uma forma livre que tanto pode partir para a falta de unidade e de orientação, como para o equilíbrio e a harmonia. ~ No séc. XVI, com o

Renascimento* e com as descobertas marítimas, os valores decorativos da Antiguidade* clássica começam a aparecer indiscriminadamente, ao lado de outros exóticos, nas formas e nos detalhes de ornamentação das fachadas, dos móveis, dos objetos; dão origem, mais tarde, aos estilos* definidos. ~ O ecletismo dominou o gosto oitocentista na exuberante arquitetura neogótica*, neorrenascentista*, mourisca*, e até mesmo nas formas neoclássicas*. ~ Na decoração de interiores, pesada e luxuosa, observa-se o mesmo espírito. Móveis e objetos são cópias e adaptações de modelos de outras épocas e regiões; não raro são executadas com grande apuro. ~ No final do séc. XX, nota-se uma tendência para se adotar o ecletismo nos interiores, conjugando-se peças de épocas e estilos diferentes, eruditas ou artesanais, obras de arte de vanguarda junto a outras acadêmicas; o que vale é a qualidade e o bom gosto dos elementos reunidos. §§ No Brasil-império, o ecletismo*, ainda mesclado de Neoclássico*, domina entre a nobreza que segue a moda e importa os modelos europeus. ~ Com a República, em plena *Belle Époque*, as cidades brasileiras crescem, exigem reformas. Erguem-se imponentes edifícios públicos e particulares. A Europa continua a ser o paradigma. Em S. Paulo, a Avenida Paulista do início do séc. XX reúne notáveis e ricas residências de cunho eclético, hoje quase todas demolidas. No Rio de Janeiro, abre-se a Avenida Central (atual Rio Branco) construída na gestão do prefeito Pereira Passos; seus edifícios (comerciais), das mais variadas tendências ecléticas, foram selecionadas em concurso público. Poucos exemplares resistiram à febre imobiliária. ~ O surto da borracha incentivou importantes construções com características análogas em Manaus e Belém. ~ O ecletismo no Brasil apresenta-se sob dois aspectos: o erudito e o popular. O primeiro deve-se a arquitetos brasileiros e estrangeiros e o segundo às criações dos mestres de obras que compunham fachadas ao sabor dos materiais disponíveis e da própria imaginação (janelas "em ferradura" importadas de modelos *art nouveau** eram vistas nas mais modestas fachadas, p. ex.). [Cf. *Belle Époque*, historicismo, *Kitsch* e pastiche.]

écran. [Fr.] *s. m.* V. guarda-fogo.

Egito. País do norte da África que se estende para o Sul ao longo do rio Nilo. § Na Antiguidade, sua civilização, que abrange o mais extenso período histórico (desde 4000 a. C. até o início da era cristã), deixou obras de arquitetura e de arte marcadas por altas qualidades técnicas e por forte impacto visual. Dado o caráter aristocrático e religioso da organização política e social, a arte egípcia não demonstra senão sutis traços de evolução, e permanece estável no curso de tantos milênios. § A arquitetura é das mais impressionantes pelos recursos que empregou, a começar pelas Grandes Pirâmides (III milênio a. C.). Nos templos e palácios, sólidas colunas com capitéis ornamentados suportam tetos planos; as paredes são cobertas de pinturas, de baixos-relevos, de inscrições hieroglíficas; as esculturas monumentais, os obeliscos testemunham uma civilização que se manteve enigmática até o início do séc. XIX. Então, com a decifração da escrita hieroglífica após a campanha de Napoleão Bonaparte, desvendou-se o Egito ao Ocidente, abrindo-se uma série de grandes estudos. § O que restou dessa importante civilização pode ser admirado no local e é objeto de estudos arqueológicos. Muitos desses tesouros, saqueados no correr dos séculos, dispersou-se e, em parte, se encontra em grandes museus ou mesmo nas grandes cidades (obeliscos foram levados para Roma na Antiguidade, e mais tarde para Paris, Londres, Nova Iorque). § Na escultura (estatuária, baixos-relevos), na pintura, nas inscrições, os egípcios demonstram espírito criativo com excelentes estilizações de modelos naturais (escaravelho, falcão, serpente, chacal, flor de lótus*, folhas de papiro* e palmeira) ou representações simbólicas (esfinge*, cruz egípcia e barco dos mortos). A figura humana é sempre apresentada em frontalidade*: o rosto, as pernas e os pés de perfil, o tronco e os olhos de frente. § Em termos artísticos e artesanais a influência do Egito foi muito grande no mundo mediterrâneo da Antiguidade. Em termos decorativos, no Ocidente, as formas de móveis e objetos egípcios foram trazidos para a Europa pelos franceses e provocaram profunda renovação nos estilos ornamentais do fim do séc. XVIII; móveis e ornatos Diretório e sobretudo Império são marcados pela influência egípcia. [V. lótus e papiro, v. tb. capitel e cruz egípcia (ilustr.). Cf. Diretório, Império e mobiliário.]

elemento vazado. Peça padronizada de cimento, tijolo ou cerâmica com uma ou mais partes vazadas formando padrões em curva ou figuras geométricas; cobogó. É elemento da moderna arquitetura do séc. XX. ~ É usado como divisória ou para separar o interior da parte externa de um prédio sem prejuízo da luz natural e da ventilação. ~ Os cobogós colocados lado a lado formam painéis com desenhos de efeito às vezes surpreendente. Caracterizam certas fachadas como, p. ex., as dos edifícios residenciais do Parque Guinle no Rio de Janeiro e da caixa d´água de Olinda em Pernambuco.

Elkington. Manufatura inglesa de objetos de metal prateado que deve o nome a George Richards Elkington (1801-1865) um dos criadores do processo eletrolítico de prateação*, por ele patenteado em 1840. Esse processo suplantou o de Sheffield Plate* como substituto econômico da prata maciça, e desenvolveu-se rapidamente. A firma não só produziu em grande escala utensílios de mesa (para particulares, hotéis, navios) como peças decorativas numa grande variedade de estilos, muitas delas com a ornamentação carregada, de gosto vitoriano. Elkigton realizou excepcionalmente trabalhos em prata de lei. [V. galvanoplastia. Cf. Christofle.]

Serviço de chá no estilo neoclássico.
(Inglaterra - séc . XIX)

embutido. *adj.* diz-se de alguma coisa que está inserida em outra, dentro do espaço exato para contê-la. ~ Uma peça embutida pode ficar encaixada mas visível, como é o caso de um armário numa parede, de uma pedra num objeto de metal, de certos materiais (madrepérola, tartaruga, etc.) nas incrustações* na madeira. ~ A peça embutida pode também ficar situada internamente e ser invisível como no caso de encanamentos, condutos elétricos, etc. [Cf. encaixe.]

empena. *s. f.* Em arquitetura, cada um dos lados inclinados que formam um ângulo na superfície superior de uma parede* onde se apoia o telhado de duas águas. // P. ext., parede ou flanco cego rematado em ângulo num edifício coberto por esse telhado. // Os lados inclinados de um frontão triangular. [V. frontão.]

Empire. [Fr. 'império'.] V. Império.

emposta. *s. f.* Em arquitetura, a última pedra sobre o pilar ou pilastra a partir da qual se forma o arco*.

encadernação. *s. f.* A arte de coser as folhas de um livro juntando-as em "cadernos" que formam um volume, e sobrepondo-lhes uma capa, em geral rígida, forrada de couro, pano ou outro material. § A arte de encadernar teve início com os primeiros cristãos nos mosteiros coptas do Egito; volumosas folhas de papiros* eram unidas numa espécie de pasta ou embrulho de couro decorado. ~ Desenvolvida entre os muçulmanos, a arte passou à Europa Ocidental. Os pesados manuscritos medievais de pergaminho* demandavam encadernações fortes, com reforço de madeira e, a partir do séc. IX, os livros litúrgicos passaram a ser suntuosamente encadernados com decorações de marfim, esmalte e até pedras preciosas. ~ Com o aparecimento do papel e da imprensa, no séc. XVI, cresce consideravelmente o número de livros encadernados em couro, e a arte continua a ser praticada com requinte; usam-se ferros especiais para a douração* e o relevo, e as ornamentações acompanham os estilos em vigor. A douração, que já era feita na Pérsia (séc. XII) e no Marrocos (séc. XIV), em livros e outros trabalhos, foi introduzida na Itália no séc. XV por influência islâmica; letras e ornatos assumem formas caprichosas. ~ No fim do séc. XIX a arte se revigora nas belas encadernações *art nouveau** criadas para livros e álbuns e, no séc. XX, destacam-se as encadernações francesas com traços a ouro ou diferentes cores de couro, sendo muito interessantes as influenciadas pelo cubismo. § A encadernação ainda é trabalho artesanal da maior importância, embora seja também feita mecanicamente. É arte que requer cuidado, habilidade e bom gosto: o livro deve abrir com facilidade e, na capa e no dorso, títulos legíveis e ornatos são entregues a especialistas. A encadernação protege o livro e torna seu manuseio mais fácil. [V. couro.] – Fr.: *reliure*; ingl.: *bookbinding*; alem.: *Buchbindekunst*.

encaixe. *s. m.* O conjunto formado pela inserção ou justaposição de peças que se ajustam perfeitamente umas às outras; tanto pode se tratar de uma incrustação*, como do processo de união das partes de uma estrutura de madeira ou, ainda, dos elementos de um móvel modulado. // Cavidade ou vão destinado a receber uma peça, saliente ou não, que a ele se adapte rigorosamente. // Em carpintaria e marcenaria, o modo como são unidas duas peças de madeira (macho e fêmea) por meio de cortes com formas apropriadas cujo fim é reforçar a estrutura de uma construção, de um móvel ou outro objeto. • O *encaixe em respiga e mecha*, de corte em ângulo reto, é usado, p. ex., para unir as partes de mesas e cadeiras; o *encaixe em malhete* ou *rabo de andorinha*, de corte trapezoidal, é aplicado, p. ex., nas cômodas e armários; o *encaixe a meia-madeira*, com os sarrafos que se cruzam, é empregado, p. ex., nos caixilhos das janelas e o *encaixe de meia profundidade*, menos fundo que o de mecha e respiga, nas prateleiras de uma estante ou nas tábuas de uma mesa elástica. [V. ensamblamento.]

encarnação. *s. f.* Pintura que recobre figuras esculpidas e imita a cor da carne, da pele humana. ~ As imagens sacras encarnadas, de madeira, de pedra, de barro, de porcelana ou *biscuit*, têm a pele na cor natural e têm, também, os cabelos coloridos bem como as vestes e os atributos. ~ Nos brasões, quando aparecem figuras humanas elas têm sempre a cor natural e são descritas com as expressões "de sua cor" ou "de encarnação". [V. imagem – imagem sacra.]

encasque. *s. m.* Enchimento das depressões da superfície de uma parede com pedaços de pedra e de tijolo, cacos de telha, etc., misturados com argamassa a fim de corrigir defeitos ou preparar a base para o reboco.

encáustica. *s. f.* Nas artes plásticas, técnica de pintura que consiste em dissolver os pigmentos das cores em cera líquida mantida quente durante a execução do trabalho; o suporte pode ser a madeira, a pedra ou gesso. Tem a propriedade de reproduzir o aspecto natural, dos seres e das coisas, graças à transparência da cera; além disto, as cores se mantêm intactas e a obra tem excepcional durabilidade. § A encáustica é processo muito antigo; sabe-se, através de pinturas em pedra que foi praticada no Egito desde cerca de 3000 a. C. e que atingiu o apogeu na Grécia do período clássico; as obras dos artistas cujos nomes chegaram até nós desapareceram, mas elas são muitas vezes mencionadas em testemunhos literários. ~ Os exemplos mais notáveis que se conservaram são os retratos pintados por artistas gregos nos sarcófagos cristãos egípcios de Al Faiyum (do séc. I ao séc. III); os egípcios encontraram na encáustica um meio de manter visíveis os traços fisionômicos de seus mortos. ~ A fórmula dessa técnica perdeu-se na Idade Média e só muito mais tarde, com o advento das pesquisas arqueológicas, artistas e instituições tentaram recuperá-la; no séc. XIX procurou-se reconstituir os métodos antigos principalmente através de passagens de Plínio, o Velho, em sua *História Natural.* § A encáustica é um dos exemplos do quanto os fins do artista e os recursos da técnica se influenciam e estimulam mutuamente. Como ela possibilita atingir um naturalismo convincente, só as escolas que visavam a este fim procuraram explorá-la; entretanto, a transparência da cor na encáustica levou alguns artistas contemporâneos a buscar nela expressões espirituais, desmaterializadas, para além da presença física da pintura. § A técnica tem sido também empregada, em certos casos, como processo de retoque na restauração de pinturas. [V. pintura.]

encosto. *s. m.* Parte da cadeira, sofá ou banco em que se apoiam as costas de quem senta; costas. Nas cadeiras, o encosto, mais ou menos inclinado, mais ou menos recurvado e envolvente, é elemento estrutural importante do ponto de vista estilístico: formato e decoração marcam-lhe acentuadamente a fisionomia. § Raros assentos com encosto são encontrados nas antigas civilizações; no Egito, o trono de Tutankhamon tem costas que são recobertas de ouro e incrustadas de louça, vidro e pedras, e sua decoração em relevo forma um importante painel figurativo. ~ Mas, durante muitos séculos, salvo nos tronos e cadeiras de aparato dotadas de espaldar ou de encosto, o assento popular foi o banco. ~ Assim ocorreu na Idade Média; o banco de madeira com encosto, para uma ou mais pessoas, não sugere grande comodidade e os entalhes com relevo acentuado impõem uma atitude rígida. Só com as mudanças sociais dos sécs. XV e XVI os interiores foram se tornando mais acolhedores, embora ainda formais; atestam-no os encostos altos, retilíneos, com montantes* e travessas de madeira entalhada ou os feitos de couro lavrado, que surgiram na Itália e se difundiram por toda a Europa. ~ No séc. XVII tornam-se mais altos e estreitos, ainda retilíneos, alguns cobertos de tecido ou de tapeçaria sem madeira aparente, outros de palhinha; na Espanha, encostos de sola lavrada, tacheados, já apresentam curvas na base e no cachaço. As cadeiras de braço têm costas ligeiramente reclinadas para trás e algumas são mesmo graduadas, com cremalheira. ~ Na Inglaterra setecentista, o contorno das costas se encurva e surgem as tabelas* recortadas ou vazadas; os sofás têm encostos leves, com desenhos semelhantes aos das cadeiras e repetidos, um para cada lugar. Na França também desaparecem as linhas retas, as costas se tornam mais baixas e uma moldura de madeira em forma de violão (estrangulada a meia altura) contorna o estofado ou a palhinha; é a forma característica do Rococó*. As *bergères*, os *fauteuils*, as *duchesses* têm o encosto envolvente, em góndola*. ~ Portugal absorve os modelos ingleses acrescidos de motivos rocalha com volutas e concheados. ~ Mais tarde, na Inglaterra, Chippendale* imprime sua imaginação e personalidade aos encostos com grades assimétricas achineladas, formas lanceoladas de inspiração gótica e, sobretudo, entrançamentos de fitas esculpidas em alças e laços elegantes. ~ O Neoclássico* introduz na França o encosto simples, Luís XVI*, de medalhão oval ou redondo ou o de montantes retos rematados por um arco abatido; motivos lavrados e vazados com cestas, liras, laços, buquês, aparecem eventualmente. Nas cadeiras britânicas, as costas têm barras horizontais, escudos, liras, e são decoradas com espigas ou plumas. ~ Já então, praticamente vão se esgotando os modelos básicos de encostos executados pela alta marcenaria, ao lado de outros mais simples com travessas horizontais (em inglês *ladder-back* 'encosto como escada') ou verticais, pequenas colunas ou tábua inclinada, de uso popular ou rural. ~ Esses modelos passam ao séc. XIX que, no seu início, traz novos encostos em góndola*, de linhas harmoniosas (Império* e *Restauration**).

Todas essas formas vão se repetir no correr do século, até o aparecimento das linhas recurvadas e assimétricas do *Art Nouveau**. ~ Depois, com o desenvolvimento do design, começam a ser lançadas novas soluções e novos materiais; predomina a preocupação com modelos anatômicos e funcionais. [V. banco, cadeira e sofá (texto e ilustrações). Cf. espaldar.] – Fr.: *dossier*; ingl.: *back*; alem.: *Ruckenlehne*.

engobo. *s. m.* Pasta de argila semilíquida empregada desde épocas remotas para recobrir as peças de cerâmica antes da queima e unificar-lhes a superfície. Depois evoluiu para aplicações decorativas que incluem o esgrafito*, a pintura, o entalhe, etc. ~ Como pintura, parece ter sido empregado inicialmente pelos oleiros egípcios. Efeitos de mármore foram obtidos na louça chinesa da dinastia T´ang* aplicando-se o engobo com um pente. ~ Na China da dinastia Sung* e nos países islâmicos, entre os sécs. X e XIII, usou-se o entalhe feito numa espessa camada de engobo. ~ Outra forma de decoração consiste na sobreposição de tiras finas ou de pingos da matéria para formar desenhos, como se faz em confeitaria; essa técnica exige especial destreza. ~ O engobo teve ampla aplicação na Europa (região renana) onde os ceramistas já o utilizavam na decoração por volta do séc. III. ~ Os povos pré-colombianos também conheceram o engobo. [V. cerâmica. Cf. barbotina.]

ensaiador. *s. m.* V. prata (marcas). [Cf. contraste.]

ensamblamento. *s. m.* O ato de embutir ou encaixar peças de madeira uma nas outras, por meio de cortes especiais, de modo que formem uma estrutura completa e estável; constitui a base da técnica de carpintaria e marcenaria. [V. encaixe e sambladura.]

entablamento. *s. m.* O conjunto de molduras que ornamentam a parte superior da fachada de um edifício em qualquer estilo. // Nas ordens clássicas, o conjunto dos elementos sustentados pelas colunas (arquitrave*, cornija* e friso*). [V. ordem.]

entalhe. *s. m.* Corte aberto na madeira, que o entalhador faz com ferramentas apropriadas. [V. talha.] // P. ext. corte análogo feito para decorar outros materiais (pedra, cerâmica, vidro). ~ Na escultura é um dos processos básicos para dar forma à pedra, à madeira, etc. [Cf. modelagem.]

entrelaçado. *s. m.* Ornato que consta de linhas ou fitas que se cruzam descrevendo curvas e contracurvas quer de forma regular, como tranças, quer irregularmente, como na ornamentação muçulmana. [V. ornato.]

enxó. *s. f.* Instrumento em forma de martelo duplo cortado em bisel em uma das pontas e usado por escultores, entalhadores e carpinteiros.

épergne. [Pal. de formação francesa usada na Inglaterra (1761), talvez vinda do fr. *épargne* 'economia', 'poupança'.] Centro de mesa, geralmente de prata, formado por uma vasilha central cercada de outras menores que partem de diversos braços. Os prateiros do séc. XVIII realizaram exemplares especialmente requintados. No séc. XIX foram feitas *épergnes* com estrutura de metal e recipientes de cristal. [V. centro de mesa e tb. ilustr.]

ergonomia. *s. f.* Ciência que trata da perfeita adequação entre a máquina e o homem que deverá utilizá-la; tem por metas possibilitar o maior rendimento do trabalho e evitar a fadiga. ~ A tecnologia aperfeiçoou as primitivas ferramentas transformando-as em máquinas. A casa, na definição adotada por Le Corbusier*, é uma "máquina de morar" e, como tal, deve funcionar bem e ser construída dentro das medidas do corpo humano. Tanto nas áreas de trabalho como nas de lazer, há medidas mínimas e medidas máximas para a utilização racional do espaço e a disposição dos móveis e/ou dos equipamentos. A ergonomia ultrapassa, portanto, a produção industrial e comercial; ela está presente no dia a dia de morar. [Cf. dimensão.]

escabelo. *s. m.* Pequeno banco* para descansar os pés. ~ No antigo Egito, como sinal de domínio, o escabelo do faraó era decorado às vezes com figuras dos povos subjugados; de forma retangular e de pouca altura. ~ No mobiliário ocidental, as primeiras cadeiras de braço tinham como complemento escabelos. No séc. XIX alguns exemplares eram em capitonê, outros com a parte superior de palhinha. – Ingl.: *footslool*. // Banquinho de madeira usado outrora para subir nos leitos altos. // Banco* individual de madeira, sem encosto ou braços, que pode ter três ou quatro pés; este banco tem, muitas vezes, a forma de pirâmide truncada. – Fr.: *escabeau*. // Em Portugal, designação antiga de escano*.

escada. *s. f.* Em arquitetura, elemento importante que consta basicamente de uma série de degraus, e cuja finalidade é possibilitar a comunicação entre dois planos ou dois pavimentos de alturas diferentes. § As regras arquitetônicas adotadas para sua construção são universais, bem como as diferentes partes que a compõem: para a subida e a descida, os degraus, os lanços, os patamares; para apoio, do lado do vazio ou não, os corrimões*, as balaustradas*. A variedade de materiais empregados nessas partes, (pedra, madeira, ferro, etc.) possibilita a execução de importantes trabalhos artesanais ou de mão de obra especializada (marcenaria, cantaria, serralheria). § As *escadas externas* são elementos arquitetônicos autônomos ou incorporados às fachadas como escadarias. ~ As *escadas internas* desenvolvem-se a partir de uma *caixa de escada*, com soluções diversas subordinadas à área disponível, ao estilo e especialmente à finalidade: escada de honra, escada de circulação interna, escada de serviço. § As escadas tradicionais apresentam-se em um ou mais lanços (com degraus retangulares) ou em curva (com degraus trapezoidais); nas que não são constituídas de um único lanço reto, e se dobram ou voltam, o espaço resultante do lado interno da flexão chama-se *bomba*. ~ A escada interna pode correr entre paredes paralelas, pode ser solta dos dois lados, com corrimão em ambos, e pode ser solta de um só lado; neste caso, a viga vertical que prende os degraus chama-se *banzo* (esta denominação vale, também para os montantes das escadas de mão, que prendem os degraus). Nas construções modernas, as escadas de degraus de madeira, pedra ou concreto, sem espelho* dão maior leveza ao ambiente. § Nos espaços restritos ($2m^2$ no mínimo), usa-se a solução da *escada em espiral* ou *helicoidal* que se desenvolve em curva fechada em torno de um ponto central, com degraus aproximadamente triangulares. As antigas "escadas de caracol", feitas de ferro fundido, destinavam-se, em geral, ao serviço; encontradas em demolições, ou copiadas, são aproveitadas em apartamentos dúplex, ou para dar acesso a jiraus. [V. degrau e escadaria. Cf. rampa.] – Fr.: *escalier*; ingl.: *stair*; alem.: *Treppe* • **Escada de biblioteca.** Pequeno móvel por meio do qual é possível alcançar as prateleiras elevadas das estantes; de acabamento fino, às vezes com os degraus forrados de couro na parte horizontal, assume a forma de cadeira, banco ou mesa, ou apresenta-se apenas com três ou quatro degraus, e forma fixa. – Ingl.: *library steps*.

Escada de bilbioteca. (Inglaterra - séc. XIX)

escadaria. *s. f.* Escada ou conjunto de escadas de proporções amplas e imponentes. Frequentemente é externa e compõe a fachada; quando serve de acesso a pontos elevados, constitui unidade arquitetônica autônoma como o Propileu da Acrópole de Atenas, a escadaria da Praça da Espanha em Roma, ou a da Igreja de N. S. da Penha, no Rio de Janeiro. ~ Quando incorporada à fachada, é elemento arquitetônico decorativo como a escadaria "em ferradura" do castelo de Fontainebleau – obra-prima do Renascimento* francês – ou, no Rio de Janeiro, a escadaria do Solar de Grandjean de Montigny cuja simplicidade ascendente conduz aos dois planos de colunas, de concepção neoclássica*. ~ As escadarias marcavam também as fachadas dos palacetes ecléticos da virada do século XIX ou dos edifícios públicos, como a Biblioteca Nacional do Rio de Janeiro (1910). ~ Quando interna, a escadaria se situa na parte nobre do edifício e pode ter um ou mais lanços, muitas vezes dois deles se reunindo num patamar para formar um lanço único, ou vice-versa. A escadaria interna que parte do saguão do Teatro Municipal do Rio tem um imponente lanço central, com belíssimos candelabros e corrimões de mármore e depois se bifurca para dar acesso aos balcões. Nas grandes escadarias dos palácios barrocos* os degraus largos convidam a movimentos lentos, solenes, próprios das cortes dos sécs. XVII e XVIII. [V. degrau e escada.]

escala. *s. f.* Relação entre as dimensões de um desenho e o objeto representado.

Escandinávia. Região do norte da Europa que compreende a Dinamarca, a Suécia, a Noruega e a Finlândia; nas primeiras décadas do séc. XX ali surgiu um estilo decorativo sob inspiração tanto das novas tendências da arquitetura como da tradição local, e que exerceu forte influência no mobiliário moderno. ~ O estilo é despojado, de linhas sóbrias, sem ornatos e de características funcionais. Nele tudo parece feito para o corpo humano e seus gestos. Os ângulos são atenuados, sem arestas vivas; e as formas curvas ovaladas, cônicas, em espiral lembram, em alguns casos, os móveis da década de 1920, mas como se tivessem sido suavizados pelo tempo e pela experiência. ~ As cadeiras evocam a silhueta de um corpo sentado com braços meio estendidos, enquanto o encosto acentua a curva dos rins e o assento é arredondado sob os joelhos; as mesas de refeições redondas, ovais ou retangulares têm pernas estudadas para não tolher os movimentos de quem as utiliza; os armários tornam-se mais baixos, à altura das mãos. ~ A madeira é particularmente bem tratada e bem empregada, em geral clara, com verniz fosco. Embora exímios na aplicação deste material tradicional, os escandinavos também associam o metal à madeira. Os plásticos e outros artigos sintéticos são usados em móveis moldados ou encurvados à maneira dos esquis. O couro e suas imitações também têm muitas aplicações em almofadas, poltronas, cabeceiras de camas e o náilon é usado em tapetes e em imitações de peles. ~ Embora, criado para clima frio, de longos invernos, o estilo teve grande aceitação e influenciou a arte da decoração de interiores em outras latitudes. ~ Por ser simples, o *design* dos móveis lisos, dos assentos confortáveis, das luminárias de vidro, dos poucos objetos, dá destaque a cada peça e deixa circular a paz entre elas. [V. Aalto, Jacobsen e Klimt.]

escaninho. *s. m.* Pequena divisão interna em caixa, cofre, secretária, etc.; com o desenvolvimento do mobiliário, muitos marceneiros se esmeraram na elaboração de escaninhos secretos, especialmente nos móveis dos sécs. XVII e XVIII. [V. escrivaninha.]

escano. *s. m.* Antigo banco comprido, com encosto. Era usado nas igrejas para os fiéis; nas casas, ficava ao lado da lareira ou nas cozinhas e, neste caso, tinha, às vezes, uma gaveta na parte lateral ou uma caixa sob o assento. [V. banco. Cf. arca-banco, arquibanco e escabelo.]

escantilhado. *adj.* Diz-se da peça de carpintaria, do móvel, etc., que não apresenta o canto em ângulo vivo, mas em bisel.

escápula. *s. f.* Prego de cabeça dobrada em ângulo reto ou em curva que se fixa à parede ou outra superfície para suspender um objeto (quadro, espelho, etc.). // Cabide de parede.

escaravelho. *s. m.* Inseto de forma arredondada, semelhante ao besouro, e que, no Egito era animal sagrado, símbolo do ciclo do Sol e da Ressurreição. Na mitologia egípcia, acreditava-se que o Sol penetrava no ventre da terra mãe e nascia regenerado sob a forma do pequeno animal. ~ O escaravelho aparece nos hieróglifos e, na pintura e na escultura, é representado carregando entre as patas a enorme bola do Sol. Seu emblema, não raro esculpido em pedras semipreciosas como a turquesa, era usado como amuleto e talismã nas joias e nos sarcófagos das múmias [V. lâmpada (ilustr.).]

escarradeira. *s. f.* Vasilha cilíndrica de metal ou louça com tampa afunilada furada no centro. Antigamente, as pessoas que mascavam fumo usavam-na para cuspir. Fazia parte dos acessórios de locais públicos e mesmo de residências. Com a abolição desses hábitos, tais peças, especialmente as de porcelana finamente decoradas, passaram a ser encontradas em antiquários. – Fr.: *crachoir*; ingl.: *spittoon*, *cuspidor*.

escola. s. f. Nas artes, concepção estética e/ou técnica seguida por um grupo representativo de artistas; as escolas se classificam por tendência (neoclássica, impressionista, cubista, etc.), por regiões (escola flamenga, escola italiana, Escola de Paris) e pela influência de um artista que formou discípulos e seguidores (a escola de Fídias, a de Veronese, a de Delacroix).

escopro. *s. m.* Instrumento de aço temperado com lâmina larga ou estreita e extremidade cortante reta ou arredondada, e que serve para lavrar a pedra, a madeira, etc. [Cf. formão.]

escrínio. s. m. Pequeno cofre ou estojo forrado de tecido acolchoado e que se destina a guardar joias e outros objetos de valor e/ou de feitura aprimorada.

escritório. *s. m.* Numa casa, cômodo destinado à escrita, à leitura. // No mobiliário, carteira para guarda de material necessário para se escrever ou desenhar, e cujo tampo, inclinado, serve de apoio para o papel; pode ser fixa ou portátil em forma de caixas. ~ Certos escritórios destinavam-se às mesas de escrever, para guardar ou classificar o material em uso. [Cf. escrivaninha.] // Bandeja ou outro objeto que contém o tinteiro e o mais que se precisa para a escrita. [Cf. tinteiro.]

Escritório de madeira com tampa em cilindro. Acabamento nas extremidades com frisos de metal dourado. No interior escaninhos e uma gaveta. (séc. XIX - 36 cm x 20 cm x 28 cm)

escrivaninha. *s. f.* Designação comum a diversos tipos de móvel que contêm material para se escrever e que, por seu feitio, permitem que alguém se sente diante deles para tal fim; secretária. Incluem-se nessa categoria móveis de diversos formatos e acabamentos, muitos deles representativos dos estilos de mobiliário. § Na Idade Média surgiram escrivaninhas ou escritórios portáteis, com tampa inclinada; mais tarde, passaram a ser fixos, montados sobre pés ou cavaletes. ~ No séc. XVII, as escrivaninhas de origem flamenga são constituídas de uma cômoda com gavetas na parte inferior, de uma parte média com tampa de abaixar destinada à escrita e de uma parte superior com armário para guardar livros e documentos; modelos análogos passaram a ser muito difundidos. ~ Na França, no fim do mesmo século, aparece o *bureau plat* (escrivaninha plana), grande mesa com três gavetas, pernas avolumando-se em curva, pés em forma de casco bifurcado, ferragens e ornatos de bronze; mais raros são exemplares com oito pernas separadas em dois grupos de quatro. ~ Escaninhos ao longo da parte posterior do tampo dos *bureaux plats* são uma inovação no séc. XVIII. ~ Paralelamente desenvolve-se a escrivaninha com folha de abaixar; na época de Luís XVI*, essas folhas são verticais e o móvel lembra um armário com dois corpos superpostos. No fim do século multiplicam-se as escrivaninhas com tampa de enrolar ou cilíndrica (*bureaux à cylindre*); esta consta de varetas horizontais articuladas correndo em trilhos curvos, que penetram numa caixa deixando aberto um tampo com gavetinhas e divisões (às vezes secretas) no interior. No séc. XIX esse tipo de móvel, de aspecto severo, é corrente como mesa de trabalho. [V. secretária. Cf. *bonheur du jour*, *bureau*, carteira, *davenport*, escritório, papeleira, secretária.] – Fr.: *Bureau*, s*ecretaire*; ingl.: *writing table*, *bureau*; alem.: *Schreibtisch*, *Sekretär*.

Escrivaninha com decoração eclética. (Alemanha - séc. XIX)

escudete. *s. m.* Chapa que guarnece o exterior no encaixe das fechaduras; espelho. ~ Em móveis e portas antigos, os escudetes de ferro ou de bronze se estendiam pela superfície em formas recurvadas ou em relevo, com riqueza e originalidade de composição. ~ Os escudetes de osso, de marfim, de madeira clara, embutidos em móveis, são encontrados no mobiliário brasileiro do séc. XIX a partir da época de D. João VI.

escudo. *s. m.* Em heráldica, campo delimitado em que se assentam as peças e figuras. Teve origem no escudo defensivo dos cavaleiros medievais e sua forma é normalmente oblonga com a parte superior (chefe) retilínea e a base em ponta (escudo francês, inglês) ou arredondada (escudo português, alemão); tem, também, outras formas: "amêndoa", "pião", "redondo", "quadrado", "lisonja" (losango). ~ Um escudo de formas arredondadas em ponta na base e no chefe, aparece nos encostos de algumas cadeiras do Neoclássico* (séc. XVIII). – Fr.: *écusson*; ingl.: *escutcheon*.

escultura. *s. f.* Nas artes plásticas, a arte e a técnica de amoldar a matéria a fim de criar formas expressivas em três dimensões. É a arte de modelar (o barro), de cinzelar e lavrar (a pedra), de entalhar (a madeira, o marfim). Realiza-se em obras de vulto (estátuas, monumentos), em ornatos (arquitetônicos e outros) ou em pequenas peças artísticas. § São elementos importantes na escultura a massa (a matéria sólida limitada pela superfície), o espaço (ocupado pela obra ou por ela envolvido nos vazios) e o volume (fator de unidade numa obra tridimensional). A escultura pode ser em *pleno relevo*, ou em *alto* ou *baixo-relevo*. § Historicamente, manifesta-se como expressão religiosa, simbólica ou social. A figura humana predomina por razões emocionais ou pela necessidade de se recorrer a formas antropomórficas; o nu exerce papel proeminente em esculturas tão diversas como a hindu, a grega, a africana, a renascentista; na China e na Europa medieval as figuras aparecem vestidas. § Na pré-história, os primeiros ensaios no setor da escultura são raras figurinhas de barro ou de seixos, presentes em cerimônias propiciatórias ou de magia; totens feitos de osso ou de madeira apresentam-se como emblemas tribais. Em toda a bacia do Mediterrâneo, pequenas figuras femininas representam a fertilidade e eram provavelmente cultuadas. Representações rústicas de entidades veneradas feitas de barro e de pedra também foram encontradas em escavações. Gerações e gerações de escultores se sucederam até ser alcançada a perfeição das esculturas de Nínive, da Babilônia e do Egito, dos túmulos do Extremo Oriente, das selvas indianas. § Nas figuras hieráticas das civilizações do Oriente Médio os gregos fizeram seu aprendizado (séc. VI a.C.) e desse ponto partiram para as soberbas manifestações de seu gênio artístico. Foram eles os mestres da escultura do mundo ocidental; desenvolveram observações de anatomia e criaram figuras humanas a um tempo reais e ideais, representando os deuses olímpicos, os atletas. As esculturas do Partenon associam realismo à imaginação poética na técnica admirável de Fídias (séc. V a. C.) e seus discípulos; as estátuas de Praxíteles (séc. IV a. C.) aliam sensualidade e graça e influenciam diversas escolas subsequentes. ~ Na época helenística (v. Helenismo) e em Roma* a arte passa a pormenorizar detalhes individuais e surge a escultura-retrato de expressão realista. § No período de estruturação social da Idade Média, período românico*, a escultura, como a pintura, coloca-se a serviço da Igreja (os portais* e os capitéis*) num misticismo ascético. Por volta do séc. XIII, com o gótico*, a arte retorna à inspiração da natureza com grandes "mestres da pedra", nas catedrais. § No Renascimento*, a escultura torna-se profana, de cunho eminentemente estético. Os escultores italianos voltam-se para o estudo da realidade guiados pelos modelos greco-romanos; características de beleza, nobreza e correção distinguem as obras de Miguel Ângelo, Giambologna, Donatello. ~ Monumentos comemorativos e estátuas imortalizam feitos e personalidades a partir da instauração dos Estados Modernos. § No séc. XVII, com o Barroco*, a escultura adquire movimento e dramaticidade (Bernini, os escultores religiosos espanhóis) num modelado sensual, palpitante. ~ A intensidade e o sentimento se amenizam nas obras idealizadas e naturalistas do século das luzes; outras virão mais subjulgadas pela estética neoclássica*, para logo se impregnarem novamente da emoção romântica. ~ Novos conceitos de vida vão estabelecer o academismo* forte e competente que marca o mundo burguês oitocentista. § No fim do séc. XIX sopram os ventos da vanguarda. Auguste Rodin vai renovar a arte escultórica com sua força, sua liberdade, sua mestria. ~ A escultura ocidental no séc. XX, sem abandonar de todo os modelos da natureza, enverada para outros caminhos na rota do cubismo*, do expressionismo*, do futurismo*, até do abstracionismo*. Suas inovações abrangem o mundo das formas, dos volumes, dos movimentos, dos símbolos com artistas como Hans Arp, Constantin Brancusi, Henry Moore, George Segal, Umberto Boccioni, Alexander Calder, Alberto Giacometti, Julio Gonzales, para só citar alguns. § Na escultura tradicional, os materiais nobres são especialmente o mármore* e o bronze*; a estes acrescentam-se, no séc. XX, novos elementos como os sintéticos, o concreto, os toros ou galhos de madeira, o ferro soldado, as peças de outros metais, etc. § Nas artes decorativas, a participação dos escultores tem sido marcante, como p. ex., na produção de figuras de cerâmica e de porcelana (Kändler em Meissen, Bustelli em Nymphenburg, Houdon em Sèvres). Também no âmbito da decoração arquitetônica é variada e decisiva a contribuição dos escultores. §§ O barro, a madeira, a pedra-sabão são matéria-prima de esculturas importantes do Brasil colonial. São notáveis as obras de Frei Agostinho da Piedade* e Frei Agostinho de Jesus* (barro cozido), de Frei Domingos da Conceição* (madeira) e, acima de todos, do Aleijadinho* (pedra-sabão, madeira), além das obras de Mestre Valentim* e da riqueza das talhas no interior dos templos barrocos. ~ Do fim do séc. XIX até nossos dias destacam-se entre outros os nomes de Rodolfo Bernardelli, Victor Brecheret, Bruno Giorgi, que se referem a momentos diversos da escultura brasileira. ~ No Rio de Janeiro, ergue-se no alto do Corcovado o monumento ao Cristo Redentor, inaugurado em 1931; nesta obra do francês Paul Landowsky, a escultura se materializa na estrutura de concreto, arrojada realização de engenharia. [V. alto-relevo, baixo-relevo e estátua e v. biscuit (ilustr.).]

Escultura ass. A. Rodin. Cabeça de japonesa.
(França - fim do séc. XIX)

Escultura de J. B. Carpeaux. Detalhe do grupo "La Danse", da fachada da Opéra de Paris.
(França - fim do séc. XIX - alt. 42 cm)

Escultura ass. Rodolfo Bernardelli. Cabeça de mocinha. (Brasil - começo do séc. XX)

esfera armilar. Antigo instrumento de cosmografia formado de círculos metálicos representando os meridianos e paralelos da esfera celeste; era usado na navegação e em observações astronômicas. §§ Dom Manuel I de Portugal tomou essa esfera como emblema pessoal e ela passou a figurar nas armas régias e como motivo decorativo do estilo Manuelino*. ~ Uma esfera armilar de ouro aparece nas armas do Império do Brasil.

esfinge. *s. f.* Escultura monumental do Antigo Egito (séc. III a. C.) feita de pedra e que representa um leão deitado, com cabeça humana; seu olhar enigmático contempla o ponto do horizonte onde nasce o Sol. É símbolo de majestade dos faraós, guardiã dos locais proibidos e das necrópoles reais (por isso encontra-se em Gizeh, próximo às Grandes Pirâmides) [V. Egito.]. // Na mitologia grega, monstro fabuloso e cruel com corpo de leão alado e cabeça e busto de mulher, que propunha um difícil enigma aos viajantes e os devorava quando não conseguiam decifrá-lo. ~ No mito de Édipo, a decifração do enigma é o ponto de partida de seu destino fatal; assim, a esfinge passou a simbolizar perigo, obstáculo e desafio; representa o inelutável, o enigmático. ~ É tema recorrente como motivo ornamental, muito encontrado nos estilos Diretório* e Império*. [Cf. grifo, harpia e quimera.]

esgrafito. [Do ital. *graffito*.] *s. m.* Pintura ou desenho ornamental que se obtém raspando com um estilete a camada de tinta que cobre uma superfície; nesta, fica a descoberto a cor do suporte (de certo modo contrastante com a que recobre o objeto). ~ É pintura indicada para decorações exteriores porque as cores, aderindo à massa, resistem bem às intempéries; mas devido à presença da cal, as cores são um pouco pálidas. ~ Na Europa, a técnica do esgrafito aparece na Alemanha por volta do séc. XIII; no Renascimento*, fachadas inteiras são cobertas de desenhos (norte da Itália, Áustria, Boêmia). ~ No séc. XX, certos artistas têm usado a técnica em tentativas interessantes, às vezes associadas ao mosaico ou ao afresco.

esmalte^1. *s. m.* Substância vitrificada, transparente ou opaca, colorida com óxidos metálicos e que se aplica em estado líquido, e a alta temperatura, sobre a superfície de um metal (cobre, bronze, ouro, prata); após secagem, produz-se uma película brilhante e dura, de aspecto vítreo. § O esmalte foi usado na decoração de joias e objetos desde épocas remotas (China, Mesopotâmia, Egito), talvez, como substituto das pedras preciosas. Logo se impôs pelo próprio valor artístico e por não sofrer os desgastes do tempo e conservar a forma e o colorido originais. ~ Na Idade Média teve grande desenvolvimento a começar por Bizâncio. Belíssimos objetos litúrgicos, além de joias, caixas, etc., encontram-se entre os tesouros desse longo período. § Na arte da esmaltagem distinguem-se diferentes processos: a) os *esmaltes alveolados*: *cloisonné* (técnica muito difundida), *champlevé*, em que o pó de esmalte é colocado na parte côncava da peça; *basse-taille*, em que os esmaltes translúcidos valorizam o relevo; b) os *esmaltes incrustados*: *ronde-bosse*, em que o esmalte vitrificado é aplicado em superfícies de metal côncavas ou convexas, de acentuado relevo; usado na Europa entre os sécs. XIV e XVII, foi magistralmente aproveitado por Benevenuto Cellini; c) os *esmaltes pintados*, em que o suporte metálico (em geral o cobre) é utilizado sem nenhuma forma de relevo ou divisão, para que a cor e o desenho possam fluir livremente sobre uma superfície esmaltada em branco ou negro; esta técnica foi aperfeiçoada em Limoges (França) no séc. XV e evoluiu posteriormente. Caixas e outros pequenos objetos pintados com figuras e paisagens, além das miniaturas* de retratos do sécs.XVIII e XIX, fazem-se notar pela beleza e acabamento. § Na ourivesaria recorreu-se ao esmalte desde que se iniciou a arte da esmaltagem e, em todos os tempos, foram executadas peças notáveis; as joias *Art Noveau** são especialmente artísticas, surpreendendo pela riqueza e delicadeza dos motivos. [V. *cloisonné*, grisalha e Limoges. Cf. esmalte^2 e esmalte^3.] – Fr.: *émail*; ingl.: *enamel*; alem.: *Schmelzwerk*.

Garrafa de esmalte, de gargalo fino, decorada com peônias. (China - sem data.)

esmalte². *s. m.* Substância vidrada que reveste a cerâmica, porcelana e o vidro. • O *esmalte de chumbo*, transparente, foi usado pelos chineses, assírios e egípcios e redescoberto no Oriente Próximo no séc. I a. C.; era muitas vezes misturado com o cobre para adquirir uma cor esverdeada nos objetos de cerâmica moldada com desenhos em relevo. A técnica passou depois à Itália e à França. ~ O *esmalte de estanho*, igualmente conhecido dos assírios, é opaco e branco (salvo quando a ele se adicionam pigmentos). Floresceu na região da Pérsia no séc. IX, passou depois à Espanha mourisca e dali à Itália. Com este revestimento, ao contrário do que ocorre com esmalte de chumbo, a superfície é decorada e levada a cozer a temperatura mais baixa, fundindo indelevelmente os pigmentos e o esmalte; nela o desenho não borra quando aquecido, mas seus traços, penetrando no esmalte, não podem ser alterados. Na porcelana, a pintura é em geral usada sobre a superfície de esmalte branco, já cozido, e que vai novamente ao forno. [V. cerâmica e porcelana e vidro. Cf. *céladon*, esmalte¹ e esmalte³.] – Fr.: *émail, vernis*; ingl.: *glaze*.

esmalte³. *s. m.* Tinta muito brilhante usada para revestimento de móveis, paredes, etc. [Cf. esmalte¹ e esmalte².]

esmeril. *s. m.* Pedra muito dura que, pulverizada, serve para polir metais, vidros, pedras preciosas, etc. No caso do vidro, o esmeril torna-o fosco.

espaço. *s. m.* Em arquitetura, o mais importante dos elementos: a obra arquitetônica nasce da ocupação e da criação do espaço. § As catedrais góticas constituem um dos mais belos exemplos de espaço planejado: as linhas ascendentes, a perfeita distribuição de luz e sombra dão a transcendência desejada ao espaço interior. ~ Nem sempre, contudo, é possível usufruir de tão grande generosidade de espaço livre. Nos dias que correm, especialmente nos centros urbanos, os espaços tendem a ser menos pródigos; cada vez mais se lhes valoriza o bom aproveitamento em termos sociais, psicológicos, econômicos, etc. e cabe ao urbanista, ao arquiteto, ao designer, ao decorador, tentar solucionar-lhe o uso, enfrentando fatores diversos como a especulação imobiliária, a concentração demográfica, as áreas de lazer e tantos outros. Nesse trabalho, consideram-se o *espaço interior*, aquele que é limitado por paredes e tetos, e o *espaço exterior*, o que compreende as partes construídas ou utilizadas ao ar livre. ~ Tudo depende de como o espaço é pensado: o equilíbrio de volumes e formas, as grandes e pequenas áreas, a valorização do espaço livre, a proporção dele em relação ao todo e às dimensões humanas. § Na decoração de interiores o espaço resulta da harmonia das proporções dos volumes, da luz, das cores, das texturas. O homem tem necessidade, até mesmo inconsciente, de um espaço próprio, e este deve ser conquistado; criar espaço numa obra arquitetônica, numa decoração, num jardim, até mesmo num arranjo floral, é dar forma a um sentimento inerente à natureza humana.

espagnolette. [Fr. 'cremona'] *s.f.* Nos móveis do séc. XVIII (*Régence** e Luís XV*), guarnição de bronze representando cabeça (e às vezes tronco) de mulher.

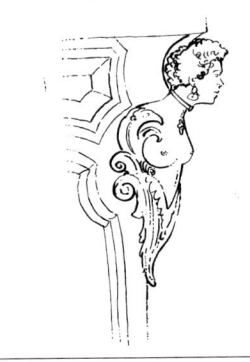

espaldar. *s. m.* Encosto de cadeira imponente, alto, em geral trabalhado; o porte do espaldar indica, a partir da Idade Média, hierarquia, dignidade, poder. // Cabeceira de cama com as mesmas características. §§ No mobiliário luso-brasileiro do séc. XVIII, os espaldares de cadeiras e camas, com entalhes, constituem elementos decorativos importantes e básicos na identificação dos estilos. [V. cabeceira e encosto e v. tb. cadeira e cama (ilustr.).]

espátula. *s. m.* Tipo de faca pouco afiada destinada a abrir livros, cortar papéis, etc., e que é feita de metal, marfim, tartaruga e outros materiais que possam tomar a forma de lâmina.

Certas espátulas têm o cabo finamente trabalhado e, além de úteis, são objetos decorativos. // Peça em forma de faca com lâmina metálica flexível, da qual os pintores se servem para misturar tintas ou aplicá-las, e os escultores para trabalhar o barro e o gesso.

Espátulas de marfim, de prata e de tartaruga.
(Inglaterra e França - séc. XIX)

espelho[1]. *s. m.* Superfície polida que reflete a luz e as imagens dos corpos. // O conjunto formado pelo espelho propriamente dito e seu suporte ou moldura. § Os primeiros espelhos teriam sido as águas tranquilas em que o homem viu sua imagem refletida. A função mágica do espelho, como no mito de Narciso, persiste até hoje em muitas religiões e crenças populares, seu simbolismo é transposto e tem profunda associação psicológica. ~ Na ordem prática, o espelho é o utensílio que, duplicando e autorrevelando a imagem humana, favorece e estimula o aprimoramento da aparência das pessoas; é, também, o multiplicador dos espaços interiores. ~ Em dois quadros de Velazquez, do séc. XVII, esses aspectos do espelho centralizam a atenção do observador: em *Vênus e o Espelho*, a mulher deitada, que é vista de costas, contempla a própria fisionomia num espelho retangular; em *Las Meninas*, no espaço amplo do ateliê, um espelho, ao fundo, reflete as figuras do rei e da rainha de Espanha que observam o trabalho do pintor. § Na Antiguidade, os espelhos consistiam em finos discos de metal polido; deles ainda existem exemplares que perderam o polimento mas que o desgaste do tempo não descaracterizou (Egito, Etrúria, China, Grécia, Roma). ~ Os romanos fizeram algumas tentativas com espelhos de vidro tendo uma face recoberta de chumbo ou outro metal, e essa prática se estendeu até a Idade Média; mas os espelhos de metal e de vidro ainda eram pequenos e pouco nítidos. ~ A partir do séc. XIV, a vida aprazível centraliza-se em torno da mulher e os objetos que a rodeiam são, em geral, verdadeiras obras-primas; entre estes, encontram-se os espelhos, muitos com armações de marfim esculpido e decorado com temas cavalheirescos. ~ Os espelhos convexos começam a ser fabricados na Alemanha por volta do séc. XV e sua forma era determinada pela extensão da bolha do vidro soprado. O pintor Van Eyck, no seu pequeno quadro *O Casal Arnolfini*, expõe com pormenorizada arte os detalhes da decoração da época, e toda a cena se reflete de forma abrangente num espelho convexo disposto no eixo central da composição. ~ No séc. XVI, em Veneza, a técnica da fabricação do vidro se apura e os espelhos recebem no dorso uma aplicação de um amálgama de mercúrio e estanho; começa, então a produção comercial. ~ As molduras, a princípio simplesmente protetoras, merecem cuidados especiais e depois, feitas de madeira, de gesso, de metal ou de porcelana são determinadas pelos estilos. Em Veneza e na Boêmia aparecem elaboradas molduras feitas com facetas de cristal, às vezes em cores. A moldura do espelho de Maria de Médicis, rainha da França (séc. XVII), tinha a forma de um portal com incrustações de ágata, sardônica, esmeraldas e ouro esmaltado e foi decorada com medalhões e outros ornatos. ~ Os espelhos seiscentistas para toalete (de mão, de mesa, de viagem), além dos de parede, eram esmeradamente emoldurados; a dimensão e a forma dos de mesa deixam-se influenciar pela altura das perucas e dos penteados. ~ Os venezianos dominaram o mercado até que, em 1665, a *Compagnie de Saint-Gobain* (de vidreiros franceses) desenvolve um processo de produção de vidro plano (não mais o vidro soprado dos venezianos) que permite a realização de espelhos mais amplos e fiéis. Saint-Gobain foi elevada a "manufatura real" (1693) e gozou de monopólio até a Revolução Francesa (1789). O uso dos grandes espelhos tornou-se possível pelo aprimoramento na qualidade do vidro e de sua resistência; eles se tornam importantes na decoração de palácios e residências: Luís XIV, p. ex., manda construir em Versalhes a Galeria dos Espelhos. ~ No fim do séc. XVIII são notáveis os espelhos neoclássicos desenhados por Georges Jacob* e

Robert Adam*; este último lança na Inglaterra a moda dos espelhos sobre a lareira. ~ Nos quartos de vestir oitocentistas, espelhos bisotês nas portas dos armários e nas psichês* são indispensáveis; nas salas aparecem em painéis e tremós*. As molduras são cópias de estilos passados; originalidade e renovação aparecem com o *Art Nouveau**. §§ Desta fase, são notáveis entre nós os magníficos e imensos espelhos que revestem as paredes da Confeitaria Colombo, no Rio de Janeiro, importados da Bélgica (1912); apresentam moldura de jacarandá com belíssimo trabalho de talha, obra do artista italiano radicado no Brasil Antonio Borzoi; têm decoração eclética, misto de Rococó e *Art Nouveau*. [V. vidro e moldura. Cf. espelho² e espelho³.] – Fr.: *miroir*; ingl.: *mirror, looking glass*; alem.: *Spiegel*; ital.: *specchio*.

Antigo espelho de mão. Moldura de metal dourado com turquesas. Guarnição e cabo com presas de elefante. (séc. XIX)

Espelho de parede oitavado. Moldura de madeira negra com decoração de bronze e pedras semipreciosas. (Itália - séc. XIX)

espelho². *s. m.* V. escudete. [Cf. espelho¹ e espelho³.]

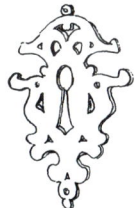

Espelho de fechadura.

espelho³. *s. m.* V. degrau. [Cf. espelho¹ e espelho².]

espevitadeira. *s. f.* Espécie de tesoura para cortar o pavio das velas e atiçar-lhes a chama; em geral formava conjunto com pequena bandeja alongada que lhe servia de apoio. ~ Este utensílio, feito de prata, de estanho, de latão, teve função importante e amplo uso em casas ricas e modestas até o aparecimento da iluminação a gás no séc. XIX, e podia ser muito elaborado. §§ Na ourivesaria luso-brasileira, as inúmeras espevitadeiras ou "tesouras de espevitar lume" e seu "pratinho", como diziam os portugueses, destacam-se entre pequenos objetos de prata doméstica. – Fr.: *mouchette*; ingl.: *candle snuffer*.

Espevitadeira e sua bandeja. Prata portuguesa. (Porto - séc. XIX)

espevitador. *s. m.* Utensílio de ferro ou outro metal destinado a atiçar o fogo das lareiras. Peças antigas eram obras artesanais feitas de acordo com o estilo das lareiras a que se destinavam.

espiral. *s. f.* Linha curva não fechada que se afasta do ponto de partida fazendo movimento de revolução em torno de seu eixo. Forma muito utilizada como motivo ornamental, ora lembra um caramujo, ora as gavinhas das plantas. [Cf. voluta.]

espreguiçadeira. *s. f.* Cadeira para descanso com encosto inclinado ou reclinável e com prolongamento para estender as pernas. Algumas são dobráveis, todas em madeira (como as de tombadilho nos navios) outras têm armação à qual se adapta lona ou couro. No Brasil tb. se diz "cadeira preguiçosa". [Cf. *chaise-longue* e preguiceiro.]

esquadria. *s. f.* Em arquitetura e construção, designação genérica dos elementos constitutivos de portas e janelas, e que inclui os alizares, os caixilhos, as folhas, as venezianas, etc. // Armação de madeira ou de metal, usualmente em ângulo reto, fixa à parede e que serve de suporte a portas e janelas.

esquentador. *s. m.* V. *warming-pan.*

estado. *s. m.* Nas artes plásticas, cada uma das fases características do trabalho da chapa ou da prancha de uma gravura: o primeiro estado, o segundo estado, etc.; indicam a progressão do acabamento e as alterações feitas pelo artista em cada tiragem até o estado definitivo. [V. gravura[2].]

estala. *s. f.* Cada uma das cadeiras de espaldar que compõem o cadeiral no coro das igrejas. [V. cadeiral.]

estampa. *s. f.* Imagem impressa por meio de chapa gravada em madeira, metal, pedra, etc.; gravura. // Representação gráfica de um desenho, uma pintura, uma gravura ou uma fotografia, incluída num livro, numa revista, etc., em especial página com ilustração ou gravura original intercalada na publicação e que não consta na numeração das páginas. ~ O valor da estampa depende da qualidade de sua impressão.

estampa japonesa. Xilogravura feita no Japão dos sécs. XVII e XVIII representando figuras e cenas a que se acrescentaram, mais tarde, paisagens. Sua originalidade e seu valor estético devem-se não só ao talento dos artistas como ao estilo *Ukiyo-e*, então em vigor; nele, os traços, muito expressivos, são acentuados por um tipo de colorido plano, sem indicação de volume. ~ A estampa japonesa conheceu imenso sucesso interno e foi objeto de grandes tiragens, mas não se deixou vulgarizar, preservada pelos pintores, artesãos, editores, aficionados e patrocinadores conscientes da arte que representava: o senso de contenção da forma e de harmonia das cores, inatos entre os japoneses. ~ Apesar do grande prestígio no país, a gravura japonesa só foi conhecida no Ocidente depois que o Japão abriu os portos ao comércio no séc. XIX. Numa ordem natural (e não cronológica), chegaram primeiro às vistas e à admiração dos europeus as obras de Hokusai e Hiroshige, os grandes mestres da última fase. ~ A estampa japonesa interessa, surpreende, entusiasma os europeus; organizam-se exposições, críticos de arte e revistas especializadas divulgam um novo universo estético. Formam-se coleções (como a do pintor impressionista Claude Monet), aprofundam-se conhecimentos e interpretações. Renovam-se, assim, valores pictóricos e decorativos que irão eclodir nas últimas décadas do século e influenciar profundamente o séc. XX. [V. Japão e *Ukiyo-e.*]

estampado. *s. m.* O desenho ou o padrão que se apresentam e se repetem nos tecidos, nos papéis de parede, nos plásticos, na cerâmica, etc., e que são obtidos por meio da estamparia. // P. ext., o tecido com tais desenhos. ~ Os padrões, apresentam-se, não raro, em cores variadas; entre os clássicos, incluem-se ramos de flores, motivos simbólicos, cenas campestres, medalhões, pássaros e, entre os modernos, diversos tipos de xadrez e de gradeados, plantas estilizadas, motivos abstratos e geométricos, outros específicos (temas infantis, veículos, bichos, etc.), além dos composês. [V. estamparia[1]. Cf. batik, composê, chintz, W. Morris. e *toile de Jouy.*]

estamparia[1]. *s. f.* A arte e a técnica de imprimir desenhos em tecido, cerâmica, metal, papel, plástico e outros materiais. // Os padrões estampados. § A *estamparia de tecidos* consiste na aplicação de pigmentos ou tintas especiais formando padrões e motivos usualmente repetidos em diferentes ritmos. Envolve a habilidade de artistas e artesãos e obedece basicamente à técnica de impressão por meio de pranchas de madeira com os desenhos gravados em relevo, ou a processo análogo com a utilização de impressão contínua, nas peças de pano. Os processos industrializados em moderna tecnologia abriram um leque de possibilidades. § Essa arte desenvolveu-se a partir da pintura em tecido, e já era conhecida na Índia talvez no IV milênio a.C.; no Alto Egito foi encontrada uma prancha datando do séc. III de nossa era e, na América pré-colombiana já se praticava essa decoração nos tecidos, conforme atestam panos encontrados no Peru e no México. ~ No séc. XVI, a Europa conhece os primeiros tecidos vindos da Índia. Os artesãos indianos utilizavam um tecido de algodão fino e firme onde usavam cores vivas e processos especiais. O sucesso da estamparia indiana fez com que, pouco a pouco, fossem montadas no Ocidente manufaturas para a impressão de tecidos mais encorpados (por vezes mistura de linho e algodão). A expansão desses estampados coloridos que serviam para o vestuário e para cortinas, colchas e forração, chegou a ameaçar as importantes indústrias da lã, do linho e da seda. [V. estampado. Cf. estamparia² e *jacquard*.]

estamparia². *s. f.* Moldagem de metal a frio por método de prensagem e corte para formar diferentes peças; estampagem. [Cf. estamparia¹.]

estanho. *s. m.* Metal leve, maleável, dúctil, de um branco prateado, utilizado em diversos tipos de ligas de acordo com o fim a que se destina. § Embora conhecido desde épocas anteriores à civilização egípcia, o estanho parece ter tido menor aplicação do que a cerâmica, o vidro, o bronze e mesmo a prata. ~ Às artes decorativas interessa especialmente o estanho moldado no Ocidente para feitura de objetos litúrgicos e vasilhame de uso doméstico, e que foi amplamente utilizado pelas populações europeias desde os primeiros séculos de cristianismo. ~ Distinguem-se diferentes ligas: as de estanho fino (conhecido na Inglaterra como *English pewter*) que contém cobre e, conforme o caso, antimônio e bismuto, as de estanho comum, que contém chumbo em diferentes proporções. A cor do metal varia, indo do prateado claro e brilhante quando polido, até o cinza carregado das peças vulgares (quanto maior é a proporção de chumbo, mais baixa é a qualidade, podendo ser nocivo à saúde). ~ No correr da Idade Média os objetos utilitários de estanho eram usados mesmo entre os nobres. No séc. XVI começam a aparecer, especialmente na França, na Alemanha e na Europa Central peças mais elaboradas e puras, com cenas e ornatos em relevo, e que se destinavam a guarnecer aparadores e outros móveis renascentistas. A França seiscentista produz estanho fino, e depois da proibição do uso de baixelas e talheres de prata (1709), sua procura aumenta. Tais peças, muitas das quais podem ser encontradas em museus e antiquários, levam punção como garantia da qualidade da liga, além da indicação do autor. ~ No séc. XIX foram muito usados, por serem mais acessíveis do que os de prata, serviços de chá e café, bandejas, *tankards*, etc. imitando estilos anteriores e feitos com uma liga com antimônio e cobre; de acordo com a tradição, tinham ornatos em relevo, ou eram gravados com desenhos e arabescos. O uso desse metal tornou-se obsoleto com o advento do metal prateado, mas, por volta de 1900, reviveu na Inglaterra e na Alemanha (com A. L. Liberty* e E. Kayser) em peças decorativas do *Art Nouveau**. [V. esmalte² – esmalte de estanho e v. tb. chocolateira e tâte-vin. Cf. *pewter*.] – Fr. *étain*; ingl.: *tin*, *pewter*; alem.: *Zinn*; ital.: *stagno*.

Jarro de estanho piriforme com marcas de John Sommers. (Brasil - séc. XX)

Tankard de estanho. (Inglaterra - séc. XIX)

estante. *s. f.* Móvel aberto ou fechado, geralmente de madeira, dotado de prateleiras onde se colocam livros, revistas, papéis, etc. § As estantes mais antigas datam da Idade Média; seriam armários abertos na espessura das paredes onde os eruditos guardavam os manuscritos. Mesmo depois da invenção da imprensa, os livros continuaram sendo um luxo para poucos, não raro guardados em arcas, ou na parte inferior das carteiras ou escritórios. No fim do período medieval, as bibliotecas das universidades e dos mosteiros eram dotadas de inúmeros armários de livros, como em Oxford (Inglaterra) ou Saint Gall (Suíça); pouco a pouco, crescendo o número de livros, as prateleiras substituem os armários. ~ No séc. XVII, as estantes se difundem. *Estantes-armários* com dois corpos superpostos – sendo o de cima mais estreito e envidraçado, para os livros, e o de baixo mais largo para papéis – figuram no mobiliário setecentista, acompanhando os diferentes estilos; alguns são simples, outros se inspiram em formas da arquitetura com cornijas, frontões, etc. Merecem especial menção as elegantes estantes-armários georgianas*, depois muito repetidas. ~ As salas e bibliotecas com pé-direito elevado tinham estantes até o teto, e estabeleceu-se o sistema de construir uma galeria a meia altura para se atingir livros situados no alto. ~ Os armários de livros oitocentistas incluem, além dos já mencionados, outros com portas de correr, ou outros ainda com prateleiras montadas como caixas superpostas, cada uma com um batente horizontal de vidro, que se suspende e que corre dentro do corpo do móvel (por analogia, este movel é chamado "estante* de padeiro"). § Por sua finalidade, a estante pode ser planejada em função dos livros, com prateleiras de cerca de 35 cm de largura para os volumes grandes e de 22 cm para os comuns; a espessura mínima das prateleiras deve ser de 25 mm e o espaço razoável entre os montantes é de um metro no máximo (do contrário, o peso dos livros fará vergar a prateleira). § No plano decorativo, as estantes atuais preenchem outras funções: de madeira ou com estrutura metálica e vidro, com módulos opcionais, dão vida a uma parede ou servem como divisórias entre dois ambientes. A *estante modulada* é criação do séc. XX, em geral feita em série, com módulos que se adaptam a necessidades variadas, o que permite arranjos assimétricos e harmoniosos nos quais os livros se intercalam com outros objetos. [V. biblioteca. Cf armário.] – Fr.: *bibliothèque, armoire à livres*; ingl.: *bookcase*; alem.: *Bucherfach, Bucherschrank*. • *Estante de igreja*. Suporte inclinado, fixo ou móvel, destinado a colocar os livros nos ofícios litúrgicos; é, em geral, dotado de pé alto para facilitar a leitura e o canto. Tb. se diz *estante de coro*. [V. facistol. Cf. atril e leitoril.] – Fr.: *lutrin*; ingl.: *lectern*. *Estante de música*. Suporte inclinado, em geral individual e móvel, por vezes dobrável, onde se coloca a partitura para a leitura. – Fr.: *pupître à musique*; ingl.: *musicstand*.

Estante de música, de mogno, para quatro executantes da época de George III. Os quatro suportes fecham-se e formam um tampo de mesa. (Inglaterra - séc. XVIII)

Estante com divisões verticais para partituras ou outros álbuns. Detalhe assimétrico nas volutas do tampo. (fim do séc. XIX)

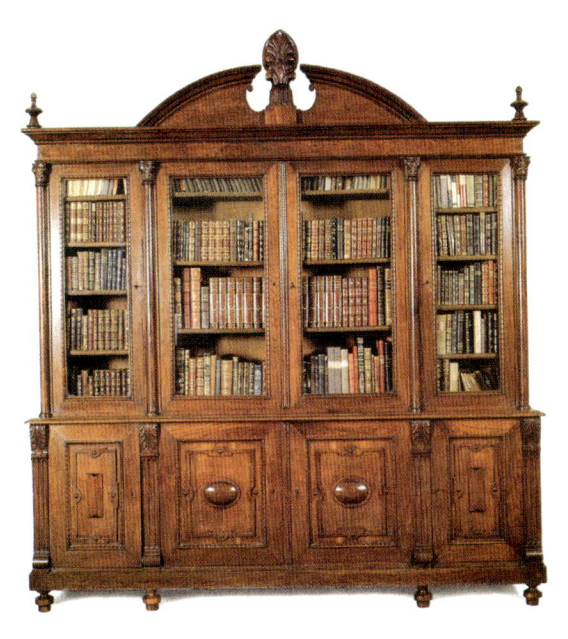

Estante fechada, de carvalho, com portas envidraçadas e armários na parte inferior. Frontão bipartido, decoração com palmetas e cabochons, de influência eclética. (Alemanha - meados do séc. XIX)

estátua. s. f. Nas artes plásticas, escultura de pedra, mármore, bronze, etc., em pleno relevo que representa, por inteiro, uma figura, isolada ou não, de ser humano ou animal. ~ Edifícios religiosos e profanos, praças, jardins, etc. são ornados com estátuas de significação real ou simbólica. Além da representação da figura humana de pé, a escultura reproduz um homem a cavalo na *estátua equestre*, enquanto que a *estátua jacente* apresenta a pessoa deitada; esta aparece em sepulturas medievais, renascentistas e barrocas com o personagem vestido (muitas vezes armado) e na imobilidade da morte. § Até o séc. VI a. C. a estatuária representava figuras hieráticas, solidamente pousadas no chão, como as da Mesopotâmia, do Egito, da Grécia do período arcaico – a *Koré* (moça) e o *Kouros* (rapaz). ~ No séc. V a. C., a estatuária conhece o apogeu, na Grécia, com grande apuro técnico a serviço da perfeição do corpo e da beleza dos movimentos de uma figura ideal (o *Discóbolo*, de Miron; a *Afrodite*, de Praxíteles; o *Auriga*, em Delfos, de autor anônimo; o *Posidon*, do museu Atenas, também de autor anônimo). ~ A dramaticidade aparece nas estátuas helenísticas (a *Vitória de Samotrácia*), e o realismo com os romanos (a estátua equestre do imperador Marco Aurélio).

~ Na arte cristã do fim da Idade Média* a estatuária renasce, ora espiritual (o *Anjo* da catedral de Reims, na França) ora realista (a *Condessa Uta* de Naumburgo, na Alemanha). Nas catedrais góticas, as estátuas contam-se às centenas. ~ No séc. XV, a concepção metafísica tende a desaparecer em obras expressionistas (as *Carpideiras*, de Claus Sluter, na Borgonha, França) e, com o Renascimento*, recuperam-se os padrões clássicos (o *Davi* de Miguel Ângelo) e se erige o culto das individualidades (as estátuas equestres do *Gattamelata* de Donatello, em Veneza; a de *Luís XIV*, em Paris). ~ No Barroco* a dramaticidade se revela nas estátuas de Bernini: O *Êxtase de Santa Teresa*; *Apolo* e *Dafne*. ~ No séc. XIX e começo do séc. XX, as cidades são povoadas de estátuas comemorativas de feitos históricos e outros (a estátua de *Lord Nelson* em Londres; a *Estátua da Liberdade* em Nova Iorque; as estátuas da *Praça dos Heróis* em Budapeste; a estátua de *Johann Strauss* rodeado das ninfas do Danúbio, em Viena; a estátua do *Cristo Redentor*, no Rio de Janeiro). A evolução da estatuária atinge o sublime com a obra de Auguste Rodin (*O Pensador*, *Os Burgueses de Calais*, as estátuas de Balzac e Victor Hugo). § No Extremo Oriente e no sul da Ásia, a figura de Buda, de olhos cerrados e sorriso enigmático domina a estatuária. §§ No Brasil, os *Profetas* do Aleijadinho, em Congonhas (Minas); as estátuas do *Monumento ao Descobrimento do Brasil* de Rodolfo Bernardelli, em S. Paulo; os *Anjos*, de Ceschiatti, na Catedral de Brasília; a *Juventude* de Bruno Giorgi no Palácio Gustavo Capanema (Rio de Janeiro), são alguns marcos da evolução da escultura. ~ De caráter decorativo são as estátuas de cerâmica branca vidrada, com cerca de 80 cm de altura, feitas na Fábrica de Santo Antônio do Porto (V. cerâmica portuguesa) representando deuses mitológicos e diferentes alegorias, que foram trazidas de Portugal para ornar as fachadas neoclássicas do séc. XIX ou os jardins particulares, sobretudo do Rio de Janeiro. [V. escultura.]

Estátua de jardim, de cerâmica do Porto.
(Portugal - séc. XIX)

estatueta. *s. f.* Pequena estátua que se coloca sobre um móvel ou apresenta numa vitrine ou num nicho como objeto de adorno. Pode ter diferentes origens: desde as figurinhas rituais encontradas em túmulos e ruínas até certos exemplares reproduzindo obras-primas da escultura. As estatuetas de cerâmica, porcelana, bronze, vidro, acrílico, etc. são moldadas e repetidas em um certo número de cópias. § As mais célebres estatuetas da Antiguidade são as de *Tanagra*, na Grécia, e representam figuras femininas. Durante o Renascimento*, começaram a ser feitas na Europa pequenas reproduções em bronze ou terracota de estátuas greco-romanas, ao lado de belos exemplares de autoria de artistas da época inspirados naquelas esculturas, destacando-se, nessa arte, os italianos. A prática das pequenas esculturas em bronze prossegue nos sécs. XVII, XVIII e XIX, por se prestar esse metal a delicadas e minuciosas moldagens. ~ Os bronzes com cabeça e mãos de marfim multiplicam-se no começo do séc. XX, numa variedade de séries, grupos e figuras. § Na China, as pequenas figuras sempre haviam sido esculpidas em pedra (jade e outras) ou no barro, ou moldadas no bronze e na cerâmica; nos sécs. XVII e XVIII são características as estatuetas em *blanc de Chine*, especialmente as da graciosa e esguia deusa Kuan Yin. ~ Por influência chinesa, as estatuetas de porcelana desempenham importante papel nas artes decorativas do séc. XVIII em delicadas formas e coloridos que animam figuras e grupos (Meissen*, Sèvres*, Nymphenburg*). A pasta maleável e macia do *biscuit* presta-se para a execução de peças expressivas e detalhadas, ou reproduções de esculturas (Sèvres, Viena, *Parian ware*). § Figuras mitológicas, alegorias, personagens da fábula e do teatro (como os da *Commedia dell'Arte**), tipos urbanos e camponeses, cenas pastoris e grupos de corte com as atitudes e os trajes próprios de diferentes peças e lugares, pequenos animais (pássaros, cães, gatos, etc.) recebem tratamento escultórico segundo a tendência decorativa dos diferentes centros de produção. ~ No *Art Nouveau** as estatuetas são particularmente leves e movimentadas, como as diversas representações da bailarina Loie Fuller. No *Art Dèco** a produção de grande variedade de modelos em porcelana, cerâmica, bronze e marfim, pasta de vidro foi marcada por novos ângulos de interpretação sobretudo no tratamento das figuras femininas das décadas de 1920 e 1930. [V. estátua e v. tb. Arlequim, Copenhague, criselefantino, Frankenthal, jade, Murano e Viena (ilustr.). Cf. *biscuit*, *blanc de Chine* e *Tanagra*.]

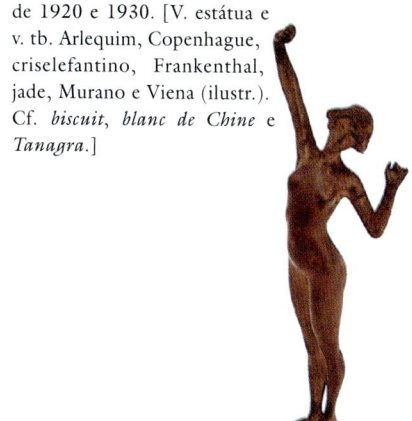

Estatueta de bronze dourado - "Le réveil".
Ass. Philipot. (virada do séc XIX - alt. 15 cm)

Estatueta de mulher sentada. Porcelana art déco.
Éditions Etling. (França - c. 1925)

Estatuetas de figuras equestres. Porcelana de Frankenthal. (Alemanha - séc. XVIII)

esteira. *s. f.* Tecido de palha, junco, taquara, etc., de dimensões diversas, feito de hastes entrelaçadas, às vezes formando desenhos. ~ A esteira está ligada à arte da cestaria. Sua forma mais simples teria sido a justaposição de feixes de fibras ou hastes unidas por fios ou tiras mais ou menos cerradas; passou-se depois a processo análogo ao da tecelagem, mas com o trançado feito à mão. É arte muito antiga e difundida e é peculiar das sociedades primitivas e dos povos nômades, ou de determinadas regiões; relaciona-se ao mobiliário como leito ou assento, ou como tapume para proteção. Material rústico, adapta-se, também a certas construções de alvenaria; é usada como forro* no teto, e pode, mesmo, ser elemento decorativo. ~ Na arquitetura interior do Japão, cujos traços básicos são a mobilidade e a leveza dos materiais, as esteiras ou *tatami** cobrem total ou parcialmente o piso e são bastante espessas. Ali, as esteiras têm medidas estipuladas (aproximadamente 1,80 x 0,90 m) e constituem módulos; a colocação dos objetos no *toko-no-ma* e a disposição dos jardins, p. ex., são realizadas* segundo o ângulo de visão de alguém sentado nas esteiras. §§ No Brasil, a esteira é usada nas habitações rurais como revestimento do teto e do chão ou como divisória. No Nordeste, é conhecida como "sofá de encosto" ou "sofá-rasteiro", o que caracteriza sua condição de peça destinada ao repouso. [V. cestaria.] – Fr.: *natte*; ingl.: *mat*.

estela. *s. f.* Espécie de coluna, não raro monolítica, destinada a conter uma inscrição comemorativa, funerária, etc.

estética. *s. f.* A ciência e o sentimento do Belo na natureza e na arte. A concepção do Belo como "algo que agrada, embora não se justifique racionalmente" é ampla e relativa; prende-se a tendências subjetivas e varia com as condições históricas, sociais, religiosas, etc.

estilo. *s. m.* Nas artes plásticas e decorativas, modo particular de trabalhar a matéria e as formas para a realização de uma obra. ~ O estilo manifesta-se, no conjunto de suas características, ora como fenômeno individual, ora como fenômeno coletivo (os grupos, as épocas). Segundo Gropius*, a repetição constante de uma forma de expressão própria de um período ocasiona um certo grau de saturação que permite a criação de um "denominador comum", que é o estilo. § Na arquitetura exterior e interior de diferentes períodos e regiões, os estilos são regidos por padrões estéticos (modelos, proporções, elementos ornamentais, etc.) e assumem vida própria: nascem, proliferam, morrem e revivem. Oferecem a imagem da evolução do gosto, da técnica, dos costumes, da sensibilidade e, historicamente, se desenvolvem paralelamente à formação de novos estados de espírito em determinados grupos da sociedade. Graças às pesquisas da arqueologia e da história da arte, pela observação de monumentos e obras preservados ou reconstituídos, tem-se a noção das diversas modificações que se operaram no tempo e no espaço. § Os estilos obedecem a uma variação periódica caracterizada pelos contrastes: oscilam entre manifestações formais, conceituais, hieráticas (a arte egípcia, a grega, a renascentista, a neoclássica, a cubista, etc.) e manifestações dinâmicas, naturalistas, vibrantes (a arte helenística, a barroca, a romântica, a expressionista, a hindu, etc.) ~ Essas transformações pendulares são, em geral, graduais e nota-se, em muitas épocas, a simultaneidade de duas tendências, uma tradicionalista, outra renovadora. Por outro lado, a arte acompanha a vida, e esta sofre cortes bruscos; a renovação dos estilos faz-se, então, em certos casos por imposições históricas e sociais e, em outros, pela audácia, pela inquietação, pela visão prospectiva dos artistas de vanguarda; só depois, é ou não gradativamente absorvida para entrar na corrente da tradição. [No correr do texto desse dicionário são abordados e descritos os diferentes estilos ligados às artes decorativas e à decoração de interiores.] – Fr.: *style*; ingl.: *style*; alem *Stil*. • **Estilos Históricos.** Os que são consagrados pela tradição e são objeto de cópias, imitações e estilizações, como sucedeu durante o Renascimento* com os estilos da Antiguidade* clássica e, no séc. XIX, com o Neogótico*, o Neorrococó* e outros. [V. historicismo.] ***De estilo.*** Diz-se de um objeto ou de uma decoração que pertencem a um estilo tradicional definido e, neste sentido, de certa forma se opõe a "moderno". // Diz-se de objeto de execução recente mas que reproduz ou imita outro de feitura original. [Convencionou-se, sobretudo em linguagem comercial, que a expressão *no estilo "tal"* aplica-se à descrição de uma peça copiada, ou livremente interpretada, que tem as características exteriores de um determinado estilo tradicional (como, p. ex., "cadeira no estilo Dom João V"), enquanto para as peças autênticas indica-se apenas o nome do estilo (como, p. ex., "cadeira Dom João V"), o que subentende a época de sua execução.]

estofamento. *s. m.* O trabalho de estofar ou forrar móveis, ou seja, de aplicar sobre um chassi, em geral de madeira, um recheio recoberto de tecido resistente preso segundo técnicas especiais; forração. § Nos tempos medievais, para amenizar a dureza de bancos e cadeiras, usavam-se às vezes almofadas e, mais tarde, tiras de couro no assento e nas costas. As primeiras cadeiras forradas de tecido e recheadas de crina teriam surgido por volta do séc. XVII, na Inglaterra onde, desde então, se estabelece uma tradição de conforto nos interiores, ainda ausente nas outras cortes europeias. Foi uma primeira conquista tanto no sentido estético como no prático. ~ No séc. XVIII com o progresso da arte e da técnica de ebanistas e marceneiros, as cadeiras têm chassis de formas variadas e bem equilibradas que suportam assentos e encostos de palhinha ou, mais frequentemente, estofados e com molduras de madeira aparente. ~ No séc. XIX, são introduzidas as molas metálicas, uma segunda etapa que torna cadeiras e sofás muito mais confortáveis. Os estofadores se esmeram em móveis completamente cobertos de pano, com formas opulentas, não raro realçadas pelo emprego do capitonê* e dos acabamentos com passamanaria*. ~ Com o passar do tempo, os móveis estofados adquirem cada vez maior prestígio: poltronas, sofás, divãs, somiês são elementos que caracterizam os ambientes domésticos. ~ Por volta de 1940, a inovação do estofamento com espuma, embora alterando de certo modo as técnicas desenvolvidas nos últimos 250 anos, impõe-se para o mobiliário padronizado que dispõe também de *designs* práticos e de uma ampla escolha de tecidos, além do couro e dos materiais sintéticos. Os móveis de elite, de produção limitada como uma "cadeira Barcelona"* de Mies Van der Rohe, ou uma "poltrona mole"* de Sérgio Rodrigues, também se beneficiam dos novos recursos do estofamento. [V. cadeira e mobiliário.] – Fr.: *rembourrage*; ingl.: *upholstery*.

estojo. *s. m.* Invólucro ou caixa cuja forma se adapta internamente ao objeto a que se destina. Peças de feitura delicada, ou que exigem manipulação cuidadosa, como joias, instrumentos, armas, etc., são protegidas e guardadas em estojos de couro ou de tecidos macios como o veludo ou o cetim.

Estojo para tesoura de uvas de prata gravada.
(Inglaterra - meados do séc. XIX)

estore. [Do fr. *store.*] *s. m.* Cortina de tecido ou de tiras de madeira, plástico, etc. instalada na parte interna da janela e que se abaixa ou levanta por meio de cordões. // Cortina de renda ou tecido leve. [V. cortina.]

estrela. *s. f.* Figura geométrica de mais de três pontas cujos lados, retilíneos, podem ser inscritos numa circunferência; a estrela assume também formas livres e irregulares e é motivo de inúmeras representações como símbolo e como ornato. § Os povos antigos, em particular os nômades e magos da Mesopotâmia, conheciam profundamente o céu e o movimento dos astros, e ali encontravam os sinais – bons ou maus – do que ocorria no mundo. Para eles, pela observação das estrelas, tornava-se manifesta a vontade divina. A estrela de Belém, que brilhou no céu da Cristandade nascente, está associada ao pensamento astrológico dos orientais: anuncia a vinda do Cristo entre os homens. ~ As estrelas são fontes de luz e guias dos viajantes como, p. ex., a Estrela Polar e o Cruzeiro do Sul. § Como símbolo do poder e do valor, a estrela está nos brasões e nas bandeiras, nas insígnias militares, nas comendas e condecorações, e em certas especificações de qualidade. As estrelas do Cruzeiro do Sul, p. ex., figuram em diversos emblemas do Brasil. ~ A Estrela d´Alva e a Estrela Vespertina simbolizam, entre os cristãos, Nossa Senhora portadora da esperança. § Nas artes, a estrela solitária, as constelações, os arcos de estrelas, aparecem em inúmeras alegorias. • A estrela isolada caracteriza-se pelo número de raios, e tem significados diversos: a *estrela de cinco pontas* é o pentagrama de dez ângulos, de múltiplos valores; é símbolo da luz e sua figura era usada pelos mágicos para exercerem o poder; é a "estrela flamejante", emblema da Maçonaria, que eleva a alma; é também símbolo da saúde. A *estrela de seis pontas* tem os raios formados por dois triângulos equiláteros invertidos e entrelaçados e simboliza a união do espírito e da matéria, do princípio ativo e do passivo; é o emblema do judaísmo, a estrela de Davi ou de Sião, é o "selo de Salomão", e constitui a soma do pensamento hermético: contém os quatro elementos (fogo, água, terra e ar) e engloba os sete metais conhecidos na Antiguidade: as pontas, prata, cobre, mercúrio, chumbo, estanho, ferro (o ouro – o Sol – fica no centro). A *estrela de sete pontas* participa do simbolismo do número sete e representa a música das esferas ou graus celestes, o arco-íris com as sete cores, os sete planetas tendo ao centro o Sol, os dias da semana. A *estrela de oito pontas*, inscrita num octógono, é tida como representação de uma divindade dos antigos medas (Mesopotâmia); com a forma de dois quadrados entrelaçados, inscritos num círculo ou num octógono, ou inscrevendo-os, aparece na arte islâmica, talvez como associação do céu e da terra. § Como ornato, a estrela é emblema universal, simples na forma, porém carregado de significação. Estrelas esculpidas, gravadas, lapidadas, pintadas, incrustadas, bordadas, tecidas, impressas aparecem em todas as categorias de artes decorativas. Nos objetos do culto israelita, na decoração de móveis e outras peças, a estrela de seis pontas está sempre presente; ela aparece também nas decorações muçulmanas. ~ Estrelas são motivos frequentes nos tapetes caucasianos e turcomanos, ora justapostas no campo ou nas barras, ora como motivo isolado; a forma mais usual é a estrela de oito pontas no centro de um octógono. ~ Nas peças de cristal, os raios das estrelas lapidadas cintilam e refletem a luz; elas formam ora motivos encadeados, ora brilham separadas; as antigas peças de Baccarat* e de outras manufaturas, ostentam uma estrela de muitos raios lapidada no fundo dos copos, garrafas e jarros. ~ Na cerâmica, certos azulejos* islâmicos formam estrelas policromadas que se repetem e entrelaçam. ~ A noção de infinito perpassa no teto de uma abóbada estrelada, no campo salpicado de estrelas de uma opalina azul, de um cristal transparente, do bordado de um manto. Nos ornatos e nos símbolos, a estrela evoca a esperança que sempre renasce. – Fr.: *étoile*; ingl.: *star*; alem.: *Stern*.

Estrela de seis pontas
Estrela de Davi

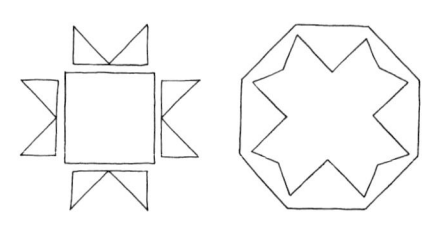

Estrelas de oito pontas. Motivos de tapetes

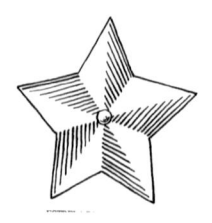

Estrela de cinco pontas
Insígnia militar

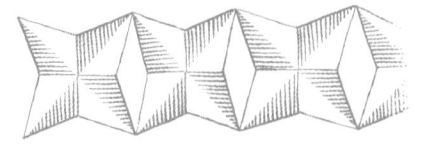

Estrelas de quatro pontas
Ornato

estribo. *s. m.* Peça dos arreios de montaria destinada ao apoio do pé do cavaleiro; compõe-se, em geral, de uma barra transversal sustentada por um arco onde se prende a correia. De ferro, bronze, prata, tem, muitas vezes, detalhes ornamentais e apresenta-se em pares. ~ Por sua forma característica, tem aplicação como adorno e como acessório. Estribos encadeados são motivos reproduzidos em estamparia e em correntes. • O ***estribo fechado***, para homem ou mulher, é também conhecido como *sapata* * ou *caçamba**. O ***estribo de amazona*** tem a forma de chinelo (as mulheres apoiavam apenas um pé, porque montavam de lado); são delicados e elegantes, especialmente os de prata. [V. sapata (ilustr.).]

estudo. *s. m.* Nas artes plásticas, desenho ou esboço sem detalhes que um artista faz em geral como base para uma composição. Os estudos valem, por si, como criações artísticas e podem alcançar vários preços.

estufa. *s. f.* Espécie de lareira fechada destinada a aquecer as partes de uma casa. O fogo é mantido aceso até a temperatura conveniente, e depois extinto para que o calor fique armazenado. § Acredita-se que os primeiros exemplares conhecidos na Europa datem dos sécs. XIV e XV, feitos de tijolos e ladrilhos; seu uso logo se difundiu e as estufas de alvenaria e cerâmica, com placas de diferentes formas, foram usadas no norte e centro europeu e na região alpina. Elas são relativamente altas para permitir a conservação do calor, e as de maior efeito decorativo têm forma piramidal. ~ Na cidade de Winterthur (Suíça), no séc. XVI, há menção de mais de noventa ateliês de ceramistas especializados em estufas decoradas com relevos e pinturas, que eram exportadas para todo o continente (na Inglaterra não se difundiu o uso da estufa). Esses aparelhos evoluíram até o fim do séc. XVIII segundo as tendências da arquitetura – do Barroco* ao Neoclássico*. ~ São célebres as estufas barrocas de Nurembergue e Innsbruck. Nas peças mais requintadas – da Europa central, da Alemanha, da Áustria – a decoração típica rococó* sobressai num fundo de cerâmica branca vidrada. Algumas estufas são peças isoladas, outras são adaptadas às paredes; muitas tinham a parte inferior de ferro decorado. [Cf. lareira.] – Fr.: *poêle*; ingl.: *stove*.

estuque. *s. m.* Massa de revestimento feita com pó de mármore, areia fina, cal, greda e gesso além da água necessária e, às vezes, cola; depois de seco adquire dureza e resistência. § O estuque se apresenta em vários tipos: a) massa para revestir paredes interiores e tetos; b) material para vedar em diferentes circunstâncias (em especial as telas de tecido e de arame); c) material para ser moldado em certo tipo de ornatos; d) base para receber pintura. § Conhecido de todas as civilizações, destaca-se pela maneira como é usado na arquitetura. ~ Na Grécia antiga e em Roma, o estuque era aplicado ao exterior e ao interior das paredes dos templos e de outras construções, bem como nos painéis dos monumentos funerários dos primeiros séculos de nossa era. ~ No Renascimento os trabalhos em estuque das fachadas começam a fazer contraste com as obras de cantaria. Nos ornatos arquitetônicos posteriores muito rebuscados, o estuque substitui a pedra pela plasticidade e por ser de menor preço. ~ Os tetos, especialmente, recebem estuques elaborados e, no séc. XIX, muitos modelos renascentistas, barrocos e neoclássicos são neles reproduzidos. Painéis e molduras de portas e janelas, lareiras, balaústres são entregues a artífices especializados. ~ Novas formas de estuque aparecem em luminárias e sancas muito ao gosto de certas decorações *art déco**. § No mobiliário da Renascença, especialmente na Itália, as vultosas decorações em relevo, feitas de estuque, recebem pintura ou douração, não se distinguindo da madeira; esse material foi também empregado na feitura de molduras douradas de quadros e espelhos com decoração de estilo. §§ Por influência europeia, os estuques das casas brasileiras do séc. XIX e do início do séc. XX assumiram belas formas, nas mãos de verdadeiros mestres do ofício. Nos amplos salões e quartos de pés-direitos muito altos, os tetos ofereciam a visão de baixos-relevos brancos ou pintados: grandes medalhões circulares ou ovais ou quadriláteros com outras formas inscritas (de cujo centro pendia o lustre) irradiavam motivos florais e outros; os cantos, também ornamentados segundo o destino de cada cômodo, ostentavam cornucópias, cupidos, instrumentos de música, etc. com grande profusão de detalhes. Infelizmente, com as demolições, a maior parte desse material se perdeu. [V. gesso.] – Fr.: *stuc*; ingl.: *plaster.*

Estuque de teto. (detalhe - Petrópolis - c. 1894)

étagère. [Fr.] *s. f.* Móvel aberto dotado de montantes que suportam prateleiras dispostas em diferentes planos, e que foi conhecido desde a Idade Média. Suas dimensões, formas e disposição das prateleiras variam segundo a finalidade. A *étagère* pode ser suspensa à parede (às vezes de canto, com as prateleiras arredondadas) ou pode ser pousada no chão como porta-bibelôs, estante, ou aparador (do qual chegou a ser sinônimo entre nós). [Cf. aparador, cantoneira e *whatnot*.]

Étagère de jacarandá, neorrococó, com três prateleiras e coluna central. Oito montantes em curva e contracurva. (Brasil - séc. XIX)

Étagère de madeira revestida de vernis Martin preto. Incrustações e remates de bronze. (França - séc. XIX)

étui. [Fr.] *s. m.* Pequena caixa em que, antigamente, as senhoras guardavam seus utensílios de costura; feita de prata, esmalte, etc., era usada no bolso ou pendurada em uma corrente.

ex-libris. [Da loc. latina, *ex libris*, 'dos livros de'.] *s. m.* Pequena estampa que se cola na contracapa de um livro e que, além do desenho, traz uma inscrição que identifica seu possuidor. ~ Na Antiguidade, na Europa medieval, no Oriente, signos eram aplicados ao pergaminho, ao papiro, ao papel, mas na realidade, o ex-libris parece ter surgido na Alemanha, no séc. XIV, toscamente gravado em madeira ou cobre; mais tarde, foram desenhados por artistas como Dürer, Holbein, Cranach. A prática se estendeu até nossos dias e os ex-libris que, além do valor artístico, expressam, de certo modo, a personalidade do bibliófilo, têm sido objeto de estudos e coleções.

expertise. [Fr. 'perícia'] *s. f.* Estudo da autenticidade e apreciação do valor de uma obra de arte, de um objeto antigo, de uma coleção, etc. É trabalho que compete ao *expert* ou perito, pessoa qualificada de reconhecido preparo, habilitação e idoneidade; ele verifica e estuda particularmente a origem, a época, a autoria, o estado das peças que examina. Está apto a emitir opinião sobre o valor e/ou a conveniência de conservar, vender ou restaurar os objetos cujo estudo lhe foi confiado. O *expert* fornece ao proprietário um laudo – a *expertise* – que declara as características e a autenticidade da peça estudada. ~ O notável papel das antiguidades e das obras de arte nas modernas transações comerciais confere uma grande importância e responsabilidade à função do *expert* e cada vez se faz mais necessário recorrer a sua capacidade. [V. antiquário, autenticação e leilão.]

expressionismo. *s. m.* Tendência artística que visa a expressar vivamente as sensações íntimas, o choque emotivo do próprio artista em contacto com as coisas (concretas e abstratas). Dürer, Grünewald, Goya, Bruegel, Daumier, cada qual isoladamente, assim se manifestaram em pinturas de maior ou menor dramaticidade. ~ A gravura, pelo contraste de preto e branco, presta-se a este modo de expressão e atinge um poder inexcedível com Goya nas séries *Os desastres da guerra* e *Caprichos* e nos trabalhos do fim de sua vida. ~ A *caricatura*, por seu caráter deformador e crítico, de certo modo trata a realidade através de um prisma expressionista. § Na virada do séc. XIX, pintores como o holandês Van Gogh, o norueguês Munch, o belga Ensor abrem a via do expressionismo para as artes. Nos primeiros anos do séc. XX, o movimento expressionista vai se constituir como a primeira manifestação da arte de vanguarda. Surge na Alemanha como reação ao convencionalismo sentimental da arte acadêmica (v. academismo) e ao objetivismo óptico do impressionismo*. O artista transpõe os limites de seu drama pessoal e, como ser humano, vive o drama da sociedade. Passional e trágico, o expressionismo caracteriza-se pela deformação das imagens e pela originalidade da técnica. Entre os pintores mais notáveis desse movimento citam-se: Nolde, Kokoschka, Schiele, Rouault, Grosz. §§ No Brasil, as xilogravuras de Oswaldo Goeldi conferem a este artista uma posição ímpar no expressionismo entre nós. [Cf. cubismo, dadaísmo, fauvismo.]

exterior. *s. m.* Espaço externo que, a um tempo, é moldura e prolongamento de uma casa, integrando arquitetura e paisagismo. Os orientais, desde muitos séculos, praticam esta integração com a natureza. No Ocidente, depois do interesse dispensado pela arquitetura exclusivamente à área utilizada – as casas tinham jardins* para serem vistos "de fora" e, nos apartamentos, fechavam-se varandas e terraços – os espaços abertos voltaram a ser valorizados. Onde há paisagem, as grandes aberturas envidraçadas desvendam e acolhem o verde, o mar, o céu. ~ Nas regiões de estações marcadas ou nas grandes concentrações urbanas, os parques e bosques sempre foram centros de atração e congregam as pessoas nos dias de sol. [V. paisagismo.]

Extremo Oriente. Designação dada pelos europeus à região que abrange o leste e o sudeste da Ásia: China, Japão, Coreia, Península indochinesa; seus limites são imprecisos e podem se estender às ilhas do Pacífico, ao sul da Ásia (Índia, Paquistão, Ceilão) e parte da Ásia Central. Os povos dessa complexa região abrangem e falam línguas diferentes, e pertencem a diversos grupos raciais. Antigas civilizações agrárias se desenvolveram na China e na Índia e se expandiram pelas regiões vizinhas. Seda, chá, especiarias, madeiras, artefatos de porcelana e de laca, algodão, arroz despertaram a cobiça dos europeus que ali estabeleceram bases comerciais. ~ A antiquíssima cultura desses países caracterizou-se pela estabilidade relativa dos costumes e da arte, livre das mutações que se impunham histórica e culturalmente à civilização ocidental. ~ A arte e o artesanato – que no Extremo Oriente não se distinguem – iriam inspirar, em cinco séculos, diversas inovações nos estilos e no gosto europeus; muito requintados, diferentes, "exóticos", logo atraíram os primeiros viajantes. As caravelas portuguesas e depois as companhias de comércio (portuguesa, holandesa, francesa, inglesa) tornaram conhecidos os primeiros objetos da arte oriental e, desde o séc. XVII, novos elementos foram incorporados à arquitetura e às artes decorativas. [V. China, *chinoiserie*, Coreia, Índia, Japão, *japonaiserie*, Macau, laca porcelana, porcelana chinesa de exportação e porcelana da Companhia das Índias.] – Fr.: *Extrême-Orient*; ingl.: *Far East*.

ex-voto. *s. m.* Testemunho por meio do qual um devoto manifesta gratidão à divindade, ou a um santo, por uma graça especial, tornando público o fato e divulgando a força mística ou mágica do autor do milagre. Esse testemunho apresenta-se: a) como representação iconográfica (geralmente pintura) da graça obtida e envolve a natureza do milagre (iminência de morte ou destruição, enfermidade ou perigo), o agraciado e o santo; b) como representação escultórica (em madeira, barro ou cera), mais ou menos rudimentar, representando a cabeça de alguém, a figura de corpo inteiro ou partes do corpo. §§ A tradição cultural portuguesa transplantou-se para o Brasil e com ela as práticas do catolicismo ortodoxo ou popular; ergueram-se ermidas, capelas, igrejas, santuários, e as "salas de milagres" se povoaram de peças esculpidas e de "quadros". No séc. XVIII, estes eram executados à maneira portuguesa, sobretudo no litoral e em Minas Gerais; eram pinturas em geral primitivas que, embora reproduzissem o ambiente colonial, refletiam a tradição lusa.

~ Mas a grande maioria dos ex-votos se concentra no séc. XIX e tem características bem brasileiras: os temas rurais ou urbanos são documentos ricos em informações: abrangem todas as classes – da aristocracia aos escravos – as práticas da medicina e os enfermos, a arquitetura, a indumentária, a flora e a fauna; representam cenas de agressões de animais, naufrágios, acidentes com carros ou queda de cavalo, incêndios, ataques de inimigos. ~ Nos ex-votos de influência portuguesa o quadro se apresenta em dois planos: o do milagre propriamente dito com a legenda (comum ou em cartela); e o do agente sobrenatural envolto num círculo de nuvens, ou entrando por portas e janelas ou, ainda, sob a forma da imagem tal como figura no altar de devoção (nas cenas de doenças o crucifixo ou a imagem do santo aparecem na parede sobre a cama do doente). ~ No Rio de Janeiro, em Minas e certos pontos do litoral são frequentes os quadros pequenos com molduras muitas vezes de características barrocas, enquanto no Norte e no Nordeste as pinturas são maiores, mais ingênuas. ~ As esculturas, os chamados "milagres" nordestinos – antropomórficos e zoomórficos –, apresentam-se em formas primitivas com os materiais locais (barro, cera, couro, madeira, pano). ~ Até a década de 1930, os ex-votos estiveram ligados apenas à sua significação religiosa; começaram, depois, a despertar o interesse do ponto de vista artístico e social, e passaram a ser estudados e integrados aos museus e a coleções particulares. [Cf. arte popular.]

Ex-votos de madeira. Arte popular. (Brasil - sem data)

Fabergé, Peter Carl (1846-1920). Ourives russo de origem francesa. Viajou pelos países da Europa para alargar os conhecimentos e estabeleceu-se em S. Petersburgo em 1870, adquirindo grande prestígio junto à família imperial russa e à nobreza. Ampliou o negócio, abriu ateliês em Moscou, Kiev e Londres (1906) onde desfrutou do apreço da requintada corte de Eduardo VII. Chegou a ter mais de quinhentos assistentes, todos exímios artesãos, entre joalheiros, lapidadores, esmaltadores, desenhistas e outros. ~ Fabergé em pessoa desenhava parte dos objetos que produzia, entre os quais os famosos ovos de Páscoa que Alexandre III da Rússia encomendava, anualmente, para oferecer à Czarina; feitos de metais preciosos, abriam-se revelando alguma surpresa: uma estatueta, um vaso de flores, uma miniatura de esmalte. ~ A imaginação, o requinte, o bom gosto, a originalidade de Fabergé revelam-se em objetos de uso pessoal (cigarreiras, isqueiros, molduras para miniaturas, tinteiros, relógios, etc.) e em peças ornamentais (estatuetas, bichos, ramos de flores em ouro e pedras preciosas), além de utensílios para serviços de jantar e chá, procurados pela aristocracia europeia. ~ Mas sua arte teve os dias contados: com a Revolução Russa de 1917, fecharam-se os ateliês, os objetos de luxo foram abolidos. Fabergé morreu no exílio em Lausanne, na Suíça.

faca. *s. f.* Objeto cortante dotado de lâmina e cabo. § As primeiras facas empregadas pelo homem como utensílio ou como arma eram pedaços longos de pedra ou de osso afiados para o uso. Em tempos históricos, com o desenvolvimento da metalurgia, foram-se aperfeiçoando: utilizou-se o bronze, o ferro e mais tarde o aço. ~ A faca, mais aprimorada, passou a ter cabo e lâmina; esta tinha um prolongamento que se inseria no interior do cabo para fixá-lo. O objetivo deste era dar firmeza ao gesto tanto na luta quanto na prática doméstica. ~ Nas sociedades mais adiantadas, as facas logo se apresentaram à mesa com cabos de material resistente como certos metais, madrepérola, marfim, chifre e, à proporção que os hábitos se aprimoravam, a decoração foi se tornando mais requintada. Cabos recurvados na ponta, lembrando os das pistolas, são especialmente característicos e de fácil apreensão. ~ No séc. XVII o uso dos talheres se afirma, e os cabos das facas, de prata ou de *vermeil* têm conchas, volutas e outros ornatos barrocos ou rococós; depois, o desenho neoclássico, simples e elegante, valoriza o cabo reto com arremate de finas caneluras convexas e paralelas. Este motivo foi muito usado na prataria portuguesa Dona Maria I e, posteriormente, na brasileira. ~ No séc. XX aparecem as lâminas de aço inoxidável mais duráveis e de fácil conservação e mais tarde, adotam-se facas soldadas numa só peça – cabo e lâmina. § As lâminas de aço, anteriores, oxidavam-se rapidamente e sua manutenção era trabalhosa. Normalmente eram limpas, manualmente, em tábuas, com abrasivo apropriado; inventou-se então na Inglaterra, para o serviço das grandes casas, um aparelho com dispositivo dotado de roda, o que facilitava a operação de limpeza (esse objeto é ainda encontrado como curiosidade). ~ Estojos ou caixas para facas, de couro, madeira, laca, etc., com fechos trabalhados foram fabricados desde o séc. XVII e, nos setecentos, caracterizaram-se por ter a frente curva e inclinada na tampa. [V. talher e faqueiro.] — Fr.: *couteau*; ingl.: *knife*; alem.: *Messer*; esp.: *cutillo*.

fachada. [Do ital. *facciata*.] *s. f.* Em arquitetura, qualquer das faces exteriores de um edifício – a anterior, a posterior ou as laterais. Num projeto, é a representação gráfica da superfície vertical externa de um volume arquitetônico. § A fachada anterior, onde geralmente se encontra a entrada principal, é mais elaborada e importante e, por isto, define ou caracteriza um edifício quanto à função, à época ou ao estilo; defrontando a via pública ou terreno adjacente ao prédio, confere a este a forma capaz de patentear-lhe o caráter (a de um templo difere da de um palácio, a de uma residência da de um quartel ou de uma fábrica). ~ A fachada constitui o primeiro impacto visual da obra arquitetônica e embora a tendência atual seja diminuir este impacto, ela não deixa de ter ainda grandes implicações de valor formal. ~ Vista à distância, deve apresentar justas proporções e uma equilibrada distribuição dos elementos horizontais (os pavimentos) e verticais (paredes, pilastras, portas, caixas de escada, etc.) subordinados, naturalmente à estrutura e à planta interna do edifício; por isto, o estudo desta implica também no da fachada. Os ornatos, quando existem, devem ter dimensões compatíveis, para não se perderem ou sobressaírem no conjunto. § Durante séculos deu-se importância exagerada à fachada, justamente por ser a parte mais exposta de um edifício; a diversidade e o ecletismo se acentuaram na arquitetura oitocentista. No raiar do séc. XX, paralelamente ao progresso da técnica e à revisão de valores, observou-se a evolução do excesso ornamental para o despojamento funcional. Trabalhou-se com o concreto, o aço, o vidro; e os elementos formais das grandes aberturas foram integrados ao conjunto dos volumes e dos espaços interiores, os quais passaram a ser solucionados pelos recursos da decoração.

facistol. *s. m.* Grande estante de igreja. // Faldistório.

faia. *s. f.* Madeira de cor clara extraída da árvore do mesmo nome, comum no centro e no sul da Europa. [V. madeira.] — Fr.: *hêtre*; ingl.: *beech*; alem.: *Buche*.

faiança. [Do fr. *faience*.] *s. f.* Designação comum a qualquer louça de massa opaca, porosa, permeável, com fratura terrosa (colorida ou branca); sua superfície, quando revestida de esmalte de estanho, torna-se impermeável e própria para receber diversos tipos de decoração. § Originariamente o termo provém de um conjunto de fábricas de cerâmica existentes na Itália e que só adquiriram prestígio no séc. XV com o desenvolvimento da maiólica. Em Florença, essa louça foi o material usado pelo escultor Lucca Della Robbia e seus parentes para realizar esculturas em cores (baixos-relevos, medalhões), algumas aplicadas em obras arquitetônicas. ~ No séc. XVI, surge na cidade de Faenza, como reação à riqueza pictural da maiólica, um tipo de louça com esmalte branco e espesso - o *bianco di Faenza* – ricamente modelada ao gosto do Renascimento e ornada com pinturas discretas. Esse estilo irá influenciar um tipo de cerâmica dos países transalpinos (Alemanha, França, Suíça, Países Baixos) que passaram a designá-la pelo nome de sua cidade de origem. § Na França, a partir do séc. XVI, por influência dos ceramistas italianos ali radicados, (em Rouen*, Nimes, Montpellier, Lyon, Nevers*) o termo evoluiu para designar os produtos de cerâmica utilitária ou decorativa com esmalte estanífero sobre o qual se aplica a decoração antes da queima. No séc. XVII começam a aparecer decorações de influência persa e, no séc. XVIII as de influência chinesa; outros centros se desenvolvem (Strasbourg*, Moustiers*). ~ No final do séc. XVIII essa *faiança* (francesa, alemã, tcheca) é superada pela "faiança fina" de origem inglesa (mais próxima da porcelana), sem contudo interromper sua produção. § A designação de faiança abrange, de maneira genérica e por oposição à porcelana, a cerâmica produzida na França (Nevers, Sarreguemines*, Marseille*, Moustiers, Strasbourg), na Inglaterra (Staffordshire*, Leeds, Wedgwood*), na Espanha (Talavera*, Alcora*), na Holanda (Delft*), na Alemanha (Hamburgo, Berlim), em Portugal (Porto*, Caldas da Rainha*) e qualquer outra cerâmica com as mesmas características. [V. cerâmica. Cf. maiólica e Delft.) — Fr.: *faience*; ingl.: *earthenware*; alem.: *Fayence*; *Glasierte tonwaren*.

Objeto decorativo de faiança moldada com frutas em cores de alta temperatura.
(Nove, Bassano del Grappa - Itália)

faldistório. [Do lat. medieval *faldistorium*, pelo ital. *faldistorio*.] *s. m.* No séc. XVI, assento dobrável com pernas articuladas e braços. // Assento sem espaldar, com braços. // Cadeira episcopal, sem encosto, usada nas igrejas ao lado do altar-mor; facistol.

falsificação. *s. f.* Contrafação, alteração ou imitação fraudulenta de um objeto de arte, de uma assinatura, de um produto de qualidade. § Em torno da oferta de obras de arte, logo se fixaram os colecionadores, atraídos pelo teor estético, pela significação histórica e/ou simbólica, pela feitura, pela raridade, pelo valor de que se revestem, em suma; e, como corolário, surgiu a tentação da fraude. Pinturas e esculturas, tapeçarias, móveis, porcelana e tudo o mais que a arte humana pode realizar ou criar não escapam aos truques e à técnica dos falsificadores. As obras falsificadas, detectadas pelos *experts*, não são aceitas no comércio e estão sujeitas às penas da lei. Mas os próprios especialistas podem se enganar; até em museus famosos ocorre a retirada de peças cuja inautenticidade tenha sido comprovada. § Motivos psicológicos podem induzir à prática da falsificação; são conhecidos os casos de artistas que, sentindo-se preteridos, criaram obras com assinaturas de grandes mestres (Vermeer, Modigliani, e tantos outros). Entretanto, a maioria dos falsificadores praticam seu ofício – ou sua indústria – por razões materiais, não raro incentivados por intermediários espertos. Raramente têm contato direto com aqueles que adquirem obras de arte; o comprador, mesmo o mais experiente colecionador, precisa confiar na pessoa com quem negocia e assegurar-se de que ele conhece e comprova a origem da peça adquirida. § É por vezes difícil, no conceito do que é uma obra de arte ou uma peça rara, estabelecer o limite entre o realmente "falso" e aquilo que não o é comprovadamente "autêntico". ~ Na prática, há que distinguir, ao lado das falsificações indubitáveis, a obra restaurada, a cópia, a imitação e a evolução da feitura dentro de um período longo; essas modalidades são facilmente reconhecíveis pelos especialistas e negociadas como tais. Eis alguns exemplos: a) obra restaurada: determinado móvel é considerado "de época" quando, devidamente datado e identificado depois de analisado, vê-se que não é cópia ou imitação e que foi simplesmente restaurado (ocorre que certa peça "de época", de linhas simples, pode ser "embelezada" ou "enriquecida" com acréscimos que não lhe tiram a autenticidade); b) cópia: também com exemplo na marcenaria, o caso de peças de mobiliário de realização posterior, com madeiras e formas semelhantes às antigas; c) imitação: ainda com relação aos móveis, na imitação utilizam-se explicitamente madeiras antigas ou envelhecidas, ou partes antigas de outros móveis; d) evolução: no caso das porcelanas* chinesas de exportação da mesma procedência, as alterações ocorridas a partir de sua descoberta pelos europeus não significam fraude; apenas os mesmos elementos (o tipo de caulim, a forma, a cor, a decoração) sofreram mudanças ao serem tratadas por sucessivas gerações de oleiros mais ou menos sensíveis ao gosto ocidental; continuam, porém, autênticas. § Essas quatro situações ocorrem normalmente; os comerciantes advertem os interessados, e os leiloeiros empregam vocabulário esclarecedor no texto dos catálogos. [V. autenticação. Cf. cópia, imitação, leilão e restauração.]

famille. [Fr. 'família'.] *s. f.* Termo adotado pelo francês Albert Jacquemart, no séc. XIX, para classificar os diversos grupos de porcelana chinesa revestida de esmalte policromado e produzida para exportação nos sécs. XVII e XVIII (a porcelana branca, vinda de outras províncias, era decorada especialmente, em Cantão, atendendo, muitas vezes, ao gosto europeu). § *Famille verte* ('família verde') – aquela em que predomina o esmalte verde claro aplicado sobre a porcelana branca já cozida; a decoração é feita com amarelo, roxo-berinjela, azul arroxeado e predominância do vermelho ferroso; essas cores foram adotadas no período K´ang Hsi (1662-1722) e substituem o esquema das cinco cores usadas no período Ming* (1368-1644), quando o azul era aplicado em baixo-esmalte. *Famille jaune* ('família amarela') – aquela em que domina o fundo dessa cor, com decoração floral; os motivos foram depois copiados pelos europeus na pintura das chamadas *Indianischeblumem*. *Famille noire* ('família negra') – aquela em que se usa um pigmento de um preto esverdeado para o fundo e os mesmos esmaltes da família verde na decoração, por vezes sobrecarregada; esse gênero de porcelana foi muito reproduzido no séc. XIX. *Famille rose* ('família rosa') – nela, além dos esmaltes empregados até então, os chineses usaram pigmentos em tons de rosa (*yang t s´ai*, 'cores estrangeiras') trazidos da Europa no período setecentista; foi a última decoração a surgir; é mais livre e inclui figuras e grupos além de flores e frutos. [V. China e porcelana. Cf. Ch´ing, porcelana da Companhia das Índias e Yung Chen.]

faqueiro. *s. m.* Conjunto de talheres do mesmo material e marca, com decoração semelhante em todas as peças e que formam um jogo completo, incluindo talheres de servir. Muitos faqueiros apresentam-se em estojos ou caixas de madeira, forradas de feltro, alguns com mais de uma prateleira. [V. talher.]

farinheira. *s. f.* Recipiente com ou sem tampa muito difundido no Brasil e usado para colocar farinha de mandioca ou de milho. ~ Desde a época colonial, tigelas simples, como a cabaça, figuravam à mesa do povo, enquanto os prateiros executavam, talvez inspirados na "tigelas de pingos*" portuguesas, belas farinheiras, em forma de cuia com ornatos repuxados; as paredes eram finas, e as bordas absolutamente lisas, sem moldura. [V. prata portuguesa e brasileira.]

fauteuil. [Fr. 'poltrona'.] *s. m.* Cadeira de braços estofada ou não, em geral com estrutura de madeira aparente trabalhada segundo os diferentes estilos. • *Fauteuil de cabinet*. Pequena poltrona de gabinete criada no séc. XVIII, estofada ou de palhinha, com as costas semicirculares e o assento em curva saliente, o que determina a colocação dos pés nas extremidades dos eixos do móvel (e não nos quatro cantos convencionais); essa cadeira foi muito reproduzida e, no mobiliário luso-brasileiro, é chamada **cadeira de canto**. *Fauteuil en cabriolet*. Poltrona estofada, leve, criada na França na época de Luís XV. Tem o encosto em forma de violão, arredondado e envolvente, braços sólidos, abertos, pernas em curva e contracurva; muito usada nos salões, é confortável e contrasta com as pesadas cadeiras de braço do período anterior. *Fauteuil en gondole*. Grande poltrona "em gôndola" criada na França em 1760 e que se caracteriza por ter encosto em curva, amplo e profundo, e braços curtos. [V. cadeirade canto (ilustr.), cadeira em gôndola, encosto e poltrona. Cf. *bergère*.]

Fauteuil en gondole (França - séc. XIX)

fauvismo. (fovismo) [Do fr. *fauvisme*, de *fauve*, 'fera'.] *s. m.* Nas artes plásticas, movimento de pintura que floresceu na França entre 1898 e 1908, aproximadamente, e que se caracterizou pelo emprego violento – quase feroz – das cores cruas, sem misturas ou gradações; eram aplicadas diretamente dos tubos de tinta, e mais pareciam explosões na tela, valorizando impulsos instintivos e sensações vitais. O artista privilegiando a cor como elemento de expressão, colocava em segundo plano a linha, o desenho; este era feito com a própria cor. Os contrastes e as harmonias de colorido encontrados nessa pintura são, por sua intensidade, inexistentes na realidade. No Salão de Outono de 1905, de Paris, Matisse, Marquet, Vlaminck, Dufy apresentaram obras de grande impacto, que marcaram a afirmação da nova escola. [V. pintura. Cf. cubismo e expressionismo.]

faux bois. [Fr. 'madeira falsa'] Material de revestimento que imita madeira (fotografia, papel impresso, fórmica*, etc.)

faux marbre. [Fr. 'falso mármore'.] Pintura que imita o mármore (os veios, as cores) e que é usada em paredes, móveis, etc.

Favrile glass. [Ingl.] Nome comercial do vidro irisado fabricado no fim do séc. XIX por C. L. Tiffany e usado em objetos no estilo *Art Nouveau**, especialmente vasos. A marca aparece no fundo das peças. [V. Tiffany.]

fechadura. *s. f.* Dispositivo de metal dotado de mecanismo com linguetas capaz de fechar e abrir portas, gavetas, cofres, cadeados e diversos receptáculos, e que é acionada em geral por meio de *chave*. § Na Antiguidade, há referências ao uso de fechaduras nas grandes portas feitas de madeira e que funcionavam mediante complicado sistema de linguetas; à guisa de chave usava-se primitivamente uma espécie de grande alavanca também de madeira. ~ Os romanos já conhecem fechaduras com mecanismo de ferro, mas poucas restaram devido à corrosão. Na Alta Idade Média a insegurança exigia sistemas de proteção, e o ferro começa a ser novamente usado em fechaduras e trancas. ~ A condição de inferioridade da mulher, a desconfiança com que era tratada, induziu à invenção, por volta do séc. XIII, do "cinto de castidade", de ferro e com fechadura, e cuja chave ficava em poder dos nobres cavaleiros que, nas suas longas ausências, pretendiam resguardar a honra e preservar o "precioso tesouro". ~ No séc. XIV, com os progressos da arte da serralheria, as fechaduras inteiramente de ferro são elaboradas com alto grau de habilidade e técnica, especialmente na Alemanha; as partes móveis se encaixam com precisão; emprega-se a mola. Até certa época, os serralheiros tanto executavam fechaduras quanto relógios. As *linguetas*, às vezes múltiplas, se completam com sistemas de alavancas, o mecanismo se complica e aperfeiçoa. ~ A colocação evolui; a princípio é simples, embutindo-se a fechadura na madeira com o *espelho** (placa de proteção) visível. Este torna-se objeto de cuidados especiais; os serralheiros decoram os espelhos com motivos vegetais, figuras de santos e outras para dissimular a entrada da chave; alguns são aplicados sobre couro ou pano de cores. O próprio mecanismo é ornamentado com gravação em água-forte e, para acentuar o efeito do contraste de cores, usa-se, além do estanho que reveste o ferro, o latão e o metal dourado que se destacam do fundo azulado. Os franceses executam belas e complicadas fechaduras e, no fim do séc. XVIII, com o desenvolvimento da metalurgia na Inglaterra, começam a surgir novos dispositivos que se vão aperfeiçoando com o tempo. § As fechaduras dos pesados cofres (alguns inteiramente metálicos) e das arcas* onde eram trancados o dinheiro e os objetos preciosos tinham, a princípio, o mecanismo externo; depois este se tornou muito complicado e ocupava, por vezes, toda a superfície interna da tampa. § O *cadeado*, inventado pelos romanos, foi também conhecido no Oriente. Os exemplares mais comuns têm formas simples que passam à Idade Média e se transmitem até o séc. XIX. Outros são muito trabalhados e, na Renascença, uma das provas para os mestres serralheiros era a execução de cadeados requintados na feitura e no funcionamento. § As *chaves* são o complemento indispensável das fechaduras. Os gregos já utilizavam chaves metálicas e chegaram até nós as chaves de bronze usadas pelos romanos, algumas de tamanho diminuto. ~ Os exemplares medievais mais antigos eram forjados numa só peça com *palheta* de reentrâncias em ângulo reto e *argola* de forma simples para facilitar o manejo; no período gótico esta se apresentava como rosácea ou com forma trilobada e quadrilobada. Para maior segurança certas fechaduras dependiam da combinação de múltiplas chaves; assim, Isabel da Baviera (séc. XV) encomenda a um serralheiro belga duas fechaduras, com cinco chaves diferentes, para os quartos das princesas. ~ As chaves vão se tornando mais pesadas e os recortes das palhetas apresentam meandros. Os mestres da Renascença dão grande importância à precisão e à execução das chaves. No séc. XVIII, a decoração se esmera, começa-se a fundir chaves de prata ou de latão. Às vezes dois profissionais colaboram na sua execução: o serralheiro prepara a palheta e o especialista em latão faz a haste e a argola ornamental. ~ Certas chaves muito elaboradas, como as dos antigos camareiros reais, têm hoje um papel mais representativo do que utilitário; outras são símbolo de algumas entidades (as chaves de S. Pedro, p. ex., são o emblema da Igreja Católica) §§ Nos móveis antigos portugueses e brasileiros encontram-se fechaduras embutidas e outras com espelhos em latão, bronze ou prata lindamente trabalhadas. No sec. XX, com novas tecnologias, surgiram fechaduras eletrônicas, e entre outras tecnologias, um cartão substitui a chave. [V. chave e serralheria.]

fecho. s. m. Peça de segurança destinada a fechar ou cerrar portas, caixas, bolsas, joias, roupas, etc. Os fechos são usualmente de metal e variam segundo o fim a que se destinam; podem ser simples ferragens ou peças de fina ourivesaria. Assumem formas peculiares como no caso dos fechos dos álbuns e das bolsas, ou das diversas variações de argolas, fivelas e presilhas que servem para cerrar inúmeros objetos. // Em arquitetura, pedra que serve de fecho ou remate em abóbadas* ou arcos* no seu ponto mais elevado.

fecit. [Lat. 'fez, executou'.] Palavra que segue, frequentemente, num desenho ou numa gravura, a assinatura do artista para indicar que não se trata de uma cópia. Usa-se também a abreviatura *fec.* [V. gravura².]

Federal. Estilo decorativo que vigorou na época da implantação da independência dos E.U.A. (entre 1790 e 1810), e que é a versão norte-americana do Neoclássico*. ~ Muitos edifícios públicos foram construídos neste estilo; na cidade de Washington, Thomas Jefferson, erudito humanista e ardente democrata, foi diretamente às fontes clássicas e desenhou casas e interiores de grande pureza e dignidade. § Nas artes decorativas, ebanistas como Duncan Phyfe e prateiros como Paul Revere adotam os recentes estilos em voga na Inglaterra (Adam*, Sheraton*, Hepplewhite*); aos poucos, pela influência de artesãos franceses imigrados, foram introduzidos os estilos Diretório* e Império*. Algumas salas da costa leste, até hoje preservadas, apresentam proporções equilibradas, paredes tratadas de forma arquitetural ou com apainelamentos de madeira, janelas e lareiras com cornijas, armários embutidos com molduras, tudo inspirado numa concepção de elegância contida. A influência francesa nota-se especialmente nas formas graciosas de candelabros, de belos tecidos, de espelhos altamente decorativos (são característicos os espelhos redondos ornados com uma águia ou outros emblemas); mas, no todo, predominou a maneira inglesa, malgrado as divergências políticas. [V. Duncan Phyfe e Paul Revere.]

feixe. *s. m.* Reunião de objetos finos e longos de forma aproximadamente cilíndrica (lenha, varas, flechas) atados formando um todo. ~ Como elemento arquitetônico, o feixe se destaca nas construções góticas em que os altos e sólidos pilares são constituídos por delgadas colunas reunidas nessa formação. • *Feixe litórico.* Entre os romanos, o que é formado por uma série de varas em torno de um machado, e que é insígnia de poder. ~ Como motivo ornamental, ressurgiu no séc. XVIII no repertório neoclássico* e, com mais destaque, no estilo Império* em começos dos oitocentos.

feltro. *s. m.* Pano produzido pela compressão de uma pasta de curtas fibras naturais e/ou sintéticas em determinadas condições de calor e umidade, sem recorrer a fiação ou tecelagem. § O feltro surgiu provavelmente nas civilizações de climas frios feito exclusivamente de lã. Foi utilizado desde a Antiguidade no vestuário (roupas, calçados, chapéus), nas casas como cobertor ou tapete, nas mantas de montaria. São até hoje interessantes os tapetes de feltro bordado em confecção artesanal proveniente da Índia. ~ O emprego do feltro foi muito difundido e, no Ocidente, com o aprimoramento técnico, tem sido usado para diversos fins incluindo-se a feitura de chapéus e outras peças de vestuário. Os chapéus de feltro enformado, de abas largas, caracterizam a indumentária masculina do séc. XVII e foram largamente documentados na pintura da época. No séc. XVIII esses chapéus foram relegados às camadas populares e reapareceram entre intelectuais e estudantes partidários do movimento liberal (1848) que assim se identificavam por oposição aos trajes masculinos convencionais. § O feltro tem sido empregado em embalagens e é excelente meio para abafar os sons (com ele são forrados os martelos dos pianos) ~ Feltros coloridos aparecem na feitura de objetos artesanais (flores, bonecas, estojos, etc.), alguns de origem regional, outros comercializados. ~ Nas décadas de 1920 e 1930, a Itália, onde a arte de trabalhar com feltro (brinquedos e outros objetos) é usual, produziu lindas e características bonecas desse material - as bonecas Lenci - com roupas e detalhes também de feltro em cores vivas. § Na decoração, o feltro costurado, bordado ou colado, tem várias aplicações: painéis, almofadas, biombos, forração interior de armários e revestimentos de paredes e móveis.

fênix. *s. f.* Pássaro fabuloso de grande porte e bela plumagem, símbolo da ressurreição, da imortalidade. Quando sente a morte próxima, constrói um ninho de plantas aromáticas, inceideia-o e é consumido pelas chamas. Depois renasce das cinzas. ~ No Egito antigo representava a revolução solar; na China era guardião da felicidade, do casamento feliz. Foi cultuado na Grécia antiga e em Roma (era alegoria da imortalidade do império). No alvorecer do cristianismo, a fênix foi tomada como símbolo da Ressurreição de Cristo e de sua natureza divina (enquanto o pelicano representava sua natureza humana). [V. China. Cf. sinais de Cristo.] – Fr.: *phénix*; ingl.: *phoenix*.

Feraghan. Tapete persa originário da aldeia de Mushkabad destruída no séc. XIX. § Sua decoração representa frequentemente o motivo *herati* cobrindo o campo, mas existem peças cuja parte central é ornada de medalhões alongados de colorido contrastante. As barras são estreitas com motivos muito próximos; as externas com desenhos geométricos e as internas com flores estilizadas ou *botehs**. A faixa mais larga representa o motivo *herati* ~ As cores dominantes são, para o campo os tons de vermelho ou azul escuro; nas barras aparecem tons vivos, amarelo, azul, branco, verde-claro. ~ Os tapetes têm de 1.200 a 2.500 nós por decímetro quadrado, e sua forma é, em geral, alongada [*kelley*]: 1,50 a 3,00m ou 2,50 a 6,00m. ~ O Feraghan é um tapete resistente, sóbrio, de grande classe. ~ No séc. XIX, sua produção quase se extinguiu, sendo raros os exemplares produzidos posteriormente. [V. tapete oriental - tapete persa.]

Tapete Feraghan (parte). Acervo Museus Castro Maya - Rio de Janeiro (Pérsia - meados do séc. XIX)

ferragem. *s. f.* Designação comum a diferentes peças de ferro ou outro metal (aço, latão, bronze, alumínio) usadas em construção, carpintaria e marcenaria; têm finalidade utilitária e constituem os trincos, dobradiças, fechaduras, esquadrias, aldravas, grades, puxadores, etc. As ferragens são tradicionalmente de metal, mas hoje usa-se também, em certos casos, o plástico e o acrílico. ~ Ferragens ornamentais aparecem em obras de mobiliário e arquitetura quer como peças úteis quer como guarnições apenas: máscaras*, escudetes*, medalhões*, guirlandas*, monogramas* e outras aplicações que às vezes ocultam fechaduras ou reforçam e revestem cantos, pés e colunas. Algumas são oriundas de importantes ateliês e enquadram-se rigorosamente nas características dos estilos. §§ No mobiliário indo-português* as ferragens de latão (espelhos, pingentes) assumem formas muito trabalhadas; e no luso-brasileiro, como era comum na época, elas eram encomendadas especialmente para guarnecer determinados móveis.

ferro. *s.m.* Metal de cor cinza, maleável e dúctil; é o mais tenaz dentre os que são comumente empregados. ~ O ferro é extraído de diversos minérios, e seu uso, universal, data de épocas muito remotas. Quando em contato com a umidade do ar é sujeito à oxidação e por isso muita coisa de ferro desapareceu com o tempo; necessita de tratamentos especiais que hoje vão desde processos químicos elaborados até a conhecida demão de zarcão aplicada antes da pintura. § Nos tempos históricos, a Idade do Ferro sucede à Idade do Bronze e todos os objetos de ferro teriam uma finalidade prática, na guerra como na paz; mas, como no caso de outros metais, o tratamento e o acabamento das peças de ferro quase sempre atingia as fronteiras da criação espontânea. Na tumba de Tutankhamon, foi encontrado um punhal de ferro em perfeito estado de conservação; constitui raridade histórica, não só por ser desse metal (num período em que, no Egito, dominavam o bronze e o cobre) como também porque não apresentava sinais de oxidação, o que se atribui à secura reinante dentro da sepultura. ~ A tradição do uso do ferro é importante não só nas civilizações do Egeu, como entre os povos do Oriente Próximo e na bacia do Mediterrâneo. As minas de ferro da Espanha abasteciam o vasto Império Romano. ~ O ferro foi obtido durante milênios por processo que pouco sofreu alterações: do minério em estado incandescente eram separadas as escórias e o ferro podia então ser transformado nos primitivos machados, martelos, pontas de lanças, escudos, capacetes. § Até o fim da Idade Média, as ferramentas para trabalhar o ferro foram o martelo e a bigorna. O minério, extraído da fornalha em bloco ou barra, era malhado a quente daí resultando sempre uma certa irregularidade nas formas. As partes do objeto eram soldadas a alta temperatura também com o auxílio do martelo, e é por este tipo de solda que se reconhecem as peças mais antigas; havia artesãos especializados que produziam grades, escudetes, tabuletas, fechaduras, cofres, de inegável valor artístico. O trabalho do ferro se estendia desde a rede indispensável das forjas dos ferradores de animais até as oficinas dos mestres fundidores, dos serralheiros e relojoeiros, dos fabricantes de armas e armaduras, de correntes, de grades, de âncoras. ~ A chamada *forja catalã* ominou a produção do ferro até o séc. XV: o metal era misturado ao carvão de madeira, o ar se insuflava na fornalha por meio de foles manuais e o carvão era queimado. ~ Quando apareceram os altos-fornos no séc. XV, alcançaram-se temperaturas mais altas que permitiam ao ferro absorver maior quantidade de carbono, transformando-se em *ferro fundido* ou *ferro gusa*, saído dos fornos em estado líquido incandescente; a partir de então o emprego do ferro tornou-se possível nas *fundições*. § No fim do séc. XVIII, ele já é a matéria-prima que vai caracterizar a *Revolução Industrial*. No séc. XIX além de maquinária, estruturas de ferro fundido são amplamente empregadas na construção (pontes, estações ferroviárias, pavilhões), sendo exemplo significativo a *Torre Eiffel* (Paris, 1889). § O ferro é, de longa data, elemento importante na arquitetura e nas artes decorativas (grades, portões, escadas, balaústres, ferragens, luminárias) com efeitos muito especiais no periodo Barroco* e Rococó* e no *Art Nouveau**. ~ Foi um dos principais fatores a influenciar as modificações sofridas pela moderna arquitetura (estruturas visíveis, concreto armado), proporcionando novos meios e novos horizontes. §§ O Brasil é muito rico em ferro, principalmente em Minas Gerais. "Noventa por cento de ferro nas calçadas / Oitenta por cento de ferro nas almas", diz o poeta Carlos Drummond de Andrade a respeito de sua cidade natal, Itabira. ~ Certos objetos de uso popular (tocheiros, panelas, candeeiros) feitos desde os tempos coloniais passaram de úteis a decorativos. Na arquitetura do séc. XIX, são características as grandes balaustradas de ferro com linhas de grafismo variado e elegante. As balaustradas de ferro fundido que aparecem em meados dos oitocentos têm desenhos caprichosos: acabamento de pinhas, setas e outros, e medalhões em baixo-relevo, (alguns moldes importados, outros de lavra dos serralheiros locais). Peças artísticas (estátuas, chafarizes, luminárias, vasos de jardim) de ferro fundido foram importadas principalmente da França. ~ Estruturas de ferro vindas da Europa, aparecem na virada do séc. XIX para o séc. XX, em edifícios públicos e residências, e delas temos, até hoje, belos exemplos nos Mercados Municipais de Manaus e de Belém do Pará e na Estação da Luz em S. Paulo, entre outros. [Cf. aço e grade.] — Fr.: *fer*; ingl.: *iron*; alem.: *Eisen*. • Na produção do ferro, segundo os processos adotados, destacam-se: **Ferro batido.** O de cor cinza escuro também chamado de ferro forjado, no qual se emprega uma liga de grande ductibilidade; é usado, por tradição, na feitura de objetos ornamentais, e nele aparece em maior ou menor grau a marca do martelo. Não tem aplicação industrial. **Ferro fundido.** O de cor quase negra e que tem o teor de carbono superior a 1,7%; é menos maleável do que o ferro batido e, além de ser empregado na indústria pesada, em certas estruturas de edifícios, e na fabricação de utensílios (fogões, panelas, ferramentas, pregos), foi usado, no séc. XIX, na produção de escadas, móveis de jardim, grades, colunas, etc. **Ferro galvanizado.** O que tem a chapa recoberta por uma camada de zinco. **Ferro laminado.** O que é produzido em placas. **Ferro plano.** O que tem pouca espessura e aparece em placas retangulares. **Ferro perfilado.** O que é moldado em variados perfis. **Ferro redondo.** O de seção circular, empregado em construção e na confecção do concreto armado. [V. concreto.]

Mesa com estrutura e pé de ferro batido e tampo de pedra. (França - séc. XIX - alt. 72 cm)

festão. [Do ital. *festone.*] *s. m.* Ornato em que são representadas flores, folhas e frutas entrelaçadas e suspensas em curva, e que é fixado com uma laçada em cada extremidade; pode aparecer isolado ou repetido sucessivamente. ~ Motivo ornamental usado na arquitetura renascentista, foi generosamente aplicado nas artes decorativas dos períodos Barroco* e Neoclássico* (louça, prata, mobiliário, etc.). [V. ornato e v. tb. *hallmarks* (illustr.). Cf guirlanda.] // P. ext., qualquer ornato que apresenta curvas consecutivas semelhantes. O recorte em festão é empregado também em costura, como acabamento de colchas, lençóis, bandôs, ou no bordado em festonê. [V. bordado e trabalhos de agulha.]

fetiche. [Do fr. *fétiche*, que se origina do port. 'feitiço'.] *s. m.* Objeto ao qual se atribui poder sobrenatural e benéfico. Simboliza a energia divina captada e utilizada. Há fetiches naturais (pedras, pedaços de pau, dentes de animais) que devem suas virtudes às forças que os habitam, e há os fetiches "impregnados", submetidos a operações de magia que lhes conferem propriedades sobrenaturais (figurinhas, figas*, máscaras). A designação foi dada pelos europeus aos objetos de culto dos povos ditos primitivos. §§ Os africanos introduziram muitos fetiches no Brasil, e os associaram, no sincretismo religioso, a imagens do culto cristão. [Cf. amuleto e talismã.]

fibra. *s. f.* Qualquer filamento ou fio próprio para fiar ou tecer, para fazer cordas, cestos, etc. As fibras têxteis podem ser naturais ou sintéticas. • *Fibra natural.* A de origem vegetal (linho, algodão, cânhamo, juta), animal (lã, seda) ou mineral (amianto). *Fibra sintética.* A que é produzida artificialmente; pode ser oriunda de matéria-prima natural ou não (raiom, acetato, náilon, acrílico, poliéster, etc.); para sua produção, a matéria-prima é tratada quimicamente e se transforma num líquido viscoso (o polímero) que se solidifica em contato com o ar, sob forma de filamento contínuo. Os tecidos feitos com essas fibras têm qualidades especiais de textura, resistência, elasticidade. Para a produção de fios de comprimento limitado empregados, p. ex., nos tapetes, os filamentos são reunidos em mecha e cortados. O progresso da tecnologia no que se refere às fibras sintéticas foi de grandes consequências; como o plástico, elas substituíram em muitos casos as fibras tradicionais e novos compostos estão sendo constantemente descobertos. *Fibra de vidro* (em ingl. *fiberglass*). Fibra sintética mineral incombustível e resistente, com inúmeras aplicações domésticas e industriais; emprega-se como isolante, como reforço para plásticos, etc. Piscinas, móveis de jardim e outros, brinquedos de *playground*, etc., podem ser feitos com fibra de vidro moldada.

figa. *s. f.* Objeto em forma de mão fechada com o polegar colocado entre o dedo médio e o indicador, e que se usa para afastar malefícios. É um dos mais antigos amuletos, possivelmente de origem mediterrânea (e não africana, como às vezes se acredita). ~ A tradição de seu uso parece ser proveniente de cultos orgiásticos das ilhas do Egeu; foi depois adotada e difundida pelos romanos. Esculpida em bronze ou barro, desenhada, gravada, é também representada em afrescos e mosaicos, e foi encontrada nas escavações de Pompeia e Herculano. ~ A figa, assim como os amuletos fálicos, aparece nos colares femininos como símbolo de fertilidade, e para anular as influências contrarias à vida. ~ Popular entre os latinos, a figa e o gesto que a ela corresponde são considerados obscenos em certos países da Europa. ~ Esse amuleto, feito de vários materiais (ouro, prata, osso, azeviche, chifre, coral, etc.), tanto pode ser realização tosca como berloque fino. §§ No Brasil seu uso é comum e tradicional, variando no tamanho e no material: as *figas de guiné* (feitas com madeira de guiné, certa planta medicinal) atraem a sorte. ~ Existem as pequenas figas de maior ou menor valor para pendurar em colares ou balangandãs, as grandes de madeira, para se colocar atrás da porta, as que são armadas em forma de cruz (refletindo o sincretismo religioso), e muitas outras com finalidades e poderes diversos. ~ Diz-se que as figas guardadas em armários atraem dinheiro, as figas perdidas levam consigo o quebranto e as que se partem absorvem o malefício destinado a alguém. ~ No artesanato baiano, encontram-se figas de madeira escura, de lavor e gosto mais ou menos apurado, com punhos, pulseiras, anéis e unhas de prata. [Cf. amuleto, fetiche, talismã.]

figulina. *s. f.* V. argila - argila magra.

figura humana. Nas artes, a representação da imagem do homem e da mulher é, sem dúvida, tema predominante por sua importância como objeto de desejo, de amor, de respeito, de culto (nas imagens antropomorfizadas dos deuses), revelando uma inextinguível variedade de aspectos e expressões. Na pureza ou na sensualidade, no drapeamento das roupas sobre as formas do corpo, na espiritualidade das imagens cristãs ou, ainda, na arte do retrato, a figura humana evoluiu do simbólico e do idealizado para o real. Mesmo modernamente, sua presença é constante, apesar do desenvolvimento da arte não figurativa; o apelo dramático da imagem humana não pode estar ausente de incontáveis manifestações da criação estética. § Nas artes decorativas, a figura humana aparece com maior força nas representações esculpidas na pedra, na madeira, no metal: cariátides, figuras mitológicas, máscaras, estilizações da flexibilidade do corpo em alças e outros acabamentos de diversos objetos. [V. escultura, pintura e retrato.]

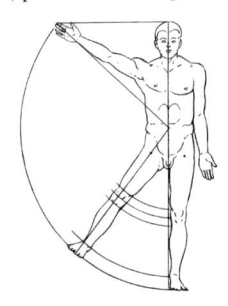

Figura Humana. (Desenho de A. Dürer)

figurativo. *adj.* Nas artes plásticas, diz-se de manifestação comum a diversas épocas e escolas que representam as formas sensíveis da natureza de maneira mais ou menos próxima do real. [Cf. abstrato.]

filé. [Do Fr. *filet.*] *s. m.* Espécie de bordado feito em rede de pequenas malhas amarradas manualmente (à maneira das redes de pesca) e fixada em bastidor; nos interstícios, são tecidos com agulha motivos, figurativos ou não, que se destacam do fundo quadriculado com belo efeito decorativo. Talvez iniciado a partir do séc. XVII, inspirado no bordado aberto no tecido, o filé presta-se não só para rendas e aplicações como para peças grandes (cortinas, colchas, toalhas de mesa) [Cf. bordado e renda.] — Ingl.: *darned lace.*

filete. *s. m.* Guarnição ou faixa estreita. // Pequena moldura lisa que limita almofadas de madeira, estuque, etc., ou separa outras molduras côncavas ou convexas. • *Filete perlado.* Ornato formado por uma série de pequenos globos justapostos; pérolas. É característico do Neoclássico* e, entre nós, aparece no estilo Dona Maria I*. [V. ornato e prata (decoração).]

filigrana. [Do ita. *filigrana.*] *s. f.* Trabalho de ourivesaria feito com fios delgados e, por vezes, pequenas bolas, de ouro ou de prata, entrelaçados e soldados formando diversos tipos de desenhos rendados, ora aplicados sobre metal, ora vazados. ~ Praticada desde a Antiguidade, a arte da filigrana era empregada na feitura de joias. Da Alta Idade Média chegaram-nos trabalhos feitos em aplicações sobre peças de joalheria (como a coroa do Sacro Império), relicários e outros objetos sacros, capas de livro, etc. Mais tarde, um dos principais centros de produção foi Veneza, onde eram montadas, p. ex., belas taças de cristal de rocha com guarnição de filigrana. ~ A elaboração de pequenos objetos (caixas, salvas, cabos de colheres) difundiu-se no séc. XVII; eram inteiramente rendados (não mais com aplicações), e os melhores trabalhos provinham de Gênova e da Espanha. ~ No séc. XIX criou-se em Roma um gênero de filigrana, de inspiração etrusca, que conheceu muito sucesso; a moda decaiu, mas até hoje essa arte é praticada tradicionalmente na Itália. §§ Em Portugal, a filigrana corresponde a um gênero de ourivesaria popular criada depois que sua magnífica ourivesaria de luxo (sacra e profana) decaiu por ocasião da invasão francesa no começo do séc. XIX; com motivos singelos (flores, corações), os fios de ouro e de prata (não raro dourada) são trabalhados com habilidade por filigraneiros que criam formas vaporosas e finas.

fio de cabelo. *s. m.* Rachadura finíssima em peça de porcelana ou faiança.

fita. *s. f.* Cada uma das tiras que constituem certo tipo de ornato entrelaçado esculpido na madeira ou modelado no metal. ~ São especialmente elegantes os ornatos em fitas criados na Inglaterra por Chippendale* especialmente para os encostos de cadeiras. O motivo ornamental aparece também em peças rococós e neoclássicas. [V. encosto. Cf. laçaria e *strapwork*.]

flamengo. *adj.* Que é originário de Flandres (Bélgica). // Diz-se da arte dessa região. § A arte flamenga manifestou-se com vigor na arquitetura gótica e renascentista; a escultura desenvolveu-se a partir do séc. XIV, mas foi na pintura que essa arte mais se destacou, constituindo importante escola (sécs. XIII, XIV e XV). Os pintores flamengos pré-renascentistas distinguem-se pela progressiva libertação do simbolismo bizantino, embora mantenham o sentimento religioso; os temas são tratados com realismo por Van der Weyden, Memling, Peter Christus, em obras que sobressaem pela precisão da análise, pelo colorido e pela segurança do traço, e que se conservaram em perfeito estado até hoje. Aos irmãos Van Eyck atribui-se o aperfeiçoamento da pintura a óleo, o que favoreceu a transição da pintura gótica para a do Renascimento*. [V. pintura.] § Nas artes decorativas, a partir do séc. XIV, são notáveis as tapeçarias flamengas de Tournai, Arras e, mais tarde, Bruxelas. [V. tapeçaria.] §§ A arte flamenga, por razões políticas, prende-se às cortes da Borgonha e da Espanha (e, indiretamente, à de Portugal) onde se faz sentir o conhecimento da pintura flamenga, como, p. ex., nos *Painéis de S. Vicente de Fora* (Lisboa) atribuídos a Nuno Gonçalves.

flor. *s. f.* Elemento da natureza de inestimável valor estético e que, na sua diversidade de formas e de cores, oferece ao homem uma simbologia ampla: sua linguagem estende-se desde a noção luminosa de vida, harmonia, amor e eterna volta do ciclo vital, até a do caráter efêmero desse mesmo ciclo, da evocação do perdido. ~ O simbolismo floral é passivo no cálice, taça que recebe o calor, a chuva, o orvalho, e ativo na corola que se abre em promessa e reprodução da vida, em vibração de luz; é também dinâmico na haste que se alteia ou se curva. Tem significações arquetípicas recorrentes nas diferentes épocas e civilizações. § A natureza, ao produzir as flores, oferece ao homem, além do prazer de seu cultivo, e da surpresa de suas variedades, um meio de manifestar afeto, devoção, admiração, respeito, uma fonte inesgotável de inspiração estética. ~ As flores, cultivadas ou espontâneas, ornamentais ou utilitárias, crescem em diferentes ritmos e modalidades, diretamente ligados ao clima, ao solo, às estações. ~ Desde tempos remotos, no Oriente e no Ocidente, a importância das flores é imensa nas celebrações religiosas e populares. Gregos e romanos expressavam por meio de guirlandas, coroas e ramos, o valor de acontecimentos e de feitos pessoais, conforme atestam frisos e pinturas. ~ No período gótico a delicadeza da flor remete à vida espiritual, enquanto nas tapeçarias *millefleurs** as florezinhas esparsas expressam simplicidade e pureza. Já na Renascença*, a decoração floral é objeto de elaborados ornatos; depois, no séc. XVII, pintores dedicam-se à representação de diversas variedades misturadas em buquês densos, quase dramáticos que refletem o espírito do Barroco*. Nos séculos seguintes, há um toque feminino no delicado manuseio das flores. § Na arte japonesa, o arranjo floral, além de comportar métodos próprios e atitude espiritual, expressa aspectos de simbolismo universal. § Pelo caráter efêmero das flores naturais, recorre-se com maior ou menor imaginação e bom gosto, à permanência das flores secas ou desidratadas, ou das artificiais de tecido, de conchas, de cera, de plástico, de ouro e prata (estas com esmalte e pedras preciosas como nas criações de Fabergé*), de porcelana, com haste e folhas de ormolu* como as realizadas em Sèvres*). § A flor, representada realisticamente ou de forma estilizada, é motivo ornamental por excelência na arquitetura, no mobiliário, nas peças de ourivesaria, na porcelana, no artesanato popular, e serve de modelo para a estamparia de tecidos, papéis de parede, etc. Suas formas tanto se podem enquadrar nos medalhões e envolver nas guirlandas* (rococós ou românticas), como aparecer em estilizações barrocas ou *art nouveau** e, ainda, em palmas, em buquês. Convém lembrar ainda a presença das flores em todos os tipos de bordado. § Na decoração de interiores as flores de corte e as folhagens são usadas em *arranjos florais* românticos, tropicais e rústicos, e mesmo em *ikebana**. ~ A disposição das flores para fins decorativos envolve não só uma relação harmoniosa com o ambiente - estilo, dimensões, finalidade - como os preceitos estéticos indispensáveis ao trato das artes visuais: linha, equilíbrio, contraste, ritmo, proporção, harmonia, uso das cores, escolha do recipiente. Nos arranjos, a combinação de linhas, formas, texturas e cores é capaz de criar volumes escultóricos ou contornos picturais. ~ Numa casa, as flores de corte exigem atenção especial, e existe uma relação vital entre a flor e a pessoa que a manuseia. Para sua arrumação, encontram-se vasos de variadíssimas formas, além de suportes e outros utensílios adequados. [V. China (símbolos e motivos ornamentais), crisântemo, lírio, lótus, margarida, peônia e rosa. Cf. *Deutscheblumen*, flor de lis, floreira, folhagem, *Indianischeblumen*, jardim e vaso.] – Fr.: *fleur*; ingl.: *flower*; alem.: *blume*; ital.: *fiore*.

florão. [Do ital. *fiorone*.] *s. m.* Ornato arquitetônico de pedra, de gesso, de madeira ou de metal que imita uma flor. Aparece como medalhão em painéis e almofadas, como arremate de pináculos e colunas ou como fecho de tetos e abóbadas. ~ É motivo decorativo no mobiliário, em diversos tipos de objetos, nas artes gráficas, na douração de encadernações.

flor de lis. *s. f.* Motivo ornamental muito aplicado nas artes decorativas europeias. Consiste, basicamente, numa flor de três pétalas (inspirada no lírio), sendo a do meio reta e mais alta e as laterais encurvadas para os lados; as pétalas são unidas por uma faixa horizontal e se prolongam em pés mais curtos de forma análoga. ~ Em heráldica, a flor de lis é o emblema da realeza na França a partir, talvez, da Alta Idade Média; no séc. XIV esse emblema passou a ser representado com três flores de lis de ouro em campo azul. ~ A flor de lis vermelha é o símbolo de Florença.

Flor de lis

Floreal. *s. m.* Designação dada na Itália ao *Art Nouveau**, por suas inúmeras representações vegetais e, especialmente, florais. [Cf. Liberty[2].]

floreira. *s.f.* Vaso ornamental de vidro, cristal, cerâmica, metal, acrílico, etc. de pouca profundidade, dotado ou não de pé(s) e destinado ao arranjo de flores à mesa; estas, em geral, com os talos cortados a pequena altura, permitem a visão entre os convivas sentados. ~ As floreiras de prata, oblongas ou circulares, apresentam-se com várias decorações e, não raro, repousam sobre um espelho com moldura no mesmo estilo; algumas, rendadas, têm no interior um recipiente de cristal a elas ajustado e que em geral ultrapassa ligeiramente os bordos. ~ Certas floreiras têm no interior um suporte vazado para facilitar a disposição das flores. [Cf. centro de mesa, vaso e vasque.]

Floreira de prata em forma de cisne, trabalhada à mão, com asas e pescoço articulados (Portugal - séc. XX)

Floreira de prata com peça interior de cristal. (França - c. 1910)

flow blue. [Ingl. 'azul escorrido'.] V. borrão.

flûte. [Fr.] *s. f.* Copo de pé, de forma cônica, alto e esguio. Encontrado na Holanda no séc. XVII, foi depois executado para serviços de mesa. É frequentemente usado para beber champanhe.

Fô. V. leão de Fô.

Casal de cães de Fô.

folha. *s. f.* Elemento vegetal que, estilizado, serve de modelo a uma grande variedade de ornatos, e participa do simbolismo das plantas: vida, ciclo vital. O verde das folhas sugere ressurreição e imortalidade; por isso os heróis, os atletas, os poetas da Antiguidade clássica eram coroados com folhas de louro ou de oliveira. § Com motivo ornamental, a folha aparece em diversas formas na arquitetura; os elementos vegetais (flores e folhas) figuram com destaque na decoração de capitéis*. ~ Esculpida ou pintada, a folha é representada no mobiliário e em objetos decorativos ou úteis, ora em modelos simétricos, ora assumindo formas dinâmicas, que envolvem pés, joelheiras, alças, ou se enrolam em volutas. [V. acanto, carvalho, palma, palmeta e papiro. Cf. quadrifólio e trifólio; flor e folhagem.] — Fr.: *feuille*; ingl.: *leaf*; alem.: *Blatt*; ital.: *foglia*; esp.: *hoja*.

folha de flandres. *s. f.* Lâmina delgada de ferro* estanhado empregada no fabrico de diversos objetos como latas, calhas, baús, etc.

folhagem. *s. f.* Designação comum a diversos motivos ornamentais isolados ou em sequência formando faixas, guirlandas, anéis, festões e que, na arquitetura e nas artes decorativas, têm sido empregados em diferentes épocas, regiões e estilos. // Conjunto de folhas de uma ou mais plantas. ~ Nos **arranjos florais**, recorre-se a folhagens para dar volume e colorido; não raro a combinação de folhas diferentes (na forma, na cor, na textura) tem efeito a um tempo vistoso e tranquilizador dada a variedade de verdes. [Cf. flor e folha.]

folheado. *s. m.* Lâmina delgada de madeira fina aplicada sobre a superfície de móveis ou outras peças feitas com madeira mais resistente. ~ O uso da madeira folheada ou laminada foi conhecido no Egito antigo; os sarcófagos eram revestidos de várias camadas de madeira e este processo destinava-se a torná-los mais fortes; mas o folheamento só foi explorado realmente a partir do séc. XVII. ~ O folheado era e é aplicado em móveis de qualidade; seu emprego estendeu-se àqueles, feitos em série, ou não, com madeiras de menor preço e de uso popular.

[V. folheamento e mobiliário.] // Lâmina de metal precioso aplicada sobre outro de menor valor. [V. douração. Cf. Sheffield.]

folheamento. *s. m.* Em marcenaria, aplicação de folheado de madeira fina sobre móveis feitos com uma carcaça mais forte, de modo a se obter uma superfície uniforme e de elevado teor decorativo. § A técnica do folheamento desenvolveu-se na Europa Ocidental (Países Baixos, Alemanha, França, Grã Bretanha) pelos mestres seiscentistas, inicialmente com o uso da nogueira*; observou-se que, com essa madeira, poderiam ser obtidos vários e belos efeitos visuais, aproveitando-se-lhe os nós e os veios pela conjugação de lâminas artisticamente coladas à superfície dos móveis. Madeiras exóticas como, p. ex., o ébano*, foram também empregadas em folhas, e esse processo inovador deu origem à marcenaria fina ou ebanistaria*; no séc. XVIII recorreu-se a diversas madeiras vindas do Oriente e da América e, entre elas, teve larga aplicação o mogno*. ~ O folheamento permite maior leveza na confecção dos móveis de superfícies côncavas e convexas revestidas de madeira raras; as cores e os desenhos bem combinados e lisos (sem entalhes) representavam um fundo adequado para aplicação de guarnições de bronze dourado ou incrustações. A marchetaria é também processo de folheamento que se adapta e enriquece os estilos setecentistas. ~ O folheamento com seus contrastes de tonalidade e de desenho vem sendo praticado por hábeis artesãos, ao lado da antiga fórmula que valoriza o tratamento racional da madeira de lei maciça. [V. madeira, marcenaria e mobiliário. Cf. folheado, fórmica e marchetaria.] — Fr.: *placage*; ingl.: *veneering*.

fonte. *s. f.* Nascente de água e, p. ext., bica ou outro dispositivo de onde jorra água. ~ Nos jardins e praças a designação abrange, além das bicas, ou dos repuxos, os próprios tanques ou reservatórios que recebem as águas; essas fontes têm função decorativa, com esculturas e ornatos alusivos a seres aquáticos. As águas, jorrando, produzem efeito de leveza e frescor como, p. ex., nos Jardins do Generalife em Granada (Espanha), na Villa d'Este em Tivoli (Itália), ou ainda nas numerosas e sempre cantadas fontes de Roma. ~ As fontes luminosas, com seus esguichos multicoloridos ou não, dão aspecto festivo e popular aos grandes parques. [Cf. chafariz.]

formalismo. *s. m.* Em arte, tendência que se associa ao conceito filosófico de que a essência das coisas reside no tratamento da forma, por oposição ao conteúdo; a este, dá-se, não raro, caráter descritivo ou representativo. ~ P. ext., nas artes decorativas, representação das coisas sob formas convencionais (estilizadas ou não), sem base na especificidade de sua aparência real. ~ O formalismo se fundamenta nas formas estereotipadas pela tradição e reproduzidas sempre de modo semelhante. Pode alcançar, porém, alta expressão estética: as estatuetas do Neolítico, a frontalidade* das figuras egípcias, as máscaras de madeira dos povos africanos, os motivos simbólicos dos tapetes orientais, as figuras hieráticas dos mosaicos* bizantinos, a estatuária budista do Extremo Oriente obedecem a esse formalismo e são facilmente reconhecíveis por seu caráter quase imutável. ~ Na arquitetura tradicional, certos elementos formais como as ordens* clássicas, ou determinados motivos ornamentais, passaram até nossos dias, em sucessivas repetições, pela Renascença*, pelo Neoclássico* e por diversas interpretações historicistas do séc. XIX. [Cf. realismo.]

formão. *s. m.* Ferramenta de carpinteiro constituída de sólido cabo de madeira onde se prende uma haste metálica com extremidade cortante; destina-se a desbastar ou entalhar a madeira. // Espécie de cinzel* de gume chanfrado usado por escultores de madeira. [Cf. escopro.]

fórmica. *s. f.* Nome comercial de um material plástico, laminado e rígido constituído de papel impregnado de resina fenólica, revestido de resina artificial na superfície. ~ A fórmica é de manutenção simples, não risca com facilidade e resiste ao calor. De uso generalizado, emprega-se em folhas no revestimento de móveis e de paredes em cozinhas, banheiros, quartos, elevadores, pisos, etc. Pode ser brilhante ou fosca, de colorido variado, lisa ou com desenhos. A fórmica imitando madeira é útil no mobiliário de consumo popular, sujeito ao desgaste; não substitui a madeira quanto à beleza, à nobreza, à plasticidade, mas, quando bem aplicada, pode ter bom efeito em pisos e móveis. [Cf. folheamento.]

forração. *s. f.* Revestimento de uma superfície (parede, teto, interior de armários, etc.) com material apropriado (papel, tecido, tapete, palha, cortiça, plástico, feltro, etc.). ~ Pode ser parcial (uma parede, um nicho), ou total; neste caso visa a dar unidade a um ambiente ou a abafar ruídos. É trabalho que exige habilidade; requer superfície lisa e perfeito acabamento. // O mesmo que estofamento.

forro[1]. *s. m.* Desvão de telhado, ou espaço entre dois pavimentos. // Material de acabamento dos tetos, e, p. ext., o próprio teto. ~ No forro do teto emprega-se madeira, estuque, esteira, placas de fibras prensadas, etc.; ele pode ser plano ou com inclinações, para acompanhar a disposição do telhado ou por simples recurso ornamental. ~ Em certos interiores, sobretudo nos renascentistas e barrocos, (ou em réplicas destes), apresenta-se com caixotões* não raro decorados. Os forros antigos, no Brasil e em outros lugares, era, em geral, feito de tábuas de madeira colocadas de diversos modos. Modernamente, usa-se com frequência o forro feito de placas de madeira ou de fibras unidas por molduras de mata-juntas. [Cf. forro[2] e teto.] • **Forro artesoado.** O que é decorado com artesões* ou caixotões. **Forro de estuque*.** O que é aplicado sobre armações que suportam uma tela metálica ou de outro trançado, ou diretamente sobre o concreto. **Forro de gamela** ou **de masseira.** Forro construído em cinco planos sendo quatro trapezoidais (com o lado maior dos trapézios fazendo aresta com as paredes) inclinados para o centro onde se encontra um plano quadrangular do formato da sala e em dimensões menores; sua forma lembra uma gamela invertida. Esse forro, feito de tábuas ou de estuque, eleva o pé direito e é muito decorativo; foi muito usado nas salas nobres de antigas casas brasileiras. [V. gamela.] **Forro de saia e camisa.** Forro simples, tradicional, que consta de tábuas pregadas ao vigamento do teto a distâncias regulares e de outras que, alternadamente, a elas se sobrepõem para vedar os espaços vazios. **Forro paulista.** Forro com sarrafos de madeira encaixados longitudinalmente pelo sistema "macho e fêmea".

forro[2]. *s. m.* Acabamento que recobre total ou parcialmente o avesso de peças de vestuário e obras de costura usadas em decoração. Nestas, o forro destina-se a dar corpo, a armar e dar bom caimento ao tecido, e sua aplicação está sujeita a cuidados especiais na confecção de cortinas, colchas, etc. [V. trabalhos de agulha. Cf. cortina e forro[1].]

fotografia. [Do gr. *photos*, 'luz' + *graphein*, 'desenhar'.] *s. f.* Reprodução permanente de uma imagem sobre uma superfície sensível à luz com recurso a um sistema de lentes e mediante processos químicos especiais. A descoberta e evolução da fotografia deram-se no correr do séc. XIX, mas seu verdadeiro desenvolvimento só ocorreu no final do mesmo século. A introdução da fotografia em cores abriu novas possibilidades. § Embora utilizada universalmente como meio de comunicação, a fotografia reveste-se também de importantes recursos artísticos; é capaz de despertar no espectador a mesma emoção que uma pintura ou uma gravura. ~ Tem como características a instantaneidade que fixa a imagem final no próprio momento da exposição, e a capacidade de captar maior número de elementos do que os que são apreendidos pelo olhar do fotógrafo. Este usufrui, no entanto, do controle da percepção visual, da escolha do melhor ângulo, do uso da imaginação e do senso estético aplicados a diferentes recursos técnicos. § Desenvolvendo-se na mesma época em que surge, na arte, o movimento impressionista, a fotografia contribuiu para a autonomia da pintura, abrindo a esta novas e mais livres possibilidades que se afastam dos modelos estritamente realistas. Por outro lado, mais tarde, foi a pintura abstrata que influenciou um certo tipo de fotografia artística. § A fotografia é empregada como elemento de decoração em casas e escritórios, aparecendo em retratos, quadros, painéis, etc. As ampliações e fotomontagens podem forrar uma parede e contribuem até mesmo para trazer a natureza, o espaço e a luz a ambientes fechados. § A arte fotográfica tem, ainda, especial importância no campo da decoração como veículo informativo e como elemento instigante, sugestivo. As revistas especializadas valem-se amplamente das fotos em cores para apresentar aspectos globais ou detalhes, e o texto é, muitas vezes, um ponto de apoio para o impacto visual. [Cf. daguerreótipo.]

franja. *s. f.* Série de fios relativamente curtos (simples ou torcidos) presos a um galão ou desfiados na própria fazenda, e que se usa como acabamento ornamental. Nas obras de costura, quando presa à barra, contribui para o peso e o caimento do tecido. ~ São inúmeras as aplicações da franja e, entre elas, deve-se destacar a que termina os tapetes orientais e que é constituída dos próprios fios da urdidura*. ~ Nos acabamentos de crochê, nos trabalhos de macramê, nas redes, em cortinas e abajures, a franja dá realce e contribui para caracterizar a obra. § Na decoração, a franja de seda ou algodão associada a outros artigos de passamanaria (rosetas, borlas, cordões, grelôs) constitui adorno nos estilos severos, pesados e formais, como, p. ex., em cadeiras e bancos do estilo barroco* ou em remates de reposteiros, de panos de pelúcia, de almofadas e escabelos nos ambientes vitoriano* e Napoleão III*. [V. trabalhos de agulha e tapete oriental (execução e acabamento). Cf. borla, grelô e passamanaria.]

Frankenthal. Porcelana alemã cuja manufatura estava situada na região do Palatinado, próximo à fronteira francesa; a fábrica foi criada em 1755 pelo francês Paul Hannog, de Strasbourg, o primeiro a fabricar a porcelana dura em seu país. Em 1762 o estabelecimento foi adquirido pelo eleitor palatino Karl Theodor. ~ Desde logo teve desempenho de alto padrão artístico e a fábrica, enquanto durou, teve excelentes *Modellmeisters* (mestres de modelagem) que executavam estatuetas, grupos, *putti* muito bem modelados e pintados com discreta influência rococó*. Produziu também serviços de mesa, relógios, candelabros, etc. Os primeiros elementos neoclássicos foram introduzidos por J. Melchior que depois se transferiu para Nymphenburg. Devido às guerras com a França depois da Revolução, Frankenthal encerrou as atividades em 1799. [Cf. Nymphenburg e Strasbourg.]

Figura feminina de porcelana de Frankenthal, do período neoclássico. (Alemanha - séc. XIX - alt. 22 cm)

frechal. *s. m.* Trave de madeira que, apoiada ao longo da parte superior de uma parede, recebe e distribui as pressões de elementos como caibros do telhado, barrotes do sobrado, esteio de frontais. Tem função análoga à do baldrame mas, enquanto este é ancorado apenas em certos pontos, o frechal repousa em toda a extensão da alvenaria, não estando sujeito à flexão. [Cf. baldrame, sobrado e telhado.]

freijó. [De frei-jorge, grande árvore, *Cordia goeldiana*, oriunda do Pará.] *s. m.* Madeira usada em construções civis, marcenaria, etc. É relativamente leve, macia, fácil de trabalhar; tem os poros abertos, a superfície lustrosa com desenhos pardo-claros e acastanhados. Lembra o carvalho europeu e emprega-se na confecção de móveis e lambris e de portas internas, encerada e envernizada a meio-brilho. Por sua resistência serve também para obras expostas ao tempo. [V. madeira. Cf. carvalho e nogueira.] — Ingl.: *Brazilian walnut*.

friso. *s. m.* Na arquitetura clássica, a parte do entablamento situada entre a arquitrave* e a cornija*. A cada ordem correspondia um tipo de friso: na dórica, os baixos-relevos com cenas – ou métopes* – são intercalados com triglifos* – três caneluras verticais; nas outras ordens a escultura é contínua. ~ O friso dórico do Partenon de Atenas (séc. V a. C.) representa, nas métopes, a procissão das Panateneias e é, talvez, o exemplo mais famoso da arquitetura clássica. ~ Nos móveis de estilo encontram-se frisos com decorações análogas à arquitetura. [V. ordem.] // Faixa ou painel horizontal, longo e estreito, usado com fins decorativos; frisos de azulejo, de estuque, de madeira podem ornamentar paredes internas e externas.

frontal. *s. m.* Ornato colocado na parte superior de portas e janelas. // Decoração anterior do altar.

frontalidade. *s. f.* Nas artes plásticas, maneira peculiar de representar a figura humana com o rosto, as pernas e os pés de perfil e o corpo e o olho de frente; é característica da arte egípcia. [V. Egito e perspectiva frontal. Cf. formalismo.]

frontão. [Do ital. *frontone*, pelo fr. *fronton*.] *s. m.* Em arquitetura, conjunto decorativo que arremata a parte superior da face externa de um edifício. Tem por função vedar a vista do telhado, embelezando a fachada. O frontão mais difundido é triangular e consta de três partes: a *cimalha*, que serve de base; as *empenas* que são os lados inclinados e o *tímpano* que é a superfície central, não raro guarnecida de esculturas, cartelas, etc. A decoração dessas partes caracteriza estilos, épocas e regiões. O frontão tornou-se variado e foi muito enriquecido nas construções barrocas. § O mesmo elemento decorativo foi amplamente usado como arremate de portas e janelas, de nichos, de altares e, sobretudo, de peças de mobiliário, como, p. ex., os armários* de livros georgianos ou os oratórios* luso-brasileiros do séc. XVIII. §§ Com o desenvolvimento da arquitetura barroca e neoclássica no Brasil, contam-se, entre nós, inúmeros e importantes exemplos de frontões nas construções civis e religiosas. (v. abaixo). [V. tímpano.] • *Frontão aberto* ou *vazado*. O que tem um óculo ou outra abertura no tímpano (aparece em certas fachadas neoclássicas). *Frontão partido*. O que é interrompido na parte central e mais elevada, onde apresenta um ornato ou símbolo em destaque (cruz, urna, escudo, estátua). *Frontão clássico*. Frontão triangular que aparece nas construções greco-romanas ou em cópias destas e no estilo Neoclássico (Solar da Marquesa de Santos; Paço Imperial de S. Cristóvão, ambos no Rio de Janeiro). *Frontão curvilíneo.* a) o que apresenta curvas e contracurvas (igreja da Ordem Terceira do Carmo de Recife; igreja de N. S. do Carmo de Ouro Preto; matriz de Santo Antônio de Tiradentes) e/ou volutas (Igreja de N. S. do Carmo de Recife; igreja de N. S. de Montserrat de Salvador); b) o que apresenta a face arredondada na elevação da planta (igreja de N. S. do Rosário de Ouro Preto). *Frontão cintrado*, *esférico* ou *redondo*. O que tem a forma de arco de círculo (Teatro de Manaus; Real Beneficiência Portuguesa no Rio de Janeiro).

Frontão clássico

Frontão partido

Frontão quebrado com volutas

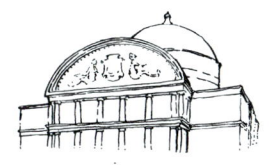

Frontão redondo

Fruteira de porcelana de Meissen azul e branco, com figura no topo. (Alemanha - séc. XIX)

fruteira. *s.f.* Qualquer recipiente destinado a conter e/ou a servir frutas. ~ O modelo clássico de fruteira é um prato ou bandeja de bordas mais ou menos elevadas (de prata, porcelana, cristal, etc.) que repousa sobre um pé central. Às vezes se conjuga a base de prata com o recipiente de vidro, como p. ex., em certos exemplares de opalina ou de cristal; outras peças, seguindo este modelo, têm bandejas superpostas e decrescentes que apresentam, em geral, no topo, vasinho para flores ou figura. ~ No séc. XVIII, com o desenvolvimento da porcelana, começaram a ser executadas fruteiras côncavas com bordas altas e vazadas em rendados; são características do estilo Neoclássico, com feitios elegantes e decoração a ouro. ~ Os tipos de fruteiras descritos destacam-se e valorizam uma decoração como objetos de adorno, figurando, não raro, como centros de mesa.

Fruteira de metal prateado, com três pratos. (França - séc. XIX - alt. 51 cm)

fumê. [Do fr. *fumé* 'escurecido pela fumaça'.] *adj.* Diz-se do vidro de cor acinzentada que, embora transparente, suaviza a passagem da luz.

funcional. *adj.* Diz-se daquilo que se revela de aplicação útil, ou que contribui para o bom funcionamento de um todo. // Diz-se da arquitetura, do *design*, da decoração que se baseia na concepção de que a forma deve ser especialmente adequada à função, ao material, à estrutura da coisa planejada; esta concepção veio constituir uma total revolução estética nesses ramos. O conceito de beleza na arquitetura, no mobiliário, abandona a tradição; prende-se à funcionalidade da obra e, nessa linha inovadora, valoriza formas e materiais nunca antes cogitados. ~ O ponto de vista funcional associa-se especialmente ao estilo de arquitetura e mobiliário surgidos nas primeiras décadas do séc. XX e resulta das mudanças na técnica da construção e dos novos tipos de edifícios que se impõem na sociedade industrializada. ~ Deve-se observar, porém, que mesmo os objetos e as mais ornamentadas formas arquitetônicas de outras épocas não fugiam à necessidade de atender a suas funções. As inigualáveis construções góticas, p. ex., devem suas qualidades artísticas ao desafio proposto pelas funções religiosas a que se destinavam. [V. funcionalismo.]

funcionalismo. *s. m.* Na arquitetura do séc. XX, designação ampla do movimento que se baseia precipuamente na "função", tomada como o perfeito ajustamento de uma solução arquitetônica ao homem e suas atividades. Desde que os arquitetos começaram a reagir ao historicismo dominante no séc. XIX e ao rebuscamento do *Art Nouveau**, destacou-se a importância da função a ser cumprida por cada obra arquitetônica. O *slogan* "a forma segue a função" lançado por um dos pioneiros da moderna arquitetura, o americano Louis Sullivan, por volta de 1880, torna-se a filosofia da nova geração. Esse ponto de vista chega ao apogeu quando Le Corbusier* declara, em 1920, que "a casa é uma máquina de viver". Tal radicalismo teria, na prática, diversas ramificações. Depois da I Guerra Mundial (1914-1918), um grupo em que se destacam os arquitetos da Bauhaus volta-se para as formas cúbicas desprovidas de relevo, a assimetria na composição, as grandes aberturas horizontais. Outra corrente, com o próprio Le Cobusier e Oud Nervi, defende as linhas curvas, expressivas e esculturais, sem perder de vista a funcionalidade. Postula-se a conciliação da estética e da função: plano livre, lógica construtiva, despojamento decorativo, aparência natural dos materiais. Alvar Aalto* funde esses conceitos com as tradições nórdicas. Os novos arquitetos incorporam dados culturais e econômicos a seus esquemas organizando o espaço, favorecendo o homem no seu desempenho físico e espiritual. Desenvolve-se o urbanismo. ~ Depois da guerra de 1939-1945, são feitas pesquisas visando à reconstrução: novos produtos sintéticos e novas ligas metálicas, processos de pré-fabricação e de pré-moldagem, etc. Nas cidades europeias as recentes criações arquitetônicas somam-se àquelas consagradas pelo tempo. §§ No Brasil, a arquitetura, que antes seguia as tendências europeias do séc. XIX, é diretamente influenciada pelas novas correntes através do movimento modernista e da presença de Le Corbusier entre nós em 1929/1930, o que imprimiu importante marca renovadora nos jovens arquitetos (Marcelo Roberto, Lúcio Costa, Afonso Reidy, Henrique Mindlin, Oscar Niemeyer e muitos outros). [V. Bauhaus e Internacional. Cf. ecletismo e historicismo.]

Fürstenberg. [Antr. alem.] Porcelana fabricada na região de Brunswick (Alemanha), no séc. XVIII. Os primeiros modelos em estilo Rococó* traziam decorações em relevo e as estatuetas representavam personagens da *Commedia dell'Arte**. Vasos e pratos eram decorados com paisagens, pássaros, cenas, etc. Posteriormente a porcelana de Fürstenberg foi influenciada pela de Berlim e de Sèvres, e produziu também peças de *biscuit*. Recebia a marca "F" em azul desde 1755; sua produção se estende até nossos dias e as peças trazem as letras A.a.M. (*Aus alten Modelle*, 'de um antigo modelo'). [V. porcelana. Cf. Meissen.]

Delicada vasilha de bordas altas de porcelana de Fürstenberg, com decoração de frutas.
(Alemanha - séc. XIX)

fusain. [Fr.] V. carvão.

fuste. *s. m.* A parte da coluna entre o capitel e a base. ~ O fuste pode ser liso ou decorado com caneluras*, espirais, folhagens, cenas em relevo, etc. Nas colunas de pedra é monolítico ou montado em seções superpostas. [V. coluna.]

futurismo. *s. m.* Movimento artístico e literário surgido na Itália na terceira década do séc. XX; rejeitando as formas da tradição estética, valoriza a civilização moderna, a vida urbana, as máquinas, a velocidade. ~ Nas artes plásticas, vale-se do divisionismo oriundo do cubismo* para inter-relacionar ritmos, formas e cores dando uma sensação de dinamismo.

galão. *s. m.* Tira com margens bem definidas feita de passamanaria ou de seda, lã ou algodão, com padronagem tecida; usa-se como enfeite ou como acabamento no vestuário e na decoração (obras de costura e estofamento). ~ Sua variedade é imensa: galões dourados, prateados ou de seda colorida empregam-se em arremates e detalhes de peças de luxo. Outros, tecidos em cores, eram outrora usados em uniformes e librés, não raro com armas e insígnias. Galões com desenhos de folhas, motivos abstratos, temas infantis, etc., têm aplicação ornamental. Os de passamanaria, monocromos em geral, destacam-se pelos padrões em relevo; e têm efeito contrastante pela textura e pelo colorido. No mesmo gênero, os galões de crochê, como todo trabalho feito à mão, valorizam as peças em que são aplicados. [V. passamanaria. Cf. *jacquard*.]

galera. *s. f.* V. balangandã.

galeria¹. *s. f.* Em arquitetura, passagem coberta de certa extensão aberta para o exterior e que se destina a caminhadas a pé ao abrigo das intempéries; pode ser quadrangular como nos claustros e praças, ou paralela à rua. // Peça de passagem ou comunicação no interior de um edifício, bastante longa e relativamente larga [V. distribuição interna.]. ~ Nos palácios de outrora, as galerias não só se destinavam à circulação – e mesmo ao desfile compassado e solene – como à apresentação de retratos de família, quadros de grandes mestres, esculturas, belos móveis de encostar. As paredes amplas prestavam-se para valorizar painéis, nichos, tapeçarias; a célebre Galeria dos Espelhos do Palácio de Versalhes (França) construída por Luís XIV no séc. XVII foi, mais tarde, copiada em outras cortes européias. // P. ext. Designação de certos museus ou do local de exposição e venda de obras de arte. [Cf. galeria².]

galeria². *s. f.* Guarda ou grade ornamental de madeira ou de metal, de formas simples ou trabalhadas, usada ao redor de certos objetos e cuja altura obedece às proporções dos mesmos. ~ No séc. XVIII a galeria aparece à volta dos tampos de certas mesinhas e no alto de armários ou secretárias fechadas. ~ As galerias dos diversos tipos de bandejas de prata, dos centros de mesa, das bases de tinteiros e galheteiros acompanham as características dos estilos. [Cf. galeria¹.]

galheta. *s. f.* Pequeno jarro de vidro, cristal, cerâmica, etc. em geral com tampa, destinado a servir vinagre ou azeite. // Pequeno jarro que contém vinho ou água para a missa. [V. jarro e galheteiro.] – Fr.: *burette*; ingl.: *cruet*.

Par de galhetas de cristal com bandeja de prata.
(França - séc. XIX)

galheteiro. *s. m.* Utensílio de mesa constituído de uma armação com bandeja às vezes dotada de alça, e que é feito de metal, louça, madeira, etc.; nele há lugar para as galhetas de vinagre e azeite, e, em alguns casos, para saleiro*, pimenteiro, mostardeiro. As dimensões e formas prestam-se à fantasia dos estilos e do *design*. ~ Os galheteiros de prata com vidros de cristal – alguns de dimensões bem grandes – antigamente figuravam à mesa e são, hoje, belas peças de adorno encontradas em antiquários. – Fr.: *huilier*; ingl.: *cruet stand*; alem.: *Essig und Ölstande*.

Galheteiro de cristal e prata George III.
(Inglaterra - séc. XVIII)

Gallé, Émille (1846-1904). Artista francês de cultura polivalente, famoso por ter feito renascer na França a arte do vidro; foi expoente do estilo *Art Nouveau*. § Filho de um progressista e bem sucedido fabricante de louças e de móveis de Nancy (França), onde nasceu, estudou filosofia, botânica, mineralogia e desenho, e viajou pela Europa familiarizando-se com a arte japonesa – recém-conhecida no Ocidente – e a técnica do vidro esmaltado. ~ Radicado em sua cidade natal, dedica-se à experiência na arte do vidro, busca algo que se oponha ao cristal lavrado e às opalinas, então em voga. Em 1884 passa a desenvolver um estilo mais pessoal; a originalidade de sua técnica e de sua fina criatividade artística é reconhecida e imitada internacionalmente sobretudo a partir da Exposição de Paris de 1889. § Gallé contribuiu para liberar uma forma de naturalismo assimétrico em peças de vidro colorido, pesado, quase fosco, com decorações em relevo. Estas eram obtidas graças a camadas superpostas de cores diferentes gravadas em camafeu. Outras tinham na massa mais de uma cor e, pela transparência, estas se mesclavam gradativamente. Empregando praticamente todas as técnicas do vidro, desbastando, usando ácido, lapidando, recorrendo a efeitos especiais (bolhas de ar, degradê), Gallé chamou suas experiências de *marqueterie du verre* (marchetaria* do vidro). O simbolismo e a poesia dessas peças – algumas únicas, de museu ou de coleções, outras produzidas em série – têm uma linguagem que vai "para além do vidro": flores e folhagens entrelaçadas, libélulas, anêmonas aquáticas flutuando, adornam vasos muitas vezes alongados, de linhas simples e equilibradas e que levam a característica assinatura em relevo. § O gênio inventivo de Gallé fê-lo voltar-se para o mobiliário e ele passou a produzir peças que marcaram época, com incrustações de paisagens, pássaros e até figuras; seus *meubles parlants* (móveis falantes) traziam, por vezes, versos de poetas simbolistas. § A indústria do vidro de Gallé tornou-se o polo de importantes manufaturas conhecidas como **Escola de Nancy** e que adotaram o chamado "gênero Gallé". A fábrica perdurou, depois de sua morte até 1914, e as peças póstumas assinadas trazem uma estrela em relevo ao lado da palavra Gallé. §§ Existem no Brasil muitos exemplares importados nas primeiras décadas do século; merecem menção, só pela raridade do tema, os vasos com paisagens do Rio de Janeiro (Corcovado, Pedra da Gávea). [V. *Art Nouveau*, Nancy e vidro.]

Gallé - vaso em pâte de verre de dois tons (azul e rosa) modelado com decoração vegetal.
(Nancy, França - fim do séc. XIX - alt. 18 cm)

Gallé. Vaso "Magnólia" de vidro em camadas com relevo floral gravado a ácido.
Coleção Renan Chehuan
(alt. 25 cm)

Gallé - vaso em forma de balaústre, em camadas, gravado a ácido, com decoração vegetal
(Nancy, França - séc. XIX - alt. 52 cm)

Gallia. V. Christofle.

galo. *s. m.* Animal que simboliza a vigilância (por anunciar o nascer do sol) e a altivez (pelo porte, pela marcha de cabeça erguida). § Símbolo solar universal, é reverenciado no Extremo Oriente como manifestação da luz e dos bons augúrios. Nos templos xintoístas do Japão é animal sagrado. Entre os muçulmanos, tem dimensão cósmica e seu canto chama à oração. ~ Entre os cristãos, o galo é o arauto do dia que sucede à noite; benéfico, adverte S. Pedro com seu canto e o conduz ao arrependimento. Figura no topo das igrejas evocando a iluminação salvadora; o galo dos campanários, recortado em metal, aparece como cata-vento e seu perfil se expõe aos quatro pontos cardeais. ~ É símbolo da França o célebre "galo gaulês" (de Gália, denominação da província romana situada no atual território francês). § Nas artes decorativas, o galo, desenhado ou esculpido, é motivo ornamental recorrente em louças, bibelôs, tecidos, bordados, objetos e utensílios de metal, etc. São especialmente belos os galos de porcelana chinesa em que o branco do corpo contrasta com o vermelho da crista. ~ No séc. XX, os altivos galos de Lurçat* figuram na renovação da tapeçaria francesa. §§ No "Serviço dos Galos" de porcelana da Companhia das Índias, pertencente a D. João VI e usado na Fazenda de Santa Cruz (Rio de Janeiro), galos coloridos com rabos enrolados são representados cercados por alegres motivos florais. ~ Na escultura popular portuguesa, a figura colorida do "galo de Barcelos" tem forte apelo decorativo e passou a ser reproduzida em motivos de cerâmica e de outras peças. – Fr.: *coq*; ingl.: *cock*; alem.: *Hahn*.

Par de galos de porcelana da Companhia das Índias. (China - séc. XIX)

galvanoplastia. *s. f.* Conjunto de processos eletrolíticos que permitem depositar sobre um objeto metálico uma camada de outro metal para embelezar ou evitar a corrosão. ~ A operação chama-se *prateação* ou ***argentagem***, ***douração*** ou *folheação a ouro*, ***cromagem***, ***niquelagem***, ***estanhadura***, etc., conforme o metal empregado no revestimento da peça. A princípio a galvanoplastia relacionou-se especialmente ao ouro e à prata. [V. douração e prateação. Cf. *vermeil*, folheado e Sheffield.]

gamela. *s. f.* Na Idade Média, bacia para os sacerdotes lavarem as mãos em cerimônias litúrgicas. // Vasilha grande, oblonga ou redonda, ordinariamente de madeira, feita numa só peça; serve para dar de comer a certos animais, guardar comida ou lavar utensílios domésticos. [Cf. forro - forro de gamela.]

gancho. *s. m.* Desenho geométrico que consta de uma haste com extremidade formada por duas linhas quebradas em ângulo reto e que não se fecham. ~ Aparece em diversos motivos nos tapetes orientais. [V. ornato e *running dog*.]

garfo. *s. m.* V. talher.

gárgula. [Pal. onomatopeica.] *s. f.* Abertura por onde escoa a água de uma fonte, ou a água da chuva recolhida num cano ou numa calha; neste caso, é peça que avança da parede externa de uma construção impedindo que a água escorra pelo paramento. Toma diversas formas, quase sempre ornamentais; destacam-se as conhecidas esculturas de animais fabulosos e seres grotescos que guarnecem as construções medievais.

garniture de cheminée. [Fr. 'guarnição de lareira'.] Conjunto de objetos (de porcelana, bronze, etc.) que se combinam no estilo e nas proporções e que são destinados a ser dispostos sobre o lintel de uma lareira. Constam, em geral, de dois vasos ou potiches e uma figura central, ou de um relógio e um par de candelabros ou castiçais, ou de algo no gênero. [V. lareira.]

garra. *s. f.* Ornato que imita os dedos e as unhas aguçadas e curvas das feras e aves de rapina, e que aparece em obras de arquitetura, no mobiliário e em inúmeros objetos. ~ A pata de leão com suas garras foi reproduzida naturalisticamente no mobiliário a partir do Renascimento; mas já havia sido aplicada na Antiguidade e conhecem-se cadeiras e camas egípcias com os quatro pés dirigidos para o mesmo lado, como nos animais. ~ O *pé de garra e bola* (ingl. *claw and ball foot*) foi introduzido na Inglaterra pelos ebanistas do séc. XVIII, acredita-se que por influência dos bronzes chineses; as garras do dragão, porém, foram substituídas pelas de águia, esculpidas prendendo uma bola. Este motivo foi profusamente repetido em peças originais (como, p. ex., nos móveis Dom João V* e Dom José I*) e em cópias posteriores. [V. Chippendale e Queen Anne.]

Pé de garra e bola. (Detalhe)

de marcas especiais, em garrafas de vidro ou de cristal com tampa do mesmo material (ingl.: *decanter**). Certas garrafas para vinho comum e de consumo imediato (fr. *carafe*), são bojudas e não têm tampa. – Fr.: *bouteille*; ingl.: *bottle*; alem.: *Flasche*.

Pequena garrafa art nouveau de vidro montado com estanho. (fim do séc. XIX - alt. 20 cm)

garrafa. *s. f.* Recipiente feito de material impermeável, normalmente rígido, destinado a conter líquidos; tem gargalo relativamente estreito em geral fechado com tampa ou rolha. ~ As primeiras garrafas teriam sido cabaças ou peles de animal, mas o vidro tornou-se a matéria-prima por excelência desses objetos. ~ No II milênio a. C. os egípcios já empregavam uma técnica de moldagem do vidro para produzir garrafas. Por volta do séc. I a. C., na China, na Pérsia, no Mediterrâneo oriental acontecem as primeiras tentativas de vidro soprado, técnica importantíssima para a feitura das garrafas. Daí por diante, com as mesmas características básicas, os perfis e dimensões são os mais diversos, desde garrafões até pequenos frascos ou formas curiosas criadas pela fantasia dos artífices. O vidro confere a todas o atrativo da transparência e do brilho; garrafas simples ou decorativas marcam diferentes épocas, culturas e regiões. ~ A fabricação de garrafas e frascos impôs-se para acondicionamento de bebidas, perfumes, medicamentos, etc. ~ As garrafas comerciais de vinhos e destilados mantêm a forma mais ou menos cilíndrica, de gargalo fino e identificam as grandes marcas pelo contorno e pela cor. ~ Não obstante, usa-se também servir bebidas, quando não são

Garrafa de vidro transparente vermelho. Medalhão e serpente de esmalte branco decorado. (Boêmia - séc. XIX)

Garrafa (carafe) de cristal Baccarat lavrado, sem tampa. (França - prov. séc. XX - alt. 22 cm)

Garrard, Robert (1793-1881). Prateiro inglês do período vitoriano, fornecedor da casa real.

gate leg table. [Ingl. 'mesa com perna que se movimenta como portão'. [V. mesa - mesa de aba e cancela. Cf. *drop leaf table*.]

Gate leg table de mogno. (Inglaterra - séc. XIX - alt. 62 cm; tampo aberto 70 cm X 60 cm)

Gaudí, Antonio (1852-1926). Arquiteto espanhol radicado em Barcelona, célebre pela liberdade no uso do espaço e pela coesão orgânica de suas obras. O sentido de unidade não se perde, antes se intensifica, em sua vigorosa percepção do *Art Nouveau*: movimentadas formas vegetais entrelaçadas, texturas rugosas, policromia, decorações misteriosas que evocam ambientes feéricos. ~ Entre as principais obras de Gaudí citam-se a igreja da Sagrada Família (inacabada), a casa Milá, a casa Battló, o parque Güell, todos em Barcelona (Espanha); quem percorre esta cidade, encontra-a fortemente marcada pela presença do grande mestre. ~ Gaudí desenhou os vitrais, os ladrilhos e os móveis para os edifícios que projetou. § Na época, sua influência permaneceu local, embora suscitasse a admiração nos meios artísticos particularmente entre os expressionistas e, mais tarde, os surrealistas. E, apesar de esteticamente afastado dos participantes da Bauhaus* e das correntes modernas da arquitetura do séc. XX, passou a ser respeitado pelas gerações que o sucederam graças à força, à imaginação e à competência com que enfrentou os desafios da profissão. Seus edifícios impressionam por revelar essencialmente a estrutura. Dele disse Le Corbusier*: "Gaudí é o 'construtor de 1900', profissional da pedra, do ferro, dos tijolos". [V. *Art Nouveau* e mosaico.]

Vitral visto do interior da cripta da Igreja da Colonia Güell (Barcelona - 1898-1917)

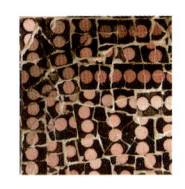

Detalhes do mosaico dos bancos do Parque Güell.

Decoração em mosaico dos bancos do parque Güell (Barcelona - 1900-1914)

gaveta. [Do provençal *gàveda*.] *s. f.* Espécie de caixa corrediça de um móvel, destinada a guardar roupa e diversos tipos de objetos de pequeno e médio porte. § Por volta do séc. XVI a vida na Europa torna-se mais estável, há mais riqueza, as pessoas têm maior número de peças de uso pessoal ou doméstico, e a gaveta se impõe como solução prática; teria sido a princípio uma caixa metida na parte inferior de uma arca* ou de um escritório* portátil. No séc. XV, os contadores têm inúmeras gavetas e, mais tarde, as cômodas - que os ingleses chamam *chest of drawers*, (arca de gavetas) vão substituir as arcas; outros móveis (secretárias, armários, mesas, aparadores) passam a ter esses elementos que oferecem mais segurança do que as prateleiras. Suas faces externas são equipadas com puxadores e espelhos de fechadura e decoradas com motivos esculpidos (almofadas, goivados). ~ No séc. XVIII, em certas cômodas folheadas ou de marchetaria, de frente em geral curva, as gavetas desaparecem na unidade da peça, não raro ocultas por ricas guarnições douradas. ~ O *design* moderno também incorpora a gaveta à superfície externa do móvel, dando-lhe unidade no conjunto; ela corre muitas vezes sem puxadores, por meio de dispositivos ocultos em sua estrutura frontal. § A gaveta é pedra de toque da boa marcenaria: deve correr bem e ser solidamente armada. §§ O gavetão, ainda pesado nas arcas, e frequente em muitas cômodas, caracteriza os bufetes* portugueses e brasileiros e neles desliza suavemente malgrado as dimensões e a profundidade. [V. cômoda e contador.] – Fr.: *tiroir*; ingl.: *drawer*; alem.: *Schubfach*.

gazebo. [Do ingl. *gazebo*, de *gaze*, 'olhar', com final de influência latina.] *s. m.* Pequena construção ou quiosque erguido geralmente em jardim ou parque, e de onde se descortina uma bela vista.

gelosia. [Do ital. *gelosia*.] *s. f.* Grade de janela feita de finas ripas de madeira que se cruzam a intervalos regulares e são próximas o bastante para que se possa olhar sem ser visto. As gelosias, próprias das regiões quentes e mediterrâneas, protegem do sol e ventilam o ambiente interno. [Cf. muxarabi, rótula, treliça e veneziana.]

genuflexório. *s. m.* Nas capelas ou oratórios, móvel para rezar dotado de estrado baixo para ajoelhar e de um encosto alto para nele se pousar as mãos e o livro de orações. – Fr.: *prie-Dieu*; ingl.: *kneeling-desk*.

Genuflexório doméstico com pequenas colunas torneadas no espaldar.
(Brasil - séc. XIX)

georgiano. [Do antr. George, nome dos quatro primeiros monarcas da casa reinante de Hanover, na Inglaterra.] *adj.* Diz-se, genericamente, dos estilos que floresceram durante os reinados de George I (1714-1727), George II (1727-1760), George III (1760-1820) e George IV (1820-1830). § A rigor não existe um estilo georgiano com traços definidos, mas diversificações que correspondem às versões inglesas de estilos vigentes; é, portanto, mais cabível a caracterização de uma "época" ou "período" georgiano, com suas distintas fases. ~ Na primeira fase, a aristocracia conservadora dominante favorece a arquitetura de inspiração clássica do italiano Andrea Palladio* (por oposição às obras suntuosas e barrocas dos reinados dos Stuarts); sucedem-se uma fase rococó (por volta de 1750), outra neoclássica (no fim do séc. XVIII) e as primeiras incursões do Neogótico no começo do séc. XIX. § Foi um período especialmente rico em todos os campos das artes. William Hogarth torna-se célebre por suas gravuras de gênero e dedica-se a arte do retrato que é praticada também por outros artistas como Reynolds, Gainsborough e Romney; o escultor Flaxman trabalha para a fábrica de Wedgewood*. § As artes decorativas foram fortemente marcadas pelas tendências rococó e neoclássica, e a época georgiana abrange importantes mudanças tanto de ordem técnica como de ordem estética. ~ No mobiliário, nota-se a influência das fachadas paladianas (nas linhas sóbrias e elegantes dos armários de livros de frontão partido, p. ex.); o dinamismo rococó manifesta-se nas curvas complicadas e nas *chinoiseries* de Thomas Chippendale* e outros, enquanto, mais tarde, os móveis Adam*, Sheraton* e Hepplewhite* retomam as linhas neoclássicas. ~ A prata inglesa consolida sua posição quanto à qualidade, à feitura e ao gosto. ~ A faiança e a porcelana progridem (Wedgwood, Chelsea, Spode) e chegam a dominar a produção europeia. Surgem modelos rústicos na cerâmica (Staffordshire) e no mobiliário (cadeira Windsor). § Graças ao requinte e à imaginação aliados à boa execução, as criações inglesas desse período imprimem forte marca no gosto do mundo aristocrático da Europa e passam à América. §§ Portugal, acolhendo os modelos georgianos, produziu importantes peças de mobiliário e prataria; assim, esses modelos tiveram reflexos no Brasil. [Cf. jacobino e Regency.]

Germain, Thomas (1673-1748) e François-Thomas (1726-1791), pai e filho. Prateiros franceses. O pai foi nomeado *orfèvre du Roi* (ourives do Rei) e foi um dos criadores do estilo Rococó; sua notoriedade atingiu a Inglaterra, a Rússia e Portugal. Uma de suas obras mais espetaculares foi um centro de mesa executado em 1730 para um nobre português, decorado com motivos de caça (cães e trompas) e com *putti*. ~ François-Thomas substituiu o pai e trabalhou no mesmo estilo. § Durante a Revolução Francesa foram derretidas quase todas as pratas na França; dos Germain sobraram as que estavam no estrangeiro, principalmente as da Casa Germain em Lisboa. A célebre baixela Germain, parte encomendada por D. João V, parte por D. José I tem mais de mil peças, todas com a marca desses prateiros. [V. prata e Rococó.]

gesso. *s. m.* Material composto basicamente de giz (sulfato ou carbonato de cálcio) e de uma substância aglutinante. ~ O gesso em pó misturado com água solidifica-se rapidamente, com ligeiro aumento de volume. Quando líquido, pode ser vertido em moldes e tomar formas diversas. ~ Foi usado na escultura, desde tempos remotos, para modelos e moldes de cerâmica, de vidro ou de metal; atualmente é também aplicado nos moldes das peças de concreto, de fibra de vidro e outras. ~ Raramente os escultores se valem do gesso para obras acabadas devido a sua fragilidade e aspecto pouco característico; ele pode, porém, ser cinzelado, quando acrescido de substâncias que lhe aumentam a resistência. ~ As reproduções em gesso de esculturas famosas são frequentes nos museus que se encontram na impossibilidade de obter peças originais. § Material versátil, tem sido de grande utilidade na arquitetura e na decoração, empregado na execução de molduras de portas e janelas, de cornijas, de balaústres, além de decorar tetos, sancas, luminárias, lambris, etc. Nos trabalhos de madeira o gesso é usado em certas guarnições em relevo, na douração e no decapê. [V. *cire-perdue*, estuque e moldagem.] – Fr.: *plâtre*; ingl.: *gypsum*; *plaster of Paris*.

Ghiordes. [top. turco.] Tapete oriental turco, dos mais finos da Anatólia. Executado desde o séc. XVII, apresenta-se em geral como tapete de oração, com *mihrab** anguloso, bordas largas e campo central reduzido. Alguns tapetes antigos são de pequenas dimensões, e hoje se reproduzem para o comércio. Os modelos do passado gozaram de tal prestígio que deram o nome ao tipo de nó com que eram feitos. ~ A densidade dos nós dos Ghiordes varia entre 1.000 e 3.000 por decímetro quadrado. // V. nó ghiordes. [V. tapete oriental - tapete turco.]

Ghoravan. V. Koraghan.

glaze. [Ingl.] *s.* V. esmalte^2.

glíptica. *s. f.* A arte de esculpir as pedras semipreciosas seja em encavo (*intaglio**) seja em relevo (camafeu*). As pedras mais usadas são a calcedônia, a cornalina, o jaspe, a ágata, o lápis lazuli, a malaquita.

gobelin. [Fr., de Gobelins] *s. m.* Tapeçaria proveniente da manufatura dos Gobelins. // P. ext., tecido de *jacquard* com desenhos florais e outros que lembram aquelas tapeçarias e servem para estofamento; gobelino. [Cf. Gobelins.]

Gobelins. Manufatura fundada por membros da família Gobelin, importantes tecelões e tintureiros franceses estabelecidos na região de Paris. A chamada *Manufacture des Gobelins* produziu, nos últimos séculos, tapeçarias famosas pela grande perfeição, nobreza e bom gosto. § No séc. XVII, os Gobelins foram integrados às "Manufaturas Reais" criadas sob o patrocínio de Luís XIV, rei da França, a fim de aparelhar com magnificência as residências reais, para as quais trabalhavam grandes artífices (tapeceiros, tecelões, ourives, marceneiros, ebanistas, etc.) além de artistas ilustres. ~ Sob a direção do pintor Le Brun a Manufatura dos Gobelins produziu tapeçarias importantes como a *História de Alexandre* e a *História do Rei*; num Barroco suntuoso, elas espelham o gosto e os costumes da época. A perfeição dos detalhes, as gradações do modelado revelam as personagens, os animais e até os próprios ambientes aristocráticos. No fim do séc. XVII, por encomenda real, foram executadas as tapeçarias da série *Índias antigas*, baseadas em cartões do pintor holandês Eckhout, membro da comitiva de Maurício de Nassau no Brasil (1637-1644); ela representa cenas, animais e plantas tropicais observados pelo artista durante sua estada em Pernambuco. ~ No séc. XVIII a manufatura realiza tapeçarias de influência rococó feitas com cartões de Boucher e outros artistas. Data dessa época a preocupação de imitar fielmente a pintura, e isto só podia ocorrer mediante a combinação de tintas originais com outras menos estáveis, donde as alterações que desfiguram algumas obras dessa época. A fábrica prosseguiu nessa linha durante o séc. XIX e, posteriormente, recuperou-se em termos artísticos, reduzindo a gama de cores e restabelecendo os valores dos planos das tapeçarias medievais. A Manufatura dos Gobelins integrou-se no movimento de renovação da tapeçaria ocorrido na França depois de 1939. ~ Como Beauvais e Aubusson, produziu, a partir do séc. XIX tapetes e estofos feitos à mão. [V. tapeçaria e Luís XIV. Cf. Aubusson, Beauvais, gobelin e Lurçat.]

goiva. *s. f.* Espécie de formão, de diferentes tamanhos, e cuja haste, de perfil côncavo e extremidade cortante, serve para abrir meias-canas em obras de marcenaria. [V. goivado.] – Fr. e Ingl.: *gouge*.

goivado. *s. m.* Ornato contínuo praticado com goiva em obras de madeira, e que se caracteriza pela sucessão de sulcos em meia-cana; estes podem ser verticais, enviesados ou em espinha de peixe. §§ O goivado é típico do mobiliário português seiscentista no qual aparece nas caixas das mesas, nas gavetas dos contadores, em almofadas de arcas. Os mesmos motivos decorativos passaram ao Brasil (sécs. XVII e XVIII) e enriquecem mesas (especialmente as baianas), arcas, arcazes, etc. No jacarandá os goivados têm particular realce. [V. mobiliário e Nacional português.]

golfinho. *s. m.* Mamífero marinho, cetáceo, que se caracteriza pela cabeça prolongada em bico, pelo nado ágil e gracioso, e por ser inteligente e brincalhão; delfim. ~ A representação do golfinho nas artes data da Antiguidade clássica e foi muito difundida no Renascimento. Como motivo decorativo, aparece especialmente em fontes e torneiras, mas também em pés de móveis, alças de jarros, candelabros, etc., ou esculpido em baixos-relevos. ~ Em heráldica, é representado com o lombo arqueado e a cauda em forma de folhas de acanto; figura nas armas da cidade do Rio de Janeiro.

gomil. *s. m.* Jarro alto e elegante, com bocal estreito, em geral decorado no corpo e na asa; destina-se a deitar água às mãos e pode formar conjunto com uma bacia. Esta forma parece ter sido usada desde as primeiras civilizações. ~ No decurso dos séculos, porém, o desenho do gomil tornou-se mais livre e variado; certas peças, sobretudo as de metal nobre, prestam-se para trabalhos em relevo. §§ Na prataria portuguesa e brasileira o gomil ou jarro figura entre as mais belas peças de igreja do Barroco; suas dimensões são importantes – entre 20 e 30 cm de altura –, tem, não raro, a forma de capacete, e asa perdida, é normalmente acompanhado de bacia oblonga ou oval com cercadura no mesmo estilo. [V. jarro.]

Gomil e bacia da prata. (Egito - séc. XIX)

gomo. *s. m.* Ornato alongado e convexo que lembra, por sua disposição, os gomos de certas frutas, e que aparece repetido e justaposto em molduras, em superfícies planas ou arredondadas, em detalhes arquitetônicos ou nas faces de objetos quase sempre bojudos (bules, jarros, maçanetas) ou em leque. ~ Como ornato contínuo, às vezes ovalado, o gomo decora o mobiliário e peças renascentistas (no estilo Henrique II, p. ex.), e é amplamente usado no mobiliário, na prataria, no vidro, na porcelana neoclássica. [V. ornato. Cf. canelura e leque[2].] – Fr.: *godron*; ingl.: *gadroon*; *gadrooning*.

gonçalo-alves. *s. m.* Madeira de lei proveniente de árvores de porte, copadas (*Astronium fraxinofolium*), naturais da América do Sul; é também conhecida como **aderno preto** e **guarabu rajado**. É pesada, dura, de poros fechados, naturalmente lustrosa, de cor bege rosada ou rósea acastanhada, com grandes manchas e veios castanho escuro e reflexos dourados. É própria para móveis, lambris, folheados, objetos de adorno, tacos de assoalho. ~ No Brasil, ocorre no Espírito Santo, em Minas e no sul da Bahia (no Rio de Janeiro, outrora abundante, hoje está extinta). Existe uma variedade na região amazônica mais clara e sem os veios definidos. [V. madeira.] – Fr.: *bois de zèbre*; ingl.: *tiger wood*.

gôndola. *s. f.* [V. cadeira - cadeira em gôndola e *fauteuil en gondole*].

gongo. *s. m.* Instrumento de percussão originário do Oriente, que consta de um disco metálico (em geral de bronze) posto em vibração ao ser percutido, no centro, por uma baqueta coberta de feltro ou de couro. Sua função é acompanhar ritualmente a dança, o canto e o teatro. Entre certos povos, o gongo figura nas cerimônias religiosas, ou é tido como instrumento mágico e/ou propiciatório. É também empregado para transmitir mensagens. Peças de bronze com belos trabalhos são amplamente usadas no leste asiático. ~ Na Inglaterra vitoriana, o gongo (talvez trazido do Extremo Oriente) era usado nas casas de campo da aristocracia para reunir os convivas à hora das refeições. Depois, pequenos gongos de metal prateado ou bronze se difundiram e passaram a ser utilizados à mesa em lugar de campainha.

Gongo de mesa prateado.
(Inglaterra - séc. XX - alt. 20 cm)

gonzo. [Do fr. antigo *gonz*, atual *gond*.] *s. m.* Peça de madeira ou metal que se dobra por meio de um pino e serve para movimentar os batentes de portas. É uma dobradiça rudimentar. [Cf. charneira.]

gorgorão. *s. m.* Tecido encorpado de seda ou fibra artificial que recobre a trama de fios de algodão reunidos em cordões próximos, mais ou menos salientes; pela textura armada e discreta, é usado em decorações formais. [V. tecelagem.]

gota. *s. f.* Pequeno ornato arquitetônico em forma de cone, e que se repete, ao longo da base de uma cornija, de um triglifo, etc.

Gótico. [Pal. derivada do lat. medieval *gotticus*, 'relativo aos godos ou *goths*', que foi empregada depreciativamente no Renascimento para designar a arte do período anterior.] Estilo que floresceu na Idade Média aproximadamente entre os sécs. XII e XV; estilo ogival. § Sua origem é incerta; surge, talvez, por influência muçulmana, através da Espanha, onde aparecem os primeiros arcos em ogiva nas construções moçárabes do séc. IX e manifesta-se inicialmente na igreja de Saint Denis (Paris) por inspiração do abade Suger (séc. XII). § Como o estilo românico que o antecedeu, o Gótico se estendeu por toda a Europa Ocidental, da Península Ibérica até os países centrais. Tomou novas diretrizes; afastou-se de fórmulas religiosas e estéticas rígidas para dar ênfase a um misticismo individualizante desdobrado em todas as artes visuais, incluindo-se as decorativas. § Realizou-se plenamente na arquitetura. É o estilo da verticalidade: enquanto as obras clássicas e românicas se baseiam nas linhas horizontais, as góticas, com suas torres e pináculos dão a impressão de pairar. O peso se distribui numa estrutura ascendente, as massas se equilibram dinamicamente. Graças ao cruzamento das ogivas no arco quebrado, é possível a formação de abóbadas altas; os pilares em feixes que as sustentam e o sistema de contrafortes e arcobotantes*, favorecem a liberação de um espaço interno nunca imaginado anteriormente. Este espaço não é limitado por muros, mas por paredes vazadas que deixam a luz escoar através dos vitrais das janelas e das rosáceas*. ~ No séc. XIII o Gótico valorizou a estrutura das construções elevadas que atingira o apogeu com as catedrais francesas (Notre-Dame de Paris, Chartres, Reims, Amiens, e outras); mas a arquitetura gótica teve também outras importantes realizações posteriores: as catedrais de Salisbury, Canterbury, Westminster, do King´s College de Cambridge (na Grã-Bretanha), além das catedrais de São Vito (Praga), de Burgos e Toledo (na Espanha), de Santo Estêvão (Viena) e outras. ~ O Gótico evoluiu depois para formas menos altas e mais ornamentadas; o arco abatido em colchete substituiu a ogiva. § Nas artes plásticas, o simbolismo expressionista das obras românicas cede lugar ao naturalismo envolto em espiritualidade. Os temas são os do Antigo e Novo Testamento, além de outros relativos aos santos. Valoriza-se a figura da Virgem Maria* à qual são dedicadas inúmeras catedrais. ~ A escultura torna-se leve e elegante; incorpora-se à arquitetura, não raro com função didática, nas fachadas e nos pilares com estátuas esguias, nos portais com altos-relevos descritivos. Suaves figuras com vestes drapeadas e expressão iluminada são caracterizadas pelo acentuado misticismo. ~ Quanto à pintura, torna-se mais elaborada na composição e no colorido das iluminuras*, dos retábulos* e painéis de madeira (Europa Central e na Península Ibérica) e de certos afrescos* italianos, até atingir o minucioso realismo da Escola Flamenga*. § As artes decorativas acompanham a evolução que parte das formas monumentais e sólidas do Românico para as formas leves, a transparência, o rendilhado. Não é por acaso que uma das mais belas realizações do gótico é a arte do vitral. Outros importantes exemplos encontram-se nos trabalhos de metal, religiosos e profanos; alguns relicários e custódias têm a leveza das catedrais. ~ No mobiliário predomina também a decoração inspirada nas linhas e motivos arquitetônicos. Os artesãos da madeira, do marfim, do esmalte, da tapeçaria, da ourivesaria criam obras notáveis e se diferenciam dos artistas reconhecidos (arquitetos, escultores, pintores) não só pela qualidade como pela capacidade de atingir uma grande forma estilística dentro do anonimato. § No séc. XV o estilo evoluiu para o Gótico flamejante e para soluções mais pesadas, e foi sendo substituído pelos valores do Renascimento. § Em fins do séc. XVIII e no séc. XIX o Gótico reviveu com o Neogótico*; este ainda é empregado em certas construções religiosas inspiradas em modelos oitocentistas. [V. espaço, ogiva e vitral. Cf. Românico e Renascimento.] • **Gótico flamejante**. Estilo que floresceu especialmente na Borgonha e em Flandres no séc. XV, e que se caracterizou pelo excesso de ornatos, especialmente os elementos curvos e pontiagudos lembrando chamas, e pelos rendados. Estilo de transição entre o gótico e o renascentista, nele os contornos desaparecem sob um excesso de decoração.

grade. s. f. Armação de ferro, de madeira, etc., formada por hastes ou barras paralelas, cruzadas ou entrelaçadas com intervalos; embora vazadas, as grades devem apresentar estrutura sólida capaz de resguardar ou vedar um vão ou espaço aberto. ~ Além de protetora, a grade é decorativa, dada a variedade de materiais e desenhos que obedecem a diferentes estilos; nas janelas e balcões as grades imprimem caráter às fachadas. § Na Idade Média, pesadas grades de ferro serviam de defesa em castelos e prisões; no séc. XII algumas grades de ferro no interior de construções religiosas, apresentam nobres motivos em espirais, fixados a quente, com martelo, por meio de sólidos anéis forjados. ~ No séc. XIV aparecem inovações: placas de ferro são modeladas, os arrebites substituem os anéis e, no século seguinte, já se busca imitar no ferro os rendados da madeira. ~ No Barroco*, são obtidos magníficos efeitos com o ferro e o bronze (como, p. ex., as grades e portões dos palácios de Versalhes, na França e de Hampton Court na Inglaterra); essas obras se prolongam no séc. XVIII (obras-primas do Rococó* são as grades da praça Stanislas em Nancy, na França). ~ No fim do séc. XIX, o *Art Nouveau** revaloriza o artesanato e as grades desdobram-se em formas de generosa imaginação. §§ No Brasil imperial, as grades de ferro fundido são características não só das fachadas dos palacetes como de casas mais modestas. Até hoje elas perduram, umas ainda preservadas nas construções originais, outras na disponibilidade das demolições e ferros-velhos para serem aproveitadas ao gosto de arquitetos e decoradores. [Cf. balaustrada, ferro e gradeado.] – Fr. e ingl.: *grille*.

gradeado. *s. m.* Trabalho ou decoração feita sob forma de grade, usada nos móveis (encostos, cabeceiras), em portas, biombos, tapumes, divisórias, etc. // Motivo decorativo em forma de grade quadriculada; no Rococó* o gradeado aparece muitas vezes cercado por moldura com volutas e folhagens.

grafismo. *s. m.* Nas artes plásticas, modo peculiar de traçar linhas que se destacam nos desenhos e nas pinturas.

gral. *s. m.* V. almofariz.

grandfather clock. [Ingl., da canção *My Grandfather's Clock* 'O relógio de meu avô' (séc. XIX).] Grande relógio de pé, dotado de pêndulo e com a caixa de madeira – obra de marcenaria – medindo em geral mais de 1,80 m de altura. É também chamado *longcase clock* 'relógio de caixa-alta') ~ Este tipo de relógio surgiu na Inglaterra no período *William and Mary**, por volta de 1700, e tinha em geral a caixa ornada com ricas incrustações. [V. relógio.]

granido. *s. m.* Gravura ou desenho feito com pontos miúdos muito próximos.

granidor. *s. m.* Instrumento de gravador usado no processo de gravura à maneira-negra. É constituído de uma lâmina de aço terminada em curva e dotada de finos dentes; esta é fixada a um cabo que o artista maneja imprimindo movimentos ondulatórios para produzir granidos na placa de metal. [V. maneira-negra.] – Fr.: *berceau*.

granito¹. *s. m.* Rocha magmática dura formada essencialmente de cristais de feldspato, quartzo, mica e outros minerais; tem textura granulada de coloração cinza ou avermelhada e apresenta filões. Encontrado em muitas regiões do globo, foi empregado para pavimentar ruas e estradas e na construção das casas, prestando-se para obras de cantaria* (alizares, escadas, soleiras, peitoris, etc.). O granito polido é de belo efeito no revestimento de pisos e paredes. §§ É rocha abundante no Brasil; no Rio de Janeiro, p. ex., inúmeras pedreiras têm sido exploradas para a extração e preparo do granito. Este foi usado nas cercaduras que guarneciam janelas e portas das casas antigas e que formavam os pilares de portões e muretas. [Cf. cantaria e granito².]

granito². *s. m.* Louça de cerâmica muito dura, não porosa, feita de uma mistura de argila com certos minerais (feldspato ou sílica) fundidos a alta temperatura (1.200 a 1.400 graus); isto possibilita a vitrificação e a impermeabilização aos líquidos. ~ O granito surgiu na China por volta de 1400 a. C. (dinastia Shang); a partir do período Han (206 a. C. – 220) foram produzidas peças finas de um branco especial e a louça atingiu novo aspecto na dinastia Tang (618-907) em peças da família *Céladon*; na dinastia Sung (960-1279) apareceram formas elegantes revestidas de esmalte brilhante. O processo foi incorporado por artesãos do Oriente Médio à cerâmica islâmica. ~ Na Europa Medieval, o granito foi produzido a princípio na Renânia (Alemanha) e não se sabe exatamente sua origem; as peças eram de um branco pardacento ou cinza. No séc. XVII a produção se estendeu à Inglaterra e à Holanda (Delft) onde apareceu o granito vermelho (imitação do *hi-sing* chinês), menos duro do que a louça alemã que o antecedeu. No séc. XVIII esse tipo de louça foi superado por outras mais finas, e mais aptas a receber pintura policromada, mas continua a ter muita procura. ~ Essa louça é também conhecida como *grés* ou *pó de pedra*, segundo sua constituição e acabamento. [V. cerâmica. Cf. granito¹.]

gravata. *s. f.* Tira de tecido ou galão que pende de certo tipo de cortinas.

gravura¹. *s. f.* A arte e a técnica de gravar, ou seja, de fazer incisões e sulcos mais ou menos largos, abertos com faca, buril, goiva, etc., numa superfície de matéria homogênea e de certa dureza. A gravura é empregada na decoração de metais, de cristais, etc. [Cf. gravura².]

gravura². *s. f.* Nas artes plásticas, a técnica de representar figuras e formas gravadas sobre uma superfície rígida recoberta de tinta e que se destina à impressão no papel, quer manualmente, quer por meio de prensa. O resultado desse trabalho é a gravura artística, que pode ser reproduzida em série a partir do trabalho original do artista. § Os processos básicos de gravura são a gravura em relevo e a gravura em encavo. Na *gravura em relevo* o artista trabalha em pranchas ou placas de madeira, linóleo, etc., usando instrumento cortante que desbasta o fundo e faz ressaltar os traços do desenho a ser reproduzido; isso impõe ao trabalho uma concepção mais linear e não permite ordinariamente traços muito finos. A *gravura em encavo* desenvolveu-se na Europa no séc. XV e obedece basicamente a duas técnicas: a) *gravura a talho doce* ou a buril em que este sulca diretamente a chapa; b) *gravura feita mediante o uso de ácido* em técnicas como a água-forte, a água-tinta, a maneira-negra. Além desses processos, tem-se a *gravura em plano* ou a *litografia*, processo muito empregado no séc. XIX. § Para a gravura em cores, qualquer que seja o processo, são necessárias diversas chapas impressas sobre a mesma folha de papel; começa-se pela cor mais pálida e em último lugar imprimem-se traços que vão caracterizar o trabalho. § A impressão das gravuras ou tiragem faz-se em série, com exemplares numerados e assinados pelo artista. Tiragens pequenas têm mais valor, bem como os números mais baixos das tiragens maiores. Certos artistas destroem as chapas, o que valoriza a obra. Podem ocorrer tiragens póstumas que devem ser devidamente autenticadas, como é o caso das obras internacionalmente famosas de Goya, ou as xilogravuras expressionistas do brasileiro Oswaldo Goeldi (1895-1961). ~ Existe ainda o que se chama a "prova do artista", a que o autor reserva para si antes da tiragem definitiva, e que tem valor especial. ~ No curso da execução da gravura o artista tira provas que são conhecidas como "provas de estado", muitas vezes diferentes da do estado definitivo. § Nos sécs. XVII e XVIII com o desenvolvimento e a demanda da gravura em metal, os artistas passaram a reservar uma margem na chapa de cobre para ali inscreverem o nome do autor, o título da obra e outros dados; as que não levam essas inscrições são chamadas *avant la lettre* (antes da letra). ~ No reconhecimento de uma gravura, essas inscrições indicam: a) quanto ao gravador: *sculpsit*, *sculp.*; *gravée*; *engraved by* (nas gravuras de metal ou madeira); nas águas-fortes pode-se ler em inglês: *etched* ou *etch.* e em francês *aquafortisée* ou *aguaf.*; para litogravuras: *litographée*, *litograph.*, ou *litografou*; b) quanto ao autor da composição: *pinxit* (quem pintou); *delineavit* ou *del.* (quem desenhou); *fecit* (quem fez); *inventavit* ou *invent.* (quem inventou); c) quanto ao impressor: *excudit* ou *exc.*; *imprimée*, *impressor* ou *imp.* ~ Aparecem também as inscrições: P.A., prova do artista; P.I., prova do impressor; P.C., prova de cor; H.C., (*hors commerce* 'fora do comércio'); P.U. prova única. § Dentro do mercado de arte, a gravura, mesmo a de alta qualidade, oferece condições de aquisição mais favoráveis do que as obras de exemplares únicos. ~ Para o leigo não é fácil julgar o valor técnico de uma gravura, por mais que esta agrade em termos estéticos. As indicações acima podem orientá-lo e ele ainda deve observar a "limpeza", os contrastes bem definidos sobretudo nas gravuras em preto e branco. No caso das gravuras em metal, sente-se, pelo tato, o relevo no papel. § Meio de elevada expressão artística, a gravura foi tratada por grandes mestres como Dürer, Rembrandt, Piranesi, Goya, Delacroix, Picasso. [V. água-forte, água-tinta, litografia, maneira-negra, ponta-seca, talho-doce e xilogravura.] – Fr.: *gravure*; ingl.: *engraving*; alem.: *Gravierkunst*.

Grécia. País do sudeste da Europa, às margens do Mediterrâneo, constituído de um território continental e de numerosas ilhas. O clima, a topografia montanhosa, as costas recortadas configuram as bases geográficas favoráveis ao desenvolvimento da cultura helênica, berço da civilização ocidental. § Historicamente, tem-se de início (c. 1400 a. C.) a civilização do Egeu (Creta e Micenas), refletida na epopeia da Guerra de Troia e contada por Homero na *Ilíada* e na *Odisseia*. Por volta de 1000 a. C. dá-se a invasão dos dórios, vindos do norte e a consequente evasão da população costeira que funda as colônias gregas da Ásia Menor (Jônia); implantam-se novos valores sociais e religiosos e a cultura helênica vai se delineando (a *pólis*, a mitologia dos deuses e semideuses) por um período que se estende até o séc. VIII a. C. § No séc. VII a. C. a técnica de construir templos evolui para uma fórmula tipicamente grega; estabelece-se a ordem dórica. A escultura da chamada fase arcaica (séc. VI a. C.) define-se pelo antropomorfismo religioso com suas estátuas hieráticas, de sorriso enigmático. A Ática (Atenas) torna-se o ponto de convergência de duas tendências: a severidade dórica e a graça jônica. ~ A cultura ática atinge o apogeu no séc. V a. C.: Péricles transforma a Acrópole de Atenas num conjunto arquitetônico cujos edifícios, segundo Plutarco, "foram criados num pequeno espaço de tempo e permanecem por todos os tempos". § Os arquitetos gregos instituíram princípios de forma e proporção em templos que, embora acolhessem divindades, eram construídos na medida humana: para os gregos o homem era a medida de todas as coisas. Os cânones do ideal clássico de arquitetura se repetem há 2.500 anos; o *Partenon* embora bastante destruído será sempre um dos mais importantes marcos arquitetônicos. § A escultura fixou a imagem do homem ideal, apolíneo, de uma serenidade olímpica; a literatura aprisionou, na beleza dos textos, mitos milenares; a cerâmica, num longo percurso histórico, revelou com suas pinturas a evolução e os costumes helênicos; a filosofia implantou a lógica, marca do pensamento ocidental. ~ O mundo grego estendeu-se até a Magna Grécia (sul da Itália) e, no séc. IV a. C. Atenas perdeu a hegemonia; dois séculos mais tarde a Grécia foi dominada pelo crescente poderio de Roma; suas cidades se submeteram politicamente, porém o gênio grego persistiu e imprimiu o seu selo ao império que surgia. § Nas artes, os gregos não distinguiam os artesãos dos artistas: as obras dos ceramistas, dos marmoristas, dos ourives eram tão respeitadas como as dos grandes mestres. Dessas artes menores a mais brilhante foi a cerâmica; mas uma joia, uma arma, uma estela funerária, uma estatueta de Tanagra* tinham valor estético reconhecido e, como tais, foram preservadas. § O legado da Grécia é algo mais profundo do que uma simples realidade histórica; é a expressão da capacidade criadora de um povo. [V. cerâmica, escultura e ordem.]

ALGUMAS FORMAS DE VASOS DE CERÂMICA GREGA

Kylix   Skyphos   Hidria   Cratera   Ânfora   Oinokhoé

greco-romano. *adj.* Que é comum aos gregos e aos romanos, e decorre da continuidade cultural dessas duas civilizações. [V. Grécia e Roma.]

grega. *s. f.* Ornato geométrico constituído de linhas horizontais e verticais quebradas em ângulo reto e que se voltam sobre si mesmas formando um desenho contínuo, repetido, sem nunca se fecharem. Foi usada nas decorações gregas e aparece com frequência em frisos e barras. [V. ornato.]

grelô. [Do fr. *grelot* 'guizo'.] *s. m.* Galão de passamanaria do qual pendem borlas em geral redondas do mesmo material. É muito usado na terminação de cobertas, cortinas, xales, etc.; é característico das decorações do séc. XIX (vitoriana e Napoleão III) [V. passamanaria.]

grés. [Do fr. *grès*.] *s. m.* Rocha refratária composta de pequenos fragmentos ou grãos de areia de sílica ou de quartzo unidos pelo cimento argiloso ou calcáreo. O grés argiloso é usado no fabrico de louças. [Cf. arenito.] // Certo tipo de cerâmica conhecida como *granito* ou *pó de pedra*. [V. granito^2.]

grifo. *s. m.* Animal fabuloso com cabeça e asas de águia e corpo de leão (o bico e as asas são acentuadamente agudos). Participa da natureza simbólica desses dois animais, e representa força, agilidade, vigilância. Entre os gregos o grifo é um dos monstros que guardam os tesouros; na tradição cristã medieval, por sua natureza híbrida, simboliza forças cruéis e representa o demônio. ~ Muito representado na arquitetura clássica como motivo escultórico, o grifo aparece na Europa renascentista em peças esculpidas, especialmente nas de mobiliário. [Cf. esfinge, harpia e quimera.]

grisalha. [Do fr. *grisaille.*] *s. f.* Pintura monocromática (geralmente em tons de cinza, no qual se realça o modelado para criar a ilusão de baixo-relevo. No séc. XVIII essa técnica foi empregada na decoração de tetos e paredes para imitar as esculturas clássicas. // Na pintura em vidro, pigmento cinza que, aplicado aos vitrais, conferia a estes uma coloração característica ou dava relevo às figuras. // Técnica de esmaltação em que a peça, recoberta de esmalte branco, é pintada em tons de negro e cinza azulado, com forte efeito de claro-escuro. São famosos os esmaltes de Limoges, do séc. XVI, feitos com essa técnica. [Cf. *camaïeu*, esmalte e vitral.]

Gropius, Walter (1883-1969). Arquiteto alemão, naturalizado americano, notável por sua influência na arquitetura do séc. XX. ~ Em 1919, preocupado em pesquisar soluções para as relações entre o indivíduo e o meio, fundou em Weimar, a Bauhaus, da qual se tornou o principal mentor e o primeiro diretor. Transferida a escola para Dassau (1925), Gropius foi o autor do projeto do famoso edifício que a abrigou. Em 1928 mudou-se para os E.U.A. onde prosseguiu sua obra de vanguarda como arquiteto e professor. ~ A linha que Gropius imprimiu à Bauhaus decorre da própria abertura de seu espírito; disse ele: "A tradição legítima é produto de um crescimento ininterrupto. Para servir de estímulo ao homem sua qualidade deve ser dinâmica, não estática." [V. Bauhaus.]

grotesco. [Do ital. *grottesco*, de *grotta* ou 'gruta'.] *s. m.* Decoração mural que representa, em pintura ou baixo-relevo, motivos fantásticos combinando entre si formas da natureza num traçado de estilizações e arabescos. A figura humana aparece com asas em lugar de braços ou com pernas de animal, os rostos têm barbas que se transformam em folhas, os torsos terminam em colunas ornamentadas; vegetais e animais se associam a formas imaginárias; as cercaduras e ornatos são profundamente elaborados, deixando, porém, o fundo livre, aberto. § Essa decoração teve origem em Roma e foi descoberta, durante as escavações do Renascimento, em ruínas das termas de Tito e Trajano que os italianos chamaram *grotte* (grutas), Os renascentistas reviveram o gênero, e Rafael imortalizou os grotescos nas *Loggie* do Vaticano. Nos sécs. XVII e XVIII essa decoração se difundiu na Europa em tetos e paredes e, por influência rococó, desenvolveu-se livremente segundo a fantasia dos artistas, não raro em painéis estreitos e verticais. [Alguns puristas adotam a forma "grutesco", por influência de gruta.] – Fr. e Ingl.: *grotesque.*

guache. *s. m.* Nas artes plásticas, e na decoração, pintura com base de água e que, ao contrário da aquarela, caracteriza-se por ser opaca. A tinta não é embebida pelo papel e forma, por isso, uma camada contínua (que pode ser fina ou espessa), de grande luminosidade (as cores do guache são em geral intensas). Por secar rapidamente não deixa marca do pincel. Normalmente aplicado em papel ou cartão, o guache tem tido também como suporte o pergaminho, a seda, o marfim. ~ Sua técnica é conhecida desde a Antiguidade (já usada no Egito) e, na Idade Média, foi aplicada nas iluminuras e nas miniaturas islâmicas. No séc. XVIII pintores como Boucher adotaram o guache, o mesmo acontecendo com pintores do séc. XX como Rouault, Paul Klee e outros. [Cf. aquarela.]

guampa. [Do esp. platino *guampa.*] *s f.* Grande copo de montaria. A designação ocorre por analogia com os copos feitos de chifre usados pelos cavaleiros e tropeiros. ~ No séc. XIX foram executados inúmeros copos de montaria ou guampas, alguns obras de excelentes prateiros, como ocorreu no Piauí; nesta província, segundo a tradição, moedas de prata eram derretidas para se fazer guampas. [V. prata portuguesa e brasileira. Cf. copo.]

guarda-comida. *s. m.* Armário com tela de arame nas portas usado antigamente para guardar alimentos e mantê-los arejados.

guarda-fogo. *s. m.* Anteparo que se coloca diante da lareira para proteger da reverberação do fogo. É constituído de um painel vertical de metal ou de tecido bordado, tapeçaria, etc., e montado numa moldura decorada e dotada de suportes. Por ser decorativo, costuma guarnecer também as lareiras quando não estão em uso. – Fr.: *écran*; ingl.: *fire screen*.

guarda-louça. *s. m.* Armário com prateleiras, fechado total ou parcialmente, onde se guardavam louças, baixelas, etc. ~ Móvel popular nas cozinhas medievais e nas moradias rurais, tomou formas e dimensões variadas. Adaptava-se aos cômodos amplos das antigas residências e fazia parte da mobília da sala de jantar ou de copa. [Cf. aparador e cristaleira.]

guarda-roupa. *s. m.* Armário alto de uma ou mais portas e que contém no interior cabides para pendurar peças de vestuário, prateleiras, gavetas. ~ Nos antigos quartos de dormir ou de vestir os guarda-roupas se diferenciavam: o *guarda-vestidos*, em geral de duas portas, com vãos mais altos para dependurar vestidos de senhora; e o *guarda-casaca*, mais estreito, com uma única porta guarnecida de espelho capaz de refletir o corpo inteiro, e que tinha, às vezes, um gavetão na parte inferior. [V. armário.]

guéridon. [Fr., do nome de um personagem de farsa.] *s. m.* Pequena mesa redonda com uma coluna central apoiada numa base circular ou num tripé. A designação surgiu no princípio do séc. XIX como extensão do termo que indicava um suporte de candelabro ou de vaso, formado por uma coluna trabalhada e por um pequeno prato, foi usado na Itália e na França a partir do séc. XVII. [Cf. *black-a-moor*.] // Qualquer mesinha, redonda ou não, por vezes com tampo de mármore e guarnições de bronze.

Guéridon com tampo de faiança e pé de galo.
(França - séc. XIX - alt. 72 cm)

guilhochê. [Do fr. *guilloché*.] *s. m.* Fino traçado de sulcos paralelos que se cruzam ou ondulam simetricamente numa superfície de metal conferindo-lhe textura homogênea característica. É decoração muito praticada nas peças de prata, gravada com uma espécie de carretilha apropriada. [V. prata (decoração). Cf. *guillochis*.]

Bandeja com campo lavrado em guilhochê.
(França - séc. XIX)

guillochis. [Fr.] *s. m.* Ornato contínuo formado por duas tiras que se entrecruzam ou por uma cadeia de espirais entrelaçadas, usado em arquitetura ou em trabalhos de madeira ou metal. Foi empregado em decorações bizantinas e românicas, assim como entre os celtas e escandinavos da alta Idade Média. É característica da arte islâmica (com traçado em ângulos) e aparece também em obras renascentistas, bem como nos móveis dos sécs. XVI, XVII e XVIII. [V. ornato. Cf. *guilloché.*] – Ingl.: *guilloche* ou *interlacement bands*.

Guimard, Hector (1867-1942). Arquiteto e decorador francês, talvez o mais representativo do *Art Nouveau* na França (onde este estilo foi também conhecido como *style Guimard*). ~ Foi o autor de projetos de vários edifícios e de móveis elegantes e finamente trabalhados, ao lado de luminárias e outros objetos. As entradas de metrô de Paris foram por ele desenhadas em 1900, e lhe valeram especial notoriedade: são estruturas de ferro com linhas sinuosas e com a riqueza de detalhes florais e outros característicos do estilo. [V. *Art Nouveau.*]

guirlanda. *s. f.* Festão, grinalda ou cercadura de flores, folhas e frutas. Em tempos antigos foi usada como ornamento ritual e festivo feito com elementos naturais. É motivo ornamental frequente em obras do Renascimento (quadros, baixos-relevos, peças de louça). ~ Guirlandas em espiral envolvem as colunas salomônicas* encontradas no interior dos templos barrocos, conforme se pode ver em inúmeras igrejas brasileiras.

gul. [Pal. persa 'rosa', 'flor'.] *s. m.* Nos tapetes orientais, motivo ornamental em forma de octógono; pata de elefante. ~ É o principal elemento da decoração do campo dos tapetes do Turquestão e neles se distribui de maneira regular, em sequências retas ou alternadas. Apresenta-se com aspectos diferentes quanto ao formato do octógono ou aos desenhos no interior deste. De modo geral, quanto maiores ou mais próximos os *guls* em relação ao tamanho do tapete, mais valorizada é a peça. ~ O gul é muito característico dos tapetes **Tekké** – chamados correntemente **Bukhara** – neles a figura tem os bordos ligeiramente sinuosos e é dividida em quadrantes com dois eixos perpendiculares que se prolongam em toda a extensão do campo; as cores preto ou marinho, vermelho e, mais raramente, branco ou verde têm disposição oposta dentro do octógono. ~ Nos tapetes **Afghan**, o *gul* preto ou marinho é retilíneo, mais espaçado, e é, também, dividido em quatro, com ornatos simplificados. ~ O motivo aparece em alguns tapetes turcos e caucasianos. [Cf. Afghan e Bukhara.]

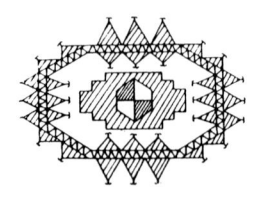

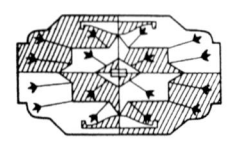

H

Habaner. [Alteração do alem. *Hausbaden*, comunidade protestante da Morávia.] Faiança rústica revestida de esmalte* estanhado produzida na Morávia (República Tcheca) a partir do séc. XVI e, mais tarde, na Hungria, por artesãos anabatistas emigrados da Alemanha e de outras regiões. A princípio o rigor da seita impediu a representação de seres vivos em peças inspiradas na louça maiólica e na cerâmica da Renânia; mas no séc. XVIII, a decoração é alegre, com flores, figuras e animais. [Cf. faiança e maiólica]

hachura. [Do fr. *háchure*.] *s. f.* Cada um dos traços paralelos e/ou cruzados de um desenho, de uma gravura, ou de certos trabalhos gráficos. A maior ou a menor aproximação dos traços produz efeito de sombreado ou de claro-escuro. // Nas tapeçarias medievais, as hachuras paralelas, em dois tons e de diferentes comprimentos, dão a noção de volume na formação das imagens. [V. tapeçaria.] // Nos trabalhos de metal, de vidro, etc., chamam-se hachuras os traços gravados na superfície para fins decorativos.

Hadchlu. Tapete de oração proveniente do Turquestão (Ásia Central). Sua designação não se prende a nenhuma localidade, mas a um tipo de tapete feito por tribos nômades. ~ O motivo principal é uma grande cruz que divide o campo interior em quatro partes; este é vermelho escuro e decorado com forquilhas regularmente repetidas (candelabros estilizados). ~ A extremidade superior do braço maior da cruz termina em ponta – o *mihrab** –, que deve indicar a direção de Meca durante o ritual da prece. Os motivos são bastante estilizados, e o colorido é típico: diversas gradações de vermelho, azul-marinho, preto, ocasionalmente branco, como ocorre nos tapetes Tekké, aos quais o Hadchlu se prende pela origem, pela qualidade e pelo modo de fabricação. As dimensões são praticamente constantes (1,10 m x 1,25 m e 1,40 m x 1,70 m) e o número de nós oscila entre 2.500 e 5.000 por decímetro quadrado. [V. tapete oriental - tapete turcomano e tapete de oração). Cf. Tekké.]

Hadchlu - Tapete de oração (parte).

Hafner. [Alem. 'fabricante de louças'.] Antiga faiança de esmalte* de chumbo produzida na Europa Central, particularmente no sul da Alemanha. Destacam-se, no séc. XIV os ladrilhos para estufa com decoração em relevo; são típicos os de cor verde, além de outros marrons, amarelos ou, às vezes, brancos. A partir de meados do séc. XVI executam-se belas peças com a mesma técnica (jarros, pratos), de cores sóbrias e harmoniosas com motivos e figuras em relevo. [Cf. estufa.]

hall. [Ingl. tb. usado no port.] *s. m.* Nos edifícios públicos, nos palácios, nas grandes residências, sala de entrada ou saguão não raro de amplas dimensões. ~ O *hall*, nas construções inglesas dos sécs. XVI e XVII era salão destinado às refeições e às festas. Assumiu mais tarde função de galeria*, bem iluminado, revestido com painéis de madeira e guarnecido com elementos arquitetônicos (colunas, esculturas, etc.); o pé direito era elevado, com vigas aparentes. Do *hall* partiam as escadarias de acesso aos pavimentos superiores, de proporções imponentes e rica decoração. § Nas modernas casas de moradia, o *hall* funciona em geral como vestíbulo* ou peça de distribuição; quando comporta a caixa de escada tem, às vezes, a altura da casa com as paredes abertas em janelas e vitrais. [Cf. Horta, Victor.]

hall-mark. [Ingl., de *Goldsmiths' Hall*, o '*hall* dos ourives', de Londres.] Marca oficial aplicada numa peça de ouro ou de prata inglesa, escocesa ou irlandesa, como garantia de qualidade. A marca do fabricante é acrescentada a outras que indicam o teor do metal, a cidade de origem e o ano da fabricação. § As primeiras marcas indicativas do teor da prata datam do séc. XIV, quando se decidiu, em Londres, que nenhuma peça de prata poderia ser entregue pelo fabricante sem ter antes sua qualidade testada e garantida pela punção de uma cabeça de leopardo (coroado até 1821). Em 1544, apareceu o leão passante*, considerado 'marca *sterling*' (legítima) e, por volta de 1720, seu uso estendeu-se por todo o país; ainda é a marca da cidade de Londres. Uma figura de mulher e a cabeça de leão indicam o '*Britannia standard*', a mais rara das marcas da prata inglesa. ~ As cidades de origem (Londres, Sheffield, Birmingham, Edimburgo, Dublim, e outras mais antigas) têm, cada qual, sua marca característica. ~ Quanto à indicação da data (*date letter*), é feita por uma letra do alfabeto correspondente a cada ano, em ciclos que se sucedem e diferenciam pelo estilo da letra e/ou pela forma do perímetro em que esta se insere. A letra "A" começou a ser marcada em Londres em 1478 em ciclos de 20 anos ininterruptos até 1696 quando se instituiu o '*Britannia standard*' e se iniciou uma nova série. Nas outras cidades há variações e, para sua averiguação, é conveniente consultar um catálogo especializado. ~ Na leitura das *hall-marks* deve-se atentar para a forma dos escudos e o delineamento das marcas; elas são impressas com nitidez e raramente aparecem gastas. Deve-se observar também a localização, que é rigorosa. § Peças de Sheffield plate e outras prateadas de origem inglesa ostentam, às vezes, marcas análogas e sua diferença pode ser detectada verificando-se a base de outro metal. § As *hall-marks* aplicadas por punção ou selo não devem ser confundidas com as marcas em zigue-zague usadas na Inglaterra para testes. [V. prata (marcas) e prata inglesa. Cf. contraste e punção.]

Hall-mark - 1561 - Cabeça de leopardo coroado e leão passante

Hall-mark - 1852 - Early Victorian

Detalhe: hall-mark de caixa de chá George III
(Inglaterra - séc. XVIII).

Hamadan. [Top. persa.] Tapete oriental da região central da Pérsia (atual Irã). A maioria dos tapetes com esta designação provêm da cidade de Hamadã e de aldeias num raio de 100 km à sua volta. O material empregado é a de boa qualidade com urdidura* de algodão e é a trama* muitas vezes de lã. No centro, encontra-se, em geral, um medalhão com motivos florais ou geométricos cujo desenho se repete nos quatro cantos; nas aldeias orientais, o campo é decorado com motivos *herati* que se reproduzem na barra central. As cores são o azul, o vermelho, ocasionalmente o verde e a cor natural da lã do camelo; a borda externa é, certas vezes, amarela. Os tapetes mais belos são os de **Khamseh** e **Borcialu***. Outros tapetes dessa proveniência são: **Mazlaghan***, **Lilian**, **Muchabad**. ~ Quase todos os tapetes Hamadan têm uma extremidade com franja e a outra com uma orla de tecido lisa (kilim). Quanto às dimensões podem medir 1,20 m x 1,40 m e 1,80 m x 2,00 m, e as passadeiras 0,70 m x 1,20 m e 2,50 m x 6,00 m. O número de nós oscila entre 500 e 1.500 por decímetro quadrado. [V. tapete oriental - tapete persa.]

Han. Dinastia imperial da China (206 a. C a 220 d. C.) que estabeleceu sólidas bases para a cultura do país. Adota-se, então, a filosofia de Confúcio que valoriza a moderação e a bondade. § As artes decorativas desenvolvem-se a partir dessa época, enobrecidas pelo prestígio de que desfrutam artesãos e artistas; pratica-se o entalhe em relevo (em madeira, em pedras), a tecelagem, a cerâmica, a metalurgia e, sobretudo, a pintura em laca*, e esta atinge a perfeição em caixas, vasilhas, tampos de mesa com decorações em relevo (volutas, animais). ~ Na tecelagem, uma técnica complexa produz sedas policromadas e de padrões variados. Os objetos de bronze são baixos, de formas simples. ~ A cerâmica, também de formas despojadas, tem impulso com o emprego do esmalte* estanhado à alta temperatura em tons que vão do amarelo pálido ao verde escuro; nesse período aparecem os primeiros tipos de *céladon**. ~ Modelos de edifícios em miniatura e figuras tumulares também eram feitos de cerâmica. ~ O jade, usado até então em objetos religiosos, passa a ser empregado em peças decorativas. ~ No período Han, com a introdução do budismo na China, a arquitetura assumiu aspectos característicos dos quais o principal foi o pagode*. ~ A influência do período Han estendeu-se, posteriormente, pela maioria da população e foi de tal modo decisiva que, na China, a palavra que designa "homem chinês" significa "homem de Han". [V. China]

harpia. *s. f.* Monstro alado mencionado na mitologia clássica, e que é representado geralmente com a cabeça e busto de mulher e corpo de abutre. Para uns as harpias simbolizavam os ventos, para outros o mundo dos mortos. Essa figura aparece como motivo ornamental em fachadas e frisos na arquitetura clássica e renascentista, e no mobiliário em estilo Império*. [Cf. esfinge, grifo e quimera.]

Hausmaler. [Alem. 'pintor doméstico'.] Artista independente que decorava em casa peças de cerâmica e porcelana, livre da supervisão das fábricas. No séc. XVII esses decoradores pintavam faiança e vidro; no séc. XVIII, com o aparecimento da porcelana na Alemanha, trabalhavam com tintas de esmalte e ouro. Encontrando dificuldade em obter peças em branco (ainda de produção limitada na Europa) recorriam à porcelana chinesa, por vezes à azul e branco. As manufaturas procuravam desencorajá-los, mas algumas das melhores peças alemãs da época são de sua autoria, e o nome de certos artistas ficou conhecido pelo seu valor. Eles tabalharam também em Viena, na Holanda e na Inglaterra, mas sua atividade desapareceu no fim do séc. XVIII; na França essa prática não se desenvolveu. [V. porcelana.]

Haviland. [Antr. ingl.] Manufatura de porcelana cujos fundadores, de origem norte-americana, se radicaram em Limoges (França), onde produziram, no correr do séc. XIX notáveis serviços de mesa. Em 1981 a fábrica mudou-se para Paris onde o "Atelier Haviland" produziu algumas das melhores peças de porcelana artística da época.

Helenismo. *s. m.* Período que se estende desde a morte de Alexandre o Grande (332 a. C.) até a ascensão do imperador Augusto em Roma (30 a. C.), e que imprimiu ao Mediterrâneo e ao Oriente Médio importantes aspectos socioculturais. Sua implantação deve-se, basicamente, à unidade da língua, da religião e das instituições helênicas, ou seja, da civilização grega por oposição ao mundo não grego. ~ Alexandre, na sua campanha meteórica, levou, com o exército, um grupo de homens de cultura que, por um lado, difundiram o pensamento helênico e, por outro, receberam novos conhecimentos, nova visão do mundo. Essa aventura durou apenas nove anos e o império se dispersou, mas o acervo cultural permaneceu. § No campo das artes, deu-se a expansão dos cânones gregos associados aos valores da arte oriental (realismo, movimento, sensualidade, luxo); dentro e fora da Grécia, escultores, pintores, arquitetos expressaram a associação das duas tendências. ~ Na escultura, buscam-se novos caminhos, mais sensuais, mais inquietos (Praxíteles, Lísipo, Scopas); entre as mais conhecidas obras helenísticas encontram-se a *Vitória de Samotrácia* em que o movimento do drapeado deixa entrever a beleza das formas, e a *Vênus de Milo* que, por sua perfeição tranquila, adquire uma beleza intemporal. A tradição da escultura helenística não desaparece com a conquista romana. ~ Da pintura helenística pouco restou, mas a arquitetura trouxe grandes contribuições:

retoma-se o arco*, a abóbada* e a cúpula*; domina a tendência para o grandioso, o superornamentado das construções orientais, como, p. ex., os capitéis das colunas coríntias*. ~ Nas cidades recém-construídas, do séc. IV a. C., lançam-se as primeiras bases do urbanismo: treze "Alexandrias" foram planejadas em toda a extensão do vasto império, sendo que o porto de Alexandria no Egito foi, no séc. II a. C., a maior cidade do mundo, o maior foco de cultura, refletindo, tal como seu *Farol*, o brilho helênico por todos os povos civilizados. § Nas artes decorativas clássicas e renascentistas é decisiva a influência helenística. [V. escultura. Cf. Grécia e Roma.]

Henri II. [Fr.] Estilo de mobiliário do Renascimento* francês que toma o nome do rei da França Henrique II (1519-1559). Rompe com a técnica medieval tanto na estrutura quanto na decoração (pilastras caneladas, medalhões em relevo e especialmente frisos com gomos* acentuados e inclinados). O carvalho é substituído pela nogueira em aparadores, armários, contadores, camas. [V. mobiliário. Cf. Luís XIII.]

Hepplewhite. Estilo de mobiliário inglês do terceiro período georgiano. [V. Hepplewhite, George.]

Hepplewhite, George (?-1786). Ebanista inglês criador do estilo decorativo de características neoclássicas que tem o seu nome, e que esteve em grande voga na Inglaterra a partir de 1760. O livro de Hepplewhite, *The Cabinetmaker and Upholsterer's Guide* (Guia do Ebanista e do Estofador), foi publicado depois de sua morte com mais de 300 desenhos em que se aplicam, em linhas simples, os princípios de Robert Adam. ~ Nos móveis, ora envernizados e decorados com incrustações, ora laqueados, e até mesmo, dourados aparecem motivos neoclássicos tratados com delicadeza (neles não se veem formas humanas ou de animais). As cadeiras são de construção leve e sólida, têm pernas retilíneas e encostos em curvas (nestes destacam-se as formas de coração e de escudo muitas vezes ornados com três plumas ou com espigas de trigo); as cômodas bombês* são elegantes; as estantes fechadas têm delicados gradeados nas portas de vidro. ~ O estilo Hepplewhite não foi invenção original, mas representa uma interpretação por um lado prática, por outro requintada, do gosto da época georgiana. Foi adotado no mobiliário dos E.U.A., e cópias dos móveis nesse estilo são feitas até hoje, valorizando ambientes clássicos e sóbrios. [V. georgiano e Neoclássico. Cf. Adam, Chippendale e Sheraton.]

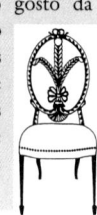

heráldica. *s. f.* Ciência que trata das regras de composição, descrição e interpretação dos brasões, símbolos usados nas armas hereditárias de indivíduos e famílias nobres, de instituições, de corporações, de cidades, etc. Esses símbolos teriam tido origem na decoração dos escudos medievais a partir do séc. XII, aproximadamente, e se espalharam pela Europa. §§ No Brasil, a heráldica deriva naturalmente da de Portugal, mas com alterações por influência das tradições locais. [Cf. brasonado.]

Herat. [Top. Persa.] Designação dada a certos tapetes provenientes dessa cidade que, embora incorporada ao Afeganistão, produz peças rigorosamente persas. ~ Os antigos **Khorazan** são também conhecidos como Herat porque dali eram expedidos para o Ocidente. [V. Khorazan e tapete oriental - tapete persa. Cf. *herati*.]

herati. [Pal. persa, do top. Herat.] Nos tapetes orientais, motivo ornamental composto de uma rosácea central inserida num losango que tem em cada ângulo uma rosácea menor e nos quatro lados um ornato em forma de folha alongada que lembra a figura de um peixe (*mahi*). Esse motivo é um dos mais famosos dos tapetes do Oriente e, apesar da variedade de formas pode ser facilmente reconhecido. Origina-se da região de Khorazan (nordeste do Irã) e foi adotado principalmente na região ocidental (Bidjar, Feraghan, Hamadan, Saruk, Tabriz) e em certas regiões do Cáucaso. [V. tapete oriental. (motivos). Cf. Herat.]

Hereké. [Top. turco.] Tapete turco de fina qualidade feito de seda ou de lã. São raros os exemplares anteriores a 1844, quando esses tapetes, de tamanho pequeno ou médio, começaram a ser assinados; pode-se conhecer a data pela forma da cercadura que encerra a inscrição (até 1922 esta era um medalhão circular lobulado). [V. tapete oriental - tapete turco.]

Herend. [Antr. húngaro.] Fábrica de porcelana e de cerâmica fundada na Hungria em 1838. Produziu belos serviços de mesa e outros objetos pintados à mão ao estilo das grandes manufaturas europeias e do Oriente.

Travessa com decoração de flores e frutas. Borda em relevo.

Heriz. [Top. persa.] Tapete oriental da região montanhosa do noroeste da Pérsia (atual Irã), com origem e decoração análogas às do Tabriz. Distingue-se, porém, pela feitura mais rústica e qualidade resistente, e pelo desenho de linhas retas e angulosas. Os artesãos das aldeias que produziam esses tapetes inspiravam-se nos motivos de Tabriz, optando por soluções mais simples e por um esquema estilizado que se aproxima dos tapetes do Cáucaso, região não muito distante. ~ Um grande medalhão central, em losango, é separado dos quatro cantos por um campo igualmente decorado com padrões florais muito estilizados. O colorido inclui o vermelho-tomate ou cor de telha, o azul-marinho e o azul mais claro, o bege, o verde. ~ A produção, a princípio rústica e local, ampliou-se e esses tapetes foram largamente vendidos para a Europa e a América. ~ Os tapetes Heriz conhecidos datam de meados do séc. XIX e muitos levam o nome de suas aldeias de origem (***Sarab***, de cores mais claras, ***Ghoravan***, mais escuro, e outros). ~ Alguns exemplares, de seda, com outra decoração e cores mais ousadas, foram produzidos ocasionalmente, em pequena escala. [V. tapete oriental - tapete persa. Cf. Tabriz.]

hieratismo. *s. m.* Nas artes plásticas, representação das figuras em formas consagradas pela tradição religiosa e caracterizadas pelo formalismo, pela majestade, pela imobilidade da postura. São exemplos de hieratismo as figuras da arte egípcia e as da arte bizantina. [Cf. Bizâncio, Egito e formalismo.]

highboy. [Ingl.] *s.* Espécie de cômoda alta numa só peça ou em duas superpostas, variante norte-americana do *tallboy* inglês introduzido nos E.U.A. no séc. XVIII, com grande sucesso. ~ Os exemplares mais representativos têm a parte inferior saliente, com gavetas ou não, pernas em pé de cabra* e a parte superior com gavetas, frontão partido, pináculos, ferragens douradas e outros ornatos. [V. *tallboy* e v. tb. Queen Anne (ilustr.).]

high-tech. [Ingl., de *high*, 'alto' + *tech*, abreviatura de *technology*, 'tecnologia'.] Tendência que, na arquitetura e na decoração, emprega determinados produtos industrializados fabricados para um fim precípuo, como elementos estéticos ou decorativos de valor diferente daquele a que originalmente se destinavam. ~ Essa tendência aplicada ao *design* de móveis e objetos, traduz-se em formas práticas e econômicas, geralmente de cores vivas. Nelas se combinam tubos de aço, aramado*, fibra de vidro, revestimentos plásticos, placas de metal, madeiras claras, etc., em peças simples e bonitas, fáceis de montar e coordenar.

hissope. *s. m.* Objeto litúrgico de metal dotado de cabo e extremidade arredondada, com orifícios, e que se destina a aspergir água benta. [V. caldeira de água benta.]

historiado. *adj.* Diz-se de elemento arquitetônico (capitel*, friso*, frontão*, etc.) ou de objeto esculpido ou pintado, tecido ou bordado representando cenas históricas, bíblicas e outras. [Cf. maiólica.]

historicismo. *s. m.* Tendência estética destituída de originalidades voltada para a repetição de estilos do passado. No séc. XIX, a arquitetura buscava ostentar um misto de opulência e severidade por meio de formas e ornatos anteriormente utilizados. [V. estilo - estilos históricos. Cf. ecletismo.]

Höchst. Fábrica de porcelana e faiança fundada na região de Mogúncia (Alemanha) no séc. XVIII.

Hoffmann, Josef (1870-1956). Arquiteto austríaco. Trabalhou na equipe de Otto Wagner, participou do movimento *Secession*, foi professor da Escola de Artes Aplicadas de Viena e fundou com Kolo Moser e outros o *Wiener Werkstätte* (Ateliê vienense) em que as atividades arquitetônicas e artísticas se irmanavam com as artesanais. ~ No *Palais Stoclet* (1905-1911), rica residência em Bruxelas, estão contidas, de modo brilhante, as principais ideias de Hoffmann. Suas concepções respondem às questões levantadas relativamente ao espaço, às dimensões, às formas interiores e exteriores por arquitetos e outros artistas na virada do séc. XIX. ~ O sentido plástico das linhas simples, a pureza do contraste entre o branco e o preto, a valorização do afastamento* numa decoração, antecipam tendências da década de 1920 que encontrou o arquiteto em plena atividade. [V. *Secession* e Wagner, Otto. Cf. Art Déco.]

holandês. V. mesa - mesa holandessa e móvel e móvel holandês.

Hope, Thomas. V. *Regency*.

Horta, Victor (1861-1947). Arquiteto belga, um dos pioneiros do *Art Nouveau*. Nas casas que projetou, a linha curva, característica desse estilo, foi tratada com elegância em fachadas e interiores. A *Maison Tassel* (1893), em Bruxelas, foi o primeiro exemplo na arquitetura desse estilo que emergia. Nela, Horta introduziu um *hall* octogonal com escada que conduzia a cômodos situados em diversos planos. ~ Sua obra mais importante foi a *Maison du Peuple* (Casa do povo), na mesma cidade, encomendada pelo Partido Operário Belga (1896-1899), com estrutura de ferro e fachada de vidro; no auditório, as vigas que suportavam o teto eram a um tempo estruturais e decorativas. No dizer de Horta, não quis ele "construir um palácio, mas uma casa onde o ar e a luz seriam o luxo há tanto tempo excluídos dos casebres operários". Infelizmente, este prédio foi demolido em 1964. ~ Características do estilo Horta são as luminárias* em forma de flores com longas hastes retas ou pendentes terminando em ramos de metal ou pétalas de vidro de onde emergem lâmpadas. ~ Certos detalhes de seus desenhos foram imitados comercialmente, à sua revelia. [V. *Art Nouveau*.]

ícone. [Do grego *eikon*, 'imagem'.] *s. m.* Pintura sobre madeira que representa imagens sacras segundo a tradição da Igreja do Oriente na Rússia, na Grécia e no Oriente Próximo. ~ De natureza litúrgica, profundamente mística, os ícones expressam simbolicamente as verdades do cristianismo e seguem as normas bizantinas. Sua feitura obedece a cânones estabelecidos no séc. IX para a apresentação do Cristo, de alguns santos e da Virgem Maria. ~ Algumas dessas pinturas são em parte revestidas com placas repuxadas de prata ou outro metal, deixando descobertas apenas o rosto e as mãos das imagens; acredita-se que a intenção seria resguardá-las dos beijos dos devotos. ~ Nas igrejas do rito oriental os ícones eram apresentados à devoção dos fiéis em grandes painéis – as *iconóstases* – situados diante do altar; a maioria dos ícones de valor artístico e histórico são provenientes de iconóstases. ~ São particularmente notáveis os ícones russos da escola Novgorod (do séc. XII ao séc. XIV) e de Moscou (do séc. XV ao séc. XVI), destacando-se a arte de Andrei Rubliev. [Cf. imagem - imagem sacra e Bizâncio.]

iconografia. *s. f.* Estudo da representação de um assunto por meio de imagens. ~ Teve, de início, aplicação religiosa, depois identificou-se com a própria história da arte cristã e a interpretação de seus símbolos e temas. Mais tarde estendeu-se ao tratamento e à representação, artística ou não, de assuntos ligados a qualquer religião, a personagens históricos e mitológicos, a grupos, épocas, civilizações. ~ Modernamente, na história e na crítica de arte, a iconografia diz respeito ao assunto e aos símbolos das criações artísticas, a sua identificação, história e classificação; a significação psicológica, social ou cultural das obras de arte compete a uma nova disciplina, a *iconologia*. // Conjunto de imagens sobre qualquer assunto quer como fonte de documentação e informação, quer como coleção específica. [Cf. ilustração.]

Idade Média. Período histórico situado entre a Antiguidade* e a Idade Moderna* e que se inicia, na Europa, com o desaparecimento do Império Romano do Ocidente (476) e termina com a tomada de Constantinopla pelos turcos (1453). • *Alta Idade Média.* Período que vai do séc. V ao ano 1000, aproximadamente.

Idade Moderna. Período histórico que sucede à Idade Média* e se estende até a Revolução francesa (1789). É marcado por importantes mudanças: os descobrimentos marítimos, as descobertas científicas, o mercantilismo, a Reforma protestante, o absolutismo, a formação dos Estados modernos, a implantação de revolução industrial. Na Idade Moderna, os valores do humanismo, a partir do Renascimento*, transformam o pensamento ocidental.

idealismo. *s. m.* Nas artes plásticas, doutrina que tem por fim a representação fictícia (ideal) das coisas, por oposição à representação da realidade objetiva. [Cf. realismo.]

igaçaba. *s. f.* Pote de cerâmica usado pelos indígenas para guardar líquidos ou gêneros alimentícios; sua forma é bojuda e a boca larga. Esse recipiente, quando de maiores dimensões, era usado como urna funerária.

I.H.S. Iniciais das palavras latinas *Iesus Hominum Salvator* (Jesus Salvador dos Homens), inscrição encontrada especialmente em peças sacras da arte jesuítica. [V. sinais de Cristo.]

ikebana. [Jap.] *s.* Designação clássica da arte floral japonesa. § Essa arte foi introduzida no Japão no séc. VI pelos budistas chineses e coreanos através do ritual da oferenda de flores nos altares de Buda. No correr do tempo, os arranjos florais passaram por transformações e *ikebana* se subdividiu em diversas escolas. A mais antiga (sécs. XV e XVI) ensinava *Rikka*, o estilo formal orientado para a verticalidade e que usava vasos altos, com sete ramos que representam o Monte Meru, da cosmologia budista: o pico, a cascata, a encosta, o sopé, a cidade e a divisão desse todo em sombra e sol (estes últimos correspondem ao princípio feminino *yin** e masculino *yang**, da filosofia oriental). Com o tempo, essa estrutura sofre uma simplificação, e dá relevo à formação triangular que passa a ser conservada como padrão básico. ~ Os estilos que fogem aos preceitos rituais *Rikka* são chamados *Nagueire*, a forma livre de decoração floral (com três linhas: a vertical, a inclinada e a pendente); nela, o arranjo, uma vez terminado, parece mexido pelo vento, tal a sua naturalidade. ~ A escola *Shoka* ou *Seika*, nos sécs. XVII e XVIII adota a estrutura básica aproximadamente triangular representando o céu, o homem e a terra. Esse estilo, no séc. XIX, suplanta o tradicional *Rikka*. § O mestre de flores Ohara introduz, no início do séc. XX, novo tipo de vaso de pouca profundidade, semelhante ao do *bonzai**, e imagina um novo estilo, *Moribana*, que dá maior liberdade na forma e na escolha do material (inclui até flores de origem ocidental), sem abandonar o simbolismo original. O vaso é como que dividido em quatro partes, correspondendo às estações do ano; a parte voltada para a sala é o sul, ou verão, a oposta é o norte ou inverno, a direita o leste ou primavera e a esquerda o oeste ou outono. O arranjo se estabelece de acordo com cada estação e o papel da água é importante: no verão, sua maior extensão dá vida à paisagem, no inverno o volume floral ocupa o primeiro plano; o equilíbrio é obtido com o jogo de contrastes e a adequada distribuição de matizes e variedades. ~ Na década de 1930, inaugura-se um novo estilo, *Zeneibana* que, embora mantendo a tradição, desliga-se dos preceitos rígidos do passado adotando materiais exóticos. § No Japão existem cerca de 3.000 escolas de *ikebana*, cada qual com seu mestre; com algumas diferenças, mantêm-se dentro do espírito dos estilos tradicionais. ~ Os arranjos são tridimensionais e assimétricos, e antes de sua execução o material floral deve ser examinado e adaptado mentalmente ao padrão básico; observa-se a simbologia e as características das flores e dos ramos, e estes são submetidos a um encurvamento correto, prática difícil e delicada. ~ O material de suporte consta, em princípio, da forquilha de madeira flexível (*kubari*) que é inserida nas bocas dos vasos altos; nos recipientes chatos usam-se diferentes suportes de metal pesado (*shichiho* e *kenzan*). § A arte do *ikebana* é extremamente complexa e profunda na sua simplicidade, e decorre muito mais do fazer e do sentir do que de uma explicação formal. A partir do final do séc. XIX ela influenciou sensivelmente o gosto ocidental no tratamento das flores como criação decorativa. [V. flor, Japão e *kenzan*².]

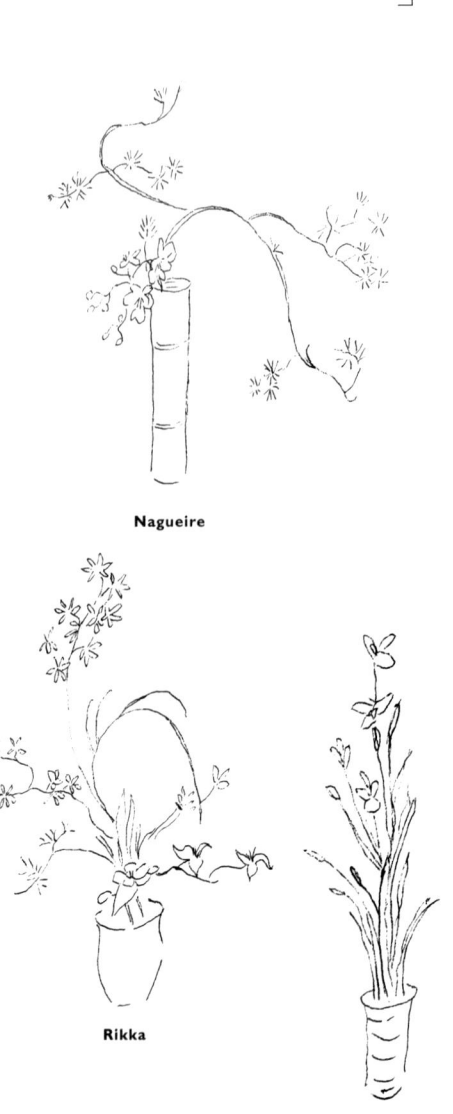

Nagueire

Rikka

Shoka

ilharga. *s. f.* A parte lateral de um móvel. O termo é muito usado na descrição de peças luso-brasileiras.

iluminação¹. *s. f.* A arte e a técnica de iluminar lugares abertos ou fechados e neles distribuir a luz. § Até fins do séc. XIX a iluminação tinha recursos limitados. Na Antiguidade, depois do cair do sol, ela era proveniente da chama das fogueiras, dos braseiros, das tochas, das lamparinas de azeite. Na Idade Média os palácios e igrejas eram iluminados por lampadários, lustres e tocheiros, e os serviçais cumpriam o ritual de trazer a chama para acendê-los ao cair da noite; o povo se contentava com velas, com a luz da lareira, com candeias* e lanternas* – e todos dormiam cedo. ~ Na virada do séc. XVIII, descobriu-se o gás de iluminação que foi amplamente usado no séc. XIX, a partir de 1820, até que começa a se implantar a eletricidade: em 1878, Thomas Edison inventa a primeira lâmpada incandescente, uma das principais conquistas dos tempos modernos. § Em arquitetura e decoração, a iluminação decorre da *luz natural* e da *luz artificial*. Nos interiores, a luz natural ou solar penetra durante o dia pelas aberturas de portas, janelas, claraboias; a luz artificial é cada vez mais importante, primeiro porque as atividades humanas de trabalho ou lazer se estendem pela noite, e segundo pela própria disposição interna dos edifícios modernos onde certos cômodos são pouco ou nada iluminados durante o dia. § A luz artificial é tratada segundo duas opções: a *iluminação direta* e a *indireta*. No primeiro caso, o fluxo luminoso incide diretamente sobre os objetos iluminados; tem como desvantagem produzir, por um lado, o ofuscamento (o que se corrige por meio de quebra-luzes, vidros foscos, etc.) e, por outro, zonas de sombra. Muitas vezes o foco de luz direta, vindo do teto, da parede ou do chão é importante para realçar especificamente alguma coisa (quadro, escultura, objeto, planta) e é recurso que valoriza uma decoração. A iluminação proveniente do teto pode ter, além dos diversos lustres, sofisticadas soluções como *spots* e instalações embutidas. ~ Com a iluminação indireta, o foco é invisível e a luz é dirigida para o teto ou para as paredes que a refletem. O rendimento é menor mas a luz distribuída uniformemente é suave e repousante. ~ Uma solução intermediária é a melhor proposta com 60% de luz dirigida para as paredes e o teto e 40% para o plano útil. § A iluminação está estreitamente ligada à cor* e ambas se influenciam mutuamente em qualquer ambiente, sendo que as cores claras favorecem a maior luminosidade. [V. luminária. Cf. iluminação².]

iluminação². *s. f.* V. iluminura. [Cf. iluminação¹.]

iluminura. *s. f.* Pintura que ilustra e decora manuscritos medievais com arabescos, folhas, flores, figuras e monstros em miniatura, caprichosamente combinados num entrelaçamento que invade o texto e se estende pelas margens em barras e molduras. O emprego do pó de ouro e de prata, puro ou misturado às cores vivas do guache, dá a impressão de que o texto ou a página brilham como se estivessem realmente iluminados (daí chamar-se *iluminação* a esta técnica de pintura). § Na Idade Média, a decoração dos pergaminhos foi arte apurada e exclusiva praticada nos mosteiros por artistas anônimos; realçavam-se os temas tratados, muitos deles de ordem teológica ou moral. É de notar a importância das letras maiúsculas (capitulares) que abriam os capítulos, em que as formas alfabéticas se associavam a figuras reais ou imaginárias ricamente elaboradas; a intenção era introduzir o assunto mediante o impacto visual. ~ A arte da iluminação na Europa teve seu maior esplendor durante o período gótico: pinturas detalhadas, verdadeiros quadros em tamanho reduzido, ilustravam *livros de horas* e outros ordinariamente relacionados com temas religiosos, todos muito ricos em minúcias e de colorido vibrante. ~ Além do valor artístico, as iluminuras góticas representam importante fonte para o conhecimento da vida medieval. O mesmo acontece com as *iluminuras persas*, que seguem a tradição islâmica. § A arte da iluminação, na Europa, foi iniciada nos primeiros séculos da era cristã, em Bizâncio, e se estendeu até o Renascimento; depois, com o desenvolvimento da tipografia e da gravura, na segunda metade do séc. XV, essa arte foi suplantada pelas ilustrações impressas. [V. ilustração. Cf. miniatura¹.]

ilustração. *s. f.* Qualquer figura, desenho ou vinheta, em preto e branco ou em cores, que aparece junto ao texto de um livro ou outro trabalho gráfico ou não. Nessas obras, as ilustrações representam informações complementares através de desenhos, gravuras ou fotografias e conferem maior dimensão estética. As mais antigas obras ilustradas no Ocidente são ainda manuscritas e datam do séc. V. As miniaturas* e iluminuras* medievais incluem-se nessa arte, e as principais ilustrações em xilogravura* só vão surgir no séc. XV. ~ Entre os grandes ilustradores vale mencionar o francês Gustave Doré (1832-1883) que com exuberante fantasia e gosto romântico interpretou em litografias* em preto e branco cenas da *Bíblia*, do *Dom Quixote* de Cervantes, da *Divina Comédia* de Dante. § As ilustrações em obras de referência ou de difusão, e em revistas, especializadas ou não, servem de apoio visual ao texto. ~ Nas revistas de decoração, são indispensáveis para orientar e/ou inspirar quem as consulta, ou mesmo para dar informações específicas. §§ No Brasil, o romancista Raul Pompeia fez os desenhos de sua própria obra *O Ateneu*. Artistas como Portinari, Segall, Grassmann, Goeldi e outros contribuíram para ilustrar inúmeros textos literários brasileiros. Diversas edições ilustradas de luxo, de tiragem limitada (como as da "Sociedade dos Cem Bibliófilos"), enriquecem nossa bibliografia.

imagem. *s. f.* Designação genérica da representação real ou imaginária de uma pessoa, uma planta ou um animal, de uma cena, uma paisagem, um ambiente, um objeto por meio do desenho, da pintura, da gravura, da fotografia ou da escultura. // Numa acepção restritiva é qualquer, imagem sacra, em especial as figuras em pleno relevo e de tratamento realista. • *Imagem sacra.* Na tradição ocidental, representação das figuras sagradas do Cristianismo – o Cristo, Maria, os santos, os anjos – para fins litúrgicos ou para devoção particular. ~ As imagens, nas catacumbas e nas igrejas paleocristãs, são de pinturas ou baixos-relevos ainda rudes que têm valor de signos para expressar e transmitir a nova fé; são mensagens que apregoam e reforçam a nova crença e representam os símbolos de Cristo e as figuras de Jesus e dos mártires. ~ A arte bizantina passou o hieratismo* à Itália pré-renascentista; essas formas hieráticas permaneceram, pelos séculos, nos ícones* da Igreja do Oriente. ~ Afirmando-se, o cristianismo erige seus templos e, ao lado de pinturas e mosaicos, as imagens sacras ganham formas esculpidas nas figuras isoladas e nos baixos-relevos dos frontões românicos e góticos. ~ No fim da Idade Média a estatuária sacra já é marcada pelo realismo quer na severidade de uma obra de talha alemã, quer na doçura de uma virgem da arte francesa. ~ Com a Contrarreforma, a pompa e a dramaticidade do culto impregnam as imagens barrocas tanto nos altares como nas capelas e oratórios particulares. Deve-se observar que, no culto protestante, as imagens foram abolidas. ~ Cada imagem sacra é fixada com o enredo, a postura e os símbolos que lhe são atribuídos pela Igreja. A imagem sacra é também designada Santo. §§ Vale referir a influência na imaginária portuguesa do séc. XVI dos protótipos da arte flamenga com seus santos pintados ou esculpidos em madeira e exportados para diversos países da Europa. Já nos sécs. XVII e XVIII faz-se sentir nas representações sacras lusitanas a marca dos artistas italianos.

Imagem de Cristo crucificado. Escultura em madeira.
(Equador, Escola de Quito - séc. XVII)

Imagem de Santo Antônio com o Menino Jesus. Madeira policromada. Talha assinada Ordoñez (Peru - séc. XVII)

Imagem de presépio. Nossa Senhora ajoelhada em adoração. (Equador, Escola de Quito - séc. XVIII)

imagens sacras brasileiras. A imaginária no Brasil sofreu a influência direta da arte portuguesa e do cristianismo dominante em nossa colonização. § No séc. XVI, aportam, com os colonizadores, os primeiros santos trazidos da metrópole. Por outro lado, a necessidade de objetos de culto obriga os evangelizadores a procurar no local uma solução adequada e aparecem, a partir da segunda metade do século, as primeiras imagens brasileiras de barro cozido feitas em São Paulo (Itanhaém e São Vicente), Rio de Janeiro (Angra dos Reis), Pernambuco (Olinda) e Bahia. ~ Em Portugal usava-se de preferência a madeira, a pedra, o marfim, e o desenvolvimento da escultura de barro na colônia parece ser fenômeno local, talvez devido às propriedades plásticas desse material de fácil extração e ao fato de que o indígena sabia onde encontrá-lo e como utilizá-lo. ~ Algumas imagens de barro seiscentistas – e entre elas as imagens-relicários – são de rara perfeição no modelado das formas e dos cabelos, na policromia brilhante. Entre os franciscanos, jesuítas e beneditinos, surgem verdadeiros artistas, destacando-se Frei Agostinho da Piedade (? - 1661) na Bahia, Frei Agostinho de Jesus (c. 1611 - ?) em São Paulo e Frei Domingos da Conceição (1643 - 1718) no Rio de Janeiro. No séc. XVII, os santeiros pernambucanos produzem pequenas imagens de madeira escurecidas com verniz e outras de talha leve com policromia e ouro; algumas têm o rosto branco para imitar o marfim. ~ No séc. XVIII, a arte dos santeiros (rústica e de gosto popular, ou requintada e de inspiração europeia), prolifera em todo o país. No Rio de Janeiro, temos as imagens de barro da Baixada Fluminense, ou as de Campos, de talha pintada, algumas com feições indígenas. ~ Com o fluxo do ouro, deslocam-se da Bahia e de Pernambuco para Minas Gerais e para o Rio as manifestações religiosas de maior esplendor; constroem-se templos, as irmandades e as ordens rivalizam em riqueza, revelam-se grandes escultores, pintores, arquitetos e entalhadores; cruzam-se influências. O Aleijadinho* é o artista de mais alta expressão. ~ Ao lado dessa opulência, a piedade popular induz à produção de santos toscos sempre presentes nos modestos oratórios. ~ As imagens mineiras finamente talhadas em cedro ou feitas de pedra-sabão* e os santos de roca* vão constituir importante patrimônio artístico. A imagem de São José de Botas, venerada em Portugal, é muito frequente em Minas, e curiosa por sua indumentária. ~ Tal era a popularidade e a procura de imagens sacras, que elas chegaram a ser cúmplices no contrabando de ouro: eram os famosos "santos de pau oco" que, sob o aspecto beato, levavam em seu bojo o metal sonegado à cobiça da coroa portuguesa. ~

Na Bahia foram esculpidos os primeiros santos em marfim*, correspondendo a protótipos luso-asiáticos, e outros de talha convencional ricamente policromados e dourados. § Jesus Crucificado, o Menino Jesus, Nossa Senhora da Conceição, São Miguel, São José, Sant'Ana, São João Batista, além das Virgens e santos de devoções particulares são venerados nas diversas regiões da colônia, em igrejas, capelas e oratórios. ~ No Nordeste, as imagens em geral são mais simples; destacam-se os pequenos santos de prata feitos no Piauí e, no Maranhão, as imagens toscas de corpo atarracado. § No séc. XIX, a produção dos santeiros aumenta, passa a ter finalidade comercial; são figuras policromadas de madeira, de gesso, de massa, muitas com traços banais e decoração exagerada. Algumas, porém, exibem excelente trabalho artesanal embora sem nenhuma inovação. ~ Em São Paulo, no Vale do Paraíba, aparecem pequenos exemplares ingênuos – as *paulistinhas* – feitos de barro cozido ou nó de pinho, de forma cônica e planejamento singelo. ~ Ainda no mesmo século, figuram nos oratórios brasileiros as imagens de Nossa Senhora de *biscuit** policromado, todas de procedência europeia. [V. imagem - imagem sacra. Cf. oratório.]

Imagem de Nossa Senhora da Conceição. Barro policromado. (Arte popular - Brasil - séc. XVII)

Imagem de Santa Luzia. Madeira policromada. (Maranhão - séc. XVII)

Imari. [Top. japonês.] Porcelana japonesa produzida nas manufaturas de Arita a partir do séc. XVII, de início sob orientação chinesa e coreana e depois à feição japonesa, com características locais. É porcelana ricamente decorada com flores, figuras, navios, etc., em branco e azul, por vezes com destaque em vermelho e ouro e toques de outras cores. Fornos especiais possibilitaram a fabricação em série e, em consequência, a exportação para a Europa através da Companhia

Imagem de Sant'Ana Mestra. Madeira policromada. Vestes e espaldar dourados. (Brasil - séc. XVII)

Holandesa das Índias Orientais. Alguns exemplares, totalmente recobertos de decoração floral inspirada nos ricos padrões das sedas japonesas, foram imitados industrialmente na Inglaterra nos sécs. XVIII e XIX [V. Japão e Arita.]

Pratos em forma de peixe de porcelana Imari, com decoração azul, vermelho e ouro. (Japão - séc. XIX).

Travessa com decoração floral

imbuia. *s. f.* Madeira de lei, extraída da árvore *Phoebe porosa*, muito conhecida e apreciada no Brasil, e que ocorre especialmente no Paraná e em Santa Catarina. Apresenta-se com grande variação de cores desde o pardo claro até o castanho escuro, e pode ser rajada com veios contrastantes. De dureza média e poros fechados, é fácil de trabalhar, naturalmente lustrosa e recebe bem o verniz. Por essas qualidades é muito procurada para móveis, lambris*, laminados* e, também, para a feitura de objetos. [V. madeira.] – Ingl.: *Brazilian walnut*.

imitação. *s. f.* Reprodução das características do modelo original de um objeto criado pelo homem. ~ As cópias ou as imitações, feitas com maior ou menor grau de apuro, e inspiradas numa peça autêntica (assinada ou não) ocupam um espaço especial no mundo das artes decorativas. ~ Como a cópia, a imitação que é sinceramente dada como tal, não é fraudulenta, e não repete integralmente o modelo; vale-se de certos elementos significativos e se, para um leigo, nem sempre é fácil fazer a distinção, um *connaisseur*, ao observá-la ou manuseá-la, pode detectar as diferenças. ~ O comerciante e o leiloeiro devem advertir e indicar a origem da peça, muito embora ela possa ser valorizada pela fidelidade nas proporções e/ou pela feitura e pela qualidade do material. [Cf. cópia e falsificação.] // Em decoração e arquitetura, reprodução de materiais de preço em artigos mais acessíveis como o *faux marbre**, as tapeçarias e tapetes feitos à máquina, os plásticos semelhantes ao couro, as peles sintéticas, etc., que logram alcançar, às vezes, efeitos satisfatórios.

Império ou Empire. Estilo decorativo que floresceu em França aproximadamente no período que se estende de 1804 (data em que Napoleão Bonaparte foi sagrado Imperador dos Franceses) até 1815 (data de seu exílio). § O estilo Império corresponde à última fase do Neoclássico; foi um desdobramento do estilo Diretório, não comportando, por isto, grandes inovações e caracterizando-se por dar ênfase a formas e ornatos simbólicos da grandeza napoleônica. ~ Durante o período do Consulado (1799-1804), que sucedeu ao Diretório, os arquitetos Percier e Fontaine desenharam o mobiliário para Josefina de Beauharnais, primeira mulher de Napoleão, e contribuíram para implantar novas linhas de decoração. Os móveis eram mais pesados, feitos em geral de mogno envernizado, sem entalhes e neles sobressaíam em profusão os ornatos de bronze (frisos e figuras). ~ Os motivos ornamentais são palmetas, quimeras, cariátides, pés de garra (nos moldes greco-romanos), esfinges, hieróglifos (encontrados na Campanha do Egito), abelhas, águias, vitórias aladas, a inicial "N" inserida numa coroa de louros (exaltando a grandeza imperial). Foram criados, ao lado de peças imitadas do mobiliário romano, cadeiras, leitos *(lits en bateau*)*, penteadeiras, psichês*, escrivaninhas com desenhos originais. § Pela primeira vez foram produzidos industrialmente móveis de linhas relativamente simples e de superfície lisa destinados à nova classe emergente, menos requintada mas sedenta de luxo. Neste sentido o estilo Império abriu uma nova fase em que se destaca, na fabricação de móveis, o ebanista Jacob-Desmalter*. § Objetos de prata, de porcelana, etc., seguem o estilo nas linhas elegantes e clássicas e nos detalhes de motivos e ornatos. § Em Lyon e outros centros são produzidas sedas e tecidos diversos. Uma das características do estilo foi o uso abundante dos estofos (talvez com o fim de preparar decorações suntuosas num curto espaço de tempo); os drapeados pendem dos dosséis das camas, recobrem as paredes; quartos pequenos são decorados como tendas de seda ou de veludo. Os papéis de parede* substituem as pinturas; imitam quadros e panejamentos. Uma instalação completa no estilo Império encontra-se no castelo de Malmaison (França), que Napoleão habitou com Josefina. Ao filho desta, Eugênio, pertenceu o *hôtel* Beauharnais em Paris, com decoração esmerada sobretudo nos relevos dos tetos. § A arquitetura império, nos moldes clássicos, reflete o gosto de Napoleão (Arco do Triunfo do Carrousel em Paris, obra-prima de Percier e Fontaine; igreja da *Madeleine*, imitação de um templo romano). § Esse estilo espalhou-se pela Europa (Espanha, Holanda, Alemanha, Escandinávia) e influiu também na Inglaterra e nos países americanos. §§ No Brasil, o mobiliário, e a prata do primeiro reinado são de inspiração neoclássica e império e aparecem com a defasagem que caracterizou a absorção entre nós dos movimentos europeus. [Cf. Diretório, *Restauration* e Neoclássico.]

Vaso império em forma de urna. Porcelana dourada com figura pintada a mão. Alças zoomórficas. (França - começo do séc. XIX)

Cômoda império, transição Restauration. Linhas retas, gaveta superior saliente. Puxadores de bronze, montantes laterais cilíndricos. (França - de época)

impressionismo. *s. m.* Nas artes visuais, importante movimento pictórico surgido na França no terceiro quartel do séc. XIX. Reúne um grupo de pintores – Manet, Renoir, Degas, Monet, Pisarro, Sisley, Cézanne e outros – que, apesar das diferenças individuais, compartilham de técnica e pontos de vista renovadores. ~ Influenciados por estudos científicos sobre a luz e pela obra de artistas japoneses recentemente conhecida, trazem como grande inovação a tentativa de pintar objetivamente o momento fugaz da realidade visual, observando as constantes modificações que a luz solar produz sobre as cores da natureza. ~ Esses artistas pintam a água mostrando os reflexos mutantes em sua superfície (como, p. ex., na série de quadros *Les Nymphéas* de Claude Monet) ou as variações da luz nas diferentes horas do dia (como, p. ex., na série que representa a catedral de Rouen, do mesmo pintor). ~ Os retratos são tratados como veículos para a composição de massa de cor, minimizando-se a perspectiva* de modo que o espectador detenha o olhar na pintura e sua superfície. Utilizam-se as cores do espectro solar separadamente e não mais misturadas – como nas palhetas anteriores; elas são justapostas em pequenas pinceladas e agem umas sobre as outras. § Historicamente, o impressionismo nasce quando alguns pintores jovens e então desconhecidos inauguram uma exposição coletiva, em 1876; não são bem recebidos pela crítica oficial e pelo público, e alguém, num artigo, vale-se do título de um quadro de Monet 'Impressão: o nascer do Sol' para cunhar, depreciativamente, essa denominação que é, porém, adotada pelo grupo. ~ Outras exposições se sucedem, até a última em 1886. ~ Esse grupo, em sua curta existência, não só produziu obras-primas como realizou uma revolução na história da arte, e serviu de ponto de partida para a obra de artistas como o próprio Cézanne, Gauguin, Van Gogh, e outros; o movimento marca a libertação da pintura ocidental da tirania da relação predeterminada entre o artista e o assunto. O impressionismo difundiu-se rapidamente pela Europa e passou à América. §§ Muitos pintores brasileiros, indo estudar em Paris, abraçaram o impressionismo e, entre eles, o mais ilustre foi Eliseu Visconti*. [V. pintura. Cf. Neoimpressionismo e Pós-impressionismo.]

incas. *s.m. pl.* Povo de adiantada civilização que habitava as terras do Peru e que foi conquistado pelos espanhóis (1531). § Inca era o título do soberano chefe de um governo teocrático, e que encarnava uma divindade tirânica e paternalista. A sociedade baseava-se em princípios de obediência cega voltada para o bem comum. O centro do império inca era **Cuzco**, de onde emanavam os padrões característicos dessa cultura, abruptamente destruída. A cidade foi planejada tendo em vista rígida estrutura social: ostentava edificações sóbrias e grandiosas, de volumes compactos e estáveis, indicativos do alto desenvolvimento na técnica da construção. Os invasores ergueram sobre as ruínas da cidade casas de adobe* que tinham como base as pedras ciclópicas dos muros de templos e fortalezas. § A civilização inca nutriu-se das experiências e contribuições dos povos que a precederam e deixaram no correr de muitos séculos a marca de uma cultura de certo modo homogênea, e que se desenvolveu na região andina e nas costas do Pacífico. Os povos pré-incaicos – a cultura Chavin e de Tihuanaco – praticavam, além da notável cerâmica, as artes da ourivesaria e da tecelagem, conforme se vê nos vestígios encontrados nas tumbas. ~ A cerâmica de **Paracas** (900 a. C. ao séc. IV) apresenta grande originalidade nas desafiantes figuras mitológicas associadas às formas totêmicas de animais. Quanto à cerâmica de **Mochica** (sécs. IV e V), é considerada um dos pontos altos da escultura mundial pelo realismo dos jarros que representam cabeças de expressivas características individuais. ~ A cultura de Tihuanaco estendeu-se até as fortificações e templos da costa; o reino de Chimu destacou-se por suas obras de engenharia militar, pela cerâmica com figuras estranhas e misteriosas, pela metalurgia muito adiantada, pela rica e requintada ourivesaria. § Essas civilizações, enfraquecidas por rivalidades, renderam-se gradativamente ao poderio dos Incas, mas conservaram uma posição assegurada na história das artes decorativas: a habilidade e inventividade dos oleiros e tecelões, o sentido da cor, a adaptação das formas e das técnicas ao material utilizado, a proporção e o equilíbrio na disposição das massas e da decoração. [V. cerâmica e tecelagem. Cf. astecas.]

incensório. *s. m.* Recipiente destinado a queimar incenso. [Cf. defumador e turíbulo.]

incrustação. *s. f.* Técnica decorativa que consiste em encaixar ou embutir numa superfície de madeira, metal, mármore, etc., fragmentos de outras matérias que se distinguem pela textura, pela cor e/ou pela raridade. Móveis, pisos, joias são decorados com incrustações de diferentes tipos. ~ A arte de incrustar a madeira foi praticada entre os antigos (Egito, Mesopotâmia) e atingiu grande minúcia e perfeição na Índia e entre os povos muçulmanos. Os móveis indo-portugueses com incrustações de osso e marfim passaram à Itália renascentista. ~ Na marcenaria fina, a arte da incrustação baseia-se no recorte das peças que são embutidas e coladas em entalhes com a mesma forma abertos em encavo na madeira maciça ou na de revestimento do móvel. Os motivos são montados com lâminas de madeiras de outras cores, com marfim, chifre, tartaruga, metal, etc. e cobrem certas partes da superfície enquanto outras não recebem decoração. A rigor a incrustação constitui o tipo mais antigo e mais simples de marchetaria; esta mais elaborada, se impõe a partir do séc. XVII e é adotada pelos ebanistas europeus. [V. marchetaria. Cf. *intarsia*.] – Fr.: *incrustation, marqueterie*; ingl.: *inlay*.

Incrustação em madeira. Detalhe de móvel Dona Maria I. (Portugal - fim do séc. XVIII)

Incrustação em bronze. Detalhe do tampo de mesa de jogo. (séc. XIX)

Índia. País do sudoeste asiático de antiquíssimas tradições culturais e históricas. § Os monumentos mais recuados da arquitetura e da escultura datam dos sécs. II e I a. C. e refletem a arte bramânica e búdica. ~ A presença de Buda é sugerida por símbolos nos baixos-relevos e, mais tarde, manifesta-se na serenidade das estátuas. ~ Nos sécs. IV e V de nossa era a pureza clássica é substituída por realizações dinâmicas e grandiosas. ~ A expansão muçulmana atinge a Índia no séc. XIII e traz novo aspecto a sua civilização. § Na Idade Média a Índia era considerada no Ocidente como país fabuloso e as notícias de suas riquezas atraíram os europeus. Em 1498 os portugueses, com a expedição de Vasco da Gama, chegaram a Calicut; eliminaram, na costa, os mercadores árabes, instalaram feitorias que lhes garantiam monopólios de comércio. ~ No séc. XVII foram fundadas as Companhias das Índias Orientais, a holandesa, a francesa, a inglesa (enquanto na América, por uma confusão geográfica, operavam as companhias das "Índias Ocidentais"). ~ Com esse intercâmbio, a decoração dos móveis, a argentaria, a pintura na porcelana, a padronagem dos tecidos, detalhes arquitetônicos foram marcados pela arte hindu, por sua técnica artesanal, pelos materiais e por seu exotismo. ~ A Holanda, graças à força de sua companhia de comércio sediada em Java, propiciou esse intercâmbio iniciado pelos portugueses. Móveis de ébano entalhado ou de madeiras claras lacadas ou incrustadas tomam o caminho da Europa, enquanto motivos holandeses como a tulipa passaram a ser encontrados no mobiliário, ou estampados nas árvores floridas que decoravam colchas de cama e cortinas usadas na Índia ou exportadas para a Europa. [V. indo-português.]

Indianischeblumen. [Alem. 'flores indianas'.] Decoração floral que aparece na porcelana de Meissen* e se inspira nos modelos estilizados das flores da *famille verte** e do *kakiemono**. Os motivos, constando de pétalas e folhas finamente delineadas e coloridas, foram substituídos na Alemanha pelas *Deutscheblumen*, mas continuaram a ser usados em outras fábricas, especialmente Derby. [Cf. *Deutscheblumen*.] – Fr.: *fleurs des Indes*.

Leiteira de faiança com decoração de Indianischeblumen.
França, Sarreguemines - prov. fim do séc. XIX)

indiscret. [Fr.] *s m*. Tipo de assento triplo em forma de hélice constituído de três cadeiras de braços luxuosamente estofadas, muito em moda na França na segunda metade do séc. XIX. [Cf. Napoleão III.]

indo-português. *adj*. Diz-se do tipo de móvel ou outro elemento de decoração de origem portuguesa que, a partir do séc. XVI, sofre influência da arte indiana. § Com os descobrimentos marítimos, Portugal volta-se para os atrativos do Oriente; o intercâmbio mercantil, realizado até então através de Veneza, transfere-se para Lisboa. Da Índia e do sul da China, chegam ao Tejo, além das especiarias, objetos de arte e de luxo requintadamente executados, e exóticos. O mobiliário português, anteriormente marcado pela tradição medieval e pelas características muçulmanas, adquire elementos da fauna e da flora africana e asiática. § Quando os portugueses se instalaram na Índia, trouxeram, para seu uso, modelos europeus de móveis; e, embora ali fosse escasso o mobiliário doméstico, não faltavam excelentes artesãos, engenhosos e inventivos, que copiavam as peças vindas da Europa dando-lhes novos contornos e nova decoração. Do norte da península vinham peças de ébano e outras madeiras incrustadas com osso e marfim e, do sul (costa de Malabar), peças menos originais incluindo pesados contadores com incrustações geométricas. § Os primeiros móveis vêm diretamente da Índia e no fim do séc. XVI começam a ser executados na metrópole (cofres, mesas, bufetes, contadores, leitos). Artífices, sambladores, marceneiros portugueses vão para Goa e Málaca, e muitos deles voltam para Portugal com inovações de ordem estrutural ou decorativa. Na construção nota-se a ausência de pregos e de cola: é característico e emprego do encaixe e dos espigões (tarugos); todos os espaços vazios são preenchidos e decorados com estilizações de plantas e animais (formas que, não raro, aparecem nas pernas dos móveis). Os metais são finamente cinzelados, recortados e rendilhados nos espelhos de fechaduras, nos puxadores, nas cantoneiras. ~ Os móveis indo-portugueses quinhentistas fornecem a base decorativa do chamado estilo Nacional português. Seus modelos espalham-se pela Europa e se incorporam ao padrão aristocrático; começam a desaparecer quando surgem móveis mais leves no séc. XVIII, mas alguns elementos permaneceram no mobiliário luso (o metal rendilhado, a talha rendada e certas incrustações) §§ A técnica adquirida dos mestres indianos passou ao Brasil, aparecendo no mobiliário colonial. [V. Índia e mobiliário. Cf. Dom João V e Nacional português.]

Ingênuo. *adj*. Nas artes plásticas, diz-se do trabalho espontâneo produzido por artistas sem formação profissional; *naif*. ~ O pintor tenta reproduzir fielmente a realidade, mas esta é deformada pelo primitivismo da técnica, pelo desenho simplista, pela palheta viva, sem nuanças. Entretanto, algumas obras têm inegável valor estético.

inro. [Jap.] *s*. Pequena caixa oval ou cilíndrica que os japoneses usavam presa à faixa do quimono para levar remédios e outros pequenos objetos. O *inro* é dividido em compartimentos e preso por um cordão de seda. Era, a princípio, feito de laca preta, mas nos sécs. XVIII e XIX apareceram finas decorações em relevo, pinturas, laca dourada. [V. *netzuke*.]

intaglio. [Ital. 'entalhe'.] *s. m.* Tipo de escultura em encavo na qual os motivos esculpidos ficam abaixo da superfície. ~ Esse processo, característico das matrizes dos selos, é aplicado nas artes decorativas especialmente no vidro* e no cristal*.

intarsia. [Ital. 'incrustação'.] *s. f.* Tipo de incrustação de móveis adotado na Itália durante o Renascimento* e que consiste no uso de lâminas de madeira colorida para decorações em mosaico; a madeira era cuidadosamente escolhida pelas cores e texturas. ~ Quando tal processo representa perspectivas arquitetônicas, cenas, naturezas mortas, recebe a designação de *intarsia pittorica*. ~ Essa arte exige grande habilidade, e os mais belos exemplos, alguns assinados, são obras de grandes artífices italianos. [V. incrustação. Cf. marchetaria e mosaico.]

Internacional. Estilo que reúne tendências da arquitetura moderna (a que se desenvolveu a partir da década de 1920); essas tendências têm em comum a defesa de soluções estruturais e a utilização de materiais compatíveis com o mundo industrial. Várias escolas de arquitetos podem ser associadas ao estilo Internacional e os nomes de maior destaque são Gropius*, Mies* van der Rohe, Le Corbusier*, P.L. Nervi, J.J. Oud, entre outros (o termo foi cunhado por Alfred Barr Jr. do Museu de Arte Moderna de Nova York). [Cf. Bauhaus e funcionalismo.]

Irlanda. V. renda.

Isfahan. V. Ispahan.

Islã. [Do árabe *islam* 'resignação', 'submissão à vontade do Senhor'.] Designação do mundo muçulmano, com seus povos e culturas reunidos em torno da religião que professam – o *islamismo*. Esta religião, monoteísta e afeita a práticas severas, foi fundada pelo profeta Maomé (570-632) e revelada através do livro sagrado – o *Alcorão*. O Islã abrange, além da Península Arábica (onde teve origem), a Ásia menor, a Ásia central, o Paquistão, o norte da África, a Indonésia, e outras regiões minoritárias. § A partir do séc. VII, o islamismo difundiu-se rapidamente e, movido pelo impulso de conquista, passou à Península Ibérica (séc. VIII) que ocupou em grande parte e influenciou culturalmente. Depois de séculos de lutas travadas por espanhóis e portugueses, os cristãos logram reconquistar o território e os mouros são expulsos definitivamente em 1492. ~ No séc. XV criou-se o Império Otomano que dominou a península da Anatólia (Turquia), o Oriente Médio e o norte da África; os turcos, depois de conquistarem Constantinopla, levaram a guerra santa até o centro da Europa sendo detidos às portas de Viena em 1683. ~ Em fases subsequentes, o Islã, mesmo dividido em numerosas seitas e formas políticas, não perdeu a unidade religiosa. ~ Muitos povos islâmicos adotam como emblema o crescente* lunar (símbolo da ressurreição) e este, desde as cruzadas, em séculos de luta, aparece em contraposição à cruz dos cristãos. § A arte muçulmana é acima de tudo decorativa. Surge pela confluência de dois fenômenos: a herança das tradições culturais e o vigor da nova fé. A contribuição de cada um dos povos que adotaram o islamismo pode dificilmente ser isolada no campo artístico: a multiplicidade étnica, geográfica e histórica é diluída pela ascendência religiosa. O estilo é pautado no *Alcorão* que emite regras e abole precipuamente a representação de figuras vivas. Dominam as formas geométricas, abstratas, de uma elegância e riqueza inigualáveis. Mas as interpretações se diversificam desde as mais ortodoxas – as mais difundidas – que adotam a decoração estilizada e plana com inscrições e formas caligráficas, até as representações mais livres com figuras (não sagradas) além de plantas e animais. A unidade de estilo manteve-se acima das influências regionais e históricas. § A arquitetura religiosa concentra os aspectos mais expressivos da decoração islâmica; ela era inexistente nos tempos do Profeta, dos beduínos árabes de vida nômade. As construções vão evoluir a partir de formas não estáveis até chegar aos requintes das cortes dos califas. ~ As primeiras mesquitas da Ásia menor (sécs. VII e VIII) foram igrejas cristãs adaptadas (uma vez que os árabes viviam em tendas) e a elas foram incorporados os primeiros elementos característicos da arquitetura muçulmana: o arco em ferradura*, as abóbadas de pedra ou tijolo, a rica decoração de superfície. ~ A mesquita assume forma permanente para atender às necessidades do culto: minaretes destinados a chamar os fiéis para a oração, pátios com uma fonte central para ablução, colunatas à volta a fim de proteger do sol e amplos recintos de oração coroados por uma cúpula e tendo sempre o *mihrab** que indica a direção de Meca, a cidade sagrada. ~ No séc. VIII o islamismo se expandiu para a Ásia central e voltou-se também para construções profanas. Em Bagdá (Pérsia) o luxo, a etiqueta da corte incitavam ao grandioso; empregou-se o tijolo, começou-se a usar o estuque colorido com relevo em encavo além de ladrilhos esmaltados, pinturas, mosaicos. ~ Na Espanha, a Grande Mesquita de Córdoba (786-990), a Torre da Giralda (1184-1198) hoje incorporada à Catedral de Sevilha, e o Alhambra de Granada com azulejos coloridos, belos estuques cinzelados e magníficos jardins, são os principais marcos do domínio muçulmano na Europa. § Os muçulmanos, esplêndidos artífices, dotados de um agudo senso de decoração, souberam trabalhar com diferentes materiais: metais, madeira, gesso, mosaico, marfim, vidro, louça, couro e, na Índia, usaram mármore e pedras semipreciosas (como no Taj Mahal); de sua habilidade, resulta uma arte a um tempo suntuosa e cheia de minúcias. ~ Dada a extensão do mundo islâmico, influências locais se misturaram às linhas mestras ditadas pelo *Alcorão*; por outro lado, os artesãos e artistas, viajando, levavam novas tendências a outros pontos, mantendo, porém, a unidade de estilo acima referida. ~ Nos trabalhos de metal (aço, cobre, latão, ouro, prata) sobressaem armas, jarros, castiçais, lampadários, joias, arreios, etc. Os metalúrgicos muçulmanos, vindos do Oriente Médio, estabelecem-se em Veneza, daí influenciando os artífices europeus. ~ Na tecelagem, os mais belos tecidos provinham da Pérsia e de Damasco. ~ Na arte dos tapetes*, sabidamente, a decoração muçulmana aliada à tradição artesanal da Ásia central, não pôde jamais ser igualada. ~ Merece referência especial a cerâmica*; a louça esmaltada produzida do séc. IX ao séc. XIII, de rara beleza, provavelmente foi desenvolvida por influência chinesa. Na Pérsia, o esmalte* de estanho recebe um revestimento cintilante *(luster*)* cuja técnica foi transportada à Espanha e à Itália. § No mundo rude da Europa medieval, a contribuição do requinte, da prática e da perícia dos artistas muçulmanos, recebida de início através das cruzadas e, depois, do comércio com as cidades italianas, possibilitou novos caminhos para a arte da cerâmica, do vidro, dos metais, do couro, dos tecidos. ~ O Ocidente da Idade Moderna, conquistando um espaço definido nos campos artístico e técnico foi se afastando dessas fontes consideradas exóticas. Passou-se a tratar as artes e os costumes muçulmanos sob um prisma de certa maneira depreciativo. O estilo Mourisco* floresceu nos salões oitocentistas (e ainda persistiu na *Belle Époque**). Instituíram-se modismos em que ficava subjacente a diversidade de valores, de gosto, de crenças entre as duas culturas. [Cf. moçárabe e mudéjar.]

Ispahan. [Top. persa.] Tapete persa originário da cidade do mesmo nome, capital da Pérsia no séc. XVI. Num período de fausto e requinte, esses tapetes eram produzidos para uso palaciano, tecidos em lã, ocasionalmente em seda; e ao fundamento de algodão acrescentavam-se, às vezes, fios de ouro ou prata. ~ No séc. XVII, alguns exemplares teriam sido enviados como presentes a dignitários europeus, ou feitos para exportação (os primeiros de que se tem notícia foram encontrados na Polônia). ~ Depois da tomada de Ispahan pelos afeganes, a fabricação dos tapetes foi praticamente abandonada e os tecelões passaram a se consagrar a atividades mais lucrativas (tecidos finos, miniaturas, gravura em prata e cobre). ~ O artesanato dos tapetes só ressurgiu, no séc. XIX, graças à habilidade dos mestres fiéis às antigas tradições. ~ O tapete Ispahan tem sempre motivos florais inspirados nos do séc. XVII, com medalhão central ou com cenas de animais, jardins ou o conhecido "vaso de flores"; a barra é larga, com motivo *herati** ou com os mesmos motivos do campo, entre duas faixas mais estreitas, ladeadas por sua vez por outras bem finas. O colorido é variado e rico, com tonalidades contrastantes. O pelo é curto e os nós muito próximos (de 2.500 a 6.000 por decímetro quadrado). [V. tapete oriental - tapete persa.]

[Ispahan

Ispahan]

Ispahan - Tapete. (detalhe)

Ispahan - Tapete de caça.

J

Jacarandá. [Pal. de origem tupi.] *s. m.* Designação comum a diversas árvores leguminosas brasileiras do gênero *Dalgergia* e *Machaerium*, de grande porte (cerca de 35 m) e que produzem excelente madeira para marcenaria. No Brasil, as árvores nativas estendiam-se, nos tempos coloniais, do Nordeste até São Paulo. A espécie mais importante é o *jacarandá-da-baía* (*D. nigra*) que fornece madeira de cor marrom muito escuro; o *pau-violeta*, jacarandá de cor arroxeada com veios contrastantes é também oriundo da Bahia. De cor amarelada com veios pouco nítidos, igualmente utilizado no mobiliário de luxo é o *jacarandá-tã* ou *jacarandá paulista* (*M. villosum*). §§ Já no séc. XVI, os portugueses descobrem o jacarandá-da-baía e o exportam para a metrópole em pesadas toras no fundo dos navios. Madeira rija e pesada, esse jacarandá foi utilizado maciço enquanto sua exportação foi abundante. Presta-se tanto para a confecção como para a talha, e os ebanistas europeus constataram nele certas qualidades superiores ao ébano (era conhecido na França como *ébène du Brésil*). De veios muito belos, e um tanto resinoso, aceita ser encerado ou envernizado a meio brilho sem que se modifique a tonalidade natural. ~ Foi amplamente utilizado no mobiliário português e seu emprego atingiu o apogeu no séc. XVIII (D. João V e D. José I). Aparece em peças domésticas: papeleiras, oratórios, cadeiras, poltronas, mesas, camas são produzidos em larga escala, certos exemplares figurando em importantes museus estrangeiros como o *Victoria and Albert* de Londres. Grandes possibilidades artísticas manifestam-se nos móveis sacros: cômodas, arcazes de sacristia, credências, bancos, balaustradas de igrejas portuguesas e brasileiras. ~ No Brasil, o jacarandá foi empregado desde o séc. XVI, na marcenaria fina e em obras de talha, por mestres marceneiros vindos de Portugal que passaram seus conhecimentos aos nativos. ~ Ele ainda continua a ser procurado para móveis de luxo quer maciços quer em placas folheadas. Infelizmente, quatro séculos de exploração comercial indiscriminada, o desinteresse no replantio das árvores e a devastação das matas prenunciam o desaparecimento dessa preciosa madeira tão característica do Brasil. [V. D. João V, D. José I e mobiliário (mobiliário brasileiro). Cf. caviúna, ébano e pau-santo.] — Fr.: *palissandre*; ingl.: *Brazilian Rosewood*.

Jacob, Georges (1739-1814). Importante ebanista francês que trabalhou em Paris a partir de 1755. Sua trajetória começou com o Rococó*, então dominante, mas logo se fixou no Neoclássico*, sendo um dos primeiros a adotar o estilo Luís XVI. Recebeu encomendas da rainha Maria Antonieta e de outros membros da família real da França, e assinou criações marcantes no estilo. Em 1785, por influência inglesa, abandonou os móveis dourados e empregou o mogno natural; executou peças em que sobressaem os trabalhos esculpidos e, entre estas, destacam-se as poltronas de encosto retangular. Com o advento da Revolução Francesa (1789), Jacob não interrompeu suas atividades graças ao apoio do pintor neoclássico J.-L. David, e trabalhou para os governos do Diretório e do Consulado. ~ A partir de 1796, seus filhos Georges e François Honoré executaram móveis com incrustações de ébano, de madeiras coloridas, de medalhões de porcelana, para Napoleão Bonaparte (então Cônsul) e para sua mulher Josefina de Beauharnais; alguns foram premiados pelo governo, empenhado em proteger as artes e indústrias decorativas. [Cf. Luís XVI, Diretório e Império.]

Jacob-Desmalter, François Honoré (1770-1841). Ebanista francês filho de Georges Jacob* com quem trabalhou; fundou em 1804 uma firma para construção de móveis que produziu os melhores exemplares do mobiliário em estilo Império. A linhagem dos Jacob se prolongou até 1847 quando a firma se extinguiu. [V. Império.]

jacobino. [Do ingl. *jacobean*, do antr. latino *Iacobus* 'Jaime'.) *adj*. Diz-se do estilo que predominou na arquitetura e nas artes da Inglaterra durante os reinados de Jaime I (1566-1625) e Carlos I (1600-1649). Merece especial destaque a obra inovadora do arquiteto Inigo Jones* que, tendo visitado a Itália, absorveu o espírito renascentista daquele país, e se baseou nas teorias e trabalhos do arquiteto italiano Andrea Palladio*. Jones estendeu suas criações aos interiores, decorando as paredes com painéis de carvalho ou com estuque. ~ Os móveis jacobinos são de estrutura retilínea e generosamente entalhados. Nas mansões, onde sobressaem obras dos pintores Rubens e Van Dyck, as cortinas, os reposteiros, as colchas são de veludo lavrado ou de outros tecidos; neles, os motivos florais (até hoje característicos da padronagem inglesa) têm a densidade dos bordados renascentistas e representam formas estilizadas de origem oriental. [Cf. *Restoration*.]

Jacob Petit. [Antr. fr.] Porcelana francesa proveniente de manufatura fundada em Paris em 1795 por Benjamin Jacob e Aaron Smoll. Em 1830 a empresa foi vendida para Jacob Mardochée que adotou o pseudônimo de Jacot Petit e a conduziu com sucesso produzindo originais peças assinadas, entre as mais belas e famosas do gênero *Vieux Paris**. [V. porcelana de Paris.]

Jacob Petit - Bilha bojuda com cabeça de homem e decorações em relevo de inspiração renascentista. Corpo verde decorado a ouro e reservas com motivos florais característicos da porcelana de Paris. Marcado J P.
(França - séc. XIX - alt. 15cm)

jacquard. [Antr. fr.] *s. m.* Tear manual inventado na França (Lyon) por Joseph-Marie Jacquard (1752-1834), que o apresentou a Napoleão Bonaparte em 1805; era capaz de produzir padrões de grande complexidade de desenho e colorido, como os dos tecidos de Caxemira* então em grande voga. O tear podia ser acionado por um único tecelão que manipulava fios de diferentes cores utilizando um cartão perfurado baseado no modelo escolhido. Produzindo a padronagem no próprio tecido, o tear jacquard revolucionou a indústria têxtil e foi adotado universalmente, servindo de base para o tear automático moderno. [V. tecelagem. Cf. estamparia[1].]

Jacobsen, Arn (1902-1971). Arquiteto dinamarquês ligado ao movimento modernista. Notabilizou-se como desenhista industrial, particularmente pela concepção da *cadeira Aegget* (em dinamarquês, 'ovo'), com encosto e assento de *fiberglass* recoberto de tecido plástico, e pé cromado repousando sobre uma cruzeta; é modelo leve e elegante, muito reproduzido. Igualmente leve é a cadeira com braços que lembram as asas semiabertas de um cisne, o que lhe valeu a denominação de *cadeira Cisne*. Jacobsen desenhou também talheres, porcelanas, pratas, lâmpadas, maçanetas, sempre fiel ao princípio de que o estilo resulta da conjunção de economia e função. [V. cadeira e *design*.]

jade. [Do esp. *jade*, de *ijada*, 'ilharga' (da expressão *piedra de la ijada*), pelo fr. *jade*.] *s. m.* Designação genérica de diversas pedras semipreciosas duras, de coloração variada e que foram milenarmente esculpidas como objetos rituais, amuletos, utensílios e ornatos. Entre elas destacam-se a nefrita, a jadeíta e a cloromelanita. § A *nefrita* (silicato de cálcio e de magnésio) tem estrutura fibrosa e brilho oleoso quando polida; a palavra (do grego *nephrós*, 'rim', donde a relação com "ilharga") se associa ao emprego dessas pedras no tratamento de doenças renais. Sua coloração vai do branco no estado de pureza absoluta (muito valorizado na China e chamado "jade gordura de carneiro") até tonalidades de verde e marrom. O chamado "jade funerário" das tumbas chinesas apresenta tonalidade amarronzada, e o mais belo tom de verde é o da pedra conhecida como "jade da Sibéria". A nefrita é encontrada na Ásia, especialmente no Turquestão chinês, e na América Central e adjacências. Ela não se deixa arranhar pelo aço, é difícil de esculpir, e sua própria resistência permitiu a preservação de peças muito antigas. ~ A *jadeíta* (silicato de sódio e alumínio) tem estrutura geralmente granular e lustre vítreo; é também branca quando pura e pode adquirir, como a esmeralda, bela coloração verde devido à presença do cromo. A melhor jadeíta é tanslúcida. ~ A *cloromelanita* é de um verde muito escuro, quase negra, e é conhecida como "jade negro da Birmânia". § Os povos orientais fazem uso do jade, em especial da nefrita, desde tempos muito antigos. ~ Entre os chineses, ele foi trabalhado com maestria por artistas que souberam valorizar seus atributos: agradar à vista e ao toque e ter, ainda, qualidades sonoras. (Os oficiais admitidos na corte traziam peças de jade à cintura e, quando se locomoviam, o som do jade os mantinha no caminho certo e na lealdade.) O som do jade, dizia-se servia de eco entre o céu e a terra. ~ Na China arcaica, o jade, carregado de energia cósmica, era visto como a materialização do princípio yang*, e desempenhou importante papel. O disco de jade Pi*, (desde o séc. V a. C. símbolo do céu infinito) é plano, com abertura central, e não tem solução de continuidade: é círculo fechado (por oposição à espiral). ~ A pedra é também considerada pelos chineses como espelho das virtudes e reflete a inteligência pela dureza, a pureza pelo polimento e a sinceridade pela presença dos veios visíveis. Segundo as regras da dinastia Han* (206 a. C. - 220 d.c.), príncipes e senhores eram enterrados com pedras de jade para preservar da decomposição. ~ As peças chinesas mais antigas datam do Neolítico (c. 2000 a. C.). Entre as obras feitas no decorrer de quase quatro milênios, encontram-se armas, objetos rituais, amuletos, animais simbólicos, estatuetas litúrgicas, vasos, taças, joias, etc., decorados com ricos e variados símbolos. É difícil datar o jade chinês devido à natureza conservadora da decoração, mas nota-se maior elaboração e virtuosismo a partir do período Sung* (960-1259). Belas peças lavradas foram produzidas no séc. XVIII (período Ch´ing*), quando se começou a usar também a jadeíta. Posteriormente, no jade exportado para a Europa, a qualidade decai, e os objetos, muito ornamentados são, não raro, de gosto duvidoso. ~ No período *Art Déco**, o jade foi empregado pelos joalheiros europeus em refinados trabalhos de ourivesaria. ~ A Índia e o Sudeste asiático produziram também importantes objetos de jade entre os quais vasilhas e garrafas com pedras incrustadas. § Excelentes esculturas de jade foram encontradas entre os vestígios das civilizações maia e asteca. §§ A nefrita e outras "pedras verdes" foram usadas pelos indígenas brasileiros da região amazônica na confecção de muiraquitãs (amuletos não raro zoomórficos). Diz a lenda que as amazonas, em noite de lua, colhiam as pedras da lagoa que habitavam, modelavam-nas, e com elas presenteavam aqueles que as iam visitar. [V. China.]

Figura de deusa de jade verde. (China - prov. séc. XIX)

Tigela de Jade verde esculpido. (China - prov. séc. XIX)

janela. *s. f.* Designação genérica de qualquer abertura ou vão na parede, normalmente acima do chão, destinada à ventilação e à iluminação, e que facilita igualmente a visibilidade para o exterior. A janela tanto pode ser uma abertura simples como um elemento arquitetônico emoldurado e ornamentado. § Tradicionalmente consta de uma *verga* (viga que fecha o vão na parte superior), de duas **ombreiras** laterais e de um **peitoril**. Esses quatro lados são normalmente retilíneos, e podem ou não sobressair do plano dos muros. ~ Nas obras de alvenaria, a janela é guarnecida de um aro de madeira no qual se fixam os caixilhos* e/ou os batentes*; estes, na forma mais simples, são folhas de madeira movimentadas por gonzos. Depois apareceram os batentes encaixilhados com vidro e as venezianas. ~ As formas e dimensões variam com a natureza dos edifícios (civis, religiosos, etc.), o clima, os estilos, o material empregado, as diferentes técnicas de construção. § Pelo tratamento decorativo que recebem, as janelas são importantes na caracterização das fachadas*, assumem formas retangulares, arredondadas ou em arco, e as vergas podem ser retilíneas, curvas, recortadas ou encimadas por ornatos. Janelas muito largas apresentam-se geminadas, tríplices ou quádruplas; outras avançam em balanço, outras, ainda, situam-se nas coberturas e telhados (mansardas, águas-furtadas, trapeiras), ou destinam-se a iluminar e ventilar (óculos, mezaninos, seteiras). § As edificações primitivas (e ainda hoje as de certos povos) não comportavam a abertura de janelas devido à técnica rudimentar de construção e/ou a razões de segurança. ~ Nas importantes obras arquitetônicas da Antiguidade não havia janelas; na Grécia, um quadro de madeira rematava pequenas aberturas nas construções vulgares, conforme se vê nas pinturas dos vasos. ~ Algumas janelas vão aparecer com arco* pleno nas grandes edificações romanas mas, de modo geral, as casas voltam-se para pátios internos. ~ Nas construções civis medievais (torres, castelos) as janelas eram estreitas, abertas na parede e complementadas, no interior por dois bancos – as conversadeiras – de cada lado da abertura. ~ Nos edifícios religiosos românicos*, a pressão das abóbadas não permitia grandes aberturas e os muros espessos geravam interiores escuros; nas janelas das igrejas e mosteiros dominava o arco pleno. ~ Na arquitetura gótica*, com os progressos da abóbada estrutural, e com a vulgarização do vidro, abrem-se vãos maiores para os vitrais*; as janelas amplas e largas assumem formas diversas: arcos ogivais*, lanceolados*, de meio ponto*, etc., divididos por um a três **mainéis*** com círculos lobulados nos tímpanos*. ~ No final do Gótico* (séc. XV), surge, nas construções civis e religiosas, a janela alta, com ogiva rebaixada (em colchete); é dividida em quatro partes e tem **mainéis** *cruzados* (o transversal acima da metade do vertical) e assim passa à Renascença*, sendo característica na arquitetura francesa. A forma retangular, com ou sem cruzeta (hastes de pedra que se cruzam em ângulo reto), perdurou em igrejas e palácios nos estilos subsequentes. ~ As molduras barrocas sobressaem nas fachadas, e o remate superior em frontão* é ornato relevante tanto no Barroco* quanto no Neoclássico*. ~ A janela evolui e acompanha os progressos da técnica e muito especialmente os progressos do uso do vidro*. No correr do séc. XVIII as vidraças tornam-se maiores, mas só no séc. XIX o vidro plano vai permitir a eliminação dos caixilhos e alterar as proporções das janelas em relação ao edifício como um todo. O papel das janelas torna-se mais importante em vista da necessidade de luz nas fábricas e nos grandes prédios de escritórios. ~ Por outro lado, no *Art Nouveau**, grandes inovações técnicas determinam o surgimento de janelas com formatos e decorações em curva. ~ No séc. XX, o desenvolvimento das estruturas independentes e dos vidros temperados, bem como a invenção de sistemas mais eficientes de calefação e refrigeração propiciaram novo relacionamento da janela com a estrutura. Outros recursos como os *brise-soleils** ou os elementos vazados* são utilizados segundo as concepções e o gosto dos arquitetos. §§ Em Portugal, o melhor e mais característico conjunto de janelas é o do Manuelino*, abundante no país e riquíssimo pela grande variedade de formas e ornatos. Esse estilo, embora vigorando por ocasião do descobrimento do Brasil, não teve reflexos na vida incipiente da colônia. ~ Na arquitetura colonial brasileira, seguindo a tendência geral, os grandes maciços de alvenaria têm pequenas e espaçadas aberturas; depois, os panos das fachadas vão sendo gradativamente ocupados por janelas mais amplas. ~ No correr dos sécs. XVII e XVIII, por decorrência natural, a janela brasileira, como elemento estético das fachadas, sofre a influência da arquitetura portuguesa adaptada ao uso local: molduras, grades de madeira, muxarabis*, janelas geminadas, janelas francesas, janelas de cunhal caracterizam as casas seiscentistas e setecentistas ao lado da pujança dos ornatos nas construções religiosas do Barroco. ~ Nas casas rústicas dominavam as janelas de folha de pau, que perduram até hoje em certas construções rurais. As janelas térreas tinham, por razões de segurança, fortes grades de madeira, a princípio simples barras, depois formas torneadas ou entrelaçadas. Em certos prédios urbanos usavam-se rótulas*, urupemas*, treliças* que propiciavam a ventilação antes do aparecimento das venezianas; estas, por sua vez, são amplamente empregadas nos sécs. XIX e XX até a adoção dos grandes vãos de vidro vedados internamente por persianas*. ~ O vidro chega tarde ao Brasil e seu uso sistemático se inicia no fim do séc. XVIII (antes usava-se, esporadicamente, a mica em placas). Como em Portugal, os caixilhos de formas caprichosas com vidros coloridos embelezavam as janelas das casas de tratamento. ~ No séc. XX novos princípios arquitetônicos introduzidos na década de 1930 são aplicados e aparecem as grandes aberturas de vidro. [V. veneziana e vidraça. Cf. porta.] – Fr.: *fenêtre*; ingl.: *window*; alem.: *Fenster*; esp.: *ventana*; ital.: *finestra*. • **Janela basculante.** V. basculante. **Janela de cunhal.** A que avança sobre a fachada, como o *bow-window*. **Janela de guilhotina.** A que é dotada de caixilhos em geral envidraçados movimentados verticalmente. **Janela de sacada ou de púlpito.** A que se assemelha a uma porta dupla, e tem o peitoril apoiado em grades ou elementos vazados; estes são mais salientes do que o plano das ombreiras e se apoiam numa base em balanço. **Janela francesa.** Janela de duas folhas, em geral envidraçadas, que desce até o nível do chão e que funciona como porta, dando acesso a recinto exterior (sacada, balcão corrido ou terraço); tb. se diz porta-janela. – Fr.: *porte-fenêtre*; ingl.: *French window*.]

Japão. País insular da Ásia oriental, constituído por um arquipélago de relevo irregular, costas recortadas, lagos e numerosos vulcões; entre estes destaca-se o Fuji-Yama. **§ História.** Os vestígios culturais mais antigos remontam ao Neolítico e prendem-se às relações com a Coréia, muito próxima e, através dela, com a China. ~ A história do Japão se esboça associada ao mito da deusa Amaterasu (o Sol) cujo descendente teria fundado o império – o Império do Sol Nascente – no séc. VII a. C. ~ Já em tempos históricos, as crenças e tradições e os hábitos locais dão origem ao culto xintoísta de cunho conservador e nacional; no séc. VI o Japão recebe o influxo inovador dos princípios morais, religiosos e políticos do budismo. ~ Durante o **período Nara** (710-784), a corte, até então itinerante, se fixa na primeira capital permanente Heijo-Kyo ou Nara. Esse curto período é decisivo na história nipônica: acentua-se a influência da China (dinastia T'ang*), adotam-se as bases culturais, estuda-se a língua e a literatura, e a escrita chinesa é introduzida no país e adaptada ao idioma local. Sob o signo do budismo o país progride e se organiza estruturalmente; a corte conhece o esplendor. ~ **No período Heian** (794-1185), a corte muda-se para Heian-Kyo, atual Kyoto. A casa imperial é fortalecida num clima de lutas, o budismo continua a se expandir. Com o xogum Yorimoto, se estabelece o **período Kamakura*** (1192-1338) seguido do **período dito "de Morumashi"** (1338-1573), com forte governo militar e crescente poderio dos *daimios* (senhores feudais); os guerreiros (*samurais*) eram vinculados por votos de lealdade aos senhores e o código de ética impunha fidelidade até a morte e a prática do *haraquiri*. Paralelamente as cidades começam a se desenvolver em negócios e atividades bancárias. ~ Em 1542 o Japão é visitado pela primeira vez pelos europeus (portugueses) que ali introduzem o cristianismo e as armas de fogo; não são abandonadas, porém, as artes marciais do tiro ao arco e da espada. ~ No **período Tokugawa** (1600-1867) a capital é transferida para Edo, atual Tóquio (séc. XVII) e o governo é centralizado administrativamente; o xogunato torna-se autoritário para assegurar a estabilidade do regime ameaçado externa e internamente. Os europeus estabelecem as Companhias das Índias Orientais (holandesa e inglesa); o cristianismo se alarga com os jesuítas portugueses e, mais tarde, com os franciscanos espanhóis. Como conseqüência, dá-se forte repressão. O Japão se fecha a qualquer influência estrangeira e os japoneses são proibidos de sair do arquipélago. ~ Só no séc. XIX o país se abre ao comércio com o Ocidente e em 1856 chega a primeira missão comercial norte-americana. ~ O **período Meiji** se inicia em 1867 e vai caracterizar o Japão moderno. **§ Artes.** Nascem nos últimos séculos antes da era cristã e, como ocorria em todo o Oriente, não havia distinção entre artistas e artesãos. ~ A *cerâmica* vai determinar as primeiras manifestações culturais, e as jazidas arqueológicas revelam, já no séc. III a. C., peças relativamente complexas na decoração e nas formas. No correr dos séculos o *grés** é livremente modelado com vitrificação de colorido brilhante, segundo modelos chineses. As artes decorativas vão encontrar na cerâmica sua expressão natural. Destaca-se, a partir do séc. XII, a cerâmica de Seto com finalidades rituais, uma vez que o vasilhame doméstico era de madeira ou de laca. Multiplicam-se os fornos e as características japonesas se distinguem das chinesas pela decoração livre (às vezes uma flor, uma caligrafia). ~ Na cerimônia do chá*, as tigelas, as bandejas, os incensórios são muito simples, pesados, com acabamento rústico em nada semelhante à requintada cerâmica chinesa. No séc. XVI surge o ideograma *raku* que vai identificar a sua mais famosa variedade. Desde que, no séc. XIX, os objetos da cerimônia do chá foram conhecidos no Ocidente, eles exerceram influência na cerâmica artística ou industrializada. ~ A arte da porcelana foi praticada a partir do séc. XVI e desenvolveu-se como indústria no séc. XVII, sendo exportada para a Europa. No séc. XVIII as peças chamadas *Oranda* (de Holanda) imitam a porcelana de Delft*. No séc. XIX, os japoneses fizeram, para exportação, peças especiais de porcelana fina por vezes de gosto duvidoso, enquanto no mercado interno mantinham a tradição de simplicidade e elegância. ~ Mestres na arte dos ***metais***, os japoneses trabalharam especialmente o ***bronze*** (armas, espelhos, campainhas) haurindo seus conhecimentos dos artistas chineses do período Han. A partir do séc. II o ferro foi introduzido com outros elementos da cultura continental. No período Nara, mosteiros e templos abrigam esculturas de bronze e de madeira que substituem as figuras de barro; destacam-se as grandes estátuas de Buda (Nara, séc. VIII e Kamakura, séc. XIII). No séc. XVII, peças rebuscadas de bronze dourado e esmaltado são feitas para os ricos potentados: os sabres (*katana*) e suas guardas trabalhadas, as armaduras, as lanternas. ~ A ***madeira***, abundante no país, é habilmente aproveitada em utensílios domésticos e em esculturas e objetos diversos e, de seu uso, decorre o desenvolvimento da arte da ***laca***, trabalho minucioso e lento. As primeiras lacas têm fundo preto, depois aparecem as vermelhas, as douradas, as aventurinas com camadas de ouro de diferentes tonalidades e por fim as gravadas e incrustadas com burgau; os temas são estilizações da natureza. ~ As outras artes abrangem, ainda, as máscaras (a partir do séc. XV), os marfins; na arte popular são notáveis os ex-votos (*e-ma*) e as figuras de proa. ~ As ***artes visuais***, até o período Nara, se processam segundo técnicas e modelos chineses, mas nas figuras já se vai acentuando uma concepção de rosto puramente nipônica, como nas máscaras policrômicas e nos retratos em baixo-relevo. A arte clássica japonesa prende-se à literatura e à religião, e vai assumir características próprias por volta do séc. X. ~ As imagens de Buda dos sécs. VI e VII são ainda de madeira, enquanto os chineses já trabalham a pedra e o bronze. O escultor Jocho (séc. XI) cria uma concepção de Buda que vai marcar a ***escultura religiosa*** até o séc. XIX, e os diversos personagens do panteão budista têm posturas menos formais. A tendência realista se alterna com as formas hieráticas. ~ As cores intensas da ***pintura religiosa*** são realçadas pela aplicação de folhas de ouro (*kirikane*). Na ***pintura profana***, com a escola de Kasuga, inicia-se o ***Yamato-e*** (séc. XIII), pintura narrativa, realista com enfoques puramente japoneses; acompanham-nas as primeiras inscrições. No mundo conturbado dos sécs. XIV a XVI a arte se recolhe aos mosteiros zen onde é posta em prática a aguada* monocromática, que vai influenciar toda a pintura posterior. Continua a florescer o ***Yamato-e***; são paisagens e personagens acompanhados de textos de poemas e, no séc. XVII as artes se laicizam, incentivadas por ricos comerciantes e mercadores. Pintam-se cenas da capital Edo, mulheres, samurais, paisagens, em rolos de papel e biombos*. ~ No final do séc. XVII cria-se a pintura de costumes, o ***Ukiyo-e**** e, a fim de atingir um público mais vasto, os mestres adotam a técnica da xilogravura*. As estampas chegam a ser feitas em três cores e alcançam alto teor artístico. O gênio da síntese caracteriza os grandes artistas, e vai definir essa requintada arte com mestres como Hishikawa, Haronobu, Hokusai, Hiroshige. § Na ***arquitetura***, sobressaem os beirais avançados dos templos xintoístas e, nos recintos sagrados, a simplicidade do *torii*, portão cerimonial e simbólico de forma característica. ~ No séc. VI, com a introdução do budismo prevalece a influência da China. Os templos e castelos com plano simétrico, estruturas sólidas e linha marcada dos telhados. Entre os sécs. IX e XIII as fórmulas chinesas vão adquirindo características locais, os templos são menores, a decoração rebuscada, sob influência zen, operam-se simplificações. A linha ritmada dos telhados permanece nos edifícios públicos. ~ As leves habitações mantêm os modelos tradicionais, nos interiores aparece o *toko-no-ma**, valoriza-se o *ikebana**; pouco a pouco se elaboram formas funcionais, integradas ao exterior e a casa adquire traços de simplicidade e leveza que irão marcar a arquitetura e a decoração orientais do séc. XX. ~ O *jardim** complementa a casa; é composição elaborada à maneira de uma pintura de paisagem, e suas formas sobrevivem até hoje. § Por tradição, os japoneses não têm praticamente **mobiliário**: finos colchões que se enrolam servem de cama, esteiras cobrem o chão, almofadas servem de assento, mesas baixas são utilizadas, cofres e biombos guarnecem os cômodos divididos por painéis movediços decorados com pinturas em seda. Emprega-se a laca nos móveis e nos objetos. ~ As sedas bordadas e estampadas (com blocos de madeira), ao lado do *batik** e do *pochoir** nos tecidos de algodão, têm emprego doméstico, além de se integrarem ao vestuário de rara originalidade. § Se, por um lado, o antigo homem nipônico absorveu formas e técnicas de povos vizinhos, por outro concentrou seu talento em aperfeiçoar e adaptar com gênio os elementos da cultura chinesa e coreana. Dependentes do continente asiático até 1868, os japoneses se ajustaram rapidamente à importação de ideias e técnicas ocidentais. § O senso estético a um tempo minucioso, delicado e dinâmico na assimetria e equilibrado na concisão das formas causou verdadeiro impacto nos artistas europeus do final do séc. XIX através da difusão das estampas japonesas. ~ Deve-se observar que, desde os primórdios, o Japão se manifestou, nos trabalhos artísticos, o sentido de adequação das formas ao fim desejado. ~ No séc. XX, a influência da filosofia zen tem indicado novos rumos à arte, à decoração, à arquitetura ocidentais: materiais simples e naturais, com um mínimo de cores e um máximo de textura, número reduzido de acessórios, valorizando, simbolicamente um belo objeto ou um arranjo floral, agem como antídoto para a tensão da vida moderna. [V. inro, laca, netzuke e ukiyo-e. Cf. China, *japonaiserie*, Coreia e Oriente-Ocidente.]

japonaiserie. [Fr.] *s. f.* Certo tipo de decoração inspirada em motivos e formas correntes na arte japonesa. § Ocorre discretamente na Europa a partir do séc. XVII, quando a porcelana e a laca japonesas passam a ser importadas sobretudo através da Holanda, único país a manter comércio com o império japonês, fechado ao intercâmbio com o exterior. Talvez devido a esse isolamento, o Japão não marcou, de início, as artes decorativas ocidentais com a mesma atração provocada pela arte indiana ou com o impacto do exotismo e do requinte chinês logo traduzido pela presença maciça de *chinoiseries*; mas enquanto esta decoração se extingue no séc. XIX, a inspiração japonesa nasce livremente em diferentes campos e épocas. Nos sécs. XVIII e XIX os motivos de decoração das porcelanas Arita* (flores, figuras e outros que lembram os ricos brocados dos quimonos) são reproduzidos com sucesso pelas manufaturas europeias (Delft*, Derby*, Minton*, Spode*, Worcester*). ~ Mas o Ocidente só se conscientiza dos méritos artísticos do Japão depois da abertura do país ao comércio, no séc. XIX. As primeiras exposições tornam conhecidas as estampas em madeira cujas figuras e motivos florais, apresentados em composições inéditas para o formalismo europeu, irão influenciar e inspirar fortemente os pintores impressionistas (v. *ukiyo-e*). Artistas vidreiros tentam com êxito fazer decorações de linhas leves à moda japonesa. Tecidos, papéis de parede, vasos ostentam desenhos assimétricos (bambus, ramos de

Japonaiserie - Par de vasos de vidro opalinado com decoração de influência japonesa.
(França - 1879 - alt. 40cm)

cerejeira, crisântemos) tais como aparecem nas estampas. Os objetos de laca, os *inro**, os *netsuke**, os leques, os tecidos tornam-se objetos de coleção ou da preferência popular. A arquitetura e o mobiliário, despojados, claros, e tranquilos marcam novas tendências do começo do séc. XX. A cerâmica *raku**, com sua aparência intencionalmente rude e vitrificação escura, dá novos rumos aos oleiros europeus. ~ O *ikebana** modifica a concepção dos arranjos florais, até então clássicos ou românticos; um novo simbolismo, a valorização de cada haste, de cada flor expressam o caráter intimista e interiorizado das decorações japonesas. [Cf. Japão e *chinoiserie.*]

jardim. *s. m.* Terreno em geral cercado, no qual as áreas não ocupadas por construções são planejadas para fins decorativos ou de lazer. ~ O jardim é elemento vivo sujeito à vontade do homem e às mutações da natureza. Sua composição reflete com particular expressividade as tendências culturais e estéticas de uma sociedade. § O Velho Testamento já nos diz que "Deus plantou um jardim em Éden e aí colocou o homem que modelara". (Gênesis, 2). Nos tempos históricos, sabemos dos "jardins suspensos" de Babilônia e, no Egito, tem-se notícia de jardins construídos com simetria e rigor. ~ Nas residências romanas, eles seriam fechados em pátios, porém, nas vilas construídas para o patriciado, eram amplos e cuidadosamente planejados em locais escolhidos pelo clima e pela paisagem. ~ Na Idade Média, a arte dos jardins cabe aos povos islâmicos que seguem a tradição dos antigos jardins do Oriente Próximo: são fechados, com sombra e água corrente; lagos retangulares e repuxos convidam ao lazer, à sensualidade. Na Espanha mourisca, alguns jardins, como o *Generalife* em Granada (séc. XV), além da abundância de água, das flores e de um belo traçado, têm sebes altas, verdadeiros compartimentos talvez reservados às concubinas. ~ No mundo cristão, reminiscências dos jardins romanos se projetam nos claustros – jardins interiores com seus poços, suas ervas medicinais, suas flores envasadas, seus caminhos bem delineados. Miniaturas e tapeçarias *mille fleurs** revelam, no fim da Idade Média, a vida cortês ao ar livre, os jardins com árvores frutíferas, pequenos animais – são as *verdures**. ~ No séc. XVI, na Itália, por influência dos sarracenos da Sicília, vigora a "arte dos jardins" em composições paisagísticas. Os jardins se aprimoram na Europa da Renascença*: valoriza-se o gosto pela perspectiva e pela simetria, a natureza é sujeita às leis da arquitetura (até mesmo nas formas dadas às plantas), os canteiros são desenhados lembrando ricos veludos e brocados, as estátuas e grandes ânforas são copiadas de modelos helenísticos, a água é abundante nos diferentes jorros das fontes (como na *Villa d'Este* em Tivoli, com aproveitamento de planos diversos). ~ No séc.. XVII, o **jardim italiano** transposto para a França transfigura-se graças ao gênio de Le Nôtre* (Versalhes). Procura-se obter cenários mais vastos jogando com a perspectiva profunda ao longo de um eixo principal e outro transversal cuja geometria é marcada pelos espelhos-d'àgua e por linhas de árvores submetidas a uma poda retilínea. Essa concepção já se associa ao dinamismo do Barroco dos repuxos cientificamente planejados. O mesmo espírito barroco está nas bordas verdes de formas caprichosas que encerram as *broderies* ('bordados') – curvas e volutas armadas com plantas de coloridos diversos (as vistas aéreas atuais mostram e valorizam o rigor e a elegância dos traçados desses jardins e a beleza da combinação racional de arte e natureza). O **jardim francês** com seus amplos espaços é acolhido e adotado nas opulentas cortes europeias. ~ No séc. XVIII tem-se, ainda na fase barroca, as formas exuberantes em que dominam o exótico e o estilo Rocalha*. Nesse século, porém, pela oscilação natural de gostos e tendências, ao formalismo clássico e barroco vai se opor a liberdade dos jardins chineses recentemente conhecidos. O pitoresco, o rústico alimentam a fantasia dos aristocratas franceses do fim do séc. XVIII (Maria Antonieta constrói uma pequena fazenda em Versalhes; os nobres comprazem-se disfarçando-se de pastores). ~ **Nos jardins ingleses**, é banido todo o rigor e o homem toma consciência da natureza. Os jardins de William Kent*, aparentemente irregulares, criam um ritmo na assimetria: as árvores crescem em suas formas naturais, lagos artificiais estendem-se em curvas livres, atravessados por pontes e, nas suas margens, surgem quiosques, pagodes*, ruínas medievais, que já prenunciam o Romantismo; também há lugar para o colorido rico das flores, para árvores isoladas ou agrupadas em bosques. ~ Mas, no séc. XIX, o pitoresco dos jardins ingleses se transforma em extravagância, com elementos insólitos, plantas exóticas importadas de outros climas; o jardim passa a ter muitas vezes um enfoque "botânico", e as estufas despertam particular interesse. ~ Só pouco antes do início do séc. XX a arquitetura volta a ser associada à natureza e, na Exposição das Artes Decorativas de Paris, em 1925, a seção de jardins é um marco a que até hoje recorrem os paisagistas. § No Extremo Oriente, o *jardim chinês* é, tradicionalmente, composição simbólica e intimista; evoca harmoniosamente os aspectos de uma paisagem com lagos, pedras, árvores, recantos que convidam à meditação e ao convívio. Através da Coreia, a cultura chinesa atinge o Japão. ~ O jardim japonês, a partir do período Heian (séc. VIII) é uma versão ritualista e estilizada do jardim chinês. Modesto ou aristocrático, não perde de vista o princípio de associar formas que se completam; não raro de pequenas dimensões, apresenta um lago estreito e longo com uma ilha e uma elevação representando o monte Fuji; as variações decorrem do uso das plantas, das árvores e das pedras. A disposição e o número desses elementos visam a recriar simbolicamente a natureza e não a imitá-la. ~ Os jardins das casas de chá são submetidos a regras capazes de criar uma atmosfera espiritual aos participantes que o percorrem antes de iniciar a cerimônia. ~ O fato de transpor a paisagem natural para uma escala de jardim, levou os japoneses a construir jardins em miniatura, feitos em bandejas, com lagos, ilhas, pontes e até mesmo árvores, os *bonsais**. § Os jardins japoneses influenciaram o paisagismo ocidental do séc. XX, quando, paralelamente à arquitetura, o planejamento de jardins evolui e demonstra maior interesse pela preservação da natureza e pela criação de áreas verdes, sejam elas parques públicos ou jardins particulares. Abandona-se o "arrumado" pelas formas mais espontâneas; decoração e paisagismo são extensões da casa. Ao contrário dos jardins oitocentistas, feitos para serem vistos da rua, os atuais caracterizam-se pela privacidade; a visão é limitada por muro, grade, cerca viva, mas é enriquecida por caminhos, bancos, desníveis, árvores especiais, esculturas, um laguinho, uma piscina. Seguem um plano, ora formal e ordenado, ora rústico ou tropical, com alguns elementos permanentes como a grama (ou outras plantas capazes de recobrir superfícies), as árvores, os arbustos, as trepadeiras, ou ainda plantas nativas; entre esses elementos, distribuem-se outros como as flores de estação ou outras vivazes. ~ Nas casas de campo e praia, as possibilidades de ajardinamento se ampliam de acordo com a área, o clima, a topografia e a própria paisagem. *Rock gardens**, lagos com plantas aquáticas, gramados, horta, estufa, pomar e, sempre que possível, o exemplo dos orientais: em cada recanto um motivo de fruição para os olhos e para o corpo. §§ No Brasil colonial, o jardim não parece ter despertado interesse. As cidades tinham casas de parede-meia; as habitações populares, e até mesmo os solares, eram de frente de rua. Nas fazendas não havia requinte e as áreas externas eram tratadas utilitariamente. ~ Nas últimas décadas dos oitocentos, porém, muitas moradias urbanas da classe média já têm algum terreno, os jardins são pitorescos, coloridos e perfumados, com canteiros, alamedas, às vezes um carramanchão e até uns anõezinhos bem europeus. ~ Hoje os jardins urbanos são entregues a paisagistas e, esteticamente, se integram na arquitetura quer dentro do projeto de edifícios, quer nas residências particulares e condomínios. [Cf. flor e paisagismo.]

jardim de inverno. *s. m.* Nos climas frios e temperados, parte da casa, geralmente envidraçada e espaçosa, dotada de móveis confortáveis (muitas vezes de vime, com estampados alegres), e cuja luminosidade permite a presença de plantas ornamentais, mesmo no inverno. ~ No séc. XIX, desenvolveu-se um gosto pelas plantas exóticas, e seus tons verdes frequentemente complementavam vitrais coloridos nas moradias apalacetadas de meados do século e do *Art Nouveau**. [Cf. jardineira.]

jardineira. *s. f.* Qualquer caixa ou outro recipiente construído com os requisitos para receber terra e possibilitar o cultivo de plantas ornamentais de pequeno porte. Pode ser de alvenaria, conjugado a janelas ou sacadas, ou apresentar-se sob forma de móvel especialmente desenhado para conter plantas envasadas regularmente renovadoras. ~ Este último, *jardineira de interior*, passa a fazer parte do mobiliário fino na segunda metade do séc. XVIII, é geralmente mesa circular ou poligonal, às vezes de dois andares, conhecida na França como *table à fleurs* (mesa para flores). ~ Nos interiores império a jardineira era peça importante na decoração e, modelos diversos integraram posteriormente os vários gêneros de mobiliário oitocentista, com vegetação de estufa, em especial palmeirinhas. Na época vitoriana surgiram os sofás circulares com dispositivo para plantas no centro. Jardineiras baixas, mais ou menos longas, encostadas à parede, algumas com espelhos altos, decoravam salas e vestíbulos. Nos salões, nos jardins de inverno, nos terraços, as plantas eram elementos de decoração obrigatório. Nas movimentadas linhas dos interiores *art nouveau*, plantas e flores se esquadravam no próprio espírito decorativo de estilo. ~ Da década de 1920 em diante, com a moderna arquitetura e o mobiliário funcional, adotaram-se jardineiras de alvenaria incorporadas à construção, e que atuam, não raro, como divisórias; as grandes janelas envidraçadas permitem, generosamente, a passagem da luz. Vasos* e cachepôs* de diversos tipos, com plantas de interior, compõem "pequenos jardins" em salas e varandas. ~ Processos inovadores permitem que, ocasionalmente, plantas desidratadas possam substituir as plantas vivas nas jardineiras de recintos públicos ou ambientes particulares. ~ A *jardineira exterior*, de alvenaria, construída ao longo das janelas e sacadas, funciona como canteiro para flores ou outras plantas e dá vida e colorido às fachadas.

jarra. *s. f.* Vaso decorativo, aberto, próprio para o arranjo de flores. [Cf. vaso.]

jarrão. *s. m.* Vaso decorativo de porcelana ou cerâmica, aberto ou com tampa, e que tem dimensões avantajadas. A maioria tem forma de balaústre. [V. vaso.]

jarro. *s. m.* Tradicional recipiente provido de uma asa e de bico, que se apresenta em diferentes materiais, formas, tamanhos e decorações, e que se destina a conter água ou outro líquido. É normalmente aberto, mas certos exemplares têm tampa presa ao corpo, dotada de charneira. Tem sido usado tanto para servir bebidas como para abluções (neste caso acompanhado de bacia). ~ Seu perfil, ora bojudo, ora piriforme, ora cônico, ora cilíndrico, tende a ser alongado; quando o bocal é mais amplo que o corpo, a forma do jarro lembra, muitas vezes, o capacete dos guerreiros da Antiguidade (ingl.: *helmet shape*). ~ O bico por onde escoa o líquido pode ser bem pronunciado ou simples depressão na borda. ~ A asa é construída de modo a oferecer firmeza à mão de quem serve; em geral prende-se pelas extremidades à superfície do jarro. Nas peças da Renascença* aparece em elaboradas curvas antropomórficas; em outras (como, p. ex., em certos gomis da prataria luso-brasileira), encontra-se a chamada *asa perdida** (fr.: *anse-perdue*) que é presa apenas pela parte inferior, apresentando na parte livre elegante voluta. § Os jarros para servir água ou uma bebida, de prata, cristal, vidro, cerâmica, etc. parecem ser de uso antiquíssimo; sempre figuraram à mesa tanto de palácios como de gente simples. ~ Desde a Idade Média era costume, nos banquetes e às refeições em geral, virem os criados derramar água sobre as mãos dos comensais; um pequeno jarro era acompanhado de uma baciazinha com os mesmos motivos de decoração. § A Igreja também adotou o jarro para certas cerimônias litúrgicas, e abriram-se oportunidades para a execução de obras de grande valor. [V. bacia. e v. tb. prata (ilustr.). Cf. galheta e gomil.] – Fr.: *broc, aiguière*; ingl.: *jug, pitcher, ewer*; alem.: *Wasseekanne*.

Jarro bojudo de cerâmica Sunderland, com inscrições. Apresenta numa face desenho relativo à guerra da Criméia e na outra cena de embarque de marinheiros. Barras finas de luster rosa.

(Inglaterra, Staffordshire - séc. XIX - alt. 20cm)

guarnições de metal. ~ O jaspe negro, bem como a ardósia negra, são empregados pelos joalheiros como pedras de toque para avaliar a pureza do ouro e da prata.

jasperware. [Ingl.] V. Wedgewood

Jensen, Georg (1866-1965). Prateiro dinamarquês, criador do estilo que leva seu nome. Com apurado *design*, as baixelas, os serviços de chá, os talheres* são lisos, simples e elegantes e, ao mesmo tempo, sólidos e equilibrados. As facas apresentam lâminas curtas, os garfos dentes separados e também curtos. O vasilhame tem aspecto acetinado graças ao processo do tratamento da prata. A firma de Jensen, com sede em Copenhague, vem mantendo sempre o mesmo padrão de qualidade. [V. prata.]

jequitibá. *s. m.* Madeira resistente largamente usada em carpintaria, extraída do jequitibá-rosa (*cariniana estrillensis*), majestosa árvore que ocorre no litoral brasileiro da Bahia até S. Paulo e na região de Minas. É madeira rosada, de talho macio e superfície levemente áspera. [V. madeira.]

jirau. *s. m.* Estrado rústico feito de ripas de madeira que repousam, em geral, sobre forquilhas presas no chão, e que era usado pelos indígenas do Brasil à época do descobrimento. O português, adaptando-se à nova terra, adotou os hábitos dos naturais e incorporou o jirau ao singelo mobiliário de que dispunha. Nas moradias, ao lado da rede, esse estrado simples, coberto de palha, servia de cama no primeiro século de colonização. O mesmo modelo passou também a ser construído acima do fogão para defumar carnes ou preservar certos alimentos da umidade. ~ Depois, a palavra passou a designar qualquer armação sobre varas, prateleiras profundas e a meia altura, ou ainda a armação sobre estacas para resguardar o soalho em terras alagadiças. // P. ext. Tipo de construção de madeira formando plataforma elevada num cômodo de pé-direito alto e à qual se tem acesso por uma escada. É solução para aumentar a área utilizável em certas lojas e oficinas, e funciona também como dormitório, escritório, depósito, etc. Suportado porcolunas, paredes, consolos ou por

Jarro de porcelana com corpo hexagonal e asa decorada em relevo. (alt. 19cm)

Pequeno jarro de porcelana com bacia, para lavar as mãos à mesa. (séc. XIX - alt. 14cm)

jaspe. *s. m.* Variedade de quartzo opaco de diversas cores (verde escuro, vermelho acastanhado, amarelo e, mais raramente, azul ou negro). Originário da Índia, é muito procurado desde a Antiguidade para utensílios, joias, objetos de adorno. Essas peças são muitas vezes montadas com tirantes presos às vigas do teto, presta-se para soluções práticas e decorativas.

joanino. *adj.* Relativo a D. João V, rei de Portugal (1706-1759) ou ao estilo que vigorou em seu reinado. [V. Dom João V.]

joelheira. *s. f.* No mobiliário, o mesmo que joelho.

joelho. *s. m.* A parte mais saliente das pernas dos móveis, em curva e contracurva, que aparece especialmente em peças do séc. XVIII e suas cópias. [V. *cabriole leg*, Dom João V, Dom José I.]

Jones, Inigo (1573-1652). Arquiteto, pintor e desenhista inglês, destacou-se por suas atividades múltiplas e é considerado o fundador da arquitetura clássica na Inglaterra dentro da tradição palladiana. [V. jacobino e Palladio.]

jônico. [Do top. Jônia, região da Ásia Menor.] *adj.* Relativo ou pertencente à ordem jônica, na qual as colunas possuem capitéis ornamentados com duas volutas que lembram os chifres de um carneiro. [V. ordem e coluna.]

Jugendstil. [Alem., de *Jugend* 'juventude' + *Stil* 'estilo'.] Na arquitetura e nas artes decorativas, ramificação do *Art Nouveau* que floresceu na Alemanha nos anos que precederam e sucederam a virada do século XIX. O estilo deve o nome à revista *Die Jugend*, de Munique, difusora e defensora dos novos princípios estéticos. O *Jungendstil* teve uma primeira fase orgânica, naturalista, voltando-se, mais tarde, para as concepções de *design* mais sóbrias influenciadas por Van de Velde* e pelos artistas da *Secession* vienense. Merece destaque o trabalho dos arquitetos Joseph Maria Olbrich (austríaco) e Peter Behrens (alemão) na colônia de artistas de *Mathildenhohe* em Darmstadt. [V. *Art Nouveau* e *Secession*.]

junco. *s. m.* Designação popular de diversas plantas herbáceas lisas, delgadas e flexíveis provenientes de lugares úmidos e semelhantes ao verdadeiro junco originário do Sul da Ásia. É empregado na fabricação de cestas de diversos tipos de trançados usados em móveis leves e resistentes (no próprio corpo destes ou em seu revestimento). [Cf. cana-da-índia, *rattan* e vime.]

junta. *s. f.* Em arquitetura, carpintaria, marcenaria, etc., linha ou fenda que separa dois elementos justapostos, como, p. ex., o encontro de molduras ou os cantos de certos móveis. As juntas são, muitas vezes, escondidas por guarnições decorativas.

juta. *s. f.* Fibra resistente extraída da planta do mesmo nome, originária da Índia e entre nós cultivada na Amazônia. Essa fibra é excelente para fazer cordas e sacos para mantimentos e outras embalagens; emprega-se também na feitura de tapetes, tecidos rústicos, etc.

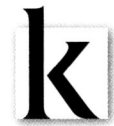

kakemono. [Jap.] *s.* No Japão, painel de seda ou de papel que consiste em delicada pintura a tinta, figurativa ou caligráfica; é pendurado à parede de um local a ele reservado, o *toko-no-ma**. Esse painel pode ser enrolado, e é costume trocá-lo quatro vezes por ano, sugerindo a mudança das estações. ~ A pintura em tiras que se enrolam, ora penduradas, ora abertas horizontalmente, descreve uma cena ou uma paisagem, e foi praticada na China e na Coreia, de onde passou ao Japão. [V. pintura - pintura em rolo.]

Kakiemon. [Antr. jap.] Porcelana japonesa fabricada a partir do começo do séc. XVII por Sakaido Kakiemon, artista e oleiro que criou um estilo próprio de decoração. As peças são de um branco leitoso com motivos de flores e figuras em tons vermelho-laranja, verde, azul e um pouco de amarelo, turquesa e ouro. Os elementos são dispostos de forma assimétrica e bem esparsos de modo a deixar transparecer o fundo; um dos motivos mais conhecidos representa duas codornas cercadas por folhagem estilizada. Os objetos com essas decorações, levados para a Europa pelos mercadores holandeses, influenciaram diversas fábricas de porcelana na Inglaterra, na França e na Alemanha. [V. Japão e porcelana.]

Kamakura. [Top. jap.] Período da história do Japão (1185-1333) muito rico na produção decorativa; as formas artísticas tendem ao realismo, e são feitas belas peças em metal, especialmente armaduras (a época é marcada por intensas lutas). ~ Distinguem-se também as peças em laca entalhada (*Kamakura-bori*) cuja produção se inicia no final do período numa técnica em que os desenhos, fundamente abertos na madeira, são revestidos de muitas camadas de laca a fim de obter o relevo desejado; o colorido é à base do vermelho e do preto brilhantes às vezes polvilhados de ouro ou contrastando com madrepérola incrustada. [V. Japão e laca.]

K´ang-Hsi. Imperador chinês. [V. Ch´ing.]

Karabagh. Tapete caucasiano da zona limítrofe com a Pérsia. É todo feito de lã (trama, urdidura e pelos). Os motivos são de inspiração ora persa ora ocidental (especialmente Aubusson*), mas com estilizações originais. Tem de 1.000 a 1.500 nós por decímetro quadrado. [V. tapete oriental - tapete caucasiano.]

Karadagh. V. Karadjah.

Karadjah. Tapete persa originário da região Tabriz. É feito com lã de excelente qualidade e apresenta-se quer em pequenas dimensões (em geral com medalhões geométricos, sendo os dois laterais da cor do campo e o central maior e de cor contrastante), quer sob forma de passadeira guarnecida com os mesmos medalhões que se sucedem, variando nos motivos e nas cores. O colorido é harmonioso e, na decoração, dominam o verde-escuro, o vermelho e o ocre. [V. tapete oriental - tapete persa. Cf. Tabriz.]

Karaman. Tapete turco proveniente da Anatólia; é durável e tem desenhos de inspiração caucasiana. [V. tapete oriental - tapete turco.]

Kashan. [Top. persa.] Tapete persa originário da cidade do mesmo nome, no Irã central, e de regiões vizinhas; é tradicionalmente conhecido pela excelente qualidade. ~ Exemplares dos sécs. XVI e XVII, alguns em seda, decorados com cenas de animais, encontram-se nos grandes museus de artes decorativas (Viena, Nova Iorque, Boston). ~ Da mesma região são provenientes tapetes do tipo *kilim* (tecido como tapeçaria) de excepcional delicadeza. ~ A produção foi suspensa depois da invasão afegane no séc. XVIII e, só no fim do séc. XIX, o artesanato renasceu. Em poucos anos graças à qualidade do material e da execução e à beleza do colorido e dos desenhos, os Kashans voltaram a ocupar um lugar entre os melhores tapetes persas. ~ O fundo dos Kashans modernos é cor de tijolo, azul escuro ou, no caso do *Kashan Pange Rangle* (cinco cores), cor de marfim. O número de nós vai de 2.000 a 6.000 por decímetro quadrado. [V. *kilim* e tapete oriental - tapete persa.]

Kashgai. Tapete persa da mesma região do Chiraz, e que apresenta, por isto, motivos semelhantes, mas tratados com estilizações mais minuciosas e delicadas. É feito pelas tribos nômades das aldeias próximas da antiga

Persépolis, com lã de alta qualidade; as cores são variadas, o pelo é fino e resistente. Tem maior densidade de nós que o Chiraz. [V. tapete oriental - tapete persa. Cf. Chiraz.]

Tapete Kasghai (parte).

Kashgar. Tapete oriental do Turquestão chinês. [V. Samarkand.]

kashmir. s. m. V. caxemira.

Kauffmann, Angelica (1741-1807). Pintora suíça radicada na Inglaterra e que se tornou conhecida como autora de originais pinturas murais em decorações do arquiteto Robert Adam. Seu estilo inspirou a pintura decorativa neoclássica na Europa. [V. Adam, Robert.]

Kazak. Tapete oriental proveniente da região central do Cáucaso executado por tribos seminômades. Sua principal característica é o aspecto linear do desenho, com motivos típicos rigorosamente esquematizados e de cores contrastantes. Os formatos e dimensões são versáteis, sendo mais correntes as medidas de 1,50 m x 1,70 m e 2,10 m x 2,40 m. ~ No campo, esses tapetes ostentam losangos, quadrados, retângulos, estrelas de oito pontas, rosáceas, figuras estilizadas; a barra é simples, característica dos tapetes caucasianos, tendo na faixa central uma sucessão de folhas recortadas, estrelas de oito pontas, flores e pequenas faixas em que aparece por vezes o motivo *running dogs**. • **Kazak Adler.** Tapete de medalhão que apresenta como motivo uma cruz com braços iguais, de cor escura, decorada com estilizações florais e circundada por uma espécie de barra de fundo branco que faz ressaltar a forma de uma águia (*Adler* 'águia' em alem.). **Kazak de medalhão.** Tem ao centro um grande octógono, em geral branco, que encerra, normalmente, um quadrado e é circunscrito por outro. **Kazak de medalhões múltiplos.** Apresenta losangos ornados com motivos idênticos em tons diferentes: é típico dos tapetes longos (1,70 x 4,00 m). **Kazak de motivos repetidos.** Tem uma série de octógonos com cerca de 20 cm, de cores que variam; são muitas vezes terminados por uma grega com desenho de *running dogs*. Essa decoração é encontrada em exemplares pequenos (0,70 x 0,90 m e 1,40 x 1,70 m) ou em tapetes muito longos. [V. tapete oriental - tapete caucasiano.]

Tapete Kazak. Acervo Museus Castro Maya - Rio de Janeiro (Cáucaso, final do séc. XIX - 185 x 115 cm)

Kent, William (c. 1686-1748). Pintor, arquiteto e paisagista inglês de talento versátil. Foi dos primeiros a se interessar pela decoração de interiores para a nobreza britânica, dentro dos princípios clássicos. [V. jardim.]

Kenzan[1.] (1663-1743). Cognome de Ogata Shinsei, ceramista japonês cujas peças caracterizam-se por um especial revestimento branco e leve, e pela ousadia do desenho: poucas pinceladas em marrom com preto, azul e branco (paisagens nevadas, pinheiros e bambus com flocos de neve); as decorações florais são mais ricas, com esmalte coloridos. A tradição Kenzan – como a de outros notáveis ceramistas japoneses, passa do mestre para o discípulo e perdura até hoje. [Cf. cerâmica e kenzan[2].]

kenzan[2].[Jap.]. *s.* Suporte de flores de metal pesado, dotado de muitas pontas afiadas, destinado a manter as flores erectas ou a fixá-las com a inclinação desejada. É possível que esta designação venha do ceramista Ogata Kenzan. [V. *ikebana*. Cf. Kenzan[1]]

kharsiang. [Pal. persa 'caranguejo'.] Motivo de tapete oriental com desenho de flores estilizadas lembrando um caranguejo com as patas estendidas.

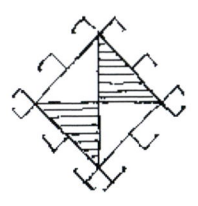

Khorasan. Tapete persa proveniente da província do mesmo nome, da região oriental do Irã. O célebre motivo *herati* originou-se nesta localidade e constitui a decoração principal do Khorasan; nos antigos tapetes, ele aparece muito repetido em toda a superfície, formando uma espécie de grade. As bordas constam de uma faixa principal com *heratis*, entre outras mais estreitas com rosáceas e *botehs**. Os Khorasans são tapetes muito bonitos e brilhantes, de pelo curto. Podem ser reconhecidos pela característica de fabricação: no avesso, a intervalos, uma linha mais clara. O colorido varia segundo a proveniência: no sul, mais vivo, predominando o laranja e nas outras regiões cores mais sombrias. Os Khorasans modernos têm motivos florais e animais estilizados. [V. *herati* e tapete oriental - tapete persa.]

kilim. Designação comum a certo tipo de tapetes rasos (sem pelo) cuja técnica é prender aos fios da urdidura os fios coloridos da trama, com auxílio de agulha ou laçadeira. Ao contrário do que acontece com os tapetes de nós, a trama fica perfeitamente visível, e os tapetes não têm avesso. Desse trabalho, que exige grande habilidade, resulta um tecido caracterizado por pequenos espaços verticais que ocorrem nas mudanças de cor. Devido ao tamanho dos teares, certos tapetes maiores são unidos por emendas. § No Oriente, os *kilim* foram (e são) tecidos na Anatólia (Turquia), no Cáucaso e na Pérsia (Irã) e em outras regiões da Ásia Central. Cada variedade adota, em geral, os desenhos e cores próprios das localidades de onde provêm. Exemplares raros, de seda, foram executados na Pérsia ocidental e datam dos sécs. XVI e XVII. ~ Modernamente, os *kilim* turcos são leves, de textura áspera e boa lã, com motivos geométricos de cores brilhantes; muitos têm terminação de franja. ~ Os caucasianos são considerados os melhores pela qualidade da lã e pela densidade, e também têm motivos geométricos de cores contrastantes; entre eles os Chirvan* são reconhecíveis pelas listas que percorrem a largura do tapete e separam os desenhos, e por serem pesados e tecidos numa só peça. ~ Os tapetes *kilim* foram utilizados pelos povos do Oriente como cobertas e, segundo o costume, eram vendidos a peso. Mereceram, até certa época, pouca atenção no Ocidente; depois passaram a ter cotação internacional. § Porque os *kilim* são *double face* e menos resistentes que os tapetes de pelo, exigem cuidados quando usados no chão. § A designação *kilim* estende-se a outros tapetes feitos com a mesma técnica. No artesanato dos Bálcãs encontram-se belos exemplares e neles nota-se a influência dos tapetes caucasianos e turcos. [V. Kashan, Seneh e Soumak e tapete oriental. Cf. kylin.] // Tb. se chama *kilim* o tecido feito com naveta e em geral de cor lisa, que serve de acabamento nas cabeceiras de certos tapetes orientais. [V. tapete oriental - execução e acabamento e tecelagem.]

Tapete Kilim persa (parte).

Kirman. Tapete persa originário da cidade do mesmo nome, situada numa região desértica do sul do Irã. É tapete de rara qualidade, de pelo médio ou curto. Apresenta grande variedade de desenhos harmoniosamente dispostos e de colorido rico (os mais antigos têm coloração mais suave). ~ Devem a reputação à habilidade de seus desenhistas que associam arte e tradição; alguns desenhos são notáveis pela suntuosidade. Os motivos florais ora apresentam-se como medalhões destacando-se do fundo liso, ora com as flores distribuídas pelo campo; nos tapetes dos sécs. XVI e XVII aparecem os belos motivos do "vaso de flores" e do "jardim". Certos exemplares imitam as finas encadernações antigas do Alcorão e trazem inscrições; outros, mais recentes apresentam até retratos de personalidades. ~ A partir do séc. XIX esses tapetes tornaram-se uma importante indústria da Pérsia com enorme riqueza de desenhos e de cores, incluindo-se mesmo motivos de influência europeia. Os persas deram-lhes denominações especiais como *Kirman Laver* para exemplares escolhidos ou *Kirman Xá* indicando conotação real. ~ O número de nós desses tapetes é de 2.500 a 4.900 por decímetro quadrado, e eles se distinguem por quatro níveis de qualidade: 70, 80, 90 e 100. [V. tapete oriental - tapete persa.]

kitsch. [Pal. alem. que deriva, segundo Abraham Moles, do verbo *kitschen*, 'vender coisa de pouco preço', 'vender barato', do dialeto bávaro.] Manifestação que, nas diversas formas da arte e do comportamento humano, caracteriza-se, de modo geral, por ser típica do gosto do consumidor mediano, e produto da civilização ocidental. Valoriza o convencional, o sentimental, o decorativo fora de moda, o muito enfeitado. Não se pode definir o *kitsch* como um estilo, mas antes como uma ausência dele. Aparece em todas as áreas, inclusive na literatura e na música; na arquitetura e na decoração, revela-se em interiores e fachadas sobrecarregados (especialmente de inspiração do Rococó* e do *Art Nouveau**). § Nos interiores, o ambiente *kitsch* é uma combinação heteróclita de mobiliário de estilo, de objetos de adorno e bibelôs, de *souvenirs*, de peças de artesanato, etc., sem critério determinado e sem visão funcional do conjunto; a imitação de materiais tidos como nobres (mármore, madeira, bronze), os laminados plásticos, os objetos pseudo *Art Nouveau*, são característicos do *kitsch*. As reproduções ou cópias de quadros "célebres", a pintura acadêmica sem conteúdo ou de assunto convencional são outros tantos elementos das infinitas fontes que abastecem um ambiente *kitsch*. ~ O *kitsch* não é identificável apenas em peças individualizadas (um adorno, uma roupa, uma música), mas em situações ou atos (como o folclore para turistas ou a compra de contrafações tomadas como arte), em certo tipo de publicidade falsamente sofisticada, em ideias feitas a respeito de lugares e paisagens, de arte em geral, de "cultura" de massa. § O *kitsch* é fenômeno típico da sociedade de consumo, mas vale dizer que o que existe nele de múltiplo, de extravagante, de falso, de sem gosto mesmo, não exclui um aspecto divertido, chistoso, que atrai, por vezes, pessoas bem informadas cultural e artisticamente, e que buscam a originalidade e o imprevisto. [Cf. ecletismo e pastiche.]

Klint, Kaare (1888-1954). Arquiteto e *designer* dinamarquês. Um dos iniciadores do chamado estilo escandinavo, foi dos primeiros a se preocuparem com a ergonomia* relacionada ao mobiliário. Concebeu móveis de madeira, simples, práticos e sólidos; a beleza destes depende em grande parte da textura da madeira (polida e encerada, mas não envernizada), e da excelência da construção. [V. Escandinávia.]

Knole. [Top. ingl.] Sofá estofado, de encosto e braços da mesma altura e articulados; os braços podem ficar retos ou inclinados e são presos ao encosto por um cordão. Conhecem-se exemplares do séc. XVII, originais de *Knole Park* (Inglaterra), e que têm sido copiados subsequentemente naquele país e na Itália. [V. sofá.]

Knoll Associates. Firma norte-americana de desenho e fabricação de móveis fundada em 1938. Com muitas subsidiárias em diversos países, tinha por fim criar um "estilo clássico contemporâneo" adaptado à arquitetura moderna pela comercialização dos desenhos dos principais arquitetos e *designers*. A firma teve um grande impulso com Florence Schust Knoll, *designer* e arquiteta que passou a dirigi-la em 1955 e trouxe a contribuição de artistas como Saarinen*, Mies* e Bertoia*. [V. mobiliário.]

Konya. Antigo tapete turco proveniente da cidade do mesmo nome, e cuja tradição na arte dos tapetes de nós parece datar do séc. XIII, tendo sido mencionado pelo viajante italiano Marco Polo (1254-1324). ~ Entre as peças do séc. XIX provenientes de regiões vizinhas, destacam-se os tapetes de oração **Ladik** que apresentam o *mihrab** ora em arco triplo suportando duas colunas, ora em arco pontiagudo em degraus. [V. tapete oriental - tapete turco.]

Kosta. [Top. sueco.] Fábrica de vidro sueca fundada no séc. XVIII e que obteve notoriedade na década de 1920 com a produção de cristais para mesa. [Cf. Orrefors.]

Koum. V. Qum.

K P M V. Berlin.

Travessa de porcelana de Berlin K P M
(Alemanha - séc. XIX)

kylin. V. unicórnio. [Cf. kilim.]

lã. *s. f.* Tecido natural feito com fibras do pelo de certos mamíferos, em especial do carneiro; entre os outros animais produtores de lã encontram-se, em diferentes climas e regiões, a cabra, o camelo, a lhama, a alpaca, etc. § Em seu estado original, a fibra de lã é elástica e, mesmo depois de fiada e tecida, ainda retém a capacidade de absorver a umidade do ar. O tecido de lã é relativamente leve e maleável, e conserva o calor do corpo. ~ Os processos para utilização da lã basicamente pouco mudaram no correr dos séculos: depois da tosquia, ela é selecionada e lavada para remover a gordura e, quando seca, é cardada, penteada e preparada para a fiação. § Já no segundo milênio a. C. sabe-se que a lã era manufaturada, devido a vestígios encontrados em escavações arqueológicas. ~ Os romanos introduziram grandes progressos na seleção de rebanhos ovinos e nos processos de fiação, tecelagem e acabamento. ~ Na Idade Média floresceu na Europa importante indústria lanífera (Flandres, Itália) e, a partir do séc. XVII, a Inglaterra passou a produzir panos de lã de qualidade superior. Com o advento da era industrial, os teares passaram a ser mecânicos, mas as técnicas mantiveram-se nos mesmos princípios. ~ No séc. XX, com introdução das fibras sintéticas semelhantes à lã natural, e que não necessitam do mesmo trabalho de preparo e acabamento, adotou-se o recurso da fabricação dos tecidos mistos de maior resistência à umidade e à ação das traças. § Nas artes decorativas, o fio de lã, mais grosso do que o da tecelagem industrial, tem tido aplicação relevante pela maleabilidade e pela riqueza dos coloridos, e é usado em teares artesanais e na feitura de tapeçarias, tapetes, bordados, etc. § Por absorver a umidade, a lã revela-se excelente material para tinturaria. Durante muitos séculos as cores empregadas eram obtidas de substâncias minerais e de sucos de vegetais. Podia-se determinar a origem da lã pelos tons característicos das diversas regiões de produção dos corantes. § Atualmente entre os principais produtores de rebanhos encontram-se a Austrália e a Nova Zelândia, mas os velhos países do Oriente Médio, da Bacia do Mediterrâneo e da Ásia Central conservam importante indústria artesanal com as mesmas características da tradição pastoril. [V. caxemira, tapeçaria, tapete oriental e tecelagem.]

laca. [Do sânscrito *lakxa* 'cem mil' através do árabe *lakk*.] *s. f.* Goma resinosa de cor vermelho-amarronzada recolhida mediante incisão na casca das chamadas "árvores da laca" (*Rhus vernicifera* e outras) existentes no Extremo Oriente; livre de impurezas e conservada ao abrigo do ar e da luz, essa resina é aplicada como revestimento protetor e decorativo. // Verniz de origem vegetal, à prova d'água, de consistência firme e uniforme, preparado com aquele material; é também chamado: ***charão***, ***verniz da China*** ou ***laca verdadeira***. // Verniz de origem animal, de características semelhantes, obtido com a resina resultante da secreção do inseto chamado vulgarmente "cochonilha da laca", o qual se fixa nos ramos e no tronco de certas árvores do Sudeste asiático; essa resina é conhecida como ***goma-laca*** ou ***resina-laca***, e o verniz apresenta-se em algumas variedades comerciais. // Designação imprópria de vernizes empregados no Ocidente para cobertura de diversos objetos (tb. chamado ***falsa laca***). • **Laca verdadeira.** A mais antiga e amplamente difundida no Extremo Oriente. Seu suporte é, em geral, a madeira macia e regular, mas usa-se também o bambu, o papel, o metal. § *História* Inventada na China por volta do séc. IV a. C. a lacagem cresceu nos períodos Han (206 a. C - 220 d. C.) e T'ang (618-907) e foi utilizada na decoração de carros, arreios, armas, vasos cerimoniais, utensílios domésticos, instrumentos de música e também nos móveis e no revestimento interno de edifícios. ~ No decorrer de um milênio, a arte se aprimorou, usou-se o ouro e a prata, praticou-se o relevo e a incrustação. Estabeleceram-se normas para a produção. Na época Ming (1368-1644) a arte atingiu o apogeu e as manufaturas executaram peças muito requintadas em todas as técnicas. Foi nesta fase que a laca verdadeira tornou-se conhecida na Europa. ~ No Japão, a laca foi introduzida por volta do séc. VII através da Coreia e desenvolveu-se em processos e soluções decorativas próprias. ~ Enquanto na China se adotou a cerâmica para o vasilhame doméstico, no Japão recorreu-se à madeira revestida interna e externamente de laca polida preta ou vermelha; a produção dessas peças foi regulamentada quanto ao tamanho e à quantidade. ~ Nas imagens budistas, as esculturas (*kanshitsu*) eram

revestidas de laca. Os grandes xoguns patrocinaram a arte que assumiu aspectos luxuosos. Vale ressaltar os objetos entalhados em espessas camadas pretas, vermelhas ou de outras cores (*kamakura-bori*), e outros em que a caligrafia se mistura aos desenhos (*ashide*): paisagens e flores apareciam num fundo de laca dourada. No período Murumashi (1338-1573) operou-se grande desenvolvimento técnico e artístico; vários utensílios para defumar o incenso foram cuidadosamente elaborados. O despojamento dos rituais budistas implicou no emprego da laca negra da mais fina qualidade e da maior singeleza. A lacagem em ouro tornou-se tão famosa que aportaram artistas chineses para conhecer seus métodos. No xogunato Tokugawa (1602-1867), entre as peças artísticas produzidas em Edo e outros centros incluíam-se os *inro**, indispensáveis no vestuário nacional. § *Feitura e decoração.* A lacagem*, arte na qual os chineses e japoneses se fizeram mestres, exige muita paciência e habilidade. A laca, depois de filtrada e eventualmente acrescida de corantes, é espalhada em sucessivas camadas muito finas sobre a superfície do objeto, tornando-se dura em contato com o ar; cada camada deve secar protegida do vento e da poeira para ser polida e obter o brilho e a homogeneidade desejáveis numa operação que se processa no mínimo em dezoito dias. Diferentes técnicas são empregadas na execução da laca (pintada, em relevo, ou incrustada). ~ A pintura em **laca verdadeira** tem grandes possibilidades de colorido na parte externa e interna dos objetos, além de assegurar-lhes a impermeabilidade. ~ Na China, a laca vermelha (*t'i-hing*), muito conhecida e apreciada, é obtida com cinabre (sulfato vermelho de mercúrio); outros pigmentos incluem o verde-oliva, o marrom, o negro, o roxo-berinjela. As superfícies lisas e lustrosas valorizam os contornos e inspiram formas especiais, arredondadas. ~ Os motivos são figurativos ou representam símbolos, e são enriquecidos com o brilho do ouro e da prata. ~ A laca entalhada (*tiao-ch'i*) recebe sucessivas camadas até adquirir a espessura de massa homogênea capaz de ser esculpida em alto ou baixo-relevo. Quando as camadas têm diferentes cores, são cortadas com grande precisão, não podem ser corrigidas, e o resultado final já se define desde a concepção da obra. ~ As peças vermelhas em relevo, do séc. XV, são especialmente belas com economia de detalhes e colorido profundo, mas já no séc. XVIII os relevos vermelhos ou negros em objetos e móveis são mais minuciosos e sobrecarregados (com medalhões e profusa decoração floral ou abstrata e, às vezes, com incrustações). A produção prosseguiu até o séc. XIX com propósitos comerciais. ~ Quanto às incrustações*, sabe-se que a madrepérola foi usada desde épocas remotas; o ouro, a prata, o chumbo, o coral, o marfim, o jade, etc., são também recursos decorativos nessa técnica. ~ Os japoneses desenvolveram requintados processos de trabalhar a laca: *fundame* – fino pó de ouro ou prata aplicado a superfície lisa; *hirame* – pequenos pedaços de ouro também aplicados à superfície; *nashige* – palhetas de ouro e prata recobertas por finas camadas de laca transparente; *togidashi* – desenho feito com laca num papel e passado ainda úmido para a superfície e polvilhado com pó de ouro ou de prata ou de pigmentos (soprados por um canudinho de bambu ou de pena de ave) e depois cobertos com laca polida; *taka-maki-e* – decoração em alto relevo, *hiramaki-e* – decoração em baixo-relevo; *ro-iro* – laca preta polida, sem brilho; *kirikane* – pequenos quadrados de prata ou ouro inseridos na laca; *chinkin-bori* – desenho gravado em laca. § O Ocidente conheceu a **laca verdadeira** por intermédio dos portugueses no séc. XVI, e o comércio se expandiu posteriormente através das companhias de comércio das Índias (inglesa, francesa e holandesa). Caixas, bandejas, vasos, arcas, tigelas, biombos vindos da China e do Japão são disputados pelos europeus nos sécs. XVII e XVIII. [V. charão.]
• *Falsa laca.* Como no caso da porcelana*, o interesse dos europeus pela laca verdadeira leva à descoberta de um outro tipo de laca, também insolúvel na água e preparado como verniz; essa falsa laca foi largamente aplicada na Europa para imitar a laca oriental, embora não logre alcançar as propriedades desta. Contadores, biombos, caixas de relógios, lambris, móveis diversos, instrumentos de teclado, cadeiras de arruar levavam esse revestimento. A princípio os artesãos procuraram reproduzir formas de peças importadas e a decoração se fixou nos modelos orientais, principalmente chineses; mais tarde, com as formas curvas do Rococó*,

surgiram motivos europeus (drapeados, cartelas, arabescos, fitas). ~ Nos oitocentos, essa laca revestia peças de folha de flandres (bandejas, caixas, etc.) ou pequenos móveis de *papier mâché** com incrustações de madrepérola.~ Artistas do *Art Déco** (Jean Dunand e outros) usaram esta laca como elemento decorativo em painéis, biombos, móveis, etc. [V. *vernis Martin* e *Art Déco* (ilustr.).]

Caixa de laca. (China - séc. XIX)

Escultura de laca marrom recoberta de ouro do Buda Amida sentado sobre flor de lótus em atitude ritual ioga. Pedestal circular esculpido. Acervo Museu Histórico Nacional - Rio de Janeiro (Japão - séc. XIX - alt. 74,5 cm)

Caixa de chá polilobada de laca negra decorada a ouro com figuras, pássaros e flores. Acervo Museu Histórico Nacional - Rio de Janeiro (China - séc. XIX - 23 cm x 23 cm x 13 cm)

lacado. *s. m.* Revestimento com laca. [Cf. acharoado e laqueado.]

lacagem. *s. f.* A arte de revestir objetos com laca. [V. laca.]

laçaria. *s. f.* Enfeite em forma de laços que se sucedem; podem ser ornatos feitos no gesso e na madeira. [V. fita. Cf. *strapwork*.]

laço. *s. m.* Nó feito com fita, corda, etc. e cujas voltas se desatam facilmente. Os laços mais decorativos têm duas alças e duas pontas.

ladder-back chair. [Ingl. 'cadeira com encosto semelhante a escada'] Modelo muito difundido de cadeira que tem o encosto com diversas traves horizontais estreitas unindo os montantes laterais. O encosto alto com essa forma, usado em móveis rústicos, foi adotado por Chippendale* (séc. XVIII) e outros especialistas em móveis finos. [V. cadeira.]

ladrilho. *s. m.* Placa de cerâmica, cimento ou, mais raramente, outros materiais, prensada com formas geométricas ajustáveis umas às outras, e que é usada como revestimento de pisos e paredes ou como elemento decorativo. ~ O ladrilho é específico para acabamento final de pisos que precisam de impermeabilidade (pátios, cozinhas, banheiros, terraços, etc.). As peças, em geral quadradas ou retangulares, justapostas nos dois sentidos, formam superfícies lisas ou repetem motivos rigorosamente concatenados. ~ Os ladrilhos de cerâmica podem ser porosos como os tijolos comuns vitrificados ou refratários. Seu emprego é conhecido desde a Antiguidade. Os de cerâmica mais elaborados apareceram na Pérsia com os muçulmanos que com eles revestiam mesquitas e pátios (sécs. XIII e XIV); eram quadrados, retangulares ou de formas diversas ligadas formando cruzes e estrelas, cada unidade representando uma parte do desenho total; alguns traziam inscrições. Os ladrilhos de Kashan distinguiam-se pelo apuro do trabalho (brilho, colorido, desenhos complicados). ~ Na Turquia, a produção a princípio reduzida, só começou a tomar vulto quando o sultão Solimã mandou decorar luxuosamente as novas mesquitas de Constantinopla. ~ A cerâmica se difunde na Espanha, e os ladrilhos seguem a técnica islâmica, constituindo uma espécie de mosaico de cores vivas. Mais tarde, adquirem características próprias (*cuerda seca**, *cuenca**). § Ladrilhos vitrificados e refratários foram empregados na Europa Central a partir do séc. XIV para revestir lareiras e estufas, enquanto na região mediterrânea os de cerâmica, porosa ou não, eram (e são) tradicionalmente empregados na pavimentação. § Os ladrilhos de cimento, produzidos industrialmente, são chamados de **ladrilhos hidráulicos***. Foram adotados na Europa no séc. XIX; seu colorido é discreto, e eles se unem em desenhos geométricos inspirados nos motivos islâmicos, mas muito simplificados na execução. Foram largamente importados para construção, no Brasil, até o começo do séc. XX. [V. cerâmica. Cf. azulejo, mosaico e pastilha.]

laje. *s. f.* Pedra (granito, arenito, etc.) de superfície plana, relativamente grande (40 ou 50 cm) e de pouca espessura, usada para revestimento de pisos internos e externos. // P. ext., material de construção feito de concreto, e com forma semelhante, empregado na pavimentação de jardins, calçadas, etc. [Cf. lajota.] // Em construção, superfície contínua e horizontal de concreto armado que divide pavimentos ou serve de teto.

lajota. *s. f.* Pedra (pequena laje ou grande ladrilho) usada especificamente em pisos internos e externos. De conservação fácil e bonito efeito, é apropriada para os interiores nos climas quentes. [Cf. ladrilho e laje.]

Lalique, René (1860-1945). Importante industrial, vidreiro e joalheiro francês, cuja atividade e bom gosto marcaram as primeiras décadas do século, quando brilhava o *Art Nouveau**. Introduziu em joalheria o emprego das pedras semipreciosas, o esmalte, o cristal e o vidro para substituir as gemas que, até então, dominavam esse ramo, e valorizou especialmente a forma e a montagem das joias. Estas (entre as quais figuram originais travessas para enfeitar penteados femininos) são assimétricas, com desenhos fantásticos de libélulas, pavões, flores e folhas, sinuosos nus femininos. § O interesse de Lalique pelo cristal de rocha leva-o a trabalhar com o vidro; desenha e executa vasos, relógios, luminárias, estatuetas de cristal, além de painéis para móveis, etc., gravados ou em relevo fosco. Instala sua própria indústria em 1909. Atende a encomendas de grandes perfumistas franceses, fornecendo-lhes frascos artísticos. Desenvolve um tipo de vidro (soprado ou prensado em moldes) translúcido, leitoso, de cor azulada ou gelo; a superfície é decorada com altos ou baixos-relevos estilizados de cunho realista. ~ Lalique acompanha a evolução dos estilos com imenso bom gosto; na Exposição de Artes Decorativas de Paris, de 1925, suas peças lançaram um gênero que alcançou grande voga no período *Art Déco*. § No campo da arquitetura e da decoração, dedicou-se à concepção de luminárias, vidros para portas e janelas e diversos acessórios. § Muitas peças que trazem sua marca – a palavra Lalique (ou R. Lalique) – foram produzidas em série; outras, porém, são objetos únicos e têm sua assinatura gravada a diamante. [V. *Art Déco* e vidro.]

Vaso "Sauterelles" de vidro moldado. Ass. R. Lalique. Coleção Renan Chehuan (França - alt. 28 cm)

Vaso facetado, transparente com pássaros de vidro fosco moldado - Dois pequenos pássaros avulsos da mesma feitura. Ass. R. Lalique. (França - prov. década de 1930 - alt. 17 cm)

lambrequim. s. m. Na Idade Média, faixa de pano que adornava os capacetes dos cavaleiros e, p. ext., a sua representação heráldica nos escudos. ~ Mais tarde o termo se estendeu aos enfeites recortados em tecido e colocados na borda do sobrecéu de pavilhões, ou em baldaquins e dosséis, e, no Renascimento* e no Barroco*, designava qualquer ornamento com franja ou festão, pintado em objetos de louça ou esculpido em móveis ou fachadas. // Na cerâmica, motivo ornamental contínuo com desenho rendado de uma só cor, e que tem a borda inferior dentada ou recortada em festões com pontas. [V. Rouen e Strasbourg.] // Rendilhado de madeira recortada que decorava as extremidades dos beirais dos chalés alpinos. §§ Em certas regiões do Brasil, os lambrequins de madeira, introduzidos por colonos europeus, foram amplamente adotados na arquitetura residencial da segunda metade do séc. XIX. A serra tico-tico propiciou esse tipo de ornato que se transformou em verdadeiros rendilhados. ~ Os lambrequins chegaram a ser vendidos a metro para contornar os beirais; apresentavam-se como frontões rendados ou intercolúnios de varandas e alpendres, com trabalhos minuciosos, hoje, infelizmente, raros. Na linguagem popular o lambrequim é conhecido como "sinhaninha".

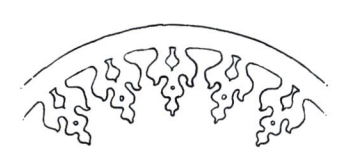

Lambrequins.

lambri. [Do fr. lambris.] s. m. Revestimento de paredes internas com madeira, aplicado até certa altura. § Os lambris de madeira, apainelados ou almofadados (ingl.: wainscot), são usados como acabamento e solução decorativa desde que começou a se desenvolver a técnica da marcenaria. Constituem, quando na cor natural da madeira, revestimento bastante severo, acompanhando o estilo dos móveis. ~ Têm por vezes, prateleiras com ressalto na parte superior, para a exposição de pratos, ou pequenos objetos. // A palavra designa, também, revestimento análogo de azulejos, mármore, etc. §§ No séc. XVIII, em Portugal, foram feitos belos lambris de azulejo para igrejas, conventos, palácios, com motivos sacros e profanos. As construções religiosas brasileiras se beneficiaram com este tipo de decoração, vindo da metrópole, como os que guarnecem o claustro do Convento de São Francisco em Salvador. [V. azulejo. Cf. painel.]

Lamerie, Paul de (1688-1751). Prateiro inglês de origem huguenote (protestante francês). Nasceu na Holanda e estabeleceu-se em Londres onde registrou sua marca em 1712. Suas obras marcam a época áurea da prata na Inglaterra. Lamerie enfeixa nelas a evolução dos estilos no séc. XVIII. Seus primeiros trabalhos (*tankards*, bules, vasilhas, salvas) são de linhas simples no estilo *Queen Anne** e no chamado "estilo huguenote", com profusão de gomos* e de decoração aplicada (*cut-card**). Mais tarde produziu peças ornamentadas, moldadas e repuxadas ao gosto barroco, segundo a tradição dos prateiros franceses; é autor de alguns dos mais belos exemplares com decoração rococó, e alcança ainda o Neoclássico. [V. prata inglesa.]

laminado. *s. m.* Placa de madeira compensada que resulta da superposição de lâminas unidas sob pressão. É resistente à flexão e ao empenamento devido à disposição cruzada das fibras; quanto maior o número de camadas, maior a resistência. ~ Nos laminados de madeira fina, formam-se belos desenhos pela junção sucessiva dos cortes longitudinais dos toros. ~ Usados no revestimento de móveis e paredes, os laminados têm dimensões estipuladas. [V. madeira. Cf. aglomerado, compensado, contraplacado e folheado.]

lâmpada. *s. f.* Designação genérica de qualquer fonte de luz que se destina à iluminação artificial. // Nas antigas igrejas, lamparina em que se fazia arder a chama devotada ao Santíssimo Sacramento. Essa lâmpada era colocada num suporte – o lampadário. Nos 2.000 anos de cristianismo esse sinal de devoção permanece inalterado e a lâmpada deve estar acesa dia e noite diante do altar em que se conserva o Santíssimo. [Cf. lampadário.] // Luminária que consta de abajur e pé colocado sobre um móvel ou no chão, e que é usado como ponto de luz em determinados ambientes de convívio, de estudo, de repouso. ~ As *lâmpadas de mesa* caracterizam-se pela forma do pé e têm forte presença decorativa; destacam-se mesmo quando não estão iluminadas. Os pés mais clássicos lembram castiçais ou tocheiros, formas básicas e históricas na iluminação dos interiores. Além de peças especialmente feitas para esse fim, diferentes objetos (vasos, garrafas, antigos lampiões de petróleo ou até utensílios estranhos como moinhos de café) podem ser montadas como pés de lâmpada desde que tenham uma base estável e altura aproximada de 25 ou 35 cm. ~ Entre as lâmpadas de mesa, algumas sobressaem como verdadeiras obras-primas (Daum*, Tiffany*). ~ Por volta da década de 1930 ao lado dessas lâmpadas que são luminárias decorativas e de adorno, outras surgem com características de equipamento especializado, criadas por mestres do *design*; têm hastes delgadas e articuladas, são orientadas, como um braço humano, na direção desejada e conduzem o foco diretamente a um ponto; repousam em bases estáveis ou ajustam-se a mesas e pranchetas por meio de um suporte com molas. ~ As *lâmpadas de chão* apresentam-se como tocheiros ou colunas adaptados com quebra-luzes tradicionais. Mas existem também modelos originais: os grandes *designers* do *Art Nouveau** e do *Art Déco** criaram peças de concepção livre em que utilizaram o ferro batido, o cobre, o vidro; a forma de algumas destas luminárias é própria para a iluminação indireta. Modernamente as lâmpadas de chão, portáteis, de *design* leve e dinâmico, têm hastes verticais ou curvas, às vezes flexíveis e oscilatórias para melhor orientação do foco luminoso velado ou dirigido. [Cf. abajur e iluminação.] – Fr.: *lampe*; ingl.: *lamp*; alem.: *Lampe*.

Lâmpada de mesa. Cúpula e pé de vidro em camadas gravado a ácido, em que sobressaem figuras estilizadas de escaravelhos.
Ass. Le Verre Français.
Coleção Renan Cheuan (c. 1925 - alt 62 cm)

Lâmpada para óleo em bronze. Acervo dos Museus Castro Maya. (China Han - séc III - alt. 53 cm)

lampadário. *s. m.* Armação que sustenta uma ou mais luzes, via de regra pendente do teto. [Cf. lustre.]. ~ Nas igrejas, o lampadário figura entre as alfaias de vulto pelo valor e pelo esmero do trabalho. Nele se coloca a lâmpada do Santíssimo Sacramento. Tem, em geral, uma base com forma aproximada de cone ou pirâmide invertida suspensa por correntes ou aletas e ligada a uma cobertura ou cúpula de forma análoga e em posição oposta. §§ No Brasil, seguindo a tradição lusa, os prateiros setecentistas produziram lampadários com opulenta ornamentação barroca e rococó. Apesar de serem peças de grande valor intrínseco, portanto expostas à fusão para fins lucrativos (destino de parte de nossa antiga prata religiosa), restam inúmeros e belos exemplares, muitos deles ainda pendentes dos tetos de nossos templos barrocos (Mosteiro de S. Bento, no Rio de Janeiro; Matriz de N. S. do Pilar, em S. João del-Rei).

Lampadário. Acervo Museus Castro Maya - Rio de Janeiro (Brasil - Minas Gerais - séc XVIII - alt. 160 cm)

lamparina. *s. f.* Pequena lâmpada que consta de um recipiente para óleo, querosene ou outro líquido iluminante, e de um pavio ou mecha embebida neste. De antiquíssima tradição, as lamparinas de barro, de metal, de vidro, etc., têm formas diversas e tanto podem ser penduradas como depositadas sobre móveis.

lampião. *s. m.* Luminária portátil ou fixa a paredes internas ou externas, dotada de reservatório para combustível iluminante e de pavio para graduar a chama, sendo esta normalmente protegida por quebra-luz ou manga. Com o aparecimento do gás encanado, este foi usado para alimentar lampiões fixos. ~ Os lampiões de mesa a querosene, do século XIX, feitos de porcelana, opalina ou metal com mangas de cristal fosco perduram como peça decorativas; o mesmo acontece com os lampiões fixos a gás com suas tulipas de cristal. [V. candeeiro e porcelana de Paris (ilustr.).] – Fr.: *lampion*; ingl.: *querosene lamp*. // Poste em geral de ferro que tem no topo uma lanterna e se destina à iluminação de jardins ou logradouros públicos. – Fr.: *réverbère*; ingl.: *street lamp*.

Lampião de vidro opalinado com decoração Mary Gregory. (séc. XIX)

lanceolado. *adj.* Diz-se do ornato em forma de lança.

lanterna¹. *s. f.* Em arquitetura, estrutura cilíndrica ou prismática mais alta do que larga, com aberturas para iluminação natural, e que fica situada no topo de uma cúpula, acompanhando-lhe a forma e servindo de arremate. [Cf. lanterna².]

lanterna². *s. f.* Utensílio prismático ou cilíndrico destinado à iluminação, de estrutura por via de regra metálica, e cuja fonte de luz (chama ou lâmpada elétrica) fica protegida por paredes guarnecidas total ou parcialmente de vidro ou outro material transparente. ~ Entre os antigos, peles de animais muito esticadas serviam para manter a chama resguardada do vento; na Idade Média, as lanternas tinham faces de chifre translúcido ou de pergaminho untado de óleo. § A presença da lanterna é constante no correr dos tempos: de ferro, de bronze, de latão, e mesmo de prata ou de ouro, apresenta-se em formatos que vão desde uma simples caixa até os invólucros rendilhados de certas lanternas islâmicas, ou outras feitas pelos artistas do Renascimento* e do Barroco*. ~ As lanternas portáteis eram presas por uma argola ou acopladas a varas e bastões, enquanto as fixas eram suspensas do teto ou das paredes, ou presas a braços nos cantos externos das edificações. No séc. XVIII, com o aparecimento do vidro curvo, torna-se corrente o uso das lanternas de teto, cilíndricas, muitas vezes com armações de bronze trabalhado. §§ No exterior das antigas casas brasileiras usava-se um tipo de lanterna que constava de uma esfera de vidro transparente aberta nos dois polos arrematados com guarnições de metal; eram penduradas por correntes que se uniam numa só debaixo de um anteparo do mesmo vidro, em forma de prato furado no centro. Nas sacadas de ferro dos solares, essas luminárias coloridas ou gravadas enriqueciam as fachadas pendendo de braços no estilo do gradil. – Fr.: *lanterne*; ingl.: *lantern*; alem.: *Laterne*. • **Lanterna de carro.** A que se prendia nos veículos de tração animal para iluminar o caminho ou assinalar sua presença à noite; dotada de refletor, caracterizava-se por ter uma cúpula ou outro acabamento na parte superior, e uma espécie de bastão vertical partindo da base, talvez reminiscência da haste das lanternas portáteis (esse modelo tem sido copiado para luminárias de parede). **Lanterna de procissão.** A que é fixada a uma longa haste e é carregada nas procissões por pessoas gradas. §§ As grandes confrarias e irmandades do período colonial possuíam lanternas de procissão de prata ricamente trabalhadas ostentando os respectivos emblemas. **Lanterna furta-fogo.** A que é equipada com uma espécie de espelho refletor para aumentar o foco luminoso. [Cf. lanterna¹.]

Lanterna litúrgica com símbolos cristãos. Armação de prata com linhas neoclássicas. Vidro decorado com jato de areia. Adaptada para eletricidade.
(Brasil - prov. começo do séc. XIX)

lapidação. *s. f.* Arte de trabalhar cristais e pedras preciosas talhando-os, desbastando-os ou polindo-os com instrumentos apropriados de modo a valorizar-lhes o brilho e a pureza.

lapinha. [Diminutivo de lapa, grande pedra ou laje que serve de abrigo.] *s. f.* Em certas regiões do Brasil, pequeno oratório* singelo, nicho ou presépio feito de pedra-sabão, barro ou outro material, cujas figuras celebram a tradição do Natal e de Reis. [Cf. presépio.]

Lapinha mineira com imagens de pedra sabão.
(Brasil - séc. XVIII)

lápis-lazúli. [Do it. *lapislàzzulli.*] *s. m.* Pedra ornamental semipreciosa notável pela bela coloração de um azul profundo. De formação complexa, deve sua cor à lazulita (silicato de alumínio e enxofre), e caracteriza-se pela presença de partículas douradas de pirita. Os antigos comparavam-na, por isto, ao céu estrelado. ~ Na Europa, o lápis-lazúli era conhecido desde a Idade Média. Marco Polo refere-se às importantes jazidas que viu em Badaksham (Afeganistão). Os artistas do Renascimento* e do Barroco* utilizaram a pedra na execução de belas peças ornamentais (vasos, taças, etc.), e ela também foi aplicada em incrustações nos tampos dos móveis. [V. pietra dura.]

laqueado. *s. m.* Pintura brilhante que reveste móveis, portas, paredes, etc. [Cf. lacado.]

laranja. *s. m.* Na natureza, a cor amarelo-avermelhada da casca e da polpa da tangerina, do abricó, etc.; alaranjado. Caracteriza-se pela luminosidade e pela boa visibilidade, e suscita o entusiasmo. Como cor quente, dá a impressão de calor, dinamismo, agressividade, e não é própria para os interiores muito claros, pois, como no caso do amarelo, as paredes alaranjadas como que avançam tornando os cômodos menores. É portanto, a cor do ar livre, boa para toldos, guarda-sóis, etc. Suas gradações vão da cor de abóbora (em que se mistura o vermelho) ao amarelo rosado. [V. cor] – Fr.: *orange*; ingl.: *orange*; alem.: *Orange*.

lareira. *s. f.* Nos interiores, lugar onde se acende o fogo; fogão, lar. ~ Basicamente, a estrutura da lareira consta, na parte interna, de um ***lar*** ou ***fornalha*** e uma ***campânula*** que recebe os gases resultantes da combustão; desta, parte a ***chaminé***, destinada a conduzir a fumaça para o exterior. A abertura inferior, onde se colocam as achas de lenha, é guarnecida por duas pilastras laterais e um lintel* onde se apoia uma prateleira. § Usada nos países frios, a lareira assumiu grandes proporções nos castelos medievais e nos palácios renascentistas. ~ No séc. XVIII aparecem as lareiras menores enquadradas por uma guarnição em geral de mármore trabalhado, e com prateleira na parte superior; a lareira setecentista acompanha o estilo do mobiliário e se integra na decoração. Na prateleira eram dispostas, simetricamente, peças de adorno. A chaminé, embutida, deixava livre a parede e, na Inglaterra, Robert Adam* inaugurou a utilização desse espaço para colocação de um espelho*. § São peças auxiliares da lareira: uma chapa de ferro onde é colocada a lenha, e utensílios como pinças, atiçadores, um par de cachorros*, foles, pás, etc., dos quais alguns exemplares em ferro ou latão são caprichosamente trabalhados. § Apesar da difusão do aquecimento elétrico e da calefação central, a lareira ainda ocupa lugar importante na arquitetura das regiões frias. Ergue-se, por vezes, no meio de uma sala, para melhor distribuição do calor; outras vezes desaparecem a moldura e os ornatos e ela se integra na parede; ou dá-se o caso, em residências funcionais e despojadas, de ser provida de chaminé aparente, de metal, que distribui o calor e caracteriza o espaço interno. Elemento polarizador, pode ser tomada, pelo arquiteto ou pelo decorador, como ponto de irradiação para um esquema decorativo. § A construção da lareira obedece a severo regulamento para prevenir o perigo de incêndio e a emanação de gases tóxicos. [Cf. estufa e *garniture de cheminée.*] – Fr.: *cheminée, foyer*; ingl.: *fireplace, heath*; alem.: *Herd*.

latão. *s. m.* Liga de cobre e zinco, dúctil e maleável, também conhecido como metal amarelo. Em sua composição são adicionadas pequenas quantidades de outros metais: o latão torna-se mais duro pelo acréscimo de estanho, e adquire maior ductibilidade pela presença do chumbo. Pode ser distendido em fios muito finos ou laminado em folhas muito delgadas. As proporções variam de acordo com o emprego desejado, e a coloração tem gradações entre o amarelo dourado e os tons avermelhados. Quando polido, o latão caracteriza-se pelo brilho intenso. § Entre as mais antigas civilizações, o aproveitamento dos metais se inicia com a utilização do bronze e liga de cobre e estanho; a descoberta do latão dá-se nesse período mas sua aplicação, ao contrário do bronze, foi comparativamente restrita. ~ O trabalho do latão desenvolveu-se consideravelmente na Europa medieval, e as corporações valeram-se dessa liga ou do bronze, segundo o fim desejado. No séc. XII a cidade de Dinant (Bélgica) dominou quase com exclusividade a produção de objetos de latão devido, talvez, à vizinhança de importantes jazidas de cobre. § Dessa liga resulta considerável contingente de utensílios domésticos de uso popular (pratos e travessas, tigelas, jarros, panelas, etc.) em geral repuxados com motivos religiosos; a partir do séc. XVI, encontram-se temas históricos ou alegóricos. ~ De latão são também objetos de culto (nas igrejas e confrarias mais modestas), luminárias (castiçais, candelabros, lustres), puxadores, maçanetas, trincos, certos acessórios e instrumentos náuticos, relógios e outros mecanismos, etc. § O artesanato do latão é rico e variado no mundo islâmico, no Sudeste asiático, no Extremo Oriente e entre certos povos da África. [V. dinanderia. Cf. cobre e bronze.] – Fr.: *laiton*; ingl.: *brass*; alem.: *Messing*

Jarro de latão com tampa. (Portugal - prov. séc. XIX)

latticework. [Ingl., de *lattice*, 'treliça' + *work*, 'trabalho', 'obra'.] *s. m.* V. treliça.

latticino. [Ital.] *s. m.* Vidro leitoso translúcido que surgiu em Veneza no séc. XVI, e que pode ser considerado precursor da opalina*. ~ Aparece como material da massa de diversos objetos, mas destaca-se na decoração do vidro transparente: fios de *latticino* eram inseridos no vidro, formando desenhos mais ou menos complicados. ~ O *latticino* que apresenta arabescos entrelaçados era chamado *vetro de trina* ('renda de vidro'). [V. vidro. Cf. *Milchglass*.]

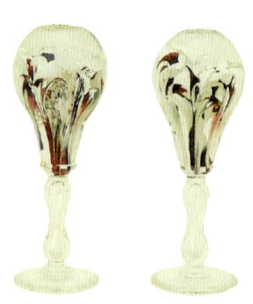

Latticino. Par de suportes para peruca (de época).

Laubisch-Hirth. Firma de marcenaria sediada no Rio de Janeiro, que produziu peças de finíssimo acabamento, sobretudo móveis de estilo. Teve grande projeção até meados do séc. XX e atendia a encomenda de diversos pontos do Brasil. [V. *Art Déco* (ilustr.).]

lavanda. *s. f.* Pequena vasilha semi-esférica de louça, metal, vidro, etc., usada à mesa para se lavar a ponta dos dedos ao final das refeições. – Fr.: *bol*; ingl.: *bowl*; alem.: *Fingerschale*.

Lavanda de prata repuxada. (Holanda - séc. XIX)

lavatório. *s. m.* Móvel usado antes do aparecimento da água encanada para atender às necessidades da toalete e da higiene. ~ No séc. XVIII aparecem pequenas mesas com gavetas, ou com suportes presos a montantes, desenhadas especialmente para conter jarro, bacia e outros apetrechos (em fr.: *lavabo*; em ingl.:*washstand*). ~ Os lavatórios oitocentistas fazem parte da mobília de quarto com espelho e tampo de mármore onde eram dispostas as peças dos "serviços de lavatório": jarro e bacia, saboneteira, caixas de pó de arroz e talco, porta-pentes, etc.

Leandro Martins. Importante estabelecimento de marcenaria do Rio de Janeiro, muito conceituado até meados do séc. XX, quando se extinguiu.

leão. *s. m.* De aspecto forte e majestoso, porte altivo, cabeça erguida, olhar intenso, o leão foi considerado o "rei dos animais". Habitou originalmente a África e a Ásia, e mesmo a Europa, na região dos Bálcãs, em época pré-histórica. Hoje seu habitat se reduz às regiões da África meridional e do Saara, além de uma reserva na Índia. Enjaulado e submisso, o leão é obrigatório nos zoológicos e nos circos. § Com sua presença simbólica, marca fortemente mitologias, religiões e realizações nas artes decorativas. Representa o poder, a força serena, a majestade, a justiça e, em contrapartida, se associa também à ideia de autoridade, de tirania, de soberba. ~ No Egito, era objeto particular de culto; dois leões, cada um voltado para um ponto oposto (leste e oeste), eram símbolo do percurso do Sol, e de dois horizontes, o luminoso e o obscuro, o ontem e o amanhã. De leão é o corpo da esfinge* egípcia e, na Grécia, a esfinge de Édipo é representada com a cauda do animal. Nos mitos helênicos, o leão, que teria habitado aquelas terras, é a força bruta dominada pelo herói (Hércules). ~ A Bíblia refere-se a Daniel na cova dos leões, e a Sansão vencendo o feroz animal. No livro de Ezequiel, fala-se de um carro puxado por animais de quatro faces sendo uma leonina e, no Apocalipse, o leão é um dos quatro seres dotados de olhos na frente e nas costas. Em vários trechos das escrituras o Leão de Judá se associa à pessoa do Cristo. § Nos espetáculos populares de Roma a realidade substitui o símbolo e os leões, vindos das terras conquistadas da África, figuram entre as grandes diversões do povo: centenas deles se exibem, sucessivamente, nas arenas de Pompeu, de César; os mártires cristãos, como decorrência, são expostos às feras. Essas apresentações muito numerosas, teriam contribuído para dizimar o animal. § Na linguagem visual do cristianismo da Idade Média, o leão significa a autoridade, a força invencível da inteligência e certos anjos assumem o aspecto de leões. O leão representa o evangelista Marcos, e o douto S. Jerônimo vem sempre acompanhado de um leão domesticado (o conhecimento). Na iconografia desse período, convencionou-se que a parte nobre do leão – a cabeça, o peito, as patas dianteiras – simboliza o Cristo, enquanto a parte traseira significa a natureza humana. § No Extremo Oriente, o leão tem afinidade com o dragão, é animal benigno, representado nas "danças do leão" do culto xintoísta do Japão e, entre os chineses, o *leão de Fo** é o guardião dos templos budistas. ~ Na tradição hindu, o animal está ligado ao Buda e lhe serve de trono. § A figura do leão aparece nas armas heráldicas de diversas nações (Pérsia, Índia, Bélgica, Inglaterra) e de casas nobiliárquicas; o leão alado de S. Marcos é símbolo de Veneza o domina a coluna de granito da praça fronteira à basílica. § Nos brasões encontram-se o *leão rompente* (em atitude de arremeter) e sobretudo o *leão passante* (caminhando de perfil, com a língua enrolada e a cauda voltada para o dorso); o leão heráldico apresenta-se ainda acovardado (com a cauda entre as pernas), agachado (estendido sobre o ventre), derrabado (sem a cauda), desarmado (sem as garras), alado (com asas), coroado, etc. Sua figura é usada amiúde como suporte de brasão de armas. § Como elemento decorativo, o leão atrai, pela aparência e pelo valor simbólico, os artistas do Egito, da Assíria, da Grécia, de Roma, da Europa cristã medieval. ~ Daí por diante assume formas próprias, que se coadunam com os estilos renascentista, barroco e neoclássico quer na arquitetura, quer na decoração. Ora aparece de corpo inteiro, ora é representado parcialmente. Nos portões, esses animais, imponentes, montam guarda aos edifícios (era frequente a figura de leões de louça do Porto, ou de bronze, encimando os montantes de granito dos portões solarengos do Rio de Janeiro oitocentista). ~ A cabeça ou a máscara de leão, com juba vistosa, traços severos, foi usada desde a Antiguidade. Máscaras são vistas amiúde em aldravas e em acessórios e guarnições de móveis e, nos sécs. XVII e XVIII repetiam-se em sopeiras, taças, recipientes para gelo, etc., muitas vezes como suporte de argolas. A cabeça esculpida aparece em fontes, nos braços de cadeiras e tronos, na abertura do bico de bules e na extremidade das alças perdidas dos jarros; as patas figuram nos pés de móveis de diferentes épocas e em certos objetos. ~ Os motivos leoninos foram trabalhados especialmente em obras esculpidas de madeira e de cerâmica, ou moldados em prata, ouro, bronze, porcelana, etc. O animal aparece também em pinturas e tapeçarias (como *A Dama do Unicórnio*, do Museu de Cluny, de Paris). ~ Vale ressaltar a importância da presença obrigatória do leão nas marcas da prata inglesa como sinal de qualidade e do teor do metal. [Cf. garra, *hallmark*, leopardo, máscara e pé.] – Fr.: *lion*; ingl.: *lion*; alem.: *Löwe*.

Leão símbolo de S. Marcos. Iluminura do Evangelho de Echternach. (Irlanda - c. 690)

Leão de jardim de cerâmica portuguesa da Fábrica de Santo Antônio do Porto.
(Portugal - séc. XI - compr. 66 cm)

leão de Fo. Na China*, animal sagrado dos budistas representado especialmente em esculturas; cão de Fo, leão de Buda. É o guardião do templo, com o corpo e a cabeça profusamente decorados. O macho é modelado brincando com uma bola, e a fêmea com os filhotes. [V. *blanc de Chine* (ilustr.).]

Le Corbusier, Charles Édouard Jeanneret, dito (1887-1965). Arquiteto suíço naturalizado francês. É uma das personalidades mais notáveis da arquitetura do séc. XX, bem como do urbanismo e do *design* de móveis. Não teve formação acadêmica e suas arrojadas concepções nasceram de viagens e estágios em Viena, Paris e Berlim (nesta cidade encontrou-se com dois grandes pioneiros: Gropius* e Mies* Van der Rohe). Em 1917 se estabeleceu em Paris e, na famosa Exposição de Artes Decorativas de 1925, construiu o *Pavillon de l'Esprit Nouveau* (Pavilhão do Espírito Novo). § Depois da guerra de 1914-18, Le Corbusier, embora interessado nas pesquisas estéticas, norteia sua atividade como arquiteto para o ideal de um tipo de prédio que seja "como uma máquina", "como um navio", e adota os princípios da estandardização dos meios e dos materiais propostos pela civilização industrial. § Convencido da importância decisiva do concreto armado na estrutura das construções, elabora os pontos básicos de suas teorias: a) a utilização de pilotis* – que libera o espaço térreo para circulação; b) o plano livre – que libera o espaço interior redistribuído segundo as necessidades habitacionais; c) a fachada livre – que libera o arquiteto das regras estéticas pré-estabelecidas; d) a janela plana envidraçada – que permite a iluminação solar e a comunicação com o exterior; e) o teto-terraço – que propicia um novo espaço habitável. Outras inovações são a estrutura aparente e os espaços vazios compostos em equilíbrio com os volumes arquitetônicos. ~ Na última fase, porém, rompe com a ortodoxia racionalista e volta a aliar a postura formal à imaginação (igreja de Ronchamp, França). § A industrialização tornou, econômica e praticamente, inaceitáveis as artes manuais de cunho apenas decorativo, explica em seu livro *L'art dècoratif d'aujourd'hui* (A arte decorativa de hoje) vai preconizar o equivalente em produtos manufaturados: "as artes decorativas são equipamento, belo equipamento". § Com Charlote Perriand planeja móveis adequados aos modernos apartamentos: cadeiras de estrutura tubular (influência de Breuer*) e estofamento de couro, como a cadeira giratória; cria a cadeira conhecida como *siège grand confort* ('cadeira-grande conforto'), poltrona com volumes almofadados retangulares e armação tubular, e a cadeira *cowboy*, uma das mais bem sucedidas espreguiçadeiras, de grande elegância pela associação de linhas retas e curvas e que se adapta cuidadosamente ao bem-estar do corpo humano em diversas posições. ~ Sua admiração pelos móveis Thonet* (o *Pavillon de l'Esprit Nouveau* foi equipado com esses móveis), por utensílios de desenho prático, pela louça simples dos cafés, de certo modo liga esse grande inovador a uma "nova tradição". Le Corbusier, ao contrário dos seus contemporâneos da Bauhaus*, volta-se para o individualismo. Espírito versátil, percorre diversos caminhos na arte (pintura, desenho, tapeçaria, cerâmica), mas atinge o máximo de sua capacidade como arquiteto. Suas lições, na teoria e na prática, se difundiram por todos os continentes. §§ O Brasil acolheu-o pela primeira vez em 1929, e ele influenciou diretamente uma geração de arquitetos (Lúcio Costa, Marcelo Roberto, Jorge Moreira, Oscar Niemeyer e outros) e marcou as gerações que se seguiram. Em sua primeira estada propôs arrojado plano urbanístico para o Rio de Janeiro. Em 1936 voltou a fim de orientar o projeto do prédio do Ministério da Educação (atual Palácio Gustavo Capanema) no Rio e, em 1960, veio conhecer Brasília. [Cf. Funcionalismo e Internacional.]

legumeira. s. f. Recipiente de louça ou metal que faz parte de um serviço de jantar ou de uma baixela; era originalmente designado em Portugal (na descrição dos serviços importados da China) "travessa com tampa". ~ Usada para servir legumes ou outras iguarias, pode ter a forma de uma sopeira menor e menos funda, ou a de travessa com bordas elevadas. A tampa é elemento importante da legumeira e pode apresentar uma pega e outros remates trabalhados semelhantes aos da terrina de sopa; algumas tampas, nas baixelas de prata, têm o topo achatado com pegador removível e elas podem se transformar em uma segunda travessa. [V. baixela e serviços.] – Fr.: *léguier*; ingl.: *vegetable-dish* e *entrée-dish*.

Legumeira de metal prateado com pegador removível na tampa. Pode formar um conjunto de travessas.
(Alemanha - séc. XIX)

leilão. [Do árabe *ala-alam* 'estandarte, aviso, tabuleta'.] s. m. Venda pública de objetos selecionados oficialmente regulamentada e realizada por profissional qualificado. Processa-se pela oferta da mercadoria, a partir de um preço inicial, a quantos se habilitem a adquiri-la; cabe a peça a "quem dá mais", ou seja, a quem mantém uma oferta não superada pelos outros compradores. A concorrência entre estes tem como resultado a elevação dos preços que alcançam, em certas circunstâncias, cifras surpreendentes. § A prática dos leilões de arte, de peças raras, etc., desenvolveu-se no séc. XIX por influxo de certos fenômenos sociais e econômicos, tais como a nova e mais ampla distribuição do poder aquisitivo, o conhecimento mais difundido da importância das peças oferecidas, o desejo da afirmação social da burguesia pela posse de bens de valor, a dispersão das preciosas coleções de aristocratas empobrecidos. § Os leiloeiros efetuam a avaliação dos objetos que se propõem a leiloar, e acertam com o proprietário o preço inicial. Essa peças são devidamente autenticadas e arroladas em catálogos impressos para conhecimento do público. Elas ficam em exposição durante os dias que precedem o acontecimento, a fim de que os interessados possam fazer escolhas e avaliações. ~ Organizações de renome internacional se ocupam de leilões em diferentes níveis de qualidade, valor e características da mercadoria; algumas casas têm representantes nas grandes cidades que canalizam para o mercado os objetos mais destacados. § Grandes leilões são acontecimentos marcantes e os interessados estudam nos catálogos previamente lançados as características de móveis, gravuras, quadros e esculturas, objetos decorativos, joias, arte primitiva e exótica, etc. As pessoas relacionadas com os respectivos ramos acompanham a divulgação e a realização dos leilões; as vendas fixam o valor dos objetos, orientam comerciantes e investidores e atraem colecionadores, apreciadores e curiosos que desejam disputar tal ou qual objeto ou, simplesmente, participar de um acontecimento de interesse cultural e/ou estético. § Na publicidade e nos catálogos os leiloeiros empregam uma linguagem específica que deve ser decodificada pelo comprador. "Estilo" não significa "época":

quando se menciona, na descrição de um móvel, p. ex., a expressão "em estilo X", isto quer dizer que se trata de cópia posterior; os quadros são acompanhados do nome do autor e da data, e as expressões "atribuído a ..." ou "escola de ..." dão a entender que a obra é de época, mas não de autoria comprovada. Em objetos de porcelana ou outros que apresentam pequenos defeitos ou desgastes, acentua-se que a peça é oferecida "no estado". As grandes casas de leilão têm na abertura de seus catálogos advertência quanto à leitura correta das características dos lotes. § Os leilões, durante o pregão, têm atmosfera peculiar: exibe-se a peça; o leiloeiro, num estrado elevado, domina a sala, observa e dirige o curso das operações; o público, atento, acompanha ou participa dos lances até que, no momento mais emocionante (por vezes a disputa é acirrada), por uma batida do martelo, a peça é arrematada pelo novo proprietário. ~ Para quem não está afeito, o mundo dos leilões parece de difícil acesso, mas a experiência vence o acanhamento inicial. O interessado deve frequentar as salas de leilões, estudar os catálogos, observar e comparar peças expostas, atentar para o comportamento do leiloeiro e dos compradores, consultar revistas e livros especializados para, pouco a pouco, ir adquirindo os conhecimentos e a segurança dos entendidos. § A cotação depende, em princípio, da qualidade e da autenticidade da peça, em se tratando de obra de arte ou de antiguidade. É claro que a moda determina a procura; certas obras, porém, pelo incontestável valor, são sempre investimentos seguros, embora se deva estar atento a possíveis especulações. ~ Em cada país é natural que as obras de acentuada expressão local, do presente ou do passado, atinjam cotações mais elevadas do que no mercado internacional. [V. antiguidade, coleção, estilo e *expertise*.] – Fr.: *vente aux enchères*; ingl.: *auction*; alem.: *Versteigerung*.

leiteira. *s. f.* Pequeno jarro, com ou sem tampa, para servir leite. Leiteiras sem tampa fazem parte de serviços de chá e café; as que têm bico largo podem ser usadas também como cremeiras*. [V. jarro e serviços.]

leito. *s. m.* Armação de madeira, ferro ou outro material destinada a sustentar enxergões e colchões; é móvel destinado, em especial, ao repouso noturno; cama. ~ Na Europa, no séc. XV, o leito com cortinas, de estrutura fixa, é dotado de painéis esculpidos e repousa sobre um estrado. Na Renascença* e no Barroco* tem decoração suntuosa, é peça importante no mobiliário e, na França, recebe denominações que são adotadas em outros países. §§ No antigo mobiliário português encontram-se as designações: *leito de banco*, *leito de viagem*, *leito de solteiro*, *leito de casal*, *leito de viúvo* ou *de pessoa e meia*, para indicar diferentes tipos e dimensões de leitos que passaram ao Brasil colonial. [V. cama. Cf. *lit à la duchesse, lit à l'ange, lit à la polonaise, lit à la turque, lit en bateau, lit de repos*.] – Fr.: *lit*; ingl.: *bed*; alem.: *Bett*; ital.: *letto*.

leitoril. *s.m.* Estante ou suporte em plano inclinado onde se põe livro ou papel destinado à leitura; atril. [Cf. estante de igreja.]

Leitoril de madeira com pé de ferro fundido e haste de bronze. (origem europeia - séc. XIX)

Leleu, Jean-François (1729-1807). Ebanista francês que produziu suntuosas peças com ornamentos de bronze para a corte de Luís XV. Foi, porém, com móveis posteriores, sóbrios, no estilo Neoclássico* que inovou na arte do mobiliário associando forma elegante e utilização prática. [Cf. Oeben e Riesener.]

Le Nôtre, André (1613-1700). Ilustre paisagista francês a cujo talento se deve uma nova concepção de jardins e parques. Filho do jardineiro-chefe do rei Luís XIII de França, estudou pintura e arquitetura. Como sucessor do pai redesenhou os jardins das Tulherias (Paris); já então revelava seu gênio ao desvendar uma perspectiva a perder de vista na suave rampa do local onde, no séc. XIX, seria aberta a avenida dos Campos Elíseos. § Entre suas obras conta-se o belo parque do castelo de Vaux-le-Vicomte planejado para o então ministro das finanças de Luís XIV, Nicolas Fouquet. ~ O rei, admirando essa belíssima concepção de arquitetura paisagística, incumbiu-o do projeto do que viria a ser sua obra-prima: os jardins e o parque do Palácio de Versalhes (1662-1690). O estilo monumental de Le Nôtre valorizou o palácio, obra do arquiteto Jules-Hardouin Mansart (1646-1708) e transformou um terreno pantanoso em um parque com avenidas que se irradiam, e onde a perspectiva dos extensos *parterres* (canteiros) é gradualmente absorvida pelos tufos de plantas; o céu, as árvores, as estátuas refletem-se em amplos espelhos d'água em diferentes níveis; os jardins se animam, dentro do espírito barroco, graças à riqueza e variedade de repuxos. Le Nôtre fez escola, e os jardins franceses se multiplicaram entre a nobreza e as cortes europeias. [V. jardim e paisagismo.]

leopardo. s. m. Em heráldica, leão passante com a cabeça vista de frente, e as garras de cor diferente do corpo; leão leopardado. [V. leão. Cf. *hall-mark*.]

leque[1]. [Do topônimo *Liú Kiú*, ilhas do Extremo Oriente, através do adj. português antigo *lequio*, em "abano léquio".] s. m. Objeto portátil que consta, basicamente, de uma folha ou anteparo de material leve, o qual, movimentado manualmente, é capaz de agitar o ar provocando ligeira ventilação. § As formas do leque são simples e pouco evoluíram. No curso da história das artes decorativas, interessa especialmente o **leque em arco**, muito difundido no Ocidente; tem forma de segmento de círculo pregueado ou não, e é dotado de varetas (de madeira, madrepérola, tartaruga, etc.) reunidas numa extremidade, e de uma folha (ou pano) de papel, velino, fazenda, renda, etc. em forma de arco. As varetas, com o leque aberto, formam raios que sustentam a folha; com ele fechado, ficam visíveis apenas as varetas-mestras, mais largas e fortes, que protegem o interior. Pinturas, colagens, bordados, aplicações, ornam as folhas, que têm avesso e direito, enquanto as varetas são delicadamente trabalhadas, esculpidas, vazadas, incrustadas ou lacadas. § Outros tipos de leque muito antigos são: os grandes abanos ou *flabelos* de cerimônia, decorativos e ricos (de plumas, folhas, tecido) usados nas cortes e nos cortejos como sinal de dignidade; e os leques ou *ventarolas* pequenos, de uso individual, dotados de cabo e de folha rígida em geral arredondada. § Desde épocas remotas os leques foram usados nas regiões quentes e temperadas do Extremo e do Médio Oriente. Sua utilização na China é tão antiga que se perde em referências lendárias. Neste país e no Japão o leque serve de complemento à indumentária; havia uma simbologia gestual expressa pelo manejo do leque ou da ventarola nas cerimônias ritualísticas e nas convenções sociais; mais tarde, entre os nipônicos, o leque arqueado se associa à dança e a certas cerimônias. ~ Na Grécia antiga, considerava-se prova de amor entre os recém-casados o marido abanar a mulher durante o sono (diziam os gregos que o primeiro leque teria sido uma asa de Zéfiro arrancada por Eros para refrescar sua amada Psiquê adormecida). ~ Em Roma, os flabelos, eram movimentados por escravos que atendiam aos patrícios e seus convivas. O costume passou aos cristãos nas cerimônias eclesiásticas e nos cortejos papais – dois dignitários, ladeando o pontífice, portavam grandes flabelos de plumas. ~ Na vida profana medieval há referências escassas ao leque, e seu uso na Europa se difundiu a partir do séc. XV trazido do Oriente pelos portugueses (os chineses e japoneses, com sua tradicional habilidade, produziam belíssimos exemplares dos quais, na época, tanto se serviam homens como mulheres). ~ Começa a se desenvolver a arte e o ofício da fabricação de leques que impõe aprendizagem especializada. No séc. XVII o leque arqueado já é complemento indispensável da indumentária feminina, e sua decoração acompanha o fausto que marca a corte de Luís XIV; tem armações esculpidas em ouro e pedras, e pinturas sobre velino; aparecem os primeiros motivos comemorativos ou históricos. ~ No séc. XVIII, em Veneza, foram feitos leques que primavam pelo luxo. Na França, aparecem leques com miniaturas em guache assinadas por Watteau, Lancret, Fragonard; o velino rivaliza com o papel da China e os leques parisienses se destacam pelo bom gosto e pela delicadeza e elegância dos motivos rococó*. Os leques com decoração neoclássica* reproduzem cenas campestres ou assuntos do momento. Temas cívicos são apresentados sob a Revolução Francesa, com dísticos patrióticos; os leques com lantejoulas surgem no Diretório* e, no Império*, os motivos guerreiros se insinuam. ~ No correr do séc. XIX os leques têm diferentes aspectos e dimensões: leques de plumas, de tule com aplicações, de lamê, de organdi; leques com espelhos na vareta-mestra, com vidros de cheiro ou *carnets* de baile na extremidade; outros de filigrana de prata, de sândalo perfumado; os mais ricos têm pinturas de artistas ilustres, outros são feitos em série com litografias ou decalcomanias. Os leques inspiravam românticos versos muitas vezes autografados na própria folha. No fim do século entraram em moda os leques de renda* verdadeira – a de Bruxelas para as noivas e mocinhas, a de Chantilly para as senhoras e para o luto. Do séc. XIX e da *Belle Époque* guardam-se até hoje belos exemplares usados nos saraus, nos bailes, nos teatros frequentados pela sociedade. ~ Depois, novos hábitos reduziram a procura desse acessório apenas para os dias de calor. Na década de 1920, porém, belos e grandes leques coloridos de plumas de avestruz e varetas de tartaruga movimentam-se elegantemente nos salões, não tanto para abanar quanto para realçar a elegância de suas portadoras, talvez por influência do efeito dinâmico e decorativo das plumas nos palcos dos *music-halls*. ~ O leque arqueado, nunca deixou de ser de grande efeito coreográfico e os leques artesanais espanhóis aí estão, marcando os gestos em certos bailados andaluzes. § A linguagem do leque alcançou expressiva significação entre as damas, nos salões, e seu manejo, além da graça dos gestos, era veículo de manifestações de nervosismo, desprezo, irritação, serenidade; entre namorados, sua mímica transmitia mensagens cifradas. § O material dos leques é delicado e perecível, e eles hoje são preciosas antiguidades protegidas na vitrina dos museus. Exemplares raros ou de família costumam ser expostos por particulares, enquadrados numa armação com vidro que lhes acompanha a forma. §§ No Brasil, tem-se notícia dos leques a partir de 1808, com a vinda da família real (há um leque comemorativo da Abertura dos Portos, outro da chegada de D. Leopoldina, primeira mulher de D. Pedro I). São interessantes os da época da Independência em que aparecem a efígie do Imperador e as armas do Império; outros se referem a fatos históricos de seu reinado ou a sua fase maçônica. No segundo reinado são representados D. Pedro II, D. Teresa Cristina, a Princesa Isabel. No raiar da República aparece um leque que comemora sua proclamação. ~ A maioria desses objetos era proveniente da China, encomendados nas "casas da China" da rua do Ouvidor, no Rio de Janeiro; neles, o verso ficava quase sempre ao sabor dos artistas locais. • Além do clássico *leque em arco*, já descrito, contam-se outros tipos: *Leque abissínio*. O que consta de um cabo oco onde se insere a folha presa a um cordão; puxado este, sai do tubo o leque pregueado; foi muito usado pelos ingleses em suas campanhas na África. *Leque de baralho*. O que não tem a folha armada pelas varetas; estas formam o arco e são aproximadamente triangulares, trabalhadas em madeira, marfim, etc., e ligadas entre si por fitas; alguns têm varetas revestidas de *vernis Martin*. *Leque de bolso*. Leque pregueado com varetas presas à folha que, quando fechada, se dobra e encaixa na parte inferior das varetas-mestras, só elas articuladas na extremidade; o tamanho fica reduzido à metade. *Leque em bandeira* ou *ventoinha*. O que tem folha lisa retangular, de tecido armado e rico, voltada para um só lado e presa a uma haste reta; muito usado na Itália, foi imortalizado por Ticiano. *Leque mandarinesco*. O que era feito na China tendo nas folhas e varetas personagens com rosto e as mãos de marfim. *Leque redondo*. O que é dotado apenas de duas varetas-mestras que fecham e protegem a folha plissada; esta é aberta por um movimento das varetas que as reúnem, e forma-se um círculo perfeito. [Cf. leque[2].] – Fr.: *éventail*; ingl.: *fan*; alem.: *Facher*; esp.: *abanico*.

Leque de varetas inteiras em laca preta decorada a ouro. (China ou Japão - séc. XIX)

Leque de renda com varetas de tartaruga loura incrustada com pequenos diamantes. (séc. XIX)

Leque com pintura de gênero sobre papel. Varetas de madrepérola gravada a ouro. (França - séc. XIX)

leque². *s. m.* Motivo ornamental* do Neoclássico tardio muito frequente no mobiliário brasileiro da primeira metade do séc. XIX. Consta de um quadrante de círculo esculpido em gomos concêntricos e que lembra um leque aberto ou as pétalas estilizadas da margarida. [Cf. leque¹.]

Liberty, Sir Arthur Lasenby (1843-1917). Homem de negócios inglês que se destacou como incentivador do *Art Nouveau**. De grande sensibilidade artística, foi amigo de pintores e de outros artistas da época. Em 1975 abriu em *Regent Street* (Londres) uma loja com o nome de *East India House* (Casa da Índia Oriental), especializada em artigos orientais, e que passou logo a apresentar produtos do *Arts and Crafts Movement*. Sua sensibilidade soube manter o estabelecimento em alto padrão, expandindo-lhe os departamentos. § Liberty planejou móveis de linhas leves com ferragens de metal e desenhos exclusivos; produziu também objetos de prata (a que chamou *Cimric*) e de estanho (a que chamou *Tudric*), enriquecidos com volutas complicadas, às vezes coloridas com esmalte. ~ Empenhado na campanha de renovação do vestuário que caracterizou o *Art Nouveau**, lançou tecidos estampados especialmente fabricados para ele: os *Liberty art fabrics* (tecidos de arte Liberty); a princípio executados com desenhos indianos e japoneses, pouco a pouco perdem o estilo oriental, e os motivos florais (tulipas, íris, papoulas) de tal modo se entrelaçam que formam padrões quase abstratos. ~ São característicos de Liberty os algodões densamente estampados com flores miúdas, tanto usados para roupas como para decoração. § Embora não fosse um *designer* como William Morris*, seu propósito foi igualmente produzir, dentro do novo espírito, objetos belos e úteis, com preços ao alcance de todas as classes. [V. *Arts and Crafts Movement*. Cf. Liberty.]

Liberty. Designação do *Art Nouveau** na Itália por influência da popularidade de A. L. Liberty e suas criações, não só na Inglaterra como no continente. [V. Liberty, Sir Arthur Lasenby. Cf. Floreal.]

Liceu de Artes e Ofícios de S. Paulo. Instituição fundada na cidade de São Paulo em 1873 com o fim de "ministrar gratuitamente o ensino das artes, ofícios e técnicas". No início do séc. XX o Liceu abre um período de inovações e de alto teor profissional, merecendo inúmeros prêmios internacionais. Em 1911 instala-se no belo prédio fronteiro ao Jardim da Luz, construído por Ramos de Azevedo, e que hoje abriga a Pinacoteca de S. Paulo. Na área das artes decorativas foi marcante sua presença em todo o país; produziu adornos para a construção civil pública e particular (Teatro Municipal de São Paulo; os ministérios de

Educação e da Fazenda no Rio de Janeiro; Catedral de São Paulo). Na metalurgia (lustres, grades), na cerâmica (vasos, bancos de jardim, vasilhame), no mobiliário, (peças no estilo de modelos europeus ao lado de outros originais), suas obras destacam-se pela feitura esmerada e pelo valor estético; certos móveis podem ser comparados aos dos grandes ebanistas europeus. ~ A formação de estofadores, eletricistas, bombeiros, etc., completava um esquema de alto nível profissional. No corpo de professores, figuras de elite como os artistas Victor Brecheret e Galileu Emendabile contribuíram para o alto padrão de qualidade. ~ Afastando-se do ensino das artes decorativas e ofícios afins, o Liceu volta-se, atualmente, para a produção e o ensino técnico especializado. [V. cadeira (ilustr.).]

Liceu de Artes e Ofícios - Pequeno armário art déco com marchetaria de madeiras nacionais sugerindo mapa antigo. Pés lavrados em bronze. (S. Paulo - c. 1940)

liço. [Do lat. *liciu* 'fio', 'trama'.] *s. m.* No Ocidente, dispositivo do tear que permite manobrar alternadamente os fios da urdidura* e facilitar a fixação da trama*; determina a posição do tear relativamente ao tecelão, e o sistema de trabalho a ser adotado. • *Alto liço*. O que tem urdidura vertical, sendo o trabalho realizado apenas com as mãos; o desenho pode ser marcado na urdidura e, embora feito pelo avesso, pode ser controlado pelo artesão. • *Baixo liço*. O que tem urdidura horizontal ficando o tear exposto horizontalmente, como mesa; o trabalho é executado com as mãos e com o auxílio de pedais, o que o torna mais simples e rápido, embora o artesão não possa acompanhar o que faz porque o direito da obra fica voltado para o chão. [V. tecelagem. Cf. tapeçaria e tapete - tapete feito à mão.]

licoreiro. s. m. Armação ou caixa equipada e disposta de modo a acondicionar uma ou mais garrafas e pequenos copos de licor. ~ A presença do licoreiro era quase obrigatória tanto nos abastados salões da burguesia do séc. XIX quanto em modestas residências; alguns eram montados sobre bandejas de metal à maneira dos galheteiros, apresentando os copinhos e garrafas de cristal; outros eram armados dentro de caixas achatadas ou incrustadas, de diferentes formas, e, em geral, trancadas à chave.

Licoreiro com armação de bronze dourado.
(França - séc. XIX)

liga. s. f. Combinação de dois ou mais metais em certas e determinadas proporções. Cada liga tem propriedades específicas conhecidas da metalurgia e que, não raro, se distinguem das de cada um de seus componentes. ~ O homem desde cedo aprendeu a utilizar os metais e teria verificado que as ligas apresentavam maiores qualidades para a execução de armas e utensílios. As primeiras ligas foram o bronze (cobre e estanho) e o latão (cobre e zinco). [V. bronze, latão, ouro e prata. Cf. cobre, estanho e ferro.] – Fr.: *alliage*; ingl.: *alloy*; alem.: *Metallegierung*.

Limoges. s. f. Cidade da França que se notabilizou, na Idade Média e na Renascença, pela produção de objetos de esmalte pintado. Hoje, concentra a maior indústria de porcelana do país. § Maior centro artístico do esmalte, produziu peças coloridas ou em grisalha*: cenas religiosas de inspiração gótica (séc. XVI) e, mais tarde, desenhos e cenas típicas da Renascença*. § Perto de Limoges encontra-se a importante jazida de caulim de Saint-Yrieux, o que, provavelmente, encorajou os primeiros fabricantes de porcelana de pasta dura a montarem ali suas indústrias, no séc. XVIII; a princípio a intenção era produzir porcelana branca para ser decorada em Sèvres* e, embora a ideia não tenha vingado, outras fábricas ali se estabeleceram no séc. XIX, atraídas pela proximidade da matéria-prima. ~ A porcelana de Limoges recebeu, de início, decoração floral à maneira de Sèvres ou das fábricas de Paris; posteriormente, a produção – que consiste particularmente de serviços de mesa – diversificou seus modelos e tem bases comerciais. A alta qualidade e a finura na execução fizeram com que a palavra Limoges passasse a designar qualquer produção local. [V. esmalte[1] e porcelana. Cf. Haviland e Limosin.]

Limoges - Peças de serviço de jantar marcado J.P. (Jean Pouyat). (França - séc. XIX)

Limosin, Léonard (c. 1515-1576). Pintor de esmaltes da cidade de Limoges (França). Sofreu a princípio influência de Dürer, passando depois, sob os auspícios do rei Francisco I de França, a um estilo maneirista, palaciano. Outros membros da família também se notabilizaram na mesma arte. [Cf. esmalte[1] e Limoges.]

linho. s. m. Fibra têxtil retirada da planta do mesmo nome, da família das lináceas (*Linum usitatissimum* e outras). As plantas são adaptáveis a vários climas e solos, e crescem melhor nas zonas temperadas, de terras úmidas. § A fibra pode ser facilmente separada, e foi utilizada na tecelagem desde o neolítico. Nas tumbas egípcias foi encontrado linho finíssimo; o tecido parece ter sido difundido no mundo mediterrâneo pelos fenícios e, mais tarde, espalhou-se pelas províncias romanas. ~ Na Idade Média foi cultivado em boa parte da Europa e era produto acessível ao povo; mas o melhor linho, até o séc. XIV, continuava sendo egípcio. ~ A partir do séc. XVII os europeus aperfeiçoaram a produção nos Países Baixos e posteriormente na Irlanda, na Inglaterra e na Escócia que conservam a tradição de qualidade. ~ No início da Revolução Industrial o linho continuou a ser produzido em teares manuais pois seu fio, não tendo a elasticidade da lã e do algodão, tendia a se partir em máquinas mais possantes. Foi, mesmo, suplantado pelo algodão* que, até o séc. XVIII, era pano de luxo. O uso difundido do algodão e o aparecimento das fibras sintéticas não sombrearam, porém, o prestígio do linho puro; hoje ele é muitas vezes, misturado a essas fibras. ~ Tanto as *cambraias* finas usadas para a roupa de baixo como as peças largas empregadas em lençóis confirmam que o linho se mantém insuperável por seu efeito refrescante. Linhos de outras texturas, como o *granitê*, dão especial relevo a uma mesa bem posta. § Pela resistência, brilho, durabilidade e poder de absorção, o linho sempre foi uma fazenda de alta qualidade que tende a se tornar, com o uso, mais lustrosa e macia. ~ A fibra de linho apresenta-se em cores que vão do cinza ao branco amarelado e o produto final depende do tratamento recebido. O tecido deve passar por diversos processos que o tornam mais branco e flexível. § Na decoração, além de indispensável nos artigos de cama e mesa, prestando-se a bordados e aplicações, o linho é empregado em estofamentos e cortinas, quer em estampados e lavrados, quer em *linho cru*, de cor parda e neutra. [V. tecelagem.] – Fr.: *lin*; ingl.: *linen*; alem.: *Lein*.

linóleo. *s. m.* Material liso e impermeável usado para tapetes e passadeiras; era feito basicamente de uma mistura de óleo de linhaça, certas resinas e cortiça em pó, aplicados sobre tecido forte. Patenteado na Inglaterra em 1860, teve rápida aceitação por ser resistente, não inflamável e de fácil manutenção; foi aplicado em residências, edifícios comerciais, hospitais ou outros recintos de grande frequência de público. ~ O linóleo moderno, feito de materiais sintéticos, obedece, em princípio, a processo de fabricação análogo. • *Chapa de linóleo*. A que, na arte da gravura*, é empregada em técnica semelhante à da xilogravura; como material macio que é,

possibilita grande variedade de efeitos. Processo artístico introduzido em começos do séc. XX, foi adotado por artistas como Picasso e Matisse. [Cf. xilogravura.]

lintel. *s. m.* Travessão horizontal que assenta sobre as ombreiras na parte superior de portas*, janelas* e lareiras*; dintel. O lintel de pedra é sempre monolítico.

lira. *s.f.* Antigo instrumento musical em forma de "U" ou de ferradura, e cujas cordas se prendem à base e a uma haste que une as pontas dos braços em geral recurvadas para fora. ~ Sua história remonta às primeiras civilizações. Na Grécia, consta o mito, Hermes teria roubado os bois de Apolo e se servido dos cornos de um deles para armar o instrumento. Este era atributo de Apolo e de Orfeu, e era o símbolo da harmonia. ~ A lira é o emblema da música e tem figurado como motivo ornamental associado a essa arte (como, p. ex., nos suportes dos pedais de antigos pianos). ~ Sua forma aparece em móveis neoclássicos (de Robert Adam*, de Duncan Phyfe*, entre outros), em especial nos encostos das cadeiras. Certos relógios do séc. XVIII, de porcelana ou de bronze, assumem os contornos de uma lira estilizada. §§ No mobiliário brasileiro, certas mesas mineiras* têm os cavaletes que servem de pés lembrando as linhas arredondadas e simétricas das liras. [V. cadeira.]

lit à la duchesse. [Fr. 'leito à duquesa'.] Cama de aparato com baldaquim* ou dossel opulentamente ornamentado e guarnecido de ricos tecidos. Surgiu na França, no séc. XVIII. [Cf. leito.]

lit à la turque. [Fr. 'leito à turca'.] Cama de origem turca, sem baldaquim*, com cabeceira e pé iguais, terminados em volutas. Este modelo, adotado na época de Luís XVI*, irá caracterizar as camas dos estilos Diretório* e Império*. [Cf. leito e *lit en bateau*.]

lit de repos. [Fr. 'leito de repouso'.] Espécie de canapé para repouso diurno surgido na Europa no séc. XVIII e inspirado em modelos do Oriente Médio; tem, por vezes, uma só cabeceira, forrada do mesmo tecido do assento e emoldurada de madeira esculpida. [Cf. camilha e leito.]

lit en bateau. [Fr. 'leito em forma de barco'.] Cama surgida na França na época do Império e da *Restauration*, encostada ao longo da parede (os franceses chamam também, por isto, *lit de travers*), e que se distinguia por apresentar a estrutura com a parte lateral do estrado e as duas cabeceiras construídas numa só peça, com perfil semelhante ao de uma barca. A madeira usada era, em geral, o mogno*. [V. Império e *Restauration*.]

litografia. *s. f.* Processo de gravura inventado no fim do séc. XVIII e que se desenvolveu no século seguinte, baseado em certas reações químicas. O desenho é traçado no avesso liso de um bloco de pedra calcárea, de grãos bem finos, com tinta oleosa. A pedra, porosa, absorve a gordura e é então coberta por uma solução ácida que não ataca a parte desenhada; a tinta a ser impressa é aplicada com rolo e só adere ao desenho, que é então passado para o papel. A litografia em cores necessita da superposição de diversas pedras litográficas para a mesma gravura. ~ A pricípio simples processo artesanal, a litografia foi depois ganhando espaço como técnica original: o artista pode desenhar livremente sobre a pedra e a cor pode ser aplicada de modo que cada prova seja única. Diversamente da xilogravura* e do talho-doce*, a litografia deixa ao artista a liberdade de empregar linhas e manchas em cores variadas, ou de trabalhar em preto e branco: por isso, certas litografias podem ser confundidas com desenhos a giz e a *fusain*. ~ No séc. XIX esse processo foi muito aplicado para ilustração de livros e periódicos e em cartazes. Um dos artistas mais famosos na sua utilização foi o francês Honoré Daumier cujas litografias satíricas em preto e branco foram muito difundidas. Outro francês, Toulouse-Lautrec, foi o pioneiro da litografia em cores levando-a ao nível de gravura de arte. [V. cartaz, gravura e ilustração.]

Loos, Adolf (1870-1933). Arquiteto tcheco radicado em Viena. Avesso ao emprego de ornamentos, é tido como precursor do estilo de volumes retilíneos e de materiais escolhidos que marca a arquitetura moderna. [Cf. funcionalismo, Internacional e *Secession*.]

lótus. *s. m.* Designação comum a diversas plantas aquáticas das regiões temperadas e subtropicais. ~ No antigo Egito, o lótus com folhas arredondadas e grandes flores alvas, era cultivado nos lagos. Essas flores, estilizadas, foram o emblema do Alto Egito e encontram-se esculpidas nos monumentos às margens do Nilo e na decoração de diversos objetos. Os capitéis* das colunas egípcias têm a forma de flores de lótus ou de folhas de papiro*. ~ O mesmo motivo decorativo foi usado no Extremo Oriente e nos estilos Neoclássico*, Diretório* e Império*.

louça. [Do *adj.* latino *luteus* 'de barro'.] *s. f.* Designação comum a diversas variedades de cerâmica, o mais das vezes de cor branca e revestida de esmalte. O termo pode incluir a porcelana e significar "serviços de louça", como p. ex., nas expressões "louça brasonada", "uma louça de família...". // Num sentido amplo, designação de todos os artigos feitos com esse material e produzidos industrialmente, em particular os que são destinados ao uso doméstico (vasilhame de copa e cozinha, pratos, travessas, etc., aparelhos sanitários). // Num sentido restrito, designação da cerâmica porosa ou da de pó de pedra, por oposição à porcelana. [Cf. cerâmica e faiança.] • *Louça brasonada.* Serviço de porcelana marcado com brasão ou com monograma. ~ Ao se iniciar o comércio com o Extremo Oriente no séc. XVI, os europeus, fascinados pela porcelana da China, procuraram obter, para seu uso, as peças trazidas pelas companhias de comércio. As primeiras porcelanas chinesas exportadas eram as próprias peças usadas no país; mas no séc. XVII as encomendas já obedecem aos requisitos em voga no Ocidente e são especificadas as formas e os desenhos. Desde logo, muitas dessas peças e serviços foram executados com brasões de seus proprietários. §§ Isto sucedeu em Portugal e, quando a corte portuguesa se instalou no Brasil em 1808, a louça da nobreza aportou entre nós. No Império, brasileiros que receberam títulos nobiliárquicos ou que simplesmente haviam feito fortuna, encomendavam serviços com suas armas ou suas iniciais. Casas de comércio estabelecidas na Corte representavam as grandes manufaturas da Europa e entrepostos chineses. Os mostruários ofereciam rica variedade de modelos e procedências. Com o avançar do século, as louças chinesas foram sendo substituídas pelas porcelanas francesas, alemãs, inglesas. Assim formou-se no Brasil importante e variado acervo de louça brasonada. **Louça da Companhia da Índias.** V. porcelana da Companhia das Índias. **Louça inglesa.** Tipo de louça para uso doméstico fabricada na Inglaterra; compreendia os produtos de grande número de manufaturas do Reino Unido e teve importância no Brasil até a implantação de uma indústria nacional congênere. ~ A louça de mesa foi produzida desde o séc. XVII e sua decoração recorria em grande parte a modelos orientais, entre os quais o chamado *willow pattern** (motivo do salgueiro). As fábricas inglesas adotavam e gravavam no verso das peças nomes orientais como "Shangai", "Cypris", "Nankim", e os compradores mal avisados poderiam confundir-lhes a origem; mormente porque ostentavam motivos como cenas chinesas com pagodes, fábricas aperfeiçoou os métodos, e adotou-se o *saltglaze** que deu fama às louças de Staffordshire. §§ Durante o primeiro e o segundo reinados, o Brasil importou fartamente essas louças, em especial as azul e branco, as chamadas **louças de pombinhos** e as **de borrão**. Eram peças comuns, de uso diário, friáveis, muitas decoradas com decalcomania; destinavam-se às cidades e ao consumo rural. Os serviços de chá e café, vasilhame de copa e cozinha, serviços de lavatório, etc., se não apresentavam as qualidades da porcelana fina, em compensação tinham preços mais acessíveis. Hoje, porém, são disputados como antiguidades. ~ Entre as louças inglesas finas que chegaram ao Brasil, destacam-se as de Wedgewood*, de Spode* e de Copeland* importadas, através do Rio de Janeiro, paralelamente à louça das Índias e às porcelanas francesa e alemã. [V. *earthenware*, *luster*, *saltglaze*, *stoneware*. Cf. borrão, pombinhos e *willow pattern*.]

Conjunto de peças de louça inglesa, de borrão. (séc. XIX)

louro[1]. *s. m.* Designação comum a diversas árvores da família das lauráceas e das boragináceas, que produzem madeira de boa qualidade, muito usada no Brasil. ~ O louro-pardo (*Cordia trichotoma*) que ocorre desde S. Paulo até o Rio Grande do Sul, fornece madeira macia, de peso médio, cor amarelada, com veios levemente contrastantese poros miúdos; presta-se para a fabricação de móveis, painéis e folhas laminadas. [V. madeira. Cf. louro[2].]

louro[2]. *s. m.* A folha do loureiro, arbusto originário do Mediterrâneo que permanece verde durante o inverno. ~ Na Grécia, o loureiro era consagrado a Apolo e simbolizava a glória, a sabedoria, a imortalidade; acreditavam os gregos que a folha, mastigada pelas pitonisas e adivinhos, ou queimada nos santuários, propiciava a veracidade dos oráculos. ~ Essa folha é motivo ornamental recorrente junto aos poderosos e vencedores; por isto, Napoleão Bonaparte, imitando os antigos se fez cingir com uma coroa de louros, e esse emblema aparece com frequência no estilo Império*. [Cf. louro[1].]

love seat. [Ingl. 'cadeira ou assento para namorados'.] Pequeno sofá para duas pessoas, foi introduzido no mobiliário inglês na segunda metade do séc. XVIII. [V. *settee.* Cf. *causeuse* e *confident.*]

Love seat com estrutura e decoração neorrococó. (séc. XIX)

lowboy. [Ingl.] *s.* Espécie de cômoda de pés altos (em geral em curva e contracurva) usada nos E.U.A., no séc. XVIII, como mesa de toucador*, ou nos salões, como mesa de encostar. Tem linhas semelhantes às da parte inferior do *highboy* e tudo indica que formaria com ele uma parceria. [V. *highboy.*]

lucarna. *s. f.* Claraboia ou janela de água-furtada; luzerna.

Luís XIII. Estilo renascentista tardio que na França, corresponde ao reinado de Luís XIII (1601-1643). Conjuga elementos complexos, clássicos, flamengos e italianos, e foi muito influenciado pela rainha-mãe, a florentina Maria de Médicis, protetora das artes. ~ O cardeal Richelieu, ministro de Luís XIII, procurou atrair para Paris grandes artistas, e no final do período, já começam a se delinear algumas características barrocas. ~ O mobiliário*, quase sempre de nogueira maciça, era solidamente construído com entalhes e torneados (volutas, escudos, querubins); alguns contadores de ébano eram decorados com incrustações de marfim e de latão. Os leitos tinham pesadas cortinas de veludo ou brocado, e as paredes, não raro, eram revestidas dos mesmos tecidos. [Cf. Henri II, Luís XIV e Renascimento.]

Luís XIV. Estilo que vigorou na França durante o reinado de Luís XIV (1638-1715), o "Rei Sol". Reflete, como nenhum outro, a personalidade do monarca. § O estilo Luís XIV tem três fases: a primeira (de 1665 a 1700, aproximadamente) continua com as características Luís XIII e é um período brilhante, de um luxo pautado na simetria rígida, no sistema decorativo das ordens clássicas, a um tempo rico e formal; a fase intermediária já permite observar maior fantasia nos elementos decorativos, marcados pela popularidade do Extremo Oriente; a última fase vai culminar na assimetria e leveza e prenuncia os estilos *Régence* e Rococó. § As artes decorativas foram utilizadas ostensivamente como apoio ao prestígio pessoal do rei; funda-se a "Manufatura Real dos móveis da coroa" (1667), antiga "Manufatura dos Gobelins", onde eram executados objetos de cerâmica, de vidro, além das tapeçarias, tecidos, móveis, etc. A França torna-se autossuficiente nesse setor, e lidera a moda europeia. O Barroco* brilha com esplendor e exuberância. § O mobiliário* é regido pela severa hierarquia da corte – a mesma que cerca todos os passos reais. ~ Os diversos tipos de assento compreendem almofadas no chão, bancos de quatro pés a 40 cm do chão, bancos de armar com pernas em "X" (os *ployants* que os nobres levavam ao acompanhar o Rei), cadeiras com costas de espaldar alto e retangular e, finalmente, poltronas de dois tipos (de costas altas e braços de madeira e de "confessionário", precursoras das *bèrgeres**). ~ As camas são armações altas, retangulares, quase sem madeira aparente, ornadas com ricos tecidos (*lit à la duchese*, lit d'ange, lit à la quenuoille*). As cômodas de duas ou três gavetas, criações de Boulle*, têm, às vezes, tampos de mármore. As paredes são cobertas com ricas tapeçarias, muitas encomendadas nas Manufaturas Reais. ~ As madeiras empregadas são raras, esculpidas à mão e incrustadas de tartaruga, *pietra dura*, e até ouro e prata. § Os objetos destinados ao uso real têm como motivos ornamentais folhas de acanto, conchas, volutas, palmetas, o monograma real (dois "LL" entrelaçados e que se opõem), o Sol (com cabeça de mulher ou de Apolo), troféus de guerra à maneira romana (couraça e capacete, atributos com que Luís XIV era por vezes representado), e a própria efígie do Rei. § Luís XIV interessou-se pessoalmente pela decoração e mobiliário das residências reais; criou Versalhes com seu palácio, seus jardins, suas festas, cenário simbólico da glória do Rei. § Nos últimos anos a crise financeira (causada pelas despesas com o luxo e com as guerras) e a crise religiosa (lutas entre católicos e protestantes) determinaram certas mudanças; assim, p. ex., a faiança se desenvolveu porque a prata precisou ser fundida para fazer face aos gastos. Em 1685, devido a lutas de religião, os huguenotes (protestantes) foram banidos, e grandes artesãos (prateiros, tecelões) se refugiaram e estabeleceram nos Países Baixos e na Inglaterra onde as artes decorativas tiveram um surto de desenvolvimento. Esses fatores históricos e econômicos determinaram a reação contra o formalismo que se esboçou no fim do reinado, e já prenunciava a dinâmica do Rococó. [V. Gobelins e Le Nôtre. Cf. Luís XIII, *Régence* e Rococó.]

Luís XV. Estilo decorativo que vigorou na França durante o reinado de Luís XV (1710-1774). Na fase da menoridade do rei (que sucedeu seu bisavô, Luís XIV em 1715), predominou o estilo *Régence*, de linhas suavemente curvas. § O estilo Luís XV teve o apogeu entre 1720 e 1760, aproximadamente, e, por volta de 1730, adquiriu as características do estilo *Rocaille* (Rocalha), e foi conhecido em certos países da Europa como Rococó. § Desde a juventude o rei demonstrou, como seu antecessor, grande interesse pelas artes e pendor para o luxo, no que foi estimulado por sua célebre favorita Madame de Pompadour, mulher inteligente e de gosto requintado. ~ Muitas mudanças se processaram nas artes decorativas francesas e as fórmulas repressivas da etiqueta e do protocolo suavizaram-se. Nota-se maior liberdade de expressão. A tendência para o uso de cômodos menores e mais íntimos concretiza-se nos *petits cabinets* (pequenos gabinetes) de Versalhes, e na planta dos *hôtels particuliers* (residências particulares) construídos em Paris. ~ Os móveis são também menores e mais leves, associam utilidade e elegância, e são mais confortáveis (emprega-se o estofamento e as almofadas). Os assentos tomam formas múltiplas e cadeiras e mesinhas têm maior mobilidade; acentuam-se as linhas curvas (pés em curva e contracurva, cômodas bombês, mesas em forma de rim), em equilíbrio harmonioso, muitas vezes reduzindo os excessos do Rococó. ~ O estilo Luís XV brilha com seus grandes ebanistas: Meissonnier*, Oeben*, Cressent*. ~ A decoração interna já obedece a um plano. As paredes são apaineladas no estilo dos móveis e apresentam pinturas galantes. No mobiliário*, o mogno substitui o ébano e a nogueira, e empregam-se guarnições e grades de bronze dourado; a marchetaria* desenvolve-se. Placas de porcelana são embutidas em móveis pequenos. A arte do verniz é elaborada, usa-se a pintura, a laca, os painéis recortados de Coromandel. Sedas, damascos, tapeçarias associam em seus padrões orientalismo e fantasia. ~ A porcelana de Sèvres* se desenvolve; relógios, grupos, *garnitures de cheminée**, grandes vasos decorados imprimem suas formas ao gosto europeu. § Os motivos decorativos incluem cestas de flores, guirlandas, laços, palmetas, gradeados, *chinoiseries**, *singeries**, figuras da *commedia dell'arte**. § A partir de 1750 a grande vitalidade, a assimetria, o dinamismo do Rococó francês vão se decantando; a ornamentação torna-se mais discreta e já começa a se fazer presente a sobriedade do Neoclássico*. [V. Rocalha e Rococó. Cf. *Régence* e Luís XVI.]

Luís XVI. Estilo predominantemente neoclássico vigente na França durante o reinado de Luís XVI (1754-1793), da dinastia de Bourbon, deposto e guilhotinado durante a Revolução Francesa. § Em meados do século as formas decorativas voltam-se para a simplicidade: as linhas retas, a economia de entalhes começam a substituir as curvas do Rococó*. Os motivos clássicos adquirem nova vida; fogem, porém, dos esquemas estilizados e volumosos do estilo renascentista e abandonam, por outro lado, os retorcidos ornatos Luís XV. O Neoclássico inglês contribui para imprimir à nova decoração um sentido de elegância despojada, inspirada nos exemplos mais sóbrios da Antiguidade. § Esses princípios não excluem o trabalho elaborado, e artistas e artesãos são muito prestigiados. Para a rainha Maria Antonieta, apreciadora da vida de luxo e prazer, e para os fidalgos que a cercam, são desenhados e executados móveis notáveis pela feitura e originalidade, com a assinatura de ebanistas como Jacob*, Riesener* e outros. Em Versalhes e em Fontainebleau os *boudoirs* turcs* da rainha são decorados à maneira pompeiana com pinturas em belos painéis arredondados. § O mobiliário* Luís XVI conserva certas características do período anterior: mesinhas e outros móveis pequenos, cadeiras e sofás elegantes povoam os salões, e as peças de maior vulto (secretárias, armários, camas) correspondem às mesmas características. O acabamento é de madeiras preciosas que revestem estruturas resistentes e elegantes; as superfícies folheadas de mogno brilhante vão substituindo a marchetaria. As pernas dos móveis são retilíneas (em ângulo reto ou cilíndricas) e apresentam caneluras. Os encostos das poltronas têm molduras ovais ou em arco abatido; essa forma aparece também nas cabeceiras simétricas das camas. ~ O bronze dourado é tratado em lâminas estriadas, frisos de palmetas, guirlandas, cornucópias; ou ainda aparece em cariátides femininas, esfinges aladas (de inspiração grega) e canéforas (figuras de mulher com uma alta cesta de flores à cabeça). As placas de porcelana que decoram os móveis se renovam com figuras alegóricas em relevo à maneira de Wedgewood*. § Com a Revolução (1789), malgrado as profundas alterações ideológicas e sociais, não houve solução de continuidade no campo das artes decorativas e o estilo Luís XVI evoluiu, num encadeamento natural, para o estilo Diretório e o estilo Império. [V. Neoclássico. Cf. Luís XV e Diretório.]

Luís Filipe. Estilo corrente na França aproximadamente entre 1830 e 1848, período do reinado de Luís Filipe de Orléans (1773-1850), o rei burguês. Nesta fase o estilo *Restauration* evolui e acentua-se o gosto pelo ecletismo, pelas peças sólidas e vistosas com novas interpretações de estilos anteriores. § Os móveis se industrializam e, de certo modo, se simplificam; são feitos geralmente de mogno e têm poucos motivos ornamentais. ~ Nos armários, nas cômodas, nas secretárias verticais, os montantes são retos, de ângulos arredondados e cornijas salientes com curvas côncavas e convexas, painéis simples, pouco bronze. ~ As cadeiras são confortáveis, de ângulos também arredondados, com os pés em forma de mísula e os braços terminando em volutas ou pescoço de cisne; são frequentes as cadeiras em gôndola*. ~ Nos quartos aparecem as cômodas-lavatórios, com espelho e, algumas vezes, tampo de levantar na parte central; noutras o espelho se movimenta sobre um eixo. ~ As camas são elementos importantes na decoração dos quartos; destacam-se os *lits en bateau**. ~ Nas salas, sofás e cadeiras formam conjuntos marcados pelas estruturas de madeira aparente; espalham-se os *guéridons**, as costureiras, os *bonheurs-du-jour**, os consolos de madeira escura e tampo de mármore, as mesas de centro, ovais ou redondas igualmente de mármore. §§ No Brasil Império o mobiliário se inspira nos modelos em voga na França. Nas residências urbanas e nas fazendas, os móveis de mogno e jacarandá abandonam a tradição portuguesa e se amoldam aos ditames parisienses. [V. cadeira (ilustr.). Cf. Dom João VI, *Restauration* e Biedermeier.]

luminária. *s. f.* Designação genérica dos aparelhos destinados à iluminação. [V. aplique, arandela, castiçal, candelabro, lâmpada, lampadário, lamparina, lampião, lanterna, lustre, *plafonnier*, *spot* e toucheiro.]

luneta. *s. f.* Objeto de culto católico que constitui um suporte em forma de meia lua onde se deposita a hóstia que vai ficar na custódia para a bênção ou para a exposição; luna, lúnula. [V. custódia.]

Lurçat, Jean (1892-1966). Pintor francês, principal incentivador do renascimento da arte da tapeçaria na França, no séc. XX. ~ Em 1939, com um grupo de pintores, Lurçat estabeleceu-se em Aubusson, cidade que, desde o séc. XVI estava ligada àquela arte. Contando com a colaboração do mestre tapeceiro François Tabard, eles puderam realizar trabalhos em que diversas tendências da pintura contemporânea se associam a um retorno às primitivas técnicas da tapeçaria. Reduzem drasticamente as cores, adotam material mais rude e utilizam o cartão numerado que exclui a liberdade de interpretação do tecelão. Lurçat inspira-se nas tapeçarias do séc. XIV, notadamente no *Apocalipse* de Angers (França), e também nos tecidos pré-colombianos. ~ A vasta série de obras que fez para Aubusson inclui *Jardim dos Galos* (1939) – os galos são característicos na temática de Lurçat –, *Inverno* (1942), *Os Quatro Elementos* (1946); entre as obras posteriores sobressai *O Canto do Mundo* (1957-1964). §§ Para a sede da *Maison de France* (Casa de França) no Rio de Janeiro, Lurçat compôs uma tapeçaria que tem como motivos centrais dois polos geográficos e culturais, um representando a França e o outro o Brasil. [V. tapeçaria.]

Tapeçaria adquirida na exposição Lurçat realizada em 1954 no Rio de Janeiro.
Acervo Museus Castro Maya - Rio de Janeiro (França - primeira metade do séc. XX - 288 x 230 cm)

luster ou **lustre.** [Ingl.: 'lustro', 'brilho'.] *s.* Reflexo iridescente na superfície do vidro ou da porcelana, característico da cerâmica islâmica e hispano-mourisca, e da maiólica. É obtido pela aplicação de fina camada de pigmento feito com óxidos metálicos – de prata (amarelo-pálido) ou de cobre (vermelho) – sobre a peça já esmaltada e levada a cozer a baixa temperatura. Quando a camada é espessa, o objeto parece feito de metal, enquanto camadas finas produzem efeitos iridescentes. § A técnica deve ter sido inventada no Egito por volta do séc. VIII, e aperfeiçoada na Pérsia uns cem anos depois. Teria sido transmitida a Málaga, na Espanha (séc. XIII) e à Itália onde se desenvolveu no séc. XV. O *luster* era de difícil aplicação, poucas peças obtinham resultado satisfatório e sua fabricação não se difundiu na Europa no período subsequente. ~ Mais tarde, um processo simplificado desenvolveu-se na Inglaterra, produzindo efeitos arroxeados e acobreados. Na louça inglesa do séc. XIX, tem-se o *copper luster* (acobreado), o *gold luster* (dourado), o *silver luster* (prateado), além do *rose luster* (rosa intenso). A decoração fez-se, também, na porcelana branca de listas azuis; é curioso notar que a decoração *silver luster* era conhecida na Grã-Bretanha como 'prata dos pobres', e hoje, peças desse gênero figuram em coleções e museus. ~ Aliás, essa intenção de imitar metal parece ter sido a origem do desenvolvimento da técnica entre os muçulmanos persas: para burlar a proibição do uso do metal precioso por certas seitas, recorreu-se à cerâmica completamente recoberta de *luster*. §§ Jarros, leiteiras, tigelas, canecas e outras peças com esse revestimento irisado eram muito comuns nas casas brasileiras, importados da Europa; muitos tinham decoração colorida em relevo; eram peças de uso diário, e não figuravam nas mesas abastadas. [V. cerâmica. Cf. maiólica e louça - louça inglesa.]

Luster. Serviço de chá art déco, dourado e prateado com detalhes em negro. (antiga Tchecoslováquia - séc. XX)

lustre. [Do fr. *lustre.*] *s. m.* Luminária de metal, vidro, madeira, etc. presa ao teto e que consta, em princípio, de coluna central e de muitas luzes distribuídas em braços. § Os mais antigos lustres medievais tinham a forma simples de uma cruz de madeira com velas nos quatro cantos. No período gótico, surgiram as "coroas de luz", grandes aros de ferro ou latão presos ao teto por correntes e que eram guarnecidos de luzes dispostas a igual distância. A partir do séc. XV o lustre começa a adquirir caráter decorativo, inspirado, possivelmente, na disposição dos candelabros, com haste central de onde partem os braços. Os lustres eram luminárias de aparato, usadas nas grandes residências, nos palácios, nas igrejas, nos teatros; como iluminavam ambientes de pé-direito elevado, eram dotados de dispositivos capazes de baixá-los para se acenderem as luzes. ~ Os lustres de latão ou de bronze com vários braços em curva e contracurva, parecem ter origem nos Países Baixos; nos sécs. XVII e XVIII, eles têm, não raro, grupos de braços superpostos e coluna central torneada terminando na base por uma esfera. São os chamados *lustres holandeses*. ~ Na França setecentista aparecem os *lustres de pingentes* de cristal facetado, destinados a refletir a luz das velas; eram montados em leves estruturas de metal, não mais com braços, embora mantendo a coluna central, enquanto outros ostentavam cadeias de contas de cristal também facetadas. § Lustres antigos de prata, de cobre, de opalina, etc. feitos para velas ou para iluminação a gás são adaptados à eletricidade sem grandes dificuldades. Alguns são tão belos que ultrapassam a própria finalidade e são contemplados como peças artísticas. § Na era da eletricidade, bacias ou globos de vidros especiais (Gallé, Lalique, Tiffany) presos a correntes distribuem uma luz difusa, ocultando as lâmpadas. Do período *Art Déco*, dentro da linearidade do estilo essas luminárias têm *designs* de surpreendente criatividade. [V. iluminação. Cf. lampadário e *plafonnier*.]

luzerna. *s. f.* V. lucerna. // Fresta ou pequeno caixilho em telhado ou parede para permitir a entrada da luz; trapeira.

M

macaco. *s. m.* Animal conhecido pela agilidade, capacidade de imitação e comicidade, e que é apresentado com frequência nas lendas, na literatura, nos motivos de decoração. ~ No antigo Egito, o macaco, encarnação do deus Toth, era patrono dos sábios e letrados, era o artista, amigo das flores, das festas, o mágico capaz de ler os mais misteriosos hieróglifos; aparece no julgamento dos mortos, presidido por Osíris, como o escriba que anota quando são pesadas as almas. ~ Entre certos povos orientais representa também a sabedoria, a inteligência; no templo de Nikko (Japão) são vistas as três célebres figuras de macacos, um cobrindo com as mãos os olhos, outro os ouvidos e o terceiro a boca, como que dizendo: "não ver", "não ouvir", "não falar o mal". ~ Como outros símbolos, porém, o macaco tem um lado negativo e representa a malícia, avareza, a malevolência, e assim aparece nas fábulas da literatura ocidental e em muitas decorações. [V. *singerie* Cf. mono.] – Fr.: *singe*; ingl.: *monkey*; alem.: *Affe*.

Banqueta em forma de macaco sustentando almofada. Acervo M. C. Maya - Rio de Janeiro (China - séc. XVIII)

maçaneta. *s. f.* Designação de qualquer elemento esférico ou de forma aproximada que arremata hastes e postes, balaustradas e grades, montantes de móveis, colunas de gradis, etc. [Cf. pinha.] // Peça arredondada ou alongada que se faz girar em torno de um eixo para mover a lingueta dos trincos das portas. ~ Maçanetas de metal, de porcelana, de cristal foram usadas como acessório arquitetônico, variando em requinte e acabamento. No século XIX, Baccarat* produziu exemplares com decorações semelhantes às dos pesos* de papel, além de outros lapidados. ~ Modernamente, as maçanetas tradicionais são substituídas amiúde por peças mais facilmente apreensíveis pela mão.

Maçaneta de porta com leão de bronze. (Alemanha - séc. XIX).

maçaranduba. *s. f.* Madeira muito dura e pesada própria para construção, especialmente para obras expostas ao tempo ou situadas em lugares úmidos. É proveniente das espécies florestais existentes nas matas brasileiras, e foi conhecida desde os primeiros tempos de colonização. [V. madeira.]

Macau. [Top. chinês.] Em Portugal e no Brasil, designação genérica que abrange a louça da Companhia das Índias e, mais particularmente, a azul e branco com decoração chinesa representando cenas e símbolos tradicionais. ~ Essa louça era exportada para Portugal desde o séc. XVI, através do porto de Macau, cidade chinesa conquistada e colonizada pelos portugueses, e cuja posição geográfica propiciou condições privilegiadas para o comércio com o Ocidente. Dali eram obrigatoriamente expedidas mercadorias chinesas destinadas ao comércio luso, e entre elas avultava a porcelana. §§ Os navios portugueses vindos da China aportavam no Brasil, e a louça de Macau – ou simplesmente Macau – utilizada pelos colonizadores figura entre as peças do nosso patrimônio dos sécs. XVII e XVIII. [V. azul e branco, louça da Companhia das Índias e porcelana chinesa de exportação.]

Macau - Sopeira redonda. (China - séc. XIX)

Macau - Terrina com travessa e uma pequenas molheira. (China - séc. XIX).

Mackintosh, Charles Rennie (1868-1928). Arquiteto e decorador escocês do *Art Nouveau* cujas atividades desenvolveram-se, a princípio, em Glasgow, sua cidade natal. Ali, com um grupo, realizou, entre 1896 e 1899, o projeto para a total reconstrução e decoração da *Glasgow School of Arts* (Escola de Artes de Glasgow), de extrema originalidade para a época, e no qual reunia clareza, racionalidade e imaginação. Projetou, igualmente, a decoração e o mobiliário para as casas de chá de Miss Cranston e para diversas residências, associando concepções retilíneas às lânguidas curvas *Art Nouveau* que usava com moderação. § Nos móveis de Mackintosh predomina a simplicidade; sobressaem as elegantes cadeiras singelas de linhas alongadas. Usa o carvalho natural ou pintado, e o branco é delicadamente decorado com motivos florais em que perpassa a influência japonesa. ~ Nas salas e nos quartos dá ênfase à sutileza de certos efeitos e à frugalidade capazes de criar uma atmosfera poética, um ambiente para "almas belas", como dizia; pureza de linhas que contrasta com o vigor do movimento *Arts and Crafts* e com a sensualidade do *Art Noveau* francês. ~ Mackintosh insistia no valor de um ambiente total: nas casas de chá tanto se ocupou de vitrais elaborados quanto das colheres ou da louça; e, na Biblioteca da *School of Arts* preocupou-se com a integração dos leitores ao recinto. § Valeu-se de muitos materiais, quer trabalhando-os diretamente, quer supervisionando a execução; valorizou a espontaneidade e evitou o excesso de requintes. Criou vitrais, painéis de gesso, objetos de prata, joias, talheres, papéis de parede, metal repuxado, bordados. ~ Por suas realizações em Glasgow, impressionou profundamente os finos arquitetos e artistas austríacos da *Secession* que adotavam um estilo claro e despojado. § A importância conferida a Mackintosh no séc. XX deve-se à sua habilidade em reduzir desenhos ao essencial, sem sacrificar a finura e a elegância. Pela simples interseção de linhas horizontais e de longas verticais, demonstra que a luz, brilhando, e o espaço que envolve um objeto, são elementos importantes em sua criação. Este senso da forma abstrata é fortemente expresso na natureza robusta e humanizada de sua arquitetura. ~ O estilo de Mackintosh reviveu na década 1950, quando o *Art Nouveau* passou a interessar arquitetos e decoradores, e seus móveis influenciaram os novos *designers*. Foi um dos artistas mais sutis da virada do século XIX, mas na época não teve sua mensagem aceita senão por um grupo requintado e restrito. [V. *Art Nouveau*, biblioteca, *Secession* e rosa. Cf. *Arts and Crafts Movement.*]

Mackmurdo, Arthur Heygate (1851-1942). Arquiteto e *designer* inglês, pioneiro do *Art Nouveau* na Inglaterra. Integrou um grupo que se inspirava nas ideias de John Ruskin e William Morris*. Em seus desenhos (ilustrações gráficas, tecidos) introduz curvas alongadas, como chamas ou vegetais, que depois seriam absorvidas pelos artistas belgas (Van de Velde*, Horta*). Fundou o grupo de artistas e artesãos *Century Guild* (Corporação do Século) com o intuito de integrar em todos os ramos das artes decorativas a criação estética e a produção de consumo. [Cf. *Arts and Crafts Movement.*]

macramê. *s. f.* Renda feita com linha grossa entrelaçada e amarrada por meio de nós de modo a produzir belos desenhos em geral terminados em franja. A técnica de execução e o material usado permitem a feitura de peças grandes em que linhas verticais se equilibram com os motivos trabalhados de bonito efeito decorativo, e que são aproveitadas sobretudo em cortinas. [V. renda.]

madeira. *s. f.* Material constituído da parte interna de certas árvores, e que é utilizado nas obras de construção civil e naval, na carpintaria em geral, na marcenaria, em obras de talha, em pequenas peças esculpidas, em ferramentas e vasilhames, etc. § O tronco das árvores, numa seção transversal, apresenta camadas concêntricas: no centro, o cerne, parte aproveitável que representa a massa principal; a cercá-lo, o alburno e o líber, camadas mais estreitas e mais tenras, sujeitas à deterioração e aos ataques dos insetos; externamente a casca, rugosa, de pouca espessura. ~ A madeira é proveniente do cerne, cortado, em geral, longitudinalmente e que, nas mais belas, apresenta veios característicos. Por ser a um tempo resistente e flexível e facilmente trabalhada com ferramentas simples, a madeira tem servido ao homem desde seu aparecimento na terra, contribuindo para sua sobrevivência como abrigo e defesa. § Na Idade Média, o território europeu era coberto por extensas florestas e a madeira foi a matéria-prima primordial, substituindo a pedra, o ferro, o carvão. Servia para aquecimento, para alimentar fornalhas, para suportar galerias subterrâneas ou tetos, para fabricar ferramentas, utensílios e recipientes e, na agricultura, para escoramento de vinhas. Com ela se confeccionavam móveis, erguiam-se casas, celeiros, paliçadas, construíam-se barcos e carros. ~ Na época atual, apesar do progresso da tecnologia e da competição com metais, materiais plásticos, cimento, etc., ela conserva importância especial para as finalidades em que, tradicionalmente, vem sendo empregada. Entretanto, por fatores ecológicos, dá-se maior atenção ao perigo do desmatamento e os objetos importantes de madeira de lei recebem um certificado que lhes asseguram o uso legal. [V. marcenaria e talha. Cf. aglomerado, compensado, contraplacado, folheado, laminado.] – Fr.: *bois*; ingl.: *wood*; alem.: *Holz*; ital.: *legno*. • *Madeira branca.* Madeira de cor clara, mole, leve, que não resiste às intempéries e aos caruchos; é utilizável em caixotes ou no fabrico de papel. São madeiras brancas as coníferas em geral, a faia, o álamo, o eucalipto. *Madeira de lei.* A que resiste bem ao tempo, às intempéries, aos insetos, à umidade; é sempre dura, pesada, de cor carregada. Esta designação em português provém do fato de que certas madeiras resistentes eram reservadas pelo rei de Portugal para a construção de navios, e sua derrubada era proibida por lei. São madeiras de lei o jacarandá, o carvalho, a nogueira, a imbuia, a canela, entre muitas outras. *Madeira folheada.* V. folheamento. *Madeira vergada.* A que assume formas curvas não por meio de entalhe ou de corte, mas pelo aproveitamento da direção das fibras. Os processos mais antigos valiam-se do envergamento de camadas de madeira folheada; no séc. XIX o fabricante de móveis Thonet * inventou um processo que se serve de sólidas hastes de madeira encurvadas sob a ação do calor e da água.

Cabeça de índia. Escultura em madeira, num só bloco. Ass. Fid. (México - 1923 - alt. 35 cm)

madona. [Do ital. *Madonna*. 'Nossa Senhora'.] *s. f.* Na arte cristã, representação da Virgem Maria acompanhada do Menino Jesus. ~ A designação deve-se à profunda repercussão que tiveram as obras de artistas italianos a partir do séc. XIV (Filippo Lippi, Luca Della Robbia, Leonardo da Vinci e, especialmente, Rafael), representando, de forma tocante, a figura de Nossa Senhora. [Cf. Nossa Senhora e Virgem Maria.]

madras. [Top. indiano.] *s. m.* Tecido oriundo da cidade de Madras (Índia) feito com fios de algodão e de seda formando quadrados de cores vivas. Era importado na Europa para a fabricação de lenços.

madrepérola. *s. f.* Substância branca, iridescente, dura, suscetível de polimento, que reveste a parte interna da concha de diversos moluscos; nácar. § Essa bela substância, da qual também é constituída a pérola, é formada por camadas calcárias estriadas e transparentes, e por outras finíssimas de ar, o que lhe proporciona o aspecto irisado. Apesar da superposição das camadas, a madrepérola é tão dura que só pode ser trabalhada com o auxílio de instrumentos próprios e de ácido sulfúrico diluído; é desbastada, recortada, gravada, e seu brilho se obtém por polimento especial. O colorido, muito lindo, depende da composição mineral de cada variedade: tem-se a madrepérola clara, de um branco ligeiramente rosado, outra de um branco mais carregado, amarelado, esverdeado ou azulado além de algumas com reflexos de um cinza às vezes bastante escuro. § Cada região produz moluscos com diferentes características. Na Antiguidade a madrepérola era proveniente dos mares do Oriente (Golfo Pérsico, Sudoeste asiático) e, a partir do séc. XVI, tem sido extraída também nas Antilhas, nas costas sul-americanas do Pacífico, na Austrália. § No Extremo Oriente os chineses a utilizaram desde tempos remotos (em incrustações, sobretudo) e a prática passou ao Japão e outras regiões. ~ No Ocidente foi conhecida pelos romanos, e foi aplicada em mosaicos cristãos. ~ Aparece na feitura de objetos litúrgicos, bem como na decoração de trabalhos em metal e ourivesaria, especialmente na época da Renascença*. Torneiros, entalhadores e outros artífices produziam imagens de santos, crucifixos, terços, figuras de jogos de xadrez*, cabos de faca, punhos de espadas. A partir do séc. XVII o nácar foi usado no mobiliário e em tabuleiros de jogos (a exemplo da China), enriquecendo as obras de marchetaria. As peças oitocentistas de *papier mâché** são decoradas com madrepérola de várias tonalidades. § Este material, delicado e leve, presta-se para a confecção e a decoração de pequenos objetos de luxo como caixinhas e estojos, missais e terços, além de botões, bijuteria, etc.; a madrepérola era especialmente procurada para armações de leques* e para carnês de baile. § Sendo material de grande fragilidade, exige cuidado na sua conservação e poucas peças anteriores ao Renascimento lograram ser preservadas. [V. burgau, incrustação e marchetaria.] – Fr.: *nacre*; ingl.: *mother-of-pearl* e *nacre*; alem.: *Perlmutter*; ital. e esp.: *madreperla*.

Madrid. [Top. esp.] Manufatura de tapeçarias fundada na cidade de Madri em 1720 pelo flamengo Jacob van Goten. A fábrica adquiriu notoriedade com as reproduções dos cartões de Goya, feitas entre 1774 e 1781. Essas tapeçarias representam cenas campestres urbanas com personagens típicos da vida popular espanhola num estilo em que se misturam temas amáveis a outros mais sombrios; tal tratamento, vivo e decorativo, valeu às obras dos ateliês de Madri um lugar especial na arte da tapeçaria que, em geral é mais voltada para temas nobres e palacianos. [V. tapeçaria.]

magenta. *s. m.* V. cor

mainel. *s. m.* No final da Idade Média e no Renascimento, pilar vertical e trave horizontal de pedra, que se cruzavam em ângulo reto numa janela, dividindo-a em quatro aberturas. // Cada uma das ombreiras ou colunas verticais que, numa janela de grande extensão, dividem a abertura total em outras tantas parciais e sustentam o dintel* ou, em certos casos, a bandeira*. [V. janela.] // Antiga designação de corrimão.

maiólica. s. f. Cerâmica italiana, porosa, esmaltada e pintada, não raro com reflexos metálicos, produzida nas cidades de Deruta, Gubio, Orvieto, Faenza, Urbino, Florença e outras, a partir do séc. XV (tb. se diz majólica). ~ A designação é proveniente do fato de que essa louça foi introduzida na Europa pelos árabes e difundida através dos portos do Mediterrâneo, entre os quais os da ilha de Majorca (Espanha) um dos principais centros de comércio de cerâmica hispano-mourisca. ~ No séc. XVI a produção de maiólica, anteriormente destinada a peças utilitárias (potes de farmácia*, jarros*, pratos*), incorpora-se à arte do Renascimento*. A louça torna-se um luxo nas casas patrícias que rivalizam na apresentação de grandes pratos com cenas históricas, bíblicas e mitológicas emolduradas por barras decoradas, às vezes em relevo. ~ A pintura era normalmente restrita a cinco cores em diferentes combinações segundo o lugar de origem: azul cobalto, amarelo de antimônio, vermelho ferroso, verde acobreado e roxo; esmalte de estanho, branco, era empregado como fundo para dar realce aos desenhos. § No séc. XIX, com a retomada do gosto pelas coisas renascentistas, a maiólica foi imitada por algumas fábricas europeias. [V. cerâmica. Cf. faiança, louça e *majolica*.]

majolica. [Ingl. adaptação do ital. *maiolica*.] Designação dada na Inglaterra a um tipo de faiança produzida industrialmente, modelada em relevo e revestida de esmalte brilhante de cores vivas; originado em Minton, tornou-se muito popular especialmente na produção de certos objetos graúdos como jardineiras e porta-guarda-chuvas. [Cf. Minton e maiólica.]

majólica. s. f. V. maiólica.

Majorelle, Louis (1859-1926). Artista francês que desenhou móveis e objetos de ferro e teve participação importante no *Art Nouveau*. Com Émile Gallé*, integrou a chamada "Escola de Nancy". Suas criações no estilo floral dessa escola conheceram, na época, grande popularidade e são hoje preciosas. [V. *Art Nouveau* e Nancy.]

malacacheta. s. f. V. mica.

Málaga. [Top. esp.] Primeiro centro de produção de louça hispano-mourisca de reflexos metálicos, provavelmente datadas do séc. XIII. A cerâmica de Málaga é muito bem decorada com folhagens e motivos islâmicos. A produção de peças irisadas parece ter cessado em meados do séc. XV. [V. cerâmica e *luster*.]

malaquita. s. f. Pedra brilhante e vistosa de cor de cobre esverdeado com veios negros. Encontrada na Rússia, foi empregada por Fabergé* em alguns de seus delicados objetos. Foi também usada para tampos de mesa e colunas ornamentais.

mancebo. s. m. Cabide que se constitui em peça de mobiliário e que é formado por uma coluna, em geral torneada, da qual partem, na metade superior, diversos braços distribuídos em várias direções e que servem para pendurar roupas e acessórios de vestuário. [V. cabide.]

mandarim. [Do sânscrito *mantri*, pelo malaio *mantari*, com influência do port. 'mandar'.] s. m. Alto funcionário dos impérios chinês e coreano. // Tipo de porcelana chinesa de exportação ricamente policromada, decorada em Cantão no séc. XVIII com cenas de figuras e com flores inscritas em painéis de fundo branco. A designação provém do fato de que as personagens usavam a indumentária própria dos mandarins. ~ A partir do séc. XIX essa porcelana, ainda fabricada na China, passou a ser copiada na Inglaterra. [V. porcelana chinesa de exportação.]

Travessa oval de porcelana Mandarim que consta de 2 peças da mesma forma sendo a interna dotada de orifícios. Barras ao estilo da *famille rose*.
Acervo Museu Histórico Nacional - Rio de Janeiro
(China - séc. XIX - 44 x 36 cm)

Mandorla. [do ital. *mandorla* 'amêndoa'] *s.f.* Figura iluminada de forma aproximadamente oval que, na Idade Média, envolvia muitas imagens do Cristo (especialmente na Transfiguração) e, mais raramente, a da Virgem. A partir do séc. XV esta representação praticamente desaparece da arte cristã. ~ A forma amendoada deve-se à inserção de dois círculos, um representando a vida terrena o outro a vida espiritual.

Mandorla

maneira-negra. *s. f.* Técnica de gravura que consiste em granir a placa metálica, ou seja, torná-la granulosa, por meio de instrumento próprio, o granidor*; *mezzo-tinto*. ~ Para que a tinta aplicada na placa assim preparada não produza mancha negra, é preciso que sejam raspadas as partes que devem ser mais claras até se chegar ao branco; quanto mais lisa a superfície, menos retém a tinta, podendo-se obter uma extensa gradação de intensidade. ~ Esse processo, desde sua invenção no séc. XVII, foi empregado quase que exclusivamente na reprodução de obras de pintura, o que não se conseguia com o talho-doce e a água-forte, uma vez que em ambos o desenho é feito com finos traços. ~ A mesma técnica, aplicada para reprodução em cores, utilizava até oito placas diferentes, e foi realizada com perfeição na Inglaterra, no séc. XVIII, em gravuras de valor. [V. gravura. Cf. água-forte e talho-doce.] – Fr.: *manière noire*; ingl.: *mezzotint*; ital.: *mezzo-tinto*.

maneirismo. Termo de ampla acepção que, em arte, designa, basicamente, a "maneira de fazer", o domínio da técnica sobre o conteúdo expressivo. § O maneirismo, como escola, aparece na Itália no começo do séc. XVI como evolução apurada do estilo renascentista, depois do desaparecimento dos grandes mestres; logo atinge todos os campos da arte e se espalha pela Europa. É a um tempo sensual e cerebral, e apela para um novo enfoque do classicismo: alteram-se as proporções e o rigor realista do Renascimento em favor das formas sinuosas e elegantemente contorcidas (as esculturas de Miguel Ângelo na Capela dos Medici em Florença, bem como a pintura do teto da Capela Sistina do Vaticano já se enquadram nesse espírito). § O maneirismo se expressa nas obras de pintores como Pontorno, Bronzino, Corregio, Tintoretto, Ticiano, El Greco, Lucas Cranach, e se estende às artes decorativas. § Estilo tipicamente palaciano, floresceu nas cortes europeias do séc. XVI. Sua rápida aceitação deve-se aos artistas itinerantes que se deslocavam entre Roma, Florença, Veneza, Paris, Fontainebleau, Madrid, Praga, e, também, em parte, à produção e circulação das primeiras gravuras impressas que possibilitaram a interação das diversas artes. Então, motivos maneiristas criados por artistas qualificados aparecem e se difundem igualmente – como nunca ocorrera antes – num móvel, numa taça de cristal, num jarro de prata ou numa colher, num prato de cerâmica, num cartão de tapeçaria, numa joia, num esmalte de Limoges. § A decoração do mobiliário e dos objetos é eminentemente figurativa e mostra influência da escultura (nus acrobáticos ou cobras entrelaçadas, p. ex., formam as alças de jarros) e da arquitetura (colunas e frontões dos contadores, p. ex.). ~ Os maneiristas encontraram sua expressão maior nas artes decorativas através dos trabalhos de metal; é o caso dos bronzes de Giovani Bologna e, sobretudo, da obra de Benevenuto Cellini*. § A importância desse estilo tem sido recentemente muito valorizada à luz de modernos enfoques culturais, e verifica-se que suas características podem ser encontradas em períodos diferentes e em diversas tendências artísticas. [Cf. Renascimento e Barroco.]

manga. *s. f.* Espécie de cilindro de cristal ou de vidro transparente. É feito de uma só peça, aberto nas extremidades e se destina a proteger a chama da vela ou do candeeiro. ~ Completamente lisas ou com decoração gravada, as mangas são, em geral, abauladas, terminando, não raro, em campânula, e têm bocal que se ajusta com firmeza ao castiçal. Outrora objetos necessários nas residências, nas igrejas, etc., têm efeito decorativo como acessórios de candelabros, castiçais, lustres ou apliques. [Cf. donzela e redoma.]

mansarda. [Do fr. *mansarde*, do antr. Mansart ou Mansard.] *s. f.* A parte mais elevada de certos edifícios, destinada a sustentar o teto. // Água-furtada provida de janelas para o exterior. O arquiteto francês François Mansard (1598-1662) foi dos primeiros a aproveitar o desvão do telhado, iluminando-o para fins utilitários. Nas construções francesas do séc. XVII as mansardas são importantes elementos ornamentais das fachadas. [Cf. água-furtada e trapeira.]

Manuelino. Estilo decorativo que floresceu em Portugal no final do séc. XV e início do séc. XVI, durante o reinado de rei D. Manuel, o Venturoso (1449-1521), e que proliferou com diversas ramificações. Nele, os elementos do gótico tardio unem-se a outros próprios do arabismo da Península Ibérica e a complexos rendilhados de origem náutica (cordas, corais) e a formas naturalistas exóticas que traduzem o contato dos portugueses com novas terras. § O Manuelino nasce associado ao gótico flamejante no Mosteiro da Batalha, com as Capelas Imperfeitas, e se estende em seguida a Coimbra e Tomar. As estruturas ogivais são conservadas com algumas inovações (rede de nervuras nas abóbadas, como a do Claustro do Silêncio do Mosteiro de Alcobaça, decorada com folhagens e elementos coraliformes). Sua originalidade maior se afirma na composição das *janelas* e *portais* que se destacam das fachadas com pujante decoração. A janela do Convento de Cristo (Tomar) é um dos exemplos mais famosos do estilo: no conjunto escultórico, os elementos decorativos aparecem numa combinação de formas vegetais e náuticas de marcante sentido épico. ~ O Manuelino mais puro e mais ou menos distanciado do gótico encontra-se no Convento dos Jerônimos e na Torre de Belém, ambos em Lisboa. ~ O estilo foi absorvido em todo o país, e os emblemas lusos – a esfera* armilar, a Cruz* de Cristo e as armas régias – realçam o orgulho de um período histórico. § Nos móveis portugueses da época (séc. XVI), notam-se alguns elementos manuelinos (goivados*, torneados fusiformes, cordas*) mas deve-se observar que a principal influência da expansão ultramarina no mobiliário veio diretamente da Índia. §§ No Rio de Janeiro, a fachada do Real gabinete Português de Leitura é uma fiel réplica do Manuelino, datando de 1887. [Cf. gótico – gótico flamejante, indo-português e mudéjar.]

mão. *s. f.* A mão do homem, dotada de capacidade de apreensão*, é tão bem articulada anatomicamente, que graças a ela, ele foi capaz de trabalhar e dominar a natureza. Executa movimentos muito complexos pela oposição do polegar aos outros dedos, e pela extensão do indicador e do auricular. ~ É sensível pelo tato, é o elemento por excelência da expressão plástica. ~ Arma e utensílio, prolonga-se nos instrumentos e ferramentas. ~ Acaricia e se comunica, ou agride e destrói; não é de espantar, pois, que seja, ela própria, importante elemento simbólico e decorativo. § Todas as civilizações têm utilizado a linguagem das mãos de forma mais ou menos sutil. A imposição das mãos tem poderes mágicos e curativos; significa a passagem de energia e de força. ~ Entre certos povos e em certas religiões a representação da mão é elemento de conjuração do mal. Os maometanos, p. ex., colocam à porta de suas casas a *mão de Fátima*, de dedos bem retos, para afastar a má-sorte e, entre nós, subsiste a força da *figa** contra o quebranto. § O papel simbólico da mão se manifesta universalmente. Na China, a mão direita corresponde, de preferência, à ação, e a esquerda à sabedoria, ao "não agir". Essa mesma polaridade é considerada nos *mudrá*, entre os hindus. ~ Segundo o cânone budista, a mão fechada é o símbolo do esoterismo ou da dissimulação; por isso a mão de Buda é representada aberta, e não detém nenhum segredo doutrinário. ~ As danças do Sudeste asiático chamam-se "danças das mãos" não só pelos movimentos que descrevem, como pela própria posição simbólica que a mão assume em relação ao corpo ou aos dedos entre si. ~ No Velho Testamento, a "mão de Deus" significa Deus na totalidade de seu poder e eficiência; ela cria e protege, mas também castiga e aniquila. ~ A mão direita, com o indicador esticado, aparece na primitiva iconografia cristã, ora isolada, ora nas imponentes imagens do Pantocrátor* (mosaicos bizantinos, afrescos românicos). Expressa o poder e a austeridade divina, enquanto a mão que abençoa, num

mão-francesa. *s. f.* Espécie de escora ou braço de ferro ou madeira para sustentar beirais de telhados, caixas-d'água, marquises. [Cf. consolo, mísula e modilhão.] // Elemento estrutural inclinado geralmente apoiado numa parede, e que serve para diminuir a pressão de uma viga.

gesto suavizado, é paternal e protetora. ~ Na Idade Média, a **mão da justiça**, com os dedos unidos e esticados representava a equanimidade do poder e foi, na França, insígnia real. § Como símbolo e como elemento estético, sua representação na arte expressa uma linguagem universal. Miguel Ângelo coloca na robusta mão que segura a funda, na estátua de *Davi*, a conotação da força da inteligência, do objetivo alcançado; e representa, com as mãos que se tocam nos afrescos da *Criação do Homem* da Capela Sistina (Vaticano), a passagem de energia vital e sobrenatural. Leonardo Da Vinci, no quadro *A Madona dos Rochedos*, dignifica as três mãos superpostas: a do Menino Jesus abençoando, a do Anjo com o indicador estendido e a da Virgem como que protegendo, com a palma voltada para baixo. § Nas artes decorativas a mão aparece, de preferência, em três dimensões, e peças com essa forma são usadas em vários utensílios: aldravas, braços de castiçais, e apliques, cinzeiros, saboneteiras, etc.; pequenas mãos de marfim (com os dedos dobrados e presas a longas hastes) eram utilizadas outrora para coçar as costas, de outro modo inatingíveis dentro de complicadas roupas. ~ As mãos das aldravas e de prendedores de papel de bronze são especialmente torneadas e, no séc. XIX, uma pequena mão feminina, rechonchuda, de dedos afilados e com punho de renda – dizem que cópia da mão da Rainha Vitória da Inglaterra – foi muito reproduzida também em bronze e usada como peso de papel. – Fr.: *main*; ingl.: *hand*; alem.: *Hand*.

marajoara. *adj.* Diz-se da cerâmica pré-colonial produzida pela população da região da Ilha de Marajó (Pará), entre os sécs. VI e XIII aproximadamente; esse povo chegou a um estágio de desenvolvimento mais complexo do que o dos habitantes das florestas subtropicais do Brasil. Nos centros de cerâmica ali localizados, os indígenas levaram a arte a um alto grau de valor artístico, não só na confecção das peças, como em sua decoração. Foram encontrados recipientes utilitários e outros predominantemente rituais como chocalhos, tangas, estatuetas e, sobretudo, urnas funerárias, muitas com motivos antropomórficos. ~ A decoração evolui de incisões simples para a policromia; o traçado é linear, firme, com curvas e retas formando figuras estilizadas ou desenhos abstratos em linhas paralelas; em certas peças aparecem ornatos em relevo. § A descoberta das jazidas de Marajó coincidiu com o período *Art Déco** e, pelas características geométricas da cerâmica indígena, o interesse dos artistas e decoradores voltou-se para seu aproveitamento entre nós no gênero que chegou a ser chamado "estilo marajoara". ~ Apesar das possibilidades de um aproveitamento estético positivo na arquitetura e nas artes decorativas, muitas vezes os motivos marajoaras foram aplicados em pastiches desprovidos de valor estético; por isso a moda teve efêmera duração. [V. cerâmica. Cf. abstrato.]

Mãos de bronze. Pegador de papel e aldrava.
(séc. XIX)

Adaptação livre de motivo marajoara. Bandeja de prata executada pela joalheria Luís de Rezende.
(Rio de Janeiro - c. 1925 - diâmetro 46 cm)

marcassita. *s. f.* Mineral ortorrômbico, sulfeto de ferro, de coloração cinza brilhante; pirita branca. ~ Usada na feitura de joias de menor valor e outras peças de adorno, a marcassita foi especialmente aplicada nas décadas de 1920 e 1930 em sofisticados modelos *déco* montados em prata.

marcenaria. *s. f.* O conjunto das técnicas empregadas no trato e embelezamento da madeira para executar obras finas (móveis, painéis, ornatos, guarnições, objetos de decoração e de uso doméstico ou pessoal). Distingue-se da carpintaria pelo requinte tecnológico e/ou pelo teor artístico; nas construções, os balaústres, as portas trabalhadas, as *boiseries*, os lambris, etc., são obras de marceneiro, enquanto os restantes serviços de madeira cabem ao carpinteiro. § A marcenaria baseia-se no aproveitamento das propriedades da madeira (resistência às pressões e ao tempo, capacidade de dilatação) e de suas qualidades decorativas (cor, veios, textura). Ela abrange, além dos trabalhos de estrutura (solidez e bom funcionamento do móvel), outros especializados como a talha*, o folheamento*, a incrustação*, a marchetaria*. § Nas diferentes partes da obra, empregam-se, em geral, madeiras diversas, as mais finas para as superfícies externas, enquanto interiormente usam-se madeiras mais fortes, capazes de resistir aos encaixes e de reter cavilhas ou pregos. ~ Ao sair da serraria, a madeira deve ser submetida a um processo de secagem para ser utilizada em retalhos maciços, em placas folheadas e/ou encurvadas, e em outras ainda, em placas de compensado*. § Nos trabalhos de marcenaria, acrescentam-se à madeira outros materiais como tecidos, couro e similares para estofamentos, palha para assentos e encostos, metais para ornatos e ferragens, tintas, lacas, vernizes, colas, além do bambu, da fórmica, etc., para revestimentos. § O progresso na fabricação de móveis de madeira ocorre, no Ocidente, na época do Renascimento*, e atinge o auge do requinte no séc. XVIII. ~ Nas últimas décadas dos oitocentos e no séc. XX, a fabricação de móveis não está mais, em muitos casos, diretamente ligada à marcenaria, usando-se o ferro fundido, o aço, o plástico, o ferro tubular. A madeira, porém, continua sendo a matéria-prima nobre e fundamental, tratada com especial cuidado por *designers* e marceneiros. [V. madeira e mobiliário. Cf. *cabinetmaker*, ebanista e *menuisier*.]

marchand. [Pal. usada na loc. fr. *marchand de tableaux*, 'comerciante de quadros'.] *s. m.* Vocábulo usado no Brasil para designar pessoa, geralmente qualificada, que se dedica ao comércio de obras de arte.

marchetaria. [Do fr. *marqueterie*.] *s. f.* Tipo de arte e técnica de ebanistaria* que consiste em criar desenhos na superfície plana de um móvel por meio de lâminas de madeira ou outro material (marfim, tartaruga, metal, osso, madrepérola, etc.); baseia-se no recorte das peças que são embutidas em entalhes, com a mesma forma, abertos em encavo na madeira de revestimento. A rigor é uma espécie de incrustação – a forma mais simples de marchetaria. ~ A marchetaria propriamente dita, muito elaborada, vai se aprimorando a partir do séc. XVI. Os modelos são recortados e rigorosamente ajustados de modo a formar uma folha homogênea e lisa que se aplica, como folheamento, à superfície a ser decorada. Esta técnica teria surgido na Itália renascentista, como *intarsia**, mas já no séc. XVI os alemães e flamengos tornam-se exímios nessa arte que passou à França no séc. XVII, quando Boulle conjuga à madeira recortes de cobre e tartaruga. ~ Mais tarde, esta decoração é suplantada pela aplicação de lâminas de madeiras diversas, vindas de terras longínquas; pelas cores contrastantes elas eram reunidas para formar desenhos. No séc. XVIII, adotam-se motivos geométricos – cubos em *trompe-l'oeil** que dão a ilusão de perspectiva, estrelas de seis ou oito pontas que se interpenetram, e outros. ~ A marchetaria, por sua pouca espessura, prestou-se para a aplicação de desenhos movimentados nas faces curvas dos móveis rococó* (flores, arabescos, etc.); já a superfície retilínea do mobiliário Luís XVI* comportava outro tipo de composição, chegando mesmo a apresentar o que, no fim do séc. XVIII, se chamou de "pintura em madeira" (reproduções de quadros em que se utilizava, além de diferentes madeiras, o marfim*, o osso*, o burgau*). § A marchetaria, a princípio executada a buril, passou a ser feita mais tarde com um tipo de serra aperfeiçoada que facilitou os cortes em curvas e volutas. § Para a indústria de móveis finos, placas de marchetaria devidamente acondicionadas eram exportadas da França para outros países e aplicadas por marceneiros locais. [V. cômoda e Liceu de Artes e Ofícios (ilustr.). Cf. Boulle e incrustação.]

marco. *s. m.* Estaca ou coluna monolítica cravada no solo e destinada a marcar ou delimitar um local, ou assinalar um acontecimento. §§ Os descobridores portugueses erigiam marcos ou padrões, com as armas do reino esculpidas, nas terras que descobriam. // Peça de madeira fixada no vão de portas e janelas e que recebe as dobradiças.

marfim. [Do árabe *amoz al-fil*, 'dente de elefante'.] *s. m.* Substância óssea de aspecto leitoso, dura e homogênea, que constitui as longas e recurvadas defesas ou presas terminadas em ponta aguçada dos elefantes e de outros mamíferos de grande porte. § Por sua cor e finura de grão, o marfim tem sido tradicionalmente utilizado nas artes decorativas; como a madeira, tem fibras longitudinais e presta-se para delicados trabalhos de entalhe e, depois de polido, apresenta brilho discreto; é durável, só afetado quando sujeito a um alto grau de umidade, embora sua brancura se altere em contato com o ar e a poeira. Pode ser esculpido em bloco maciço (certas esculturas mais longas chegam a apresentar a forma ligeiramente arqueada do dente) recortado ou vazado, ou pode, ainda, ser usado em placas, lâminas, etc., para incrustações e revestimentos. Por ser duro, é de trabalho difícil, mas aceita ser tratado de modo semelhante ao osso (mais frágil) e ao chifre (mais macio). Presta-se para ser colorido ou pintado e, quando em relevo, é valorizado pela aplicação da pátina*. § *História*. O marfim parece ter sido conhecido desde o Paleolítico, conforme o atestam as figurinhas de animais e as pequenas "vênus" (estatuetas de abundantes atributos femininos). ~ Os homens primitivos caçavam o mamute e esculpiam suas defesas; na Europa Ocidental (França) foram encontradas algumas dessas esculturas anteriores ao período glacial. ~ Na China já se trabalhava o marfim desde o II milênio a.C. e a habilidade dos chineses tornou-se mundialmente conhecida através das antigas imagens de Buda, de Lao Tse, da deusa Kuan-Yin, do leão* de Fo. As peças chinesas não são assinadas, enquanto conhecem-se datas e autores de marfins posteriores esculpidos no Japão. Os artistas nipônicos não só identificavam-se pela assinatura como pelo cunho pessoal e especializado de seu trabalho: varetas para *kakemono**, estojos para cachimbos, bainhas de espadas, *netsukes** e outras finas peças. ~ Na Índia, sendo os elefantes nativos, a arte do marfim tem sido tradicionalmente praticada e serviu, intermitentemente ao vedismo, ao bramanismo, ao budismo. Finos trabalhos participam da arquitetura, do mobiliário, da escultura; ali, as corporações de artesãos do marfim remontam ao séc. I. § No Ocidente, não existindo o elefante, pequenas peças pré-históricas encontradas no norte do continente europeu foram executadas com as defesas da morsa. Na Grécia o verdadeiro marfim foi introduzido pelos fenícios no período arcaico (sécs. VIII e VII a.C.) e seu uso se difundiu na confecção de esculturas pequenas, de liras, de incrustações em móveis. Surgiram depois, as primeiras estátuas criselefantinas* em que se usava o marfim para a carnação e o ouro para o vestuário (Fídias, séc. V a.C.). § Em Roma usou-se abundantemente o marfim, vindo da Etiópia e do Zanzibar; cabia aos senadores o direito de ter cadeiras e cetros desse nobre material. Os hábitos de luxo do patriciado incentivaram a feitura de ornatos para camas de repouso e mesas; tronos e carros levavam baixos-relevos de marfim e ouro; Adriano (séc. II) ergue em Atenas monumental estátua criselefantina de Júpiter. ~ Renasce o interesse pela arte do marfim entre os paleocristãos, mas persistem, nos grandes centros (Alexandria, Bizâncio), os temas da escultura clássica. O marfim pode ser considerado importante ponto de contato entre a arte greco-romana e a medieval. ~ Nos primeiros tempos do cristianismo, a Igreja adotou dípticos* esculpidos com inscrições e que traziam na face externa imagens religiosas e no reverso nomes de bispos doadores. ~ No Império Bizantino o marfim foi trabalhado com virtuosismo, nas conhecidas formas hieráticas, e empregado na decoração de mobiliário, de relicários, de retábulos, na cobertura de livros sacros, nas píxides (caixinhas litúrgicas em que se aproveita a forma cilíndrica do dente do elefante). Algumas peças profanas eram pintadas e douradas; o apogeu do marfim bizantino ocorreu entre os sécs. IX e XI, quando aparece o tema, ainda raro, da Crucificação. ~ No reinado de Carlos Magno (séc. IX), criam-se pequenas obras-primas românicas* numa técnica desenvolvida e apurada até o séc. XIII. Os principais centros de produção localizavam-se na região renana. Os marfins góticos* já exibem, então, novas características no desenho e na composição; linhas elegantes, traços realistas despontam nas cenas religiosas. ~ No séc. XV a produção floresce especialmente na França em obras que lembram as esculturas das catedrais: delicadas imagens da Virgem Maria, relevos e rendados em pequenos painéis justapostos formam retábulos e relicários. ~ No mundo profano são esculpidos pentes, espelhos, placas de encadernação, trompas de caça, etc. Na Itália pré-renascentista sobressai a obra-prima de Giovani Pisano, *A Virgem e o Menino* da catedral de Pisa. ~ Nos séculos que se seguem o marfim torna-se mais abundante graças ao acesso aos países da África e da Ásia; a produção aumenta e se diversifica, notadamente em Dieppe (França), nos Países Baixos e na Alemanha. Ao lado de peças artísticas são numerosas as aplicações utilitárias: caixas, leques, cabos de talheres, punhos de espadas, contas de rosário, peças de xadrez, tabaqueiras, objetos de toalete, castões de bengalas. No séc. XVII habilíssimos artesãos dedicavam-se a peças em miniatura, como as dos navios de guerra (Dieppe), depois reproduzidas. ~ Surgiram também miniaturas* de retratos pintados sobre lâminas de marfim, em medalhas e medalhões, e pequenas caixas. ~ O jogo de bilhar foi introduzido nos salões seiscentistas com bolas e tacos de marfim e, na mesma época, certos instrumentos musicais já têm as teclas desse material. ~ Os artistas mouros introduziram na Espanha as características muçulmanas, depois, por sincretismo, os artífices absorveram a temática e o estilo cristão que passou ao Novo Mundo. § Como outros produtos de origem animal, o marfim tende a ser substituído, na vida prática, por materiais sintéticos, mas não encontra similar para certas aplicações, como as citadas bolas de bilhar e as teclas dos instrumentos. No entanto, na defesa da fauna em extinção a utilização do marfim vem sendo controlada. §§ O marfim teve grande importância na chamada *imaginária do Oriente português*, ou seja, nas imagens sacras produzidas no Industão – as indo-portuguesas –, na ilha de Ceilão – as cingalo-portuguesas –, na China e no Japão. São peças esculpidas por artesãos nativos, a princípio copiando e recriando protótipos trazidos pelos padres das missões portuguesas desde o séc. XVI. ~ As técnicas e os materiais eram locais, bem como certas tendências interpretativas impregnadas de antigas tradições. ~ Graças a essa produção, Portugal tornou-se, no correr dos sécs. XVII e XVIII, um dos países mais ricos em imagens cristãs de marfim. ~ A representação de figuras sacras em imagens esculpidas fazia-se em formas isoladas (o Cristo crucificado, as várias invocações de Nossa Senhora e do Menino Jesus, os santos de devoção) ou em grupos (Sant'Anas, Calvários, Sagradas Famílias), além das especiais imagens do Bom Pastor e das placas em baixo relevo representando em geral a Natividade e a Paixão de Cristo. ~ Os artesãos tinham como norma valorizar a riqueza do material, realçando com policromia naturalista os cabelos e os traços fisionômicos. ~ As *imagens luso-orientais* encontradas no Brasil foram trazidas pelos colonizadores ou pelos evangelizadores que aqui chegaram e implantaram as práticas religiosas. [V. Bom Pastor, crucifixo e porta-relógio (ilustr.).] – Fr.: *ivoire*; ingl.: *ivory*; alem.: *Elfenbein*; ital.: *avorto*; esp.: *marfil*.

Imagem de marfim de Nossa Senhora do Rosário. Escultura indo-portuguesa. (Goa - séc. XVI - alt. 24 cm)

Imagem de marfim de santo não identificado. Observe-se a curva da presa do elefante na figura esculpida. Arte hispano-filipina.
(prov. séc. XVIII - alt. 45 cm)

margarida. *s. f.* Motivo ornamental que representa a flor estilizada. Aparece em certos tapetes orientais e, no mobiliário, especialmente em peças dos estilos Diretório* e Império*.

marinha. *s. f.* Desenho, gravura ou pintura que representa assuntos ou aspectos do mar (navios, enseadas, tempestades, combates, etc.).

mármore. [Do grego *mármoros*, 'pedra brilhante'.] *s. m.* Pedra calcária dura, compacta, de diversas cores, não raro apresentando veios; é suscetível de ser polida e entalhada e emprega-se em arquitetura e escultura. • Entre os tipos de mármore destacam-se: a) os **mármores puros** que não contêm senão o calcário recristalizado por metamorfismo; b) os do tipo ***travertino*** que são rochas formadas por precipitação química do material carbonático contido nas águas das regiões calcárias; c) os do tipo ***brecha*** que contêm fragmentos coloridos cimentados por calcário; são quebradiços, e podem ser britados e unidos por cimento para reconstituir os mármores artificiais; d) os do tipo ***lumaquela*** (do ital. *lumaca*, 'caracol'); contêm detritos de pólipos ou de conchas. § Encontrado nessas variedades em diversos pontos do globo, o mármore foi usado pelas civilizações mediterrâneas na escultura, nas construções (templos, monumentos), na decoração externa e interna e nas lápides funerárias. § Os escultores preferem o mármore branco, sem veios, com o qual foram talhadas obras-primas da estatuária. ~ Na Grécia, o mármore de Paros, branco e ligeiramente translúcido, foi muito procurado, e o célebre mármore do Pentélico foi empregado na Acrópole de Atenas (séc. V a.C.). ~ Entre os mármores mais notáveis pela brancura e perfeição, merecem menção especial os das jazidas de **Carrara**, nas encostas dos Alpes italianos, amplamente empregados no mundo inteiro. ~ Na Índia, o Taj-Mahal, magnífico monumento da arquitetura indo-muçulmana, tem as fachadas de mármore resplandecente e ricamente decorado. § A variedade dos coloridos (nos tons de vermelho e castanho, de verde, de cinza, de amarelo), a riqueza dos desenhos, o brilho e a translucidez que certas pedras adquirem, possibilitam soluções ricas e suntuosas no interior de palácios, igrejas, teatros, etc. §§ Atualmente são exploradas jazidas de mármore no Brasil. Antes, porém, importava-se essa pedra de Portugal e, depois, da Itália. Os portugueses usavam o mármore de sua terra, a ***pedra de lioz****, como lastro dos navios que vinham buscar os produtos da colônia; assim foi construída a fachada da Igreja de N.S. da Conceição da Praia, na Bahia, cujas pedras foram trabalhadas por artesãos da metrópole e montadas no local. [V. escultura. Cf. alabastro.] – Fr.: *marbre*; ingl.: *limestone, marble*; alem.: *Marmor*.

Busto da deusa Calipso. Escultura em mármore de Carrara, ass. S. Galletti, Roma.
(Itália - séc. XIX)

marquesa. *s. f.* Espécie de leito* de repouso ou de canapé largo, de jacarandá e palhinha, feito no Brasil no séc. XIX e inspirado nos leitos franceses do estilo *Restauration**. Os resguardos, rematados por volutas enroladas para fora, são da mesma altura e têm uma linha singela e elegante. Esse modelo passou, depois, a ser executado como cama. [Cf. *lit de repos.*]

marquise¹. [Fr.] *s. f.* Poltrona estofada com moldura de madeira aparente, muito larga e confortável, com encosto relativamente baixo, e que surgiu na França no séc. XVIII. Acredita-se que foi concebida tendo em vista as amplas saias das senhoras. [V. poltrona. Cf. marquise².]

marquise². [Do fr. *marquise.*] *s. f.* Alpendre ou cobertura em balanço, geralmente sustentada por mão-francesa*, e que serve para resguardar as entradas das casas e edifícios, fachadas comerciais, arquibancadas, etc. (como a bem lançada marquise em balanço da arquibancada do Jockey Club Brasileiro no Hipódromo da Gávea, no Rio de Janeiro). ~ São características nas construções urbanas do fim do séc. XIX e começo do séc. XX, as marquises de teto de vidro, sustentadas por estrutura de ferro com elegantes cantoneiras formando volutas. [Cf. *marquise¹.*]

marreco. *s. m.* V. pato.

marroquim. [Do fr. *maroquin.*] *s. m.* Couro fino de pele de cabra, muito usado para encadernações. [V. couro.]

Marseille. [Top. fr.] Faiança francesa produzida a partir de 1710, por importante grupo de fábricas situadas na região da cidade de Marselha, no sul da França. Os primeiros objetos executados foram, além de estatuetas e crucifixos, travessas e pratos, decorados com cenas, peixes e flores copiados do natural, *chinoiseries** (*style Pillement*), tudo de um Rococó* de linhas suavizadas. Na louça de Marseille perpassa uma alegria que contrasta com a severidade da faiança do norte da França. Destacam-se as pias de paredes de certo porte com ousadas figuras de *putti** e de divindades moldadas em relevo. A faiança de Marseille ostenta brilhante colorido com tintas de esmalte. [V. faiança. Cf. Moustiers e Pillement.]

Mary Gregory. [Antr. ingl.] Vidro soprado e colorido em tons de rosa, vermelho, verde, azul-turquesa e âmbar, em que sobressai decoração opaca de esmalte branco representando, na maioria, crianças ou jovens em trajes do fim do século XIX, não raro caçando borboletas. A designação parece advir do nome de uma decoradora da fábrica Boston & Sandwich Glass Company, mas poucas peças encontradas hoje seriam provenientes dessa manufatura; estas podem ser reconhecidas pelo detalhado acabamento dos temas mencionados, incluindo-se as feições das crianças. ~ Esse tipo de vidro decorado teria aparecido na Boêmia em garrafas e copos e depois passado aos EUA. [V. vidro. e v. tb. lampião (ilustr.).

Mary Gregory - Jarro e vasos. (de época).

Mary Gregory – Caixa com guarnições de bronze.
(de época).

máscara. *s. f.* Representação da face humana (ou de um animal) em relevo, com traços mais ou menos próximos da realidade. ~ Os povos primitivos valem-se de máscaras feitas com diferentes materiais (barro, palha, etc.) para fins rituais e propiciatórios. § Como motivo ornamental, a máscara foi aplicada na arquitetura e nos acessórios e guarnições a partir do Renascimento*, talvez por inspiração das máscaras do teatro greco-romano. ~ Eram correntes as representações da cabeça de Medusa*, de sátiros, de deuses barbados, de belas mulheres, do rosto do Sol radiado, do leão com sua juba; o material empregado era a madeira, o metal, o gesso, etc. ~ No Renascimento* e no Barroco* as máscaras eram esculpidas ou moldadas nos braços das cadeiras, no alto de portas e armários, nas aldravas, nas alças de arcas e vasilhas, nos bronzes dos móveis, quando, às vezes, se entrelaçavam com guirlandas e folhagens. ~ Na decoração das peças de maiólica*, inspiradas nos grotescos*, surgiram máscaras com feições contorcidas, horrendas. [Cf. carranca e mascarão.]

Máscara de cerâmica com abertura para jorrar água.
(trabalho artesanal - Brasil - séc. XX)

mascarão. *s. m.* Cabeça fantástica ou grotesca de homem ou de animal esculpida como motivo ornamental em capitéis, mísulas, fechos de arco, etc. [Cf. carranca e máscara .]

matelassê. [Do fr. *matelassé*, 'acolchoado'.] *s. m.* Certo tipo de pano duplo, acolchoado, com o direito e o avesso presos por pontos ou pespontos que fixam também uma camada fofa intermediária. // Trabalho de agulha em que o tecido é preso ao acolchoado por meio de pontos, formando ou não desenhos em relevo; é usado em colchas, almofadas, etc. [Cf. capitonê.]

Mazlaghan. Tapete persa da aldeia de Kerdar, vizinha de Hamadã. O campo, com flores estilizadas, é limitado por duas linhas em zigue-zague que lembram o raio; tem no interior um medalhão central, e os quatro cantos são decorados com rosáceas e estrelas dispostas regularmente. A barra central tem o motivo da folha dentada. As cores dominantes são o vermelho e o azul. Uma das cabeceiras tem franja, e a outra uma orla tecida, como os tapetes Hamadan. A contagem de pontos é média. [V. Hamadan e tapete oriental – tapete persa.]

Tapete Mazlaghan.

medalhão. *s. m.* Em arquitetura e decoração, ornato* circular ou oval com moldura em torno de um baixo-relevo ou pintura* representando uma efígie, uma cena, uma imagem sacra, um ramo de flores, etc. // Grande prato* circular decorativo feito de louça ou de metal. // Nos tapetes orientais, motivo aproximadamente circular, quadrifoliado, octogonal ou radiado que ocupa o centro do campo ou se repete, partido, nos cantos. Nos antigos tapetes persas é frequente o medalhão que estiliza uma flor de lótus aberta, vista do alto, com 16 pétalas radiadas; nos tapetes turcos Ushak* o medalhão é oval e pontudo com pequenos pingentes. [V. tapete oriental (decoração) e v. tb. ilustr.] // Moldura* ovalada que aparece no encosto de cadeiras e sofás de meados do séc. XIX. §§ No Brasil oitocentista este modelo é comum em cadeiras, poltronas e sofás com assento e encosto de palhinha formando conjunto nas mobílias de sala de visitas, ou em cadeiras avulsas. [V. cadeira (ilustr.)]

mediterrâneo. *adj.* Diz-se da obra arquitetônica inspirada nas construções caiadas comuns na região mediterrânea, caracterizada pela forma cúbica, pela ausência de telhado, e pelas aberturas em arcadas, sem decoração exterior.

Medusa. *s. f.* Entidade mitológica grega dotada de poder para transformar os homens em pedra, e que foi morta pelo herói Perseu. É representada como mulher com impressionante cabeleira de serpentes. ~ A cabeça de Medusa aparece, desde a Antiguidade, em escudos e couraças, máscaras e outros ornatos. [V. serpente.]

meia-água. *s. f.* Telhado* constituído de um só plano inclinado. // A casa construída com esse tipo de telhado. [V. água.]

meia-cana. *s. f.* Forma alongada de perfil semicircular côncavo de um lado e convexo do outro lembrando uma cana partida ao comprido. // Em arquitetura e marcenaria, moldura, cornija, sanca ou ornato com esse perfil. [Cf. canelura e gomo.]

Meissen. [Top. alem.] Porcelana fabricada pela Manufatura Real de Porcelana da Saxônia, fundada em 1710 por Augusto, eleitor da Saxônia e rei da Polônia, na pequena cidade de Meissen, perto de Dresden. § Na época de sua criação, a manufatura dedicou-se à cerâmica dura, vermelha, semelhante à da China. Essa linha foi abandonada quando seu diretor, J.F. Böttger, descobriu o segredo da fabricação da porcelana branca que foi então produzida pela primeira vez na Europa. A importância dessa fase foi muito grande pelo que representou no desenvolvimento técnico da porcelana no Ocidente. ~ Artisticamente, Meissen se afirma a partir de 1720; sobre modelos de inspiração chinesa, de porcelana muito perfeita e branca, os pintores representam riquíssima variedade de *chinoiseries**, de paisagens, de cenas de porto, de decoração floral exótica (*Indianischeblumen**). ~ A seguir, sob direção de J.J. Kändler (1733), dá-se prioridade ao modelado das figuras, e sobressaem as estatuetas*, os animais e pássaros, ao lado dos importantes serviços de mesa. A decoração floral evolui para as *Deutscheblumen** (decoração floral realista), de policromia viva, depois muito reproduzidas. ~ O azul e branco só obtém bons resultados depois de 1732, quando passam a ser confeccionados os serviços *Zwiebelmuster** (modelo da cebola) e *Blaublümschenmuster* (modelo de florezinhas azuis), ambos de inspiração chinesa. ~ obras de pintores franceses eram importadas de Paris, e reproduziam-se na porcelana cenas galantes e pastoris, copiando obras de Watteau e Lancret. § A época áurea de Meissen tem perfeita sintonia com o Rococó*, na elegante leveza de suas peças. As figuras e grupos cheios de vida, os vasos ricamente decorados, os aparelhos de jantar foram exportados para toda a Europa e muito repetidos por outros fabricantes. A posição de Meissen não foi suplantada até o advento da Guerra dos Sete Anos (1756). ~ Com o aparecimento do Neoclássico*, Meissen tenta, sem êxito, atingir o nível de Sèvres* no estilo Luís XVI. A manufatura sobrevive às guerras napoleônicas sem perder o padrão de qualidade; durante o séc. XIX são reproduzidos os modelos originais para um extenso mercado, e a fábrica prosseguiu suas atividades até o séc. XX. § A porcelana de Meissen pode ser identificada pela célebre marca, adotada em 1724, representando duas espadas azuis cruzadas, com o punho voltado para baixo; marca essa que tem tido imitações bastante semelhantes. Além das espadas, em diferentes fases, outras marcas podem ser encontradas: iniciais de pintores em azul, sinais e números gravados, as letras AR (Augustus Rex) em azul, indicando peças da coleção real. A partir de 1945, essa porcelana traz, além das tradicionais espadas, as letras VEB. § A porcelana de Meissen foi conhecida na Inglaterra como Dresden, e na França como Saxe, designação também usada anteriormente no Brasil. [V. Ch'ing e porcelana, v. tb. *Deuscheblumen*, fruteira, *Indianischeblumen* e *Zwiebelmuster* (ilustr.) Cf. Sévres.]

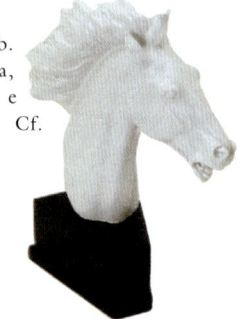

Cabeça de cavalo de porcelana de Meissen. Ass. Erich Oehne.
(Alemanha - 1949)

Peças de serviço de jantar de porcelana de Meissen. Motivo Deutscheblumen e relevo nas bordas.
(Alemanha - diversas fases do começo do séc. XIX).

Meissonier, Juste Aurèle (c. 1699-1750). Arquiteto, pintor e prateiro francês criador do "gênero pitoresco", fantasista e assimétrico, que iria caracterizar a segunda fase do Rococó*.

Mennecy. Porcelana de pasta mole produzida na França no séc. XVIII; é particularmente fina e suas peças são em geral pequenas (vasos, cafeteiras, serviços de chá), de cores de esmalte brilhantes num elegante Rococó*. [V. porcelana.]

menuisier. [Fr.] *s. m.* Na França, marceneiro especializado em móveis *menus* (pequenos e delicados) feitos de madeira maciça e entalhada, enquanto o *ébéniste* se dedicava aos móveis de luxo folheados. ~ A distinção é exclusivamente francesa e, no séc. XVIII, p. ex., uma cadeira podia ser feita por quatro artesãos: o *menuisier* armava a estrutura, o entalhador fazia a parte esculpida, o dourador dava o revestimento e o *tapissier* fazia o estofamento. [V. marcenaria. Cf. ebanista.]

méridienne. [Fr.] *s. f.* espécie de canapé para repouso diurno em estilo Império* ou *Restauration**, usado na França em começos do séc. XIX. Tem uma das extremidades mais alta que a outra, de modo que o encosto tem forma assimétrica, com os braços em discretas volutas. [Cf. *lit de repos* e *récamier*.]

mesa. *s. f.* Peça de mobiliário feita de madeira ou outro material sólido e resistente, e que consta de um tampo horizontal repousando sobre suportes e situado normalmente até 80 cm. do chão. É móvel de apoio e destina-se, em princípio, a fins utilitários: refeições, escrita, trabalhos diversos, serviço, apoio, etc. ~ A construção da mesa é simples (em comparação com outras obras de marcenaria*) e, para firmeza da construção, recorre-se a vários processos como, p. ex., a fixação das pernas numa moldura ou numa caixa presa ao tampo, ou à colocação de travessas a certa altura para unir convenientemente os pés das mesas longas. § *História*. As primeiras mesas eram destinadas a oferendas e sacrifícios feitos às divindades; eram, na verdade, altares (pedras ou aras), sobre as quais se depunham os melhores produtos da terra e os animais cuidadosamente escolhidos para honrar o deus. Passaram-se muitos séculos até que a mesa para os deuses se tornasse a mesa para refeições ou reuniões. ~ A "Távola Redonda", do rei Artur, simboliza a instituição do feudalismo; as mesas de banquete, no séc. XIX, são expressão dos hábitos formais da elite burguesa, e as "mesas de reunião" congregam aqueles que traçam planos ou discutem acordos. § *História*. No Egito, sabe-se que era hábito, às refeições, usar bandejas feitas de cesta para as iguarias; as mesas eram, portanto, raras e se destinavam, em geral, a oferendas rituais; algumas redondas, de pedra, datam de cerca de 2700 a. C. ~ Nos baixos-relevos da Mesopotâmia aparecem mesas pequenas ao lado das camas de repouso, e o mesmo esquema encontra-se reproduzido nos vasos gregos, notando-se a mesa com quatro pernas retas e decoradas. ~ Em Roma, nos triclínios (salas de refeições com três leitos reclinados) as mesas ficavam ao alcance dos indolentes patrícios. Entre os objetos encontrados em Pompeia (séc. I) figuram mesas de bronze pequenas com pernas recurvadas com forma de animais, e outras mesas, dobráveis; ainda se conhece, das casas romanas, o *cartibulum*, mesa retangular dotada de suportes maciços esculpidos com figuras de animais fabulosos, e que ficava em geral no átrio. ~ A mesa para refeições em comum só aparece na Idade Média e, devido aos hábitos itinerantes, era simplesmente constituída de um tampo colocado sobre suportes armados na ocasião diante dos bancos dos comensais; uma coberta de pano escondia-lhe o aspecto tosco. A mesa da "Última Ceia" representada na arte medieval e, depois, adotada na iconografia cristã, escapa à realidade histórica e não é outra senão a mesa de cavaletes. ~ Nos castelos, a mesa, com maior ou menor aparato, era posta para refeições e retirada em seguida. Entre a nobreza (sécs. XVI a XVIII), os criados traziam uma mesa de centro ricamente guarnecida quando se tratava de poucas pessoas. ~ Nas cozinhas, porém, a mesa sempre reuniu as famílias de camponeses e/ou serviçais das grandes residências; exemplares rústicos, sólidos passavam de uma geração a outra. ~ Nos mosteiros, nos refeitórios, os monges se reúnem em longas mesas e, no fim da Idade Média, usam-se mesas de tampo inclinado que facilitam a leitura e a escrita. ~ As mesas de centro do período gótico, simples e alongadas, vão se tornando mais largas e imponentes no Renascimento* e tomam como modelo o *cartibulum* romano. Os tampos são grossos e repousam sobre suportes com fartura de entalhes (bojudos balaústres, numerosas pernas torneadas); em Florença os tampos de mármore constituem uma novidade. ~ No fim do séc. XVI já os tampos de madeira repousam sobre uma caixa com gavetas e, na região mediterrânea, as mesas maiores têm três grupos de pernas torneadas, com travessas. Certos exemplares, talvez surgidos nos Países Baixos ou na Inglaterra, têm duas tábuas que podem deslizar e se esconder sob o tampo para aumentar ou diminuir o comprimento, demonstrando já imenso progresso na marcenaria. ~ No séc. XVII, ao contrário dos outros móveis que ganham revestimento de madeiras raras e incrustações, a mesa continua de madeira maciça (carvalho, nogueira). No Mediterrâneo (Espanha e Itália) são construídas mesas de cavalete de ferro com molas para recolher os pés. Aparece, nesse século, na França de Luís XIV, o *bureau plat**, mesa-escrivaninha com gavetas a princípio com oito pés; as mesas de centro de encostar são pomposas, ora douradas, ora com incrustações como as de Boulle*. ~ A partir do séc. XVIII a mesa passa a ter formas diferenciadas, de acordo com a finalidade. Proliferam as ***mesinhas**** que, com o aparecimento dos hábitos mais intimistas, tornam-se leves e elegantes, e são usadas nos salões ou como auxiliares às refeições. ~ Coincidindo com os novos costumes, surge a *sala de jantar*, com móveis neoclássicos; na Inglaterra, Adam* e Hepplewhite* projetam modelos de mesas para muitos comensais (com quatro ou mais pernas, ou suspensas em colunas sobre tripés) e cadeiras condizentes, conjuntos até hoje reproduzidos. ~ Na França, o estilo Império* valoriza as mesas-escrivaninhas, os *guéridons**, as *athéniennes* (mesas circulares com tripé metálico inspirados em modelos greco-romanos). ~ No séc. XIX, as mesas, produzidas semi-industrialmente, acompanham os estilos e as modas; as salas de refeição, reúnem a família e os amigos, e há uma etiqueta mais ou menos rigorosa para o serviço. Nos salões, a vida social se faz, não raro, em torno das mesas de chá e de jogo. ~ No séc. XX, depois da exuberância do *Art Nouveau**, a tendência para a simplicidade marca o desenho das mesas, mas as formas permanecem basicamente as mesmas. A geometrização do *Art Déco**, os modelos inspirados no Oriente e outros concebidos segundo as novas tendências da arquitetura e do *design* introduzem o metal e o junco (para as estruturas) e o vidro, o mármore, o acrílico (para os tampos). Mesas de apoio, baixas, completam o confortável mobiliário estofado. §§ Em Portugal, a mesa evolui, até o séc. XVI, segundo os padrões europeus. Importantes mudanças ocorrem quando chegam a Lisboa as primeiras mesas feitas no novíssimo estilo conhecido como Indo-português*. No séc. XVII, as do tipo mediterrâneo (de cavalete) – rústicas ou palacianas – têm o tampo retangular decorado projetado em balanço nas extremidades sobre a caixa com duas ou mais gavetas. Entre as mesas de centro europeias dessa época, as portuguesas são, talvez, as de acabamento mais fino e elegante, graças à sobriedade da decoração: o tampo retangular é quase do tamanho da caixa e ambos têm tremidos, goivados, cordas e ondulados; gavetas são almofadadas às vezes em meia-cana convexa, as ferragens são douradas, as pernas e travessas torneadas formam torcidos, bolachas, discos. Feitas de jacarandá, têm aspecto nobre e polido. ~ Tradição tão forte não foi afetada na estrutura nem nos ornatos pela exuberância do Barroco*; este se manifesta nas credências* e mesas de encostar* com tampos recortados, abas e saias decoradas com entalhes profundos, pernas de cabra, pés de garra e bola, patas de leão, pés de cachimbo ou voluta sobre sapata, etc. As linhas se suavizam na segunda metade do séc. XVIII, e a maioria das mesas Dom José I* não têm amarração, com as pernas diretamente integradas à estrutura da caixa. ~ Como era moda na época, são executados inúmeros tipos de mesas e mesinhas à maneira inglesa e francesa. §§ Nos sécs. XVII e XVIII, no Brasil, a grande mesa rústica do tipo bufete*, equipava as cozinhas rurais e urbanas; o tampo liso, em balanço, é de madeira mais leve com moldura de jacarandá; as gavetas são profundas, com puxadores singelos; as pernas são simples e robustas, mais ou menos inclinadas com a forma de cavalete ou lira e unidas por travessas sólidas. São peças tardias que os portugueses chamavam "mesa espanhola" e que aqui passaram a ser conhecidas como mesa mineira ou mesa holandesa. São usadas em São Paulo, Minas, Goiás, Bahia, Pernambuco. ~ Durante todo o séc. XVIII as mesas brasileiras, de acabamento fino, ainda repetem, com sucesso, modelos seiscentistas da metrópole. Da Bahia nos ficaram belos exemplares em jacarandá, alguns com características próprias. A seu lado, outras, mesas, de centro, de encostar, ou credências acompanham os desenhos portugueses Dom João V* e Dom José I*. Prolongam-se até o começo do séc. XIX e coexistem com as mesas de encostar leves e retilíneas ornadas de filetes de madeira do estilo Dona Maria I*. ~ Mais tarde, no mobiliário de influência Luís Filipe* ou vitoriana, as mesas de centro têm tampo de mármore de várias formas, outras são redondas com balaústre central armado sobre sólida base. Também são características de meados do século as mesas de pé de galo* do tipo *guéridon*. [V. mesa-ninho, mesinha e mobiliário.] – Fr.: *table*; ingl.: *table*; alem.: *Tisch*; ital.: *tavola*. • **Mesa de abas.** Qualquer mesa dotada de abas que podem ser levantadas ou permanecer abaixadas. [Cf. *drop leaf table*.]. **Mesa de aba e cancela.** Mesa cujo tampo pode ser aumentado por duas abas laterais que abaixam e levantam por meio de dobradiças; tem quatro pernas fixas e duas móveis que giram como cancela e sustentam as abas. É originária da Holanda, passou à Inglaterra e daí a Portugal no séc. XVII. De várias dimensões, com tampos retangulares, redondos ou ovais, essas mesas aparecem no Brasil no século seguinte. [V. *gate-leg table.*] **Mesa de cabeceira.** Pequena mesa de apoio que fica ao lado da cama, e cuja forma acompanha a da mobília do quarto. ~ Apareceu no séc. XVIII, com gavetinhas e um compartimento fechado por uma portinhola ou por uma porta corrediça de ripas de madeira; continha o penico, e era então equipada com alças laterais para ser transportada para junto da cama. Esse modelo já fixo vai se adaptar à mobília de quarto do séc. XIX. [V. criado-mudo.]. **Mesa de centro.** Mesa grande, retangular e sólida que, a partir do fim da Idade Média, ocupava o centro das grandes salas e dos *halls* dos palácios. // No séc. XIX, mesa redonda ou oval, com balaústre central ou pés trabalhados, usada nos salões; obedecia ao estilo dos sofás e cadeiras. // Modernamente, mesa de apoio baixa, disposta em frente a um grupo formado por sofás, poltronas ou outros assentos. **Mesa de costura.** Mesinha surgida no séc. XVIII para guardar apetrechos de costura; o tampo, em geral de levantar, cobre uma caixa ou um saco de pano; em algumas mesas a caixa é constituída de uma ou duas gavetas superpostas. Na França setecentista essa mesinha (*table à ouvrage*) tinha uma prateleira embaixo [V. mesinha]. **Mesa de encostar.** Mesa cuja caixa tem três faces decoradas e é reta na parte de trás para ser posta de encontro à parede. §§ No mobiliário luso-brasileiro do séc. XVIII, essas mesas, de jacarandá ou vinhático, têm pernas em curva e contracurva com joelheiras* trabalhadas, avental* recortado, não raro tampo arredondado na frente e dos lados, alargando para trás; figuram entre as mais belas peças do mobiliário do período Dom João V* e Dom José I*. **Mesa de jogo.** Com o desenvolvimento da vida social a partir do séc. XVIII, aparecem mesas próprias para diversos jogos, usadas nos salões. São mesas de acabamento requintado com tampos de diferentes formas (quadrados, pentagonais, redondos), em geral forrados de feltro ou couro, para jogos de cartas, e quadriculados para xadrez*, *tric-trac*, etc. Em algumas, os ebanistas realizam acabamentos esmerados com incrustações, gavetinhas, prateleiras corrediças, dispositivos para velas. Muitas mesas de jogo apresentam-se, quando não estão em uso, como mesas de encostar, com tampo articulado que se dobra. De acordo com os jogos em voga, as mesas têm sofrido modificações. [Cf. tabuleiro.] **Mesa de pé de galo.** Mesinha redonda surgida no séc. XVIII na Inglaterra. Tem coluna central torneada que se abre em tripé lembrando um pé de galináceo; daí a designação adotada em Portugal onde o modelo foi muito difundido. O tampo dessa mesa pode ser posto em posição vertical por meio de um gonzo. As mesas de pé de galo mais características são as do período Rococó* com o tampo decorado em relevo. No séc. XIX foram feitas de *papier mâché** com buquês pintados no tampo. [Cf. *tip-top table*.] **Mesa elástica.** Mesa cujo tampo pode ser aumentado. No sistema holandês (séc. XVII) as tábuas do tampo correm e liberam a parte central duplicando o tamanho; outras, posteriores, estendendo-se recebem tábuas suplementares. Exigem sempre habilidade por parte dos marceneiros. Mais tarde, seu uso foi adotado, de preferência, para salas de jantar. **Mesa em forma de rim.** Mesa ou mesinha com tampo curvo com a frente côncava lembrando a forma de um rim ou feijão. Surgiu na França setecentista e passou à Inglaterra. Servia de escrivaninha ou de toucador, conforme o tamanho. [Fr.: *table en rognon* (ou *table haricot* 'mesa-feijão'); ingl.: *kidney table*.] **Mesa holandesa.** Designação dada no Brasil a um tipo de mesa que era corrente na Europa seiscentista com tampo saliente e sólidos pés de cavalete; era conhecida em Portugal como **mesa espanhola**, possivelmente devido aos vínculos políticos entre a Espanha e os Países Baixos. Adaptada à colônia, essa mesa, de caráter rústico, com tampo saliente ou não e pés de cavalete, com ou sem gavetas, e dimensões diversas, foi usada como mesa de centro ou mesa de encostar (nela às vezes se apoiava um oratório). ~ A designação perdura entre nós para mesas desse tipo. [Cf. cavalete, mesa – mesa mineira e móvel – móvel holandês.] **Mesa mineira.** Mesa com tampo de madeira leve emoldurado de jacarandá e que se prolonga nas cabeceiras, para além da caixa, com gavetas profundas lisas, almofadadas ou com outras decorações (espinhas de peixe, doce de leite*, goivados). Os pés são fortes e afastados para baixo, ora ondulados (em lira), ora retos (em cavalete), unidos por travessas. Esse tipo de mesa apareceu em Minas Gerais, São Paulo, Goiás, no séc. XVII, e foi fabricado até o séc. XIX. ~ Em Minas, essa mesa, quando rústica, era conhecida como "Dona Maria pobre". [Cf. bufete e mesa – mesa holandesa.]

[mesa   mesa]

Mesa de pé de galo de jacarandá do período Dom José I (modelo inglês tip top table). Tampo de abaixar decorado em relevo com motivo rocalha.
(Portugal)

Mesa tipo guéridon. Tampo com incrustações de marfim e madeira reproduzindo cenas palacianas. Coluna com mísulas entalhadas e vazadas em forma de dragões. (China - séc. XIX)

Mesa de costura de mogno, com tampo de levantar, pés de lira e ferragens de bronze.
(França - séc. XIX)

Mesa de centro de castanho e ferro com pés de lira.
Acervo Museus Castro Maya - Rio de Janeiro (Espanha - séc. XVII)

[mesa   mesa]

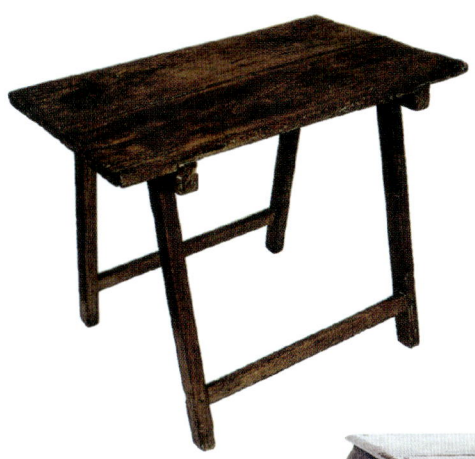

Mesa holandesa rústica. (Brasil - séc. XIX).

Mesa de jacarandá com pés de bolachas e discos. Caixa decorada com goivados. (Brasil - séc. XVIII).

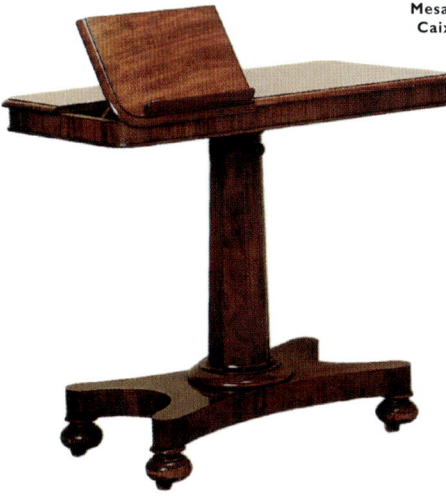

Mesa com leitoril articulado que se encaixa no tampo, e pés com rodízios. (Inglaterra - séc. XIX).

[mesa   mesa]

Mesa de jogo lacada de preto com
incrustações de metal dourado.
(França - séc. XIX)

Mesa de jacarandá com tampo ligeiramente
saliente e pernas e travessas torneadas.
(Minas Gerais - séc. XVIII)

Mesa de centro Napoleão III, de mogno, com entalhes em relevo.
(França - de época).

Mesa mineira com tampo saliente emoldurado de jacarandá e pés de lira.
(Brasil - séc. XIX - comp. 300 cm. x larg. 100 cm. x alt. 82 cm)

mesa-ninho. *s. f.* Conjunto de três ou quatro mesinhas de feitio e modelo rigorosamente iguais e de tamanho graduado de modo que cada uma possa ser recolhida embaixo de outra maior, ocupando assim espaço reduzido. Os franceses denominam essas mesinhas *tables gigogne*, e os ingleses usam a palavra italiana *quartetto* para designar um conjunto formado por quatro mesinhas. [Cf. mesinha.]

occasional tables (mesas suplementares) e *side tables* (mesas de lado) em que a propriedade e elegância da forma e a feitura esmerada são testemunhos de bom gosto e alta qualidade; entre elas encontram-se: *dressing tables* (para toalete), pequenas *drop-leaf tables**, *drum tables** e *kidney tables*, *dumb waiters**, *tea tables** (para chá), *tip-top tables** (de tampo basculante), *whatnots**, e muitas outras.

Mesas-ninhos com incrustações e pernas torneadas. (França - séc. XIX).

Mesinha em forma de rim com decoração de marchetaria. Galeria e guarnições de bronze. (França - séc. XIX)

mesinha. [Diminutivo de mesa.] *s. f.* Designação genérica de diversos tipos de mesa pequena e leve, surgidos no séc. XVIII para servirem de apoio à realização de diferentes atividades; são em geral finos trabalhos de marcenaria e podem ser distribuídas, conforme a finalidade, em salas e quartos, sempre soltas, fáceis de transportar. ~ Na França as *petites tables* (mesinhas) são enriquecidas com gradezinhas de bronze, com marchetaria, às vezes com tampo de mármore, e têm pernas longas e finas; entre elas encontram-se a *table à ouvrage* (para costura), a pequena *table en rognon* ou *table haricot* (de rim, para apoio), a *table en soleil* (com tampo basculante), a *table gigogne* (mesa-ninho), a *coiffeuse* e a *poudreuse* (para toalete), a *liseuse* (para leitura ou escrita), além da *chiffonnière**, da *vide-poche**, da *serviteur fidèle**, e da *serviteur muet** (servidor fiel e servidor mudo) e muitas outras. ~ Na Inglaterra, o fator prático é favorecido pela criatividade, e é especialmente observado nas

Mesinha de toalete com tampo articulado e espelho interno.

[mesinha   mesinha]

Mesinha portátil. Modelo inglês, com tampo articulado.
(Cópia do Liceu de Artes e Ofícios de S. Paulo - c. 1940)

Mesinha inglesa com gaveta pequena e prateleira corrediça. Cópia de modelo georgiano.
(Inglaterra - séc. XIX)

Mesinha georgiana com tampo quadrangular cercado de galeria. Pé de galo. (Inglaterra - séc. XVIII)

Mesinha inglesa com tampo quadrado e coluna central torneada.

Mesinha com marchetaria no tampo.
Pé em coluna torneada (séc. XIX).

Mesopotâmia. s. f. Região da Ásia Ocidental não banhada pelo Mediterrâneo e situada entre os rios Tigre e Eufrates que deságuam no Golfo Pérsico. Foi berço de antigas civilizações, como a sumeriana (3500-2000 a. C.) da qual se conhecem importantes vestígios arqueológicos; a seguir desenvolveram-se na Mesopotâmia as civilizações babilônica e assíria que perduraram até a conquista de Alexandre Magno (534 a. C.). ~ Esses povos instituíram a escrita cuneiforme e contribuíram com precioso legado para as artes decorativas.

metal. s. m. Nas artes decorativas, designação genérica e ampla dos metais propriamente ditos e de diferentes ligas. ~ Desde tempos remotos os metais foram extraídos dos respectivos minérios para serem utilizados pelo homem. A *metalurgia* constitui-se no conjunto de processos e operações destinadas a esse fim, e foi praticada aproximadamente desde o V milênio a. C. Nos períodos pré-históricos o homem valia-se da pedra, da madeira e do barro, e só quando atingiu um estágio mais adiantado começou a recorrer ao cobre, ao ferro e ao ouro, depois à prata, ao chumbo, ao estanho, além das ligas, cedo descobertas, como o bronze e o latão. Os objetos executados pelas primeiras civilizações incluíam armas, vasilhas, utensílios, peças rituais e cerimoniais, objetos decorativos, ornatos arquitetônicos e outros, adornos pessoais, esculturas. ~ Apesar dos progressos da tecnologia, a metalurgia artesanal tem processos decorativos que permanecem praticamente inalterados como a martelagem, o repuxado*, a incrustação*, a douração*, a esmaltagem, o engaste de pedras, o uso de filamentos e outros. ~ O metal, associado a outras substâncias, entra na massa ou no revestimento de certos tipos de cerâmica e de vidro, e na estrutura visível e guarnição de inúmeros objetos práticos e/ou decorativos. [V. aço, bronze, cobre, estanho, ferro, latão, ormolu, ouro, prata e zinco.] • *Metal amarelo.* V. latão. *Metal prateado.* V. prateação.

métope. s. f. Na arquitetura grega, espaço quadrangular, liso ou decorado com baixos-relevos que, num friso*, se alterna com os triglifos. É característico da ordem dórica. [V. ordem. Cf. triglifo.]

mezanino. [Do ital. *mezzanino.*] s. m. Pavimento intermediário entre dois pisos, que se comunica interiormente com ambos. // Janela que ilumina esse pavimento, ou janela de porão.

mezzo-tinto. [Ital.] V. maneira-negra.

mica. s. f. Designação comum dos silicatos de alumínio aos quais se associam, por vezes, o magnésio e o ferro; malacacheta. Apresenta-se em lâminas delgadas, com brilho metálico e textura mais ou menos translúcida, chegando a ser transparente; por isso, desempenhou importante papel antes da descoberta do vidro. §§ No Brasil colonial, sendo o vidro muito raro, placas de mica eram usadas como vidraça.

Mies van der Rohe, Ludwig (1896-1969). Arquiteto nascido na Alemanha, criador de importantes peças de mobiliário, e expoente da arquitetura do séc. XX. Sucedeu a Gropius* como diretor da Bauhaus (1936), mas em 1938 emigrou para os EUA onde se radicou e exerceu o magistério. ~ A atividade de Mies como criador desenvolveu-se especialmente na década de 1920, quando desenhou uma cadeira de estrutura em *cantilever* (1926) com a forma mais simples e pura dentro desse novo conceito. ~ Sua obra mais famosa é a **cadeira Barcelona** concebida para a Exposição Internacional daquela cidade em 1929. A cadeira (acompanhada ou não do banco) , apesar da modernidade, repete basicamente o princípio das cadeiras em "X" romanas e medievais; é constituída de uma estrutura de hastes metálicas cromadas que formam delicadamente curvas e contracurvas e cruzam-se para formar pernas e encosto (não tem braços); tem duas almofadas retangulares de couro capitonê e se adapta confortavelmente ao corpo humano. A Barcelona exige acabamento esmerado e tornou-se peça clássica do mobiliário moderno. Nela Mies revela a mesma precisão de detalhes, o mesmo garbo e elegância que caracterizam seus projetos arquitetônicos. [V. cadeira, Bauhaus e Internacional. Cf. Breuer e Stam.]

mihrab. [Pal. árabe.] Nicho* de oração encimado por um arco em ponta, e que, nas mesquitas, é aberto na parede voltado para a cidade sagrada de Meca (Arábia). Nele a presença divina é simbolizada pela lâmpada que, nas palavras do Alcorão, "arde dentro de um vidro e seu brilho é comparável ao de uma estrela". ~ O *mihrab* é motivo comum na arte islâmica, particularmente nos **tapetes de oração**; estes, por preceito, devem apresentá-lo numa das cabeceiras e seus desenhos diferem segundo as regiões: pode ser simples, de uma só cor ou decorado no interior e cercado de moldura; pode conter uma lâmpada ou um ramo de flores, pode ser ladeado por duas colunas (os pilares da sabedoria). O tapete, quando estendido para a prece, é disposto com o nicho apontando para Meca. [V. tapete oriental – tapete de oração.]

Alguns tipos de mihrab de tapetes de oração.

milão. V. renda.

Milchglas. [Alem. 'vidro leitoso'.] Vidro branco opaco obtido pelo emprego do óxido de estanho. O uso desse óxido foi introduzido na Itália no séc. XV, vindo do Oriente Próximo; em Veneza foi empregado na massa do vidro chamado *latticino**; simultaneamente, foi usado no preparo da maiólica*. ~ A designação alemã deve-se à sua expansão na região renana nos sécs. XVII e XVIII; por ser bastante parecido com a porcelana (pensou-se, mesmo que poderia substituí-la), recebia decoração similar. ~ No séc. XIX o *Milchglas* foi muito empregado em peças de vidro moldado. [V. vidro (história e modos de fabricação). – Ingl.: *milk glass* Cf. *latticino*.]

millefiori. [Ital. 'mil flores'.] Decoração feita no interior da massa do vidro com numerosos e pequenos motivos coloridos que lembram corolas de flores. Esse trabalho, conhecido em peças provenientes de Alexandria e de Roma , foi redescoberto em Murano (Veneza) no séc. XVI, e aperfeiçoado no séc. XIX quando algumas cristalerias francesas (Baccarat*, Saint-Louis*, Clichy) fabricaram belos pesos de papel e outros objetos. ~ A técnica antiga, desenvolvida por essas manufaturas, é basicamente a seguinte: uma pequena massa de vidro colorido é esticada até tornar-se uma haste longa e muito fina que, ainda quente, é associada a outras de cores diferentes obtidas do mesmo modo; unidas, formam o que os franceses chamam *canne* (bengala) que tem seção de múltiplas cores com desenhos diversos e complexos (em geral um centro que se destaca dos recortes exteriores). São resultado de perícia e criatividade e também de certos segredos. Essas "bengalas" são cortadas em pequenos fragmentos (em fr. *bonbons* 'balas'), porque se parecem com balas ácidas coloridas. A etapa seguinte é fixar os *bonbons* num disco de vidro em fusão que recebe, depois, uma cobertura de massa de vidro transparente; esta é arredondada por meio de uma espátula côncava de madeira e é polida e, às vezes, entalhada. [V. peso de papel e vidro (história e modos de fabricação).]

Bola de cristal com decoração millefiore.
(França - séc. XIX)

mille fleurs. [Fr. 'mil flores'.] V. tapeçaria.

mina-khani. [Pal. de origem obscura, talvez persa.] Motivo ornamental composto de quatro flores iguais, estilizadas, dispostas em losango tendo ao centro outra flor diferente e menor; a repetição do motivo evoca um campo florido. [V. tapete oriental (decoração).]

Ming. Dinastia que reinou na China de 1368 a 1644 e que deu o nome ao período histórico e artístico correspondente. Restaurou-se o nacionalismo chinês depois de uma época de dominação mongol (dinastia Yuan). Nas artes decorativas, a tendência foi para uma elaboração aprimorada nos trabalhos de metal e de laca, nas pequenas esculturas de jade, marfim, madeira, e na técnica do *cloisonné**, enquanto o mobiliário mantinha as tradicionais linhas simples e sóbrias. ~ A porcelana alcançou grande desenvolvimento e, entre os mandarins, passou a substituir a cerâmica, ainda muito popular. Foram executadas belas peças azul e branco e, nos últimos anos, introduziu-se a pintura com esmaltes coloridos que enriqueceu visualmente as peças. ~ A dinastia Ming estabeleceu as bases para a exportação da porcelana chinesa para o Ocidente. A expressão "porcelana Ming" passou a significar, na Europa, a última palavra no gênero, apesar das modificações sofridas por alguns modelos originais. [V. China e porcelana chinesa de exportação. Cf. Ch'ing e *famille.*]

miniatura[1]. [Do ital. *miniatura.*] *s. f.* Nos manuscritos medievais, letra capitular colorida de vermelho com mínio, que abria um texto e era ricamente ornamentada e entrelaçada com figuras reais, alegorias e arabescos traçados com minúcia. A palavra que designava essa letra passou, depois, a designar as iluminuras com desenhos análogos. [V. mínio. Cf. iluminura.] // Pintura delicada de pequenas dimensões, especialmente retrato executado sobre pergaminho, marfim ou cobre. ~ A partir do séc. XVI o retrato-miniatura progride num tipo de execução que associa o esmero do baixo-relevo das efígies das medalhas à arte das iluminuras; até o aparecimento da fotografia, essas pinturas, muitas vezes assinadas, registravam os traços fisionômicos das pessoas e eram levadas de um ponto a outro desempenhando importante papel afetivo e informativo; influíam, mesmo, na decisão de casamentos. ~ Na corte da rainha Elizabeth I da Inglaterra (1533-1603) a arte da miniatura elevou-se a grande requinte e bom gosto com as obras de Hans Holbein, Isaac Oliver e, sobretudo, de Nicholas Hilliard* que retratou a rainha e diversos personagens da nobreza (alguns não identificados, como o belo *Jovem encostado a um tronco e cercado de roseiras,* obra muito valorizada na época dos pré-rafaelitas, ou o *Homem agarrando uma mão que vem das nuvens*). ~ Arte destinada à aristocracia, a miniatura recebia cuidados de verdadeira joia; algumas dessas pinturas eram cercadas por ricas molduras de ouro, prata e pedras preciosas e usadas como broche ou medalhão. Paralelamente aos retratos pintados sobre marfim, as miniaturas de esmalte tiveram também grande popularidade e, na França, no séc. XVIII, foram feitas delicadas caixas de ouro e prata que as ostentavam. §§ O pintor francês Nicolas Antoine Taunay, também miniaturista, chegado ao Brasil com a Missão

Artística Francesa* (1816) foi, talvez, o introdutor dessa arte que registrou a imagem de inúmeras figuras do Império. [V. retrato. Cf. miniatura².] – Fr.: *miniature*; ingl.: *limning* e *miniature*.

miniatura². *s. f.* Qualquer objeto muito pequeno que é, em geral, a redução de outro igual de maiores dimensões. ~ Os fabricantes de móveis setecentistas e oitocentistas executavam modelos em miniatura para apresentar aos clientes. §§ No Brasil, marceneiros itinerantes percorriam o interior do país – fazendas e cidades – levando miniaturas à guisa de mostruário. Papeleiras, cômodas, camas, cadeiras reproduziam exatamente os móveis de tamanho natural, até mesmo na perfeição de encaixes, cavilhas, gavetas, corrediças. [Cf. miniatura¹.]

Miniatura - modelo de cômoda neoclássica George III.
(Inglaterra - séc. XVIII - alt. 36 cm. x larg. 31 cm)

mínio. *s. m.* V. zarcão. [Cf. miniatura¹.]

Minton. [Antr. ingl.] Porcelana produzida pela manufatura fundada na Inglaterra em 1796 por Thomas Minton (criador do célebre motivo dos pombinhos* ou do salgueiro). ~ Nela aparecem, a princípio, decorações florais sobre pasta mole; a partir de 1820, a fábrica produz porcelana de pasta dura (*bone china*), de alta qualidade, em serviços de jantar ricamente decorados e em peças ecléticas (imitações de maiólica do séc. XVI, de figuras esculpidas da Renascença francesa, de modelos de Sèvres) além de centros de mesa de *biscuit**, tudo escrupulosamente marcado e de técnica aprimorada. A produção mantém a mesma qualidade até nossos dias. É característica de Minton a louça creme com decoração azul. A marca Minton consta de dois "SS" cruzados e tem inserido um "M". [V. *bone china*, *majolica* e *Parian ware*.]

Missão Artística Francesa. Grupo de artistas que, sob a direção de Joachim Lebreton, chegaram ao Brasil em 1816, a convite do príncipe D. João, a fim de constituir uma academia para ministrar o ensino das belas-artes. Reunia personalidades distintas do mundo artístico: os pintores Jean Baptiste Debret e Nicolas Antoine Taunay, o escultor Auguste Taunay, o arquiteto Grandjean de Montigny, o gravador Charles Simon Pradiez, os irmãos Ferrez (Marc, escultor, e Zéphérin, escultor e gravador de medalhas), e outros, muitos dos quais fixaram residência no país. A missão francesa enriqueceu as artes da nação incipiente com obras de valor artístico e histórico e implantou e divulgou o estilo Neoclássico, adotado pelos artistas nacionais, e que marcou especialmente a arquitetura urbana do séc. XIX. [V. Neoclássico. Cf. Dom João VI.]

mísula. *s. f.* Elemento arquitetônico que se projeta de uma parede ou de um pilar e é destinado a suportar uma carga vertical ou a reforçar um ângulo. ~ A mísula tem a face superior horizontal, integrada ou não à construção, e o extremo superior avançado enquanto a parte de baixo vai se unir à parede; pode ser mais ou menos ornamentada e, segundo as dimensões e a proporção do avanço, tanto serve de apoio a um balcão, a um arco, a uma cornija, como a um vaso ou um busto. Identifica-se, assim, com o consolo, o modilhão ou peanha, conforme a função e a aparência. ~ No Renascimento* as mísulas em "S" reproduziam modelos da ordem coríntia e da compósita; no Barroco* surgem muitas vezes figuras antropomórficas (querubins, atlantes) ou zoomórficas. [Cf. consolo, mão francesa, modilhão e peanha.] – Fr.: *console*; ingl.: *bracket* e *cantilever*.

móbile. [Do ital. *mobile*, 'móvel'] *s. m.* Nas artes plásticas, construção (ou escultura) abstrata que se move com a brisa ou é impelida por um toque de mão. Criada por Alexander Calder na década de 1930, consta, em princípio, de formas feitas com placas metálicas que, equilibradamente, balouçam suspensas por fios; cada peça, girando, imprime movimento ao conjunto. Na arte do séc. XX, essa concepção criou uma nova experiência visual de formas e volumes em constante mudança, não raro multiplicados pelas próprias sombras refletidas numa parede. Segundo Calder, os objetos "encontravam uma relação atuante no espaço". ~ A palavra foi sugerida para designar as obras que aquele artista apresentou em Paris, em 1932. ~ O princípio dos móbiles foi posteriormente imitado e desenvolvido por outros artistas.

mobiliário. [Do fr. *mobilier.*] *s. m.* Palavra surgida no séc. XIX, e que designa, de forma expressiva, os móveis em geral, considerando-se seus aspectos sociais, econômicos, artísticos, etc., bem como as técnicas de sua produção. ~ O mobiliário está intimamente ligado à arquitetura: a casa, que aparece com as primeira sociedades estáveis, abriga o móvel como elo natural entre ela e seus habitantes. § Dentre os materiais utilizados no mobiliário, a madeira* é , sem dúvida, o de maior incidência por sua presença indiscriminada em todas as regiões, por suas qualidades de resistência e por se prestar a diferentes formas de tratamento (corte, encaixe, colagem, entalhe, pintura, douração, moldagem, encurvamento, etc.). Outros materiais usados em casos especiais foram o bronze, o ferro, o junco, o *papier mâché* e até, em casos excepcionais, o vidro, a porcelana e a prata; modernamente, diversos materiais se incorporaram a essa relação, como o aço e os produtos sintéticos de diversas naturezas. Como elementos acessórios e decorativos tem-se o couro, os tecidos e a palha, os vernizes e as tintas, o marfim, o osso, a madrepérola e a tartaruga, o bronze, o ferro, etc. § Na sua construção, o móvel pode obedecer a um processo em que as juntas de estrutura são visíveis, ou o outro em que os elementos da construção são ocultos por ornatos aplicados com o fim de dar a impressão de que o móvel foi feito de uma só peça. § *História*. O mobiliário documenta a evolução dos povos. Sabe-se que, ainda escasso entre as primeiras civilizações, foi se aprimorando e diversificando a partir da formação dos grandes impérios da Antiguidade. Os dados conhecidos baseiam-se nas representações em baixos-relevos e pinturas, nas inscrições e textos literários e em poucas amostras originais, uma vez que a maioria dos móveis, por ser de madeira, não resistiu ao tempo. ~ No *Egito**, o mobiliário era destinado ao uso do faraó e dos sacerdotes; foram encontrados nas tumbas ou reproduzidos graficamente, leitos e descansos de cabeça de madeira ou marfim, tamboretes e cadeiras; gravadas na pedra ou pintados em cores, aparecem mesas rituais, arcas e cestos para guardar, armazenar e transportar as coisas. Essas e outras peças mantêm a unidade de forma característica de toda a arte egípcia e, por meio delas, passaram à posteridade certos modelos, ornatos e técnicas: pés zoomórficos, incrustações em metal e pedras, madeira pintada. ~ Na *Mesopotâmia**, o mobiliário, mais pesado, se distingue por um típico grupo de móveis palacianos: o leito alto em que se reclinava o personagem importante, a cadeira para aquele que se encarregava de seu entretenimento e a pequena mesa portátil para iguarias e bebidas. ~ Na *Grécia**, além de raras peças ainda existentes, as informações nos chegam pelas pinturas na cerâmica, pelos baixos-relevos, pelas descrições literárias. O mobiliário sofre influência do Egito e da Mesopotâmia, evoluindo até os sécs. V e IV a.C., quando, na Ática, atinge o requinte artesanal condizente com a civilização clássica. Entre outras peças, contam-se diversos tipos de assentos como o banco dobrável e a cadeira com pernas em forma de sabre (*klismos*). Os mesmos modelos e técnicas prosseguem no período helenístico em que, por influência oriental, há maior luxo e linhas mais onduladas. ~ Em *Roma**, o mobiliário é mais numeroso e variado; teria a tríplice herança dos padrões estéticos da Grécia, da metalurgia etrusca e da marcenaria helenística, e destinava-se, na maioria, à classe patrícia; reflete hábitos sociais aristocráticos e indolentes, como nos leitos para repouso diurno, alguns em círculo. Os motivos ornamentais são volutas, cabeças de cisne e leopardo, pés em forma de cascos, suportes com corpo de leão e de quimera. O material mais usado teria sido a madeira, naturalmente. Conhecem-se, p. ex., as formas de certos móveis de madeira através de vestígios arqueológicos encontrados em Herculano e

Pompeia: o móvel em si desapareceu, mas seus contornos ficaram impressos na cinza endurecida, e dele se fizeram moldes. (Os modelos romanos ressurgiram no Renascimento* e em estilos subsequentes). ~ Na Alta Idade Média*, só a corte de **Bizâncio*** mantém uma ou outra técnica dos antigos. ~ Depois da decomposição do Império Romano do Ocidente, os povos bárbaros, nômades e guerreiros, teriam móveis escassos e rudes; mais tarde, os senhores feudais, em suas andanças, também usavam mobília portátil: a arca, o banco, a mesa de cavalete. ~ As grossas tábuas das portas e das arcas eram presas por chapas de ferro forjado em volutas que as envolvem como uma grade rígida, robusta e decorativa. ~ No período **Gótico***, a estabilização da moradia determina progressos técnicos: as pesadas pranchas são substituídas por painéis armados com auxílio de montantes salientes numa estrutura arquitetural (a própria decoração com nervuras lembra as janelas góticas). A arca, nessa nova técnica, continua a ser móvel fundamental, só que em dimensões maiores, graças à justaposição dos painéis (é frequente, então, o motivo esculpido que lembra o pregueado num tecido ou pergaminho). Nas casas abastadas, ricos panos franjados cobrem mesas e aparadores, e os duros bancos e as cadeiras de baldaquim levam almofadas. Muitos móveis eram pintados e dourados, e a madeira aparente, que hoje vemos nos museus, não corresponde à realidade, mas ao desgaste do tempo. ~ Chega-se à **Renascença***; no séc. XV, o crescimento das cidades, os hábitos sedentários, a procura de melhores habitações, impõem o aparecimento de móveis sólidos, amplos, decorados, que assinalam a ascensão econômica de seus proprietários: cadeiras senhoriais de espaldar alto; arcas, armários e contadores (já então com gavetas) para os bens que se acumulam (roupa, dinheiro, papéis); aparadores para abrigar mantimentos, utensílios de mesa, bebidas, ou exibir peças de metal trabalhado, vidros e faianças. Realizam-se banquetes de aparato. Dá-se mais valor à forma e à ostentação do que ao conforto e à utilidade. ~ Na Itália, o móvel renascentista adquire as características essenciais: ricos entalhes com ornatos escultóricos (volutas, máscaras, cupidos, fitas), estuques dourados ou em cores, efeitos policrômicos obtidos não só com a pintura (*cassoni* com cenas bíblicas e mitológicas), mas com incrustações (*intarsia* e mosaicos). ~ Os modelos italianos se difundem e diversificam em cada região. Nos Países Baixos e na Alemanha, constroem-se pesadas peças de carvalho (mesas de centro, camas com cortinas, armários e contadores de formas arquiteturais) com entalhes maciços. As técnicas e os motivos decorativos são divulgados em livros que orientam marceneiros, estucadores, entalhadores, serralheiros. ~ Na Inglaterra dos Tudor, esses livros incitam à substituição do gótico tardio, e ali aparecem as primeiras cadeiras estofadas, enquanto na Itália e na Espanha emprega-se o couro no assento e no encosto. Nas cortes de Francisco I, Henrique II e Luís XIII (França), a influência italiana adquire cunho nacional graças às manufaturas de móveis com excelentes artesãos. ~ Os **países marítimos** (Portugal, Espanha, Inglaterra, Holanda) estabelecem o comércio regular com o Oriente e novas formas e técnicas são absorvidas e adotadas; madeiras tropicais são trazidas e trabalhadas na Europa. ~ Até o séc. XVII, a beleza do móvel se devia ao tratamento da madeira através de relevos e volumes; mas a marcenaria* se esmera e novos resultados são obtidos com a aplicação das madeiras coloridas exóticas sobre as superfícies planas: o folheamento marca o início da marcenaria fina que irá seguir uma trajetória brilhante na sucessão de estilos subsequentes. ~ O **Barroco*** se define no aparato da corte de Luís XIV, quando são assentadas as formas básicas dos móveis de luxo; da França, eles se difundem para os outros países: na Itália e na Alemanha ostentam curvas e motivos num exagero de decoração, enquanto nos Países Baixos e na Inglaterra opta-se por uma linha mais sóbria. São marcantes, nessa época, os contadores de ébano e de nogueira. O gosto pela cor encontra na laca* sua forma de expressão; veludos, sedas, bordados dão nova aparência, além de maior conforto, à pompa das cadeiras. ~ No início do séc. XVIII, na Inglaterra da rainha Ana*, os móveis tornam-se mais simples, valoriza-se a textura da madeira e a beleza das linhas (surgem as primeiras cadeiras com *cabriole legs*). ~ Na França o Barroco vai se aligeirar nas acentuadas linhas curvas, na decoração profusa, não raro assimétrica e achinesada, do **Rococó***. O artesanato torna-se esmeradíssimo; a marcenaria atinge o máximo do requinte com o folheamento, a marchetaria, os ormolus. Os acessórios rebuscados refletem a tendência aristocrática e mundana das cortes europeias. Na Inglaterra, o mogno substitui a nogueira e Thomas Chippendale* fornece modelos de notável originalidade. O mobiliário se diversifica, e a cada ato da vida diária corresponde um tipo de móvel; muitos deles perduram e repetem-se até hoje. ~ A partir da segunda metade do séc. XVIII, voltam as linhas retas com o **Neoclássico***. O inglês Robert Adam* integra em sua obra a arquitetura e a decoração. ~ Na França esse estilo se desdobra em três fases: Luís XVI*, Diretório* e Império*. ~ Depois da queda de Napoleão (1815), as curvas reaparecem discretamente. § Os móveis da burguesia do séc. XIX já são produzidos industrialmente. Os estilos *Restauration** e Biedermeier* são os últimos a apresentar alguma originalidade nesse século em que se sucedem as modas numa repetição de estilos do passado: Neogótico, Neorrenascentista, Neorrococó, além dos exotismos, adaptados em cada país à própria tradição. Os salões e os quartos são pesados, com madeiras escuras, poltronas capitonês, cortinas de veludo e passamanaria (ao gosto dos contemporâneos de Napoleão III* e da rainha Vitória* [v. vitoriana]). Uma exceção brilha: os móveis austríacos, de madeira vergada, concebidos e realizados por Michael Thonet*. ~ Por volta de 1860 o inglês William Morris* aparece como precursor do movimento de modernização e reação ao formalismo. ~ O mobiliário do séc. XX se inaugura com o *Art Nouveau** mas à medida que se estabelecem novos fatores como a redução do espaço, o declínio dos costumes formais, a implantação de uma economia de consumo delineiam-se, depois da I Guerra Mundial (1914-1918), outras tendências. Arquitetos e *designers* de vanguarda voltam-se para as linhas sóbrias, lançam móveis funcionais. Por outro lado, certos consumidores ainda não afeitos a esses padrões procuram um estilo de transição (com elementos do passado ou com móveis vinculados ao *Art Déco**). A corrente mais ampla, opta pelos móveis produzidos comercialmente e que evoluem para soluções progressistas e práticas: móveis modulados, estruturas metálicas, assentos de plástico moldado, estantes divisórias, etc. § O que é certo é que houve uma ruptura sensível com os valores até então vigentes. O móvel havia sofrido relativamente poucas inovações básicas no decurso do processo histórico; adaptado aos materiais disponíveis, como que acompanhava passivamente os hábitos de vida do homem. A forma valia por si, e mesmo as concessões feitas ao conforto em nada modificavam o valor da aparência. Só a partir de meados do séc. XX, com o advento de novos materiais e novas técnicas houve uma inversão de valores: como na arquitetura, a funcionalidade assumiu a posição primordial. §§ O mobiliário brasileiro teve como fonte modelos consagrados em Portugal e adaptados às nossas circunstâncias. O *móvel português*, assimilando os estilos vigentes na Espanha, nos Países Baixos, na França e na Inglaterra, do Gótico-mudéjar ao Neoclássico, destaca-se pela alta qualidade de sua forma e feitura; certas peças dos sécs. XVII e XVIII figuram entre as melhores criações da marcenaria europeia. ~ No **Brasil colônia**, distinguem-se duas fases: a primeira, que abrange os sécs. XVI e XVII, prende-se à cultura canavieira; o mobiliário é sólido, retilíneo, rústico; a segunda se estende por todo o séc. XVIII, em pleno ciclo do ouro, é a do estilo Barroco, do móvel luso-brasileiro Dom João V e Dom José I. ~ Na primeira metade do séc. XIX, desde a chegada da corte portuguesa (1808), as tendências voltam-se para os estilos Dona Maria I, Império e *Restauration*. O móvel, a princípio retilíneo e com incrustações, evolui para os torneados, as curvas discretas, os motivos em leque, ou ainda para as curvas cheias, os entalhes figurativos e caprichosos das peças Béranger* e de bilros*. § Em meados dos oitocentos abandona-se a tutela portuguesa; a cultura e a moda francesa tornam-se soberanas. ~ No séc. XX, artistas e arquitetos, sob a influência da Bauhaus e de outros movimentos contemporâneos têm ampliado as perspectivas do móvel brasileiro, entre outros Joaquim Tenreiro (1906-1992) e Sérgio Rodrigues. [V. arca, armário, banco, cadeira, cama e mesa. Cf. móvel.] – Fr.: *mobilier*; ingl.: *furniture*.

moçárabe. [Do ár. *mustarabi*.] *adj*. Relativo à arte dos moçárabes, cristãos da Península Ibérica sujeitos ao domínio muçulmano. ~ Nas construções, muitas adaptadas, a arte cristã arabizada reúne elementos visigodos e românicos (capitéis, modilhões, cachorros a que se aplicava ornamentação islâmica), e formas genuinamente muçulmanas como o arco de ferradura*. Os artistas deixavam-se levar pelas próprias tendências e as obras moçárabes têm cunho bastante individualista. [V. Islã. Cf. mudéjar.]

mocho. *s. m.* No mobiliário luso-brasileiro, banco individual sem encosto e sem braços, com assento quadrangular e quatro pernas unidas por travessas. ~ No séc. XVIII as pernas eram em curva e contracurva sem amarração, e o assento recortado de palhinha, de tecido ou de sola presa ao aro com tachas de latão. ~ Outro tipo de mocho tem a forma de caixa quadrada com quatro pés; teria origem no escabelo* piramidal usado em Portugal nas sacristias e nas cozinhas. [Cf. cadeira rasa e escabelo.]

Mocho de jacarandá. Assento de couro lavrado. Caixa ondulada com entalhes. Pernas em curva e contracurva com joelho acentuado. Pés de garra e bola. (Portugal – meados do séc. XVIII)

modelado. *s. m.* Em escultura, relevo mais ou menos pronunciado. // Em pintura, indicação dos volumes na representação das formas sólidas.

modelagem. *s. f.* Em escultura, criação de formas tridimensionais com materiais como o barro ou a cera, capazes de serem moldados pelas mãos do artista, às vezes com auxílio de ferramentas. [Cf. entalhe.]

modernismo. *s. m.* A arte moderna, ou seja, as expressões artísticas genuínas da primeira metade do séc. XX. [Cf. pós-modernismo.] §§ No Brasil, foi movimento estético que procurou criar meios de expressão autenticamente brasileiros, por oposição aos tradicionais modelos dominantes de características europeias e acadêmicas. O movimento foi reconhecido e divulgado a partir da Semana de Arte Moderna* (1922).

Modern Style. [Ingl. 'estilo moderno'.] Designação dada, de início, na França, ao movimento decorativo depois conhecido como *Art Nouveau*. // Nos países de língua inglesa, designação genérica dos movimentos decorativos surgidos depois da I Guerra Mundial (1914-1918) e que inclui, de maneira ampla, as tendências contemporâneas do Funcionalismo*, do Cubismo*, da Bauhaus*, do estilo escandinavo e outros. [Cf. modernismo.]

modilhão. *s. m.* Mísula enriquecida com ornatos que se definem geralmente em torno de um "S" invertido, vertical ou horizontal, com a voluta superior mais saliente; corvo. Surgiu na arquitetura clássica sob a cornija do entablamento. [V. consolo e mísula.] – Fr.: *modillon*; ingl.: *corbel*.

modulado. *adj.* Diz-se do móvel composto de unidades autônomas com dimensões estabelecidas de modo que possam ser agrupadas e armadas de diversas maneiras, constituindo um todo homogêneo e prático. O móvel modulado caracteriza-se pela diversificação de seus módulos que reúnem funções distintas numa área relativamente reduzida. [Cf. módulo.]

módulo. *s. m.* Medida empregada para regular as proporções que devem manter entre si as partes de um edifício, de uma construção, de um elemento arquitetônico. Pode ser adotada uma medida corrente, o metro, p. ex., ou outra arbitrária como um tijolo, uma parede pré-moldada, certos painéis industrializados. ~ Na arquitetura clássica, o módulo da coluna é o diâmetro de sua base; graças a essa unidade de composição os gregos e romanos obtiveram excepcional harmonia e ritmo em suas construções. ~ O módulo, outrora aplicável apenas à arquitetura, é atualmente usado com sucesso, como unidade, no *design* de móveis. [Cf. coluna, modulado e ordem.]

mogno. *s. m.* Designação comum a diversas madeiras, geralmente de cor marrom avermelhada que são extraídas das árvores do gênero *Swietenia* oriundas das américas Central e do Sul (no Brasil ocorrem na Amazônia, em Mato Grosso, Goiás, Rondônia). ~ O mogno é excelente para a confecção de móveis, lambris, etc., e é empregado em estruturas maciças ou em folhas laminadas; apesar de duro, presta-se para entalhes. ~ Foi importado regularmente pela Inglaterra a partir de 1720, e contribuiu para o alto nível da qualidade do mobiliário inglês do séc. XVIII, predominando depois de ter sido adotado por Chippendale*. Só no fim do século passa a ser aceito na França e, através do estilo Império, difunde-se pela Europa passando a ser usado industrialmente. [V. madeira e mobiliário.] – Fr.: *acajou*; ingl.: *mahogany*.

moiré. [Fr.] *s. m.* V. chamalote.

moldagem. *s. f.* Operação conhecida desde tempos remotos e que consistia em confeccionar fôrmas ou moldes ocos, ou neles verter determinadas substâncias pastosas que lhes adquirem os contornos. ~ Na moldagem de esculturas e outros objetos (de metal, vidro, cerâmica), aplica-se sobre o original uma substância própria (gesso, cera) que irá reproduzir a forma em oco e servirá de **molde**. Este consta, em geral, de duas ou mais peças reunidas que se podem separar com facilidade depois de solidificada a matéria nelas vazada. ~ Técnica muito aplicada em moldagem é a de *cire-perdue* usada na estatuária e outras peças de bronze, na cerâmica, etc. ~ O molde possibilita a reprodução exata da matriz tantas vezes quantas sejam necessárias. O material a ser moldado pode ser colocado ou comprimido no molde, ou ali derramado em fusão. ~ Atualmente a moldagem se estende às matérias plásticas, ao concreto, à madeira, e é aplicada em construção e no mobiliário. [V. bronze, *cire-perdue*, concreto e gesso.] – Fr.: *moulage*; ingl.: *moulding*.

moldura. *s. f.* Ornato• de contorno contínuo, em linhas retas ou sinuosa não raro modelado com arestas e sulcos, e que enquadra e arremata certos **elementos arquitetônicos** (beirais, colunas, cornijas, janelas, pedestais, pórticos, etc.). A moldura assume formas de perfil reto, côncavo, convexo, ou côncavo e convexo, tendo cada qual designação própria: ***astrágalo, bocel, cordão, ducina, escócia, gola, platibanda.*** // Caixilho em geral de madeira com a forma semelhante à da moldura arquitetônica, e que se destina a guarnecer quadros, estampas, espelhos, etc. Outros materiais como vidro, o marfim, o metal têm sido utilizados e requerem normalmente cuidadoso tratamento artesanal. ~ Com a descoberta dos espelhos de vidro, impôs-se a moldura como guarnição e defesa. No séc. XVI os espelhos venezianos foram enquadrados a princípio com simples barras de madeira que, pouco a pouco, se enriqueceram com florões, óvalos, folhas de acanto, frontões, colunas inspiradas em modelos da arquitetura. ~ Nas obras pictóricas, a moldura, assim como o *passe-partout**, dá destaque ao trabalho por ela circunscrito. ~ Na Renascença italiana, molduras de quadros ricamente esculpidas com folhagens e frutos dão origem a um gênero tradicional que se diversifica segundo os estilos. Mais tarde, molduras de madeira douradas e lavradas com estuque complementam quadros das escolas que antecederam os da vanguarda do séc. XX, quando começam a ser adotadas outras soluções. [Cf. espelho, Murano e porta-retrato.] – Fr.: *cadre*; ingl.: *frame*.

molheira. *s. f.* Recipiente de metal ou porcelana destinado a conter o molho que é servido à mesa. Considera-se molho qualquer tipo de preparação líquida ou pastosa que acompanha uma iguaria sólida. Assim, existem duas espécies de molheira: a de forma ovalada (sem tampa, com bico largo e uma alça ou dois bicos largos simétricos) para molhos ralos; e a que tem o feitio de uma pequena sopeira (com tampa e alças) para molhos cremosos. Certas baixelas* ou serviços* de jantar têm os dois tipos de molheira. – Fr.: *saucière*; ingl.: *saucetureen, sauceboat, gravyboat*.

mono. *s. m.* Na arte chinesa e japonesa, figura grotesca pintada ou esculpida em bronze, marfim, cerâmica, etc. cuja cabeça tem dimensões exageradas. [Cf. macaco.] – Fr.: *marot*.

monocromo. *adj.* De uma só cor; monocromático. [Cf. policromia.]

monograma. *s. m.* As iniciais entrelaçadas de um nome próprio. As letras são delineadas em belas formas gráficas, e o monograma pode ser pintado, impresso, gravado ou bordado para personalizar objetos.

montante. *s. m.* Peça saliente de madeira, metal, etc., que serve de moldura de portas e janelas. A designação cabe, em especial, às peças verticais que as guarnecem. // Peça vertical ou coluna que compõe a estrutura de um móvel.

monteith. [Ingl, do antr. escocês Monteith.] *s.* Grande vasilha circular, em geral de prata, com bordas recortadas e que se destina a refrescar os copos de vinho; surgiu na Inglaterra no séc. XVII. [Cf. *wine cooler*.]

morcego. *s.m.* Mamífero voador cujos membros superiores são transformados em longas asas com capacidade de apreensão na extremidade. Vive, em geral, em cavernas ou buracos nos troncos. É dotado de grande mobilidade graças ao desenvolvido sentido da audição (emite ultra-sons que lhe permitem boa orientação no escuro). ~ Este bicho, de características tão especiais, é considerado de mau agouro no Ocidente, sobretudo no campo: rato velho que criou asas, pássaro do diabo. ~ Em compensação, na China – *fu* – sua imagem na porcelana significa felicidade e a representação estilizada de cinco morcegos é símbolo das cinco bênçãos. [V. China (símbolos e motivos ornamentais).]

Morcego. Estilização. (China)

mordente. *s. m.* Em gravura, ácido que ataca os traços desenhados numa placa de metal, de pedra, etc. [V. água-forte e litografia.] // Em pintura, preparação do suporte por processos especiais para fixação das tintas, do ouro, da laca, etc.

moringa. *s. f.* Bilha* para água, bojuda, feita de barro não vidrado e que tem no topo uma asa ladeada por dois gargalos de diâmetros diferentes (em Portugal chama-se de preferência "moringue"). É jarro típico do sul da Península Ibérica, usado nas regiões quentes por conservar a água sempre fresca devido à porosidade do barro. No Alentejo e no Algarve é feito, em geral, de barro vermelho com decoração, e os mais belos exemplares são os de Estremoz. A fábrica de Vista Alegre* copiou esta forma em espécimes de porcelana, como curiosidade. ~ Uma variedade de moringue é o de vidro para beber vinho no campo ou nas tabernas de Portugal e da Espanha (esp.: *porron*); não tem alça no alto, sendo um dos gargalos cônico e agudo para o freguês beber "atirando o jorro à goela". [V. cerâmica portuguesa e v. tb. jacob Petit (ilustr.).] // No Brasil, garrafa bojuda, de barro, com gargalo largo, sem tampa e sem alça.

Moringa de cerâmica de Estremoz. Base e tampas de prata trabalhada. (Portugal - séc. XX).

Morris, William. (1834-1896). Poeta, desenhista, artesão e teórico socialista inglês. Ligado ao movimento pré-rafaelita, ao crítico de arte John Ruskin, ao arquiteto Philip Webb, funda com amigos uma firma de alto gabarito artesanal que exibe na Exposição de Londres de 1862 inúmeros produtos: belos vitrais* de cunho pré-rafaelita levam a assinatura de Burne-Jones, de Rossetti, de Webb. Morris desenha padrões de papel de parede com a repetição de motivos florais, de pássaros, ao lado de formas geométricas; volta-se depois para a estamparia em algodão. A firma produz álbuns com riscos para bordados, bem como artigos bordados e tapeçarias. ~ Morris foi ilustrador e seu interesse pelas artes gráficas leva-o a criar três tipos hoje clássicos (Golden, Troy e Chaucer). Também monta sua própria editora e impressora (Kelmscott Press). ~ Por seus dotes pessoais, Morris foi um grande líder; trabalhador incansável diversificou atividades que inegavelmente tiveram influência internacional a partir da década de 1880. [Cf. *Arts and Crafts Movement* e pré-rafaelitas.]

mosaico. [Do ital. *mosaico*, derivado do latim *musivum*, de *museum*, gruta dos jardins romanos dedicados às Musas, pelo latim medieval *musaicum*.] *s. m.* Revestimento executado com pequenos blocos de formas cúbicas ou alongadas mais ou menos regulares – as *tesselas* – de pedra, vidro ou cerâmica, aplicados sobre pisos, paredes, tetos, abóbadas, etc.; no geral representam formas figurativas em obras que podem atingir alto nível estético nas artes visuais. § A técnica do mosaico consiste em dispor as tesselas coloridas ou douradas num suporte de argamassa úmida de modo que os contornos, a dimensão e a orientação das pedras valorizem o desenho, o modelado e o movimento das formas representadas. § A arte do mosaico foi praticada na Grécia e em Roma para revestir o chão, e tornou-se forma de decoração muito desenvolvida; entre os romanos, os mosaicos de desenhos naturalistas atingem grande perfeição e realismo, e os pisos são verdadeiras pinturas em pedra como os de Pérgamo, Pompeia e Herculano. ~ No entanto, em geral, por ser rígido, o mosaico estimula a criação de formas estilizadas, hieráticas em que sobressaem o brilho e o colorido. Nos primeiros tempos do cristianismo os mosaicos das paredes e dos tetos afastam-se dos padrões helenísticos e romanos e sofrem mudanças decisivas de cunho teológico e litúrgico; imagens simbólicas, impessoais, da primitiva iconografia cristã encontram neles a melhor forma de expressão. Nos mosaicos paleocristãos usou-se o vidro, material mais colorido e luminoso do que a pedra de cores neutras empregada pelos romanos. ~ A arte atinge o seu apogeu no *Império Bizantino* (do séc. V ao séc. XII) e os mosaicos das igrejas cobrem completamente absides e abóbadas, formando uma superfície brilhante e lisa que deixa visível a estrutura arquitetônica; sobre o fundo de ouro não há gradações de cores e, entre uma pedra e outra, a mudança é brusca; as imagens frontais, de grandes olhos, não têm relevo, os drapeados evoluem em linhas marcadas. A expressão incisiva e severa do Cristo Pantocrátor*, da Virgem, dos impressionantes anjos e de outras figuras vai se humanizando no último período, e atinge um certo idealismo que vai influenciar a pintura medieval pré-renascentista. Algumas das principais obras em mosaico encontram-se em Constantinopla (*Hagia Sofia, Kahrye Camii*), em Ravena (mausoléu da Galla Placídia, igrejas de *Sant'Apollinare Nuovo* e *Sant'Apollinare in Classe*, de *San Vitale*, de *Sangiovanni Evangelista*), na Grécia (*Daphni* em Atenas, *Hosios Loukas* na Fócida) e outras regiões dos Bálcãs, em Veneza (igrejas de

Torcello e Murano e Basílica de São Marcos), na Sicília (catedral de Monreale). § No séc. XIV o mosaico foi suplantado pela pintura em afresco*, e perdeu o impacto anterior. Nos sécs. XVI, XVII e XVIII, como aconteceu com as tapeçarias*, voltou-se para uma extrema fidelidade aos modelos e chegaram a ser usadas tesselas com centenas de tons diferentes. A Itália manteve a tradição com excelentes artesãos e artistas (Basílica de São Pedro, em Roma) e, no séc. XIX, o mosaico voltou a decorar os pisos de importantes edifícios (palácios, teatros, museus). ~ Artistas contemporâneos têm reexplorado as qualidades artísticas do mosaico. § Mosaicos em miniatura (painéis de diferentes dimensões), aparentados aos das grandes superfícies, e com a mesma iconografia, aparecem na última fase da arte bizantina. §§ No Brasil a arte não tem tradição, mas vale salientar os mosaicos de escola europeia oitocentista na igreja da Candelária, no Teatro Municipal (ambos no Rio de Janeiro), e em outros edifícios da *Belle Époque*. // P. ext. Qualquer incrustação contínua feita com pedras ou ladrilhos coloridos formando desenhos como, p. ex., o piso da catedral de Siena, os losangos da fachada rósea do Palácio Ducal de Veneza, ou as tradicionais decorações feitas por artesãos italianos, com *pietra dura** e com pedrinhas minúsculas e coloridas, em joias, caixinhas, pesos de papel, etc. § Os mosaicos de ladrilhos de cerâmica usados pelos muçulmanos para revestimento de paredes (Andaluzia, Espanha) formam desenhos abstratos e suas peças coloridas têm formas regulares diversas. • **Mosaico português**. Tipo de pavimentação em que fragmentos de basalto negro contrastam com outros brancos de calcário, formando desenhos (no Brasil tb. se diz "pedra portuguesa"). De criação lusa, são vistos em Lisboa, sendo típicos das calçadas do Rio de Janeiro, com motivo que forma ondas pretas e brancas. Merecem destaque os mosaicos de três cores criados por Roberto Burle Marx (1909-1994) para o "calçadão" da Avenida Atlântica, também no Rio.

motivo ornamental. Cada uma das unidades decorativas que constituem os ornatos das obras de arquitetura, do mobiliário, das peças de metal, de cerâmica, de porcelana, de marfim, dos tapetes, dos tecidos, do papel de parede, etc. Assumem formas figurativas, estilizadas, alegóricas e abstratas, algumas de tradição histórica milenar, outras inspiradas nas tendências de uma época e próprias de determinados estilos. ~ Os motivos ornamentais podem aparecer isolados em arremates, painéis, etc., como, p. ex., uma concha num frontão barroco, uma flor na tampa de uma sopeira, uma figura feminina na alça de um jarro; e podem aparecer repetidos em sequência como nos frisos e barras, ou no campo liso de uma porcelana, de um tapete, de uma parede, de um teto. Resultam do trabalho de artífices que, aplicando técnicas apropriadas de escultura e entalhe, pintura, gravação, lapidação, incrustação, bordado, etc., trabalham em relevo ou em plano. ~ Os milenares motivos do Extremo Oriente, os motivos islâmicos, os africanos, os pré-colombianos, etc., bem como os do Egito e da Mesopotâmia, foram também absorvidos pela cultura ocidental. [V. ornato, China (símbolos e motivos ornamentais) e tapete oriental. Cf. acanto, *anthemion, boteh,* cabochom, caduceu, cardo, carvalho, cebola, *chevron,* concha, coração, corda, cornucópia, crisântemo, *croisé, Deutscheblumen,* doce de leite, esfinge, estrela, flor de lis, folha, folhagem grifo, *gul,* harpia, *herati, Indianischeblumen, kharsiang,* laçaria, laço, lira, lótus, louro, margarida, máscara, mascarão, Medusa, *minakhani,* nó, ocelo, olho, olho de perdiz, palma, palmeta, panóplia, papiro, *parchemin plissé,* peônia, pombinhos, quadrifólio, quimera, raios, ramagem, rolo de fumo, romã, rosa, rosácea, *running dog,* salgueiro, trifólio, tulipa, *willow pattern,* zebrado, *Zwiebelmuster.*]

Mourisco. Estilo decorativo desenvolvido na Espanha pelos mouros que ali se radicaram do séc. VIII ao séc. XV, e no qual se mesclam elementos árabes e góticos; é típico do fim da Idade Média e perdurou até o séc. XVI. ~ No séc. XIX e começos do séc. XX o estilo reviveu, entre outras tendências historicistas então em voga. §§ Em Portugal o estilo Mourisco de época refere-se ao tipo de arte manuelina criada pelos artistas mudéjares que ali vieram trabalhar; eles eram especializados em trabalhos em madeira, cerâmica (azulejos de *cuerda seca*), em gesso (relevos de estuque, em especial nos arcos polilobados e em ferradura). [Cf. estilo (estilos históricos), Islã, Manuelino, mudéjar e Vitoriano.]

Moustiers. [Do top. fr. Moustiers-Sainte-Marie.] Faiança fina produzida no sul da França, e cuja fabricação teve início em 1679, expandindo-se no séc. XVIII. A princípio apresentou grande variedade de peças de uso doméstico delicadamente decoradas com grotescos* e lambrequins* azuis sobre fundo branco; depois, decorações com formas estilizadas e figuras fantásticas foram executadas com pintura a alta temperatura (peças no gênero foram feitas em Alcora* na Espanha para onde se deslocaram artífices de Moustiers). ~ No fim do séc. XVIII aparecem motivos policromados no gênero de Strasbourg* e Marseille*. ~ A cidade de Moustiers tem, até hoje, fábricas de faiança. [V. faiança.]

móvel. *s. m.* Designação comum a qualquer peça destinada a equipar uma casa, feita na medida do homem e capaz de proporcionar-lhe bem-estar e postura adequada no convívio, no repouso e no trabalho. § A palavra, originada do latim *mobilis* (por oposição a imóvel), é registrada em português no séc. XIV, já tendo aparecido antes no espanhol *mueble*, no italiano *mobile* e no francês *meuble*; sobre este último vocábulo moldaram-se o alemão *möbel* e o sueco *möbler*, enquanto o inglês adota a expressão *piece of furniture*. § No correr dos tempos o móvel tem sempre passado por mãos de artesãos especializados, e constitui riquíssimo elemento das artes decorativas. Modernamente, porém, ao lado de peças unitárias e artesanais são produzidos móveis em série, feitos em grandes lotes com a utilização de máquinas. [V. marcenaria e mobiliário.] • *Móvel de apoio.* Designação comum às peças de mobiliário sobre cujo tampo se depositam, de modo permanente ou provisório, objetos úteis (pratos, copos, cinzeiros, telefones, etc.); propiciam conforto e economia de gestos, e incluem mesas de centro*, mesas de encostar*, aparadores*, mesinhas* de diferentes formas e alturas, arcas* pequenas, banquetas, etc. [V. mesa]. *Móvel holandês.* Móvel de aspecto sólido e linhas simples fabricado em certas regiões do Brasil (Nordeste, Centro) nos sécs. XVII e XVIII. Essa designação tem origem, talvez, no mobiliário renascentista dos Países Baixos (pesadas mesas de carvalho com fortes pés de cavalete, cadeiras dobráveis, bancos, armários com portas almofadadas); através dos colonizadores esses modelos teriam chegado ao interior do país e, por suas características de sólida simplicidade, adaptaram-se às necessidades das grandes casas rurais dos engenhos e das fazendas. ~ A rigor, no mobiliário colonial, somente a mesa de cavalete teria sido trazida pelos holandeses no séc. XVII. [V. mesa – mesa holandesa e mobiliário.]

mudéjar. [Do ár. *mudejjen* 'o que fica morando'.] *adj.* Diz-se da arte dos mudéjares, árabes que viviam nas regiões da Península Ibérica reconquistadas pelos cristãos. ~ É uma arte híbrida, apesar de sua beleza, e nela se manifestam elementos cristãos (sucessivamente românicos, góticos, platerescos) ao lado da apurada arte dos mouros. Na ornamentação, na madeira ou no gesso, convivem em harmonia linhas geométricas entrelaçadas e elementos vegetais estilizados. [V. Islã. Cf. moçárabe.]

mural. *s. m.* V. pintura mural.

Murano. [Top. ital.] Conjunto de ilhas na Laguna veneziana, célebre pela produção do vidro. ~ Em 1291, a indústria do vidro soprado, já praticada em Veneza, transfere-se para Murano e ganha impulso. Veneza torna-se o maior centro de exportação de vidro da Europa. ~ No séc. XVI descobre-se a técnica do cristal branco, transparente; taças, jarros, pratos, etc., leves e elegantes, são muito procurados. ~ Ao findar o século, Veneza perde o monopólio do cristal e, para enfrentar a concorrência, os vidreiros de Murano exploram os mais altos requintes da fantasia. No séc. XVIII produzem candelabros e lustres de cristal adornados com flores de vidro colorido; espelhos com molduras de cristal facetado e em cores são também característicos dessa indústria. ~ Murano nunca se desviou da antiga classe e preservou as notáveis qualidades do vidro veneziano: brilho das cores, leveza e ductibilidade (esta permite formas surpreendentes). ~ No séc. XX, além da reprodução de modelos tradicionais, certas manufaturas criam desenhos modernos dentro dos antigos padrões de qualidade. [V. vidro e v. tb. rosa (ilustr.).]

Figura típica veneziana. Vidro translúcido de Murano com detalhes em ouro e negro.
(Itália - séc. XX - alt. 25 cm)

muxarabi. [Do ár. *macharabyia*.] *s. m.* Balcão fechado por gradeado de madeira em treliça, típico das construções ibéricas, e que permitia às pessoas observar o exterior sem serem vistas. §§ A presença do muxarabi é expressiva na arquitetura brasileira do período colonial e do início do séc. XIX. Neste século, por razões supostamente estéticas e progressistas, os muxarabis e as janelas de rótula foram condenados pelas autoridades; os gradis de ferro fundido e o vidro plano, produtos importados, passaram a caracterizar as fachadas. Nas décadas de 1920 e 1930, balcões com muxarabis reaparecem em algumas construções urbanas no estilo neocolonial*. [Cf. gelosia.]

N

N. Inicial de Napoleão I, Imperador dos Franceses (1769-1821), muito usada como motivo decorativo durante o período do Império na França (1804-1814). Habitualmente essa letra aparece cercada por uma coroa de louros. [V. Império.]

nabis. [do hebreu *navi*, 'profeta', 'visionário'.] Grupo de artistas franceses que, a partir de 1888, sob a influência de Gauguin em Port Aven, preconizaram uma estética baseada na expressão subjetiva (por oposição ao realismo), na cor e na imaginação. Eram eles os pintores Maurice Denis, Edouard Vuillard, Pierre Bonnard, o escultor Aristide Maillol e outros, influenciados pelas estampas* japonesas e pelo Simbolismo literário. ~ Os nabis marcaram as artes decorativas do início do séc. XX pela interação de diferentes ramos de atividade e de técnicas (cartazes, vitrais, cenografia, artes gráficas, etc.). [V. cartaz e simbolismo.]

nácar. *s. m.* V. madrepérola. – Fr.: *nacre*; ingl.: *nacre*.

Nacional-português. [Termo cunhado no séc. XX pelo historiador e crítico de arte norte-americano Robert Smith Jr.] Designação dada por alguns estudiosos ao estilo de móveis que floresceu em Portugal aproximadamente em fins do séc. XVII, no qual elementos decorativos hindus se associavam às formas tradicionais europeias do Renascimento* tardio à primeira fase do Barroco*. ~ O estilo caracteriza-se pela estrutura sólida e retilínea dos móveis (mesas, arcas, contadores, cadeiras de sola); as pernas são torneadas; entalhes com tremidos* e goivados* formam acabamentos dos tampos e das molduras em losango das arcas e contadores; balaústres se alinham nas galerias dos leitos. ~ No decorrer do séc. XVIII o estilo se apura e empregam-se elementos decorativos como almofadas e molduras nas portas e gavetas e principalmente nas laterais de arcas e arcazes. Aparecem os torneados fusiformes, e as características bolachas*, bolas e discos que dão às pernas aparência vigorosa; os goivados e tremidos são muito elaborados; os puxadores, os espelhos de fechadura, as cantoneiras e dobradiças são vistosos, de metal amarelo rendilhado (tradição hindu) ou de ferro batido (origem medieval ou árabe). [V. mobiliário e v. tb. cadeira (ilustr.). Cf. Dom João V e indo-português.]

naïf. [Fr. 'ingênuo', 'simples'. Fem. *naïve.*] *adj.* V. ingênuo.

náilon. [Do ingl. *nylon*, nome comercial.] *s. m.* Fibra têxtil sintética derivada de resina de poliamida. Descoberta em 1938 nos E.U.A., forma fios elásticos fortes e leves que não se deterioram e resistem aos agentes atmosféricos. Diversas variedades de náilon são aplicadas no vestuário, no mobiliário, em tapetes, telas, redes, cordas, etc. [V. fibra sintética.]

Na'in. [Top persa.] Tapete oriental originário da pequena cidade do mesmo nome, próxima de Ispahan e conhecida, no passado, pelos méritos de sua tecelagem. Com o declínio dessa atividade, iniciou-se a fabricação de tapetes. Os belos exemplares produzidos a partir de meados do séc. XX têm grande aceitação no mercado por sua alta qualidade. A decoração é semelhante à dos Ispahan*, com riqueza de motivos; estes às vezes são tecidos em seda e ressaltam do fino veludo de lã. O número de pontos vai de 5.000 a 10.000 por decímetro quadrado. [V. tapete oriental - tapete persa.]

Nancy. Cidade da França onde se concentravam, na virada do século XIX,

Nancy. Vaso e tigela de Daum, com decoração floral.
(França - de época - alt. respectivamente 14 cm e 8 cm)

importantes manufaturas de vidro cujo desempenho foi marcante na implantação do *Art Nouveau**. Émile Gallé, trabalhando nessa cidade, elevou a arte do vidro a surpreendentes níveis técnicos e artísticos; e tornou-se o êmulo de um grupo de vidreiros seus conterrâneos. Assim, as obras criadas trazem a assinatura de Gallé, Daum, Richard*, Amalric Walter*, e Majorelle*, *Verrerie d'Art de Loraine* e outros; esse grupo passou a ser conhecido como "Escola de Nancy". [V. vidro. Cf. Daum e Gallé.]

Nankim. [Top. chinês.] Designação dada no séc. XIX à louça chinesa de exportação produzida entre 1790 e 1850, particularmente à de decoração azul e branco (em tonalidades que vão do azul acinzentado ao azul-rei). Essa louça, chamada de *Macau* pelos portugueses, foi copiada e adaptada na Inglaterra, com paisagens, cenas ou motivos florais, às vezes com toques dourados. [V. louça inglesa, Macau e *willow pattern*.]

nanquim. [Do top. Nankim, cidade da China.] *s. m.* Tinta preta originária da China, de grande solubilidade, feita com certas plantas, substância aglutinante e negro de fumo. Usada na escrita e no desenho, presta-se especialmente para aguadas*. ~ Hoje o nanquim é produzido artificialmente e a designação inclui outras cores (fala-se em "nanquim vermelho", "nanquim verde"). — Fr.: *encre de Chine*; ingl.: *India ink*.

Napoleão III. Tipo de decoração que vigorou na França de 1848 a 1870, aproximadamente, e que corresponde ao governo de Luís Napoleão Bonaparte, depois Napoleão III, segundo imperador dos franceses. ~ A rigor, não se trata de um estilo, mas de tendências do gosto corrente na época e grandemente influenciadas pela imperatriz Eugênia, a espanhola Eugênia de Montijo. Buscava-se recriar modelos históricos de outras épocas num ecletismo voltado para o luxo. ~ A execução do mobiliário era muito esmerada e são dessa época poltronas, sofás, otomanas e *indiscrets* com muitas curvas e estofados não raro em capitonê; o veludo, a passamanaria davam um ar solene aos ambientes. Dessa fase datam bonitos móveis de *papier mâché** (cadeiras, mesinhas com pinturas de flores e decorações incrustadas de madrepérola). §§ O estilo vitoriano e o Napoleão III constituíram a base da decoração das residências brasileiras durante o Segundo Reinado. [V. cadeira, sofá e tip-top table (ilustr.). Cf. Vitoriano.]

Nápoles. [Cid. da Itália.] Porcelana de pasta mole, oriunda da *Fábrica Real* fundada nessa cidade em 1771 pelo rei Ferdinando; tem características semelhantes às de Capodimonte. A manufatura produziu figuras e objetos de modelos clássicos e, sob Napoleão I, por influência francesa, serviços de mesa em estilo Império*. Fechou em 1821. [V. Capodimonte.]

Nara. [Antiga cid. do Japão.] Cerâmica produzida no período do mesmo nome (646-784) quando, no Japão, se faz sentir forte influência chinesa e o budismo atinge grande desenvolvimento. É notável pela introdução no país do esmalte em cores nas peças feitas para a corte e em outras destinadas ao culto. Muitas delas (tigelas, jarros com tampa), simples e finas, talvez sejam das peças mais antigas de cerâmica encontradas intactas acima do solo. [V. Japão.]

natividade. *s. f.* Tema da arte cristã que representa o Menino Jesus recém-nascido sendo adorado pela Virgem Maria* e por S. José, pelos pastores e Reis Magos, tal como relatam os Evangelhos. [Cf. presépio.]

natureza-morta. *s. f.* Nas artes visuais, representação realista de pequenos animais mortos (na caça ou na pesca), muitas vezes apresentados ao lado de utensílios domésticos, de alimentos, de folhagens. Essa designação passou a ser adotada (impropriamente) para indicar a representação, em arte, de frutas, flores e objetos inanimados. ~ A partir do séc. XVII os objetos do cotidiano despertaram o interesse dos pintores, sobretudo entre os holandeses o tema se impôs também na Espanha e na França em importantes trabalhos. Era frequente nos quadros das salas de jantar oitocentistas e, no séc. XX, pintores como Cézanne, Matisse e os cubistas valorizaram a natureza-morta. – Fr.: *nature morte*; ingl.: *still life*; alem.: *Stilleben*; esp.: *bodegón*.

naveta. [Do português antigo 'nau pequena'.] *s. f.* Pequeno vaso em forma de barco dotado de pé usado nas cerimônias litúrgicas da Igreja para nele se colocar o incenso dos turíbulos. §§ No período colonial, as navetas de prata luso-brasileiras foram trabalhadas com esmero; belos exemplares setecentistas destacam-se pelos pés elevados.

Naveta de prata. (Brasil - séc. XIX)

nécessaire. [Fr.] *s. m.* Caixa ou maleta, maior do que um estojo, para transportar, em viagem, utensílios de toalete, de costura, de escritório, etc. A disposição interna varia com a finalidade, mas é essencial que obedeça à maior economia de espaço. De acabamento fino, os *nécessaires* eram, no geral, de madeira revestida de couro; no séc. XIX usou-se também o *papier mâché*.

Nécessaire - Maleta de couro para viagem com prateleira-estojo. Pertences de toalete em cristal, prata e marfim.
(França - c. 1920)

Neoclassicismo. Movimento artístico vigente na Europa de meados do séc. XVIII até o início do séc. XIX, e que coincidiu com as transformações que antecederam à Revolução Francesa; neoclássico.

Neoclássico. Na arquitetura e nas artes plásticas e decorativas, estilo que se desenvolveu como reação aos excessos do Barroco e do Rococó, inspirado nas ordens clássicas da arquitetura e nos motivos decorativos greco-romanos. § De cunho erudito, o Neoclássico surge na França com a designação de "estilo à grega". Adota formas e modelos clássicos conhecidos através dos estudos arqueológicos feitos no sul da Itália (com a descoberta de Herculano e Pompeia) e na Grécia no correr do séc. XVIII e adota também as proporções dos cânones antigos. Absorvido na Inglaterra, difundiu-se de Lisboa a S. Petersburgo e atingiu os E.U.A. na ocasião de sua independência. § Na arquitetura, impõem-se os frontões, as colunas clássicas, as rotundas (os irmãos Adam na Inglaterra, Gabriel na França, Jefferson nos E.U.A). Na pintura destacam-se David e Ingres (França); na escultura, Flaxman (Inglaterra), Thorvaldsen (Dinamarca), Canova (Itália). § Nas artes decorativas, o Neoclassicismo desabrocha na França com o estilo Luís XVI e prossegue no Diretório. Na Inglaterra, Robert Adam*, Hepplewhite* e Sheraton* influem no sentido da simplicidade dos interiores. O mobiliário adquire as formas arquitetônicas do frontão, das colunas com caneluras, dos ornatos com palmetas, gregas e ondas, aos quais se somam motivos como folhas de acanto, delfins, liras, urnas, máscaras de carneiro e leão; as pernas são retas, terminadas às vezes como cascos de animais. Entre as linhas rigorosas abre-se espaço livre para a decoração; em todos os ornatos o tratamento é delicado e leve. A princípio, embora fossem conhecidas as peças do mobiliário greco-romano, não houve a preocupação de copiá-las diretamente, e os móveis franceses e georgianos* são originais e sóbrios; só no fim do século, o francês J. S. David e o dinamarquês Abildggaard tentam se aproximar dos modelos de época. § Na cerâmica, o inglês J. Wedgwood* reproduz vasos gregos de formas simples e elegantes; a porcelana de Sèvres realiza peças de formas bem lançadas e de palheta muito rica, e nas fábricas da Alemanha e da Áustria se faz sentir sua influência. §§ O Neoclássico se impôs no Brasil, a partir do começo do séc. XIX através do mobiliário Dona Maria I e, tardiamente, nas obras arquitetônicas que avultaram a partir da presença entre nós da Missão Artística Francesa* (1816). Os ensinamentos de Grandjean de Montigny marcaram as construções de muitas décadas, principalmente no Rio de Janeiro: a Câmara do Comércio, atual Casa França-Brasil, o Solar da Marquesa de Santos, o Palácio Imperial de Petrópolis, todos preservados. [V. Diretório, Dona Maria I, Federal e Luís XVI. Cf. Barroco e Rococó.]

Cafeteira de prata, modelo neoclássico. Cabeça de animal fabuloso na extremidade do bico e falcão no pegador da tampa. (Itália - começo do séc. XIX)

Neocolonial. Movimento surgido no Brasil na segunda década do séc. XX com o intuito de reviver na arquitetura e nas artes decorativas as formas características portuguesas parcialmente adotadas e adaptadas ao meio durante o período colonial (muxarabis*, janelas com molduras e caixilhos recortados, telhados achinesados, remates de pinhas, etc.). ~ O arquiteto português radicado em São Paulo, Ricardo Severo, procurou divulgar, através de conferências e de inúmeros projetos residenciais, a pureza das construções portuguesas do séc. XVIII no que chamou de "estilo luso". Mas a sobriedade de seus riscos (como a residência Numa de Oliveira na Avenida Paulista em São Paulo, hoje demolida) foi perdendo a autenticidade e se adulterou em pastiches sobrecarregados. Essa corrente – como outros pastiches que vigoravam então – foi suplantada pelo movimento funcionalista, mas teve o mérito de despertar o interesse pela arte colonial, bastante relegada em favor dos valores europeus do séc. XIX. ~ O movimento foi impropriamente designado "colonial brasileiro".

Neogótico. Movimento que teve início na Inglaterra no séc. XVIII sob aspectos bastante fantasiosos e que se firmou no séc. XIX através de um medievalismo romântico adaptado às preferências da burguesia próspera. O mobiliário adota ornatos góticos associados a formas Luís Filipe, Napoleão III e outras, algumas de gosto assaz duvidoso. ~ Monumentos comemorativos, edifícios públicos (os Parlamentos de Londres e de Buda-Pest, a Municipalidade de Viena, incontáveis igrejas) apresentam torres esguias, pináculos, ogivas, nervuras em adaptações mais ou menos livres. O francês Violet Leduc, p. ex., toma a liberdade de acrescentar a agulha à parte posterior da Catedral de Notre-Dame de Paris, obra-prima dos sécs. XII e XIII. §§ No Brasil encontramos reflexos dessa tendência no mobiliário baiano do séc. XIX; certos móveis, ecléticos no conjunto, têm ornatos (bilros) inspirados no gótico flamejante. [V. estilo - estilos históricos. Cf. Gótico.] – Fr.: *style troubadour* (estilo trovador); ingl.: *Gothic revival* (ressurgimento gótico).

neoimpressionismo. Movimento constituído por um grupo de pintores oriundos do impressionismo, os quais se autodenominaram neoimpressionistas. Eram eles: Seurat (o teórico do movimento), Signac, Pissarro e outros. Adotaram a técnica do pontilhismo e tratavam da composição com grande rigor formal. A pintura de fins do séc. XIX e começos do séc. XX de Gauguin, Van Gogh, Matisse e outros foi fortemente marcada por este movimento. [V. impressionismo e pontilhismo.]

Neorrenascentismo. V. Renascentismo.

Neorrococó. Tendência decorativa que, em meados do séc. XIX, procura reviver as linhas sinuosas e os ornatos do Rococó, abandonados a partir do advento do Neoclassicismo. A decoração, seguindo o gosto da época, é sobrecarregada, afastando-se da elegância do estilo setecentista. [V. estilo - estilos históricos. Cf. Rococó.]

netsuke. [Jap.] *s.* Pequeno objeto esculpido usado como acessório do vestuário dos japoneses nos sécs. XVII, XVIII e XIX; era preso à faixa e servia para pendurar o *inro*, a bolsa de tabaco, o cachimbo, etc. Como no Japão a classe média era proibida de usar joias, os populares *netsuke* passaram a ser ricamente entalhados em madeira, marfim ou chifre, representando pequenas figuras grotescas de velhos e de bêbados, animais, frutas, máscaras, etc., às vezes com incrustações. O uso desse objeto desapareceu no séc. XIX quando se adotaram as roupas ocidentais com bolsos. [Cf. *inro*.]

Nevers. [Cid. da França.] Importante grupo de manufaturas de faiança, que se estabeleceu no séc. XVI quando o *condottiere* italiano Lodovico Gonzaga tornou-se duque de Nevers e trouxe da Itália técnica e modelos de maiólica*. ~ No séc. XVII motivos italianos, associados a algumas excelentes *chinoiseries**, adaptaram-se ao gosto francês. A louça alcançou grande aceitação graças à pintura esmerada de vasos e jarros; neles o colorido suave (azul, laranja, verde e amarelo) foi depois suplantado pelo esquema azul-e-branco. ~ No fim do século, Rouen e Moustiers tomam a primazia na produção da faiança e, no séc. XVIII, Nevers sobrevive pela produção de cerâmica popular, de uso doméstico: sobressaem as *faiances parlantes* (faianças falantes) com curiosas cenas do folclore e as *faiances patriotiques* (faianças patrióticas) decoradas por ocasião da Revolução Francesa com emblemas e inscrições. [V. faiança. Cf. Moustiers e Rouen.]

nicho. *s. m.* Elemento arquitetônico de uso universal, constituído de uma cavidade não vazada feita na espessura de uma superfície vertical para nela se colocar uma figura, um vaso, uma urna. Pode assumir várias formas e dimensões, ter ou não moldura, soco ou testeira. O nicho não tem portas e tanto se situa nas paredes internas como nas externas. ~ Na fachada das igrejas barrocas, os nichos, com as guarnições do estilo, encimam o frontispício ou coroam a porta principal; assim fez o Aleijadinho* na igreja de São Miguel das Almas de Ouro Preto. § Nas decorações contemporâneas, muitos nichos internos são dotados de prateleiras e iluminados para exposição de objetos de adorno ou raridades. [Cf. *mihrab* e oratório.]

niello. [Ital.] *s. m.* Espécie de esmalte negro feito de pó de prata, chumbo, cobre e enxofre, que é aplicado na decoração das partes gravadas de peças de prata (ou outro metal); produz um belo efeito de contraste com o brilho do metal. A técnica atingiu grande desenvolvimento na Itália renascentista. No séc. XVIII os ourives russos, especialmente os da região de Tula, reviveram a arte do niello sobre prata dourada, muito difundida no séc. XIX. [V. prata.]

nó. *s. m.* Entrelaçamento de fios que, puxados, se fixam para determinados fins; seu emprego perde-se em tempos remotos aplicado na arte da marinharia, da caça, da tecelagem, etc. ~ Nos tapetes orientais os nós obedecem a técnicas tradicionais e são amarrados de modos diferentes. O *nó ghiordes* ou *turco* é usado na Turquia e no Cáucaso e o *nó senneh* ou *persa* na Pérsia e no Turquestão. O *nó jufti* de execução mais rápida é feito nas duas técnicas mas enlaça dois fios de urdidura em vez de um, caracterizando assim um trabalho menos firme. [V. tapete oriental (fabricação e qualidade).] • *Nó infinito*. Na China, um dos oito emblemas budistas é representado como um fio que se entrelaça formando uma grade ou rede sem fim. É motivo decorativo e, transposto para o Ocidente, aparece no mobiliário Chippendale* de inspiração chinesa. [V. China (símbolos e motivos ornamentais).]

Nó infinito.

nogueira. *s. f.* Madeira extraída das diversas espécies de grandes árvores do gênero *Juglans*, algumas nativas da Ásia (e outras da América do Norte e Central) que se aclimataram na Europa desde tempos muito antigos. ~ Própria para a marcenaria fina, a nogueira é dura, de cor marrom escuro, dotada de veios com desenhos definidos, e é suscetível de bonito polimento. Presta-se para móveis maciços e para folheados. Foi a madeira mais usada no sul da Europa até o fim do séc. XVII, quando seu emprego passou a se alternar com o de madeiras exóticas. ~ Na Inglaterra, substituiu o carvalho e tornou-se a madeira preferida pelos *cabinetmakers** até ser suplantada pelo mogno* no início do séc. XVIII. Na Itália, na França, na Alemanha o mobiliário fino tradicional de nogueira continuou a ter muita procura nos sécs. XVII e XVIII. [V. madeira e mobiliário. Cf. carvalho.]

normando. *adj.* No Brasil, diz-se de uma tendência arquitetônica muito popular no segundo quartel do séc. XX, em que as construções, especialmente as residenciais, apresentavam empenas altas, com vigas aparentes decorando a fachada, à maneira das tradicionais casas da Normandia e de outras regiões da Europa.

Nossa Senhora. Designação da Virgem Maria venerada pelos cristãos sob diferentes invocações. ~ Na arte cristã Nossa Senhora figura em grupos referentes a temas do Novo Testamento: como menina, aparece com Sant'Ana, sua mãe; como mãe de Jesus, na Natividade*; na fuga para o Egito, na Crucificação*, na *Pietà**. §§ Na imaginária brasileira, vota-se culto especial a N. S. Aparecida, encarnada com pele escura e envolta num manto, e a N. S. da Conceição, de tradição ibérica, sempre em atitude mística, com vestes azul-claro e branco, o pé repousando sobre um crescente lunar que se apoia num globo encimado por três querubins*. [V. imagens sacras brasileiras e resplendor. Cf. madona e Virgem Maria.] — Fr.: *Notre-Dame*; ingl.: *Our Lady*; alem.: *Liebefrau*.

Nürnberg. [Cid. alem.] Grupo de manufaturas de faiança situado nas imediações da cidade de Nurembergue desde o séc. XVI. Produziu importantes peças, entre as quais canecos de cerveja, jarros e pratos de coloração azulada ou acinzentada e decorados com azul. Outros exemplares eram assinados e reproduziam cenas bíblicas e mitológicas, e paisagens. Algumas peças são marcadas com as letras NB. [V. cerâmica.]

Nymphenburg. [Top. alem., nome de um palácio de verão dos Wittelsbach, família reinante da Baviera.] Porcelana de alta qualidade produzida na Alemanha nos arredores de Munique a partir de meados do séc. XVIII. Destacam-se as figuras muito vivas, em estilo Rococó*, modeladas por A. Bustelli. Castões de bengala e pequenas caixas eram montados por joalheiros. ~ No começo do séc. XIX os serviços de mesa mostram-se influenciados pelo estilo Império da porcelana de Sèvres*; o "Serviço Ônix", feito para o Rei da Baviera em 1835, é decorado com pinturas de antigas estátuas das coleções de Munique. ~ No período *Art Nouveau**, a fábrica, que ainda continua em atividade, produziu curiosos bichos muito bem modelados e figuras em trajes da época. [V. porcelana.]

Vasilha de porcelana Nymphenburg, com os lados vazados. Reservas pintadas à mão representando o castelo e seus arredores. (Munique, Alemanha - séc. XIX)

O

objets de vertu. [Fr. 'objetos de legítimo valor, de qualidade'.] Designação genérica dada a pequenos objetos de arte e/ou de luxo, raridades ou antiguidades feitas de ouro, prata, pedras preciosas, esmalte, vidro, porcelana, etc., em que se manifesta a habilidade e o gosto do artista. Incluem-se, entre outros, pequenas caixas, tabaqueiras, estojos, botões, berloques, frascos de perfume, leques, castões de bengalas, *wine labels*, etc – Ingl.: *objects of vertu*.

ocelado. *adj.* Salpicado de ocelos ou de manchas análogas.

ocelo. *s. m.* O olho de certos artrópodes e, por analogia, mancha circular nas penas de um pássaro (como as da cauda do pavão), ou no corpo de um inseto, ou mesmo em decorações com esse tipo de mancha. [Cf. olho.]

octógono. *s. m.* Polígono de oito lados. ~ A forma octogonal regular significa, na tradição oriental, a mediação entre o círculo e o quadrado, entre a terra e o céu. ~ No cristianismo, o octógono simboliza a Ressurreição; aparece na base das primitivas pias batismais* sustentando oito pilastras. ~ Nas artes decorativas, a forma se revela em medalhões, na base de objetos como certas tigelas de Meissen decoradas com esmalte policromado à maneira de Kakiemon, ou na das garrafas chinesas do período Ch´ing com motivos que ilustram as quatro estações. ~ Nos tapetes orientais são frequentes as formas octogonais, como o *gul**.

óculo. [Do lat. *oculu*, 'olho'.] *s. m.* Abertura ou janela redonda ou oval feita para iluminar e arejar, a meia altura de uma fachada; aparece em empenas ou frontões, em cúpulas ou tímpanos, ou no alto de portas. ~ Em Roma, na parte mais elevada da cúpula do Pantheon, abre-se um óculo (séc. II a. C.); na Alta Idade Média, seu emprego difundiu-se nas construções românicas. ~ São tipos de óculo: a rosácea* e o olho de boi*.

Odiot, Jean-Baptiste (1763-1850). Prateiro francês. Ourives oficial de Napoleão Bonaparte, colaborou na feitura do rico berço do "Rei de Roma", filho do imperador. Produziu peças em estilo Império de alta qualidade e seus descendentes deram continuidade a sua obra no correr do séc. XIX. [V. Império.]

Oeben, Jean-François (c. 1721-1763). Importante ebanista francês do período de transição entre os estilos Luís XV e Luís XVI. Especializou-se em *meubles à secrets* (móveis com segredos) e *meubles à surprises* (móveis com surpresas). Foi protegido de Madame de Pompadour e teve como assistentes Riesener* e Leleu*. [V. Luís XV.]

ogiva. *s. f.* Arco quebrado constituído por duas curvas que se encontram e formam ângulo mais ou menos agudo; é característica do estilo Gótico. • *Ogiva árabe* ou *lanceolada*. Aquela cujo arco se estreita na base. *Ogiva em lanceta* ou *elevada*. A que é muito pontuda. *Ogiva obtusa* ou *rebaixada*. A de ângulo mais aberto, muito empregada no fim da Idade Média. [V. arco e Gótico.]

ogival. *adj.* Diz-se do estilo gótico (especialmente do gótico francês) e dos elementos arquitetônicos desse estilo.

oitão. *s. m.* Parede lateral de uma construção, situada na linha divisória de um terreno.

olaria. *s. f.* A arte de fabricar objetos de barro (vasilhas, potes, tijolos, telhas, etc.); cerâmica. // O local onde alguns desses objetos são produzidos. // Fábrica de tijolos, telhas e manilhas. § A arte de modelar e cozer a argila, vidrada ou não, para empregá-la no uso doméstico, remonta a tempos pré-históricos e, em qualquer época ou local, seus estágios se assemelham. [V. cerâmica.] – Fr.: *poterie*, *brinqueterie*; ingl.: *pottery*.

old English [Ingl.]. Tipo de talher criado na Inglaterra que apresenta a colher pontuda e o cabo, muito simples, voltado para baixo na extremidade. [V. talher]

óleo. *s. m.* Em pintura, substância graxa extraída da linhaça e de outras plantas, dotada de propriedades secantes e que é própria para ligar pigmentos. § Nas artes plásticas a pintura a óleo começou a ser utilizada sobre madeira no séc. XV, pelos irmãos Van Eyck e outros artistas, combinada com a têmpera; sua invenção porém, como técnica autônoma, é atribuída aos venezianos, especialmente a Antonello da Messina. Adaptou-se rapidamente às concepções estéticas renascentistas e barrocas e ocasionou grandes mudanças na arte da pintura, sendo seu emprego ininterrupto até nossos dias. ~ Desde logo foram reconhecidas as vantagens que apresenta na execução e nas possibilidades estéticas: a cor não se altera quando seca (como ocorre com a têmpera e a aquarela), e o artista pode trabalhar sem preocupação com o tempo. O óleo seca lentamente, de modo que os tons podem ser fundidos e esbatidos em sutis transições; além disso, por ser opaco, permite a aplicação de sucessivas camadas. A pintura a óleo tem forte impacto visual pelo destaque e brilho das cores com variedades quase ilimitadas de matizes; as próprias sombras não são foscas, mas vivas e variadas com intensos efeitos de volume e de claro-escuro. § Tal é a riqueza da pintura a óleo que não se pode falar de uma técnica precisa, e ela tanto pode compreender aplicações finas quanto densas, e desordenadas camadas de tinta; pode deter-se em representações formais ou apresentar efeitos de luz e cor, como tão bem fizeram os impressionistas. O pintor usa de preferência o pincel, mas também pode recorrer à espátula e mesmo aos dedos quando se trata de massa espessa. ~ A preparação do suporte depende do fim que se tem em vista; o suporte mais frequente é a tela, com diferentes texturas, mas utiliza-se também a madeira e outros materiais. § Nas artes decorativas a tinta a óleo industrializada tem sido aplicada em móveis, paredes, etc., e é elemento importante nas artes populares, em especial na decoração viva e brilhante de certos móveis rústicos. [V. pintura. Cf. aquarela e têmpera.] – Fr.: *huile*; ingl.: *oil*; alem.: *Öl*.

olho. *s. m.* Como órgão da percepção visual, o olho apreende e registra imagens. Na própria forma alongada do olho humano, na tensão das pálpebras, na concentração de brilho e expressão da íris, reflete-se, para além das aparências, o mundo interior. Não sem razão, o olho é símbolo de conhecimento esclarecido. § Tem sido motivo decorativo universalmente empregado com intenso simbolismo psicológico, mitológico e místico. É recorrente na arte quer sob forma realista, quer sob diversas estilizações. ~ Entre os egípcios, o olho era considerado fonte de fluidos mágicos de natureza solar, fonte de luz, de conhecimento, de fecundidade. Sua forma, acentuada por traços pintados, aparece em hieróglifos, pinturas, baixos-relevos; os sarcófagos eram por vezes dotados de dois olhos que permitiriam ao morto acompanhar o espetáculo do mundo que deixara. O olho agudo do falcão é o olho de Hórus que tudo vê, que abarca o universo. ~ Na mitologia grega, a caixa de Pandora, ao ser aberta, deixou escapar todos os males do mundo e levou os homens à perdição; no fundo, porém, teria ficado o olho verde da esperança. O gigante de Argos, também chamado Panoptes (o que tudo vê) tinha mil olhos na cabeça e no corpo e parte deles estava sempre em vigília; por ter adormecido completamente, foi morto por Hermes e seus olhos se transmudaram para a cauda do pavão. ~ Para os primeiros cristãos, o olho único, destituído de pálpebra, representava a essência divina. Os artistas cristãos do período românico representavam o olhar bem aberto do Cristo Pantocrátor* ou dos santos e personagens bíblicos para estabelecer uma relação de submissão quase hipnótica face ao mundo sobrenatural; por outro lado, nas asas dos serafins sobressaíam os olhos que refletiam o conhecimento do mundo celeste. § O olho pode acarretar forças negativas, antivitais, mas pode também ter ricos fluidos positivos. Entre os católicos, recorre-se à força milagrosa do olho de Santa Luzia e, na Grécia, um olho azul com a íris negra é considerado poderoso amuleto e montado de diversos modos. — Fr.: *oeil*; ingl.: *eye*; alem.: *Auge*.

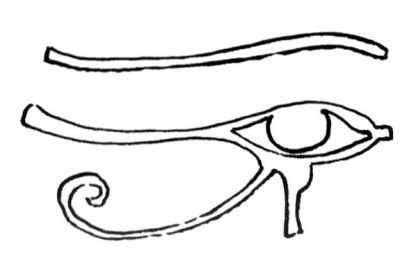

Olho de Hórus. (Egito)

olho de boi. *s. m.* Óculo* com moldura ornamental no exterior.

olho de perdiz. *s. m.* Motivo ornamental constituído por uma bolinha que tem a seu redor uma série de pontos formando círculo, e que lembra o olho de uma ave. A repetição desse motivo, numa superfície usada como fundo na decoração da porcelana, foi criada em Sèvres, no séc. XVIII. // Em certas rendas, fundo aberto com bolinhas em relevo. – Fr.: *oeil de perdrix*.

oliveira. *s. f.* Árvore de porte médio que cresce na região do Mediterrâneo, de tronco rugoso, com folhas coriáceas pequenas e oblongas de coloração verde acinzentado; seu fruto é a azeitona. Atinge até cerca de 13 m de altura e sua vida pode se prolongar por centenas de anos. ~ O homem mediterrâneo viveu sempre em estreita ligação com a resistente oliveira que lhe dava a sombra e o fruto, além do azeite que servia para alimentá-lo, para untar-lhe o corpo e alumiar a escuridão. Tais laços explicam a riqueza simbólica da árvore e seus ramos. ~ Na tradição judaica e cristã é símbolo de paz: depois do dilúvio a pomba traz a Noé um ramo de oliveira. Jesus orou no Monte das Oliveiras, antes de ser entregue à Paixão. ~ Na Grécia antiga a árvore era consagrada a Atená, a deusa da sabedoria e, na Acrópole de Atenas, dizia-se, estava a oliveira primordial, nascida de uma briga entre a deusa e Posídon. No hino homérico a Deméter, a planta é sacralizada e introdutória dos ritos de Eleusis. ~ Para os muçulmanos, também mediterrâneos, ela é o eixo do mundo. Um versículo do Alcorão diz que a luz provém do óleo da oliveira, "a árvore bendita, que não é nem do oriente nem do ocidente e cujo óleo se inflama ao mínimo contato com o fogo".

ondas. *s. f. pl.* Ornato* constituído pela repetição de curvas em forma de "SS" deitados que sugerem uma sucessão de cristas de ondas num movimento sempre renovado. É usado em frisos e barras. [V. ornato.]

ônix. *s. m.* Pedra semipreciosa, variedade de ágata com faixas concêntricas alternadas pretas e brancas ou brancas e vermelhas ou brancas e marrons. Fina e delicada, foi utilizada desde tempos antigos, especialmente na feitura de camafeus*. ~ Em joalheria, o ônix negro, por seu brilho, possibilita a execução de belos trabalhos. [Cf. ágata.]

onze dinheiros. V. dinheiro.

opala. *s. f.* Pedra preciosa, variedade do quartzo hidratado, de cor leitosa; exposta à luz, apresenta belos reflexos iridescentes. É em geral talhada em forma de cabochom*. ~ Reflexos metálicos no vidro e na cerâmica produzem efeitos opalescentes. [Cf. opalina.]

opalina. *s. f.* Vidro de aspecto acetinado, não transparente mas em geral translúcido, produzido na França durante o séc. XIX. Teve origem na cristaleria Baccarat* e foi qualificado por seus fabricantes como *opale* ou *coleurs opale* (cores de opala), devido ao aspecto irisado quando visto à contraluz. Outros estabelecimentos como Saint-Louis*, Clichy, Choisy-le-Roi, Val Saint-Lambert* (este na Bélgica) também produziram esse tipo de vidro. Na Boêmia fabricou-se vidro semelhante. ~ Muito em moda durante o romantismo, a opalina foi usada na confecção de vasos, vasilhas, copos, caixas, garrafas, frascos de perfume, objetos de toalete, e em peças maiores como lustres, apliques, jarros e bacias. § As opalinas mais antigas têm coloração branca, azul-turquesa, verde-claro e rosa (esta deixou de ser produzida por volta de 1840) e, menos frequente, a amarela e a lilás. Os exemplares de brilhante colorido azul, não raro decorados com ouro, datam do tempo de Carlos X (1824-1830). Sob Luís Filipe* e Napoleão III* as tonalidades tornam-se mais vivas por influência dos vidros da Boêmia. As peças mais raras, dadas as dificuldades técnicas, são as que apresentam no corpo duas ou mais cores. A característica opalina branca, fluida e macia, ora fosca ora brilhante, é comum em todas as manufaturas; nas últimas décadas do século aparece a opalina branca capeada de cor. § A decoração das opalinas inclui a pintura (fosca ou esmaltada), a douração e até a decalcomania. ~ Quanto à forma, a princípio surgem peças ainda no estilo Império* e *Restauration**, depois outras que acompanham as tendências da moda romântica (vasos em forma de tulipa ou de "borda recortada", garrafas, jarros esguios "à turca" com tampas pontiagudas). Por volta de 1870 as opalinas com beira ondulada ou plissada (fruteiras, cornucópias, pratos, vasos) são leves e elegantes como as guarnições de certos trajes femininos. ~ No final do século inicia-se a fabricação de peças prensadas, de menor preço. O gosto muda; já se prenuncia *Art Nouveau** § Para se reconhecer a verdadeira opalina deve-se observar se apresenta em seu interior, quando vista à contraluz, pequenas bolhas como espuma de sabão. §§ No Brasil, durante o Segundo Reinado foi intensa a importação de opalinas, hoje raras em antiquários e leilões. [V. vidro.]

Grande xícara de opalina branca e ouro, com tampa e pratinho. (França - séc. XIX)

Três peças de opalina. (França - séc. XIX)

Jarro de opalina branca e ouro, com cobra azul formando alça. (França - séc. XIX)

Vaso e taça de opalina rosa com decoração floral. (França - séc. XIX)

Garrafa de opalina, sobre suporte com decoração em ouro. (França - séc. XIX)

op-art. [Ingl. redução de *optical art*, 'arte óptica'.] Nas artes plásticas, movimento surgido em meados do séc. XX e que, pela manipulação sistemática e precisa de cores e formas, busca efeitos baseados na ilusão de perspectiva ou de tensão cromática, na superfície pintada; a vista, ao se fixar, percebe como que uma trepidação no jogo de linhas (paralelas ou não), nos círculos concêntricos, nos motivos xadrez. Entre os principais artistas desse movimento destaca-se o húngaro Victor Vasarély. ~ O abstracionismo geométrico da *op-art* foi aplicado na padronagem de tecidos e papéis de parede, mas seu uso exige uma interação perfeita, capaz de anular o inquietante efeito dos desenhos.

opus anglicanum. [Lat. 'obra anglicana'.] Bordado eclesiástico executado na Inglaterra por volta dos sécs. XIII e XIV. Feito com fios de seda, recoberto com fios de ouro, representava, num estilo elegante e apurado, figuras e cenas religiosas sobre fundo de seda ou cetim, com efeitos de relevo e detalhes em miniatura. Essa fina obra artesanal, por seus méritos, foi muito valorizada no fim da Idade Média, até mesmo na corte papal. [V. bordado.]

oratório. *s. m.* Nas casas particulares, pequena capela destinada a um número limitado de fiéis do culto católico. // Nicho, armário ou pequeno altar onde são dispostas, para veneração, as imagens desse culto. §§ Muito característicos do mobiliário português, os oratórios figuravam no Brasil, no período colonial, tanto nas casas mais humildes quanto nas ricas instituições religiosas ou nas residências abastadas. Os mais importantes apoiavam-se em mesas de encostar ou em cômodas; alguns, de pequeno porte, eram suspensos à parede. § Na feitura e na decoração os oratórios assemelham-se às outras peças da época. Os de jacarandá, Dom João V* ou Dom José I*, ricamente trabalhados, ora se prendem à antiga tradição com portas severas que ocultam os entalhes dourados e as pinturas do interior, ora apresentam-se com linhas leves, generosamente entalhados no frontão, nas quinas e nas portas. § O interior é, não raro, ornado com motivos florais policromados e, nos oratórios de maior dimensão sobressaem prateleiras ou peanhas* para os santos. As peças mais ricas das sacristias ou capelas particulares ostentam ao centro crucifixos de marfim e prata. § Os viajantes devotos costumavam levar consigo pequenos oratórios de fechar, entre os quais, no séc. XVIII, encontravam-se os oratórios em forma de garrafa. ~ São típicos de Minas Gerais os oratórios ou nichos com dois planos superpostos onde se agrupam pequenas imagens de pedra-sabão (Natividade*, Sagrada Família). § Na época da colônia e no séc. XIX eram comuns os pequenos oratórios ou nichos com santos, nos cantos ou nas fachadas das casas, para devoção de quem passasse; as lâmpadas votivas postas na parte inferior clareavam, à noite, as esquinas mal iluminadas. [V. imagem e imagens sacras brasileiras.]

Oratório português. (fim do séc. XVIII)

ordem. *s. f.* Em arquitetura, a disposição e a forma das partes principais dos edifícios greco-romanos; a coluna é sua unidade fundamental e o capitel* o elemento mais caraterístico. O conjunto formado pelas colunas e pelo entablamento* (arquitrave, friso e cornija) distingue as diferentes ordens clássicas e determina-lhes o estilo. ~ No Renascimento, as ordens arquitetônicas, identificadas por Vitrúvio (séc. I a. C.) e classificadas por Serlio (1415-1554), foram livremente adotadas em edifícios da época e em construções posteriores. • Essa classificação renascentista compreende cronologicamente: ***Ordem dórica.*** Na Grécia continental e na Magna Grécia (sul da Itália), a ordem mais antiga e mais simples, sóbria e austera; realiza a mais perfeita harmonia de proporções e seu protótipo é o Partenon de Atenas. As colunas, robustas, repousam diretamente no embasamento e seu fuste*, em tronco de cone, tem largas caneluras* separadas por arestas vivas; é mais largo na base e rematado pelo mais simples capitel. Anéis e moldura sustentam o ábaco*, uma laje quadrada. Sobre a arquitrave, há um friso onde se alternam métopes* e triglifos*. ***Ordem jônica.*** Originária da Jônia (Ásia Menor), é a ordem que sucede à dórica; tem colunas mais leves e esguias, também sulcadas, mas com caneluras estreitas e numerosas; a base é dotada de molduras e o capitel, lembrando os cornos de um carneiro, tem quatro volutas*, duas voltadas para a fachada e duas para o interior, unidas, em cada face, por uma leve curva rebaixada que parece vergar ao peso do entablamento. Este tem três faixas que constituem a arquitrave e, sobre esta, o friso esculpido é separado da cornija por um ornato denteado. ***Ordem coríntia.*** A que aparece pela primeira vez em Atenas no séc. IV a. C.; a coluna tem proporções semelhantes à jônica e se caracteriza pelo capitel campaniforme rodeado de folhas de acanto*; o ábaco, de perfil côncavo, repousa nos quatro cantos sobre duas folhas reunidas; o entablamento pode ser ricamente ornamentado. Essa ordem generalizou-se na época helenística. ***Ordem compósita.*** A que se originou em Roma como desdobramento da ordem coríntia; a coluna tem volutas na parte inferior do capitel e é encontrada nos arcos de triunfo romanos. ***Ordem toscana.*** Na arquitetura romana, a que se assemelha à dórica nas proporções; a coluna é lisa e, segundo Vitrúvio, sustentava a princípio tetos mais leves, de madeira. ~ Nas fachadas renascentistas, em que cada andar era decorado segundo uma ordem, a toscana se situava na parte inferior. § Os elementos das ordens clássicas se aplicaram às artes decorativas, em especial ao mobiliário renascentista e neoclássico. [V. coluna e módulo. Cf. Grécia, Renascimento e Roma.]

Ordem Dórica   Ordem Jônica   Ordem Coríntia

Oriente-Ocidente. As milenares civilizações do Extremo Oriente (China, Coreia, Japão, Índia, Ceilão, Península Indochinesa, parte da Ásia central) apoiadas em sólidas tradições culturais e históricas, e voltadas para a sabedoria e a metafísica, permaneceram isoladas dos povos mediterrâneos. Nestes, a trajetória se processava no sentido do dinamismo, da razão, do progresso material, sob a égide do pensamento grego, do senso político e jurídico dos romanos, do domínio espiritual e material do cristianismo. § O encontro das duas civilizações, ocorrido no séc. XVI pela iniciativa dos europeus, mais ambiciosos e tecnicamente mais bem aparelhados, iria causar nestes o maior impacto pela revelação de uma nova visão de mundo: ao lado das especiarias e outros produtos valorizados na Europa, brilhava uma arte pura e requintada que, sem dificuldade, invadiu o mercado europeu através das Companhias de Comércio que faziam o roteiro entre o Oriente e o Ocidente. ~ Durante séculos essa atração só se manifestou materialmente; o ocidental se preocupou com os elementos constitutivos, com a decoração das peças, com o exótico dos novos bens que enriqueciam as cortes e as casas dos novos burgueses. Não davam atenção ao sentido profundo da arte nem ao pensamento e ao comportamento asiáticos; desconheciam as línguas, as filosofias, os símbolos. ~ Os próprios orientais, por seu turno, procuravam em geral se resguardar da incompreensão dos brancos voltados para o mercantilismo. É bem verdade que, pela própria tendência do comércio, eles mesmos não ficaram insensíveis à pressão do gosto europeu na feitura de encomendas com especificações determinadas, conforme tão bem demonstram as inovações introduzidas nos modelos da antiquíssima porcelana* chinesa. § Com o correr dos séculos, porém, algo de positivo resultou, confirmando a filosofia chinesa de que os opostos não são antagónicos, de que eles se complementam na realização do Todo, na unidade de ajuste das partes. A relação Oriente-Ocidente é marcada por um dualismo que se completa: permanência/imediatismo; sabedoria/inquietação; espiritualidade/materialismo; vida contemplativa/vida ativa; conhecimento intuitivo/pensamento racional. ~ Se, por um lado, deu-se, a partir do séc. XIX, uma relativa ocidentalização do Oriente, com o ônus da invasão do consumo de massa, abriu-se, por outro, para o Ocidente, uma maior busca de compreensão do pensamento oriental influenciando a conduta individual, enquanto na comunidade acadêmica muitos se voltam seriamente para os estudos orientais hoje muito desenvolvidos. [V. China, Coreia, Índia e Japão.]

ormolu. [Da loc. fr. *dorure d'or moulu*, 'douração de ouro em pó'.] *s. m.* Bronze dourado (ou outra liga), que imita o ouro e contém esse metal, e com o qual eram feitos os ornatos no mobiliário fino do séc. XVIII. Obtido segundo processos especiais, o ormolu surgiu na França em meados do séc. XVII e ali se concentraram as principais manufaturas das peças desse material: guarnições (bordas e frisos, cantos, máscaras, *espagnolettes**, ferragens e pés de móveis) e objetos avulsos decorativos (apliques, castiçais, relógios, etc.). [Cf. Boulle.]

ornato. *s. m.* Elemento decorativo empregado para adornar, enriquecer e mesmo caracterizar obras de arquitetura e outras; apresenta-se em motivos isolados, ou repetido em frisos, ou destacado em almofadas, arremates, etc. Os ornatos arquitetônicos, transpostos para as artes decorativas, ganham expressão mais reduzida, próxima da medida humana. § Os objetos trabalhados pelo homem para seu uso manifestam, através dos ornatos, algo que os transcende e expressa um valor puramente estético. ~ Entre os antigos, cada povo procurava representar, de forma mais ou menos estilizada, em ferramentas e utensílios, armas e objetos de culto, as coisas que caracterizavam seu mundo simbólico ou real. § A Grécia vai estabelecer um repertório decorativo riquíssimo a partir do séc. VI a. C., quando aparecem com regularidade os ornatos arquitetônicos. Uma ordem convencional substitui a liberdade. Os primeiros ornatos são retilíneos: caneluras, gregas, denteados, gotas; seguem-se outros que se aproximam de formas naturais estilizadas: óvalos, volutas, ondas, palmetas, ovais ou gomos; a transposição de elementos do mundo concreto é o passo seguinte: o acanto, o coração, os florões e os cálices de flores. Mais tarde aparecem elementos de caráter alegórico (a guirlanda*, o troféu*, o tirso, a cornucópia*) e seres fabulosos (o sátiro, a quimera*, a esfinge*, o grifo*, a harpia*, a sereia, a cabeça de Medusa*). ~ Os ornatos de origem helênica foram adotados em Roma com poucos acréscimos e se difundiram por todo o império. § A partir desse repertório greco-romano os motivos ornamentais multiplicaram-se no Ocidente, tornaram-se complexos e contribuíram para determinar os estilos. Nestes as tendências culturais e históricas dominantes misturam-se à rica tradição do Oriente e outras influências (islamismo, civilizações pré-colombianas e africanas, etc.) e às modas (ora passageiras, ora com força inovadora e permanente). [V. estilo, motivo ornamental, ordem e Renascimento. Cf. acanto, antefixo, *anthémion*, arabesco, canelura, cartela, denteado, entrelaçado, espiral, estrela, festão, filete, fita, florão, goivado, gomo, gota, grega, *guillochis*, laçaria, lambrequim, lanceolado, *lattice work*, medalhão, ondas, palmeta, pérolas, ponta de diamante, ramalhete, *strapwork*, torçal, troféu, vermiculado, voluta.] – Fr.: *ornement*; ingl.: *ornament*; alem.: *Ornat*.

Grega

Grega

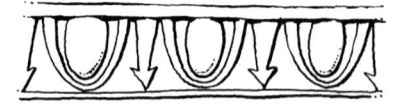

Óvalo ou dardo

Palmeta

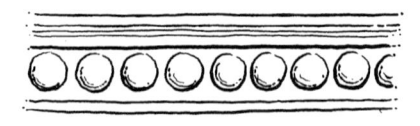

Pérolas ou filete perlado

Vermiculado

Garrafa de cristal Orrefors. (Suécia - séc. XX)

Orrefors. [Top. sueco.] Vidro decorativo produzido na Suécia desde o início do séc. XX, e que, em seu gênero, alcançou o mais alto nível de qualidade. Destacam-se vasos espessos, transparentes e incolores, de formas ousadas não raro com motivos fundamente gravados. Garrafas, luminárias, cinzeiros, serviços de copos são especificamente funcionais. [V. vidro.]

osso. *s. m.* Parte rígida que constitui o esqueleto dos vertebrados. Pela resistência à decomposição e pelas formas (longas, achatadas ou pontiagudas), o osso representou importante elemento entre os homens primitivos. A princípio foi utilizado ao natural como arma, ferramenta ou utensílio, e depois como matéria-prima. Entre os antigos, aparece em pentes, colheres, agulhas de coser, ornatos, incrustações, instrumentos cirúrgicos. ~ O emprego do osso é, de certo modo, análogo ao do marfim e, por ser mais acessível, foi amplamente usado artesanal e industrialmente em botões, fivelas, cabos de talheres e de ferramentas, espátulas, espelhos de fechaduras, incrustações. Com o aparecimento dos materiais sintéticos, sua aplicação hoje é decorativa, especialmente no revestimento de caixas, porta-retratos, móveis finos. § Desde o séc. XVIII, uma substância branca obtida com os ossos calcinados e pulverizados, foi aproveitada na fabricação de certo tipo de vidro e de porcelana. [V. *Milchglas* e *bone china*. Cf. chifre e marfim.] – Fr.: *os*; ingl.: *bone*; alem.: *Knochen*.

ostensório. [De ostentar, mostrar, exibir.] *s. m.* Peça litúrgica da Igreja Católica, feita de ouro, prata ou metal dourado ou prateado, onde se coloca a hóstia consagrada para ser exposta à veneração dos fiéis; custódia. § Até o séc. XIII a Eucaristia não ficava em exposição; passou então a ser conduzida em procissões, mas sempre em caixas ou vasos fechados (cibórios, píxides, relicários, cruzes e até imagens). ~ No séc. XV o Santíssimo Sacramento passou a ser exposto na festa de *Corpus Chirsti* e no séc. XVI já os primeiros ostensórios ou custódias de forma arquitetural têm ao centro a lúneta com o Santíssimo; posteriormente assumiram outras formas. § O ostensório consta, geralmente, de importante e elaborada moldura que cerca uma caixa circular – a custódia propriamente dita – e que é sustentada por um pé igualmente trabalhado. A moldura de forma solar com raios que partem do centro vazado prestou-se para magníficos trabalhos de ourivesaria, em que se destacam as custódias do Barroco português e brasileiro. §§ Na ourivesaria portuguesa, o "Ostensório de Belém" (1506), ainda em estilo gótico, inspira-se nas custódias dos mestres alemães radicados na Espanha. [Cf. custódia e luneta.]

Ostensória de prata.
(Brasil - prov. séc. XIX)

otomana. [Do fr. *ottomane*, fem. de *ottoman*, 'turco'.] *s. f.* Sofá baixo de estofamento fofo, introduzido na Europa no séc. XVIII através da Turquia, onde era usado. Algumas versões desse móvel eram encostadas à parede, às vezes formando canto. [Cf. *Regency.*]

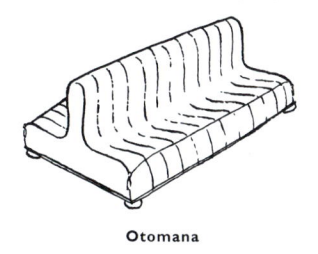

Otomana

Oushak. V. Ushak

ourivesaria. [De ourives, do lat. *aurifex*, 'artífices do ouro'.] *s. f.* A arte de trabalhar artisticamente o ouro e outros metais preciosos a fim de produzir diferentes objetos não raro enriquecidos com gemas, esmalte, marfim, pedras semipreciosas, cristal de rocha, etc. Entre as peças de ourivesaria, incluem-se joias (objetos de uso pessoal utilizados como adorno ou talismã) cuja elaboração obedece a critérios e técnicas especiais. § Como arte decorativa, a ourivesaria foi praticada desde tempos remotos e, já na Antiguidade, artífices que serviam aos poderosos alcançaram alto grau de perfeição no lavor, desenvolvendo sua atividade numa tradição ininterrupta. ~ No antigo Egito os metais preciosos foram aplicados às joias e amuletos, aos utensílios, aos símbolos do poder, às armas, ao mobiliário à cobertura das múmias; na Mesopotâmia, igualmente, foram encontradas peças de grande originalidade. As técnicas do repuxado*, do relevo, do perolado*, da incrustação* já eram conhecidas. Certos objetos de ouro egípcios eram montados com divisões separadas por filamentos soldados a uma folha do mesmo metal e nela se inseriam cabochons e cubos de esmalte (Essa técnica foi usada em Veneza, no séc. X, na famosa *Pala d'Oro* da Basílica de São Marcos.). ~ Consideráveis tesouros foram encontrados nas costas do Egeu; em Troia, o chamado "tesouro de Príamo" é anterior a 2000 a. C.; consta de joias (diademas, peitorais, braceletes, brincos, anéis e uma profusão de contas) e de vasilhas e jarros feitos de lâminas de metal, alguns com alças soldadas. Em Creta e Micenas (Grécia) a ourivesaria parece tributária das técnicas egípcias. Nos túmulos, os tesouros incluem máscaras mortuárias de ouro (é célebre a chamada "máscara de Agamêmnon" de Micenas) ao lado de peças de joalheria, taças, armas, etc. Posteriormente gregos e etruscos manipularam habilmente os metais preciosos. ~ O fausto da Roma imperial favoreceu a criação de um considerável acervo de peças sólidas, trabalhadas em relevo com figuras e ornatos. ~ Na Alta Idade Média, a suntuosa arte de Bizâncio filiou-se às antigas técnicas do Oriente Próximo que foram absorvidas pelos primeiros cristãos. ~ A ourivesaria, praticada também pelos povos bárbaros, encontrou condições favoráveis à expressão artística num mundo que ainda não comportava a segurança e a estabilidade necessárias às grandes realizações da arquitetura e das artes plásticas. ~ Com a expansão do cristianismo as oficinas de ourivesaria ficaram praticamente entregues a artífices religiosos que executavam relicários*, crucifixos*, cálices*, cibórios*, píxides*, coberturas de livros sacros para uso das riquíssimas instituições religiosas, do alto clero, dos potentados. Santo Elói (588-660) tornou-se o patrono dos ourives. ~ A partir do séc. VIII, os artistas carolíngeos e otonianos evoluem na técnica e na criação e dão fama à ourivesaria do Reno e do Mosela; praticam o alto-relevo, o repuxado*, a filigrana*, o *cloissonné**. Em seguida, os mestres limosinos desenvolvem a arte do esmalte*. ~ No séc. XII a ourivesaria sacra já se inspira em modelos da escultura e da arquitetura românicas, e essa tendência se acentua no período gótico: torres e absides com pináculos e ogivas caracterizam cofres, relicários*, custódias*. ~ A partir do séc. XIII a formação de uma classe enriquecida favorece o desenvolvimento da ourivesaria profana e, na Renascença, florescem as oficinas que abrigam artistas criativos e habilidosos; Benevenuto Cellini* trabalha para Francisco I da França e, por encomenda deste monarca, concebe e realiza famoso saleiro* de ouro com esmalte, verdadeira obra escultórica. Os ourives europeus executam jarros, taças, pratos em alto-relevo no estilo renascentista e empregam pedras como o ônix, a sardônica, o lápis-lazúli em suntuosos vasos. Na Alemanha e nos Países Baixos os ourives experimentados alargam sua arte para outras regiões da Europa como Espanha e Portugal. ~ Com o Barroco (séc. XVII) e o Rococó (séc. XVIII) produzem-se joias de todos os tipos, objetos de adorno e de finalidade litúrgica, algumas obras de ourives famosos; muitos são sobrecarregados de relevos, incrustações e repuxados. Nas peças de uso doméstico sobressaem novas formas que atendem às exigências práticas (sopeiras e legumeiras, travessas, jarros, bules), mas que não deixam de apresentar o maior requinte no acabamento e na decoração. Na Inglaterra desenvolve-se importante linhagem de prateiros e a pureza do metal é rigorosamente garantida. ~ O alto preço do ouro favorece o desenvolvimento das obras de prata e, no séc. XIX, das de metal prateado. ~ A ourivesaria e a joalheria do *Art Nouveau** atingem especial inventividade e requinte no acabamento e na decoração. § No decurso da história, o ouro e a prata, sob forma de placas ou de bastões, foram trabalhados por pessoas qualificadas – repuxadores, torneiros, gravadores, cinzeladores, entalhadores, esmaltadores, etc. – e suas obras, resistindo ao tempo são testemunhos duplamente preciosos de passadas épocas e dos recursos da criação humana. §§ Portugal, enriquecido com os metais preciosos e os diamantes vindos das colônias, absorve a técnica e o estilo dos artífices alemães que, no séc. XVI, introduziram na Espanha os modelos da ourivesaria gótica. Nos sécs. XVII e XVIII a ourivesaria portuguesa evolui para um estilo próprio e as opulentas peças barrocas ostentam característicos motivos simbólicos e naturalistas. A corte e as ordens religiosas dissipam riqueza e aparato. ~ No Brasil, os artífices vindos do reino, e depois os nascidos na colônia, dedicaram-se de preferência aos trabalhos de prata – eram os "ourives da prata", uma vez que o ouro era monopólio da metrópole. Constituíam importantes corporações sujeitas a severa legislação; nas cidades encontrava-se frequentemente a "rua dos ourives" porque, segundo a tradição medieval, eles, como artesãos, agrupavam-se nos logradouros que lhes eram destinados. [V. prateiro. Cf. metalurgia, ouro e prata; ingl.: *gold and silver craftmanship*. Esp.: orfebreria; Fr.: orfevrerie; Alem.: Goldschmiederkunst.] – Fr.: *orfèvrerie*.

ouro. *s. m.* O mais precioso dos metais, assim considerado desde tempos remotos graças a sua cor esplêndida, seu peso e suas qualidades. Dúctil, pode ser convertido em fios finíssimos; maleável, pode ser trabalhado em placas com frações de milímetros de espessura; inalterável, suas propriedades permanecem estáveis mesmo quando aquecido a altas temperaturas, só chegando à fusão acima de 1.000 °C. Muito macio pode ser usado em estado puro, e é empregado em ligas associado à prata, ao cobre, à platina, ao níquel; sua cor varia segundo o tipo e a cor do outro metal. § O ouro é encontrado na natureza em estado livre nos filões incrustados nas rochas e em grãos ou pepitas nas areias de aluvião; é metal raro, mas as jazidas se distribuem de forma bastante equitativa pelos diferentes pontos do globo. Sua descoberta remonta a épocas muito antigas e seu uso teria surgido concomitantemente ao do bronze; a prata aparece mais tarde, quando o homem passa também a trabalhar o ferro. Sempre foi extraído e explorado como elemento de riqueza e poder e, nas escavações arqueológicas, têm sido encontrados praticamente intactos joias, moedas, objetos de uso e de culto religioso. ~ Na Idade Média, depois da queda de Roma, a Igreja, concentrando o poder, adotou o ouro como o metal por excelência das peças litúrgicas. ~ A descoberta do Novo Mundo alargou as possibilidades do consumo do ouro, enriquecendo consideravelmente os tesouros europeus. § Ao ouro são atribuídos valores simbólicos, mágicos e místicos. Nas antigas mitologias a "idade de ouro" é uma era de perfeição. ~ O ouro, como luz, é símbolo do conhecimento e da sabedoria. Por seu brilho, dizem, na Índia, que é a "luz mineral". ~ No antigo Egito, era tido como a "carne" do Sol e, por extensão, a dos deuses e dos faraós. ~ A tradição grega também evoca o Sol e toda sua simbologia (fecundidade-riqueza-poder; foco de luz-conhecimento-brilho); Apolo, deus do Sol, veste-se de ouro e conduz um carro de ouro. ~ Enfim, no Ocidente, a coroa de ouro brilha sobre a cabeça de santos e de reis. § Nas artes decorativas, os trabalhos em ouro percorrem os séculos; em lâminas, modelado, liso, repuxado ou em relevo, transformado em fios, placas, contas e correntes aparece nas joias e em objetos de porte relativamente pequeno e de fino lavor. ~ Por ser raro e valioso, não foi empregado em peças de grandes dimensões e peso, feitas de outros metais. Porém, como seu brilho sempre atraiu artífices e poderosos, as superfícies de objetos maiores passaram a ser recobertas de placas de ouro ou de ouro em pó (V. criselefantino). §§ No Brasil, a importância da descoberta do ouro em Minas Gerais no fim do séc. XVII foi decisiva; pequenos arraiais enriquecidos transformaram-se em cidades marcadas por magníficas igrejas erguidas com o pouco que o direito real do "quinto" deixava ficar na colônia. Havia uma imensa desproporção entre os objetos de prata (mais numerosos) e os de ouro existentes aqui, devido à severidade das cartas régias expedidas pela coroa portuguesa; em contrapartida esta, nos reinados de D. João V e D. José I, conheceu um segundo período de esplendor graças à imensa quantidade de ouro vinda do Brasil. [V. douração. Cf. ourivesaria e prata.] – Fr.: *or*; ingl.: *gold*; alem.: *Gold*. • **Ouro branco.** Liga de ouro com prata (ingl.: *electrum*). **Ouro de lei.** O que tem os quilates determinados por lei. **Ouro fino.** Ouro puro em estado nativo; sem liga, não é maleável, não pode sofrer torção, flexão e laminação. **Ouro vermelho.** Liga de ouro e cobre.

ouroborus. No Egito e na Grécia, representação de uma serpente que morde a própria cauda e se fecha em círculo para impedir a desintegração. É símbolo gnóstico e alquímico da unidade das coisas materiais e espirituais.

ouropel. [Do fr. antigo *oripel*, hoje *oripeau*.] *s. m.* Lâmina fina de cobre ou latão com aparência de ouro.

oval. *adj.* Diz-se do objeto ou do motivo ornamental em curva fechada regular cuja característica é possuir dois diâmetros diferentes. [V. gomo e ornato.]

óvalo. *s. m.* Motivo ornamental em relevo oval. Nas cornijas e capitéis de algumas ordens clássicas é usado em alternância com setas ou dardos verticais. Tb. se diz óvano. [V. motivos ornamentais. Cf. oval.]

overlay. [Ingl. revestimento, cobertura.] *s.* Processo de decoração do vidro soprado transparente que consiste em aplicar sobre este uma camada de vidro colorido também transparente. Neste se desbastam aberturas - as janelas - que deixam visível o suporte, produzindo um efeito de multiplicação das imagens. Também pode-se aplicar sobre o suporte, não raro de cor, uma camada de vidro opaco branco, resultando então um belo contraste. Esta decoração apresenta-se em relevo e é muitas vezes pintada ou gravada. ~ O processo foi usado desde a Antiguidade e revivido no séc. XIX, especialmente na Boêmia (copos, frascos, pinhas). ~ A palavra *overlay* é usada na língua inglesa em sentido genérico para designar revestimento, ornamental ou não, aplicado a qualquer objeto. No caso do vidro diz-se em inglês *cased glass* ou *flashed glass* e não *overlay*. [V. vidro, copo e pinha (ilustr.).]

Lampião com pé de cristal em overlay com janelas. Base de bronze.
(séc. XIX)

P

pagode. [Do sânscrito *bhagavati* (epíteto de certas divindades) através de um idioma dravídico para o português do séc. XVI, passando depois para as outras línguas da Europa.] *s. m.* Designação genérica de certos templos do Extremo Oriente, em especial os destinados ao culto bramânico e ao budista. A partir de construções religiosas da Índia e do Sudeste asiático, o pagode evoluiu, na China, na Coreia e no Japão, para a forma característica de torre piramidal de pedra, tijolo ou madeira, com sucessivos andares não raro ricamente ornamentados, e que diminuem à medida que se elevam. Sua forma era considerada como a representação do Cosmo, o pilar central simbolizando o eixo invisível que une os centros da Terra e do Céu; cada andar seria um patamar espiritual. São típicos os pagodes com telhados encurvados que se projetam terminando em agudas pontas voltadas para cima; sua silhueta é, em geral, rematada por um pináculo. ~ Os europeus, impressionados por essas elegantes construções, transpuseram-nas para seu meio como pavilhões nos jardins setecentistas ou como motivo decorativo das *chinoiseries**.

painel. *s. m.* Superfície limitada geralmente por moldura, filete ou reentrância, e usada como elemento decorativo em paredes, tetos, portas, obras de marcenaria. // P. ext. Qualquer obra análoga, artística ou decorativa, seja pintura sobre tela, tábua ou alvenaria, seja mosaico ou azulejo, seja fotografia. § Os painéis de madeira executados nas portas já aparecem na Antiguidade clássica e na Alta Idade Média como recurso ornamental. Mas seu emprego nas paredes e no mobiliário data do fim da Idade Média (séc. XIV). O uso do *apainelamento* (finos painéis de madeira) confere maior nobreza e calor aos interiores e esse revestimento substitui, pouco a pouco, a tapeçaria*; os painéis, de execução mais rápida do que esta, são mais resistentes, podem ser fixados às paredes e recebem tratamento decorativo, complementando as peças do mobiliário. ~ O apainelamento prossegue no Renascimento* (na Itália os arquitetos aplicam-no aos tetos almofadados) e no Barroco*. ~ Na França do séc. XVIII, a decoração elegante e profusa das paredes associa os painéis de madeira entalhada (*boiseries*) a pinturas alusivas às finalidades dos diferentes cômodos. ~ Modernamente, painéis de materiais sintéticos e outros aparecem ao lado dos de madeira folheada ou prensada. § Nos móveis, graças ao emprego de painéis encaixados em lugar de tábuas justapostas, a marcenaria evoluiu e se aprimorou a partir do fim da Idade Média; obtém-se maior leveza e resistência e melhores possibilidades decorativas. [V. almofada^2, mobiliário (história) e *parchemin plissé*. Cf. *boiserie* e *lambri*.] – Fr.: *panneau*; ingl.: *panel*. // Divisória de pouca espessura, móvel ou fixa, em geral destacada do chão e do teto, e que é usada em exposições, museus, galerias, etc., a fim de limitar espaços, servindo para a apresentação de quadros, gráficos, fotografias, etc.

paisagem. *s. f.* Nas artes plásticas, gênero pictórico que representa qualquer espaço ao ar livre, em especial a natureza em seus aspectos pitorescos ou grandiosos. Na paisagem, as figuras e formas arquitetônicas se integram no todo e, assim sendo, esse gênero inclui também temas urbanos que abrangem locais relativamente amplos. § A princípio tratada como fundo em obras que focalizavam a figura humana ou os animais, a paisagem, em certas iluminuras medievais (séc. XIV), já evoca a lonjura dos elementos representados embora com características extremamente nítidas e minuciosas. Os pintores flamengos (séc. XV) acentuam a noção de profundidade das grandes distâncias em obras voltadas ainda para assuntos religiosos ou alegóricos. ~ Os italianos do Renascimento desenvolveram a perspectiva que evolui do tratamento linear para o tonal com emprego de *sfumato** (Leonardo da Vinci). ~ O quadro de Giorgine *A Tempestade* é um marco na evolução da paisagem; o pintor distribui as massas e recorre ao claro-escuro para representar um ambiente impregnado da tensão que precede o temporal iminente, e realiza uma "paisagem" com figuras. ~ Os paisagistas holandeses (séc. XVII) revelam, em amplos cenários naturais, a importância da luz e dos efeitos atmosféricos. ~ O gênero, disciplinado entre os clássicos, perpassado de emoção entre os românticos, expressa as afinidades do pintor com a natureza. Os ingleses Constable e Turner abrem novos rumos, o primeiro abandonando o ateliê pelo ar livre e o segundo dando à paisagem uma interpretação luminosa e poética. ~ A paisagem foi o gênero por excelência da pintura do séc. XIX até atingir, através do Impressionismo, a fluidez das vibrações luminosas. ~ Na arte ocidental, tem sido também tratada na gravura e na fotografia. § No Extremo Oriente, importante arte paisagística nasce na China como fruto do posicionamento religioso-filosófico: o homem é figura diminuta que se integra à grandiosidade da natureza. Essa concepção, adaptada ao Japão, vai dar origem às belíssimas estampas* em que os fenômenos naturais – estações do ano, tempestade de neve, o mar bravio, o monte Fuji – situam em seu meio o homem e suas criações. O interesse pela paisagem tropical brasileira foi registrado pelos artistas holandeses que acompanharam Mauricio de Nassau, com destaque especial pelo pintor Frans Post (1612-1680) autor de importantes telas das quais algumas se encontram no Brasil. [V. pintura.] – Fr.: *paysage*; ingl.: *landscape*; alem.: *Landschaft*.

paisagismo. s. m. A arte e a técnica de planejar e organizar a paisagem de modo a proporcionar ao homem maior fruição e utilização de áreas externas relativamente amplas. Entende-se por paisagem o conjunto dos componentes naturais ou não de um espaço externo capaz de ser apreendido pelo olhar. § O planejamento específico da paisagem abrange uma série de fatores que incluem a situação do terreno (topografia, vegetação, água, vias de acesso), a extensão disponível, a integração entre as áreas construídas; levam-se em conta fatores estéticos, sociais e ecológicos. ~ Um projeto paisagístico se desenvolve a partir do aproveitamento dos elementos naturais conjugados a outros como a escolha e a distribuição da vegetação compatível, aplicação dos meios materiais adequados (água, pedra, concreto) e elaboração das diferentes estruturas arquitetônicas, da pavimentação, da iluminação como partes de um todo. ~ O paisagismo, como disciplina e atividade especializada, prende-se à geologia, à botânica, à arquitetura, ao urbanismo e envolve não só noções precisas como considerável conteúdo criativo. ~ Desenvolveu-se, no séc. XX, juntamente com os novos valores da arquitetura contemporânea, numa afirmação do domínio do homem sobre a natureza; mas prende-se também às raízes históricas dos grandes jardins e parques do passado. E, enquanto a arte do jardim destina-se especialmente ao uso particular, o paisagismo e a arquitetura paisagística voltam-se para os espaços de uso coletivo, recriando o meio ambiente nos grandes aglomerados urbanos. §§ No Brasil, Roberto Burle Marx (1909-1994), pintor e arquiteto, desenvolveu e elevou o paisagismo e é considerado internacionalmente como um dos maiores nomes dessa arte. Foi o primeiro a combinar a flora tropical com a arquitetura moderna, recuperando espécies e trazendo à cidade valores agrestes de grande beleza. Não apenas organizou os elementos vegetais como valorizou e associou outros naturais (topografia, água, etc.) ou criados pelo homem (obras de arquitetura, esculturas, painéis na pavimentação). [Cf. jardim.]

Paisley. [Top. escocês.] Importante centro de indústria têxtil que ganhou especial notoriedade no séc. XIX pela fabricação de xales de fina lã, adaptação dos modelos importados de Caxemira (Índia); seu colorido é rico e a padronagem é curvilínea e abstrata. O motivo do *boteh* que figura nesses xales, bem como nos orientais, passou a ser conhecido na Inglaterra com o nome de *paisley*. [V. caxemira e *boteh*.]

palha. s. f. Designação genérica de certo material flexível de origem vegetal (vergas, tiras extraídas de folhas e caules) próprio para ser trançado e/ou usado na confecção de objetos de cestaria, de móveis, etc. Sabe-se que foi utilizada desde alguns milênios a.C. e floresceu nas regiões ricas em vegetação ribeirinha como o Egito. ~ No séc. XIX o fabrico de móveis de palha tornou-se mais complexo e aprimorado pela procura de peças leves e frescas para os *halls** dos hotéis, para os jardins de inverno*. Usada especialmente nos assentos, a palha presta-se também para a feitura de camas, berços, móveis de jardins, etc. [V. cana-da-índia, junco, *rattan*, vime. Cf. cestaria e palhinha.] – Fr.: *canne*, *osier*; ingl.: *cane*, *wickerwork*.

palhinha. s. f. Entrançado de tiras finas e resistentes de palha, armado em cercadura de madeira e muito empregado no mobiliário, especialmente em encostos e assentos de cadeiras. Esse trabalho, que forma desenhos característicos, exige paciência e habilidade e era conhecido na Índia e na China, passando à Europa no séc. XVII quando a palhinha começou a ser importada. Aparece nos móveis ingleses do período *Restoration** (séc. XVII) e é característico das cadeiras com estrutura de madeira aparente. Na França, difunde-se no séc. XVIII. Foi também muito utilizada nos móveis setecentistas luso-brasileiros Dom João V*, Dom José I* e D. Maria I*. ~ A palhinha caracteriza-se pela leveza, elasticidade e resistência, e teve larga aplicação no mobiliário de épocas subsequentes em cabeceiras de camas, portas de armários, biombos, etc., não raro com lindos desenhos irradiados. ~ Tiras de material sintético substituem opcionalmente a palhinha vegetal. [Cf. palha.] – Fr.: *canne*; ingl.: *cane, split cane*.

Palissy, Bernard (c.1510 – c.1590). Importante ceramista francês que, sendo igualmente naturalista, produziu uma cerâmica em relevo representando animais, sobretudo as formas sinuosas de cobras, caramujos, lagartos, num colorido em tons de verde, cinza, marrom e azul. ~ Por outro lado, como artista do Renascimento*, decorou pratos, jarros, vasos com cenas bíblicas e mitológicas vivamente coloridas. Fez estilo na arte da cerâmica; suas criações foram imitadas na época e reproduzidas em larga escala no séc. XIX.

paliteiro. *s. m.* Objeto onde se colocam os palitos à mesa. ~ Os paliteiros de uso corrente, para maior assepsia, são, em geral, caixas de louça com um orifício, ou cilindros com tampa, de metal ou outro material; os antigos são suportes de formas variadas, de prata, metal ou porcelana, dotados de pequenos furos para se espetar os palitos. §§ Os paliteiros de prata desse tipo foram especialmente difundidos em Portugal onde a produção de palitos de madeira é trabalho artesanal largamente praticado. Desenvolveu-se, por isso, uma arte original na feitura dos paliteiros de prata, em que a fantasia e o gosto dos prateiros se manifestam livremente em peças às vezes de uma delicadeza de joia. Explica-se: a prata religiosa ou a doméstica eram executadas para fins determinados, com formas necessárias; a decoração, mesmo a barroca, obedecia à linha e à finalidade do objeto. Já os paliteiros, só exigiam uma base e, acima desta, um suporte com furinhos. Talvez a própria razão de ser dos palitos, prosaica, trivial, e sua forma discreta, muito simples, possível de ser radiada, fossem compensadas pelos voos de imaginação dispendidos na feitura dos paliteiros. Cada um deles é uma mensagem que fala por seu artista, ou por quem o encomenda, e desperta o interesse pela própria forma. ~ Não se sabe quando os paliteiros começaram a ser feitos em Portugal; conhecem-se referências a "palheiteiros", mas as peças só aparecem com regularidade – e marcadas – no fim do séc. XVIII, já no estilo Neoclássico* (não se conhecem paliteiros Dom João V* e Dom José I*). ~ Encontram-se temas como figuras da mitologia clássica que lembram, no espírito da época, as atividades comuns em Portugal (Netuno, o deus dos mares, com o tridente; Mercúrio, o deus do comércio com os pés alados e o caduceu); tipos populares (a varina vendedora de peixe com sua cesta oval, a vendedora de flores com trajes do Minho); personagens históricos (Vasco da Gama, Napoleão Bonaparte) e além destes, o pitoresco pajem do séc. XVI de gorro e calção bufante segurando um anacrônico – mas sugestivo – guarda chuva com furinhos (é provavelmente inspirado nos lampadários com a mesma figura em bronze levantando uma tocha ou globo). Entre os animais, aparece o porquinho, num paliteiro baixo, o galo empoleirado, pavões e outros pássaros pousados em ramos floridos; esses buquês (de rosas, de açucenas) são fixados em vasos ou urnas como flores naturais. As bases, bandejetas e pedestais são em estilo Neoclássico e Império* (frisos perolados ou com palmetas ou margaridas, galerias singelas, pés igualmente singelos ou de garra e bola). No correr do séc. XIX os paliteiros se multiplicam e diversificam. §§ No Brasil, desdobram-se os motivos lusos com acréscimo de temas nacionais. Ao lado de maçãs, peras, uvas, romãs, veem-se frutas tropicais (o caju, a pitanga), dispostas em cestas ou bandejas; as mais características são os abacaxis isolados, montados sobre vasos, com as folhas rígidas, na base e na coroa, ora abertas, ora fechadas. ~ O pajem galante se transforma em índio, de cocar e saiote de penas, também equilibrando a sombrinha ou atributos próprios. Figuras e símbolos africanos se associam a emblemas cristãos num expressivo ecletismo. ~ Os prateiros do séc. XIX nos legaram uma generosa safra de paliteiros feitos na Bahia e no Rio de Janeiro, muitos deles assinados. § Os paliteiros são, em geral, peças relativamente pequenas, proporcionadas ao leque de palitos a que se destinam, mas conhecem-se, excepcionalmente, alguns exemplares de base ampla que representam cena ou paisagem bucólica e que parecem pequenos centros de mesa. § Na feitura do paliteiro encontram-se, no mesmo exemplar, peças laminadas e fundidas; repuxados, trabalhos a cinzel e a buril completam a decoração nos elementos que ora se encaixam ora são aparafusados. [V. prata.] – Observação: Não se encontrou tradução exata para esse objeto em francês ou inglês; nessas línguas usam-se locuções com as palavras *cure-dents* (fr.) e *toothpick* (ingl.), que significam palito.

Paliteiros de prata. (Portugal - séc. XIX)

Palladio, Andrea (1508-1580). Arquiteto italiano cuja produção se concentrou especialmente no norte da Itália (a igreja de San Giorgio em Veneza, a Basílica e a vila La Rotonda em Vicenza). Deixou um tratado *I quattro libri dell'architetura* (1570) em que desenvolve as teorias de seu estilo – o paladianismo. As formas clássicas são simplificadas racionalmente (por oposição aos modelos renascentistas) e se inspiram nas construções romanas: a proporcionalidade preconizada por Vitrúvio. Suas dimensões têm como relação os intervalos musicais em uso na época e se desenvolvem numa ordem matemática em que se relacionam beleza e equilíbrio. ~ O estilo paladiano exerceu forte influência na arquitetura do seu tempo, especialmente na Inglaterra onde foi introduzido por Inigo Jones*) e em épocas posteriores reflete-se na arquitetura britânica (Willian Kent*) e no estilo Federal* norte-americano, já com o Neoclássico. [Cf. Renascimento e Neoclássico.]

palma. *s. f.* Folha de palmeira. // Motivo ornamental que representa esta folha estilizada e que simboliza a vitória e o martírio nas artes decorativas. // Na ourivesaria sacra, espécie de ramo de prata com folhas e flores reunidas de modo compacto: o metal é repuxado e só tem decoração na face anterior. O ramo tem, em geral, como suporte, um vaso do mesmo metal e é usado no adorno de altares. §§ As palmas de igreja, com elementos europeus ao lado de outros tropicais, constituíram uma das riquezas da prataria colonial. ~ Ramos semelhantes foram feitos de metal dourado ou prateado, para o mesmo fim. No artesanato popular as flores são, muitas vezes, de papel metálico. // Por analogia, também se designa como palma a peça litúrgica de forma semelhante à acima descrita, com decoração em curvas abstratas que emolduram um centro onde são representados símbolos sagrados ou é inserido um relicário.

Palma de prata cinzelada com florões e laços, e incrustada com pedras semipreciosas.
(Brasil - séc. XVIII)

palmatória. *s. f.* Espécie de castiçal pequeno e baixo, com prato munido de asa ou de cabo; bugia. ~ A palmatória surge aproximadamente no séc. XVII e seu uso se difunde como utensílio doméstico, servindo para iluminar o caminho de um cômodo para o outro. A demanda de palmatórias no correr dos séculos legou numerosas e variadas cópias, desde as rústicas e simples de estanho e latão até peças de prata decoradas segundo a moda e os estilos. §§ Encontram-se no Brasil alguns exemplares, para batizado e outras cerimônias, com cabo longo e trabalhado, obras de prateiros luso-brasileiros e que são muito decorativos pela originalidade dos motivos de inspiração barroca ou neoclássica. [V. castiçal.] – Fr.: *bougeoir*; ingl.: *hand candlestick*.

Palmatória de prata com prato em forma de concha.
(séc. XIX)

palmeta. *s. f.* Motivo decorativo de origem egípcia, em forma de leque, inspirado nas folhas de palmeiras nativas do Mediterrâneo. Apresenta-se sob diferentes modalidades que vão desde uma folha estilizada até a inflorescência paniculada; muito conhecido o desenho que lembra as flores da madressilva. ~ Na arte grega, a palmeta aparece isolada, como arremate externo dos tetos, ou em frisos, especialmente nos edifícios em estilo jônico; é, também, decoração complementar da cerâmica. No Renascimento, esse motivo revive na arquitetura e nos trabalhos em metal, na cerâmica, no mobiliário. No séc. XVIII a palmeta é característica da decoração neoclássica. // Friso* que consta de uma sucessão de palmetas, em alguns casos com as folhas alternadas voltadas para cima e para baixo. [Cf. *anthémionn,* ornato e palma.]

panô. [Do fr. *panneau,* 'painel'.] *s. m.* Retângulo de tecido, palhinha, ripas de madeira, plástico, etc., que é pendurado ou armado de maneira rígida sobre suportes. ~ Nas janelas, quando articulado a outros semelhantes, serve de cortina e caracteriza-se por formar um conjunto homogêneo capaz de vedar a luz e a vista e de constituir elemento decorativo. [Cf. cortina.]

panóplia. *s. f.* Armadura completa de cavaleiro medieval. // Coleção de armas. // Nas artes decorativas, o conjunto de capacete, escudo e armas que serve de adorno em fachadas, paredes, alto de porta, etc. ~ O rei de França Luís XIV, no seu triunfalismo, deu especial preferência a esse motivo que marca o estilo de sua época não só nos interiores mas também nas fachadas projetadas pelo grande arquiteto J. H. Mansart, como o Palácio de Versalhes e o *Hôtel des Invalides,* em Paris. [V. Luís XIV.]

pantalha. *s. f.* Quebra-luz bidimensional que protege o foco luminoso apenas por um lado.

Pantocrátor. [Pal. grega 'todo-poderoso'.] Na arte bizantina e românica, representação do Cristo Todo-poderoso, de expressão severa e olhar penetrante. [V. mão e olho.]

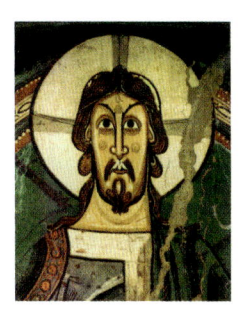

Pantocrátor. Afresco românico da Catalunha. (Espanha)

papel de parede. Papel resistente, pintado, estampado, gofrado, etc., que se destina a revestir paredes internas e que se apresenta em rolos. § O papel de parede começa a ser usado na Europa em meados do séc. XV (em seguida à introdução da indústria do papel). A princípio liso, vem atender às aspirações da classe mais modesta como substituto barato dos ricos panos e tapeçarias que eram o luxo das casas abastadas. ~ No séc. XVI, papéis decorados com *pochoir* * imitavam mármore, e outros, revestidos de um certo pó, imitavam o veludo. O papel pintado ou impresso em cores se difundiu no Ocidente no séc. XVII trazido pelas companhias de comércio com o Oriente. ~ Na China, usava-se nas paredes pano ou papel com pinturas em guache. Os modelos feitos para exportação apresentavam altos e elegantes arbustos com flores e pássaros, cenas urbanas e, mais tarde, uma combinação dos dois temas. Os mais belos exemplares datam da segunda metade do séc. XVIII e figuravam nos salões da aristocracia; os desenhos não se repetem nas diferentes folhas justapostas, o que os torna mais valiosos. ~ O papel de parede impresso com grandes blocos de madeira teve impulso com o francês Jean Papillon (1661-1732) que produziu o que chamou *papiers de tapisserie* (papéis de tapeçaria) cujas folhas justapostas formavam um desenho consecutivo quando coladas à parede. ~ No séc. XVIII, a manufatura de papéis de parede se desenvolveu além da expectativa, e os desenhos iam sendo criados especialmente para esse fim, de acordo com os ambientes e os estilos (padrões de chintz e outros motivos florais, listas, trançados, cenas campestres). ~ Na França, os *papiers peints* (papéis pintados) atingem grande requinte com os papéis feitos à mão anteriores à Revolução Francesa, de Jean-Baptiste Réveillon (alguns imitam os grotescos* das termas romanas, outros são em *trompe l'oeil**. E também, nas primeiras décadas dos oitocentos, com os "papéis panorâmicos" de Joseph Dufour e outros, que formam grandes painéis; cobrem paredes e até portas, e sua colocação exige habilidade. (Existem papéis panorâmicos franceses adaptados de gravuras de Rugendas e Debret com cenas brasileiras que são de bonito efeito decorativo.) § Os papéis impressos à máquina, formando padrões repetidos, foram produzidos na Inglaterra no séc. XIX, e William Morris* revolucionou os desenhos com seu bom gosto e criatividade; os temas naturalistas eram estilizados em cores ricas e bem definidas. O *Art Nouveau** criou elegantes padrões figurativos e abstratos. Abstratos também foram os requintados papéis do *Art Déco**. Já os decoradores voltados para a moderna arquitetura defendiam paredes lisas e despojadas. § A indústria do papel de parede teve novo impulso, por volta de 1950, graças aos recentes processos de impressão que incluem a fotogravura. Grande variedade de desenhos (reproduções de padrões antigos e outros novos) enriquecem este importante elemento de decoração, muitas vezes associado a tecidos com os mesmos motivos e cores. – Fr.: *papier peint*; ingl.: *wall paper*.

papeleira. *s. f.* Secretária com tampo de abaixar ou levantar e com escaninhos para guardar papéis e material para escrever. Pode ser um escritório portátil (pousado sobre cavalete ou mesa) ou móvel de corpo inteiro apresentando gavetas e gavetões na parte inferior e tampo inclinado ou vertical; neste caso é também chamado "cômoda-papeleira". Este tipo de móvel inteiriço e vertical – variante do contador – apareceu por volta do fim do séc. XVII nos Países Baixos. §§ A papeleira de tampo inclinado, adotada em Portugal, chega ao Brasil onde se difunde. A *cômoda-papeleira* é importante peça do mobiliário luso-brasileiro e sua produção se estende entre nós até as primeiras décadas do séc. XIX; foi o tipo de escrivaninha de uso doméstico urbano e rural. ~ Os mais belos exemplares, de jacarandá, datam da segunda metade do séc. XVIII e apresentam-se nos períodos Dom João V* e Dom José I* com grandes requintes de forma e decoração (entalhes, ferragens), alguns com nichos na parte central dos escaninhos; a caixa da cômoda (ou meia-cômoda) é muitas vezes elegantemente abaulada na frente e nas ilhargas, com pilastras laterais entalhadas e pés largos e baixos igualmente entalhados. Os exemplares Dona Maria I* do fim do século têm incrustações e são retilíneos e sem entalhes, acompanhando o estilo. ~ Essas papeleiras eram, não raro, cuidadosamente construídas com "segredos" habilmente disfarçados entre os escaninhos e destinados a ocultar documentos e valores. [V. pé. Cf. cômoda e secretária.] – Fr.: *bureau à dessus brisé*; ingl.: *fall front desk*.

Papeleira de jacarandá Dom José I. Cômoda com a caixa ondulada e três gavetas emolduradas. Puxadores de bronze. Pilastras laterais com entalhes em forma de modilhão. Pés com entalhes rasos.
(Portugal - séc. XVIII)

papier mâché. [Fr.] Material moldável fabricado basicamente com polpa de papel e substâncias aglutinantes. Torna-se duro e resistente ao secar e é passível de ser polido depois de pintado ou acharoado. Conhecido no Oriente, com ele se executavam objetos tratados e decorados com a mais fina laca*. ~ Na Europa, os primeiros objetos desse material foram feitos na França no fim do séc. XVII; Inglaterra e Alemanha igualmente adotaram o material, de grandes possibilidades decorativas, aplicando diferentes processos. ~ No fim do séc. XVIII o inglês Henry Clay patenteou o processo de superposição de folhas de papel especialmente preparado unidas com cola e que, submetidas ao calor, constituem excelente suporte; o *clayware*, como era chamado, foi usado na feitura de bandejas, painéis de móveis, caixas, etc. ~ No séc. XIX o *papier mâché* foi muito empregado na execução de pequenos objetos, como caixas de costura, e de móveis leves (mesinhas, cadeiras singelas, *écrans* para lareiras, escrivaninhas portáteis, *nécessaires*) característicos dos interiores vitorianos e da burguesia europeia oitocentista em geral. Essas peças, na maioria com fundo negro, eram decoradas com delicadas pinturas de flores ou mesmo paisagens e enriquecidas com incrustações de madrepérola.

Bandeja de papier mâché. Fundo preto com decoração floral e incrustações de madrepérola.
(séc. XIX)

papiro. *s. m.* Erva nativa da África e cultivada especialmente no delta alagadiço do rio Nilo; era o emblema do Baixo Egito. Teve importância na Antiguidade pois com sua haste – que atinge 2,50m de altura – eram preparadas folhas de uma espécie de papel destinado à escrita. ~ Os egípcios arrumavam as fibras lado a lado em camadas e o todo era impregnado com uma substância aglutinante, prensado e posto a secar. O papel resultante era forte e de superfície lisa, próprio para ser usado pelos escribas. Nos sinais hieroglíficos, o desenho de um papiro enrolado significa conhecimento. Difundido no mundo antigo, o papiro foi largamente utilizado pelos romanos. Os documentos desse material, da Alta Idade Média, desapareceram devido à umidade e às inúmeras guerras, enquanto os do Egito preservaram-lhe a memória escrita graças à secura do clima. § O caule e a flor estilizada do papiro foram representados nas colunas dos templos e palácios egípcios. Um amuleto com essas formas, emblema do triunfo e da alegria, oferecido aos deuses e aos mortos, propiciava a juventude e a força. [V. Egito. Cf. lótus e pergaminho.]

paquife. *s. m.* Ornato arquitetônico de origem heráldica que guarnece um escudo na parte superior de cada lado do elmo.

paramento. *s. m.* Face polida e aparelhada de uma pedra, de uma peça de madeira, etc. que se destina a ficar aparente quando colocada no devido lugar. // P. ext. Superfície visível de uma parede. // Cada uma das vestes litúrgicas sacerdotais.

parapeito. *s. m.* Muro, vazado ou não, que serve de resguardo à beira de plataforma, patamar, cobertura, ponte ou outra construção, e que se eleva à altura do peito de alguém ou um pouco abaixo. Presta-se para efeitos decorativos em sacadas e terraços. // Em sentido restrito, o mesmo que peitoril.

parchemin plissé. [Fr. 'pergaminho preguedo'] Painel de madeira entalhada que representa um tecido preguedo no sentido vertical. Foi muito empregado para guarnecer os móveis do fim da Idade Média com decoração condizente com a nova técnica da marcenaria. [V. mobiliário e painel e v. tb. armário (ilustr.).] – Ingl.: *linenfold*.

parede. *s. f.* Numa obra arquitetônica, elemento vertical que serve de apoio ao teto e de vedação ou divisão de ambientes. Na maioria, as paredes são feitas de alvenaria (tijolo ou pedra), Mas outros materiais tradicionais como a madeira*, a taipa*, o adobe* são adotados segundo as conveniências locais, culturais ou estéticas. Com os progressos da técnica, os arquitetos voltam-se para as placas ou painéis rígidos de cimento, de aglomerados, de metal, de produtos sintéticos. § As paredes limitam em geral mais de 60% de um ambiente interno; por isso têm papel relevante na decoração, levando-se em conta fatores estéticos e funcionais: equilíbrio das aberturas, qualidade e cor da pintura, tipo de revestimento, disposição de quadros, etc. [Cf. divisória e empena.]

Parian ware. [Ingl.] Tipo de porcelana branca produzida na Inglaterra pela firma Copeland & Garrett em meados do séc. XIX e que imitava o *biscuit* de Sèvres. A superfície alva delicadamente granulada lembrava o mármore das estátuas gregas (a designação foi dada em homenagem à ilha de Paros, na Grécia, de onde se retirava o mármore para as esculturas). Essa porcelana foi usada especialmente para a execução de bustos e estatuetas, alguns de certo porte; eram modelos de esculturas contemporâneas ou cópias de obras da Antiguidade clássica. Outras manufaturas (Minton*, Wedgewood*, Worcester*) trabalharam com *Parian ware*, conhecido também como *statuary porcelain* (porcelana de estatuária). [V. *biscuit*.]

Paris. V. porcelana de Paris.

parquê. [Do fr. *parquet*.] *s. m.* Assoalho feito com tábuas pequenas de madeira, em geral em forma de losango ou retângulo e que constituem desenhos ou mosaicos. Os mais elaborados, feitos com madeiras de coloridos diferentes, têm feitios diversos e lembram trabalhos de marchetaria ampliados. [Cf. taco.]

parra. *s. f.* Folha de parreira estilizada usada na estatuária clássica para cobrir a nudez.

passadeira. *s. f.* Tapete longo e estreito usado em corredores, galerias e escadas. – Fr.: *galerie*; ingl.: *runner*.

passamanaria. *s. f.* O conjunto dos trabalhos entrançados feitos com fios grossos de seda, *chenille*, ouro e prata, algodão, etc., e que formam galões*, borlas*, rosetas, franjas*, grelôs*, aplicações, alamares. De rico efeito decorativo, a passamanaria é usada como adorno e acabamento de roupas, cortinas, móveis estofados.

passe-partout. [Fr.] *s. m.* Espécie de moldura feita de cartão ou material análogo, com as medidas de uma gravura, de um desenho, de uma fotografia, e mesmo de pintura, e que lhes serve de margem para realce em relação à moldura propriamente dita.

passo. *s. m.* Cada um dos episódios da Paixão de Cristo. // Cada uma das pequenas construções ou capelas que encerram a representação dessas cenas em esculturas de grande porte; encontram-se em certos santuários, no caminho de acesso ao templo. §§ Os passos do Santuário de Bom Jesus de Matosinhos em Congonhas (Minas Gerais) abrigam excepcional e expressivo conjunto de obras do Aleijadinho*.

pasta dura. V. porcelana de pasta dura.

pasta mole. V. porcelana de pasta mole.

pastel. [Do ital. *pastello*.] *s. m.* Nas artes plásticas, desenho a seco executado com bastões feitos de pigmentos pulverizados e aglomerados com um mínimo de substância aglutinante. A gama de cores é extensa, sendo as mais fortes as cores puras, enquanto as outras são misturadas com branco; dessas misturas resultam tons suaves e claros. Aplicadas no papel, as cores parecem frescas e delicadas, e podem se mesclar umas às outras produzindo imponderáveis esbatidos e sombras coloridas. A técnica traduz a luminosidade da matéria e realiza, como nenhuma outra, os efeitos da carnação; é, por isso, a técnica por excelência do retrato*. ~ Sabe-se que nos sécs. XV e XVI o pastel era utilizado como realce, mas só se tornou arte e técnica independentes no séc. XVIII quando atingiu o apogeu no período Rococó*. Foi introduzido em Paris pela grande retratista veneziana Rosalba Carriera e praticado por Chardin, Boucher, Quentin-La Tour, Mengs. No séc. XIX passou para segundo plano até renascer com Edgard Degas; foi praticado por outros artistas como Toulouse-Lautrec, Odilon Redon, Gustave Moreau, Edouard Vuillard, Pierre Bonnard, Mary Cassat, Paul Klee. [V. pintura.]

pastiche. [Do fr. *pastiche*.] *s. m.* Obra que imita servilmente outra de artista consagrado (escritor, artista plástico, arquiteto), quer como plágio, quer como paródia. ~ Nas artes decorativas, destituído de originalidade não tem valor próprio e é forjado, muitas vezes, com a mistura de diversas obras de um artista ou de um estilo determinado. Na arquitetura historicista do séc. XIX a imitação rigorosa de estilos anteriores é vista nos monumentos oficiais de grandes cidades e nas residências particulares em que havia preocupação de luxo e ostentação. [Cf. ecletismo, historicismo, *kitsch*.]

pastilha. *s. f.* Pequena peça chata de cerâmica esmaltada que é empregada como revestimento de paredes externas e internas; sua forma lembra em geral a das peças de mosaico*. Painéis decorativos e pisos também podem ser feitos com esse material.

patchwork. [Ingl.] Trabalho de agulha que consiste em unir pequenos retalhos de tecido de diferentes cores e padrões formando alegres desenhos geométricos. Artesanato doméstico, presta-se para a feitura de colchas e cobertas de cama e é praticado em diversas regiões. O *patchwork* foi divulgado através dos bonitos trabalhos das mulheres das colônias do leste dos E.U.A. [V. trabalhos de agulha.]

pâte de riz. [Fr. 'pasta de arroz'.] Vidro translúcido de cor branco-acinzentada (a cor da água de arroz) criado e produzido na Boêmia por volta de 1840 e que passou a ser feito na França (Saint-Louis) a princípio em artigos de luxo e, mais tarde, em outros populares. [V. vidro (história e modos de fabricação). Cf. Saint Louis.]

pâte de verre. [Fr. 'pasta de vidro'.] Vidro semiopaco de pasta compacta e, em geral, colorida, que se obtém pela moagem do vidro e posterior moldagem e aquecimento. O processo já seria conhecido dos antigos egípcios e foi usado em pequenos objetos. Ressurgiu aperfeiçoado no séc. XIX pelo francês Henri Cros (1840-1907) e foi empregado por outros vidreiros (Dammouse, Argy-Rousseau*, A. Walter*, Decorchemont) na moldagem artística de vasos, figuras, e outras peças nos estilos *Art Nouveau** e *Art Déco**. [V. vidro (história e fabricação). Cf. Nancy.]

Pâte de verre de Argy-Rousseau.
Estatueta art déco assinada Bouraine.
(França – c. 1930)

pâte dure. [Fr. 'pasta dura'.] V. porcelana – porcelana de pasta dura.

patena. *s. f.* Disco de metal nobre, que, na liturgia católica, serve para receber a hóstia durante a missa e para cobrir o cálice.

pâte-sur-pâte. [Fr. 'pasta sobre pasta'.] Método de decorar a porcelana com relevo, usado em meados do séc. XIX nas manufaturas de Sèvres* e Minton*.

pâte tendre. [Fr. 'pasta tenra'.] V. porcelana – porcelana de pasta mole.

pátina. *s. f.* Oxidação em geral esverdeada que ocorre na superfície do bronze e do cobre quando expostos ao ar. ~ A pátina obtida artificialmente por processos químicos protege e embeleza tanto peças artísticas como outras de uso prático. // Depósito escurecido que se forma, pelo tempo, no exterior de certos objetos ou edifícios, e que lhes realça a forma e a expressão. ~ Nas pratas antigas, a pátina, opondo-se às partes polidas, faz sobressair, a beleza da peça, destacando o relevo. (Não confundir a pátina do tempo com a pintura negra e marcada que certa prata recebe nas partes reentrantes.) [V. prata (decoração).] // Camada de verniz ou outro material com que são revestidos certos objetos para protegê-los.

pátio. *s. m.* Numa edificação, espaço interno a céu aberto limitado por paredes com portas e janelas, ou por galerias; é dependência que serve para iluminar e arejar cômodos internos. Os pátios fechados e decorados das construções árabes – palácios ou residências –, não davam acesso a estranhos e eram próprios, com suas fontes e jardins cercados, do modo de vida islâmico. Passaram a ser adotados nas habitações espanholas na Europa e na América. Também certas moradias rurais brasileiras, grandes e de um só pavimento, tinham pátios para onde se abriam as janelas dos quartos. // Recinto descoberto, lajeado ou pavimentado, diante da porta principal de um prédio ou de suas fachadas laterais ou de fundos.

pato. *s. m.* Os patos e marrecos* aparecem amiúde nas artes do Extremo Oriente em pinturas e estampas, na cerâmica, na porcelana, nos metais e em outros materiais. ~ O casal de patos pequenos – chamados "patos-mandarins" ou "marrecos-mandarins" – é o símbolo da felicidade conjugal porque nadam juntos e acredita-se que morrem de tristeza quando separados. § No Ocidente, os palmípedes apresentam-se com frequência na arte popular ou em peças decorativas de louça, de madeira, de metal; não raro em recipientes com tampa (*bonbonnières**, caixinhas) as patas não aparecem, recolhidas como se estivessem nadando. ~ É comum a representação desses animais em objetos de cestaria*. [V. *bonbonnière* (ilustr.).]

Patos selvagens. Porcelana chinesa. (séc. XX)

pau a pique. *s. m.* Tipo de taipa feita com uma trama de ripas verticais e horizontais unidas com barro para formar paredes. É muito frequente nas antigas construções brasileiras. [Cf. adobe e taipa.]

paulistinha. *s. f.* V. imagens sacras brasileiras.

pau-marfim. *s. m.* Madeira de cor clara e uniforme usada em carpintaria e marcenaria. É extraída da árvore das matas úmidas *Balfourodendron riedelianum*.

pau-rosa. *s. m.* V. caviúna.

pau-santo. *s. m.* Designação dada pelos portugueses ao jacarandá brasileiro, sobretudo o da Bahia. A partir do séc. XVI, a madeira – recente aquisição da marcenaria de luxo – foi largamente exportada para o Reino, sendo igualmente conhecida como pau-preto. [V. jacarandá.]

pau-violeta. *s. m.* V. caviúna.

pavão. *s. m.* Ave originária da Ásia que ostenta plumagem cambiante de um belo azul com reflexos verdes – o azul pavão –, e uma *aigrette* em coroa na cabeça; a cauda é longa com penas oceladas que se abrem em portentoso leque. Tanto luxo, tanto brilho facilmente associam o pavão à ideia de vaidade. ~ Entre os povos do Oriente ele é um emblema solar, da força e da beleza, e passa, na simbologia cristã, a significar a imortalidade: "animal de cem olhos" representa a beatitude da alma ante a visão de Deus. § A imagem do pavão, muito repetida nas artes decorativas, não necessita de associações. Sua própria beleza furta-cor, a surpreendente disposição dos ocelos em cada pena da cauda evocam o esplendor do ouro e das pedras preciosas, o brilho do vidro translúcido e do esmalte. ~ De maneira realista ou estilizada, o pavão foi tratado com especial apuro e bom gosto nos vitrais, nos trabalhos de esmalte, na cerâmica e nas joias do período *Art Nouveau**. [V. ocelo.]

pavimento. *s. m.* Piso a que se aplicou revestimento. // Numa casa ou outra construção, cada um dos níveis limitados por paredes externas e que constituem um andar.

pé. *s. m.* Nas artes decorativas, a parte inferior de certos objetos, a qual lhes serve de apoio. ~ A construção do pé de um móvel, de um vaso, de um copo, de uma lâmpada exige determinada proporção em relação ao objeto, visando ao equilíbrio e, no caso de mais de um pé, à distribuição do peso. O pé assume diferentes feitios com formas geométricas ou estilização de coisas da natureza. Os pés de animais são frequentemente reproduzidos em madeira, metal, cerâmica. § Os pés dos móveis, como arremates das pernas ou apenas como suportes, sempre mereceram especial atenção. Em algumas cadeiras egípcias os pés têm a forma de patas de leão – característica do estilo – são todos voltados para frente, como no animal. Em Pompeia (79 d.C.) foram encontrados pés em forma de casco. Na Idade Média os pés são meros apoios no escasso mobiliário, mesmo nos móveis góticos quando a marcenaria já se aperfeiçoa. A partir do séc. XVI aparecem os torneados, as bolas. ~ Com o Barroco* dá-se especial importância à decoração; assimilam-se modelos do Oriente como o pé de garra e bola (sobre *cabriole leg**), divulgado pelos ebanistas ingleses e amplamente adotado. Com o Neoclássico* os pés se simplificam e, no estilo Império*, voltam as formas animais. §§ A partir do séc. XVI, o estilo Nacional* português adota a bola redonda e a bola achatada (bolacha) para sustentar arcas, contadores e mesas em modelos que também foram executados no Brasil. As esmeradas cômodas e papeleiras portuguesas e brasileiras dos sécs. XVII e XVIII apresentam pés entalhados em volutas ou com formas animais e vegetais, em geral bastante largos e pousados sobre sapatas. Em alguns móveis rústicos os pés são recortados como prolongamento dos paramentos laterais, ou formando conjunto com a própria base do móvel. [V. garra e perna e v. tb. papeleira (ilustr.). Cf. pé de cachimbo.] – Fr.: *pied*; ingl.: *foot*; alem.: *Fuss*. • Nas cadeiras dos sécs. XVII e XVIII, feitas em Portugal e depois também no Brasil, as formas de pé mais correntes são: *Pé de bolacha e sapata.* O que avança em curva e é destituído de entalhes decorativos. *Pé de cabeça de cobra.* O que é muito achatado na parte que avança. *Pé de garra e bola.* Aquele em que uma pata de animal agarra uma bola (às vezes o todo repousa numa sapata). *Pé de pata de leão.* Variante do pé de garra e bola. *Pé de pincel.* O que é entalhado em gomos verticais simples. *Pé de voluta enrolada.* O que tem entalhes curvos abstratos.

peanha. *s. f.* Pequeno pedestal que serve de suporte para vasos, imagens sacras, figuras esculpidas. ~ No séc. XVIII aparecem as peanhas de madeira ou estuque, em forma de meio cone, muito ornamentadas e com prateleiras; eram suspensas às paredes para apresentar porcelanas ou outras peças de adorno. [V. mísula.]

pé de cabra. *s. m.* V. *cabriole leg*.

pé de cachimbo. *s. m.* V. cadeira pé de cachimbo.

pé de moleque. *s. m.* Calçamento executado com pedras irregulares de tamanhos diferentes, muitas vezes seixos rolados. É típico das antigas cidades brasileiras.

pé de palito. *s. m.* Pé de móvel que vai afinando para a base, o que confere à peça uma aparência leve. Foi adotado a partir da década de 1930 na criação de importantes designers. Posteriormente foi usada na feitura de móveis populares.

Mesa rotativa destinada à televisão
(de época)

pedestal. *s. m.* Peça de pedra, madeira, metal, etc., que serve de apoio a uma coluna, uma escultura, etc. No geral tem base quadrada (plinto) e diversas molduras salientes côncavas e convexas.

pé-direito. *s. m.* Pedra que suporta os empuxos de um arco* ou de uma abóboda*. // Altura da coluna em que se apoia um arco, ou a ombreira das portas. // P. ext. Altura livre de um andar entre o piso* e o forro*.

pedra. *s. f.* Designação genérica da matéria mineral sólida, rochosa ou não, que existe em massas compactas na superfície ou no interior da crosta terrestre. ~ Mas a pedra não é massa inerte apenas; acompanha a evolução do homem. De seu atrito nasceu o fogo e de sílex foram as primeiras armas e ferramentas. Na pedra do altar o homem procurava se comunicar com o sobrenatural, e a solidez do monolito dava-lhe a ilusão do encontro com a verdade, com o eterno. ~ A mão e a criatividade do homem dominaram a pedra que o tempo não vence; ela foi talhada para construir muralhas e muros, edifícios, estradas, pontes, etc. e constitui o mais fiel testemunho das épocas passadas. ~ Na forma natural ou aparelhada, a pedra tem sido empregada nas construções tanto para obras de alvenaria quanto para revestimentos decorativos ou não; ela pode constituir a estrutura dessas obras ou dar-lhes a aparência que as distingue. [V. alvenaria e cantaria.] – Fr.: *pierre*; ingl.: *stone*; alem.: *Stein*. • **Pedra preciosa**. A que, encontrada em estado bruto na natureza, revela, depois de lapidada, grande beleza de brilho e colorido; gema. Montada em metais preciosos é usada em joalheria. Seu valor se associa à raridade de sua presença no mundo mineral. **Pedra semipreciosa**. Num critério um tanto variável e arbitrário, a pedra que, não tendo as mesmas qualidades da pedra preciosa, é capaz de apresentar belos efeitos para uso em joalheria e ourivesaria, e na feitura de acabamentos e de objetos decorativos, entre outras, são pedras semipreciosas (opacas ou transparentes): a ágata, o berilo, a calcedônia, a crisólida, o cristal de rocha, a granada, o jade, o lápis lazúli, o ônix, a opala, a turmalina, a turquesa, o zircônio. [Cf. *pietra dura*.]

pedra de lioz. *s.f.* V. mármore.

pedra-sabão. *s. f.* Variedade de esteatita (rocha constituída basicamente de talco), de cor pardacenta, acinzentada ou esverdeada, macia e untuosa ao tato; deixa-se entalhar com facilidade. §§ A pedra-sabão, encontrada no Brasil em Minas Gerais (Congonhas do Campo, Ouro Preto, Serro), foi usada nas esculturas arquitetônicas e na estatuária do período colonial. A eclosão do Barroco e a presença dessa pedra durante o ciclo do ouro (séc. XVIII) possibilitaram a c   de obras belíssimas de linhas elegantes e movimentadas. O Aleijadinho* e outros artistas coloniais encontraram nela a matéria ideal para suas obras. [V. Barroco brasileiro.]

Caixa de pedra sabão. Assinada Calixto.
(Itabirito - MG)

peitoril. *s. m.* Superfície horizontal de madeira, pedra, concreto, etc., que limita a janela na parte inferior servindo de apoio a quem nela se debruça. // A parte superior do parapeito. [V. parapeito.] – Fr.: *parapet*; ingl.: *window sill*.

peixe. *s. m.* Animal aquático, o peixe, na iconografia dos povos indo-europeus, é símbolo da água, da fecundidade, da sabedoria. ~ Figura em vários episódios do Novo Testamento e foi representando entre os cristãos do séc. II como sinal de Jesus Cristo: a palavra grega *ichtys*, que significa peixe, contém as iniciais da frase *Iesu Christos Theou Yiós Sóter* (Jesus Cristo Filho de Deus Salvador). O peixe transformou-se assim em ideograma na época das perseguições; substituía, nas catacumbas, a imagem de Cristo. Depois inspirou rica iconografia entre os artistas cristãos: o peixe com um navio às costas é emblema de Cristo e sua igreja; com uma cesta de pão representa a Eucaristia. ~ Na China, um casal de peixes figura entre os oito emblemas budistas como símbolo da felicidade conjugal. A carpa, por sua grande mobilidade e pela aparência que lembra um dragão, representa a comunicação entre pessoas distantes ou a força. [V. sinais de Cristo e China – símbolos e motivos ornamentais.]

Pennsylvania Dutch. [Ingl. 'holandês da Pennsylvania'.] Estilo rústico norte-americano inspirado em modelos alemães e holandeses trazidos pelos colonos no séc. XVIII, e que se distinguem pelos alegres painéis pintados nos móveis.

penteadeira. *s. f.* Pequena mesa com espelhos e gavetas, diante da qual as mulheres se sentam para se pentear e se maquiar. Faz parte dos móveis de quarto e presta-se para a apresentação de diversos objetos de toalete femininos. ~ No séc. XIX e nas primeiras décadas do séc. XX a penteadeira era móvel obrigatório; tinha em geral pernas altas e espelhos de três faces. ~ Os *designers* do *Art Déco** encontraram nesse móvel elementos para desenvolver a imaginação e o bom gosto, partindo para formas bem diversas das acima descritas. ~ Certa variante especialmente feminina é a "penteadeira de saia" que tem a mesa coberta com babados e esteve muito em voga por volta da década de 1940. [Cf. toucador.] – Fr.: *coiffeuse*; ingl.: *dressing table*.

peônia. *s. f.* Designação comum a diversas flores bonitas e vistosas, de pétalas largas e dobradas e de coloração variada. ~ Na China, é símbolo da honra e riqueza; como acontece com outras flores, sua imagem se associa à mulher e à afeição. A peônia é motivo decorativo de destaque na iconografia chinesa, em especial na porcelana, não raro como emblema de nobreza. [V. China – símbolos e motivos ornamentais.]

perfumeiro. *s. m.* Designação antiga de defumador, que aparece nas resenhas dos objetos de prata do período colonial. [V. defumador.]

pergaminho. [Do latim tardio *pergaminum*, de Pérgamo, cidade da Ásia Menor.] *s. m.* Material de origem animal destinado à escrita. Apresenta-se em folhas lisas e é obtido pelo tratamento especial da pele de carneiro, cabra ou bezerro, de modo que possa ser utilizado de ambos os lados. O que é muito fino e delicado, feito com a pele de animais recém-nascidos ou natimortos, chama-se *velino*. ~ O pergaminho parece ter sido inventado na Ásia Menor no séc. II e permitiu o aparecimento dos manuscritos encadernados substituindo os rolos usados até então. Durante toda a Idade Média os pergaminhos foram o repositório dos conhecimentos do Ocidente e neles se inscreviam textos, na maioria religiosos, música, iluminuras. ~ Com o advento do papel o pergaminho caiu em desuso para a escrita mas continuou sendo usado em diplomas, encadernações, abajures e certos revestimentos. // Modernamente o termo se aplica a um papel de alta qualidade feito de polpa de madeira e outros materiais e que recebe acabamento próprio. [V. encadernação e iluminura.] – Fr.: *parchemin*; ingl.: *parchment*.

peristilo. *s. m.* Colunata que forma galeria coberta em torno de um edifício ou de um pátio.

perna. *s. m.* Parte da estrutura de um móvel que se eleva do chão, onde se apoia; suporta o tampo das mesas, o assento das cadeiras, etc. § As pernas são distribuídas de modo que a peça fique equilibrada para preencher a finalidade a que se destina. São em número de quatro na grande maioria; há, porém, inúmeras exceções para satisfazer às exigências do porte e da forma do móvel, do material, dos estilos; é comum a presença de traves para uni-las dando maior solidez à obra. As pernas podem ser retas (de quatro faces, cilíndricas, torneadas, com caneleiras) ou em suaves curvas. § Em certas mesas, uma coluna serve de suporte central e único, e noutras, mais amplas, é maior o número de pernas; o essencial é que a perna não prejudique a utilização da mesa por quem está sentado. ~ Nas cadeiras, o assento repousa normalmente em quatro pernas, ora retilíneas, ora encurvadas, com ou sem amarração*. Nos baixos-relevos gregos as pernas das cadeiras, em "forma de sabre", são curvadas para fora e afinam na base; têm uma linha elegante que já denota domínio no uso da madeira. Em Roma, os assentos dos dignitários tinham as pernas se cruzando, e os marceneiros do fim da Idade Média tomaram-nas como modelo das cadeiras dantesca* e savonarola*. • **Perna em curva e contra curva.** A que imita o jarrete de certos animais. Já era conhecida na Antiguidade, mas só reaparece na Europa, talvez por influência chinesa, no fim do séc. XVII, com a *cabriole leg* que se difundiu com notável sucesso. No mobiliário do séc. XVIII, tem, muitas vezes, joelho* trabalhado e termina com pés de diferentes formas. [V. *cabriole leg*, cadeira, mesa e pé.] – Fr.: *pied* (pé); ingl.: *leg*.

pérolas. *s. f. pl.* Filete perlado. [V. filete.]

Pérsia. V. tapete oriental - tapete persa.

persiana. [Do fr. *persienne*, fem. do adj. antigo *persien* 'persa'.] *s. f.* Veneziana móvel, externa, constituída de ripas de madeira, metal ou plástico dispostas horizontalmente muito próximas umas das outras e montadas numa esquadria de metal. Quando aberta, a persiana se enrola em torno de um eixo que fica numa caixa acima da janela, por meio de um comando lateral; quando baixada, pode ser mantida em posição oblíqua para entrada de ar e luz sem devassamento. Na arquitetura do séc. XX esse modelo substitui, em muitos projetos, a veneziana tradicional. [V. veneziana.] // Anteparo móvel usado internamente diante de aberturas envidraçadas. Essa persiana feita de numerosas lâminas de madeira, metal ou plástico, dispostas paralelamente no sentido horizontal ou vertical, é recolhida para o alto ou para o lado por meio de cordões e outros dispositivos especiais; em geral suas lâminas podem ficar em diferentes ângulos para maior ou menor entrada de luz. – Ingl.: *Venitian blind*.

perspectiva. *s. f.* A arte de representar, numa superfície plana, os objetos de três dimensões de modo que pareçam ter a forma e a posição com que se apresentam na realidade, dando a ilusão de distância, volume, espessura, etc. Na verdade, qualquer tentativa nesse sentido supõe uma ilusão, uma deformação da realidade em si. ~ A representação do espaço tridimensional manifesta-se na pintura, no desenho, no baixo-relevo não só associada às imposições da percepção visual e do ponto de vista do observador como também a certos fatores relativos a um conteúdo simbólico, a uma visão de mundo dentro de um determinado contexto sociocultural. Na trajetória milenar da representação em perspectiva, às soluções simples e instintivas foram se somando outros modos de captar o espaço visível até se atingir, com a *perspectiva central*, o rigor encontrado pelo Renascimento italiano. [Cf. pintura^2 e Renascimento.] – Fr.: *perspective*; ingl.: *perspective*; alem.: *Perspektive*; *Fernsicht*; ital.: *prospettiva*. • *Perspectiva aérea.* Recurso pictórico capaz de criar a ilusão de distância, de profundidade, graças ao uso da cor em diferentes gradações que representam o efeito da luz sobre a massa de ar existente entre o observador e as coisas observadas. Em decorrência desse efeito, os planos ficam distintos e as coisas próximas são mais nítidas e coloridas e as mais afastadas adquirem tonalidades esbatidas e azuladas. Tanto a perspectiva aérea quanto a central dão à representação do real a ideia de gradação de planos a diferentes distâncias. ~ Na pintura, essa técnica favorece o *sfumatto**, as transparências. *Perspectiva central*, ou *linear*, ou *científica*, ou *renascentista*. Aquela em que as linhas de uma obra pictórica, um desenho, um baixo-relevo, são dirigidas para o fundo num traçado geométrico; as dimensões se reduzem proporcionalmente à distância – figuras e objetos parecem assim mais próximos ou mais afastados do observador. Essa proporção obedece às chamadas "*linhas de fuga*" (linhas imaginárias) que vão se encontrar num ponto no horizonte ou acima ou abaixo dele. ~ No Renascimento*, quando ocorre a humanização da arte e a cultura científica se impõe, a perspectiva central, rigorosamente matemática, representa uma conquista no ramo das artes visuais. As composições são estáticas, simétricas, trianguladas; depois vão se tornar assimétricas, dinâmicas com o Maneirismo* e o Barroco*.

Até o séc. XIX, porém, a teoria e a prática da perspectiva linear continuam a dominar, no Ocidente, a arte e o ensino acadêmicos deste século. Na arte figurativa de vanguarda, depois de 1900, os artistas voltam-se, outra vez, para a perspectiva frontal, a paralela, a invertida, buscando criar espaços com novos modos de expressão, novos conceitos de forma. *Perspectiva frontal.* Representação do objeto de modo que ele pareça visto em todas as suas faces, em sua totalidade. É a visão intuitiva, usada pelas crianças e pelos povos primitivos. Aparece também nas manifestações artísticas em que o simbólico é o elemento que reúne os valores da sociedade, como ocorria, p. ex., no Egito. [Cf. frontalidade.] *Perspectiva ilusionista.* Perspectiva central que trabalha com a ilusão – o *escorço* – levada ao mais alto grau; induz o espectador a se colocar hipoteticamente num mundo acima das contingências materiais. Nas pinturas de teto das igrejas barrocas, p. ex., as linhas dos elementos arquitetônicos, a postura das figuras, a atmosfera, convergem para o céu numa transposição que eleva o espírito. *Perspectiva invertida.* Aquela que, se comparada a perspectiva central, representa o seu oposto: as linhas imaginárias que contribuem para a formação de uma imagem abrem-se a partir de um ponto onde se encontra o observador para um espaço não mais controlado, mas infinito. É usada na representação simbólica que se vê na arte bizantina e na românica; ela como que retira o peso material dos objetos. *Perspectiva mística.* Aquela em que a dimensão das figuras não se pauta na distância em que se encontram relativamente ao observador, mas na importância que a elas se concede. Daí a primazia dos valores religiosos e políticos. O Faraó, o Buda, p. ex., são representados em maiores dimensões; no Ocidente, a figura do Pantocrátor* domina nas igrejas bizantinas e românicas. Ainda no fim do Gótico, na pintura flamenga, os doadores são sempre menores que os santos de sua devoção. Mesmo no Renascimento – quando vigora a perspectiva central –, temos, p. ex., o Cristo Juiz de Miguel Ângelo na Capela Sistina e a Madona da Misericórdia de Piero della Francesca dominando as figuras que os circundam. *Perspectiva paralela.* Aquela em que as linhas se afastam sempre paralelamente e o objeto representado não sofre transformação. A ideia do espaço físico persiste, ao contrário do que acontece com a perspectiva central ou com a invertida. É a perspectiva cultivada na elaborada pintura chinesa desde épocas muito anteriores às primeiras manifestações da arte ocidental. Da China ela se difundiu pelo Extremo Oriente e, no Japão, atingiu momentos de grande expressão estética. Para a visão de mundo do oriental não é necessário que a imagem dê uma ilusão da realidade mas sim uma representação associada à coisa em si. [V. pintura².]

peso de papel. Objeto destinado a manter presos, sob seu peso, papéis avulsos, evitando que se dispersem. § Até o séc. XVIII, objetos com base estável de bronze ou de pedras como a ágata, o mármore e outras, serviam para esse fim embora sem intenção determinada. Não eram especialmente valorizados nos meios aristocráticos onde se encontravam os grandes consumidores de artigos de luxo; só se vão fazer notar quando aparecem – e são úteis – nas mesas de trabalho de homens de letras e de negócios, de profissionais liberais oriundos da burguesia. Passam, então, a ser tratados como peças decorativas; artistas e artesãos elaboram pesos de metal, de vidro ou cristal, de pedras finas lavradas, entalhadas, incrustadas. – Fr.: *presse-papier*; ingl.: *paperweight*. • **Pesos de papel de cristal.** Bolas com a base achatada para assentar e prender os papéis, e que , pela forma e pelo porte, são facilmente apreensíveis pela mão. Têm em seu interior decorações de cores vivas em três dimensões: *millefiori** – o maior número –, flores isoladas, borboletas, figuras, filigrana colorida, fios de *latticino**; a transparência do cristal redobra a beleza dos delicados motivos incrustados. ~ **História e Descrição.** Desde o séc. XVI a ideia de bola de vidro com decoração interna foi explorada em Veneza. Por volta de 1790 apareceram os *sulfures**, bolas com camafeus embutidos. Em começos do séc. XIX, os vidreiros franceses, observando a arte dos venezianos e as obras das manufaturas da Boêmia, começaram a produzir a opalina e os pesos de cristal. ~ Entre 1845 e 1880 as cristalerias de Baccarat*, Saint-Louis* e Clichy, na França, lideram a produção desses pesos. Objetos como pinhas e bolas de sacada, maçanetas de porta, sinetes, bases de vasos e copos são ali executados com os mesmos modelos e a mesma perfeição. Outros países fazem tentativas, muitas vezes bem sucedidas, mas dificilmente atingem o valor estético alcançado pelas cristalerias francesas nesse período. ~ Os pesos de *millefiori* são, de longe, os mais numerosos e figuram entre os mais belos; os motivos são dispostos em círculos concêntricos, em compartimentos de cores, em florinhas salpicadas, e parecem todos alegres canteiros primaveris. ~ Certos pesos talhados têm facetas circulares (planas ou côncavas) formando "janelas" que deixam ver no interior sob ângulos diversos, os motivos coloridos – *millefiori*, flores avulsas, filigranas – multiplicando o jogo de refração. É famoso o motivo conhecido como *bouquet de mariée* (buquê de noiva) em que as hastes de *millefiori* reunidas em cogumelo constituem um pequeno ramo. Outros têm no interior fitas de vidro de cor formando espirais ou *torsades*. Os franceses denominaram *macédoine* (macedônia) a decoração feita com a mistura de pedaços irregulares de *millefiori* agrupados aleatoriamente; os ingleses chamam a esse trabalho *end-of-the-day* (fim do dia), referindo-se às sobras de vidro que eram aproveitadas no final da jornada. As *macédoines* eram peças obviamente de menor preço e feitura mais rápida. ~ Calcula-se que tenham sido produzidas pelas três grandes manufaturas cerca de 50.000 pesos e objetos similares. Baccarat seria responsável pela metade dessas peças e manteve sua produção até 1907. Saint-Louis e Clichy interromperam a produção por volta de 1880. § Pode-se distinguir a origem dos **pesos de cristal** por algumas de suas características: **Baccarat*.** Cristal pesado, luminoso, liso; as bolas são apenas ligeiramente achatadas, não se nota nenhuma imperfeição ou emenda; o colorido, vermelho, azulão, verde esmeralda, amarelo, é vivo e alegre e a decoração brilha dentro do cristal. São célebres as flores isoladas, como o amor-perfeito, ou um buquê às vezes com uma borboleta. O cristal, talhado em "janelas" circulares é muito brilhante. Alguns *millefiori* são assinados "B" e datados. **Saint-Louis*.** Cristal igualmente de alta qualidade; as bolas são um pouco mais elevadas no alto (perfil de "ventosa"), as cores são mais doces (azul-natiê, ocre pálido, verde absinto, amarelo limão). Os entalhes são em "janelas", algumas de pequeno diâmetro, ou em facetas de modo a provocar jogos de óptica; pequenos motivos são ampliados ou multiplicados no volume do cristal. Certas bolas têm a pasta colorida com uma infinidade de grãos finos como areia.

Clichy. Vidro muito límpido e duro, mas menos pesado que o cristal; a forma esférica nem sempre é regular, as cores são profundas e intensas. O fundo às vezes é de colorido denso. Uma rosa com pétalas que se imbricam, rodeada por um cálice verde, aparece em cerca de 30% das peças de Clichy, que lançou também as bolas decoradas com bastões curvos formando uma espiral que ocupa toda a peça cujo centro é rematado por uma florzinha. Os motivos são arranjados com imaginação em guirlandas *millefiori* de desenhos diversos; um deles ostenta uma série de "C". [V. *millefiori* e vidro. Cf. pinha. – pinhas e bolas de sacada.]

Pesos de papel de cristal em overlay e millefiori.
(França - séc. XIX)

Peso de papel em bronze representando mulher deitada. Escultura de influência art nouveau assinada L. Chalon.
(França - de época - compr. 30 cm)

petit point. [Fr. 'ponto pequeno'.] Ponto de agulha feito sobre talagarça em geral em bastidor, e no qual a linha fica inclinada em pequenos pontos regulares e justapostos de modo a formar desenhos e recobrir totalmente o fundo. Esse trabalho, tradicionalmente caseiro, lembra, embora simplificado, a tapeçaria de alto e baixo liço no aspecto e na textura. Foi empregado a partir do séc. XVII para recobrir assentos e encostos de poltronas. [V. trabalhos de agulha. Cf. tapeçaria.]

petuntse. *s.m.* V. porcelana – porcelana de pasta dura.

pewter. [Ingl.] Designação tradicional dada entre os ingleses à liga de estanho usada em diversos tipos de utensílios domésticos e peças decorativas, e na qual a porcentagem de cobre e de antimônio varia segundo a finalidade. A liga de mais alta qualidade é conhecida como *English pewter*. [V. estanho.]

Phyfe, Duncan (1768-1854). Ebanista de origem escocesa que emigrou cedo para os E.U.A. e é considerado nesse país o expoente de sua época. Sabe-se que, em 1790, encontra-se em Nova York e, desde esta data até 1820 goza de grande prestígio, produzindo mobiliário fino de inspiração neoclássica, baseado em especial nos estilos ingleses Adam* e Sheraton*. Foi fornecedor das classes mais abastadas do país e muitos de seus móveis, de alto preço na época, figuram em museus e coleções particulares. Phyfe usava exclusivamente mogno selecionado e obedecia a rigorosa técnica de construção; o folheado é bem acabado, os entalhes nítidos, assim como os ornatos dourados. Os móveis dessa fase podem ser comparados aos de Gillow na Inglaterra e de Jacob-Desmalter* na França. ~ Depois de 1820 a influência do estilo Império* torna os móveis de Phyfe mais pesados e sua produção declina; ele mesmo qualificou essas obras como *butcher's furniture* (móveis de açougueiro). No fim de sua longa existência, enfrentou os problemas da produção em massa e não mais alcançou a qualidade dos primeiros tempos. [Cf. Federal.]

Pi. [Pal. chinesa.] Disco ritual feito de jade, considerado emblema do céu. Tem um furo no centro, e acredita-se que tenha servido, na dinastia Sh'ang*, como instrumento de geomancia para indicar a direção do norte. [V. jade.]

pia. *s. f.* Bacia destinada a conter água. ~ No Renascimento, certas pias de cerâmica para lavar as mãos eram fixadas à parede, e conhecem-se exemplares com decoração esmerada. Eram dotadas de um pequeno reservatório e a água jorrava por uma torneira em geral em forma de golfinho. ~ Com o aparecimento da água encanada, a pia de louça (ou de metal) faz parte do equipamento de banheiro e de cozinha. • **Pia de água-benta.** Nas igrejas, recipiente côncavo fixado à parede no pórtico ou vestíbulo ou numa das demais portas do templo; não raro tem forma de concha ou é decorado em gomos. ~ Entre as famílias cristãs muito piedosas, era usual a presença de pequena pia de água-benta à entrada das casas. **Pia ou fonte batismal.** Nos templos cristãos, grande bacia circular ou octogonal, geralmente de mármore, sustentada por uma coluna. Localiza-se no batistério que, outrora, era um edifício separado e depois passou a ser uma capela dentro da igreja, à entrada do lado esquerdo. [Cf. octógono]

Pia de água-benta com calvário em baixo-relevo. Antiga cerâmica popular.
(Espanha)

Pia de canto para lavar as mãos. Cerâmica inglesa. (séc. XIX)

pichel. *s. m.* Vaso bojudo de gargalo reto e estreito, dotado de alça, e que era usado originalmente para recolher o vinho da pipa e servi-lo. // Copo de vinho.

pichorra. *s. f.* Pichel com bico.

piecrust. [Ingl. 'cobertura de torta'.] Nas artes decorativas, superfície circular característica de certas mesas e de salvas de prata setecentistas, cuja borda é recortada e rematada por moldura em relevo lembrando a de uma torta. • *Piecrust table*. Na Inglaterra, mesinha georgiana* (Chippendale) com tampo desse tipo, em geral basculante e apoiada em coluna com tripé. §§ Conhecem-se belos exemplares dessas mesas, feitos de jacarandá, no mobiliário setecentista luso-brasileiro de influência inglesa.

Pierrô. [Do nome fr. *Pierrot* 'Pedrinho'.] Personagem da *Commedia dell'Arte* que, na Itália tem o nome de Pedrolino e é um criado simplório e honesto, em geral jovem. Infeliz nos amores, é vítima das brincadeiras dos companheiros. Veste-se de branco: casaco largo com botões na frente e grande gola franzida e calças folgadas. Representa-se sem máscara, com o rosto empoado de branco. ~ Esse personagem da comédia italiana tornou-se muito popular na França, imortalizado nas telas de Watteau; nas pantomimas, aparece com sua cara triste, eternamente enamorado de Colombina. ~ A figura melancólica de Pierrô foi representada, nas primeiras décadas do séc. XX, de forma satírica e romântica, em inúmeras estatuetas criselefantinas*, e nas de cerâmica e de porcelana. [V. *Commedia dell'Arte*, Cf. Arlequim e Colombina.]

Pierrô de porcelana art déco. (de época)

pietà. [Ital.] Tema da iconografia cristã que representa Nossa Senhora sustentando o corpo do Cristo morto. Parece ter surgido na Alemanha no séc. XIV e difundiu-se entre os artistas da escola flam Na Itália renascentis tema foi abordado com dramaticidade; é célebre a escultura de Miguel Ângelo que se encontra na Basílica de São Pedro em Roma, uma das interpretações mais pungentes do sofrimento de Maria.

Pietá indo-portuguesa em madeira policromada.
(Goa, Índia - séc. XVII)

pietra dura. [Ital. 'pedra dura'.] Designação comum a diversas pedras semipreciosas como a ágata, a calcedônia, o jaspe, o lápis-lazúli e outras que, devido à dureza, só podem ser trabalhadas com os instrumentos empregados para cortar as pedras preciosas. Selos e sinetes, vasos, jarros, etc. foram executados com essas pedras por artífices italianos a partir do Renascimento*, revivendo antiga técnica romana. Na arte maneirista peças entalhadas, montadas com metais preciosos atingiram alto grau de extravagância. ~ Pequenos blocos dessas pedras de diferentes coloridos foram empregados em mosaicos e incrustações especialmente na Itália renascentista, para decorar contadores e tampos de mesa. [Cf. mosaico e pedra semipreciosa.]

pilar. *s. m.* Elemento maciço de alvenaria que, numa construção, se apresenta como suporte vertical isolado. Pode ter seção quadrangular, poligonal ou circular. ~ O estilo gótico criou o pilar reforçado por feixes em meia-cana côncava que se elevam a grande altura e repousam sobre um pedestal; esses feixes abrem-se em nervuras que vão constituir a ossatura de arcos* e abóbadas* em ogiva. // Poste de madeira, de metal, de concreto que serve de suporte a uma estrutura. [Cf. coluna e pilotis.]

pilastra. *s. f.* Pilar de quatro faces que, em geral, adere por uma delas à parede e é muitas vezes decorado segundo os estilos.

pilgrim's bottle. [Ingl. 'garrafa de peregrino'.] Frasco achatado ou em forma de pera dotado de correntes para ser suspenso ao ombro ou à cintura e que era usado para carregar água por peregrinos e viajantes. Seria, de início, uma simples cabaça. ~ É encontrado na cerâmica chinesa e há exemplares raros de porcelana. ~ Na Europa, a forma foi reproduzida em peças artísticas de faiança e de prata.

Pillement, Jean Baptiste (1728-1808). Pintor francês do período rococó*, autor de desenhos ornamentais transbordantes de fantasia representando cenas chinesas com riqueza de detalhes exóticos, flores, gradeados, etc. Gravuras em madeira com seu desenhos foram difundidas e utilizadas em algodões estampados, pinturas em porcelana, marchetaria, etc. Na França, as *chinoiseries** rococó são também chamadas *style Pillement*. [V. Marseille.]

pilotis. [Do fr. *pilotis*.] *s. m. pl.* Na arquitetura do séc. XX, o conjunto de colunas ou pilares que sustentam um edifício deixando livre o rés do chão. Os pilares podem ter qualquer seção e formato desde o cilíndrico até outros em forma de V ou de Y, muito usados por arquitetos brasileiros. Os pilotis dão leveza ao edifício e propiciam belas soluções de ajardinamento e paisagismo, além de deixarem área livre para circulação. [V. Le Corbusier.]

pináculo. *s. m.* Cone ou pirâmide alta e estreita, mais ou menos ornamentada, que coroa ou remata um teto, uma torre, um muro ou certos objetos. São especialmente notáveis os pináculos dos edifícios em estilo Gótico*.

pinha. *s. f.* Peça ornamental de cerâmica, vidro, metal, etc., de forma aproximadamente cônica ou ovóide e que imita o fruto do pinheiro; é decorado com escamas ou saliências. Serve de remate em cornijas, frisos, pilares de portões, extremidades de balaustradas, etc. §§ As grandes e belas pinhas de cerâmica portuguesa feitas nas fábricas do Porto serviam de coroamento das fachadas das casas, de ornato das colunas de portões ou de balaustradas de jardins, e foram importadas no séc. XIX para figurar em propriedades de brasileiros. • ***Pinhas e bolas de sacada.*** Ornatos de cerca de 0,20m de altura feitos de cristal, de vidro, de bronze, de ferro para guarnecer as sacadas ou a coluna da base das escadas. As bolas e pinhas de cristal bicolor têm facetas (janelas) que se multiplicam por refração. As de opalina, de *overlay*, de *millefiori* davam um toque alegre às fachadas oitocentistas. [V. cerâmica portuguesa e pesos de papel de cristal. Cf. maçaneta.]

Coleção de pinhas e bolas, de cristal e de opalina.
(França - séc. XIX)

pinho. *s. m.* Madeira oriunda de diversas plantas da família das coníferas, de grande aplicação nas obras de carpintaria, de construção civil e de marcenaria; é usada também nas pastas de madeira produzidas industrialmente. ~ No Brasil, várias espécies de pinho ocorrem em diversas regiões do sul do país e, entre elas, a araucária ou pinho do Paraná. ~ Madeira leve, pouco resistente, macia de cerne claro, superfície lisa, apresentando bonitos veios e nós, o pinho tem inúmeras aplicações pelo baixo custo e, por ser fácil de trabalhar, é material de grande consumo. [V. madeira.]

pinho de riga. *s. m.* Madeira extraída de certas coníferas dos países do norte da Europa como a antiga Letônia cuja capital era Riga. É madeira resistente, revestida de resina dura; sua cor é castanho claro com veios acentuados. Tem bonito efeito visual. O pinho-de-riga encontra-se em vias de extinção por ser pouco comercializável (leva cerca de 50 anos para atingir diâmetro e altura próprios para utilização). §§ Embora de origem distante, essa madeira foi muito empregada no Brasil. Em fins do séc. XVIII as longas toras de pinho-de-riga que começavam a chegar aqui como lastro dos navios eram depositadas nos portos e negociadas a baixo preço. Desde logo se viu a vantagem de aproveitá-las na construção civil, uma vez que, paradoxalmente, estavam mais ao alcance do que as madeiras extraídas das matas. O pinho-de-riga, empregado em armações de telhado, barrotes de assoalho e tábuas corridas, esquadrias, portas e janelas, era a base de carpintaria das casas do Rio de Janeiro, de Minas Gerais, de S. Paulo, de certos portos do Nordeste. Não era utilizado para móveis porque sua resina forte exigia ferramentas especiais. Durante todo o séc. XIX e até a I Guerra mundial (1914-1918), quando deixou de ser importada, a madeira tanto figurou nas ricas residências como nas casas modestas ou na estrutura de galpões. Tornou-se rara e procuradíssima nas demolições, para ser aproveitada em pisos e outras soluções decorativas, incluindo-se móveis.

pintura[1]. *s. f.* Operação que consiste em cobrir de tinta uma determinada superfície, formando ou não desenhos. ~ Na decoração, a pintura pode ser tratada como simples revestimento aplicado a paredes, móveis, etc., como recurso de cor de conotações dinâmicas e emocionais, ou como elemento de valor estético. ~ Nas artes decorativas e na arte popular, a pintura que expressa representações figurativas ou não, aplica-se em vários objetos de formas, materiais e finalidades diversas, na fronteira entre a criação artística e processos artesanais; está presente na cerâmica, na porcelana, na arte do vitral e do esmalte, no vidro, no marfim, na laca, no couro, na papel, nos tecidos, etc. [Cf. cor e pintura[2] .] − Fr.: *peinture*; ingl.: *painting*; alem.: *Malerei*.

pintura[2]. *s. f.* Nas artes plásticas, representação ou sugestão do mundo visível ou imaginário sobre superfície pintada, por meio de cores. Como o desenho*, a gravura* e as artes gráficas, comunica-se com o espectador pelo sentido da visão e é, como eles, uma arte visual. Expressa-se de forma figurativa (realista ou não) ou abstrata. ~ Suas técnicas e meios abrangem, em princípio: o afresco, o esgrafito, a encáustica e a têmpera; a aquarela e o guache; o pastel e os lápis de cor; finalmente, a tinta a óleo e, no séc. XX, as tintas sintéticas. ~ O suporte* varia conforme o processo adotado e inclui a pedra e a alvenaria, a madeira, a tela e outros materiais, ~ Dos instrumentos usados o mais generalizado é o pincel em suas diversas modalidades (desde penas e fibras vegetais até os pincéis de seda ou de pelo, de dimensões variadas); o homem primitivo, além da própria mão, usava estiletes e tampões e, na pintura convencional, utilizam-se ainda espátulas e facas, lápis, bastões, etc. § A pintura foi praticada desde a pré-história como demonstram as figuras conservadas nas grutas; da Antiguidade nos ficaram os murais, a cerâmica. Nos primeiros séculos do cristianismo adotou-se a encáustica (pintura a cera quente). ~ No Ocidente, durante a Idade Média, o afresco foi a técnica mais difundida para a pintura mural, ao passo que, para as obras de menor tamanho, ainda se usava a têmpera à base de água e clara de ovo. Com a evolução social e econômica, os grandes murais vão cedendo lugar à pintura a óleo de menores dimensões, aos quadros de cavalete. ~ No Oriente, pinta-se tradicionalmente com pincéis e tintas à base de água. § A concepção pictórica está intimamente vinculada à evolução do "modo de vida", à sua ligação com a realidade exterior ou com a expressão subjetiva. ~ Os primeiros artistas, representando temas religiosos, afastam-se da observação direta e a arte, embora figurativa, é eminentemente simbólica; são assim a pintura egípcia, a dos vasos gregos, a paleocristã, a bizantina, a românica. ~ A pintura gótica liberta-se dos padrões convencionais e rígidos, torna-se realista e analítica na representação da natureza, transmite a ilusão de espaço e de volume; começam a emergir a perspectiva* e o claro-escuro*. Estes recursos vão ter realidade plena nas importantes escolas do Renascimento*, do Barroco*, do Neoclássico*, do Romantismo*, do Realismo* do séc. XIX, do Impressionismo*. Os primeiros anos do séc. XX inauguram os movimentos de vanguarda (fauvismo* e expressionismo*); o cubismo* rompe com a tradição e as tendências se diversificam (abstracionismo*, futurismo*, surrealismo*). Usam-se outras técnicas: a colagem*, o tratamento em três dimensões, etc. Depois da II Guerra Mundial novos caminhos levam à arte conceitual, à op art*, ao hiper-realismo*, etc. [V. afresco, aquarela, encáustica, esgrafito, guache, óleo, pastel e têmpera. Cf. perspectiva e pintura*.] • **Pintura a óleo.** V. óleo. **Pintura de cavalete.** Pintura de menores dimensões do que os murais, facilmente transportável e destinada não mais à contemplação coletiva mas ao olhar de cada indivíduo. [V. quadro.] **Pintura de gênero.** A que representa cenas de costumes nos interiores ou ao ar livre. **Pintura em rolo.** Arte tradicional da China e do Japão que data do séc. IV aproximadamente. Pintura a tinta em tiras contínuas de papel ou de seda que pode ser executada no sentido vertical e no horizontal, caso em que a pintura é desenrolada até o comprimento do braço. Representa paisagens panorâmicas (rios, montanhas), cenas de interiores, além de ilustrar temas religiosos ou literários; o espaço e a atmosfera são evocados com lirismo e poesia, as cenas são cheias de vida. No fluxo contínuo das imagens que desaparecem para dar lugar a outras, já se tem um ponto de vista que antecipa a arte cinematográfica. [Cf. *kakemono*.] **Pintura mural.** A que é feita diretamente sobre a parede (externa ou interna) ou é a ela aplicada. Tem caráter social (religioso, político), destina-se à contemplação coletiva e esteve sempre intimamente ligada à arquitetura. A princípio valeu-se da própria superfície plana das paredes na simplicidade direta das duas dimensões (Egito, Creta, China, Índia, Bizâncio). Em começos da Renascença*, inovadores italianos como Giotto, Masaccio e Fra Angelico situam as figuras num cenário arquitetônico ou paisagístico e o ápice desse recurso é atingido com Piero Della Francesca, Miguel Ângelo e Rafael ~ . Usa-se o *trompe l'oeil** nas paredes e tetos e as formas convexas destes, no Barroco*, favorecem o aparecimento de figuras que flutuam na atmosfera (Veronese, Tiepolo).

pinxit. [Lat. 'pintou'.] V. gravura

pirogravura. *s. f.* Processo de decoração da madeira no qual se utiliza um estilete metálico incandescente para traçar desenhos. É usado em pequenos móveis, caixas, etc. [Cf. xilogravura.]

piso. *s. m.* Chão onde se pisa. // Numa construção, o chão revestido de material adequado à função e/ou à decoração (pedra, madeira, cerâmica, cimento, fórmica, etc.); pavimento. // A parte horizontal do degrau*, onde se coloca o pé.

píxide. *s. f.* Pequeno vaso litúrgico circular, com tampa, feito de metal nobre e no qual a hóstia é levada pelo sacerdote aos enfermos. [Cf. âmbula e cibório.]

plafonnier. [Pal. fr., de *plafond*, 'teto'.] *s. m.* Luminária de um só foco fixada diretamente no teto; consta de uma bacia de material translúcido que oculta, no interior, a lâmpada e a instalação. ~ São clássicos os *plafonniers* de fios de contas de cristal, e de marcante efeito decorativo as bacias de vidro artístico dos períodos *Art Nouveau** e *Art Déco** criadas por Gallé*, Lalique* e outros. [Cf. lustre.]

planta¹. *s. f.* Em se tratando de decoração e paisagismo, os vegetais utilizados pelo homem para efeitos estéticos. ~ No séc. XIX, plantas resistentes (como palmeiras) ou plantas de estufa figuravam nos interiores vitorianos e outros. ~ No séc. XX, nas construções verticais, em geral com grandes janelas, incorporam-se à decoração as plantas selecionadas para viver dentro de casa. São o verde que traz muita vida aos ambientes. [V. jardim de inverno e jardineira. Cf. planta².]

planta². *s. f.* Desenho que representa a projeção horizontal, em escala, dos elementos constitutivos de um terreno, de uma cidade, de um edifício [Cf. planta¹.]. • *Planta baixa*. Num projeto de construção ou decoração, planta em geral convencionalmente tomada pouco acima do nível do piso e que indica os detalhes planejados proporcionalmente dispostos; é indispensável para se ter noção da utilização da área.

plástico. *s. m.* Material sintético de origem vegetal, animal ou mineral obtido por meio de processos químicos que lhe conferem grande maleabilidade ou "plasticidade'. ~ A matéria plástica é, por isto, própria para ser usada na confecção de objetos de utilidade doméstica ou de aplicação funcional.

Plateresco. [Do esp. *plateresco*, de *platero*, 'prateiro', por lembrar a rica decoração das obras desses artífices.] Estilo puramente ornamental característico da arquitetura e das artes decorativas espanholas do Renascimento* (o tempo dos Reis Católicos). ~ Na arquitetura, as fachadas são exuberantemente decoradas: pináculos do Gótico flamejante* convivem com motivos árabes, com armas e brasões usados como elementos decorativos, denotando o gosto pela ostentação despertado pela grande riqueza proveniente das Américas. Mais tarde ocorre maior regulamentação de acordo com os princípios renascentistas, como em Monterey no México, ou Salamanca, na Espanha. O estilo, que se propagou nos edifícios religiosos da América espanhola, desapareceu com a severidade do reinado de Filipe II. § Nas artes decorativas a cerâmica espanhola produziu ladrilhos platerescos ricamente coloridos. [Cf. Churrigueresco.]

platibanda [do fr. *plate-bande*.] *s. f.* Em arquitetura, moldura vertical de pouca espessura, maciça ou vazada, que contorna a parte superior de um edifício nas fachadas externas; destina-se a proteger ou camuflar o telhado. Tem também função estética e são importantes as formas e decorações nas fachadas neoclássicas em que havia a preocupação de que não aparecesse o telhado. [V. Neoclássico.]

plinto. *s. m.* Base quadrada de coluna* ou de pedestal.

pochoir. [Fr.] *s. m.* Técnica de reprodução de desenhos por meio da impressão destes na superfície a ser decorada utilizando-se cartão ou chapa metálica recortados, sobre os quais se espalha a tinta. Essa técnica, praticada pelos esquimós em pele de foca, foi conhecida na China desde o séc. VIII. ~ No séc. XX, aparecerem importantes trabalhos em *pochoir* nas edições limitadas de desenhos impressos. [Cf. serigrafia.]

pó de pedra. *s. m.* Nas construções, revestimento externo feito com pedra pulverizada de cor cinza e textura áspera. // Cerâmica dura; grés. [Cf. *stoneware*.]

policromia. *s. f.* Pintura em que se empregam várias cores.

políptico. *s. f.* Painel múltiplo pintado ou

esculpido com mais de três partes, ora fixo, ora de abrir e fechar. ~ Os polípticos foram muito usados pelos artistas do período gótico e, às vezes, constavam de um quadro maior e de outros laterais menores. [Cf. díptico, predela e tríptico.]

polonais. [Fr. 'polonês'.] Tapete do séc. XVII proveniente da Pérsia central feito com seda, enriquecido, por vezes, com fios de ouro e prata, e do qual se conhecem poucos exemplares. O desenho, floral, muito bonito, é bem diferente do esquema dos outros tapetes da mesma região, embora a barra obedeça ao modelo Kashan*. ~ A designação francesa se origina de um mal-entendido, a suposição de que esses tapetes, apresentados por um conde polonês na Exposição Universal de Paris de 1878, teriam sido executados na Polônia. Os *tapis polonais* (tapetes poloneses), como foram chamados, encontram-se em alguns museus importantes como o *Öesterreichischer Museum* de Viena e o *Residenzmuseum* de Munique (A designação *polonaise* tb. é dada a esses tapetes.). [V. tapete oriental – tapete persa.]

poltrona. [Do ital. *poltrona*.] s. f. Cadeira de braços grande e confortável, geralmente estofada. ~ As primeiras poltronas (séc. XVIII) tinham a estrutura aparente de madeira entalhada e são inúmeros os modelos oitocentistas do mesmo esquema, embora apareçam então outras, totalmente recobertas de tecido ou couro, muitas vezes trabalhadas em capitonê. No séc. XX foram adotadas comumente as poltronas profundas com feitios diversos formando ou não grupo com sofá. §§ *Poltrona mole.* Poltrona desenhada pelo arquiteto e *designer* brasileiro Sérgio Rodrigues em 1957. Tem estrutura de jacarandá maciço que suporta um trançado de percintas de couro-sola reguláveis; estas, por sua vez servem de suporte a um elemento almofadado que compreende o assento, as costas e os braços. É muito confortável e permite um movimento de oscilação semelhante ao de uma rede (tb. se diz cadeira mole). [V. poltrona Sheriff.] *Poltrona Sheriff.* Variação da *poltrona mole* anteriormente planejada por Sérgio Rodrigues. Foi premiada, em 1961, com medalha de ouro na IV Bienal Internacional do Móvel em Cantu (Itália).

Ela figura, também, no acervo do *Museum of Modern Art* de Nova York, ao lado de outras importantes obras do *design* contemporâneo. [V. design e poltrona mole] – Ingl.: *Sheriff chair.*

Poltrona mole.

pomba. s. f. Pássaro de proporções graciosas e voo harmonioso não raro representado com plumagem branca como símbolo da paz, da pureza, da simplicidade. ~ Em certos vasos funerários gregos a pomba é associada à imortalidade da alma. ~ A imagem se repete na iconografia cristã e simboliza o Espírito Santo; é recorrente nas manifestações da escultura, da pintura e da ourivesaria sacra. §§ Entre nós, a representação do Divino como pomba se apresenta tanto em ricos trabalhos de prata como em toscas imagens de barro e de madeira. [V. Divino.]

pombalino. adj. Relativo ao primeiro Marquês de Pombal, Sebastião José de Carvalho e Melo (1699-1782) e a seu tempo. [V. Dom José I.]

pombinhos. s.m. pl. Designação familiar dada no Brasil ao motivo de decoração da louça inglesa em que, numa paisagem tipicamente chinesa, aparecem dois pássaros voando juntos. ~ A esta decoração (também chamada no interior do Brasil "azul-pombinho") é atribuída uma lenda em que se explicam os elementos do desenho: pequenos personagens, um salgueiro e outras árvores, um pagode, um palácio, uma ponte, um braço de mar, um barco, dois pássaros voando juntos. Na cena, a princesinha Lui, apaixonada por um plebeu, foge do palácio, carregando uma caixa de joias, seguida pelo amado que leva uma lanterna; passam a ponte e se refugiam num quiosque. O pai mandarim, com gestos agitados, manda os criados com chicotes perseguir os namorados, mas a boa ama envia dois pombos como mensageiros e o casal escapa num barco que está ao largo. [V. louça – louça inglesa e *willow patern*.]

Travessa decorada com o motivo dos pombinhos. Louça inglesa. (séc. XIX)

pompeiano. [Do top. Pompeia, cid. romana.] *adj.* Diz-se do gênero decorativo inspirado nos afrescos encontrados, no séc. XVIII, em Pompeia e Herculano, cidades dos arredores de Nápoles soterradas pela erupção do Vesúvio no ano 79 de nossa era, cujas escavações regulares começaram por volta de 1748. A decoração das casas, com as pinturas murais bem conservadas, impressionaram eruditos, artistas e diletantes. As paredes têm figuras expressivas e ornatos curvilíneos delicados e leves, delineadas sobre fundo cor de terracota ou vermelho. § As "pinturas pompeianas" vão aparecer em ambientes neoclássicos e seus modelos foram adotados em afrescos, papéis de parede, tecidos e cerâmica. Também os elementos em estuque* foram incorporados ao repertório decorativo dos irmãos Adam* e certos móveis pompeianos serviram de modelo para outros neoclássicos. ~ A decoração pompeiana é por vezes confundida com os grotescos devido à semelhança de tratamento dos ornatos; de fato, são provenientes da mesma cultura – a romana. [V. Neoclássico. Cf. grotesco.]

poncheira. *s. f.* Vasilha redonda, larga e funda, feita de cristal, porcelana, faiança ou prata, e na qual se prepara e serve o ponche ou um refresco; tem base larga e estável e bordas sem moldura. ~ A poncheira de prata teria sido introduzida na Inglaterra na época da restauração da monarquia (1660); a princípio lisa e simples, recebeu no séc. XVIII decoração em relevo, muitas vezes com gomos. ~ Certas poncheiras formam conjunto com canecas que se penduram ou dispõem à sua volta, e têm às vezes, uma concha para servir. [Cf. *Restoration*.] – Ingl.: *punch bowl*.

Poncheira e concha de metal prateado. Decoração Art Nouveau. (de época)

ponta de diamante. *s. m.* Ornato arquitetônico que consta de pirâmides justapostas formando frisos ou paramentos de construções de alvenaria de pedra.

ponta-seca. *s. f.* Técnica de gravura e entalhe no metal sem recurso à ação de ácido: o desenho é feito com uma ponta de aço ou diamante (não com buril) diretamente sobre a placa. As linhas assim traçadas deixam pequenas rebarbas e, embora a linha seja fina e delicada, a tinta penetra nos sulcos e a gravura adquire um aspecto aveludado. ~ Rembrandt, um dos maiores mestres da água-forte, foi o primeiro a usar a técnica da ponta-seca para obter efeitos de claro-escuro. [V. gravura. Cf. água-forte.]

pontal. *s. m.* Porção de pedra que se conserva no curso da execução de uma escultura para que não se quebrem as partes delgadas afastadas do corpo da obra. // Na produção do vidro, haste destinada a segurar a massa incandescente. [V. vidro.]

pontilhismo. *s. m.* Nas artes plásticas, processo de pintura que consiste em aplicar pequenas pinceladas de cores puras formando pontos justapostos; baseia-se no efeito da vibração das cores, de modo que a fusão se faça pelo olhar. Decorreu das pesquisas da escola impressionista, e seus adeptos se autodenominaram neoimpressionistas. [V. impressionismo e neoimpressionismo.]

ponto brasileiro. Ponto de agulha inventado por Madeleine Colaço (c. 1950) e registrado internacionalmente. Feito em tapetes de chão e de parede, com lã e tela, o ponto assemelha-se ao de tapetes de Arraiolos, mas as unidades são menores, o que lhes confere textura mais espessa e mais sólida. [V. trabalhos de agulha e v. Tapeçaria (ilustr.). Cf. Arraiolos.]

pop art. [Ingl.] Nas artes plásticas, corrente de origem inglesa e norte-americana que surgiu no fim da década de 1950 e que deve essa designação à representação, na pintura e na escultura, de objetos ligados ao consumo de massa.

porcelana. [Do ital. *porcellana*, designação atribuída a Marco Polo (c.1254-1324) que viu nesse material semelhança com a *porcella*, concha marinha de deslumbrante brancura.] *s. f.* Tipo de cerâmica vitrificada de características muito especiais e de excepcional prestígio tanto no Extremo Oriente como no mundo ocidental. Essas características, que se apresentam em diferentes graus, são: a dureza e a resistência (sob aparente fragilidade), a translucidez mais ou menos acentuada, a pureza da textura muito fina, a capacidade de ressoar quando percutida, a cor branca da massa e a plasticidade desta. ~ As qualidades da porcelana variam segundo as intenções do ceramista na manipulação e na proporção das substâncias necessárias, na modelagem, na cobertura de esmalte, na queima. • Existem a *porcelana de pasta dura*, chamada *porcelana verdadeira* e a *porcelana de pasta mole* ou *artificial*; ambas têm aspecto semelhante e são igualmente decorativas, mas diferem quanto à composição e quanto à qualidade de resistência. § *História - Extremo Oriente.* A porcelana teve origem na *China*. Ali, a arte da cerâmica dura de cor branca havia comprovado suas qualidades. Ora, esse material já tinha como elementos constitutivos os que são a base da porcelana: o *caulim** e o *petuntse**. Com mais alguns séculos e sucessivas experiências, os oleiros chineses encontraram a fórmula da verdadeira porcelana (v. porcelana de pasta dura). Outro fator importante foi a habilidade desses oleiros na construção de fornos. ~ O material aparece incipiente nas escavações dos túmulos da dinastia T'ang* (616-910). A partir do séc. X a porcelana torna-se mais resistente e, além das peças rituais e funerárias, já se fabricam os primeiros objetos de uso doméstico. Na época Sung* (960-1279) multiplicam-se os centros de fabricação e talvez a conquista mais importante tenha sido a cobertura vitrificada de cores – *monocromática* (azul, verde, amarelo, laranja), *marmoreada* e *estriada* – com craquelê* fino. No fim do período começam a surgir decorações pintadas. Com a dinastia Yuan* (1279-1368) produz-se a porcelana branca e translúcida que vai ter um papel revolucionário. Introduz-se o azul-e-branco*. Fundada a dinastia Ming* (1368-1664), abrem-se três séculos de uma era propícia ao desenvolvimento das indústrias de arte. A porcelana é empregada também na estatuária, nas decorações arquitetônicas, no mobiliário. As fábricas imperiais abandonam os antigos motivos de grande singeleza e criam as pinturas de flores, animais e figuras (as formas ainda permanecem simples para ressaltar a decoração). Nesse período começa a exportação para a Europa. ~ No séc. XV, as cores são aplicadas diretamente sobre a massa antes do cozimento e se incorporam à cobertura vitrificada. A primeira cor assim aplicada foi o azul que nesse período vai do cobalto claro ao azul escuro e ao indigo; no século seguinte, o gosto pela policromia se desenvolve na série designada *três cores* (amarelo, verde e roxo-beringela) aplicadas do mesmo modo que o azul. A técnica se complica nas peças de *cinco cores* decoradas com esmaltes pintados sobre a cobertura, depois da queima; esses esmaltes são fixados num cozimento suplementar a temperatura mais baixa e conservam sensível relevo. A fabricação dos *monocromos** continua, porém; com a exportação da porcelana, eles são também muito apreciados na Europa e recebem nomes franceses: *céladon* (verde pálido azulado ou verde acinzentado); *sang de boeuf* (vermelho escuro), *rouge de fer* (vermelho ferroso), *peau de pêche* (marrom avermelhado); *bleu mazarin* e *clair de lune* (azuis); *aubergine* (roxo-beringela) e a seu lado outros como cor de chocolate, amarelo, preto espelhado. Nos sécs. XVII, XVIII e XIX o *blanc de Chine**, com sua alvura de um brilho especial, é notável nas figuras de deuses budistas e taoístas. No séc. XVII cria-se na China a decoração chamada depois *Famille verte* (família verde) seguida pela *Famille* *jaune*, *Famille rose*, *Famille noire*. (v. *famille*). ~ A porcelana verdadeira foi absorvida e desenvolvida na Coreia e, tardiamente no Japão (séc. XVII) onde rapidamente se alçou a grande perfeição (Imari, Kakiemon). ~ **Ocidente**. A *porcelana verdadeira* tem história recente. A Idade Média só conhecia os produtos do Extremo Oriente através dos mercados árabe e veneziano, e Marco Polo, em sua viagem, ficou maravilhado com a porcelana, o mesmo acontecendo com os portugueses que chegaram a Macau. Estes foram os primeiros a trazê-la para Europa e ela foi tratada como verdadeira joia; nos inventários de Francisco I de França, de Carlos V da Espanha, dos Medicis, há referência às preciosas peças de porcelana importada. Muitos objetos chegaram a ser montados em armações de prata para realçar a raridade e para proteger as partes vulneráveis. ~ Desse fascínio nascem as primeiras pesquisas para sua fabricação, dificultadas porque o segredo chinês era zelosamente guardado; o abastecimento do mercado europeu não satisfazia a procura e tornou-se óbvio que a produção da porcelana no continente seria uma fonte de riqueza. ~ Desde o séc. XVI os italianos, mestres do vidro, fazem as primeiras tentativas; concluem que, sendo a porcelana verdadeira brilhante e vítrea, em sua composição deveriam entrar ingredientes do vidro. São os primeiros passos na execução da *porcelana de pasta mole*. A tentativa da manufatura Medici em Florença resulta em peças que se assemelham às vindas do Oriente, mas que apresentam fraca resistência durante a queima (dessa fábrica só se conhecem algumas dezenas de peças). Somente no fim do séc. XVII outras experiências alcançam melhores resultados e a *pâte tendre* (pasta mole) ocupa uma posição importante na cerâmica seiscentista. ~ Finalmente , no início do séc. XVIII foi descoberto pelos europeus o segredo antigo da China (v. Ch'ing) e a manufatura de Meissen* revela ao mundo peças que irão alcançar grande sucesso. Estão lançados os alicerces da porcelana de pasta dura no Ocidente definida por uma linha de produtos que se estende por mais de um século e inclui objetos ornamentais e peças de luxo para uso doméstico. É a porcelana tal como a conhecemos. Meissen* inunda o mercado com objetos delicados ou opulentos ao gosto Rococó*. Procura resguardar o segredo mas, passados mais ou menos dez anos, abre-se com sucesso a segunda fábrica – Alt Wien* – em Viena e, em meados do séc. XVIII Höchst, Berlim, Nymphenburg e outras manufaturas germânicas contribuem com variedades de alto valor. ~ Nas últimas décadas do século, a primazia da porcelana se desloca para a França, e Sèvres* impõe seus modelos em estilo Neoclássico*; produz desde pequenos serviços de café até monumentais jarrões e outras peças decorativas. ~ A Inglaterra, que também gozava de viva tradição na indústria cerâmica, associando elementos ornamentais a formas precipuamente práticas, aplica, a princípio, variações da porcelana de pasta mole. Algumas inovações foram introduzidas pelos ingleses, sendo a mais importante a invenção da *bone china** (porcelana de ossos) que teve grande aceitação no séc. XIX. ~ A porcelana ocidental se define pela brancura puríssima do fundo contrabalançando as cores brilhantes dos esmaltes num forte efeito visual; o repertório de temas das pinturas – algumas, obras de artistas especializados – são, a princípio, cópias de motivos orientais e *chinoiseries**, e depois se diversificam em flores, paisagens, cenas, etc.; outra característica é o tratamento da porcelana no modelado de figuras, animais, decoração floral, etc., e as grandes manufaturas têm seus escultores que lhes marcam os gêneros. ~ Em todos os países da Europa criaram-se fábricas de porcelana e tornou-se tal a fartura desse produto que a procura começou a decair. A industrialização progressiva do século XIX introduziu a porcelana puramente comercial, negligenciando aspectos de valor estético. Repetem-se, para o consumo, antigos modelos. ~ No entanto, na segunda metade do século, o interesse pelas coisas orientais leva ao estudo da porcelana da China e despontam tentativas teóricas e práticas para revigorar e transformar a indústria, como com o *Arts and Crafts Movement**, da Inglaterra. Essa recuperação se traduz nas realizações da fábrica de Copenhague*, p. ex., que introduz uma pintura policromática sob cobertura de esmalte utilizando tons claros, desenhos simples, rompendo assim, sob a direção de Amald Krog, com os estilos históricos. O exemplo é seguido, inventam-se novas formas e temas, abre-se caminho para o *Art*

Nouveau*. A porcelana volta a brilhar como arte individual. [V. cerâmica.] – Fr.: *porcelaine*; ingl.: *porcelain* e *china*; alem.: *Porzellan*. • **Porcelana de pasta dura.** Porcelana inventada na China e que é feita de **caulim*** ou argila branca da china e de **petuntse*** ou pedra da china (rocha feldspática, silicato de potássio e alumínio). Essas substâncias, fundidas a alta temperatura (mais de 1.300°) constituem uma massa vítrea (o petuntse finamente moído se vitrifica enquanto o caulim assegura a permanência da forma desejada). ~ A porcelana de pasta dura, feita na China desde os sécs. VIII e IX, começa sua trajetória na Europa em Meissen (1710) com materiais locais equivalentes aos chineses, e logo se propaga. Em 1768 é adotada em Sèvres* (França) e Plymouth (Inglaterra). [V. Ch'ing e Meissen.) – Fr.: *pâte dure*; ingl.: *hard-paste porcelain*. **Porcelana de pasta mole.** Imitação da porcelana verdadeira, inventada como substituto antes de se conhecer na Europa o segredo da porcelana chinesa. É obtida por uma combinação de substâncias que se vitrificam sob a ação do calor e às quais se adicionam outras, como a argila branca, para conseguir a opacidade (por oposição ao vidro). A temperatura da queima é inferior a 1.250°. A pasta mole foi produzida de início em Florença, e depois em Rouen* (1673), e Sèvres* e Saint-Cloud* (1675), na França; daí por diante em outras fábricas (Alcora*, Bow*, Capodimonte*, Chelsea*, Derby*, Vincennes*, Worcester*) até o fim do séc. XVIII. Uma cobertura de esmalte de estanho era adicionada à peça que, depois do primeiro cozimento era levada de novo ao forno; para a pintura com esmaltes de cores era necessária uma terceira queima. Levando-se em conta que as perdas no cozimento eram consideráveis, as peças de pasta mole são mais raras e muito procuradas por colecionadores. – Fr.: *pâte tendre*.

porcelana chinesa de exportação. A que era feita na China para ser exportada para a Europa, a partir do séc. XVI (anteriormente peças de porcelana já eram levadas por mercadores através da Pérsia e do Oriente Médio, mas em pequenas quantidades). Depois de estabelecido o caminho marítimo para o Oriente, fixaram-se as rotas comerciais entre os países do extremo leste e o continente europeu, a fim de satisfazer a necessidade e o interesse por produtos que ali não existiam como as especiarias, a seda, a laca, o chá, a porcelana. Esta era das mercadorias mais procuradas; as encomendas eram feitas a mercadores portugueses e comercializadas especialmente em Amsterdã. ~ O séc. XVII foi o período de expansão da Holanda nessa área; fundou-se a Companhia Holandesa das Índias Orientais, e Batávia (atual Indonésia) era o centro dessas transações. Finalmente no séc. XVIII a Inglaterra, com a sua *Honorable East India Company*, domina o comércio com o Extremo Oriente até o séc. XIX. § Na China, ao lado da porcelana especialmente produzida para consumo interno, muitas fábricas de província se especializaram na produção do azul-e-branco visando a clientela europeia; a forma e a decoração eram semelhantes, mas qualidade e rigor eram inferiores aos dos produtos das fábricas imperiais. ~ No período Ch'ing* o comércio se ampliou com remessas de *Yi-Hsing**, *Céladon**, *Te-hua**, além da porcelana policromada (*Familles verte*, *rose*, *noire*, *jaune*). Foram feitas concessões aos hábitos e gosto europeus – pratos com bordas largas, pires combinando com xícaras, terrinas, conjuntos para formar *garnitures de cheminée** (guarnições de lareira); as decorações são abundantes: dragões, flores, etc. § No séc. XIX, exceto nos serviços de mesa azul e branco, simples e bonitos, a produção decai dirigindo-se a clientes de gosto menos apurado. ~ No séc. XX porém, a antiga cerâmica chinesa começa a despertar o interesse dos ocidentais; na falta das raríssimas peças autênticas da época T'ang* , a China começa, por volta de 1912, a realizar cópias para exportação de muito boa qualidade. [Cf. China, Ch'ing, Macau, mandarim, Ming e porcelana da Companhia das Índias.]

porcelana da Companhia das Índias. Designação dada em Portugal e no Brasil à porcelana chinesa de exportação, também conhecida como "louça da Companhia das Índias", "louça das Índias", ou simplesmente "Companhia das Índias". § A louça apresenta como características uma pasta de um branco azulado recoberto de vidrado brilhante, com textura ligeiramente granulada (lembra uma papa de arroz, donde ter sido chamada em Portugal "arroz cozido"). O acabamento esmaltado não era dado no reverso das peças cuja base apresenta, em geral, certa aspereza. São raras as marcas e, para sua identificação e datação, deve-se levar em conta características de composição, de forma, de decoração. §§ A porcelana da China do período Ming* chega a Portugal no início do séc. XVI, embarcada com outras mercadorias nas feitorias lusas do Oriente e, no séc. XVII, está presente entre as alfaias das famílias portuguesas, constituindo-se num rico e tradicional acervo. ~ São formados, para exportação, os copiosos serviços de mesa (séc. XVII). Sopeiras ostentam alças e pegadores com caprichosas formas esculpidas, reproduzidas em menor escala nas legumeiras e molheiras. Nos inventários mencionam-se palanganas (travessas), covilhetes (pratos de doce), pichéis (copos de vinho), boiões (vasos bojudos), ao lado de tigelas, vasos, potiches, floreiras, bules tipicamente chineses. A decoração também obedece a critério eclético: cenas, paisagens, flores, animais reais ou fabulosos de significado simbólico, convivem com monogramas, brasões de armas e ornatos da preferência dos compradores europeus. ~ No séc. XVII certas terrinas de modelo europeu assumem com frequência formas de animais: ganso, pato, cabeça de vaca e de javali (este, cópia de Palissy*), cachorros. §§ Na mesma época, a louça azul e branco, a chamada louça de Macau, era exportada com regularidade para Portugal, passou depois à colônia e podia ser encontrada não só nas cidades da costa do Brasil como no interior. Os primeiros exemplares teriam chegado no começo do séc. XVIII. O porto principal de desembarque era a Bahia onde, superando severa fiscalização dos agentes da Coroa, eram descarregados os "amarrados de louça". Foi tal a abundância da importação que a louça era encontrada mesmo entre pessoas menos favorecidas. Senhores de engenho, comerciantes, altos funcionários, além das ricas instituições religiosas contavam, entre seus bens, serviços e peças da Companhia das Índias. § A vinda da família real para o Brasil em 1808 teria sido fator decisivo para o aumento de nosso acervo de louça das Índias de alta qualidade, graças à grande quantidade trazida pelas famílias que acompanharam o príncipe D. João. ~ Instituído o Império, permaneceu o gosto por essa porcelana entre seus titulares, o que explica abundância de aparelhos e peças avulsas, não só em museus e coleções particulares, como no mercado de antiguidades. Alguns serviços são brasonados*, outros apresentam monogramas ou iniciais coroadas. Dentre os que não apresentam nenhuma indicação relativa ao seu possuidor, destaca-se o serviço do Barão de Massambará com cenas e decoração profusamente coloridas no estilo mandarim*. ~ D. João VI, voltando para Portugal em 1821, deixou entre nós importante acervo pertencente à Fazenda Real de Santa Cruz (antiga Fazenda dos Jesuítas), ao Paço de S. Cristóvão e ao Paço da Cidade, o qual passou depois a ser propriedade da família imperial. ~ À Casa de Bragança pertenceram os seguintes serviços: *Serviço dos Galos* (meados do séc. XVIII). Dois galos entre flores. Cercadura de folhas e flores enroladas num arco de bambu. Pratos octogonais (lembrando os Oito Imortais da religião budista). *Serviço dos Pastores* (meados do séc. XVIII). Cenas de influência ocidental: um pastor de raça branca (nota-se o nariz acentuado e os traços europeus) está acompanhado de dois carneiros. Bordas de flores e folhas. Pratos oitavados. *Serviço dos Pavões* (meio e fim do séc. XVIII). Um casal de pavões, uma peônia e outras flores nos esmaltes da *famille rose**. *Serviço dos Correios Montados* (fim do séc. XVIII). Cercadura contínua de esmalte azul com grega em ouro. Medalhão representando um mensageiro a cavalo vestido à ocidental, no ato de entregar cartas que retira de dois alforjes a personagens postados embaixo de uma árvore. Detalhes europeus e temas chineses. *Serviço das Rosas* (final do séc. XVIII). Rica cercadura *rouge de fer* com rosas de colorido vivo profusamente guarnecidas de ouro. Ao centro delicado galho de rosa em ouro. Certos pratos trazem inscrições no verso. *Serviço do Príncipe Regente* (fim do séc. XVIII). Estilo Luís XVI*. Festões e medalhões com as efígies reais. (D. João e D. Carlota Joaquina). *Serviço das Corças* (começo do séc. XIX, provavelmente comprado no Brasil). Decoração central representando a deusa da misericórdia tendo ao lado uma corça (símbolo da longevidade) e outros elementos budistas. Decoração exterior e interior característica da *famille rose* (rosa, cinza, azul, verde e ouro). Bordas com ondulações em esmalte verde e oito dragões (kilim) *rouge de fer*. *Serviço da Vista pequena* (início do séc. XIX). Medalhão pequeno com paisagem ocidental cercada por uma elipse que encerra, de cada lado, sete estrelas. Predomina o tom sépia. Cercadura azul. *Serviço da Vista grande* (início do séc. XIX). Medalhão circular, grande, com paisagem lacustre e pequenas figuras. Bordas com lambrequins e fina grega. Predomina o tom sépia com frisos de ouro. *Serviço do Reino Unido* (séc. XIX). Presente do Imperador da China a D. João VI por ocasião de sua aclamação como rei de Portugal, Brasil e Algarve (1817). Brasão com as armas de Portugal e Algarve. Fundo avermelhado com inscrições em caracteres chineses. Borda verde com motivo floral. *Serviço comemorativo da Independência do Brasil* (séc. XIX). Encomendado para D. Pedro I, traz as armas do Império (com algumas alterações no seu rigor heráldico) e a inscrição "Viva a Independência". Bordas ornadas com panejamentos, coroas imperiais, esferas armilares e ramos de café e tabaco. § Entre as louças pertencentes à aristocracia portuguesa destaca-se pela beleza e originalidade o serviço do Marquês de Vila Real (que veio para o Brasil com a família real e morreu no Rio de Janeiro). Data do séc. XVIII, e tem a decoração de *folhas de tabaco*: motivo com grandes folhas muito estilizadas e composição e colorido surpreendentes que lembram a pujança da flora das ilhas do Pacífico. Na parte superior, discreta decoração de flores e pássaros. [V. porcelana chinesa de exportação. Cf. Macau.]

Porcelana da Companhia das Índias. Sopeira, prato retangular com tampa e pratinho de doces recortado, com tampa, do Serviço das Corças.
Acervo Museu Histórico Nacional - Rio de Janeiro

Porcelana da Companhia das Índias. Serviço de mesa do Barão de Massambará. Prato coberto e sopeira com motivos mandarim.
Acervo Museu Histórico Nacional - Rio de Janeiro (China - séc. XIX)

porcelana de Paris. No séc. XVII já existiam manufaturas de faiança em Paris e seu número aumentou no séc. XVIII sem, no entanto, apresentar um estilo particular. ~ No fim do século a capital da França torna-se, ao lado de Limoges, um importante centro de produção de porcelana de pasta dura, com numerosas fábricas e ateliês. Essa porcelana passou a ser conhecida mais tarde como *Vieux Paris*. ~ As fábricas eram numerosas e ativas, mas mudavam constantemente de proprietários e de localização (são em geral identificadas pelo nome das ruas), e os artífices passavam de umas para outras. Essas mudanças tornam difícil uma classificação rigorosa. § A "velha porcelana de Paris" do fim do séc. XVIII, embora de diferentes proveniências, tem traços comuns: a perfeita vitrificação da pasta e sua brancura brilhante, a decoração nítida e, até a Revolução, formas e modelos muitas vezes Luís XVI* inspirados em Sèvres*. ~ As manufaturas do séc. XVIII recebiam o patrocínio de membros da família real e da aristocracia. Dentre elas vale mencionar: *Fauborg Saint-Denis*, fundada pelo grande ceramista P. A. Hannong (v. Strasbourg); *Pont-aux-Choux*, *Rue de Rueilly*, *Rue du Petit Carroussel*, a manufatura dos ceramistas alsacianos *Dihl* e *Guerhard*, a manufatura do *Fauborg Poissonnière* de Dagoty, a da *Rue de Crussol* do inglês Potter, e finalmente a manufatura da *Rue de Popincourt* fundada em 1783 por um dos maiores ceramistas da época, J. H. N. Nast. Este introduziu algumas inovações e chegou a ter 100 operários; produziu serviços de toalete e de mesa, vasos, placas pintadas, taças, frascos, relógios, *cabarets**, *vide-poches**. A porcelana muito branca apresenta não raro fundo vermelho-tijolo, amarelo, cinza, azul (queimada em temperatura mais baixa) e azul escuro e verde de cromo *au grand feu* (alta temperatura). São notáveis as peças em estilo Diretório* e Império*. § Algumas fábricas sobreviveram à Revolução Francesa e, na época do império, a produção foi especialmente rica e bonita, num estilo ora pomposo, ora elegante, que convém à porcelana; as atividades se prolongaram no período de Luís Filipe* e se estenderam até Napoleão III*. § O séc. XIX foi o século da industrialização das artes cerâmicas, não se favorecendo com isto o caráter estético; produziram-se mesmo, para o consumo, pastiches de gosto duvidoso. ~ São bonitas, porém, as peças do gênero romântico (vasos com asas vazadas e sinuosas, outros em forma de leque, candeeiros, frascos) decoradas com buquês naturalistas que aparecem muitas vezes em reservas na porcelana de fundo azul; adornavam os salões, as mesas, os quartos da classe burguesa. § Merece menção especial a obra de *Jacob Petit** que trouxe um reforço de fantasia e frescura, opondo-se à severidade do estilo Império. Ele ousou romper com o conformismo clássico e adotou fórmulas de estilos anteriores em que o gosto pessoal e o talento associavam temas renascentistas e barrocos, ou rococós; eram comuns as peças antropomorfas, e todas tinham grande encanto. Seu sucessor, Jacquemin, continuou a reproduzir-lhe os modelos com real sucesso. § As marcas de *Vieux Paris* são de grande diversidade, ou, às vezes, inexistentes. Cada manufatura marcava de vários modos pois mudavam seguidamente de direção e de artífices. [V. Jacob Petit e porcelana, e v. tb. vaso (ilustr.). Cf. Paris e *Vieux Paris*.]

Porcelana de Paris. Par de vasos com base representando cavalo-marinho.
(França - séc. XIX - alt. 28 cm)

Porcelana de Paris. Par de lampiões de fundo azul com reservas de flores. Globos de cristal decorado com jato de areia.
(França - séc. XIX - alt. 61cm)

pórfiro. *s. m.* Rocha vulcânica de massa compacta com inclusões de cristal. O pórfiro vermelho escuro, bonito e brilhante quando polido, é muito empregado em peças ornamentais de vulto como o túmulo de Napoleão no *Dôme des Invalides* em Paris. [Cf. pedra semipreciosa e *pietra dura*.]

porringer. [Ingl.] Tigela funda com uma ou duas alças para se tomar o *porridge* (sopa ou leite quente engrossado com cereais). ~ Sua forma típica pode ser observada na prata inglesa do séc. XVIII: tem, não raro, os lados abaulados com decoração cinzelada em relevo ou repuxada: gomos, flores, folhagens, bichos de influência holandesa, sendo comum a presença de um leão e de um unicórnio (das armas da Inglaterra) em meio à decoração vegetal. As alças, em geral fundidas, têm, muitas vezes, forma de cariátides. [V. prata inglesa.]

porta. *s. f.* Designação genérica do vão aberto em paredes, muros, muralhas, etc., rasgado até o chão, e que serve para dar passagem a pessoas, animais e veículos. // P. ext. Folha móvel ou outro elemento destinado à vedação das portas. § Normalmente a porta é limitada por um aro formado, no alto, pela *verga* ou *lintel* horizontal apoiado lateralmente nas duas *ombreiras*, *marcos* ou *pés-direitos verticais* que descem até o piso ou terminam em socos verticais; ao nível do chão fica a *soleira* ou *limiar* que serve de acesso. Às ombreiras, são fixadas as *dobradiças* ou *gonzos* em torno dos quais gira a *folha* ou *batente*. § As primitivas portas seriam aberturas vedadas por esteira ou tecido. Na Antiguidade, com as grandes civilizações do Oriente Médio e o advento da arquitetura monumental, as portas de materiais rígidos e permanentes visavam à segurança, e as mais imponentes e sólidas eram feitas de bronze. ~ A técnica muito adiantada da fundição das portas romanas (como a do *Panteon* de Roma) foi preservada em Bizâncio (as portas de *Hagia Sophia*); passou ao Ocidente e, na época românica, aparece em algumas catedrais. ~ A arte de fundição de painéis com baixos-relevos desenvolveu-se na Itália no fim do período Gótico; são famosas as portas do Batistério de Florença (sécs. XIV e XV) em especial a porta leste de Lorenzo Ghiberti, conhecida como *Porta do Paraíso*. § As portas de madeira, sem dúvida as mais antigas, com certeza não difeririam muito dos exemplares posteriormente conhecidos. Eram construídas com tábuas maciças reforçadas por travessas horizontais ou diagonais. Na Idade Média as grandes portas tinham reforços de ferro formando arabescos. ~ Com os progressos da carpintaria, adotaram-se nos móveis e nas portas partes encaixadas formando painéis* e almofadas*, muitos com entalhes e molduras segundo os estilos. ~ As portas envidraçadas, inspiradas na arquitetura francesa, como as do Palácio de Versailles, são características das construções setecentistas. ~ Muito frequentes nas casas flamengas e holandesas são as portas divididas ao meio horizontalmente permitindo o uso da parte superior – como janela – enquanto a inferior veda o acesso; têm muita aplicação nas construções rurais e são características das cocheiras. § Inovações surgiram nos sécs. XIX e XX como a *porta giratória*, a *porta de vai-vem*, a *porta sanfonada*, a *porta de correr* (que desaparece na parede), a *porta de enrolar* (feita de fasquias horizontais de metal), a *porta de vidro temperado*, cada uma se adaptando a precípuas finalidades, estéticas ou não. § No Extremo Oriente, de acordo com os princípios da arquitetura, as portas são leves, com caixilhos de madeira a que se adapta o papel para vedar. § Em todas as épocas, detalhes decorativos nos diferentes estilos, além de guarnecerem as folhas das portas, dão-lhes destaque nas molduras lisas ou esculpidas. § As portas de acesso às cidades muradas medievais eram integradas, de espaço a espaço, a uma construção fortificada no caminho de ronda das muralhas; eram fechadas à noite ou em momentos de perigo. [Cf. bandeira e janela.] – Fr.: *porte*; ingl.: *door*; alem.: Tur.

porta-bibelôs. *s. m.* Pequeno móvel de salão de proporções delicadas, com diversas prateleiras (algumas em balanço*), destinadas à apresentação de pequenos objetos de adorno. Muito em voga no séc. XIX, tem exemplares originais no estilo *Art Nouveau**.

porta-cartas. *s. m.* Objeto composto de uma ou mais divisões verticais abertas no alto para ali se guardar a correspondência recente. Faz parte dos conjuntos de escrivaninha (como, antigamente, o tinteiro, o berço de mata-borrão, o porta-penas) e é feito de metal, de couro, de acrílico, etc.

Porta-cartas de metal dourado. Forma e decoração art nouveau geométrico. (de época)

porta-cartões *s. m.* Pequena caixa estreita e retangular para guardar cartões de visita. Estes eram indispensáveis, até começos do séc. XX, para cumprir determinadas formalidades sociais; havia, mesmo, um código de etiqueta para seu uso. Como as cigarreiras, os porta-cartões eram, às vezes, finos trabalhos de ourivesaria.

Porta-cartões de antimônio, com figura. (séc. XIX)

porta-chapéus. *s. m.* Móvel de encostar para pendurar chapéus, casacos, etc. [Cf. cabide.]

Porta-chapéus de pé com lugar para guarda-chuvas na parte inferior. (Brasil - séc. XIX)

porta-copos. *s. m.* Armação de prata ou metal com bandeja e divisões destinadas a cada copo; essas divisões se distribuem em torno de um eixo com alça. Em certos modelos antigos as bandejas eram de faiança decorada.

portada. *s. f.* Grande porta geralmente ornamentada. §§ No Brasil, as portadas das igrejas barrocas são notáveis pela riqueza da ornamentação, merecendo especial destaque a da Igreja de S. Francisco de Assis de S. João d'el Rei, obra do Aleijadinho*.

porta guarda-chuva. *s. m.* Na parte inferior dos cabides ou porta-chapéus, armação munida de grade ou guarda para depositar os guarda-chuvas que ali ficam de pé. // Vaso alto, cilíndrico, geralmente de louça, destinado ao mesmo fim.

porta-guardanapos. *s. m.* Objeto destinado a acondicionar guardanapos de papel para uso doméstico ou estabelecimentos comerciais. Os guardanapos de pano são usados nas mesas de refeições em casa ou em restaurante [V. argola – argola de guardanapo.]

porta-janela. *s. f.* V. janela – janela francesa.

porta-joias. *s. m.* Pequeno cofre ou caixa de madeira, metal, etc., acolchoado interiormente. [V. chifre (ilustr.).]

portal. *s. m.* Porta monumental que faz parte integrante de uma fachada. // Nas portas e janelas, aro de madeira onde se encaixam os batentes.

porta-missal. *s. m.* Leitoril onde se coloca o missal aberto para leitura. É feito em geral de metal rendado. §§ Na ourivesaria sacra brasileira conhecem-se belos exemplares em prata.

porta-paz. *s. m.* Quadro com uma cruz ou imagem que se dá para beijar aos fiéis em certas cerimônias do ritual católico. Exemplares com moldura, de prata, figuram entre as obras de arte sacra.

Porta-paz de prata cinzelada.
(América espanhola - séc. XVII)

porta-relógio. *s. m.* Pequeno suporte de mesa destinado a depositar ou pendurar o relógio de algibeira quando não está em uso.

Antigos porta-relógios respectivamente de prata e de marfim.

porta-retrato. *s. m.* Armação em geral com moldura para apresentar fotografias de pessoas, e que é dotada de suporte para ser colocada sobre mesas, cômodas, etc. A variedade de molduras é muito grande e inclui as de prata (bem lisas, ou guilhochês, ou repuxadas), as de madeira com diversos ornatos, as de couro, de cortiça, de marfim, etc. Com o aparecimento do acrílico são moldados porta-retratos em uma só peça, sem moldura, e que dão destaque à fotografia.

porta-toalha. *s. m.* Haste portátil de metal decorado feita especialmente para receber a toalha de mão em certas cerimônias litúrgicas. §§ Na prataria luso-brasileira a haste era, muitas vezes, rematada por gracioso laço de folha de prata gravada e por uma argola.

pós-impressionismo. Designação genérica adotada *a posteriori* pelo pintor e crítico inglês Roger Fry para designar a pintura de vanguarda que se desenvolveu paralelamente ao impressionismo. Grandes nomes marcam esta tendência, ou antes, imprimem direções de muito impacto na arte do séc. XX; são, eles, Cézanne, Van Gogh, Gauguin e Toulouse-Lautrec. [V. impressionismo. Cf. cubismo, expressionismo e fauvismo.]

pós-modernismo. Corrente ou tendência surgida nas últimas décadas do séc. XX como questionamento aos valores da modernidade e sua confiança na eficácia dos padrões da cultura ocidental; opta pela descentralização e diversificação livre das manifestações da cultura moderna e por um posicionamento crítico ante os cânones tradicionais. ~ O pós-modernismo tem sido absorvido pelos meios de informação e de comunicação. Vale-se amplamente dos recursos da informática e substitui a fé na tecnologia e no planejamento subjetivo e centralizado por uma atitude de certo modo descomprometido em relação à cultura convencional, à conduta individual. ~ O ecletismo intencional, a ironia, o humor aparecem numa miscelânea em que os valores de beleza e harmonia, de respeito ao consenso geral, são quebrados – não raro com excelente nível técnico e profissional. § A arquitetura e a decoração, p. ex., não mais valorizam os modelos clássicos e funcionais, mas fazem uma fusão de estilos sem qualquer injunção estética ou prática. Nas fachadas, apresentam-se elementos gregos ou renascentistas, cores vivas, mosaicos, etc. que atraem a vista e como que divertem e despertam a imaginação. [Cf. modernismo.]

poster. [Ingl.] V. cartaz.

pote de farmácia. Recipiente de vidro ou cerâmica, com tampa, destinado a guardar os ingredientes com que os farmacêuticos preparavam os medicamentos. Em Portugal, os antigos eram chamados "canudos de farmácia". § Até os sécs. XVI e XVII as drogas eram empregadas empiricamente pelo aproveitamento de ervas medicinais e de certos produtos animais e minerais. A partir de então, esboça-se a ciência farmacêutica e as farmácias se estabelecem como instituições obrigatórias em aldeias e cidades, em palácios e conventos; muitas têm instalações luxuosas. As prateleiras e armários de vidro apresentam potes, vidros, frascos e, na manipulação, usavam-se balanças* de precisão, almofarizes*, alambiques. ~ Os potes de farmácia típicos do séc. XIX são cilindros de porcelana com tampa, e levam dísticos referentes à droga que contêm, não raro com decoração alusiva. Algumas farmácias os conservam em uso, mas outros passaram a constituir objetos de coleção. ~ O mesmo sucede com os grandes recipientes de cristal com tampa em forma de agulha ou pináculo nobres e belos, ou com os modestos vidros de tampa esmerilhada e letreiros referentes a seu conteúdo, que também faziam parte dos equipamentos das farmácias. [Cf. *albarello.*]

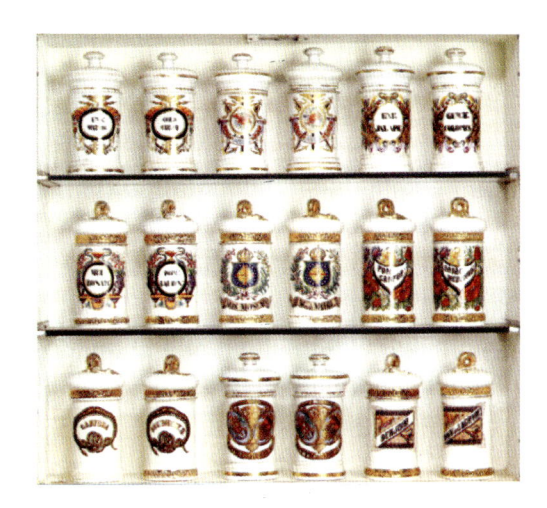

Coleção de potes de farmácia, de porcelana decorada. Dois pares pertenceram às farmácias imperiais e têm as armas do primeiro e do segundo reinados. (França - séc. XIX)

potiche. *s. m.* Vaso bojudo de bocal relativamente largo, muitas vezes dotado de tampa. É tradicional na porcelana chinesa, e sua forma, bem arredondada, aparece na época T'ang* ainda sem tampa; esta surge na porcelana Ming*. Os potiches chineses, então muito apreciados na Europa (especialmente os azul-e-branco e os decorados com esmaltes de cores), têm, em certos casos, tampa e suporte circular de madeira trabalhada. Sua forma foi reproduzida pelas manufaturas europeias.

Potiche cloisonné com pássaros e flores.
(provavelmente China - séc. - XIX)

prata. [Do lat. vulgar hipotético *platta*, fem. de *plattus*, 'plano'.] *s. f.* Metal precioso que, graças a características especiais – a cor branca e brilhante, a maleabilidade, a ductibilidade, a resistência à oxidação atmosférica e a relativa raridade – , foi empregado desde tempos muitos antigos na confecção de artigos de valor como moedas, joias, objetos de aparato relacionados com o poder e a religião. § A prata simboliza a pureza, e os magos de outrora associavam-na, por oposição ao ouro, ao princípio lunar, feminino, frio. Os alquimistas chamavam-na "metal da lua" ou "metal de Diana". Em heráldica é representada pela cor branca e significa humildade, integridade, temperança, franqueza, inocência, virgindade, vitória incruenta. ~ Por outro lado, é metal ativo, de boa condutividade térmica e elétrica e, por essa qualidade, acredita-se que seja capaz de descarregar tensões internas do organismo e da psique. § A prata pura pode se apresentar na natureza em grânulos, mas, normalmente, ela aparece em diversos minérios – de chumbo, de cobre, de zinco – e a metalurgia da prata está essencialmente ligada a esses três metais. O minério mais rico no precioso metal é a galena. § A prata, como o ouro, teve assinalada importância desde as primeiras civilizações por ser encontrada em diferentes regiões e pela facilidade que oferece ao trabalho dos artífices: pode ser transformada em placas finíssimas e formar fios muito longos e delgados. Por ser muito macia, não é possível a sua manipulação em estado puro; as diversas ligas* de prata obedecem às necessidades de seu emprego em diferentes aplicações. § *História*. Objetos de prata foram encontrados em tumbas datando do quarto milênio a.C. e, embora o ouro simbolizasse maior pompa e esplendor, pode-se ter uma ideia do valor da prata sabendo-se que o código egípcio de Menés (c. 3000 a.C.) determinava que uma parte de ouro valia três partes e meia de prata. É provável que ela tenha sido usada como moeda desde o séc. VIII a.C. nas regiões entre o Ganges e o Nilo. Peças muito trabalhadas aparecem nas escavações de Troia, de Creta, da Grécia arcaica (Micenas, Tirinto). ~ Os romanos, que marcaram novas etapas de progresso no campo de metalurgia, produziram peças de prata em larga escala. Os processos que adotavam foram transmitidos aos povos europeus – ao mundo cristão que surgia – e permaneceram em uso por muitos séculos. ~ Na Europa central, sobretudo, a arte da prata desenvolveu-se com brilho e imaginação. As confrarias dos ourives (que adotaram como patrono Santo Elói) gozavam de grande prestígio desde sua fundação; só pessoas qualificadas trabalhavam em metal tão valioso e, por isso, a produção era de alto nível artístico e esmerado acabamento. ~ A princípio o metal se destinou aos tesouros e objetos do culto das instituições religiosas; mas, com a maior distribuição da riqueza, a prata acabou ocupando espaço cada vez mais amplo nos palácios e nos lares da nobreza e dos ricos comerciantes. Um burguês abastado do séc. XIII, p. ex., teria em sua casa apenas algumas colheres* de prata, algumas taças* para beber e um saleiro* – acervo ainda discreto que foi crescendo com o enriquecimento da classe empenhada em se igualar à nobreza. ~ Cada país desenvolveu sua própria tradição dentro dos estilos vigentes. A partir do séc. XIV os mestres ourives alemães formaram escolas na Península Ibérica e na Inglaterra dando origem a dois grandes centros produtores de prata. ~ Nos sécs. XVI e XVII dá-se a grande explosão no consumo da prata devido à abundância das jazidas argentíferas do México e do Peru (só as minas de Potosi duplicam a produção mundial). Publicam-se livros com modelos para uso dos ourives, e a prata civil e religiosa é cuidadosamente trabalhada nos padrões estéticos da Renascença* e do Barroco*. Sabe-se que artistas como Dürer, Altdörfer, Holbein, Miguel Ângelo, Rubens forneceram desenhos para prateiros ilustres. ~ No séc. XVIII a prataria é intensamente produzida: baixelas, talheres, bules, luminárias, mesmo móveis profanos rivalizam com riquíssimas alfaias religiosas. ~ Até o séc. XIX a prata de lei não teve praticamente substituto na feitura de determinados objetos; com o advento da prateação em proporções industriais, peças que reproduziam as de prata autêntica passaram a ter imensa aceitação no mercado. ~ Mas, para uma elite privilegiada, a prata continuou a ser trabalhada artesanal e artisticamente. Com a renovação do gosto, os prateiros produziram originais modelos *art nouveau**; depois, já no séc. XX, aparecem as linhas simples dos novos *designs* (são especialmente corretos e proporcionados os objetos criados por prateiros escandinavos). § No fim do séc. XIX a prata antiga começou a despertar o interesse dos colecionadores e a ser procurada pelos *connaisseurs* que até então voltavam suas preferências para quadros, esculturas, porcelana, jade, bronze. A prataria seiscentista e setecentista passou então para outras mãos, o mesmo acontecendo com valiosas peças do séc. XVIII. ~ É, aliás, surpreendente quantas e quão belas peças sobreviveram à caprichosa flutuação a que estão sujeitos objetos de tal valor. Não raro estavam condenados à fundição para atender a múltiplos interesses. Sucedia até o caso paradoxal de se mandar derreter moedas para a feitura de objetos, o que acarretava alteração no meio circulante, como ocorreu na Inglaterra ao tempo de João Sem Terra (1167-1216); também dava-se o fato de se utilizar peças antigas (como os belos talheres setecentistas brasileiros de cabos canelados) para a feitura de outras ao gosto do momento. Foi dramático o destino da prata francesa no séc. XVII: para suprir as deficiências do erário, devastado pelas guerras de Luís XIV, foram baixadas as *lois de fonte* (leis de fundição), obrigando a derreter a prataria existente, e, assim, desapareceram peças de cerimônia valiosas (muitas de *vermeil**) e não foram poupados nem mesmo os móveis reais. § *Marcas*. Sinais relevantes para comprovar a autenticidade e classificar as peças de prata, são as *marcas* ou *punções* que indicam o teor da liga, (ou seja, a proporção de prata em relação ao metal que lhe é acrescido), além de outros relativos ao lugar de origem e ao prateiro. ~ Existem, porém, objetos de valor reconhecido que não apresentam marca (é o caso da maioria da prata brasileira da fase colonial). ~ Sendo a liga da prata variável, a tentação de alterar o padrão teria ocorrido muitas vezes no curso normal dos acontecimentos; para evitar essas irregularidades, foi determinado um controle definido por lei e que resultava obviamente numa taxa imposta pelos governos. ~ Toda prata é considerada 'boa' desde que obedeça às prescrições legais de cada país, muito embora o teor oscile numa certa escala; a prata holandesa, p. ex., de excelente feitura, tinha, no séc. XVI, o teor na base dos 600, enquanto a prata inglesa "Britannia" chegou à pureza de 950. O valor intrínseco independe, portanto, do título, desde que este seja reconhecido. Para isso, competia aos **ensaiadores** testar o teor da prata manipulada; a prata portuguesa, p. ex., apresenta a conhecida *bicha** ou *cobrinha* feita a buril pelo ensaiador. ~ No ano 380 de nossa era já os romanos marcavam a prata e, na Europa, desde os primórdios, os prateiros cogitaram em padrões satisfatórios para objetos e moedas; uma pequena porcentagem de cobre daria à prata maior resistência e durabilidade sem alterar a cor. ~ Na Inglaterra, desde 1300 institui-se a prata *sterling* (legítima) cujo teor é 925, e que recebeu a princípio o punção com a cabeça de leopardo (marca da cidade de Londres) e, a partir de 1577, a marca do leão* passante característica da prata inglesa; esta se mantém inalterada e respeitada há mais de seis séculos.(v. prata inglesa.). ~ A Comunidade Britânica adota a prata *sterling* assim como o México, o Peru, a Escandinávia, o Egito. ~ Na França, desde o séc. XIII, a prata foi controlada e nela veem-se as marcas das cidades. Paris é assinalada com a flor de lis e, de 1677 a 1789, com a letra "A". A produção de objetos de prata francesa teve grande esplendor no Barroco* (séc. XVII) para, depois, quase desaparecer, fundida pelo Estado. Os prateiros huguenotes (protestantes) de Paris e da província emigraram para os Países Baixos e para a Inglaterra. Mas no séc. XVIII a prata francesa desfrutou de imenso prestígio e o Rococó* se difundiu. Com a Revolução francesa (1789) foram abolidas as corporações, mudaram-se as marcas e, no séc. XIX, a marca "1" indicava a prata 950 e a "2" a prata 800. Desde 1838 a prata francesa para consumo interno leva um punção com a cabeça de Minerva e, desde 1839, com a de Mercúrio, para exportação. ~ Na Alemanha, a prata trabalhada por hábeis profissionais, é marcada a partir dos sécs. XV e XVI. Destacam-se as peças das cidades: Nurembergue (marcadas com um "N"), Augsburgo (marcadas com uma pinha), Hamburgo (marcadas com um castelo), Munique (marcadas com uma figura). Entre os ourives de Nurembergue sobressai a linhagem dos Jannitzer, mestres da confraria, importantes artistas do Maneirismo* e do Barroco. A prata germânica apresenta, desde 1888, com o país unificado, três marcas: o punção do mestre, o teor em algarismos na casa dos 800 e a marca da Alemanha, uma coroa e um crescente. ~ Na Rússia czarista encontravam-se quatro marcas com a efígie de S. Jorge e indicação da cidade (a mais frequente é Moscou); as peças russas são todas, sem exceção, anteriores a 1917, quando se implantou o regime bolchevista. ~ Na Itália, já no séc. XIII a prata foi marcada em Florença e Siena. Os ourives do período Barroco realizaram belos trabalhos mormente na ourivesaria sacra. Modernamente a prata é marcada com as letras das cidades e o teor 800. ~ Em Portugal, a prata foi marcada desde 1315, mas só em 1688 a lei estabelece oficialmente as duas marcas – do ourives e do ensaiador. ~ As marcas aparecem normalmente na parte lateral, nos bordos ou na base das peças; na prata mais antiga a marca pode não existir e é preciso estudar a peça, compará-la para formar um juízo. (v. prata portuguesa e brasileira.). § *Feitura*. O trabalho do prateiro é dinâmico e criativo, com imensa variedade de recursos. Ele mesmo determina a liga de acordo com a finalidade, a forma, a decoração sem se afastar, porém, das prescrições legais de cada país. ~ Nos trabalhos mais antigos de *prata batida*, usava-se o martelo sobre madeira macia até o lingote se tornar uma folha com a espessura desejada; posteriormente adotou-se a *prata fundida* (com molde macho e fêmea) a qual, bem trabalhada, tem aplicações não raro insubstituíveis. ~ A *prata batida* é mais leve, toma forma à medida que é trabalhada e obedece às fantasias da execução. Ao se observar certas peças antigas – uma salva*, uma caldeira* de água-benta – nota-se no meio do fundo redondo um pequeno ponto que o prateiro imprimia para marcar um círculo com compasso na lâmina e depois cortá-la para bater (as peças fundidas não apresentam este ponto). ~ A *prata fundida* pode ser decorada, mas sua forma já está definida; começou a ser aplicada em castiçais, bicos e asas de bules, bases de salvas, e o prateiro demonstra competência pela perfeição da solda. Nas peças fundidas a prata merece cuidado para que não ocorra o aparecimento de pequenas bolhas de ar que, ao esfriarem, tornam-se pequenos pontos pretos. ~ Até o séc. XVIII, os elementos de uma obra batida ou fundida eram unidos por batimento contínuo, ou interrompido (rabo de andorinha*); depois aparecem as partes unidas com parafusos e, nessas peças atarraxadas – castiçais grandes, custódias, pegadores de tampas – os parafusos não têm ponta, são sempre cortados reto. ~ Os processos industriais de estampagem e prensagem começaram a se desenvolver na Inglaterra (Sheffield e Birmingham) ainda no séc. XVIII, e, para a laminação, foram criadas máquinas especiais. § *Decoração.* A ornamentação exterior da prata pode ser feita, basicamente, por três processos: o repuxado*, o cinzelado* e a gravura*. ~ O *repuxado* produz efeito de baixo-relevo; é obtido batendo-se o martelo na lâmina de prata colocada num molde de madeira ou metal em que o relevo desejado foi feito em encavo. Trabalha-se, então, pelo avesso da peça e, terminada a operação, a face externa passa a ser acabada pelo cinzelador. ~ O *cinzelado* irá dar vida e expressão ao trabalho de repuxo: são feitos, pelo direito, entalhes e riscos que acompanham e acentuam o desenho. O cinzelado pode ser realizado também num processo misto: a lâmina de prata é colocada sobre uma espécie de tabuleiro de matéria macia (sebo de boi e breu) e o trabalho faz-se pelo avesso (como o repuxado, só que sem molde). O cinzelador imprime o relevo com a ajuda de um cinzel e um martelinho; depois volta o objeto para o lado direito e procede ao cinzelado propriamente dito. ~ O terceiro processo é a *gravura* que se faz com o auxílio do buril e é traçado leve, de superfície. O desenho gravado distingue-se do cinzelado por ferir apenas a parte externa, enquanto o cinzelado pode ser percebido num relevo no avesso da peça. ~ Depois de decorado, o objeto é submetido a um processo de acabamento e de polimento; adquire então, o brilho que caracteriza a prata. ~ Além dos relevos e gravados, a prata pode levar esmalte* (*cloisonné, champlevé, ronde-bosse*), pode ser recoberta por um banho de ouro (*vermeil**), pode ter decoração negra (*niello**), pode receber incrustações. ~ A prata é tão durável quanto bela e, à proporção que a peça envelhece, cria uma *pátina** natural que não pode ser imitada (em certos artigos modernos, conhecidos no jargão do comércio como "prata cinzelada", as partes fundas do relevo são acentuadas com tinta numa imitação ostensiva da verdadeira pátina.). ~ Quanto aos instrumentos usados na decoração, além dos martelos tem-se o cinzel* que é o mais importante (um prateiro pode ter centenas de cinzéis e alguns são criados especialmente para uma decoração). Outros instrumentos são: buril* que produz traços e incisões; uma peça em forma de prego que faz o sablê*; outra com pontinha rombuda que faz o perlado*; uma espécie de cilindro ou carretilha que grava o guilhochê* e outros ornatos. Nas obras de prata rendada usa-se uma espécie de serra tico-tico. Em certas partes de um objeto como, p. ex., nas galerias das bandejas e tabuleiros tão característicos da prata portuguesa e brasileira do séc. XIX, os processos se misturam e os motivos fundidos (folhas, cachos de uva) são trabalhados à mão. § *Estilos.* Nos objetos de prata religiosa ou profana o trabalho permite uma boa definição dos períodos. ~ A prata no estilo Gótico* assume formas arquitetônicas, e o mesmo acontece no Renascimento* quando também sobressaem elementos escultóricos. Na prata civil notam-se ornatos como ovoides, pontas de diamante, mascarões, cornucópias e, no Maneirismo*, essa tendência se caracteriza numa visão multilateral. ~ Com o Barroco* os ornatos são simétricos e movimentados, com relevos volumosos e acentuados (embora as peças de prata batida sejam relativamente leves). O Rococó* revela-se com maior elegância e certa fragilidade nas volutas assimétricas, nas guirlandas, nos gradeados, nas plumas; a concha barroca torna-se mais delicada. Começa a aparecer a prata gravada. ~ No Neoclássico*, as formas se definem (urnas, colunas) e, na decoração, aparecem o perolado, as caneluras, o friso guilhochê, os traçados a buril (guirlandas, laços). O Neoclássico evolui para o estilo Império* e para o *Regency** com o acréscimo de novos elementos: pés de garra, figuras aladas, flor de lótus. ~ Daí por diante, na prata oitocentista começa a haver um ecletismo que mescla elementos diversos. § *Peso*. No conhecimento da prata é importante ter uma impressão táctil do peso. Cada peça, cada estilo são determinados pelo trabalho, pela forma, pela espessura, pela maior ou menor leveza. Os objetos de prata são sensivelmente mais leves do que os de metal prateado. Sopesando-os, sentindo-lhes a decoração, começa-se a caracterizá-los para depois aprofundar as marcas, os estilos, a feitura. [V. prata inglesa, prata portuguesa e brasileira, prateação e prateiro. Cf. ourivesaria e ouro.] – Fr. *argent*; ingl.: *silver*; alem.: *Silber*; ital.: *argento*; esp.: *plata*.] • **Prata de dez dinheiros.** Em Portugal e no Brasil, prata de teor na casa dos 800. É muito frequente na prata brasileira do séc. XIX em que aparece o número "10" dentro de uma cercadura. [V. dinheiro.] **Prata de onze dinheiros.** Em Portugal, prata de 917 milésimos (com 83 milésimos de cobre), também chamada *prata limpa*. É indicada em algarismos romanos iguais ou menores do que a assinatura do prateiro. É muito comum em Portugal e aparece raramente no Brasil. [V. prata portuguesa e brasileira e prateiro.]

Pequena escarradeira de prata cinzelada.
(Brasil - séc. XIX)

Cesta de prata lavrada e rendada. Interior de cristal Baccarat. (França - séc. XIX)

Castiçal de prata com decoração no estilo Rococó.
(Áustria - séc. XIX)

Serviço de chá de prata com decoração de esmalte. (Rússia - séc. XIX)

Jarro e bacia de lavatório, de prata guilhochê. Alça com figura antropomórfica. (França - séc. XIX)

prata inglesa. Prata de teor 925 que desfruta de excepcional reputação e é facilmente reconhecida e verificável pelas quatro marcas (*hall-marks**) apostas normalmente em linha reta na base da peça ou na borda dos objetos: o leão* passante (a marca *sterling* que começa a aparecer em 1577 e desde então é obrigatória), a marca da cidade de origem, a data e a marca do prateiro. No séc. XVIII muitas vezes elas estão dispostas na parte inferior da base formando um quadrilátero. ~ Na prata georgiana da última fase, em certos anos, são impressas marcas com a efígie do monarca; a prática se estende até o reinado da Rainha Vitória (1819-1901), quando aparece o perfil da soberana jovem (*early victorian*) e mais velha (*late victorian*). Essa marca desapareceu em 1892. ~ As *hall-marks* são cunhadas com punções cuidadosamente feitos que deixam impressão muito nítida, inalterável mesmo depois de muito uso. Certos objetos são marcados no corpo e na tampa (*tankards*, bules, sopeiras) e as marcas nunca aparecem no bojo da peça. § Boa parte da prata inglesa, apesar de seu valor, não teve, de início, decoração genuína; os prateiros alemães e holandeses parecem ter influenciado os modelos correntes no Renascimento*, alguns de grande aparato: *standing salts* (saleiros de pé), *standing cups* (taças de pé), *great goblets* (grandes taças), *beakers* (copos sem pé), *tankards* (canecas com tampa), *flagons* (jarros para líquidos, em geral com tampa), *ewers* (jarros sem tampa e de gargalo fino), *dishes* (pratos), *bowls* (tigelas). Tais peças convivem com as repetições dos modelos belos e lisos do fim da Idade Média em que a prata aparece na sua simplicidade. ~ Com Henrique VIII (1491-1547) e a Reforma, muita prata religiosa foi confiscada e chegam outras influências; além das formas continentais assimiladas, os prateiros criam desenhos próprios e definitivos. ~ Contudo, até meados do séc. XVII pouco se sabe sobre os ourives da prata, individualmente, além dos nomes que constam da *Worshipful Company of Goldsmiths* (no inglês antigo 'Notável Companhia dos Ourives'). § O período áureo da prata inglesa começa em 1650 e se estende até 1830. Depois dos tempos parcimoniosos de Cromwell, com a restauração da monarquia e a subida ao trono de Carlos II (1660), há um surto de progresso e consumo. A prata doméstica e a de cerimônia, batida e repuxada, apresenta-se num estilo muito ornamentado geralmente de influência holandesa; são característicos dessa época o *ginger jar* (vaso coberto para gengibre), o *porringer**, os serviços de toalete, os *tankards** decorados em relevo ou lisos, os vasos para guarnição da lareira e até folheação de móveis. ~ Torna-se intenso o comércio de artigos de luxo vindos do Oriente. As bebidas de outras terras – o chá, o café, o chocolate – propiciam a criação de recipientes adequados; à forma do *flagon* adaptam-se bicos e alças que conferem às cafeteiras e chocolateiras aspecto típico por mais de um século (os bules de chá sofrem influência dos bules chineses e, no fim do século, já se fixam na forma de pera). ~ Para uso comum são feitos *mugs*, *beakers*, *drinking cups* e *tankards* sem decoração repuxada e nos quais sobressai a beleza da prata batida. No fim do século XVII surgem os *casters** para açúcar e pimenta em pó, típicos da prata inglesa. ~ Na decoração, pela mesma época, são introduzidos, por via holandesa, os *gomos** e os canelados e, por via francesa, o *cut-card**. Importantes alterações ocorreram com a chegada dos prateiros huguenotes de origem francesa refugiados nos países protestantes; eles eram excelentes profissionais e introduziram sofisticadas modificações na técnica, na forma e nas proporções, destacando-se a *baluster shape* (forma de balaústre) nos castiçais (até então retos) e nos *casters*, e a *elm shape* (forma de capacete) em jarros e gomis. ~ No reinado da Rainha Ana* (1702-1714) o chá passa a fazer parte dos hábitos da alta sociedade e, além do *tea pot* (bule) tem-se a *tea kettle** (chaleira) com fogareiro. ~ É a era mais brilhante da prata inglesa; novos modelos são favorecidos pela qualidade da prata **Britannia** (1697-1719), muito fina, de teor 950. Os prateiros buscam sempre novas inspirações; é a fase do Rococó*, das *chinoiseries**; o estilo, menos formal, com ornamentação de relevo raso, presta-se ao trabalho da prata *sterling*, restaurada em 1720. O Rococó exige grande habilidade profissional e esta se revela nos descendentes dos prateiros huguenotes entre os quais se destacam Paul de Lamerie*, Simon Pantin, Paul Crespin, David Willaume, ao lado de outros de origem britânica como John White, Robert Aberdeen, Ann Craig, John Neville. Não só a prata comemorativa e a de cerimônia, como também a de uso corrente eram tratadas com fantasia e excepcional competência: salvas com as bordas recortadas e em relevo (*piecrust**), tinteiros, castiçais grandes, *taper-sticks* (castiçais pequenos), *tea caddies** e *tea boxes** (caixas de chá), *cruets* (galheteiros). ~ Surgem os primeiros conjuntos de bule, leiteira ou cremeira e açucareiro e, na segunda metade do séc. XVIII, as primeiras baixelas*. A sopeira* (*soup tureen*) é importante inovação com pés e alças que favorecem a decoração elaborada; as molheiras* (*sauce boats* e *gravy pots*) assumem formas diferentes de acordo com os molhos. § Com a influência de Robert Adam* inaugura-se o estilo Neoclássico* com linhas sóbrias e elegantes coincidindo com os primeiros passos da era industrial (em Sheffield e Birmingham abrem-se dois centros metalúrgicos). Aparece a clássica forma de urna em taças, jarros, terrinas; as colunas da Antiguidade inspiram os castiçais e candelabros (nestes os prateiros dão aos braços formas leves e sinuosas); as cestas (*table basket*, *sugar basket*, *cake basket*) e os saleiros com vidro no interior são típicos, assim como a bandeja lisa com galeria vazada. Nas peças de gala, a prata ainda é predominantemente decorativa e rica, muitas vezes em *vermeil**; as peças são bem lançadas com festões, medalhões e outros motivos. ~ Sucede o estilo *Regency** (Neoclássico tardio), já no séc. XIX, em que se destaca o grande talento de Paul Storr; trabalha-se em diferentes gêneros com variedade de formas e efeitos ornamentais. Prateiros como Garrard* produzem sólidos e vistosos objetos úteis ao lado de peças de cerimônia (taças desportivas, centros de mesa comemorativos). § Depois de 1830 as obras dos prateiros ilustres passam a ser repetidas; a originalidade desaparece, com raras exceções. As encomendas não partem mais dos *connaisseurs**, ou de *dilettanti* que viajavam pelo continente para estudar e admirar as ruínas clássicas e os tesouros italianos, mas de membros da sociedade vitoriana, mais preocupada com a opulência do que com a fruição estética. [V. prata. Cf. *hall-mark*.]

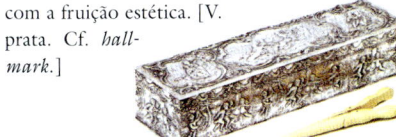

Caixa para luvas de prata holandesa cinzelada. Abridor de luvas de marfim. (Holanda - séc. XIX)

Cesta de prata inglesa trabalhada nas bordas e na alça. (Inglaterra - séc. XIX)

Jarro de prata inglesa em vermeil. Período George III. Decoração neolássica com figuras em relevo. Inscrição: Hamlet fecit. Goldsmith to the king. (Inglaterra - começo do séc. XIX)

prata portuguesa e brasileira. Na ourivesaria portuguesa há que ressaltar, nos sécs. XV e XVI, a influência do gótico florido e do estilo renascentista; depois, Portugal sofre a ação de três correntes: da italiana, sobretudo na prata religiosa (através dos grandes prateiros romanos), da inglesa (pelos fortes laços comerciais que uniam o Reino à Grã-Bretanha) e da francesa, de grande prestígio na Europa (é o caso do célebre prateiro Germain* que abre sucursal em Lisboa). O grande surto da arte da prata ocorre nos sécs.

XVII e XVIII com obras importantes nos estilos Barroco*, Rococó* e Neoclássico*; tocheiros, custódias, frentes de altar, banquetas, lampadários, relicários, navetas, castiçais, baixelas, abrangem a prata da corte, a prata religiosa e a prata doméstica. ~ Os ourives desfrutam de especial prestígio e, entre eles, destacam-se, no séc. XVIII, os Coelhos Sampaios (João e seu filho José) que trabalham nos reinados de D. João V, D. José I e D. Maria I. ~ Na opulenta prataria Dom João V*, o Barroco, com sua exuberante ornamentação, exige trabalho batido, repuxado, cinzelado ao lado das necessárias partes fundidas. Certas peças ultrapassam o âmbito da ourivesaria como os móveis cujo desenho D. João V encomendou a Chippendale*, ou outras que são verdadeiras esculturas assinadas. A prata dourada é abundante. ~ Com D. José tem-se a prata Rococó, menos numerosa. O esplendor setecentista se prolonga até o início do séc. XIX com o estilo Dona Maria I*. ~ D. João VI encomenda a Domingos Antônio Sequeira o centro de mesa* monumental (em que aparecem até mesmo figuras de indígenas do Brasil) para oferecer ao Duque de Wellington, vencedor de Napoleão. ~ A prata oitocentista se inspira nos antigos modelos e sobressaem os serviços de chá e as bandejas e tabuleiros presentes em todas as casas de tratamento. ~ As confrarias de prateiros se extinguiram em Portugal em 1887. § A prata portuguesa começa a ser regulamentada no séc. XIV com D. Pedro I, o Cruel (1320-1367). A partir de 1688, para maior controle, são exigidos por lei dois punções, o do ensaiador* e o do prateiro; ao lado, a marca da cidade. O *ensaiador* ou *contraste*, é o representante oficial que "ensaia" ou examina o teor da prata por *toque* ou por *burilada* (linha em zigue-zague também chamada *bicha* ou *cobrinha*). Na falta da marca, sabe-se que a peça não se fez para vender. ~ A marca mais antiga data do séc. XV; é de Lisboa e está impressa numa peça em que se vê um navio com dois corvos; essa marca foi se transformando, embora permanecesse reconhecível; depois a prata lisboeta se distingue por um "L" coroado. A maior produção de prata ocorreu nas províncias do norte (nas cidades do Porto, Braga, Guimarães), mas também havia ótimos prateiros em Coimbra, Lisboa, Setúbal, Santarém. Até os sécs. XVII e XVIII a cercadura em torno das letras das cidades era irregular. ~ A prata do Porto é a mais abundante e leva um "P"; de 1768 a 1810 vê-se o "P" com cercadura com arremate superior de bicos; no séc. XIX aparece o "P" coroado (1810), com folhas de louro, entre 1843 e 1847. A prata de Lisboa é menos numerosa e, por isso, tem maior valor. Depois de 1886 a prata lusa apresenta as letras com um crescente até 1888, e daí em diante é marcada com uma águia de asas abertas, uma cabeça de águia ou uma cabeça de javali (este desaparece em 1838). § Quanto ao teor, a prata de 11 dinheiros*, ou prata limpa, é normal em Portugal, indicada em algarismos romanos de tamanho igual ou menor do que a assinatura do prateiro. §§ No Brasil colonial a prata foi trabalhada e usada com fartura. No entanto, em geral não era extraída em nossas terras; vinha das ricas minas do vice-reinado do Peru (que incluía a Bolívia). A prata chegava por Mato Grosso e principalmente pelo Rio da Prata, trazida pelos "peruleiros". No período de união de Portugal com a Espanha (1580-1640), escravos e produtos agrícolas eram mandados para o Peru e recebia-se em troca a prata negociada por judeus e cristãos novos. ~ Desde os primórdios da colonização os jesuítas solicitaram a vinda de ourives portugueses, pois necessitavam de objetos litúrgicos condignos. Os primeiros prateiros vindos para o Brasil trouxeram, além de modelos de arte sacra, outros, de pertences domésticos; nova geração de prateiros, já nascida na colônia, produziu peças mais rústicas do que as dos reinóis e com características locais na decoração e na finalidade. Os pretos mostravam-se hábeis artesãos, mas proibiu-se o seu trabalho sob alegação de que o metal, que representa a pureza, não poderia ser manipulado por escravos; mas inúmeros negros e mestiços se dedicaram ao mister e a eles se devem, por exemplo, os balangandãs* da Bahia. Os mais habilidosos eram os senegaleses que tinham tradição na arte dos metais. ~ A prata religiosa é mais abundante do que a civil e é representada por custódias, cálices, navetas, âmbulas, turíbulos, vasos purificatórios, sacras, porta-missais, relicários, salvas de esmolas, lavandas e gomis, tocheiros, lampadários. As imagens se dignificam com coroas, resplendores e outros atributos de prata; o fausto das procissões é ressaltado por lanternas, cruzes processionais, bastões. São especialmente interessantes as peças destinadas às festas do Divino* do séc. XVIII (a imagem da pomba, de asas abertas ou fechadas, isolada ou como atributo de certos objetos). § Nas cidades do Nordeste, enriquecidas com a cultura açucareira, havia dinheiro e ostentação; nas igrejas e nas casas a prata era sinal de situação próspera. ~ A rivalidade entre ordens e irmandades, sobretudo em Minas, estimulava a produção, e os ourives eram muito solicitados. ~ No litoral, a feitura das peças de prata obedecia aos modelos europeus; no interior a arte era mais genuína, utilitária, com variedades de copos e canecas, farinheiras, e outros objetos domésticos e rurais. ~ O Rio Grande do Sul, em particular, voltou-se para o cavalo e para o campo (facas, arreios, esporas, estribos, cabos de chicotes, guampas, cuias e bombas de chimarrão). Em Minas e São Paulo encontravam-se também belas placas de arreios de prata repuxada e outras peças. § Havia grande rigor por parte da metrópole no controle da produção, mas as leis não eram padronizadas, dada a extensão do território. Aplicavam-se as normas de Portugal dos sécs. XV e XVI, mas, na colônia, poucas peças eram marcadas, até mesmo para fugir do controle. Algumas, da Bahia, têm o "B" coroado ou o "S" coroado da Senado da Bahia; as do Rio de Janeiro têm "R" coroado: outras eram marcadas em Minas e Goiás. ~ Os ourives viviam sob vigilância, mas havia muita contravenção. Dada a procura da prata trabalhada, moedas chegaram a ser fundidas acarretando falta de numerário. No correr do séc. XVIII, as medidas tornam-se mais severas (Portugal passava por dificuldades devido à má administração), mas muita prata continuou a ser feita por mestres a serviço das ordens religiosas, escapando ao controle oficial e não levando marcas. ~ Os ourives brasileiros registravam-se no Senado da Bahia onde depositavam as respectivas marcas. Só podiam trabalhar os nativos brancos e batizados, a vida deles era difícil. Depois do "bando (anúncio público) de arruamento" de 1702, nas cidades, os ourives deviam ficar restritos a uma só rua; havia, por isso, muitos artífices anônimos e itinerantes. § No séc. XVIII destacam-se entre os inúmeros prateiros de que se tem conhecimento, os baianos Salvador Correia de Lemos Fontoura, Inácio do Rosário Maciel, Albano José Coelho, João da Costa Campos (autor do altar de prata da mais antiga Sé de Salvador, e que se encontra no Museu de Arte Sacra da mesma cidade). No Rio, um prateiro qualificado como "mestre do martelo" é autor dos lampadários da igreja do Mosteiro de São Bento com risco de mestre Valentim*. § A prata barroca e a rococó, como a portuguesa, revestem-se de profusos ornatos; a do estilo Dona Maria I, de elegantes formas neoclássicas, estende-se até c. de 1810. ~ O período de maior brilho da prata no Brasil termina no reinado de D. Pedro I com as peças de bom peso e trabalho esmerado em estilo Império*. A influência desse estilo perdura até meados do séc. XIX nas salvas, nos castiçais, nos paliteiros, nas espevitadeiras com os característicos pés de garra ao lado de motivos ecléticos. ~ A partir de 1830 o Brasil tem divisão boa e certa das marcas; na marca de 10 dinheiros* (prata na casa dos 800) o número 10 dentro de cercadura quadrada ou em forma de escudo aparece ao lado da assinatura do prateiro. No final do século a prata se descaracteriza com influência francesa e italiana (o melhor prateiro do Rio é o italiano Domingos Farani). ~ O que resta da bela prataria religiosa da colônia pode ser admirado nas igrejas, nos museus, em coleções particulares. Muitos objetos do culto se perderam devido a confiscos e à perseguição de Pombal aos jesuítas; outros ainda se dispersaram por motivos óbvios, vendidos ou fundidos para arrecadar dinheiro. Os atrativos da moda induziram ainda irmandades e igrejas a fundir peças antigas para transformar em outras ao gosto do momento. [V. prata e prateiro.]

Leiteiras de prata Portuguesa. Estilo Neoclássico.
(fim do séc. XVIII)

prateação. *s. f.* Processo eletrolítico por meio do qual se deposita uma camada de prata sobre um objeto de metal menos nobre (níquel ou cobre, ou uma liga de cobre, zinco e níquel). ~ O processo de galvanoplastia, surgido na Europa graças às experiências científicas, foi adotado quase simultaneamente na França (Christofle) e na Inglaterra (Elkington) em meados do séc. XIX. Tem como vantagem poder reproduzir industrialmente os modelos de prata de lei a preços mais acessíveis. Visualmente quase não há diferença, mas as cópias prateadas são mais pesadas do que os originais. ~ A prateação ou "banho de prata" vai se desgastando com o uso, mas existe sempre o recurso de se mandar pratear novamente a peça em que começa a aparecer o fundo de metal. [V. galvanoplastia. Cf. Christofle, Elkington, Sheffield e W.M.F.]

prateiro. *s. m.* Designação dada, a partir do séc. XIX, aos *ourives da prata*. Desde a Idade Média a profissão de ourives era exercida nos mosteiros e alguns artesãos que ali aprendiam se estabeleciam depois na vida profana; um bom prateiro (ou ourives como se chamava então) devia ter reputação sem mancha e era muito considerado, sua opinião respeitada. O ofício de prateiro era tido como de elite, e o único trabalho manual permitido aos nobres. Paul de Lamerie*, p. ex., um dos maiores prateiros ingleses do séc. XVIII era de família francesa da aristocracia huguenote. ~ Excepcionalmente, na Europa, essa profissão dava acesso às mulheres, às quais quase tudo era vetado; entre as raras exceções, encontram-se as inglesas Hester Bateman e Ann Craig (séc. XVIII). ~ A importância do trabalho dos prateiros reflete-se no fato de que, normalmente, suas iniciais figuram nas marcas da prata. Eles se reuniam em confrarias desde tempos medievais, e elas foram se extinguindo em épocas diversas, como p. ex., na França em 1789, em Portugal em 1887. §§ A prata brasileira a princípio era produzida por ourives vindos do reino que traziam seus modelos; os filhos destes já produziam peças próprias de nosso meio como, p. ex., as farinheiras*, adaptação das "tigelas de pingos" portuguesas. Havia leis que proibiam os mestiços de trabalharem na prata; dado o simbolismo de pureza do metal, não podia ser manuseado por pessoas de cor. Não obstante, houve muitos bons prateiros mestiços e negros. [V. ourives e prata.]

prato. [Do fr. *plat*, 'chato', 'plano'] *s. m.* Designação genérica do recipiente chato e em geral circular destinado a conter alimentos. Pode ser de cerâmica, porcelana, metal, vidro, plástico, etc., e se apresenta em diferentes tamanhos; segundo a aplicação, tem-se além dos pratos de mesa (rasos ou fundos), pires, pratos de servir e mesmo medalhões decorativos. Sua forma e decoração variam com as épocas, os estilos, os materiais; o prato tanto pode ser tosco, de terracota, como de porcelana finamente decorado com pinturas. ~ Na China os pratos eram simplesmente côncavos e lisos e, ali, só se fabricaram os pratos de borda chata, de uso na Europa, para a porcelana de exportação. ~ As bordas têm em geral frisos ou outros motivos e se apresentam lisas, lobadas, oitavadas, rendadas. O período *Art Déco**, com seu gosto pelas formas angulares, produziu pratos quadrados, retangulares, hexagonais. [V. faiança e louça – louça brasonada.]

Prato de porcelana com fundo céladon e motivos florais em cores de esmalte. (China - séc. XIX)

Prato de faiança de uso popular. Série com decoração e dísticos humorísticos sobre assunto do momento. Versão tardia das chamadas faïences parlantes 'faianças que falam'. (França - séc. XIX)

predela. *s. m.* Série de quadros pequenos situados na parte inferior de um grande painel e que complementam o tema tratado neste. [V. retábulo. Cf. políptico.]

pregaria. *s. f.* V. tacheado.

preguiceiro. *s. m.* Cama para repouso diurno com cabeceira inclinada e sem resguardo nos pés. §§ No mobiliário luso-brasileiro do séc. XVIII, tem aplicação semelhante à da camilha, só que, enquanto o estrado desta é, em geral, de palhinha ou acolchoado, o do preguiceiro é de couro. ~ As cabeceiras obedecem aos estilos Dom João V* e Dom José I* numa interpretação mais simples do que a dos leitos. [V. camilha. Cf. espreguiçadeira.]

pré-rafaelitas. Grupo de jovens artistas ingleses que, em meados do séc. XIX, sensibilizados pela obra crítica de John Ruskin, reúnem-se numa "confraria" para reagir aos ideais de beleza vigentes. Tomam como fonte de inspiração os pintores italianos do *trecento* e do *quattrocento*, predecessores de Rafael (o ídolo da arte oficial e acadêmica). Seus membros, Rosseti, Burne-Jones, Millais, Hunt, inspiram-se diretamente na natureza, nas lendas medievais, nos temas bíblicos e imprimem uma atmosfera simbólica e idealista a suas obras. Vigor e visão inovadora asseguram aos pré-rafaelitas uma posição de destaque na renovação da pintura e das artes decorativas em fins do séc. XIX. [Cf. *Arts and Crafts Movement* e W. Morris.]

présentoir. [Pal. fr., derivada de *présenter* 'apresentar', que começou a ter curso na França por volta de 1900 para designar espátula de metal destinada a servir peixe.] *s. m.* A palavra é também empregada para designar travessa ou bandeja que serve de apoio a certas peças de baixelas de metal, ou de serviços de mesa de porcelana (sopeiras, legumeiras, etc.)

presépio. [Do lat. *praesepium* 'lugar onde se recolhe o gado'.] *s. m.* Na arte cristã, representação da gruta-estábulo de Belém onde Jesus nasceu, e das figuras que, segundo o Novo Testamento, participaram desse acontecimento, ou dos fatos que se seguiram. ~ Iluminado pela estrela-guia, o presépio pode constar simplesmente de manjedoura com o Menino Deus, ou nele podem figurar Maria e José, o boi e o burro, os pastores e seus cordeiros, os reis Magos com seus presentes e camelos. ~ A ideia do presépio nasceu com S. Francisco de Assis, que teria organizado em 1223 um presépio ao vivo para celebrar a alegria da vinda de Jesus. ~ A arte popular e a arte erudita encontram permanente inspiração nesse tema que tanto abrange modestas esculturas de barro ou de madeira como as imensas cenas urbanas dos presépios napolitanos barrocos de proporções e expressão teatrais. [Cf. lapinha e Natividade.] – Fr.: *crêche*; ingl.: *Nativity scene*. alem.: *Weihnachts Krippe*.

preto. *s. m.* A cor do ébano, do carvão, do nanquim. Cientificamente não é cor, pois não reflete nenhuma radiação visível, ou seja, é a ausência de todas as cores (por oposição ao branco que é a síntese de todas elas). ~ Mas, na prática, existe a cor negra e, simbolicamente, o preto representa a passividade absoluta, a não esperança, o luto, o mergulho nos abismos da terra e das águas. § Nas artes plásticas e decorativas pode dar vida e realce às outras cores e intensifica as intenções do artista. O pintor Manet, usando cores luminosas, recorreu à cor negra sobretudo em detalhes das roupas de seus personagens para dar mais força àquilo que pretendia expressar. ~ O preto é elemento gráfico por excelência como, p. ex., na pintura chinesa a nanquim, no delineamento das composições de Rouault e de Léger, no grafismo* intencional contrastando com as cores tropicais das obras de Di Cavalcanti. § Na decoração, o negro, quase sempre banido em outras épocas – salvo nas madeiras e nas lacas – encontra múltiplas aplicações no séc. XX. Por não refletir a luz é usado para velar certos elementos funcionais de nenhum valor estético (um teto negro com alto-falantes embutidos, p. ex.), pode aproximar uma parede, dar destaque a objetos claros, tornar um ambiente íntimo dando ideia de silêncio, de recolhimento. Móveis e tapetes pretos contrastam com o branco de paredes e pisos e, na justa medida, representam distinção e bom gosto. Ao contrário do branco* que se apresenta "quebrado" com outras cores, o preto é único e definitivo e, apenas por sua aparência – brilhante ou fosca –, poderá ter diferentes aplicações. [V. cor.] – Fr.: *noir*; ingl.: *black*; alem.: *Schwarz*.

primitivo. *s. m.* Nas artes plásticas, designação dada *a posteriori* aos pintores italianos dos sécs. XIII e XIV e outros coevos pré-renascentistas. ~ Modernamente o termo se relaciona também com o artista figurativo que expressa de modo imediato as impressões visuais instintivas alheias a qualquer intelectualismo ou lógica. Refere-se à prática de uma pintura de superfície, sem profundidade ou perspectiva, que interpreta o mundo exterior de modo sintético e simbólico. [Cf. ingênuo e *naif.*]

prova-vinho. *s. m.* V. *tâte vin.*

provençal. *adj.* Relativo ao estilo de mobiliário regional característico da Provença e outras regiões do sul da França, e que vigorou até o fim do séc. XVIII. Como outros estilos regionais franceses, absorve tardiamente as fórmulas Luís XV* criadas em Paris até meados do século; nele a pureza dos ornatos cede lugar a improvisações decorativas, associando elementos diversos. Os móveis são maciços, as ferragens visíveis. As partes exteriores têm recortes e detalhes inspirados no Rococó*. Belos armários, grandes e sólidos, são divididos na largura por um montante mediano para onde convergem as duas portas; aparadores têm faces abertas com balaústres; alguns suportam uma parte recuada de pouca altura dotada de prateleiras. ~ Antes da II Guerra Mundial (1939-1945), este estilo foi explorado em cópias de fácil aceitação, e foi muito divulgado nas revistas de decoração. (Na Europa ainda era possível obter peças originais).

Cômoda provençal. (França - séc. XIX)

prumada. [De prumo.] *s. f.* Suporte vertical reto que sustenta lateralmente o espaldar das cadeiras e, eventualmente, se prolonga nas pernas traseiras. [V. cadeira.]

psichê. [Do fr. *psyché.*] *s. f.* Grande espelho móvel montado numa estrutura dotada de básculas de modo que pode ser inclinado para permitir que a pessoa se veja de pé. Criado para o mobiliário em estilo Império*, teve grande aceitação nas mobílias de quarto de vestir e *boudoirs* do séc. XIX e começos do séc. XX, já então, muitas vezes, com características de móvel de toucador*, com gavetas laterais, e com o espelho basculante livre. – Ingl.: *cheval glass.*

púcaro. *s. m.* Pequeno vaso dotado de asa usado para beber ou para retirar líquidos de recipientes maiores.

pufe. [Do fr. *pouf.*] *s. m.* Banco inteiramente estofado, quadrado ou redondo, sem espaldar ou braço, e com pés curtos às vezes cobertos por franja ou tecido. Facilita seu ocupante a voltar-se em qualquer direção. É também usado como complemento de *chaise-longue.* ~ No séc. XIX, o sofá circular estofado que figurava no centro dos salões recebe muitas vezes essa designação (quando tem uma coluna na parte central com estátua ou jardineira recebe o nome fr. de *borne**). [Cf. banco e sofá.]

punção. *s. m.* Pequeno instrumento metálico pontiagudo que serve para furar ou gravar. // Haste de aço terminada por uma face gravada em *intaglio** e que tem por fim marcar certos objetos de metal precioso sujeitos a controle. // P. ext. Qualquer marca aposta com punção nas peças de ourivesaria para controle do título, assinatura do ourives, indicação do lugar de origem, etc. [V. prata. Cf. contraste e *hall-mark.*]

putto. [Do ital., pl. *putti.*] *s. m.* Figura de menino de cerca de dois anos de idade, gorducho e alegre, representado nu, às vezes com asas, em cenas mitológicas e religiosas da Renascença* e do Barroco*. Aparecem *putti*, p. ex., nos altos-relevos de Lucca Della Robbia. [Cf. cupido.]

Q

quadrifólio. *s. m.* Ornato constituído de um trevo de quatro folhas estilizadas circunscrito num círculo. [V. folha. Cf. trifólio.]

quadro. *s. m.* Obra de arte ou peça decorativa portátil, normalmente em duas dimensões, executada sobre superfície plana bem delimitada e que é, de ordinário, destinada a guarnecer paredes. § A partir do séc. XV, com o influxo da pintura a óleo, as obras sobre madeira, tela, papel, etc., "quadros" circunscritos por molduras e de fácil movimentação, passam a substituir nos interiores os grandes murais fixos; são os chamados *quadros de cavalete*. Num mundo que se abria para o individualismo, eles estavam expostos à contemplação e ao deleite do observador, não raro como objetos de sua propriedade. ~ O quadro tradicional, produzido, procurado, encomendado nos ateliês dos artistas e apresentado em exposições e galerias teve, desde seu aparecimento, e ainda mantém, uma posição especial como expressão artística e como objeto de coleção ou de decoração. § Em decoração os quadros abrangem não só as pinturas e os desenhos, como também gravuras, colagens, mapas, obras de laca, de metal, de gesso, e até mesmo cartazes. Qualquer que seja seu valor artístico ou comercial, dão vida e caráter a um ambiente e exigem sensibilidade, bom gosto e equilíbrio na escolha e na disposição; caso contrário, podem anular-se uns aos outros ou desaparecer numa parede de textura, colorido ou decoração inadequadas. A iluminação é fator primordial na apresentação de um quadro. [V. pintura e mural.] – Fr.: *tableau*; ingl.: *picture*; alem.: *Bild*

quartetto. [Ital.] *s. m.* Nos países de língua inglesa, designação adotada para o conjunto de quatro mesas pequenas do mesmo feitio e de dimensões diferentes que se ajustam uma dentro da outra em ordem decrescente. Seu desenho teria sido criado por Sheraton*. [V. mesa-ninho.]

quartinha. *s. f.* Moringa ou copo de barro para conter ou refrescar água potável.

quarto. *s. m.* Numa casa, compartimento fechado reservado ao repouso, ao sono, à intimidade, aos guardados. Cada tipo de quarto requer um tratamento especial, seja quarto de dormir, quarto de vestir, quarto de criança, quarto de estudos ou de brinquedo, quarto de rouparia, quarto de empregada, quarto de hotel. ~ Por "quarto", simplesmente, designa-se especialmente o dormitório com mobiliário apropriado e que tem evoluído de acordo com as características socioeconômicas do homem ocidental. Diante da redução do espaço doméstico o quarto, no séc. XX, desempenha mais de uma função e seu arranjo se condiciona a necessidades e soluções diversas. [Cf. alcova.] – Fr.: *chambre*; ingl.: *room*; alem.: *Zimmer*.

quartzo. *s. m.* Mineral constituído basicamente de óxido de silício, e que se apresenta na natureza ora transparente ora opaco e sob diversas variedades (ametista, jaspe, ônix, etc.), entre as quais sobressai o cristal de rocha.

quattrocento. [Ital.] *s. m.* O séc. XV.

quebra-luz. *s. m.* Dispositivo destinado a reduzir ou interceptar o fluxo luminoso (de lâmpada, vela ou candeeiro) numa determinada direção. [Cf. abajur.] – Fr.: *abat-jour*; ingl.: *lamp shade*.

Queen Anne. [Ingl. 'rainha Ana'.] Estilo decorativo que floresceu na Inglaterra num período que corresponde aproximadamente ao reinado da rainha Ana (1702-1714). Marca importantes mudanças na arquitetura, no mobiliário, na ourivesaria. § Os móveis inspiram-se na simplicidade de modelos de origem holandesa trazidos para a Grã-Bretanha no fim do séc. XVII. Valoriza-se mais a forma do que os ornatos; a beleza das peças repousa nas curvas cuidadosamente desenhadas. O estilo é marcado pelo aparecimento da *cabriole leg* (já usada no continente) que então foi levada ao maior apuro na execução e nas linhas, em cadeiras e mesas, *cabinets**, cômodas, secretárias; a forma começou como uma curva tênue para depois se acentuar em curva e contracurva graças ao progresso da marcenaria. ~ As cadeiras se identificam pela silhueta com encosto dotado de tabela* e ligeiramente recurvado para conforto das costas; concebe-se também o sofá inspirado no desenho das cadeiras com encosto em que se repetem, para cada lugar, as formas adotadas para aquelas. ~ Os entalhes são reduzidos ao mínimo e tratados com leveza nos frontões bipartidos, nas conchas, nos pés* de garra e bola, nas joelheiras* com cabochom* ou folhas de acanto*. ~ Em lugar do carvalho, a madeira usada é a nogueira, de belo colorido, apropriada para o folheamento e para trabalhos delicados. O estilo é o primeiro passo para a afirmação de uma nova escola de *cabinet makers* e *designers* que irá surgir mais tarde com Thomas Chippendale*. § A corte da rainha Ana teve, na brilhante e inteligente duquesa de Marlborough, Sarah Churchill, a mentora do bom gosto e dos costumes da aristocracia; ela cultivava a simplicidade requintada na vida social. ~ O hábito do chá tornou-se importante ritual na sociedade e acarretou necessidade de utensílios e móveis adequados. A prataria era lisa, de curvas bem delineadas (adotou-se o bule* em forma de pera); nos salões apareceram as mesinhas e cadeiras facilmente deslocáveis, os armários envidraçados para livros ou para louça, os *grandfather clocks* (relógios de pé). [V. *cabriole leg*. Cf. georgiano, *Régence* e *William and Mary*.]

Cabinet com cabriole legs

querubim. *s. m.* Anjo da primeira hierarquia celeste que, segundo os padres da Igreja, tem o conhecimento de Deus e capacidade de receber os dons da luz. Sua representação foi, a princípio inspirada em trechos do Antigo Testamento: "Farás dois querubins de ouro (...) os querubins terão as asas estendidas para cima" (Êxodo 25, 18 e 20). ~ Depois, sua figura evoluiu para uma cabeça de criança com duas asas. ~ Essa figura foi amplamente usada na decoração barroca no Brasil e aparece, num grupo de três, na base da imagem de N. S. da Conceição. [V. anjo.] – Fr.: *chérubin*; ingl.: *cherub*.

quilt. [Ingl.] *s*. V. trabalhos de agulha.

quimera. *s. f.* Animal fabuloso híbrido, alado ou não, que tem cabeça de leão, corpo de cabra, cauda de dragão ou serpente e que cospe fogo. ~ Na mitologia grega é monstro vindo das entranhas da terra, símbolo do perigo da imaginação fértil e descontrolada; foi destruído por Belerofonte, herói assimilado ao raio e montado em seu cavalo Pégaso. ~ Como motivo ornamental, aparece na arquitetura clássica e ressurge na Idade Média; no Renascimento* é frequente em móveis, especialmente como suporte de mesas. [Cf. esfinge, grifo e harpia.]

Qum. Tapete oriental proveniente das vizinhanças da cidade de Qum ou Qom na Pérsia central. De produção recente (por volta de 1930), caracteriza-se pela perfeição técnica e pela variedade de desenhos. Estes são adaptações feitas com gosto e habilidade dos motivos típicos dos tapetes persas como o *boteh* (do Mir), o *zil-i-sultan*, as representações florais (do Isfahan*) ou o medalhão (do Kachan*). São notáveis as decorações com o campo quadriculado inspiradas nos Bakhtiyar*. ~ O colorido é vivo e ressalta do fundo não raro cor de marfim. Nas dimensões de 2,00 x 3,00 m e 2,50 x 3,50 m tem de 4.000 a 5.000 nós por decímetro quadrado. É também conhecido como Koum. [V. tapete oriental – tapete persa.]

R

rabo de andorinha. *s. m.* Sambladura que reúne peças de madeira com cortes trapezoidais (semelhantes à cauda de andorinha) de modo que se encaixem e ajustem com precisão, adquirindo grande resistência. É processo tradicional em marcenaria e carpintaria. [V. encaixe e sambladura.] // Tipo de emenda batida pelo avesso própria para unir certas partes circulares dos objetos de prata. [V. prata (feitura).]

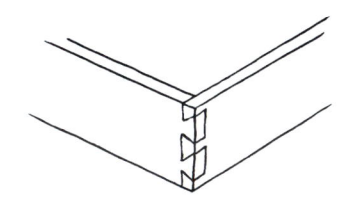

ráfia. *s. f.* Fibra extraída das longas folhas de uma palmeira das regiões equatoriais da África e da América. A ráfia, na cor natural ou em belos coloridos, presta-se para certo tipo de tela empregada no mobiliário, na confecção de bolsas, etc., ou para decorativos bordados e trabalhos de crochê. ~ O artesanato italiano da ráfia é especialmente criativo e muito difundido.

rafraichissoir. [Fr.] *s. m.* Antigo recipiente de porcelana, faiança, metal, etc., destinado a refrescar bebidas; apresenta-se como balde de gelo ou sob outras formas. [V. balde de gelo. Cf. *wine-cooler*.]

Rafraichissoir. Conjunto de garrafas e copinhos de vidro leitoso com recipiente para gelo. (França - séc. XIX)

Rainha Ana. V. *Queen Anne*.

raios. *s. m. pl.* Motivo ornamental constituído de retas que se irradiam de um ponto central à maneira dos raios que partem de um centro luminoso; é usado simbolicamente na representação do Sol, nos emblemas dos santos e em ostensórios*. [V. resplendor e Sol.]

raku. [Jap.] *s.* No Japão, cerâmica associada à cerimônia do chá (*cha-no-yu*), de aparência intencionalmente singela e rústica. A forma das vasilhas é irregular, modelada à mão, de uma beleza despojada. Cada peça é, por assim dizer, única, e nela se imprime a individualidade do oleiro. A cobertura é espessa em geral negra ou de um marrom escuro. *Raku* era artesanato doméstico, com as peças cozidas a baixa temperatura, e não exigia equipamento complicado; assim muitos mestres de chá eram também ceramistas. Conta a tradição que o nome vem de um selo com a palavra *raku* (felicidade, alegria) que o poderoso chefe militar Hideyoshi (séc. XVI), devoto da cerimônia do chá, concedeu ao famoso ceramista Chojiro. [V. cerâmica e Japão. Cf. *cha-no-yu*.]

ramagem. *s. f.* Motivo ornamental que representa folhagens estilizadas entrelaçadas com ou sem flores e frutas. Foi usado na arquitetura greco-romana e reapareceu no Renascimento* em cercaduras e outros ornatos. ~ Certos medalhões de cerâmica de Lucca Della Robbia são emoldurados por belas ramagens coloridas. ~ Nas iluminuras medievais encontram-se ramagens estilizadas finamente desenhadas formando arabescos. [Cf. folhagem.] – Fr.: *branchage*; *rinceau*; ingl.: *bough*.

ramalhete. *s. m.* Ornato de arremate em forma de folhagem, que aparece no estilo Gótico*.

rami. *s. m.* Fibra têxtil de origem oriental, longa, resistente e brilhante, que é empregada na fabricação de cordas e de certos tecidos.

ramo. *s. m.* Galho com folhas verdes, simboliza homenagem ao vencedor de provas ou à vitória moral. Na tradição cristã associa-se à chegada de Cristo a Jerusalém no Domingo de Ramos. ~ Na Bíblia, o ramo de oliveira trazido pela pomba depois do dilúvio significa a vitória da vida e do amor e, mais tarde, a paz. ~ Na arte europeia do Pré-renascimento o ramo verde evoca a perenidade do amor. [Cf. folha.]

rampa. *s. f.* Nas obras de arquitetura e paisagismo, aclive ou declive que, por oposição à escada cortada em degraus, destina-se a resolver o problema do desnível facilitando o movimento contínuo entre o ponto de partida e o de chegada. A rampa exige área maior do que a escada, e sua inclinação máxima para pedestres é de 15 graus. [Cf. aclive, declive e escada.]

Rato. Faiança portuguesa produzida na Manufatura Real fundada nos arredores de Lisboa em 1767. É famosa pelas peças com detalhes em relevo dos serviços de mesa, e pelas figuras decorativas para jardins e parques, muito ao gosto setecentista. As marcas de Rato são as maiúscula R F B . [V. cerâmica portuguesa.]

rat-tail. [Ingl. de *rat's tail* 'rabo de rato'.] *s.* Decoração das colheres de prata do fim do séc. XVII e começo do séc. XVIII, que consiste numa nervura terminando em ponta, colocada no reverso da peça, na junção do cabo com a concha, para dar maior firmeza. O mesmo motivo - de grande simplicidade - foi usado posteriormente em outros talheres. §§ Em Portugal encontra-se esta decoração em antigas colheres com a denominação de "unha". [V. talher (ilustr.).]

rattan. [Ingl., do malaio *rotan*.] *s.* Designação genérica de certas plantas cujo caule, muito resistente e flexível, presta-se para o fabrico de bengalas, trançados de palha, revestimentos, etc. Os caules com mais ou menos meio centímetro de diâmetro, justapostos e recobertos de verniz, são usados para revestir móveis e outros objetos de aspecto informal e fino. [Cf. bambu, canada-índia e vime.]

realismo. *s. m.* Em arte, representação "fiel" da natureza ou da vida real sem recursos de idealização. O enfoque objetivo não implica em exatidão de minúcias, mas tão somente na fixação de elementos expressivos e definidores das coisas e dos seres. Essa concepção objetiva da arte é uma constante que se alterna com as tendências a interpretações deformadoras ou subjetivas da realidade. ~ O termo designa especialmente um determinado momento da história da literatura e das artes plásticas que corresponde ao gosto do séc. XIX, e é marcante como reação aos excessos de lirismo e imaginação da escola romântica. O realismo teve no pintor francês Gustave Coubert seu principal representante; ele dizia que jamais pintaria um anjo (romântico) ou um romano (neoclássico) porque jamais os vira. § Nas artes decorativas, o realismo é muito frequente nas formas esculturais da cerâmica e do bronze de várias épocas e procedências. Na pintura da porcelana, a representação das flores do tipo *Deutscheblumen** é marcadamente realista. [Cf. formalismo, idealismo, impressionismo e romantismo.]

reboco. *s. m.* Argamassa de cal e areia ou de cimento e areia com que se revestem as paredes de alvenaria, usando-se uma ou duas camadas. O *reboco grosso* ou *emboço* é a primeira camada, com a areia não peneirada, que o pedreiro atira sobre a superfície para depois passar a colher nas juntas; na segunda camada (ou *reboco fino*) a areia é peneirada e a massa alisada uniformemente dando o acabamento.

récamier. [Do antrop. fr. Récamier (designação adotada no Brasil).] *s. m.* Canapé sem encosto com os braços em volutas da mesma altura e que se destina ao repouso diurno. A designação do móvel se origina de um retrato da bela Madame Récamier (1777-1849), cujo salão em Paris foi frequentado por políticos e escritores ilustres do alvorecer do séc. XIX; o quadro, da autoria de Jacques-Louis David data de 1800, representa uma jovem vestida e penteada à moda do Diretório* e recostada num canapé de linhas simples do mesmo estilo. [Cf. canapé, divã, *lit de repos* e *méridienne.*]

réchaud. [Fr.] *s. m.* Utensílio doméstico portátil destinado a manter o calor dos alimentos à mesa por meio de fogareiro ou de dispositivo elétrico. ~ Os antigos *réchauds* de prata ou de cobre tinham um prato de bordas baixas sob o qual se colocava uma vela grossa ou uma grade com brasas. – Ingl.: *chaffing dish.*

rede. *s. f.* Retângulo de tecido ou malha suspenso pelas extremidades e que serve de leito, amoldando-se ao corpo e embalando suavemente. ~ A rede de dormir, feita de fibra trançada é de origem caraíba (*hamaca*) e sua feitura artesanal pouco se alterou no correr dos tempos. Muito difundida entre os selvagens e os habitantes posteriores das Américas Central e do Sul, é de fácil transporte, arejada , e serve de cama e de mortalha. §§ No Brasil, a rede, utilizada pelos indígenas foi adotada pelos primeiros povoadores europeus num meio que carecia de mobiliário. Continua a ser largamente usada no Norte e no Nordeste como substituto da cama e, em outras regiões, para repouso diurno. Seu tecido, de linho, algodão, ou fibra, é forte e aberto, na cor natural ou em outras cores. Os fios da urdidura são apanhados nas duas extremidades num **punho** ou **argola** que se suspende aos **armadores**, ganchos fixados à parede, a um pilar, a um tronco de árvore. Nas partes laterais, uma guarnição, a **varanda**, feita de renda de filé, de crochê, etc., com franjas, é decorativa e serve também de coberta. – Fr.: *hamac*; ingl.: *hammock*; esp.: *hamaca*; alem.: *Hängematte.*

redoma. *s. f.* Objeto de vidro ou cristal transparente de forma cilíndrica e altura variável aberto embaixo, e fechado na parte superior por uma calota; destina-se a resguardar determinados objetos como imagens sacras, relógios, delicados trabalhos de flores artificiais, etc. a cujas proporções se adapta. [Cf. donzela e manga.]

Régence. [Fr. 'Regência'.] Estilo que floresceu na França aproximadamente de 1710 a 1730 e que deve seu nome ao período de governo de Philippe d'Orléans, regente desde a morte de Luís XIV (1715) até a subida ao trono do bisneto deste, Luís XV. Representa, nas artes decorativas – mobiliário, prata, cerâmica – , uma transição entre o Barroco* e o estilo Luís XV*. ~ Nas primeiras décadas dos setecentos, novas tendências se manifestam na vida da corte e os móveis de aparato são substituídos, gradualmente, por peças portáteis e elegantes, próprias para os *petits salons* (pequenos salões) das residências parisienses da aristocracia. O pintor Antoine Watteau realiza quadros galantes para decorar as salas apaineladas. Grandes ebanistas trabalham para corte e para os nobres e entre eles sobressai Charles Cressent*, ainda jovem; a influência de Boulle* não se havia apagado, mas os móveis que surgem são mais leves e movimentados; a marchetaria e as guarnições de bronze, entre as quais a *espagnolette** recém-criada, adaptam-se ao novo gosto. A cômoda e a escrivaninha adquirem proporções e curvas que prenunciam a primeira fase do Rococó* e do Luís XV. O mobiliário francês do séc. XVIII, de tanta importância nas artes decorativas e nos hábitos sociais, começa a se definir nesse período. [V. Luís XIV, Luís XV e Rocalha. Cf. *Regency.*]

Regency. [Ingl. 'Regência'.] Estilo decorativo inglês que assim se denomina por abranger o período da regência do Príncipe de Gales (1811-1820) e de seu reinado como George IV (1820-1830). Sob os auspícios desse príncipe, um tanto extravagante mas de refinado gosto literário e artístico, o estilo se delineia desde a última década do séc. XVIII e vai se estender até cerca de 1840, já com a Rainha Vitória (*early victorian*). § Embora em sintonia com o Neoclássico o estilo *Regency* reage, a princípio, às criações de Adam* e Hepplewhite* livremente inspiradas nos modelos antigos. A nova linha, mais rigorosa, copia peças da Antiguidade (a cadeira com pés de sabre, a cadeira curul, os pés de garra, as folhas de acanto entalhadas em voluta, as palmetas incrustadas) com nítida tendência para a solidez e uma segura interpretação arqueológica. § Expoente do estilo foi Thomas Hope*, rico diletante, apaixonado pelo mundo antigo; apoiado em seus conhecimentos arqueológicos, publica em 1807 *Household Furniture and Interior Decoration* (Mobiliário doméstico e decoração de interiores), obra que teve efeito decisivo na evolução final do Neoclássico inglês. Hope torna-se o árbitro do gosto da sociedade londrina, contrata artesãos franceses emigrados para realizar os móveis e a decoração de sua casa onde a inspiração greco-romana se associa à egípcia, à chinesa, à persa. Seus interiores assumem às vezes curioso aspecto de cenário: uma tenda, um *boudoir* turco, p. ex. O ebanista George Smith é o mais notável desse período e executa móveis que, embora seguindo o gosto de Hope, assumem formas confortáveis; populariza a mesa de jantar redonda e a otomana*. ~ Com o apoio do príncipe de Gales, o arquiteto John Nash faz um projeto urbanístico para a cidade de Londres; nele se incluem, entre outras inovações, o *Regent's Park* e a rua em curva no centro da cidade, *Regent's Street*. Mais tarde ele reconstrói o "Pavilhão Real" de Brighton (1815-1823) em que predominam formas exóticas e orientalizantes. No fim do período já se observa a tendência para reviver os estilos históricos que vão marcar os meados do séc. XIX. ~ O prateiro mais famoso dessa fase foi Paul Storr, ao lado de outros excelentes artistas que trabalharam a prata num estilo severo e, mais tarde, numa revivescência do Rococó. ~ Os tecidos não seguem os modelos do continente e têm padrões típicos com predominância dos chintzes floridos. ~ Na porcelana, as formas são em geral neoclássicas com pinturas ricas e floridas (Derby, Spode, Wedgewood, e outras). [V. Diretório, georgiano, Império e Neoclássico. Cf. *Régence*.]

relicário. *s. m.* Cofre ou caixa de diversos formatos onde são guardadas as relíquias sagradas cujo culto é autorizado pela Igreja, e que só podem ser expostas à veneração pública quando devidamente preservadas. § O culto das relíquias remonta aos primeiros séculos do cristianismo, e isso se explica, uma vez que os fiéis recolhiam e procuravam defender os restos do corpo (ossos, cabelos, unhas) ou os objetos pertencentes a mártires, santos, bem-aventurados da Igreja. Os relicários fizeram-se, pois, necessários desde os primórdios do cristianismo e a sua feitura tem sido objeto de cuidados especiais na história das artes decorativas. Os relicários podem ser fixos, devidamente expostos em capelas e igrejas, ou transportáveis para serem apresentados em procissões, festas e peregrinações. § Desde a época românica* caracterizam-se por formas de forte impacto visual. É de consenso que sejam feitos de material nobre; artífices qualificados trabalharam as madeiras raras, o marfim, o cristal de rocha, as pedras semipreciosas, ao lado do ouro e da prata – eventualmente, do cobre e do bronze –, para produzir relicários ornamentados com gemas, esmalte, pinturas, figuras esculpidas. § Os grandes cofres-relicários têm em geral a forma de sarcófagos, de igreja, de torre; o de Saint Évreux (França) tem configuração arquitetônica e data do séc. XIII; o de Santa Úrsula, da catedral de Reims, representa um barco com figuras e é decorado com esmalte; o da mesma santa, de Brugge (Bélgica), com pinturas de Hans Memling (séc. XV) é uma das obras-primas da arte flamenga. Estes são apenas alguns exemplos da vasta riqueza da arte cristã neste setor. Preciosa coleção de relicários encontra-se em Munique no palácio da *Residenz*; são peças em diferentes formas muito ricas e nas quais artífices europeus despenderam os melhores recursos de imaginação e de habilidade; pertenceram aos Wittelsbach, família reinante da Baviera, e estão expostos ao público numa câmara-forte. §§ Na arte sacra brasileira, ao lado de peças de ourivesaria, merecem menção os ***bustos-relicários***, imagens sacras feitas de barro no séc. XVII. Destaca-se o busto de Santa Luzia de autoria de Frei Agostino da Piedade; é recoberto com ricas vestes, joias e resplendor de prata batida e repuxada e foi realizado por prateiro anônimo.

Imagem-relicário de madeira, representando Santa Isabel. (Portugal - séc. XVIII)

relógio. *s. m.* Designação comum a qualquer instrumento destinado a medir tempo, a marcar e indicar as horas: o *relógio solar*, a *clepsidra* (relógio de água), a *ampulheta** (relógio de areia) e outros revelam, desde tempos antigos, o desenvolvimento da técnica e da ciência, do artesanato e das artes usados para esse fim. § No curso da evolução histórica eles são os predecessores do *relógio mecânico*. Este, a qualquer hora do dia ou da noite, fornece indicações precisas, sem depender do fluxo de um líquido, do escoamento da areia ou do movimento dos corpos celestes; indica a hora certa graças a um mecanismo que consta, basicamente, de peças que imprimem movimento e de engrenagens reguladoras, às quais se acrescentam dispositivos acústicos, um mostrador e ponteiros. ~ O *relógio mecânico* foi o instrumento mais complexo que se conheceu na Idade Média. Sua concepção parece remontar ao séc. XIII e, em começos do século seguinte, o invento já se difundia na Alemanha e em outros países da Europa. Nos lugares públicos, os grandes relógios foram adquirindo importância como pontos de referência e como reguladores de vida das cidades. ~ Os pequenos relógios mecânicos, portáteis, além da aplicação prática, são também objetos de adorno nas moradias, e adereço no vestuário. A evolução de seu estilo traz indicações do modo de vida de épocas passadas. § Os primeiros relógios não tinham mostrador nem ponteiros: só mecanismo sonoro. Depois surgiram o mostrador rotativo e os ponteiros fixos; estes só se movem no séc. XIV, e o mostrador é, então, dividido em 24 ou 12 horas. ~ A pesquisa para um funcionamento cada vez mais exato deu margem a grandes melhoramentos: a princípio as partes metálicas eram executadas por ferreiros; mais tarde, com o mecanismo mais fino, de latão, passam ao encargo de serralheiros*. Só depois a feitura se especializa e fundam-se as corporações de relojoeiros (Paris 1544, Nurembergue 1564, Praga 1708). No período gótico e na Renascença, os relógios destinados às torres das cidades, aos campanários e a outros edifícios públicos reúnem o máximo dos conhecimentos da época, apresentando personagens animados, que se movem às horas certas, mostradores astronômicos, carrilhões; pertencem ao patrimônio das cidades europeias e, em sua criação, se associam mestres mecânicos, cientistas, artistas. § Os relógios particulares (transportáveis), por seu preço excessivo, tornaram-se apanágio das camadas mais ricas da população. Eram concebidos como elementos importantes nos interiores, de alto valor decorativo. As caixas, que a princípio não eram mais do que proteção para um mecanismo delicado, passaram a ser objeto do maior cuidado, obedecendo às exigências estlísticas de cada época. ~ Nos relógios do séc. XV, a ornamentação é gótica*, de forma arquitetônica, e coroa a parte superior das caixas de metal; na parte anterior, os mostradores são decorados com pinturas. No mesmo século foi inventado na Inglaterra o

Relógio com peanha. Decoração Boulle. Forma e ornatos de influência rococó.
(França - séc. XVIII - alt. 50 cm)

Relógio de prata. De mesa, miniatura de relógio de pé. (Holanda - séc. XIX - alt. l7 cm)

relógio de parede, conhecido como *lantern clock* (relógio-lanterna). No Renascimento* (sécs. XVI e XVII), o maior desenvolvimento dessa arte dá-se nas cidades do sul da Alemanha (Augsburgo, Nurembergue). ~ No Barroco* e no Rococó*, a relojoaria europeia é fecunda em invenções técnicas, o que acarreta novos tipos de relógio; com maior regularidade de movimentos podem ser utilizados ponteiros de minutos. ~ Em 1658 o holandês Huyghen constrói um *relógio de pêndulo* e a invenção se expande rapidamente. As caixas de metal de forma arquitetônica são substituídas pelas de madeira ao gosto barroco e com as características de cada país: na Inglaterra, o *bracket clock* (para ser colocado sobre prateleira ou peanha); na França a *pendule*, e na Alemanha a *Deutsche Uhr* (ambos de características semelhantes). ~ Surgem os *relógios de pé*, com caixas altas e nos quais o pêndulo pode ser visto através de porta envidraçada (este relógio, de origem holandesa, é chamado na Inglaterra *longcase clock* ou *grandfather clock**). ~ Em meados do séc. XVIII aparecem na Alemanha e na França as caixas de porcelana. Em Meissen* criam-se peças esculturais com folhagens, volutas, pastores, deuses, cupidos, nas quais se inserem os relógios. Os relógios do estilo Luís XV* são ricamente montados em caixas de bronze com volutas e guirlandas, e outros modelos franceses, muitos com decoração de Boulle*, são imitados em toda a Europa. Na segunda metade do século, a França inaugura novo estilo e as caixas de bronze têm suportes de mármore e de pórfiro associados a decorações de esmalte, de porcelana, de pedras semipreciosas. São peças decorativas que adornam especialmente as lareiras formando guarnição com vasos e castiçais. As caixas dos barômetros acompanham os mesmos modelos. Com o estilo Luís XVI, de linhas mais sóbrias, aparecem os motivos neoclássicos*. ~ Nas primeiras décadas dos oitocentos, são criados relógios de mesa com colunas imitando portais; outros, chamados em inglês *skeleton clocks* (relógios-esqueleto), têm o mecanismo visível protegido por caixa ou redoma de cristal, e revelam o interesse oitocentista pelos progressos científicos. § No séc. XX, com o desenvolvimento da tecnologia, o relógio mecânico viu-se suplantado pelos *relógios de quartzo* e os *relógios eletrônicos*; sem dúvida, a forma desses novos instrumentos está intimamente ligada aos recursos do *design*. – Fr.: *horloge* ou *pendule*; ingl.: *clock*; alem.: *Uhr*.

Relógio de porcelana. (Alemanha - fim do séc. XVIII)

Relógio de pé, feito em Vila Rica em 1776. Pintura em vermelho com decoração a ouro. Posteriormente recebeu decoração em pochoir na parte frontal. (Minas Gerais - séc. XVIII)

Renascença. V. Renascimento.

Renascentismo. *s. m.* Tendência historicista do séc. XIX que valoriza as obras do Renascimento, em especial o italiano. Na arquitetura e nas artes decorativas recorre-se a formas e ornatos característicos daquele período e merecem especial destaque os edifícios (teatros, bibliotecas, museus) construídos na remodelação de cidades como Paris e Viena. ~ Nos ambiente de elite, o mobiliário, a cerâmica, a prata foram igualmente marcados pelo estilo Neo-renascentista* que se estendeu até o princípio do séc. XX quando já se impunha a estética do *Art Nouveau**. [V. estilo – estilos históricos e Vitoriano. Cf. Renascimento.]

Renascimento. [Do ital. *Rinascimento*.] Na história do Ocidente, período de renovação e criação, de cerca de duzentos anos (sécs. XV e XVI), que inaugura uma nova era na concepção da vida, do conhecimento e das artes. § O berço do Renascimento foi a Itália; sabe-se que, já no séc. XIV, Petrarca, poeta e erudito italiano, teria sido dos primeiros a delinear-lhe os princípios elementares: a noção de que a capacidade criativa do homem havia atingido o apogeu na Antiguidade clássica e declinara durante os "mil anos de trevas", como se considerava a Idade Média, e a de que a revivescência da cultura dependia do conhecimento dos valores gregos e romanos; essas noções tornaram-se o centro das convicções do homem erudito do séc. XIV. Por outro lado, a situação política dos diversos estados independentes da Itália criou condições propícias para uma posição individualista, fato favorável a um novo enfoque do mundo visível e do próprio homem cujas qualidades são valorizadas. Surge o *humanismo* que caracteriza o Renascimento; o homem volta-se para a busca de uma libertação dos valores medievais (Igreja, feudalismo) apoiada nas descobertas científicas, no progresso material e na expansão marítima: somam-se aquisições no campo arqueológico, técnico e artístico. § Em 1415 as escavações em Roma revelam as grutas do Palácio de Tito - os grotescos* - e diversos artistas, liderados por Rafael, debruçam-se no estudo da arte antiga; Ghiberti concebe a famosa *Porta do Paraíso* do Batistério de Florença (1420) que já é uma obra renascentista. § A arquitetura deixa-se impregnar pela onda de renovação e, da Itália, parte uma nova concepção do espaço arquitetônico, mais clara e racional. No correr do séc. XV os ideais clássicos são estudados, as ordens greco-romanas aplicadas e os arquitetos baseiam seus desenhos nos modelos romanos, nas proporções clássicas, na simetria, na valorização das linhas horizontais; as cúpulas* representam uma importante conquista (*Santa Maria dei Fiori* em Florença, Basílica de S. Pedro em Roma). As construções são grandiosas e equilibradas. Filippo Brunelleschi é o maior arquiteto do *quattrocento*, enquanto o século seguinte é dominado pela força de Bramante. ~ Na França, Francisco I se entusiasma pela nova estética, manda vir artistas italianos, e as obras mais características são os castelos (Amboise, Chambord e Blois) e os palácios de Fontainebleau e do Louvre. As propostas renascentistas se estendem aos outros países e adquirem características locais (o castelo de Heidelberg, na Alemanha, o palácio do Escorial na Espanha, entre tantos outros) e o séc. XVI se encerra, mais uma vez na Itália, com o gênio de Palladio*. § A Renascença foi o período mais prolífico das artes plásticas na Europa reunindo um conjunto de artistas excepcionais. Os temas religiosos subsistem, mas a arte deixa de ser mística e simbólica e passa a ter inspiração profana; o artista do Renascimento observa a natureza (Leonardo, Dürer), estuda anatomia, busca os modelos em pessoas reais (as Madonas* de Rafael). ~ Na pintura, o realismo manifesta-se na representação do espaço pela perspectiva*, dos volumes pelo claro-escuro*. Os italianos buscam a beleza das formas numa pintura plástica, intensa: Masaccio, Piero Della Francesca, Mantegna, Rafael, Leonardo, Miguel Ângelo, Ticiano. Os alemães e flamengos se detêm na beleza interior, na meditação: Holbein, Dürer, Van Eyck. ~ Na escultura, o rigor e a harmonia da estatuária clássica se humanizam nas formas vigorosas e dinâmicas, nas composições equilibradas de um Ghiberti, um Donatello, um Verrocchio, um Cellini*, de um Miguel Ângelo. A escultura em madeira adquire, na Alemanha, espiritualidade realista nas obras de Tielmann Riemenschneider. § Na literatura emergem os nomes de Erasmo e Maquiavel; Ariosto, Tasso e Rabelais; Shakespeare, Montaigne,

Cervantes, Camões; com a influência da Reforma e da imprensa, as línguas vernáculas substituem o latim. § Na música, a polifonia é rica e complexa; esboça-se a tonalidade. § Grandes transformações dão-se no campo das *artes decorativas*, a começar pela diferenciação e individualização de artistas e artesãos. Até o fim da Idade Média eles se ombreavam; um escultor ou um pintor gozavam do mesmo prestígio de um mestre do esmalte ou do vitral, ou de um ourives. No princípio do Renascimento ainda perdura essa dualidade: Brunelleschi era escultor, arquiteto e ourives; os Della Robbia tanto trabalhavam no mármore como na cerâmica. No séc. XVI a distinção se define entre os artífices de talento e os artistas de renome. No entanto, pintores famosos decoram com painéis religiosos ou mitológicos, móveis como *cassoni* (arcas de casamento) ou cabeceiras* de cama. Os artesãos italianos são notáveis pela versatilidade e muitos deles emigram para outros países influenciando na arte da cerâmica, da metalurgia. ~ O repertório de *ornatos** inclui ramagens terminando em bustos humanos, *putti* que dançam entre flores, figuras mitológicas e fantásticas, máscaras, mascarões, cornucópias; tais motivos, colhidos nas grutas romanas e nos sarcófagos, se espalham rapidamente, com tratamento próprio. Até então os ornatos eram condicionados à forma e à estrutura das peças decoradas; a Renascença altera esse preceito: a mesma decoração é aplicada em uma fachada ou a um armário, e o artífice tem grande responsabilidade. Esse traço da Renascença é essencial, pois não se trata apenas de substituir a linguagem decorativa do Gótico* por outra completamente diferente; trata-se de nova concepção estética. ~ Os interiores renascentistas ostentam, além de volumes generosos, um colorido vibrante realçado pelos ricos tecidos vindos da Itália e do Oriente próximo, profusão de bronzes, de pedras semipreciosas; a maiólica, de cores vivas, é exposta nas salas de palácios e grandes residências com suas pinturas descritivas, seus ornatos. O mobiliário* – até o séc. XVI, raro e de construção simples –, é mais numeroso, recoberto de relevos em gesso pintado e dourado. A madeira entalhada é pesada e rebuscada; as camas têm imponentes dosséis e cortinas. § As iniciativas renascentistas, dando ênfase ao exercício da vontade individual, contaram, desde o início, com a proteção de príncipes e papas e deixaram uma contribuição marcante em todos os centros políticos e culturais da Europa Ocidental. [V. perspectiva. Cf. Gótico e Barroco.]

renda. *s. f.* Tecido decorativo, em geral de textura delicada, feito à mão ou à máquina com fios que se entrelaçam em malhas abertas nas quais se distribuem desenhos com os mesmos fios mais apertados. A renda é empregada na ornamentação de peças de vestuário (golas, punhos, cabeções, etc.) e seus acessórios (lenços, leques, mantilhas, etc.), em toalhas litúrgicas e vestes sacerdotais (amicta, alva, roquete, sobrepeliz), em roupas de cama e mesa, cortinas, e muitos outros artigos. Apresenta-se em diferentes dimensões e formas segundo a finalidade; existem as peças unitárias e acabadas, existem os entremeios e as pontas que são unidos ao tecido. § *História*. A arte da renda parece ter como antecessores os bordados abertos, entre os quais a *reticella*, quase uma renda com desenhos geométricos; um bordado muito aberto na orla do tecido passou a ser chamado *puncti in aere* (pontos no ar), com verdadeira aparência de renda. Mas a renda propriamente dita começa a se desenvolver na Europa por volta do séc. XV; as primeiras tentativas teriam sido feitas com fios de lã, depois de linho ou algodão, com fios de ouro e de prata e, só mais tarde, apareceu a seda. ~ O novo artesanato emerge do Renascimento* e se aplica ao vestuário, conforme se pode observar em incontáveis retratos. O progresso no preparo do sabão teria propiciado o uso de guarnições brancas bordadas e feitas de renda com os motivos em voga, cujos riscos já aparecem em livros especiais. Diz-se que a rainha Elizabeth da Inglaterra (1533-1603) teria, em seu guarda-roupa, cerca de 3.000 guarnições de renda. No fim do séc. XVI a renda passa a ser imprescindível na roupa de luxo e de aparato e a arte alcança alto nível de perfeição técnica. Com o advento do Barroco*, ao lado da beleza discreta das rendas finas, dominam outras com motivos em relevo. ~ A renda deixa de ser ocupação doméstica, as manufaturas se multiplicam, os preços são altos dada a lentidão do trabalho. Na França se estabelece uma indústria importante graças a Colbert (1619-1683), ministro das finanças de Luís XIV. Os homens rivalizam com as mulheres no uso da renda e até o fim do séc. XVIII os aristocratas ostentavam punhos, jabôs, lenços de renda; peças riquíssimas eram usadas pelos dignitários eclesiásticos e outras eram empregadas em leques, toucados, etc. A Revolução Francesa praticamente interrompeu essa moda e certas indústrias francesas de renda se transportaram para a Bélgica (Bruxelas, Malines) onde estabeleceram sólida tradição. Até começo do séc. XX os acessórios de renda verdadeira continuaram sendo de uso corrente no vestuário feminino. • A renda feita à mão é chamada **renda verdadeira** e distingue-se não só pela beleza da textura e do desenho como por apresentar pequenas irregularidades nas malhas do fundo e emendas de espaço a espaço; essas emendas são necessárias porque a renda verdadeira faz-se em peças de dimensões limitadas e elas constituem uma prova de autenticidade; outras provas são a resistência e a liberdade na disposição dos motivos nunca perfeitamente simétricos. Quanto à **renda mecânica**, seu desenvolvimento corresponde às necessidades da era industrial, e a perfeição com que eram imitados os modelos legítimos deve-se ao tear do tipo *jacquard**; a malha é regular e as peças de **entremeios** e **pontas** são de dimensões longas, feitas sem emendas. Além dos materiais tradicionais, o fio sintético também é empregado em rendas para consumo amplo. § **Técnica.** A **renda verdadeira** tem basicamente dois processos mundialmente adotados: a **renda de agulha** e a **renda de almofada**, feitas com fios que se entrelaçam. Trabalha-se com fios contínuos e agulhas próprias, nas rendas de *crochê** e de *tricô* (estas mais raras) ou na *frivolité*, em que se usa a naveta. ~ A **renda de agulha** é executada com agulha de coser sobre um suporte provisório, de pergaminho ou papel próprio, com o desenho. Os fios cruzados, presos por laçadas, vão formar o fundo (a retícula) e os motivos; a técnica é proveniente da Itália onde se criou o ponto veneziano (*gros point de Venise*) e muitos outros (*point rose, point d'Angleterre*) que se espalharam por outros países, assumindo formas próprias (o *point Colbert*, o *point d'Alençon*, na França). ~ A **renda de almofada** é executada sobre uma almofada, (tambor ou coxim) de diferentes dimensões de acordo com a obra; é também chamada **renda de bilros**. Sobre a almofada se estende o papel acetinado ou o cartão com o modelo; os fios são fixados em uma extremidade com alfinetes e na outra enrolados em bobinas de osso ou madeira com pequeno cabo, os *bilros*. O cruzamento dos bilros dá origem a renda. As rendas de almofada parecem ter surgido em Flandres no séc. XVI. Em seu quadro *A Rendeira* o holandês Vermeer imortalizou no gesto, na concentração, uma artesã absorvida no trabalho da renda de almofada. § **Classificação.** Na **renda verdadeira** consideram-se os pontos e os grupos estilísticos, e geralmente essas classificações se associam aos nomes dos locais de origem: renda de Veneza, de Bruxelas, de Irlanda, etc. Esse critério não é rígido, porém, uma vez que as rendeiras se deslocavam ou sua técnica era levada a outras regiões. • Entre as **rendas verdadeiras** destacam-se: *Alençon.* Renda de agulha de ponto fino com fundo firme de malhas hexagonais e motivos florais, e volutas delicadas limitadas por cordão. *Blonde.* Renda de bilro de origem francesa surgida no séc. XVIII e feita com fios de seda crua (daí o nome *blonde* 'loura') e depois nas cores preta e branca; foi produzida em Puy, Arras, Lille, Chantilly e passou à Espanha onde com ela se executam as belas mantilhas das espanholas. *Bruges.* Renda de almofada também feita em outras cidades da Bélgica, com fundo de malhas hexagonais e motivos feitos em ponto tipo de Inglaterra. *Bruxelas.* Dois tipos de renda: a) de agulha, com ponto muito delicado (*point de gaze*) e motivos que levam um fino cordão à volta. b) de almofada, feita em ponto tipo de Inglaterra (os motivos são tecidos e cercados por fino cordão e o fundo é geralmente de malhas hexagonais). No séc. XIX certas rendas de Bruxelas uniam as duas técnicas. Essas rendas prestavam-se para belíssimos véus de noiva. *Chantilly.* Renda de almofada do tipo *Blonde* cuja produção começou na região de Paris no séc. XVIII; concentrou-se depois, na cidade de Chantilly. Era tecida de preferência com fios de seda preta e nela sobressaíam desenhos vistosos, de inspiração variada, sobre malha hexagonal. A Chantilly branca foi muito procurada para echarpes e mantilhas. *Frivolité* ou *frioleira.* Renda executada com uma naveta e um gancho e fio contínuo, formando graciosas argolas e pontas. *Guipure.* Designação comum a diversas rendas de almofada e de agulha com motivos em acentuado relevo muito apreciados no período Barroco*. **Irlanda**. Renda de crochê executada com linha e agulha muito finas e que se caracteriza pela presença de pequenas rosas e folhas em relevo sobre fundo regular de malha aberta. Em meados do séc. XIX, quando a fome grassava no país, as mulheres irlandesas recorreram a habilidades ancestrais e criaram essa indústria que passou a ter grande aceitação no comércio de luxo e representou um esteio para a economia do país. **Malines**. Famosa renda belga de almofada muito fina e flexível com fundo de malhas hexagonais e pequenas flores. **Milão** ou **Gênova**. Renda de almofada feita com lacê tecido à mão formando desenhos fixados e unidos por diversos pontos que formam a trama intermediária. **Puy**. Renda de almofada oriunda desse grande centro de produção e que é do tipo guipure. **Tenerife**. Renda de almofada também conhecida como **nhanduti**, característica da América do Sul, especialmente do Paraguai. É feita de linho, algodão ou seda e forma delicados desenhos. Conta-se que foi inspirada na teia de aranha e, de fato, o fio mestre é preso a pinos a espaços regulares formando círculos concêntricos dos quais partem motivos mais densos colocados no centro e cujos raios, presos por nós, formam malhas largas. É muito frágil e sua técnica foi adotada na França em variedades mais resistentes. **Valenciennes**. Renda francesa de almofada (entremeio e ponta) forte e graciosa com fundo de retícula quadrada e motivos de volutas e flores sem cordão à volta. **Veneza**. Renda de agulha muito famosa, talvez a mais antiga, e que consiste em motivos cheios ou abertos de forma geométrica ou de outros, florais ou com figuras, realçados por cordões e às vezes superpostos ao gosto renascentista; esses motivos são entreligados por *brides* (barras) ou por uma rede. A renda de Veneza tem vários pontos que serviram de modelos para outras rendas. §§ Portugal transmitiu ao Brasil a tradição da renda; ali essa atividade era exercida pelas mulheres de pescadores (segundo um ditado português, "onde há redes há rendas"). ~ O artesanato adquiriu entre nós feições tipicamente nacionais em diversas regiões do litoral, em especial no Nordeste. A ***renda de bilros*** é conhecida como "renda do Norte" ou "renda do Ceará", e sua técnica passa de mãe para filha em belos trabalhos que outrora eram feitos com fios de linho. Os modelos têm nomenclatura evocativa ou pitoresca como, p. ex., tijolinho, pé de onça, casco de burro, rabo de pato, surrão nas costas, estrela, alegria dos pobres, acode-precisão, etc. Nas peças grandes chegam a trabalhar quatro rendeiras numa só almofada. ~ É igualmente típica do Nordeste a ***renda de crivo*** também chamada ***labirinto*** devido ao emaranhado de pontos empregados; é ***renda de tecido aberto*** ou seja, desfiado, quadriculado e recoberto com bordado feito a agulha. É própria para colchas e toalhas de mesa. [V. filé e macramé. Cf. bordado e trabalhos de agulha.] – Fr.: *dentelle*; ingl.: *lace*; alem.: *Spitze*; ital.: *merletto*; esp.: *encaje*.

Renda de agulha tipo Veneza. (séc. XVIII)

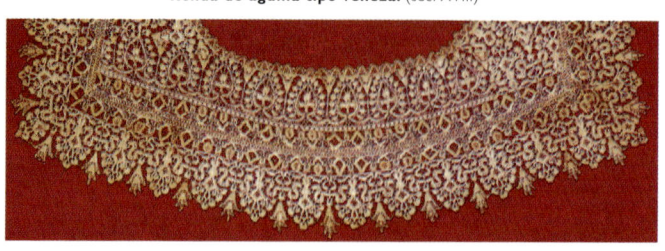

Renda de almofada do tipo Milão. (séc. XVIII)

rendilhado. *s. m.* Conjunto de aberturas formando desenhos à maneira de renda em qualquer trabalho decorativo. Na madeira, na pedra, o rendilhado aparece em gradis de sacadas e outros, e no metal, na porcelana, etc., em acabamentos de superfícies laterais, de galerias, bordas, etc. [Cf. lambrequim.]

reposteiro. *s. m.* Cortina de tecido ou outro material pendente das portas internas ou de outros vãos. [V. cortina.]

repoussé. [Fr. 'empurrado', 'repelido'.] *s. m.* Nos trabalhos de arte decorativa, processo manual de modelagem a frio usado em lâminas de metal com motivos formando relevo na parte externa. A obra é feita pelo avesso e pela parte inferior do objeto com auxílio do martelo e do cinzel que penetram nas reentrâncias do molde (o acabamento das peças e outras decorações são feitos pelo direito). O *repoussé* foi das primeiras técnicas desenvolvidas na metalurgia e, desde tempos remotos, adquiriu grande expressão no Oriente. Na Europa foi aplicado por muitos artistas e artífices na decoração barroca e rococó dos sécs. XVII, XVIII e XIX. § Técnica semelhante foi aplicada ao couro e a outros materiais moldáveis e resistentes. (Em português essa técnica é conhecida como *repuxado* numa tradução imprópria baseada na eufonia.) [V. prata (decoração).]

repuxado. *s. m.* V. *repoussé*.

reserva. *s. f.* Espaço fechado deixado em branco na pintura da porcelana e que tem, em geral, a forma de medalhão, recebendo, não raro, decoração floral, paisagens, cenas, etc.

resplendor. *s. m.* Auréola ou círculo luminoso à volta da cabeça das imagens de Jesus, da Virgem e dos santos. Nas esculturas a auréola, de ouro ou de prata, é representada por raios* mais ou menos simples ou decorados até mesmo com pedras preciosas. §§ Na imaginária luso-brasileira, os santos ostentam belos resplendores de prata com motivos Dom João V, Dom José I e Dona Maria I. Alguns são repuxados em folha de prata, outros são fundidos, com o avesso liso. Os resplendores radiados em forma circular aparecem nas imagens do Cristo crucificado. ~ Coroas* fechadas são usadas nas imagens de Nossa Senhora, salvo na de N. S. das Dores que tem resplendor guarnecido com sete estrelas (as sete dores de Nossa Senhora); também têm coroa fechada as imagens do Menino Jesus. ~ Certas santas que foram rainhas (como Isabel da Hungria) têm a cabeça cingida por coroas* abertas (coronéis com pontas) em vez de resplendores. [Cf. coroa.]

restauração. *s. f.* Trabalho especializado que consiste em recuperar obra de arte ou edifício parcialmente danificado de modo que se apresente, dentro do possível, no estado original; restauro. § A rigor, toda a obra de arte começa a merecer cuidados desde o momento em que é entregue pelo artista ou pelo artífice e dada como pronta. As condições externas e a manutenção determinam o ritmo do desgaste e a sua gravidade. São legítimas as tentativas e esforços para recuperar um objeto de valor estético, histórico ou simplesmente afetivo, pela substituição de um elemento que falta (perna de cadeira, p. ex.) ou pela limpeza da peça (não confundir o pó depositado com a pátina*). § No caso da porcelana e da cerâmica, pequenas bicadas muito naturais podem ser reparadas; mas deve-se notar que peças muito antigas de faiança com esmalte de estanho não perdem o valor por esses pequenos defeitos (muito perfeitas tornam-se suspeitas). Peças quebradas em cacos grandes ou que têm uma parte saliente partida (dedos ou mãos de estatuetas, p. ex.) podem ser devolvidas ao aspecto anterior; note-se, porém, que uma cabeça muito afetada e restaurada desvaloriza consideravelmente uma peça. Quanto às rachaduras nos objetos de alta qualidade, é aconselhável não mexer; só uma espessa camada de pintura poderá disfarçá-la sem, no entanto, debelar o problema que fica apenas escondido. § Na prata, restauração e reparos são possíveis desde que se mantenha a autenticidade da peça. Na Inglaterra, onde a prata é de comprovada qualidade, diversos atos do Parlamento tratam do assunto: é ilegal adicionar quantidade substancial do metal a objetos que receberam *hall-marks*; para isso é necessário que passem pelo controle do *Assay Office* (ensaiadores oficiais) para que as adições sejam testadas e marcadas. § Os móveis, obviamente, precisam de consertos e reparações em diferentes graus. O folheamento* e a marchetaria* são extremamente sensíveis à secura do ar, e a madeira empena devido a fatores externos e certas variedades não resistem à umidade ou aos insetos. A estabilidade estrutural do móvel sujeito a choques deve ser defendida. § Os quadros são também sujeitos a desgaste quando não devidamente preservados e sua restauração é objeto de estudos científicos ficando estabelecido que, quando realizada, deve ser com um mínimo de alterações. Até mesmo a remoção de camadas de verniz merece tratamento especial. § De modo geral, as peças mais simples e lisas são as mais difíceis de restaurar. Os restauradores habilitados são raros e os mais qualificados são conhecedores do ofício e das técnicas artísticas e artesanais. Seus preços podem parecer elevados, mas o trabalho requer tempo e especialização. §§ No Brasil, a restauração do patrimônio artístico de quase cinco séculos foi empreendida oficialmente desde a criação do antigo "Serviço do Patrimônio Histórico e Artístico Nacional" iniciado por Rodrigo M. F. de Andrade (1898-1969). ~ O descaso com que esse acervo havia sido tratado no passado, o abandono e a cobiça causaram a deterioração de grande número de edifícios e de peças antigas, problema que vem estimulando o aperfeiçoamento do trabalho de restauro.

Restauration. [Fr. 'Restauração'.] Estilo corrente na França por ocasião do restabelecimento da monarquia dos Bourbons, ou seja, desde a queda de Napoleão em 1815 até o final do regime em 1830. É, na verdade, um prolongamento menos ornamentado do estilo Império, destituído, naturalmente, dos emblemas napoleônicos. No mobiliário, usa-se o mogno folheado; as camas (*en bateau*), as cadeiras (*en gondole*) têm curvas mais acentuadas, e desaparecem as guarnições de bronze. Note-se que a monarquia constitucional de Luís XVIII e Carlos X manteve o patrocínio aos ebanistas do período anterior (Jacob-Desmalter*, Odiot*). ~ Nessa época surgem os belos papéis de parede com cenas panorâmicas ou com drapeados em *trompe l'oeil**. ~ As cores usadas são brilhantes, não só nos interiores, como também na porcelana de Sèvres*, na de Paris* e outras com muito ouro e tons vibrantes. As opalinas* francesas se aprimoram no colorido e nas formas. [V. Império e papel de parede. Cf. Luís Filipe, restauração e *Restoration*.]

Restoration. [Ingl. 'Restauração'.] Estilo que vigorou na Inglaterra por ocasião da volta ao trono dos Stuarts, com Carlos II (1630-1685), em 1660; o período foi marcado por uma acentuada mudança na vida inglesa (costumes, moda, artes decorativas) que emergia do severo regime do protetorado de Oliver Cromwell (1599-1658). O rei, de volta do exílio, na França de Luís XIV, trouxe hábitos requintados que resultaram no desenvolvimento de indústrias de luxo e no brilho da corte. ~ Paralelamente, a mania pelas coisas orientais que se apossou da Europa, invadiu também a Inglaterra; houve grande interesse em torno do exotismo, da qualidade artesanal, da novidade dos materiais e técnicas reveladas nos objetos importados pela Companhia de Comércio com o Oriente (lacas, porcelanas, tecidos indianos). As *chinoiseries** apareciam nos móveis acharoados, na cerâmica, na prata. § O mobiliário sofreu grande transformação graças a uma ocorrência trágica e fortuita: o incêndio de Londres em 1666 destrói milhares de casas e os antigos móveis de carvalho*, desaparecendo, dão ensejo ao uso de peças mais leves e elegantes em geral de nogueira*. A principal influência dessa renovação (como no período da Rainha Ana) é de origem holandesa: os ebanistas introduzem a marchetaria*, as pernas recurvadas, a palhinha nos assentos; as manufaturas de cerâmica imitam os modelos de Delft*. A madeira entalhada e dourada aparece em móveis, paredes, molduras. Para maior conforto os móveis são estofados (*wing chair*, *day bed*) e os ricos tecidos pendem também de camas imponentes. § O hábito de tomar chá, café e chocolate induz à criação de novas formas no vasilhame de louça e de prata. Esta é amplamente usada, produzida por prateiros experimentados; até móveis da aristocracia são revestidos de prata com decoração barroca (nos castelos de Knole, de Windsor). ~ Ao lado do fausto barroco da corte, a tradição inglesa não foi abandonada no mobiliário sólido, na prata de linhas simples e na cerâmica, prestigiados pelos grandes senhores rurais que iriam destituir do trono Jaime II (1633-1701) e acolher William e Mary em 1688. [V. prata inglesa, Queen Anne e William and Mary. Cf. restauração e *Restauration*.]

retábulo. *s. m.* Nas igrejas, elemento do altar que se eleva verticalmente na parte posterior deste e destina-se à apresentação de imagens e cenas sacras. ~ Na arte cristã medieval, o retábulo, voltado para os fiéis, foi objeto de diferentes tratamentos. Nas igrejas românicas* o fundo do altar era a própria parede decorada com afrescos ou mosaicos. Paulatinamente passou-se a pintar ou entalhar a madeira, a trabalhar o metal ou a pedra; o retábulo da Basílica de São Marcos em Veneza (realizado entre os sécs. X e XIII) é magnífica obra de ourivesaria. No período gótico* (a partir do séc. XIII) os retábulos fixos se incorporam a um conjunto estilístico; os alemães apresentam importantes esculturas em madeira, outros, como os flamengos e espanhóis, ostentam pinturas (como o célebre retábulo do *Cordeiro Místico* de Van Eyck da Catedral de Gand, Bélgica). Alguns se organizam em painéis móveis decorados também no anverso; neles, veem-se pinturas, baixos-relevos, trabalhos em metal, etc. Os retábulos de madeira pintada constando, em geral, de três ou mais painéis, têm, não raro, uma base - a predela* - com molduras e quadros menores; alguns são protegidos por dossel. ~ A arquitetura renascentista* e barroca* não descuidou dos retábulos lavrados em mármore, bronze, madeira; efeitos de iluminação natural vinda do alto impressionam e acentuam o teor dramático. [Cf. tríptico.]

retrato. *s. m.* Representação de uma pessoa real, particularmente de sua fisionomia, segundo a visão de um artista. O retrato encontra o seu meio de expressão nos principais ramos das artes visuais (pintura, escultura, desenho, gravura, fotografia); também é abordado, em menor escala, em ramos de impacto decorativo como o mosaico, a tapeçaria, o vitral. A miniatura* teve um desempenho muito particular nessa prática. § O retrato é, por definição, o enfoque realista que permite a identificação física do indivíduo retratado, e o artista, aprofundando a observação, pode chegar a uma interpretação psicológica de seu modelo; tenta captar a intimidade do retratado, representando-o num momento determinado, procura revelar o que lhe vai na alma, os traços de sua vida, de sua personalidade, de seus feitos. O retrato, individualizando, torna o modelo algo único, inconfundível. Essa individualização objetiva está centrada, na maioria das vezes, na figura isolada, mas se diversifica também em dois tratamentos extremos: o ***auto-retrato*** e o ***grupo***. No primeiro o artista se vê como modelo, constrói seu próprio espelho; no segundo, diferentes figuras não perdem as características individuais ligadas pelo fio condutor que as reúne, em harmonia ou, mais raramente, em conflito. ~ Na pintura, Ticiano, Rubens, Dürer, Rembrandt, Van Gogh, Picasso deixaram auto-retratos de acentuada subjetividade; no Brasil, Pancetti, Guignard, Marcier também fixaram o olhar no espectador através de suas telas. ~ O primeiro ***grupo*** de importância na história do retrato é o de Andrea Mantegna que representa a família dos Sforza nos afrescos da *Camera degli Sposi* (Quarto dos esposos) no Palácio Ducal de Mântua; Rembrandt anima o grupo dos *Staalsmeesters* (Corporação dos negociantes em panos) e dá o recado pessoal de cada um daqueles importantes burgueses; em Portugal, na linguagem da escola flamenga, os homens influentes do tempo do Infante D. Henrique (séc. XV) são reunidos por Nuno Gonçalves num documento único: o *Tríptico de S. Vicente*. § Até o advento da fotografia em meados do séc. XIX, o retrato teve na pintura o meio de expressão por excelência. A figura humana se destaca de um fundo que, não raro, traz um aporte interpretativo: elementos simbólicos, referências iconográficas à atividade, à posição social do retratado, a suas convicções, suas realizações. § Na escultura, o retrato fixa os traços fisionômicos e se detém especialmente no busto, enquanto na estátua de corpo inteiro ou nas célebres estátuas equestres intervém o aparato, a valorização do personagem dentro de um contexto social e histórico. § ***História***. No mundo ocidental, à proporção que o individualismo se impõe a partir do Pré-renascimento, o retrato tem uma trajetória decisiva. ~ Anteriormente, entre os povos da Antiguidade, conhecem-se esculturas que já revelam diferenciações fisionômicas (Suméria, Egito). Na Grécia clássica, as representações de pessoas são quase sempre idealizadas e na época helenística (v. helenismo) já se observam os traços naturalistas que se aprimoram nos bustos romanos. ~ São realistas, de olhar penetrante, os retratos funerários pintados em encáustica* nos primeiros séculos do cristianismo; menos definidas, embora sumamente decorativas, são as figuras de reis e nobres representadas nos mosaicos, nos vitrais, nos esmaltes. Até quase o fim da Idade Média os valores tendem para a anulação do indivíduo e as raras tentativas de retratos voltam-se para o significado simbólico do retratado. ~ No séc. XV, devido às profundas alterações nos conceitos de vida, ressurge na pintura a arte do retrato; os artistas flamengos*, sob o patrocínio de ricos burgueses, reproduzem-lhes a figura fiel, porém hierática, como doadores de pintura religiosa; por outro lado, combinam realismo e expressão em telas inovadoras como o *Casal Arnolfini* de Van Eyck ou os *Banqueiros* de Memling. O *quattrocento* italiano revela a escultura individualizada de Donatello, de Verrochio, de Pisanello e os grandes pintores Piero Della Francesca, Andrea Mantegna, Giovanni Bellini têm nova linguagem. ~ Em pleno Renascimento*, o retrato italiano encontra tratamento muito especial nas obras dos venezianos Ticiano e Tintoretto, nas quais o colorido quente se alia à composição expressiva e à grande penetração. Esse enfoque psicológico unido a alta qualidade técnica acontece igualmente na Alemanha com Dürer (que realiza também retratos em xilogravura) e Holbein. Na França, Jean e François Clouet dão a seus trabalhos cunho real e detalhista, o mesmo acontecendo entre os espanhóis com Sanchez Coello e Antonio Moro. ~ O subjetivismo se instaura no séc. XVI com o maneirismo*; Parmeggianino e Bronzino são expoentes dessa tendência. ~ Na Espanha, as telas de El Greco, com suas longas figuras espiritualizadas, levam o maneirismo à mais alta expressão. ~ No séc. XVII, Rembrandt aprofunda a intimidade do retrato através de sua originalíssima linguagem pictórica. Franz Hals e Rubens invocam aspectos realistas, o primeiro com a força de suas pinceladas ágeis, o segundo com os retratos em que sobressaem as formas e a textura viva da carne. Velazquez capta o "instante de vida pulsando", abandona a beleza formal pela aparência imediata do retratado e, mais ainda, pelo que vê para além da realidade. Esse pintor atinge, na tela excepcional de *Las Meninas*, a essência do retrato "retratista que retrata o ato de retratar" no dizer do crítico espanhol Ortega y Gasset. ~ O formalismo aristocrático e requintado de Van Dyck vai influenciar a concepção do retrato no séc. XVIII e culmina com os grandes mestres ingleses Romney, Gainsborough, Reynolds. Na França, David e Ingres ligam-se ao Neoclassicismo e, em toda a Europa, a partir de 1830, os poderosos, e mesmo a pequena burguesia, se fazem retratar por inúmeros artistas, alguns famosos (Delacroix, Courbet, Leibl); os retratos românticos e realistas caracterizam fases da vida e da arte. Dentro das concepções inovadoras dos impressionistas* e afins (Manet, Degas, Renoir, Whistler) o retrato como criação artística chega a um ponto limite dentro da pintura tradicional. ~ No séc. XX os próximos passos na arte são dados pelos novos caminhos do expressionismo* e do cubismo*, tendências deformadoras do real, em que o retrato torna-se uma interpretação especialmente subjetiva do objeto retratado. Com a arte abstrata, com o desinteresse pelas formas visuais exteriores, o retrato pintado, salvo exceções, passa a um plano menos criativo, sendo praticado comercialmente e sofrendo a concorrência da arte fotográfica. [Cf. busto, figura humana, miniatura.] – Fr.: *portrait*; ingl.: *portrait*; alem.: *Bild*, *Porträt*; ital.: *ritratto*.

Revere, Paul (1734-1818). Prateiro norte-americano de origem huguenote conhecido também como herói das guerras da independência dos E.U.A. Os trabalhos em prata de Revere distinguem-se, numa primeira fase, por singela fidelidade ao primeiro período georgiano*; depois da Independência ele ainda segue a moda em vigor na Inglaterra executando peças frágeis com elegantes guirlandas levemente gravadas e delicadas caneluras. [Cf. Federal e prata inglesa.]

revestimento. *s. m.* Qualquer material destinado a recobrir uma superfície. ~ Em decoração, o revestimento de paredes, pisos e tetos têm grande variedade de soluções. A superfície, previamente preparada, recebe, conforme o caso, tábuas, ladrilhos, azulejos, placas sintéticas ou não. Nas paredes e tetos, os papéis pintados, o plástico, os tecidos, a cortiça são algumas opções que se prestam a diferentes efeitos.

Revolução Industrial. No Ocidente, profunda alteração socioeconômica que teve origem na Grã-Bretanha em meados do séc. XVIII como resultado do súbito e acelerado desenvolvimento técnico dos meios de produção e de transporte.

A economia, até então agrícola e tradicional, desloca-se para as fábtricas nas cidades. O trabalho manual esmerado, o uso das ferramentas são substituídos pela máquina, pela linha de produção. ~ Já no séc. XIX, inicia-se uma nova etapa nas artes decorativas, que dará origem às diferentes faces do design no séc. XX. [V. *arts and crafts movement* e vitoriano.]

Riesener, Jean-Henri (1734-1805). Ebanista francês de origem alemã. Inicia suas atividades no reinado de Luís XV e trata o Rococó* com distinção e comedimento. Em 1774, já sob Luís XVI, é nomeado *ébéniste de la couronne* (ebanista da coroa). Volta-se para o Neoclássico* e produz móveis de formas simples e sóbrias com marchetaria delicada, finas guarnições de bronze, medalhões de porcelana pintada, aplicações de marfim, de burgau*. As madeiras usadas são o mogno e a palissandra, de tons quentes; depois adota madeiras mais claras. Riesener trabalhou para a rainha Maria Antonieta, para nobres e para financistas proeminentes. É considerado o mais completo intérprete do estilo Luís XVI. Sobreviveu à Revolução francesa e sabe-se que ele próprio adquiriu peças do mobiliário real postas à venda pela Convenção. [V. Luís XVI. Cf. Oeben.]

Rietveld, Gerrit T. (1888-1964). Arquiteto e *designer* holandês que participou ativamente do movimento *De Stijl*. Concebeu a conhecida poltrona *red-and-blue* (vermelha e azul) em que enfatiza o uso de linhas retas e de cores primárias numa preocupação de pureza e construção harmoniosa que tem analogia com a pintura de Piet Mondrian. ~ Rietveld realizou diversas variações dessa cadeira além de outros móveis bastante complexos que se afastam dos métodos tradicionais da marcenaria. Suas obras são formas esculturais abstratas. [V *De Stijl* .]

roca¹. *s. f.* Instrumento de madeira para fiar manualmente a lã, o linho, o algodão. Consta, basicamente, de uma armação onde trabalha uma roda movida por pedal, e de um fuso. A fiandeira vai puxando a rama e torcendo com os dedos de uma das mãos até fazer o fio que ela orienta para ser enrolado no fuso à proporção que este gira movido pela roda. ~ A roca foi, desde tempos antigos, instrumento básico na economia doméstica; seu uso foi praticamente afastado diante dos novos recursos mecânicos, mas muitos exemplares foram conservados. Com sua grande roda, as rocas de outros tempos são procuradas como peças decorativas em ambientes informais. [Cf. tecelagem.] – Fr.: *rouet*; ingl.: *spinning wheel*; alem.: *Spinnrad*.

Roca de proveniência alsaciana.
(França)

roca². *s. f.* V. santo de roca.

Rocalha. [Do fr. *rocaille* ('conjunto de cascalho')] *s. f.* Nas artes decorativas, ornamentação rebuscada que surgiu na França durante o período da regência de Philipe d'Orléans (1715-1723) e se estendeu pelos primeiros anos do reinado de Luís XV; essa ornamentação com suas características, foi o ponto de partida do estilo Rococó. ~ A fantasia das linhas e volutas aplicadas na arquitetura e na decoração dos interiores lembra as formas caprichosas das conchas* marinhas. Os motivos se inspiravam nas grutas e cascatas artificiais típicas dos jardins renascentistas e barrocos que eram adornadas com pedras cimentadas unidas a diversos tipos de conchas. ~ O estilo *Régence* que então surgia encontrou nessas formas complementação para um mobiliário que se aligeira e ganha um novo equilíbrio num sistema de curvas e contracurvas. Nos interiores, as *boiseries**, os espelhos, os objetos de adorno (apliques, peanhas, relógios), as guarnições de ormolu* harmonizam-se num incontido efeito de movimento. §§ No mobiliário luso-brasileiro do séc. XVIII os motivos rocalha caracterizam as talhas do período Dom José I*. Volutas, conchas, trifólios ao lado de flores e folhas decoram os móveis de luxo, e são repetidos livremente em inúmeras peças rústicas. É possível que a forma irregular dessa decoração, que pode fugir facilmente ao rigor dos modelos, tenha sido propícia à imaginação dos artífices provincianos que se deixavam levar pelas formas curvas e assimétricas (nota-se a mesma tendência nos móveis rústicos franceses, provençais e normandos). [V. Luís XV, *Régence* e Rococó.]

rock garden. [Ingl. 'jardim de rochas'.] *s.* Jardim planejado que parece um cenário natural numa encosta ou num terreno rochoso. Plantas resistentes, perenes ou não, adaptadas a tais tipos de terreno enchem os espaços numa distribuição de coloridos e volumes. [V. jardim.]

Rococó. [Do fr. *rococo*, palavra chistosa derivada de *rocaille*, 'rocalha'.] Estilo nascido na França por volta de 1730 e que, na história das artes decorativas, sucede o Barroco* e o *Régence* e precede o Neoclássico*. Embora esteja diretamente vinculado às movimentadas formas rocalha – que revolucionaram o gosto da época – a designação Rococó não vingou em seu país de origem sendo o estilo ali conhecido como Luís XV. ~ Alguns consideram o Rococó uma evolução do Barroco* no que ele tem de dinâmico, outros como uma reação a ele e a sua pompa; o estilo afirma-se, de resto, como uma aspiração surgida com as mudanças na economia, nos costumes, no saber da Europa moderna. Ao contrário de outros estilos, o Rococó delineia-se primeiro nas artes decorativas, e só depois se estende à pintura, à escultura, à arquitetura. § O repertório ornamental do Rococó caracteriza-se pela assimetria, pelas curvas em "S", pelas volutas livres e acentuadas, pela presença das cores claras e da decoração dourada, pela harmoniosa combinação de motivos inspirados na natureza (pássaros, flores, folhagens ao lado de animais fabulosos), e pela preferência por formas leves e movimentadas em vez de outras sólidas, geométricas. A forte influência do Oriente está presente nas *chinoiseries**, nos móveis acharoados. § Na França, artistas como Meissonier* e Pillement* desenham móveis de linhas ousadas que irão exercer forte influência a leste do Reno e na Itália. ~ Em Veneza, o Rococó se instala, e as linhas curvas chegam ao exagero. Na Alemanha, o estilo se apura sobretudo com François Cuvilliés* que, na corte da Baviera, criou o típico e elegante Rococó alemão. Na Inglaterra o Rococó chega mais amenizado graças às formas *Queen Anne** que o antecederam; manifesta-se em certos aspectos das concepções de Thomas Chippendale* e na obra dos prateiros. § O tempo do Rococó coincide com o início da indústria da porcelana na Europa; ainda com pasta mole, começa a ser apresentado em Sèvres*, mas logo a pasta dura se revela o meio ideal para expressar a elegância leve do estilo. Nas manufaturas alemãs (Meissen*, Vienna*, Nymphenburg*) escultores e modeladores de renome produzem estatuetas, relógios, vasos, ao lado de serviços de mesa com pinturas delicadas. Extravagantes salas de porcelana rococó foram concebidas e executadas (painéis, mobiliário) num estilo que se revelou favorito entre príncipes e nobres riquíssimos imersos num mundo de prazeres. §§ Esses traços do estilo são sensíveis em Portugal nas cortes opulentas de D. João V* e D. José I*, e são mesclados, sobretudo na primeira metade do séc. XVIII, com marcados elementos barrocos. O mobiliário português dessa fase figura entre os mais belos de seu tempo pela originalidade da forma e da decoração, pela limpeza do trabalho no jacarandá*. Naprata, o estilo joanino revela a transição dos modelos barroco e *Queen Anne* para o Rococó; das estrias radiadas (reflexo dos gomos do séc. XVII), passa a recortes mais completos com palmas e cocheados já dentro do ritmo rocalha. Na ourivesaria e nos móveis, porém, a exuberância Rococó se equilibra com elementos moderados em que predomina o gosto inglês. Em todas as manifestações das artes decorativas em Portugal a *chinoiserie** é uma constante que dá sua nota graciosa desde um painel de azulejos até um móvel acharoado. [V. Luís XV, porcelana e *Régence*. Cf. Rocalha.]

Potiche de porcelana alemã. Estilo Rococó. (sem marca)

roda de oleiro. Plataforma circular utilizada na modelagem de objetos de cerâmica*. Foi dos primeiros instrumentos a utilizar o movimento de rotação e parece ter surgido na Mesopotâmia por volta de 3500 a.C.; só um milênio mais tarde teria chegado à China. É mencionada pela primeira vez no canto XVIII da *Ilíada* de Homero. [V. torno.] - Ingl.: *potter's wheel*.

rolo de fumo. Motivo decorativo que consta de dois cordões enrolados como uma corda. Foi aplicado em guardas e encostos de canapés, camas, cadeiras e marquesas do início do séc. XIX. [V. Dom João VI (ilustr.).]

Roma. Estado que, na Antiguidade, teve como sede a cidade do mesmo nome situada na Península itálica, em posição privilegiada no mar Mediterrâneo. § A fundação da cidade de Roma data aproximadamente do séc. VIII a.C. e a ela se prendem diversas lendas e uma forte tradição histórica e cultural ligada sobretudo aos etruscos. A cidade se expandiu, dominou a península, grande parte da Europa e todo o mundo mediterrâneo. § Culturalmente, Roma, embora dominando a Grécia, absorveu a forte tradição helênica e deu continuidade a esta nas letras e nas artes, na filosofia, na ciência. Império rico e poderoso, com bases que iam do Oriente Médio aos confins da Península Ibérica, por um lado marcou politicamente todas as regiões sob seu domínio, por outro recebeu inúmeras contribuições de ordem cultural. § A partir de 70 a. C. a cidade de Roma e as províncias romanas, com o fausto do império, são providas com obras de arquitetura e de construção civil que atingem estágios elevados nos edifícios públicos (os templos, as arenas, as basílicas, os fóruns), nas obras de utilização coletiva (aquedutos, termas, anfiteatros); muitas vilas particulares e outras residências exibem luxo e são dotadas de pátios e cercadas de jardins. ~ À arquitetura retilínea dos gregos, os romanos associam os arcos separados por platibandas*. O *Coliseu* é o exemplo mais completo dessa associação; nele, como em muitas outras construções, diversas ordens gregas aparecem superpostas. As formas circulares e as cúpulas* se instalam definitivamente na arquitetura ocidental. A decoração é rica, e depois de Augusto (63 a. C. - 14 d. C.) torna-se mesmo sobrecarregada, com rosáceas, coroas de folhagem, pesadas ramadas e guirlandas, figuras alegóricas, vitórias aladas e sempre a águia* – a águia romana de asas pendentes – símbolo da implantação do poder de Roma. Afrescos, estuques, esculturas, mosaicos enriquecem a decoração interna § Da escultura romana tem-se incontáveis exemplos em que o domínio da arte, recebido dos gregos (os romanos fizeram inúmeras cópias de esculturas gregas), aparece tendo como traço original o realismo. ~ Na pintura, os afrescos de Pompeia (v. pompeiano) e Herculano, as decorações das grutas das termas de Tito – os grotescos* – dão a medida do sentido decorativo da pintura nos interiores e esse mesmo sentido, levado a requintes de realismo foi praticado na arte e na técnica do mosaico. § O importante legado de Roma nas artes decorativas decorre da pompa e do luxo. Da metalurgia muito adiantada conhecem-se, além de ferramentas e utensílios, tripés, lustres, candelabros, móveis. A ourivesaria* revela um magnífico acervo. ~ Do mobiliário* os testemunhos são expressivos: os leitos* figuram entre as peças mais importantes; as cadeiras evoluem a partir de modelos helênicos ou têm formas próprias como a célebre cadeira curul*; as mesas assumem maior destaque e utilidade. Muitas peças de bronze sobreviveram, encontradas nas escavações de Pompeia (as pernas zoomórficas atestam a alta qualidade do trabalho). ~ Na cerâmica*, o gênero mais notável é o conhecido como *terra sigillata* (barro impresso com desenhos). ~ A arte do vidro* no séc. I a.C. já adquire as características atuais e aparece o vidro soprado; belas peças se espalham por todos os recantos do império. § Por mais de um milênio, Roma controlou os destinos do mundo mediterrâneo e deixou sua marca; depois, o império foi se desintegrando e, no séc. IV, divide-se em império do Ocidente com sede em Roma e que se extingue em 476, e império do Oriente, com sede em Bizâncio e que permanece até 1453. ~ A Roma, o mundo ocidental deve as instituições jurídicas e deve o domínio da língua latina, que foi, até o séc. XVI, a língua que unificava o saber.

romã. *s. f.* Fruta que encerra muitas sementes envoltas numa polpa vermelha e cuja casca rugosa tem cor amarelo acastanhado ou avermelhado. Sua forma esférica irregular é encimada por uma coroa com pontas; presta-se para a estilização, e a fruta, representada aberta ou fechada, é importante motivo simbólico e ornamental. ~ Pela quantidade de sementes, a romã prende-se à ideia de fecundidade e de descendência numerosa. Em certas regiões do Oriente representava a expressão do desejo sexual e os órgãos genitais femininos. Dentro da mesma conotação, segundo a mitologia grega simbolizaria o erro (como a maçã entre os cristãos): Perséfone, por ter sucumbido à sedução de provar as sementes da romã foi condenada a passar seis meses do ano na obscuridade do inferno. Entre os deuses do Olimpo a romã era o símbolo de Hera (mulher zelosa e fecunda de Zeus) e de Afrodite (deusa da beleza e do amor). Na China a romã significa o desejo de uma grande prole; nas pinturas de porcelana as romãs são motivos recorrentes, não raro abertas exibindo as sementes. §§ Nos balangandãs* da Bahia a romã de prata decorada aparece também como a representação mágica da fecundidade e simboliza o gênero humano.

Românico. Estilo que floresceu na Europa aproximadamente do séc. IX ao séc. XI; teve como o Gótico, que o sucedeu, caráter internacional. As artes emergem em formas estáveis depois dos séculos de vida itinerante dos povos europeus. § Os primórdios de sua expressão notam-se na época do imperador Carlos Magno (742-814) pela fusão das tradições romana e bizantina com elementos europeus locais; o românico resulta de uma grande renovação artística oriunda do florescimento da vida monástica (como a Ordem de Cluny, na França) e da implantação de uma certa estabilidade política (como o Sacro Império Romano Alemão). § A arquitetura, a serviço dos mosteiros, faz-se notar basicamente pelo aspecto maciço, sólido, geométrico. As paredes são capazes de suportar o empuxo de grandes abóbadas* (de berço ou de arestas) e nelas se abrem, em arcos* plenos, portas e janelas que deixam passar escassa luz; os portais monumentais, também em arco pleno, são cobertos de esculturas no tímpano*, nos pilares. As colunas dos templos e dos claustros têm riquíssimos elementos de decoração nos capitéis* exuberantes com figuras abstratas ao lado de formas vegetais, animais e humanas, na maioria portadores de mensagens ligadas ao cristianismo – assuntos bíblicos, temas edificantes, vida de Cristo e dos santos. § Nas artes plásticas existe uma relativa liberdade estilística mesclando a representação figurativa, a tendência aos ornatos geométricos (herança teutônica) e a inspiração religiosa. ~ A escultura é exuberante e expressiva, de forte impacto em obras severas e majestosas ou em outras movimentadas, inquietas. A figura humana é representada de modo incipiente nos primeiros séculos, e, mais tarde, passa a ser tratada com detalhes na estatuária, nos altos e baixos-relevos, em personagens estilizados de forte conotação espiritual. ~ Estabelecem-se os cânones para a iconografia e, na pintura, a técnica generalizada é o mural* com as imagens do Pantocrátor*, da Virgem*, dos santos, dos anjos em cenas do Velho e do Novo Testamento, e a representação dos símbolos do cristianismo. Tanto os murais como pinturas menores, em madeira, têm forte carga expressiva, deformadora da imagem visual. Os processos são rudimentares, muitas vezes de inspiração popular; desconhece-se a perspectiva e o volume, e a maior expressão está na vivacidade do colorido. Muitas das mais belas pinturas românicas foram feitas no esmalte que desfrutou de técnica apurada. As iluminuras dos manuscritos seguem, como a pintura, a trilha da estilização linear, em coloridos que se mantiveram inalterados. § Todos os motivos são transpostos para as artes decorativas, especialmente para o vasto cabedal litúrgico, mas também para objetos seculares. Os artífices do bronze e da prata afirmam a excelência de seu trabalho que pode ser comparado ao da Renascença. O uso do relevo é enriquecido com decoração em esmalte, com pedras preciosas e semipreciosas. A ourivesaria* românica persistiu mesmo depois do advento do gótico, conforme se pode observar nos magníficos objetos litúrgicos encomendados por Suger para a Abadia de Saint-Denis, na França (séc. XII). § O estilo românico fixou, pela obra de artistas, na maioria anônimos, um mudo e eloquente discurso que transmitiu para a pedra, a pintura, os metais, o marfim, a síntese do saber contemporâneo. Transforma os objetos correntes em imagens visionárias que expressam valores transcendentais. [Cf. Gótico.]

romantismo. *s. m.* Movimento artístico que dominou o Ocidente aproximadamente desde o final do séc. XVIII até meados do séc. XIX.

Foi uma reação apaixonada à regularidade do classicismo, ao racionalismo filosófico; foi uma afirmação do eu, das aspirações mais profundas e emocionadas do espírito; foi a volta às idades míticas e lendárias, à poesia que parte do coração, à natureza. Os artistas pregavam a liberdade de expressão individual acima das normas acadêmicas e conferiam maior valor à emoção do que à forma. ~ O romantismo manifestou-se com força irresistível e gerou e refletiu importantes reformas sociais, políticas e sobretudo artísticas; introduziu mudanças tão radicais que o colocaram, em contraposição ao classicismo*, como uma das polaridades da arte: todo movimento subsequente será considerado, em termos gerais como pertencente a uma dessas duas posições. § Nas artes decorativas, a tendência à volta à natureza, às raízes do homem, induziu a uma revivescência de estilos passados ou exóticos como o gótico, o renascentista, o mourisco, sem maiores rigores na sua interpretação.

Römer. [Alem.] *s. m.* Copo típico da região da Renânia (Alemanha) que tem a forma aproximadamente hemisférica e suporte cônico tradicionalmente decorado com gotas ou fios de vidro. Surgido por volta do séc. XV e executado em *Waldglas*, teve formas requintadas e é até hoje usado para se beber vinho do Reno. [Cf. copo e Waldglas.]

Römer. Reprodução livre de modelo do séc. **XVII**.
(Alemanha - séc. XIX)

ronde-bosse. [Fr.] V. esmalte.

rosa. *s. f.* Flor que, pela beleza, pelo perfume, pela delicadeza é símbolo muito evocado no Ocidente. No plano místico, remete ao cálice que recolhe o sangue de Cristo, à Ressurreição. No plano afetivo é o símbolo do amor puro, da doação do amor; é metáfora riquíssima na literatura, nas artes visuais. ~ Na pintura, sobretudo no séc. XVIII, as mulheres mais belas foram retratadas entre adornos e guirlandas de rosas. O pintor francês Jean Baptiste Redouté, fascinado por flores, reproduziu em desenhos as diversas variedades de rosas, por encomenda da imperatriz Josefina, primeira mulher de Napoleão e criadora de um famoso roseiral no castelo de Malmaison nos arredores de Paris, O livro de Redouté, *Les Roses*, foi publicado em 1817 depois da morte de sua inspiradora e da queda do imperador. § Nas artes decorativas, a rosa em botão é uma promessa, e a rosa desabrochada, com a sua corola aberta, é imagem de vida plena, de beleza. Aparece em inúmeras criações de joalheria e Fabergé* realizou delicada rosa de esmalte com haste de ouro fincada num vaso de cristal. É tradicional a roseira de ouro que o papa, desde o séc. XV, oferece aos soberanos abençoados. ~ A rosa estilizada em círculo gera a rosácea e gera também a rosa dos ventos e a roda, símbolo do eterno devir, da renovação. § Forma fechada bidimencional é a rosa de Mackintosh* com suas pétalas aprisionadas num grafismo elegante e conciso. Aparece pintada ou esculpida na decoração de móveis e de painéis, em peças de vidro, de serralheria e na padronagem de tecidos. Na década de 1920 essa rosa tornou-se, de certo modo, o emblema do *Art Déco**.

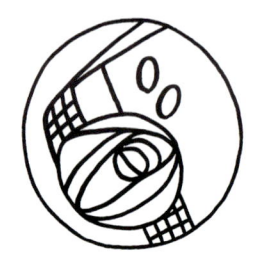

Rosa. Estilização de Mackintosh.

Rosa. Objeto decorativo de vidro de Murano. (Itália - c. 1930 - compr. 31 cm)

rosácea. *s. f.* Motivo ornamental circular em relevo, em pintura, etc., com forma estilizada. // Ornato arquitetônico floral de forma redonda geralmente colocado no centro de tetos e abóbodas. // Na Idade Média, grande janela circular das igrejas e catedrais góticas; o modelo teria sido trazido do Oriente pelos cruzados e, já no séc. XII, é encontrado nas fachadas (Laon, Chartres). As rosáceas das grandes catedrais, decoradas com vitrais de cores profundas, subdivididas em arcos estrelados, seriam símbolos da unidade dentro da totalidade. [V. vitral.]

Rosácea do teto de uma antiga fazenda fluminense. Talha em madeira.
(séc. XIX)

rótula. *s. f.* Gelosia cujas ripas são dispostas regularmente em ângulo reto ou em diagonal. // Caixilho cuja envazadura é preenchida por gradeado de madeira rendada. ~ Nas descrições das casas antigas do Brasil é frequente a expressão "janela de rótula". [Cf. gelosia e muxarabi.]

Rouen. [Cid. da França.] Faiança francesa cuja fabricação teve início em 1525; foi das primeiras iniciativas de implantação da cerâmica com esmalte de estanho à maneira da maiólica italiana, e conhecem-se, dessa época, alguns exemplares de vasilhas de farmácia (jarros chamados *chevrettes* e potes conhecidos como *albarelli*). Em 1644 Rouen produz louça doméstica azul e branca muito semelhante à de Nevers e, no fim do séc. XVII, começa a apresentar criações específicas com lambrequins* (a princípio na borda dos pratos e depois em toda a superfície). A cerâmica é solicitada nos diferentes pontos do país. No começo do séc. XVII os fornos se multiplicam e a cidade torna-se um dos principais centros cerâmicos da França; especializa-se em jarros e outros vasos e pratos inspirados em modelos de prata no chamado *style rayonnant* (estilo radiante) muitas vezes decorado com brasões. Essas peças foram muito procuradas pela nobreza proibida de usar baixelas de prata e outros artigos de luxo desde 1709 (fim do reinado de Luís XIV). ~ Em 1725 Rouen introduz pratos amarelos com decoração negra que imitam esmalte sobre ouro. Na mesma época surgem peças excepcionais como as duas esferas (terrestre e celeste) em ousadas e tardias interpretações barrocas, já em vigência do estilo *Régence**. ~ Em meados do século emprega-se toda a gama de cores de alta temperatura, no "estilo chinês", numa tentativa de imitar a *famille verte**, em grande voga; algumas peças são assinadas por J. B. Guilliboud. Utensílios como jarros, tigelas, bacias são decorados à maneira de Nevers ou com *chinoiseries**; depois aparecem flores, pássaros, cornucópias, cenas galantes e pastoris e outras decorações à maneira

Rococó. ~ A indústria começa a declinar no fim do século XVIII não só pela concorrência de Moustiers*, Marseille*, Strasbourg*, como, principalmente, pelo sucesso crescente da porcelana. [V. cerâmica. Cf. Nevers.]

roxo. *s. m.* Na natureza, a cor da flor da quaresma, da ametista, da violeta esta também dá o nome à cor.). Tem pouca luminosidade e é a cor do segredo, do mistério, da transformação, do sacrifício. Na visão popular representa a temperança, resultante de igual proporção de vermelho e de azul. ~ Na Idade Média convencionou-se que as vestes de Jesus durante a Paixão seriam roxas simbolizando tanto o sacrifício do Filho do Homem quanto a Redenção. É, por isso, a cor que preside a liturgia da Quaresma. Através desse simbolismo, o violeta foi considerado, mais tarde, na sociedade ocidental, a cor de luto, e traz conotações de angústia, de melancolia, de saudade; por outro lado, é a cor do apaziguamento, da compreensão e é por isto a cor das roupas episcopais. § Em decoração, o roxo vivo é usado com parcimônia; é inquietante, extravagante; associado ao verde e ao laranja forma uma tríade ousada e dinâmica. ~ Entre as gradações do roxo, a cor de berinjela (*aubergine*, em fr.), muito escura, é usada na pintura da porcelana chinesa, e tem especial ressonância cromática, como o negro, com os mesmos efeitos decorativos. ~ O lilás, roxo muito claro, é cor delicada, feminina, sensual. [V. cor.] – Fr.: *violet*; ingl.: *purple*; alem.: *Violett*, *Veilchenblau*, esp.: *morado*.

Ruhlmann, Jacques-Émile (1879-1933). Decorador e *designer* de móveis francês de maior prestígio na década de 1920. Com muito senso de oportunidade soube transpor as tendências cubistas da arquitetura e da decoração para o mercado de luxo. ~ Nascido em Paris, iniciou a vida como pintor, mas já na virada do século começou a desenhar móveis e, depois da I Guerra Mundial (1914-1918) fundou uma *maison de décoration* (casa de decoração) que, por volta de 1925, foi a mais importante da França com ateliês especializados (móveis finos, estofamento, laca, espelhos). Suas criações, feitas com madeiras raras e incrustações de marfim, têm linhas simples, acabamento perfeito; são marcadas com sua *estampille* (assinatura), como as peças dos ebanistas do séc. XVIII. Os aparadores, escrivaninhas e penteadeiras são lisos e leves de poucas curvas, e têm pernas altas que se adelgaçam na base. Em suas decorações Ruhlmann adotava de preferência tons neutros, cinzas e prateados, às vezes ouro e negro. ~ Dado o sucesso, Ruhlmann foi imitado em móveis populares de gosto vulgar, mas suas belas peças originais figuram em grandes museus como o *Musée des Arts Décoratifs* de Paris e o *Victoria and Albert Museum* de Londres. [V. *Art Déco*.]

running dog. [Ingl. 'cachorro correndo'.) Motivo que representa uma sucessão de ganchos* angulosos voltados, todos, para a mesma direção (daí o nome) e que é usado na barra de certos tapetes orientais. [V. tapete oriental.]

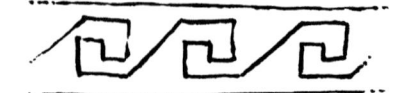

S

S. A forma da letra "S", em curva e contracurva, está presente nas mais diversas manifestações das artes decorativas; marca, com seu efeito elegante, equilibrado e dinâmico, formas estruturais de apoio (pernas de móveis, mísulas, braços de arandelas e de candelabros) e ornatos (volutas, ramos, frisos e barras). [V. curva e contracurva.]

Saarinen, Eero (1910-1961). Arquiteto norte-americano de origem e tradição finlandesas. Com outros arquitetos de sua geração, interessou-se pelo *design* de móveis e, em 1941, com Charles Eames*, foi premiado pelo Museu de Arte Moderna de Nova York pelo projeto de uma cadeira. Foi pioneiro no uso do plástico moldado para o mobiliário e na adoção de formas leves e orgânicas que se afastam das linhas rigorosamente geométricas dominantes até meados do séc. XX. Sempre atento ao bom aproveitamento daquele material, criou uma linha de cadeiras chamadas *Tulip* (tulipa) cuja forma envolvente repousa sobre um suporte único que se afunila e se abre numa base circular; essa forma assemelha-se a uma flor. Saarinen projetou também a chamada *Womb chair* (cadeira-útero), grande poltrona aconchegante e confortável, estofada com espuma de borracha sobre uma estrutura de plástico moldado. [V. *Art Déco* e Eames.]

sabot. [Fr. 'tamanco'; 'casco de animal'.] *s. m.* Guarnição de metal (geralmente de bronze) destinada a proteger a extremidade de certas peças de madeira, em especial os pés de móveis. [V. pé. Cf. sapata.]

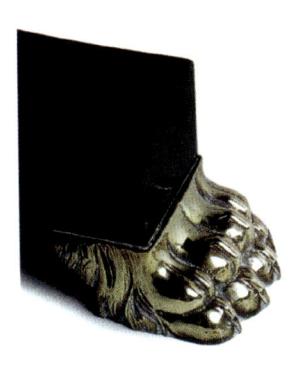

Sabot de metal dourado em forma de garra. (detalhe)

sabre. *s. m.* Espada de um só gume que forma um arco mais ou menos acentuado. // Forma típica da perna de certas cadeiras cuja curva para fora lembra um sabre de cavalaria de seção quadrangular ou redonda, afunilando-se para a base. A perna de sabre, característica de uma cadeira da Grécia antiga (*klismós*), foi muito frequente nos sofás e cadeiras do séc. XVIII e seu uso se estendeu posteriormente. [V. cadeira.]

sacada. *s. f.* A parte saliente de um paramento da parede, que serve de base para um balcão e de apoio à balaustrada. Quando voltada para o exterior, corrida ou não, a sacada decora a fachada e para ela abrem-se uma ou mais portas; quando interior, caracteriza-se pela presença de balaústres de madeira como os que, nas igrejas, se debruçam de um pavimento superior sobre a nave.

sacra. *s. f.* Cada um dos três pequenos quadros colocados sobre a mesa do altar e que contêm orações da missa. A designação provém das palavras latinas inscritas no quadro central: *Sacra Consecrationis Forma* (Fórmula Sagrada da Consagração). ~ As sacras podem ser simples quadros emoldurados ou belas peças de prata com uma cartela ao centro onde estão gravadas as palavras litúrgicas. Só devem permanecer no altar durante a missa. §§ Magníficas sacras barrocas enriquecem a prataria religiosa luso-brasileira. – Fr. *canon d'autel*.

saia¹. *s. f.* Aba* que remata a base da caixa das mesas de encostar ou das cômodas e meias-cômodas; saial. Aparece no mobiliário luso-brasileiro do séc. XVIII. [Cf. saia².]

saia². *s. f.* Em certos castiçais, base circular que se caracteriza por ser torcida em estrias reunidas na haste; aparece em peças portuguesas do fim do séc. XVIII, e o mesmo movimento abre-se na base dos castiçais *Art Nouveau** valorizando a decoração vegetal do estilo. [Cf. saia¹.]

saia e camisa. *s. f.* Nas casas, designação antiga de certo tipo de forro* de madeira cujas tábuas, justapostas e encaixadas, se alternam em reentrâncias e ressaltos, tendo as que ficam em relevo molduras singelamente trabalhadas.

saial. *s. f.* V. saia¹.

Saint-Cloud. Manufatura de porcelana francesa originada de uma fábrica de faiança do séc. XVIII situada em Saint-Cloud, nos arredores de Paris. ~ Em 1707, a manufatura, dirigida pela viúva de Pierre Chicaneau (descobridor de um processo de fabricação de porcelana de pasta mole) recebeu o privilégio real de produzir porcelana e faiança, abrindo depois outra fábrica na capital. Os produtos de pasta mole eram notáveis pela qualidade do material, pelo acabamento do modelado, pelo brilho acetinado do revestimento. Potes, pratos, caixas de especiarias, jarros, bules, xícaras, terrinas, castões de bengala, caixas de rapé, etc., eram decorados em cores de esmalte ao gosto dos primeiros anos do séc. XVIII; em 1730 a influência japonesa se fez sentir em peças inspiradas no estilo Kakiemon e depois a decoração no estilo de Meissen domina a produção até a fábrica fechar em 1766. ~ As marcas de Saint-Cloud são um sol radiado e as letras maiúsculas S e C sobre um T. [V. porcelana - porcelana de pasta mole.]

Saint-Louis. Importante manufatura francesa de vidro e de cristal, conhecida como *Cristallerie de Saint-Louis.* Fundada em 1767, produziu cristal fino a partir de 1780 seguindo processos e modelos ingleses. No séc. XIX os mais belos e apreciados cristais de mesa franceses eram procedentes de Saint-Louis ou de Baccarat*. ~ A fábrica produziu também vidro colorido e *pâte de riz**, além de objetos com decorações *millefiori** e filigranados. Em meados do século suas criações sobressaem pela simplicidade do desenho. A atividade dessa indústria prosseguiu no correr do séc. XX. [V. peso de papel e vidro.]

sala. *s.f.* Designação comum aos compartimentos de uma casa, ou de um apartamento, destinados ao convívio íntimo e social ou ao trabalho de gabinete. § A divisão interior das casas evolui segundo fatores sociais, econômicos, técnicos, etc. Quartos e salas podem refletir no tempo e no espaço as personalidades de seus ocupantes e podem também ser índices do talento de arquitetos, de decoradores, de milhares de artesãos. § A conquista do conforto se contrapõe, de certo modo, ao espaço ocupado; só no séc. XVIII os grandes salões ou os *halls* de pé-direito elevado vão sendo substituídos por peças menores, mais íntimas, nas residências das famílias nobres e de ricos burgueses. ~ A França do período *Régence** inaugura essa tendência. Um arquiteto planeja, por ex., um *appartement de parade* (apartamento de aparato), para uma casa parisiense de qualidade, com uma série de salas destinadas a receber: vestíbulo, antessala, salão, *chambre de parade* (quarto de aparato), escritório, servidos por pequenos gabinetes e quarto de vestir. Surge também o *appartement de commodité* (apartamento confortável) que consiste em peças menores e mais aquecidas, próprias para o convívio íntimo, para a conversação. ~ A intimidade, cercada de luxo, com requintado repertório decorativo, torna-se uma das características do Rococó* francês. O mobiliário se diversifica para fins específicos; é feito por grandes artífices com cuidados especiais de luxo e conforto. As salas do *Petit Trianon* (Versalhes), concebidas por J. A. Gabriel (1698 - 1782), são exemplos que serão reproduzidos nas diversas cortes da Europa. ~ No séc. XIX as salas já são nitidamente diversificadas nas residências burguesas: salão de recepção ou baile, sala de visitas, sala de música, sala de jantar, cada qual guarnecida com decoração própria e móveis adequados já então produzidos industrialmente. ~ No séc. XX outro tratamento do espaço urbano vai alterar as possibilidades de vida em casas e apartamentos; a princípio, a classe média desfruta de uma sala de estar – o *living room* – e da sala de jantar, para depois se cingir a uma única sala de maior ou menor área e diferentes possibilidades de uso e decoração.

saleiro. *s. m.* Recipiente para se colocar o sal que será usado à mesa. § O sal reveste-se de especial importância para o homem como condimento essencial e como elemento indispensável ao equilíbrio fisiológico; decorre dessa dupla qualidade a simbologia vital associada a esse produto. O sal é a um tempo conservador dos alimentos e agente corrosivo dos metais. Mas se, por um lado, desde a Antiguidade era recurso de punição ou de retaliação salgar as terras dos inimigos e dos criminosos, por outro, em inúmeras mitologias e religiões fazia-se apelo à virtude catártica e purificadora do sal. ~ Na Bíblia ele é referido como símbolo de hospitalidade; e Cristo, no Sermão da Montanha, refere-se a seus discípulos como "sal da terra", com missão de preservar o mundo da corrupção. Para a Igreja o sal é o símbolo da sabedoria divina que purifica as criaturas e as protege do mal; por isso é ministrado no sacramento do batismo. § O sal é extraído das águas do mar ou de minas no interior da terra. Essas minas constituíram uma das riquezas da Europa Central (Áustria, Baviera); desde a época dos romanos eram exploradas e representavam motivo de disputas territoriais. § Foi tal o valor do sal na vida cotidiana que os *saleiros* figuram, desde cedo, entre os principais objetos usados às refeições. Nas mesas nobres, um saleiro rico e imponente marcava a diferença de posição entre o senhor, sua família, seus amigos, e os criados e pessoas humildes que sentavam "abaixo do saleiro". ~ Dava-se tal valor ao sal que, às vezes, seus recipientes eram encerrados no interior de grande e complicada obra-prima de ourivesaria, de forma arquitetônica, como é o caso do *Gibbon Salt* feito por prateiros ingleses do séc. XVI. No Renascimento*, os grandes "saleiros de pé" (ingl. *standing salts*) são obras artísticas. Os do séc. XVII, em geral de prata, têm motivos renascentistas e barrocos*, com a presença da figura de deuses mitológicos e animais fabulosos, e neles a estrutura é sustentada por colunas, por peças de cristal de rocha, etc. Alguns ainda são admirados em museus como o famoso *saleiro de Francisco I* da França, obra de escultura e ourivesaria feita por Benevenuto Cellini* e que hoje se encontra em Viena. § No uso doméstico, os grandes saleiros foram substituídos por peças menores, de faiança ou de porcelana; são rasas, em geral de forma circular. ~ Na Inglaterra georgiana* aparecem saleiros de prata em forma de pequenos recipientes circulares sobre três ou quatro pés; no período Neoclássico* surgem saleiros em forma de barco, às vezes com pé alto, e outros de forma oval ou octogonal. Sendo o sal corrosivo, os saleiros georgianos recebem douração na parte interna ou, mais frequentemente, têm no interior pequenas vasilhas de vidro azul escuro. – Fr.: *salière*; ingl.: *salt, saltcellar*; alem.: *Salzfass*.

Saleiros de porcelana de Meissen, com figuras.
(Alemanha - começo do séc. XIX)

salgueiro. *s.m.* V. *willow pattern*.

saltglaze. [Ingl.] *s.* Cobertura ligeiramente áspera que se aplica à cerâmica dura e que se obtém jogando sal no forno em que se cozem as peças quando a temperatura está no máximo. O calor separa os componentes do sal (cloreto de sódio): o cloro se evapora e o sódio se combina com os silicatos da cerâmica. [V. cerâmica.]

salva. [Do esp. *salva*, do verbo *salvar*; segundo a tradição, para proteção dos poderosos, ao se iniciarem as refeições, amostras de comida e de bebida eram trazidas em pratos redondos para serem provadas por alguém e "salvar" assim as pessoas gradas de possíveis envenenamentos (cf. credência).] *s. f.* Bandeja circular originalmente sem galeria feita em geral de prata e, em princípio, destinada a servir alimentos e levar copos com bebidas. ~ De diferentes tamanhos, a salva tem muitas outras utilidades no serviço doméstico; aparece sem cessar na movimentação das casas setecentistas e oitocentistas. É elemento ligado à etiqueta e à cerimônia, que marca distância entre os senhores e os serviçais; numa salva se apresenta um copo, uma carta, um cartão de visita, pois nunca seria permitido a um mordomo, a um lacaio, a uma copeira trazer na mão qualquer dos objetos usados à mesa ou nos salões. § As primeiras salvas – renascentistas* e barrocas* – têm o prato circular montado num pé em torno do qual se fechava a mão da pessoa que servia; elas têm acentuado relevo e ostentam no centro um brasão ou um motivo em destaque. ~ Posteriormente as salvas, mais baixas, têm três pés e uma cercadura trabalhada. ~ Na Inglaterra georgiana*, a borda em relevo, chamada *pie-crust**, é característica e será repetida na ourivesaria de outros países. No fim do séc. XVIII, com o Neoclássico*, esse acabamento vai se tornando mais simples. §§ Em Portugal, as salvas mais antigas datam dos sécs. XIV e XV; são em geral de prata dourada constituídas de uma ou duas faixas decoradas concêntricas limitadas por meias-canas e tendo ao centro um medalhão. A visão histórica renascentista – tão característica da maiólica* italiana – inspira igualmente os ourives portugueses. A decoração em relevo é naturalista com ramadas e parras, animais fabulosos, cenas de batalhas, além de "bestiães", "cardos" e "homens silvestres" como se dizia na época. Repousam a princípio sobre pés baixos ainda de modelo gótico*; o mesmo motivo prossegue no período manuelino*, mas pouco a pouco, em alguns espécimes já transparece certa sobriedade e a decoração é valorizada em contraste com superfícies lisas. ~ As salvas barrocas* são repartidas em setores, às vezes espiralados, e que convergem para um medalhão central. O número de setores varia, em geral, entre oito e dezesseis. A simplicidade plástica de certas salvas, rara na ourivesaria estrangeira, vai representar uma característica do gosto português. ~ No séc. XVIII cruzam-se muitas influências e os temas decorativos são menos autônomos do que anteriormente. As inúmeras salvas joaninas* redondas, de fundo liso, têm moldura rica, lavrada a cinzel, onde aparecem por vezes recortes concheados, palmas; muitas têm três ou mais pés baixos em vez do pé central. Seguem-se exemplares rocalha* de exuberância moderada, muito bem cinzelados. Ao dinamismo barroco-rococó* sucedem as linhas singelas, as decorações de relevo raso do estilo Dona Maria I*: nas salvas baixas e lisas aparecem as gradinhas vazadas, elegantes e leves e o perolado de grande refinamento; a superfície central é gravada com desenhos delicados e, muitas vezes, tem ao centro brasão ou monograma. A excelência da ourivesaria portuguesa nas salvas Dona Maria e nas da fase ulterior Dom João VI* são comparáveis às inglesas do último período georgiano. §§ Na prata brasileira, as ***salvas de esmola***, com pé central, eram usadas nas igrejas e nas festas religiosas, em especial nas festas do Divino. [V. prata.]

Salva de esmolas com pé. Decoração cinzelada e gravada. (Brasil - fim do séc. XVIII)

Samarkand. Designação genérica dos tapetes orientais provenientes da vasta província de Sin-Kiang no antigo Turquestão chinês (China ocidental). Nos sécs. XVIII e XIX os tapetes eram executados por tribos nômades e convergiam para a cidade de Samarcanda onde eram comercializados. As principais regiões relacionadas com a produção desses tapetes são Yarkand, Khotan e Kashgar* de onde se originam os exemplares mais finos. ~ Os tapetes Samarkand caracterizam-se pela beleza do desenho: o campo é decorado com motivos circulares em geral dispostos em três medalhões que têm no interior as volutas formadas por oito braços típicas da decoração chinesa; outro desenho muito bonito é a árvore da vida* que cobre todo o campo com galhos simetricamente dispostos carregados de romãs*. As bordas têm motivos geométricos (gregas, ganchos) e entre elas aparece uma barra larga com rosáceas de cores alternadas. O colorido é rico e bem combinado. Nos tapetes com romãs, o azul do fundo faz sobressair a cor vermelha das frutas. ~ Os nós são amarrados em base de algodão e seu número é relativamente reduzido (entre 350 e 900 por decímetro quadrado). Quanto ao formato, os tapetes Samarkand são em geral longos e estreitos. [V. tapete oriental e tapete chinês.]

sambladura. *s. f.* Designação genérica de qualquer corte ou entalhe feito em peças de carpintaria e marcenaria que devem ser unidas firmemente sem o auxílio de pregos, parafusos, etc. [V. encaixe.]

samovar. [Do russo *samovar*, 'que ferve por si mesmo'.] *s. m.* Recipiente de metal usado na Rússia e em regiões vizinhas para aquecer a água do chá; é peça de certo vulto, dotada de pé e de um tubo interno onde se colocam brasas ou carvão para manter a água quente que escoa por uma torneira. Criou-se o hábito de tomar chá em torno do samovar e isso lhe conferiu grande relevo entre os utensílios domésticos; favoreceu-se assim o aparecimento de peças muito decorativas de feitios variados – urna, cilindro, forma ovoide – de maior ou menor requinte artesanal. Os samovares russos são feitos em geral de cobre ou de latão, mas certos exemplares mais ricos são de prata. O bule de chá formando ou não conjunto com o samovar é colocado no topo da peça para manter a temperatura da bebida à qual se acrescentava a água periodicamente. // P. ext. Grande bule montado sobre um fogareiro para esquentar a água do chá no momento de servi-lo. Peça de prata ou de metal nobre, tem, não raro, a mesma linha e os mesmos motivos dos componentes de um serviço de chá. [V. Christofle (ilustr.) Cf. *tea kettle* e *tea urn*.]

sanca. *s. f.* Parte do telhado que assenta sobre a espessura da parede. [Cf. frechal.] // Cimalha* em geral de perfil convexo que une a parede ao teto. // Moldura de gesso de qualquer perfil que corre ao longo das paredes na altura do forro, deixando, muitas vezes, espaço para instalação elétrica utilizada na iluminação indireta.

sândalo. *s. m.* Madeira de certa árvore (*Santalum album*) nativa do sudeste asiático; é amarelada, de textura unida e destaca-se por ser fortemente aromática, produzindo um óleo usado em perfumaria. Na Índia foi tradicionalmente empregada na feitura de pequenos objetos ornamentais, com entalhes e recortes. Presta-se também para a marcenaria de luxo (cômodas, contadores*). ~ Depois de descoberto o caminho das Índias (séc. XVI), muitas mercadorias finas vindas do Oriente, sobretudo tecidos, eram acondicionados em perfumados baús e arcas de sândalo. ~ Os leques* dessa madeira, com finos rendados, são muito procurados pelo agradável perfume. – Fr.: *santal*; ingl.: *sandalwood*.

sanefa. *s. f.* Tábua atravessada que fixa uma série de outras tábuas perpendiculares a ela. // Tábua que encobre a parte superior de cortinas e reposteiros e que às vezes apresenta-se com entalhes em harmonia com o estilo do aposento. // Faixa de pano liso, drapeado, pregueado, franzido, etc., usada como terminação de cortinas, cortinados, etc. [Cf. bandô.]

sangue de boi. *s.m.* Esmalte de porcelana de um vermelho profundo e brilhante usado pelos oleiros chineses nos vasos monocromáticos do período K'ang Hsi* (1662-1722) em diante. Deve-se a cor à presença do cobre, e o aspecto característico às circunstâncias difíceis da queima; esta ocorre numa atmosfera a princípio pobre em oxigênio, seguindo-se forte oxidação. O resultado é uma distribuição desigual do esmalte, de surpreendente efeito estético: em algumas partes dos vasos depositam-se camadas mais espessas do esmalte adquirindo o aspecto de sangue coagulado acrescido de brilho próprio. No fim do período Ch'ing o colorido é mais vistoso e uniforme. Os europeus imitaram essa técnica no séc. XIX. [V. porcelana.] – Fr.: *sang-de-boeuf*; ingl.: *flambé glaze*.

Vaso de porcelana sangue de boi.
(China - séc. XIX)

sanguínea. [Do fr. *pierre sanguine*, 'hematita vermelha'.] *s. f.* Nas artes plásticas, desenho monocromático avermelhado executado com lápis macio que contém como pigmento o óxido de ferro vermelho. Presta-se, de preferência, para efeitos de contraste e de volume e os artistas encontram na sanguínea os meios para representar a plasticidade das formas, mormente o relevo escultural do corpo humano. Expressa uma linguagem naturalista e não tem sido empregada nos períodos em que a arte é estilizada e linear. Leonardo da Vinci, Rafael, Miguel Ângelo, Holbein empregaram esse recurso em seus desenhos e esboços e, mais tarde, foi usada pelos venezianos, por Rubens e por artistas do séc. XVIII como Watteau. ~ Muitas vezes combina-se a sanguínea com o carvão para diferenciar a matéria representada, ou com giz branco que serve para realçar o modelado.

santo. *s. m.* V. imagem sacra.

santo de pau oco. *s. m.* Imagem sacra luso-brasileira que circulou no Brasil na época do grande surto de extração aurífera, e que era usada como veículo para o contrabando do ouro. Fazia-se uma escavação na parte posterior da peça, capaz de abrigar o metal sonegado, e esta era fechada e pintada de modo que não se percebesse a emenda. A imagem não se distinguia, assim, de tantos santos que figuravam no acervo piedoso de igrejas e de particulares. [V. imagens sacras brasileiras.]

santo de roca. Imagem sacra com cabeça e mãos montadas numa armação de madeira – a *roca* – a que se dá a forma esquematizada do corpo e que é recoberta com as vestes apropriadas. São frequentes os santos de roca na imaginária brasileira, mormente nas imagens de maior tamanho do séc. XIX (Nossa Senhora com ricos trajes nas diversas devoções, o Senhor dos Passos com suas vestes roxas, entre outros). [V. imagem sacra.]

Santo de roca com o corpo articulado.
Figura de presépio.

sapata¹. *s. f.* Estribo de montaria de metal, em forma de chinelo. [V. estribo.]

Sapata de montaria, para homem. Metal dourado
(Brasil - prov. séc. XIX)

Sapata de montaria, para mulher. Prata cinzelada
(Brasil - séc. XIX)

sapata². *s. f.* A parte mais larga do alicerce junto ao solo e que serve de base a uma construção. // Peça de madeira na parte superior de um pilar que suporta o peso da armação do telhado. // Elemento saliente ou não que serve de apoio ou base aos pés de certos móveis acompanhando-lhes a forma. §§ Vê-se amiúde nas cômodas e papeleiras luso-brasileiras do séc. XVIII. Na mesma época deu-se o nome de "pé de sapata" ao pé de móvel que imita a ponta de um sapato. [V. pé.]

sarcófago. *s. m.* Túmulo em forma de ataúde onde os antigos colocavam os mortos que não eram incinerados. Era geralmente de pedra, e numerosíssimos exemplares resistiram ao tempo; as faces esculpidas em baixos-relevos apresentam cenas de valor artístico e documental. ~ A forma desses monumentos funerários foi reproduzida no correr da história em outros objetos como arcas, cofres, relicários.

sardônica. *s. f.* Variedade de ágata* em que se alternam zonas brancas e marrons.

Sarreguemines. Manufatura de faiança francesa da Lorena fundada em 1770, cujas atividades se estenderam até o fim do séc. XIX. Produziu de início faiança de cor creme com delicados desenhos. ~ Em 1794 adquiriu os materiais e modelos da fábrica de faiança e porcelana Ottweiler (da região renana), fechada nessa ocasião. Voltou-se, nos oitocentos, para a produção de serviços de mesa com cenas impressas com decalcomania, à maneira inglesa, e peças do gênero da maiólica italiana. Em meados do século chegou a ser a maior indústria de cerâmica da França. ~ As peças são marcadas com o nome por inteiro e/ou com as letras UC ou U&C. [V. cerâmica.]

Leiteira de faiança Sarreguemines, com tampa de estanho, para uso popular.
(França - séc. XIX)

sátiro. *s. m.* Divindade mitológica terrestre e sensual, com corpo humano, pés de cabra, orelhas pontiagudas e chifres. Simboliza as forças incontroláveis da natureza e sua máscara, muito expressiva, aparece como motivo decorativo a partir do Renascimento* em entalhes e obras de cerâmica ou metal.

Satsuma. Porcelana japonesa do séc. XIX fabricada especialmente para exportação. [V. Japão.]

saupoudreuse. [Fr. 'objeto para polvilhar'.] *s. f.* Colher em forma de concha com furinhos usada antigamente para servir açúcar e, mais tarde, para servir azeitonas.

Saupoudreuses de prata cinzelada com decoração barroca.
(Bolívia - séc. XVII)

Saupoudreuse de prata. (Inglaterra - séc. XIX)

Savonarola. V. cadeira - Cadeira Savonarola.

Savonnerie. Designação dos tapetes de nós* feitos na França, à maneira dos tapetes orientais, nas manufaturas que se instalaram sucessivamente em Paris, no séc. XVII, sob auspícios reais. § No séc. XVI os tapetes "de pelo alto" vindos do Oriente Médio fascinam os europeus e, bem no início do séc. XVII, o francês Pierre Dupont estuda a técnica desses tapetes; submete ao rei Henrique IV o projeto de fabricar *des tapis façon du Levant* (tapetes à moda do Levante). Instala-se um primeiro ateliê no Louvre e depois (1621) outro que se torna famoso em uma antiga fábrica de sabão (fr. *savonnerie*) em Chaillot. Nessas fábricas foram executados os **tapetes Savonnerie**; devido ao alto custo destes, as fábricas trabalhavam quase exclusivamente para a coroa (Luís XIII, Luís XIV). ~ Esses magníficos tapetes, talvez os mais ricos produzidos na Europa, são de lã fina, tecidos em alto liço com nó ghiordes*; têm cerca de 400 nós por decímetro quadrado. Entretanto, só na técnica, os tapetes Savonnerie prendem-se ao Oriente; os padrões são europeus, renascentistas*, com motivos florais e arquiteturais. Sob Luís XIV os motivos barrocos* (folhas de acanto, volutas cheias, armas reais) são densamente representados sobre fundo escuro. No séc. XVIII os desenhos são menos vigorosos, porém belos tapetes no estilo Império* foram produzidos no princípio do século seguinte. ~ A fábrica foi incorporada aos Gobelins* em 1825 mas continuou em atividade, com exemplares muito bonitos, no tempo de Luís Filipe e de Napoleão III. ~ Os tapetes *Savonnerie* exerceram forte influência nos modelos de outras manufaturas europeias. § Embora os tapetes de pelo constituíssem a base da produção, também foram executadas tapeçarias para estofamento, guarda-fogos e mesmo painéis pictóricos. ~ Os tapetes de chão deixaram de ser executados no fim do séc. XIX devido ao alto preço, sendo mais conveniente a importação do Oriente.
[V. tapete - tapete feito à mão]

Saxe. [Fr. 'Saxônia'] V. Meissen.

Sceaux. Faiança francesa produzida na localidade do mesmo nome nos arredores de Paris. Notabilizou-se no séc. XVIII pela decoração Rococó* de flores, pássaros, etc., em brilhantes cores de esmalte sobre massa muito fina. Certas figurinhas de Sceaux imitavam a produção contemporânea de Sèvres*. A manufatura passou depois a produzir porcelana no estilo Luís XVI* e sobreviveu como faiança doméstica até 1810. ~ Distingue-se pela marca em forma de âncora.
[V. faiança.]

Schneider, Charles (1881-1952) Vidreiro françês de origem alsaciana. Na juventude participou da Escola de Nancy* onde fez seus estudos de arte e trabalhou nos ateliês de Daum*. Radicou-se em Paris e em 1912 abriu com seu irmão Ernest a *Verrerie Schneider* cuja produção ainda se filiava ao *Art Nouveau**. Artista fino e original, sua obra tem dupla manifestação: as peças mais raras e elaboradas levam a assinatura *Schneider;* outra parte se define como *Charder-Le Verre Français.* Esta marca foi registrada em 1918 e destacou-se entre os vidros artísticos europeus do *Art Déco**. A produção foi numerosa, de alta qualidade e grande valor estético pela qualidade da massa vítrea, pelas linhas elegantes e pela estilização em relevo de elementos da natureza. [V. lâmpada (ilustr.) e vidro.]

Schneider - grande taça ou fruteira de vidro bicolor. Coleção Renan Chehuan (alt. 27 cm)

Secession. [Alem.] Designação comum aos movimentos de vanguarda que marcaram a vida artística e cultural dos países de língua alemã a partir dos últimos anos da década 1890. ~ Em fins do séc. XIX, a modernidade definiu-se como uma ruptura com a história: o novo, o inovador, dominou as artes decorativas, a arquitetura, as artes plásticas. A palavra alemã *Secession* ('corte', 'ruptura') deriva da locução latina *secessio plebis* (retirada do povo) e foi usada para designar grupos independentes de artistas de vanguarda. Houve a *Secession* de Munique e a de Berlim e a de maior repercussão que foi a *Secession de Viena.* § Esta teve origem na reação de alguns jovens artistas ao domínio da arte oficial numa cidade predominantemente conservadora. Arquitetos (Joseph Hoffmann*, Joseph Maria Olbrich), pintores e desenhistas (Kolo Moser, Carl Moll, Alfred Roller) e artistas gráficos reúnem-se com o fito de fazer conhecidas as novas tendências da arte; contam com a adesão de Gustav Klimt, pintor aceito pela sociedade vienense mas que, emergia para uma nova fase tornando-se o líder do grupo. ~ Erguem uma sede permanente para exposições no centro de Viena, marcadamente revolucionária, com linhas simples (que renegam o gosto historicista) e uma bela cúpula de bronze rendado, com folhas de louro e bagas de frutas, de uma leveza de joia; na fachada lê-se a frase que será a divisa do grupo: *Die Zeit ihre Kunst, der Kunst ihre Freiheit* (Ao tempo, sua arte, à arte, sua liberdade). As primeiras exposições, cujos cartazes* são, por si, obras de arte (feitos por Klimt, Roller, Moser) mostram não só os trabalhos de artistas austríacos como os de outros europeus contemporâneos (Rodin, Segantini, Boldini, Carrière, Puvis de Chavannes, Sargent, Uhde, Whistler, Mucha e outros.). Publicam uma revista *Ver Sacrum* (Rito da Primavera). ~ As exposições de 1900 e 1902 dedicaram-se especialmente às artes aplicadas; divulga-se a obra de Van de Velde* e Ashbee* e a da escola de Glasgow (Mackintosh* e sua mulher Margaret Macdonald apresentam um quarto todo decorado por eles). A impressão foi profunda entre os vienenses. § Esse movimento austríaco que recebeu também a designação de *Secessionstil,* costuma ser identificado com o *Jugendstil** (variante alemã do *Art Nouveau*); reunia, é verdade, artistas com essas tendências mas, por outro lado, ligou-se à arquitetura e ao *design* de concepções despojadas, livre de ornatos, levadas ao maior rigor por Adolph Loos*. ~ Há na *Secession* vienense, uma rebeldia tanto contra o academismo como contra a "natureza". Instituiu-se uma nova linha gráfica e decorativa, enxuta e requintada, que se afastou da linguagem pujante do *Art Nouveau* e vai constituir uma abertura para o *Art Déco** que se instalaria depois da I Guerra Mundial. [V. *Art Nouveau.* Cf. *Art Déco.*]

secretária. [Do lat. *secretarium,* 'retirado', de *secretus,* 'secreto'.] *s. f.* Móvel destinado à escrita; escrivaninha. ~ A palavra é usada em português desde o séc. XVI e se refere a diversos modelos de móveis fechados que apenas tinham em comum, de início, a finalidade de guardar secretamente papéis e, mais tarde, de servir de mesa para escrever. § No séc. XVII a secretária em forma de armário ou contador* aparece com a parte superior dotada de tampo de abaixar. Foi chamada na Inglaterra *writing cabinet* (contador para escrever) e na França *secretaire à abattant* (secretária com tampo de abaixar) ou *en armoire* (em forma de armário) ou ainda *en tombeau* (em forma de túmulo ou sarcófago). ~ Entre as inúmeras inovações surgidas na França no séc. XVIII encontra-se uma pequena secretária para senhoras *en dessus brisé* (com a parte superior inclinada) ou *en pente* (em declive), que logo adquire outros aspectos e dimensões como a secretária *en dos d'âne* (como dorso de burro) com duplo tampo permitindo que duas pessoas pudessem escrever uma em frente à outra. Riesener* e Oeben* criaram para Luís XV (entre 1760 e 1769) um *bureau de travail* (mesa de trabalho), obra admirável da ebanistaria francesa pela riqueza dos bronzes e das incrustações e pela perfeição técnica. Com base nesse modelo, inaugurou-se o *bureau à cylindre* (escrivaninha de cilindro) coberto por uma tampa de ripas articuladas que, aberta, se enrola e desaparece no interior do móvel, e que, fechada, cobre a mesa de escrever e suas gavetinhas e escaninhos. ~ Outra secretária, *à abattant* de tampo vertical como um armário, surge na época de Luís XVI* e, no séc. XIX, assume aspecto severo no mobiliário Luís Filipe* e Biedermeier*. §§ A secretária de tampo inclinado do séc. XVIII tem alguns de seus mais belos modelos nas cômodas-papeleiras* do mobiliário luso-brasileiro dos períodos Dom João V* e Dom José I*. [V. escrivaninha e *bureau*.]

Secretária de mogno no estilo George IV. Tampo de abaixar sobre meia-cômoda. Armário envidraçado para livros. (Inglaterra - fim do séc. XIX)

seda. *s. f.* Fio natural secretado por certos insetos para constituir seus casulos e teias, em especial o filamento produzido pela lagarta do bicho-da-seda (*bombyx mori*). // Tecido feito com a fibra desse fio, macio e flexível, que tem, não raro, aspecto luxuoso (brocado, cetim, tafetá, lâmpas, etc.) e caimento elegante. § A produção da seda implica no cuidado com o *bombyx mori* domesticado, que vai desde o acasalamento e a postura dos ovos até a fiação do casulo; envolve, por outro lado, o cultivo da amoreira cujas folhas as larvas consomem com voracidade. Os casulos são retirados dos galhos e recebem tratamento especial; os filamentos reunidos de certo número de casulos irão formar o fio da seda que, depois de novamente tratado, será disposto em meadas. Tem-se, então, a seda crua que irá adquirir flexibilidade e brilho mediante lavagem adequada. § O fabrico da seda surgiu na China e a **sericultura** tornou-se importante elemento da economia do país. Conta a lenda que foi a mulher do "Imperador Amarelo" (Huang Ti) quem ensinou essa arte ao povo chinês e, nos tempos históricos, a seda era cerimonialmente associada à imperatriz. Foram encontrados vestígios de seda da dinastia Han (206 a. C. a 220 d. C.). ~ A exportação da seda chinesa foi tão intensa que o caminho das caravanas da Ásia Central até a Síria e Roma foi conhecido como "Rota da seda". Os romanos importavam não só o tecido como o fio que era, às vezes, misturado à lã e ao linho. § A indústria da seda começou a se desenvolver no Mediterrâneo oriental no séc. II; no séc. IV já era notável entre os persas e em Bizâncio. Ali o luxo da corte propiciou o desenvolvimento da indústria, sendo a matéria-prima importada da China até que alguns monges cristãos, enviados pelo imperador Justiniano (552) conseguiram trazer ovos do bicho da seda, introduzindo a sua criação. O Império do Oriente manteve o monopólio até sua conquista em 1453. A rica seda de Bizâncio* pendia das paredes dos palácios e igrejas e era usada nas faustosas vestes da corte e do clero. A tecelagem artística chegou a grandes requintes figurativos com a representação de figuras humanas, animais, símbolos e formas estilizadas. ~ No Ocidente, as cortes carolíngia e otoniana (sécs. VII e VIII) valeram-se desse luxuoso material, cuja fabricação ignoravam. § A prática da sericultura espalhou-se pela Europa e, no séc. X, floresceu na Espanha e na Sicília introduzida por árabes e sarracenos. A partir dos sécs. XII e XIII certas cidades da **Itália** (Luca, Gênova, Veneza) já produzem as melhores sedas consumidas no fim da Idade Média e no Renascimento; muitas têm desenhos em relevo. As vestes de corte e as sacerdotais, de seda, ostentam bordados e relevos, bem como os mantos de santos e os painéis e as colchas de luxo. § No séc. XVII a produção da rica seda usada para vestuário com padrões barrocos trazidos da Itália passa para a França. A seda de **Lyon**, oficialmente estimulada por Colbert, ministro de Luís XIV, adquire renome e seus padrões são mais tarde repetidos em todo o continente; em 1660 mais de 3.000 mestres tecelões trabalham em Lyon. No séc. XVIII aparecem motivos naturalistas de flores e frutas que dominam a moda. A indústria declina com a Revolução Francesa, mas volta a ser prestigiada por Napoleão I; com a introdução do tear *jacquard**, a produção se enriquece. No começo do séc. XIX as decorações com metros e metros de tecido eram comuns nos interiores em estilo Império* e *Regency**. § Embora os processos preparatórios da sericultura e da tecelagem tenham possibilidades mecânicas, a produção da seda crua ainda é baseada em grande parte no trabalho manual. ~ A seda têxtil de luxo encontrou no séc. XX forte competição por parte das fibras artificiais ou sintéticas de maior durabilidade, efeito satisfatório e preços compensadores, mas não alcança o excelente caimento e a armação da seda natural. . [V. tecelagem.] – Fr.: *soie*; ingl.: *silk*; alem.: *Seide*.

selo. *s. m.* Marca em relevo feita pela pressão de uma superfície dura (pedra, metal, etc.) gravada em *intaglio* sobre material de menor resistência (cera, chumbo, lacre, etc.). A palavra designa tanto a matriz como a impressão resultante. Seu estudo é objeto da sigilografia. ~ O selo preso ou aposto a qualquer documento assegura-lhe a credibilidade, autenticando-o oficialmente; é gravado com os sinais que identificam personalidades ou entidades por meio de efígies, desenhos e inscrições ou de brasões, símbolos, divisas, etc. Os selos são importantes testemunhos para apoio da história e para a heráldica; sua gravação, de maior ou menor valor estético, testemunha, de certo modo, a evolução dos costumes e do gosto profano e eclesiástico. § Na Antiguidade, os selos aparecem tanto em placas (V milênio a. C.) como em cilindros (II milênio a. C.), segundo as civilizações. Mesmo antes do aparecimento da escrita, eram usados para custodiar o conteúdo de jarros, caixas, cestos e até mesmo para tornar invioláveis as portas. Na Mesopotâmia, no Egito, na Anatólia, nas civilizações do Egeu, identificavam soberanos e altos personagens, servindo para autenticar papiros e tabuinhas de argila. Depois, na Grécia e em Roma, dão voz oficial e verídica a documentos e missivas. ~ Na Europa medieval muitos selos trazem efígies e, nos selos reais, o soberano aparece no trono com as respectivas insígnias (séc. XI); seu uso se estende às autoridades eclesiásticas e, no séc. XIII, a outras camadas da população. ~ As cidades livres tinham, não raro, diversos selos apostos ou pendurados nos documentos, protegidos por bolsas de pano ou caixas de madeira, metal ou marfim; usava-se muitas vezes um contra-selo no reverso. ~ Os selos passaram a ser apostos em documentos e missivas dobrados e fechados para impedir-lhes a violação. Selos pessoais eram aplicados a todo tipo de correspondência. ~ À proporção que são adotadas assinaturas e firmas, o uso do selo decai e aparecem os sinetes, mas os selos se mantêm em documentos oficiais, em diplomas universitários, etc. § Na China e no Japão os selos eram em geral quadrados e as matrizes feitas de bronze – as mais antigas, eram de jade, de madeira ou de marfim; o desenho e as legendas são de grande riqueza imaginativa. A impressão era feita com tinta vermelha (cinabre com água ou mel). São os famosos "selos vermelhos". [V. *intaglio* e sinete.] – Fr.: *sceau*; ingl. *seal*; alem.: *Stempel*.

Semana de Arte Moderna. Movimento de renovação artística que, sob o impulso dos escritores Oswald de Andrade e Mário de Andrade, eclodiu em São Paulo com uma série de manifestações culturais levadas a efeito no Teatro Municipal em 1922; gradativamente ganhou o apoio dos meios culturais de vanguarda. ~ A corrente modernista basicamente se rebelava contra os tradicionais padrões da arte e da literatura importados da Europa, e defendia uma posição nacionalista atenta aos fenômenos contemporâneos. Entre os artistas plásticos que mais se destacaram, encontram-se Lasar Segall, Anita Malfatti, Vitor Brecheret, Vicente do Rego Monteiro, Di Cavalcanti, Tarsila do Amaral. [V. modernismo.]

semainier. [Fr. 'semanário'.] *s. m.* Móvel com sete divisões ou sete gavetas, uma para cada dia da semana. [Cf. *chiffonnier*.]

Senneh. Tapete persa proveniente de Senneh, capital do Curdistão (Pérsia ocidental), muito fino e decorativo com base de algodão e com veludo raso e brilhante. Distingue-se dos outros tapetes da região que têm pelo mais alto e irregular e base de lã. O Senneh apresenta motivos tradicionais : o *herati** e o *boteh** repetidos regularmente no campo, bem como o motivo floral *gul-mirza-ali*; outros exemplares apresentam medalhão central. Os *botehs* são interpretados com imaginação e, em certos exemplares, as séries verticais têm *botehs* de até 20 cm. O colorido é sombrio (azuis e vermelhos) ou brilhante, sempre equilibradamente disposto. ~ O Senneh é um tapete leve e sua densidade pode atingir 8.000 nós por decímetro quadrado. Curiosamente esse tapete, apesar do nome, é tecido com nós *ghiordes** ou turcos. [V. kilim e tapete oriental - tapete persa. Cf. nó.]

sépia. *s. f.* Tinta de coloração castanho avermelhada ou violácea extraída do molusco do mesmo nome. ~ Conhecida desde o tempo dos romanos, tornou-se popular no Renascimento e foi usada por Leonardo da Vinci na execução de seus desenhos. Nos sécs. XVIII e XIX os desenhos à base de sépia tiveram grande popularidade.

serigrafia. *s. f.* Processo de impressão manual ou automática feita sobre superfície plana de papel, metal, tecido, etc., com o auxílio de uma tela; *silkscreen*. As malhas da tela permitem a passagem da tinta pelas partes deixadas livres enquanto outras partes do desenho são impermeabilizadas com cola ou substância similar. ~ Nas artes plásticas ou decorativas a serigrafia manual é em geral realizada pelo artista que imprime seu próprio estêncil. ~ A serigrafia é também aplicada nas artes decorativas para produção em série de tecidos e outros materiais. ~ Nas artes gráficas, a impressão feita com tinta líquida fosca sobre papel permite reproduções quase perfeitas de obras a guache*. [Cf. *pochoir*.]

serpente. *s. f.* Animal de simbolismo riquíssimo que se caracteriza por ser criatura de corpo longo e esguio de temperatura fria, rastejante, sem penas, nem pelos, nem patas. ~ Venenosa ou inócua, ora invisível, ora materializada e fugitiva, a serpente pode emergir do interior da terra por uma fenda escura para atacar e para incitar a vida (princípio masculino), ou para abraçar e envolver, defendendo ou sufocando (princípio feminino); depois, some novamente no mundo ctoniano. Não é nem boa nem má, uma vez que encerra em si as duas valências. ~ Em muitas cosmogonias está associada à noite fria e viscosa das origens, à água primordial, à terra profunda. É importante imagem nas civilizações agrárias e associa-se à fertilidade, à chuva; é o "dragão alado" do Extremo Oriente, a "serpente emplumada" dos maias e astecas. Na mitologia egípcia, a noite, os infernos, subterrâneos que o Astro do dia deve atravessar quando desaparece estão sob o signo da serpente; ela é a própria terra, e a barca do Sol vai surgir no oriente da goela do animal, marcando a ressurreição diária. ~ No mundo Egeu, vêmo-la mesclada às deusas-mães, à terra, à saúde, à fertilidade, enquanto mais tarde, entre os helenos, é o espírito vivificador; enrola-se no caduceu* de Hermes, prende-se a Apolo como inspiradora da música, da poesia, da medicina e sobretudo das artes divinatórias (a serpente Píton fecundava o espírito do Oráculo de Delfos). ~ Em contrapartida, era princípio negativo, capaz de quebrar a harmonia como símbolo da desmedida das forças naturais insurgidas contra o espírito; são, p.ex., as serpentes vingadoras que representam a justiça divina no mito de Laocoonte. A cabeleira de Medusa* era composta de serpentes e elas tinham o dom de pôr em fuga um exército; por isso Atená incorporou a cabeça de Medusa a seu escudo. ~ O cristianismo fixou de preferência o aspecto negativo do animal, conquanto no Antigo Testamento haja referências a seu aspecto vital. O pensamento medieval cristão refere-se à serpente de Eva, da árvore do Bem e do Mal, ao animal sedutor repugnante condenado a rastejar e que Maria esmaga com os pés. ~ De propiciadora da fecundidade a serpente passa a símbolo da luxúria, geradora de vícios e de perdição. ~ A ambivalência da serpente perdura, porém, como arquétipo : é matriz e falo, é a alma e a libido. § Estilizada ou realista, sua imagem nas artes decorativas ora se refere aos bons espíritos protetores (China) ora às ameaças terríveis de Satanás e das heresias (Ocidente). ~ Entre os povos primitivos, a representação da serpente – na sua forma visível e fugaz – é muitas vezes um traço, uma simples linha que não tem começo nem fim. Percorrendo os séculos, essa linha torna-se complexa e, se enriquece e toma outras referências simbólicas: no Oriente é o dragão, o ouroborus*; na iconografia cristã manifesta-se a ambivalência – enrolada na cruz é sinal de Cristo e envolvendo a árvore do Bem e do Mal é símbolo de tentação (tem por vezes, cabeça humana). [Cf. dragão e sinais de Cristo.]

Duas serpentes com cabeça de pássaro, presas por uma concha barroca. Madeira entalhada e dourada. Detalhe de móvel.

serpentina. *s. f.* Castiçal ou candelabro de dois ou mais braços graciosamente recurvados.

serralharia. *s. f.* A arte de executar objetos de ferro. [V. fechadura e ferro.]

serre-livres. [Fr.] - [V. Suporte para livros.]

serviço de chá. V. serviços.

Serviço de chá e café art déco. Metal prateado; alças e pegadores de madeira. (França - de época)

serviço de copos. V. serviços.

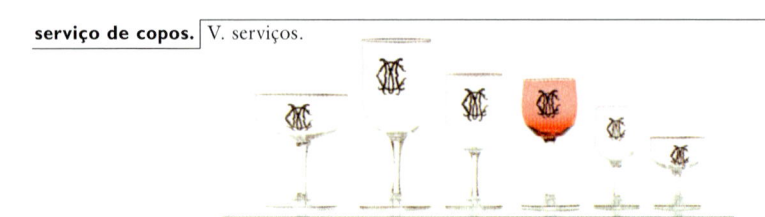

Copos de cristal. (Acervo Museu Castro Maya - Rio de Janeiro).

serviço de lavatório. V. serviços.

serviço de toalete. V. serviços.

serviços. *s. m. pl.* Qualquer conjunto de objetos que, tanto na vida diária, quanto em ocasiões específicas, tem fins determinados e atende às necessidades das refeições, da toalete, das viagens, etc. § No séc. XVII, com o estabelecimento das monarquias ocidentais desenvolveram-se, nas classes privilegiadas, hábitos de vida que implicavam verdadeiros rituais na esfera da etiqueta, do aparato, da marca de riqueza. Cada família reinante, cada membro da nobreza desejava sobrepor-se em brilho, e os recursos do luxo, da imaginação, da técnica convergiam para o desfrute dessa minoria. ~ Mobilizaram-se as artes chamadas "menores": a marcenaria, a tecelagem, a ourivesaria, a cerâmica fizeram progressos, desenvolveram e reestruturaram modelos medievais e renascentistas para servirem às exigências contemporâneas. ~ Ao mesmo tempo, com o desenvolvimento do comércio, com o contato com o Oriente, novos costumes se implantam e geram novas necessidades. Os objetos de uso doméstico, peças até então isoladas, de maior ou menor importância utilitária ou decorativa, multiplicam-se e são organizados em categorias precípuas. ~ Nessa sociedade emergente, a vida de lazer, numa sede contínua de passatempos, iniciava-se pela manhã: as grandes damas recebiam para visitas matinais em seus quartos guarnecidos de ricas alfaias – não existiam as salas* de visitas e de jantar, posteriores pontos de reunião. Assim, nos quartos podiam ser admirados os ***serviços de toalete***, em geral obras dos grandes prateiros. O número de peças era imenso e variadíssimo: potes, caixas, cofres, castiçais, espevitadeiras, tigelas, espelhos, almofadas para alfinetes, bandejinhas, jarros e copinhos, frascos e potes de cristal e de porcelana. ~ Com o avançar do séc. XVII, à tarde, para valorizar o consumo da nova bebida vinda do oriente, os ***serviços de chá*** fazem aparição e, com a mesma decoração e seguindo os modelos dos bules (estes copiados dos chineses), são executadas as outras peças necessárias: açucareiros, leiteiras, caixas de chá, tigelas, ao lado de cafeteira e da chocolateira – já que o café e o chocolate começam a ser avidamente consumidos também. Os serviços de chá de prata e os de porcelana (estes com xícaras) multiplicam-se no séc. XVIII. Observe-se que, só em meados do séc. XIX, essas peças vão repousar regularmente em bandejas no mesmo estilo formando conjuntos. [V. bule.] § Ante o desenvolvimento da porcelana na Europa (séc. XVIII) definem-se igualmente os ***serviços de jantar*** ou de ***mesa***, a princípio privilégio apenas de quem podia obter porcelana chinesa. Depois, Meissen*, Sèvres* e outras manufaturas se esmeram para atender às encomendas, em especial às de clientes ilustres, e produzem serviços numerosíssimos e de grande beleza e fantasia: estes comportam pratos, travessas, sopeiras, terrinas variadas, molheiras, açucareiros, saleiros e até colheres. Assim, o chamado *Serviço dos Cisnes*, de Meissen, concebido pelo escultor Kändler e em que as aves aparecem em baixo-relevo na superfície da porcelana, tem mais de 2.000 peças. [V. Limoges, louça inglesa, porcelana da Companhia das Índias e Vista Alegre (ilustr.). Cf. aparelho[2].] § No séc. XIX os serviços de jantar, de chá e café, de toucador, etc., tornam-se obrigatórios e cada vez procuram ser mais bonitos e úteis. ~ Nas mesas suntuosas dos banquetes, guarnecidos com profusão de flores, candelabros, fruteiras, etc., ou na intimidade das famílias abastadas, refulgem os cristais ou ***serviços***

de copos: para cada conviva um conjunto de copos de pé alto (pelo menos três, um para água, um para vinho tinto, outro, muitas vezes de cor, para o vinho branco). E à sobremesa, erguiam-se taças para os brindes. Esses serviços incluíam também copos de vinho do Porto e de licor, garrafas e jarros. ~ Os *serviços de lavatório* apresentam-se também em conjuntos variados de faiança, de porcelana fina, de opalina, de prata; constam de jarro* e bacia*, saboneteira, potes e frascos, escarradeiras, penicos com tampa. Os de louça inglesa foram fartamente importados no Brasil dos oitocentos. Hoje, as peças de lavatório passaram à categoria de curiosidades decorativas. ~ Os *serviços de escritório* figuravam nas escrivaninhas e nas mesas de trabalho e constituíam um conjunto formado por tinteiro* (simples ou com várias peças), pasta, berço de mata-borrão, porta-canetas e porta-lápis, etc. §§ Vale destacar os serviços de chá de prata portuguesa cinzelada e que contam com bule, cafeteira, tigela de folhas, leiteira, açucareiro, caixa de chá, pinças. Os bules Dom João V e Dom José I são bojudos ou piriformes, as cafeteiras esguias, os bicos em curvas elegantes com ornatos de gomos, e as peças já apresentam motivos rocalha. Na época de Dona Maria I* as peças neoclássicas sóbrias e elegantes com motivos gravados e carreiras peroladas, já têm como complemento os primeiros tabuleiros*. [V. *luster* (ilustr.). Cf. aparelho².]

serviteur fidèle. [Fr. 'servidor fiel'.] Pequena mesa francesa do séc. XVIII com braços móveis para castiçais e que era usada como mesa de costura, de leitura e de cabeceira.

serviteur muet. [Fr. 'servidor mudo'.] Mesinha em andares circulares semelhante à mesa inglesa chamada *dumb waiter**.

settee. [Ingl.] *s.* Assento para duas ou mais pessoas dotado de encosto e braços. ~ Mais confortável do que os bancos medievais e renascentistas, começou a ser usado na Grã-Bretanha no séc. XVII; mas, embora com assento de couro ou tecido, ainda era bastante formal e seus ocupantes deviam manter postura rígida. No séc. XIX esse móvel foi suplantado pelo sofá tradicional. ~ Conhecem-se diversos tipos de *settees* entre os quais o *love-seat* e o *hall settee*, sólida peça de encosto de madeira em voga na Inglaterra no fim do séc. XVIII e no séc. XIX. [V. Chippendale. Cf. *love seat* e sofá.]

Sèvres. [Top. fr.] A mais importante manufatura de porcelana da França, ainda em atividade e que impôs o alto padrão de seus produtos ao mercado europeu aproximadamente entre 1760 e 1815. § Foi fundada por volta de 1738 por Robert e Gilles Dubois vindos da fábrica de Chantilly pois, como ocorria nos centros de porcelana da Alemanha, também na França os artesãos mais hábeis se deslocavam para abrir novas manufaturas. Esta começa a funcionar no Castelo de Vincennes nos arredores de Paris e, em 1756 instala-se em Sèvres, permanecendo assim nas imediações da capital. Recebe o monopólio da fabricação da porcelana de pasta mole* já experimentada com sucesso em Chantilly, Vincennes e Saint-Cloud; esse material foi usado exclusivamente até 1768 quando foram descobertas as jazidas de caulim em Saint-Yrieix perto de Sèvres e passou-se a adotar a pasta dura* (já usada na Alemanha). § O período áureo inicia-se ainda em Vincennes com a direção artística de J. J Bachelier (1751) e, em 1753, sob proteção de Luís XV*, a empresa passa a ter o título de Manufatura Real de Porcelana num edito que lhe aumenta os privilégios. O monograma real com os dois "L" cruzados foi adotado como marca oficial acrescido de uma letra relativa à data. A grande protetora de Sèvres foi a favorita do rei, Madame de Pompadour, que ditava a moda social, literária e artística da corte e era pessoa inteligente e de bom gosto. Em 1759, já nas novas instalações em Sèvres, os encargos da fábrica são assumidos pelo próprio monarca que, segundo se diz, empenhava-se pessoalmente na comercialização dos produtos. Com a crise na indústria alemã devido à Guerra dos Sete Anos (1756), a brilhante posição de Meissen é sobrepujada por Sèvres que passa a satisfazer às exigências de um mercado ramificado pelas diversas cortes da Europa dominadas pela competição no luxo e na ostentação. Apesar das dificuldades inerentes à pasta mole, Sèvres produziu desde pequenos e esmerados serviços para o desjejum até monumentais *garnitures de cheminée** (guarnições de lareira); entre 1750 e 1760 avultam os serviços de mesa em estilo Rococó*. Os representantes da manufatura se espalham pela Europa levando catálogos em cores com todas as especificações para a elevada clientela; esse método, além de inovador nos meios comerciais, possibilitou o conhecimento de exemplares hoje desaparecidos. § As peças de Sèvres-Vincennes eram, de início, decoradas à maneira de Meissen e muitas vezes baseadas em desenhos orientais; mas a brancura leitosa da pasta mole, as formas simples e graciosas e as cores suaves já são tipicamente francesas. ~ Por volta de 1745 passaram a moldar pequenas flores, ora avulsas, ora montadas em hastes de metal, ora aplicadas como decoração dos objetos; acredita-se que a preferência de Madame de Pompadour por esse tipo de adorno tenha influenciado na produção. § Grandes mudanças ocorreram em 1752 com a colaboração de Duplessis, joalheiro do rei. Abandonou-se a porcelana de fundo branco comum às manufaturas francesas, e os pintores e químicos de Sèvres contribuíram para o aparecimento do fundo colorido com esmaltes brilhantes excepcionais tanto na textura uniforme quanto na cor: o *gros bleu* (azul escuro e profundo) não raro decorado com ouro, o *bleu céleste* (azul turquesa), o *jaune jonquille* (amarelo junquilho) e o famoso *rose Pompadour* (um rosa de tonalidade quente). ~ A decoração a ouro em Sèvres constituía uma arte em si; aplicavam-se camadas espessas de ouro que depois era delicadamente trabalhado. As peças brancas ou as reservas* das peças de cor eram animadas com delicados motivos florais, pássaros ou figuras; foram recrutados os pintores de leques* de Paris, hábeis no desenho em miniatura. Os desenhos, a princípio espontâneos e estilizados, foram se tornando naturalistas: copiam-se pássaros de Buffon e figuras de Boucher. ~ No mercado interno a produção de serviços completos de mesa cresceu com a crise de 1757 que impôs a fundição da prataria para suprir o numerário. O brilho do ouro e as cores atraem pela opulência e gosto bem dosados; muitas peças são montadas com bronze dourado uma vez que a pasta mole não se prestava para modelagem detalhada. ~ No entanto, Sèvres produziu também estatuetas a princípio coloridas à maneira de Meissen mais tarde de um branco brilhante; mas as mais famosas são as estatuetas de *biscuit* * feitas com uma pasta especialmente inventada por Bachelier, e alguns escultores notáveis como Houdon e Clodion criaram belos modelos; os traços fisionômicos da Pompadour aparecem em inúmeras peças, incluindo-se a estatueta de *biscuit* do escultor Falconnet intitulada *Venus e as Pombas*. § A porcelana de pasta dura possibilitou a criação de novas cores de alta temperatura. Os desenhos se adaptam ao nascente estilo Luís XVI* (Neoclássico), as formas se simplificam, mas o colorido continua rico, o ouro abundante sobre fundo de padronagem miúda (gradeado*, olho de perdiz*). Os ebanistas encomendam placas de porcelana delicadamente pintadas para serem inseridas nos móveis. § A partir de 1780 a fábrica viu-se na impossibilidade de fazer valer seus privilégios diante do movimento político que vai culminar com a Revolução Francesa (1789); torna-se então propriedade do governo e recebe a marca RF (République Française). ~ Reergue-se em 1800 com Brogniart e em 1804 é transformada em Manufatura Imperial e realiza importantes encomendas com muito ouro e pinturas celebrando as vitórias de Napoleão. Os elegantes modelos no estilo Império* foram imitados pelas maiores fábricas de porcelana e se conservaram muito populares mesmo depois da queda de Napoleão. ~ No correr do séc., XIX Sèvres repete modelos anteriores e apresenta como novidade a decoração *pâte-sur-pâte**. Começa a se fazer sentir a influência japonesa nos motivos dos serviços de mesa. O *Art Nouveau* * é adotado por volta de 1890 e, na Exposição Internacional de Paris de 1900, chama a atenção uma decoração para centro de mesa com doze estatuetas de jovens dançarinas com longos vestidos dourados e echarpes esvoaçantes do escultor A. Léonard. ~ A partir de 1920 desenvolvem-se experiências no estilo *Art Déco** sendo algumas peças criadas pelo ebanista Ruhlmann*. A fábrica acompanha a evolução do gosto e dos estilos sem contudo abandonar os antigos modelos. § A marca da porcelana de Sèvres que se inicia em 1753 com o monograma real foi cuidadosamente mantida embora assinalando as diferentes fases políticas da França. [V. porcelana c v. tb. bonbonière (ilustr.) Cf. Meissen.]

Vaso de porcelana de Sèvres, em forma de balaústre, com base de bronze. Porcelana azul-de Sèvres com guirlandas de rosas. (França - prov. séc. XIX)

sfumato. [Ital.] *s. m.* Na pintura e no desenho, efeito de sombreado que produz uma transição suave, quase imperceptível, nas gradações entre cores e tons. ~ O emprego do *sfumato* tornou-se notável nas obras de Leonardo Da Vinci (1452 - 1519) e seus discípulos; nelas as linhas são substituídas por essas nuanças que também determinam a passagem de zonas de sombra para zonas de luz. [Cf. claro-escuro.]

Sheffield plate. [de Sheffield, cid. da Inglaterra.] Nome dado aos artigos feitos com uma liga de cobre recoberta de prata graças a um processo inventado pelo metalúrgico de Sheffield, Thomas Bolsover, em 1742. Ele observou que a prata e o cobre fundidos quase simultaneamente mantinham a ductibilidade respectiva e reagiam de modo uniforme quando manipulados. O processo consistia basicamente no seguinte: sobre as duas faces de uma barra de cobre aquecida a alta temperatura eram aplicadas, por compressão, folhas de prata submetidas ao calor; a barra depois achatada a quente tornava-se uma lâmina própria para adquirir as formas desejadas. A coloração diferente dos metais aparecia em geral nas bordas cortadas e podia-se observar nas peças de Sheffield um fio vermelho intermediário que lhes revelava a origem; para evitar isto muitos fabricantes faziam com que a prata excedesse ligeiramente o cobre, de modo a ser dobrada. Assim, o cobre não sendo mais visível no acabamento, o objeto adquiria, todo ele, o aspecto brilhante e macio da prata. § O processo de Sheffield foi usado a princípio em botões e outros pequenos objetos e mostrou-se durável, com excelentes possibilidades de substituir a prata na execução de utensílios de mesa para as grandes refeições, ou para o chá e o café, e estabeleceram-se sérios padrões de qualidade. A partir de 1760 a técnica se difundiu (Londres, Birmingham, Dublin, Paris). ~ Nas camadas da sociedade inglesa setecentista de médio poder aquisitivo, os objetos de Sheffield iam sendo preferidos ao *pewter* (estanho). Os metalúrgicos incorporavam os modelos e a decoração usados pelos prateiros do momento e adaptavam sua técnica às exigências do material de base num trabalho que se revelava igualmente elegante e nobre. Por volta de 1800 a produção era considerável e compreendia praticamente os mesmo artigos feitos pelos prateiros, custando cerca de um terço do preço. ~ A feitura atingiu grande requinte: o melhor Sheffield era polido à mão e certas peças como saleiros, cremeiras, açucareiros, etc., tinham, como os de prata, o interior dourado ou eram providos de recipientes internos de vidro. Nesse período, a decoração e as formas neoclássicas são graciosas e leves. ~ Em meados do séc. XIX, com o advento do banho de prata por eletrólise – ainda mais barato – a produção de Sheffield praticamente desapareceu do mercado. § As peças de Sheffield em geral não eram marcadas, mas houve exceções (Boulton: dois sóis; Samuel Roberts: um sino); usavam-se critérios especiais para as marcas que eram bastante semelhantes às *hall-marks** da prata da época. A partir de 1773, porém, os prateiros obtiveram o cancelamento dessa prática, na cidade de Sheffield, só a prata *sterling* recebia as *hall-marks*. § Com o desaparecimento das peças de Sheffield do comércio na segunda metade do séc. XIX a *Old* (velha) *Sheffield Plate* do fim do séc. XVIII passa a ser muito procurada por colecionadores. Certas peças georgianas* podem valer mais, pela raridade e feitura, do que outras contemporâneas de prata maciça. [V. concha (ilustr,) Cf. prata inglesa e prateação.]

Sopeira de Sheffield plate, brasonada, em forma de urna, com prato na base. Pegador com leão rompente levando um estandarte. Bordas e alças com elementos neoclássicos. (Inglaterra - séc. XIX)

Sheraton. Estilo de mobiliário em voga na Inglaterra entre 1890 e 1805, aproximadamente. [V. Sheraton, Thomas.]

Sheraton, Thomas (1751-1806). Expoente do Neoclássico no mobiliário inglês cujo nome designa um estilo elegante e delicado que marcou a arte da ebanistaria européia na última década do séc. XVIII. § Não se sabe se

Sheraton foi realmente um ebanista ou se sua atividade, tão bem aceita nos meios aristocráticos da época, se limitou ao conhecimento teórico e à publicação de seus livros: *The Cabinet-Maker and Upholsterer's Drawing Book* (Livro de Desenho do Ebanista e do Estofador) de 1791-1794 e *The Cabinet Dictionary* de 1803, um dicionário cujo texto comportava "explicações de todos os termos" usados nos ramos da ebanistaria e "orientação para envernizar, e para polimento e douração". Como se observa, eram obras dirigidas aos fabricantes de móveis finos, e tornaram conhecidos os novos modelos do mobiliário francês, especialmente os de estilo Luís XVI*. ~ Se Sheraton não foi realmente o inventor do estilo que traz seu nome, teve papel relevante no gosto e na formulação de características de inegável unidade estilística, em especial a marcada preferência pela simplicidade e pela severidade (talvez devidas a uma rígida formação religiosa – ele chegou a ser ministro da Igreja Batista). § Nos móveis Sheraton, linhas sóbrias dominam as superfícies planas (pintadas ou incrustadas), com filetes claros, embutidos, retilíneos ou curvos e com painéis folheados, geométricos ou delicadamente figurativos, com coloridos contrastantes. A madeira não é camuflada pelos ornatos como no mobiliário rococó, mas valorizada em suas qualidades; usa-se a serra para as incrustações e emprega-se com simplicidade a decoração com ornatos clássicos: urnas, crateras, vasos. Antigas formas também são imitadas como as cadeiras com pernas de sabre*. ~ Mais tarde, na última fase, já com influência do estilo Império*, nota-se uma certa excentricidade, possivelmente as primeiras manifestações da perturbação mental que o vitimou. §§ Dada a penetração de modas e costumes ingleses em Portugal, o estilo Dona Maria I mostrou-se grandemente marcado pelo gosto Sheraton. [Cf. Dona Maria I, Dom João VI, Hepplewhite e *Regency*.]

Sofá Sheraton, de mogno e palhinha. Quatro encostos reunidos, ligeiramente abaulados, com travessas horizontais. Travessas superiores e trave do assento com incrustações de madeira clara. Pernas retas.
(Inglaterra - de época)

ship's decanter. [Ingl. '*decanter* de navio'.] Garrafa pesada de vidro transparente com base ampla e chata capaz de lhe dar estabilidade, e lados fortemente inclinados que terminam em gargalo alto. Sua execução é rigorosa: o diâmetro da base deve ser igual à altura. Esse modelo, concebido para uso nos navios ingleses (não se sabe em que data) destinava-se às cabines dos oficiais. A partir de 1780 é também conhecido como *Rodney decanter*, do nome de um almirante inglês. [V. garrafa. Cf. *decanter*.]

Ship's decanter

Shiraz. V. Chiraz.

Shirvan. V. Chirvan.

Shou. [Pal. chinesa.] Motivo ornamental usado em decoração, que assume várias formas e deriva do caractere chinês *Shou*, que significa longevidade. [V. China - símbolos e motivos ornamentais.]

Shou

sideboard. [Ingl.] *s.* Espécie de aparador usado nas salas de refeições e que se destacou no mobiliário inglês do fim do séc. XVIII. Apresentava tipicamente a forma aproximada de um "D" com gavetas ladeadas de armarinhos e com pernas muito altas; alguns tinham como complemento outras peças: caixas de facas* e *wine coolers**. Artistas georgianos como Hepplewhite*, Shearer e Sheraton* desenharam esses móveis num estilo elegante e leve. ~ No começo do séc. XIX o *sideboard* tornou-se mais amplo e pesado, às vezes com espelho na parte superior. [V. aparador.]

side table. [Ingl. 'mesa de lado'.] Designação dada na Inglaterra a partir do séc. XVIII a mesas de diversas formas usadas como peças auxiliares no serviço de refeições, ora eram colocadas perto das mesas de jantar ou de chá, ora, encostadas à parede, serviam de aparador. [V. mesinha.]

silent butler. [Ingl. 'mordomo silencioso'.] Recipiente portátil feito de metal, com cabo, e com tampa dotada de dobradiça, destinado a recolher dos cinzeiros as cinzas e as pontas de cigarros.

silhouette. [Fr.] *s. f.* Figura recortada em negro e aplicada sobre fundo branco; incluía retratos de perfil, figuras de corpo inteiro, cenas, etc. O gênero foi muito apreciado no séc. XVIII (surgiu na época do Neoclássico*) e logo se adaptou a outros materiais: pintura em vidro transparente, aplicação em medalhões de gesso, em joias, em caixinhas. Sua voga prolongou-se até o séc. XIX e diversos artistas se dedicaram a essa arte; as silhuetas de reis e pessoas ilustres foram muito usadas em peças de porcelana comemorativas. ~ Entre os colecionadores e apreciadores dessa arte contavam-se personalidades como o escritor alemão Goethe.

silkscreen. [Ingl.] *s.* V. serigrafia.

simbolismo. *s. m.* Sistema de símbolos destinados a expressar, em geral, fatos e crenças. // Aspecto sutil e penetrante de certos seres reais ou imaginários; a natureza – as plantas, os animais, os fenômenos atmosféricos, as forças cósmicas, os astros – são carregados de sentido simbólico (V. símbolo). // Especificamente, movimento literário e artístico do fim do séc. XIX que considerava a obra de arte não como interpretação literal e objetiva do mundo mas como expressão simbólica e subjetiva do sentimento e do pensamento. Os simbolistas procuravam sugerir pelas nuanças mais sutis da vida interior as relações entre o homem e o mundo. ~ A poesia smbolista, opondo-se aos padrões do parnasianismo foi profundamente inovadora na literatura pela musicalidade sugestiva, pelas formas livres, pela valorização do espírito; surgida na França logo se difundiu internacionalmente. ~ Nas artes visuais, os poemas e ideias de autores como

Baudelaire, Mallarmé, Verlaine, Rimbaud tiveram correspondência na obra de pintores como Gustave Moreau, Puvis de Chavannes, Munch, Klimt, Khnopff, Redon, Toorop. Eles se expressam num mundo de fantasia que transcende e enriquece o real; suas raízes estão na obra de Giorgione, de Blake e de Goya, dos pré-rafaelitas*, e suas concepções tiveram, como teve o impressionismo, papel importante em certas correntes artísticas do séc. XX como o expressionismo e o surrealismo.

símbolo. *s. m.* Qualquer ser animado ou inanimado que se pode considerar como sinal significativo daquilo que não se encontra ao alcance de nossos sentidos ou mesmo de nossa consciência. § Na Antiguidade, o símbolo era signo, marca, palavra que figurava uma verdade apenas conhecida pelos iniciados. A palavra grega *symbolon* (sinal de reconhecimento, emblema, convenção) refere-se originalmente a um objeto dividido em dois (concha bivalve, fragmento de cerâmica, de metal, de madeira) que duas pessoas, ao se separarem, guardavam para reconhecimento futuro; significavam laços de hospitalidade, de confiabilidade, de amizade. O símbolo primitivo comporta, a um tempo, a ideia de separação e de reunião e nela já está o seu sentido, tal como passou a significar. ~ O emprego do símbolo dentro de consideráveis variações históricas está presente nas representações da religião, nas manifestações da política, na expressão artística, nas convenções científicas, e sua leitura abre-se num leque que abrange toda a condição humana. Faz parte da estrutura psíquica comum à humanidade e sua representação varia segundo as épocas, as raças, os indivíduos. ~ Qualquer objeto pode se revestir de valor simbólico seja ele natural (o fogo, a água, as árvores, as folhas, as flores, os frutos, as pedras, os metais, os montes e vales, as fontes, os rios, os mares, o raio, o Sol, a Lua, os planetas) ou abstrato (formas geométricas, números, ritmos). Emblemas, atributos, alegorias, metáforas, analogias, parábolas são símbolos com valores específicos reconhecíveis. ~ No séc. XX o tratamento do símbolo torna-se objeto de especial interesse cultural: dia e noite, pela linguagem, pelo gesto, pelos sonhos, o homem vale-se consciente ou inconscientemente dos símbolos que dão forma aos desejos, aos comportamentos, à ação, às crenças e conduzem à paz interior ou à ansiedade, ao sucesso ou ao fracasso. Por isso a formação, a disposição, a interpretação do símbolo, interessam a diferentes disciplinas: história das civilizações e das religiões, linguística, antropologia cultural, crítica de arte, psicologia, psicanálise, semiótica. § Os símbolos, carregados de afetividade e dinamismo, ultrapassam o mundo da significação e concretizam-se em formas reais. Nada mais natural, portanto, do que o fato das artes visuais – e mais diretamente as decorativas – servirem-se deles, multiplicando-os pelos caminhos da imaginação. Num conteúdo de certo modo homogêneo quanto à interpretação, as representações se mantêm constantes quaisquer que sejam as épocas, os indivíduos, os costumes.

simetria. *s. f.* Correspondência exata ou regular entre as formas, dimensões e disposição das partes opostas em relação a um ponto mediano, um eixo ou um plano. ~ Este é o conceito atual de simetria, mas, etimologicamente, a palavra significava entre os gregos 'justa proporção', harmonia das partes de um edifício, entre si e em relação ao todo arquitetônico. ~ Posteriormente, incorporou-se a ideia de disposição equiparada dos volumes: os objetos semelhantes, os pares, os grupos passam a significar para a arquitetura e a decoração a expressão da beleza. Segundo Viollet-le-Duc, arquiteto convencional do séc. XIX, a simetria limita-se a ser uma igualdade de partes opostas. Este é um conceito de similitude, de par, tem conotação de ordem estabelecida, de rigor, de imutabilidade, de ausência de vida. § Em contraposição, modernamente, busca-se a liberdade em arte e em decoração, e ganha força a volta ao conceito helênico, mais livre, de harmonia e equilíbrio. [Cf. assimetria.]

sinais de Cristo. Na iconografia cristã, a linguagem simbólica dos diversos aspectos de Cristo é representada pelos sinais que o evocam: **Alfa** e **Ómega**, primeira e última letra do alfabeto grego (o princípio e o fim); **Âncora**, às vezes acompanhada de um peixe (salvação); **Círio pascal** (luz do mundo);

Coração (amor); *Cordeiro* (o Cristo que encabeça a marcha de seu rebanho; o Cristo inocente que reconcilia os pecadores com o Pai); *Cruz** (sinal cristão por excelência); *Estrela da manhã* (estrela de seis pontas, a estrela de Davi que significa, no Velho Testamento, "um grande rei" ou "Messias") *IHS** (letras do alfabeto grego que correspondem às três primeiras letras do nome de Jesus); *INRI* (iniciais das palavras latinas que significam Jesus Nazareno Rei dos Judeus); *Leão* de Judá* (Cristo vencedor de Satanás, das astúcias do mundo, do terror da morte); *Mão** com o indicador apontando para o alto (benção ou redenção); *Monograma de Cristo* (formado pelas duas primeiras letras de seu nome no alfabeto grego: X (Ch) e P (R) que aparecem sobrepostas em inúmeros objetos litúrgicos); *Pedra angular* (base de união); *Peixe* (da palavra grega *ichthús*, 'peixe', que os primeiros cristãos usavam para formar um acróstico significando "Jesus Cristo filho do Deus Salvador"); *Pelicano* (ave que segundo a crença popular alimenta os filhotes com seu sangue); *Serpente** enrolada na cruz (a serpente de bronze de Moisés que curava os enfermos).

sinete. *s. m.* Selo de pequenas dimensões usado por particulares para imprimir monogramas ou outro sinal ou emblema capaz de identificar seu proprietário; deve ser premido sobre o lacre quente aplicado diretamente no papel. Consta de uma base dura (metal ou pedra dura gravados em *intaglio*) presa a um suporte (pequena haste, anel, berloque, etc.). ~ Passou a ser muito usado a partir do séc. XVII para garantir a inviolabilidade da correspondência particular; pelo sinete o destinatário podia saber a origem da missiva. Alguns sinetes eram verdadeiras joias montadas em ouro, prata ou marfim com o selo de pedra semipreciosa; os exemplares mais ricos eram encomendados a gravadores especializados. ~ A produção do séc. XVIII é especialmente requintada e, no séc. XIX, tornou-se abundante e extremamente variada. [V. *intaglio*. Cf. selo.]

Sinete de bronze art nouveau.
(de época)

singerie. [Fr. 'macaquice'.] *s. f.* Decoração mural do séc. XVIII, espécie de *chinoiserie* com grupos de macacos vestidos (muitas vezes à chinesa). Esteve muito em voga na França no período *Régence** e a mais famosa encontra-se no castelo de Chantilly e representa cenas de caça e festas ao ar livre. [V. macaco. Cf. *chinoiserie*.]

Sivas. Tapete turco que, embora originário da Anatólia, não apresenta os traços característicos dos tapetes nômades da região; sua decoração imita os Tabriz*, apresenta colorido claro: marfim, rosa, verde-pistache. Até 1920 esses tapetes se destacavam pela qualidade e cuidada execução (cerca de 5.000 nós por decímetro quadrado); a seguir a produção desenvolveu-se consideravelmente com perda de qualidade (menor número de nós, veludo ralo, cores apagadas). [V. Smyrna e tapete oriental - tapete turco.]

slop bowl. [Ingl.] V. tigela de pingos.

Smyrna. Designação genérica dos tapetes turcos procedentes de diversos centros da Anatólia (Sivas, Kayseri, Cuchak, Isparta) e que convergiam para o porto de Izmir (ou Esmirna) na Turquia onde os mercadores locais e os comerciantes europeus atendiam à demanda dos países da Europa. Até mesmo a decoração seguia as exigências do mercado e, por isso, a qualidade dos tapetes é considerada medíocre. [V. tapete oriental - tapete turco.]

sobrado. [De sobrar.] *s. m.* Qualquer piso de madeira em que as tábuas sustentadas por uma estrutura ficam afastadas do solo, cobrindo espaço utilizável ou não. [cf. frechal.] // Pavimento superior ao térreo. // No Brasil, casa de dois pavimentos.

soco. *s. m.* Base de coluna. // Pedestal. // Ressalto saliente na base das paredes, a partir do nível do solo.

sofá. [Do árabe *soffah*, 'banco', 'estrado'.] *s. m.* Designação genérica de assento, estofado ou não, dotado de encosto e braços destinado a duas ou mais pessoas. ~ Os móveis mais antigos desse tipo datam talvez do séc. XVII e serviam de leito de repouso onde as pessoas se reclinavam. No séc. XVIII, com a procura de maior conforto nas moradias, os sofás se diversificam acompanhando os desenhos e os modelos de construção das cadeiras. No séc. XIX e começos do séc. XX, os salões são guarnecidos com sofás de madeira e palhinha ou com sofás estofados, capitonés ou não, às vezes com moldura de madeira; alguns assumem formas originais: são em ângulo reto, como os chamados *fauteuils d'angle* (poltronas de canto), são do tipo otomana, encostados ou não à parede ou são, ainda, circulares, com coluna no centro. ~ Com as novas modas no arranjo das salas, no séc. XX, os sofás estofados passaram a fazer conjunto com as poltronas. ~ Sofás típicos tomam nomenclatura própria segundo as épocas, os usos e os estilos. [V. *causeuse*, canapé, *chesterfield*, *love seat*, otomana e *settee* e v. tb. Dom João VI e Sheraton (ilustr.). Cf. pufe.]

Sofá Napoleão III com três medalhões. Madeira e palhinha.
(França - séc. XIX)

sofa-table. [Ingl.] V. *drop leaf table*.

sol. *s. m.* Astro que é, para a Terra, fonte de luz e calor; de sua força flui o ritmo da vida. Desde tempos imemoriais seus poderes foram reconhecidos em toda a superfície terrestre num simbolismo que abrange desde a reverência à divindade em suas diversas formas, e a imortalidade, até as práticas alquímicas, o pavor infundido pela noite ou pelo "sol negro" dos eclipses. § Como símbolo cósmico, o Sol é a divindade das grandes civilizações da Antiguidade e seu culto se associa à figura de deuses-heróis, de gigantes, de luz e calor vitais e de forças criadoras (Osíris, Baal, Mitra, Hélio, Apolo); o mesmo culto foi praticado nas grandes civilizações pré-colombianas. Para os Egípcios, o Sol (Rá) no seu caminho diário representava o Eterno Retorno; para os gregos, a Razão, a inteligência do mundo, a imagem do Bem e do Belo configuradas em Apolo. § Na iconografia, os raios solares são representados ora retilíneos, ora em forma ondulada, e febril, e o círculo reveste-se, às vezes, de feições humanas. § O Sol, considerado o centro do céu, é por analogia o símbolo universal da realeza. Sua forma radiante evoca a figura de um grande monarca dos tempos modernos – Luís XIV da França, o "Rei Sol" – cuja insígnia se espalhou por toda a Europa do séc. XVII. § O Sol nascente não só é o emblema do império japonês como significa o próprio nome do Japão – Nipon. ~ Ao princípio ativo, diurno, masculino do Sol, se contrapõe o espírito passivo, noturno, feminino da Lua – Apolo e Ártemis (os gêmeos) para os antigos gregos, Yin★ e Yang para os orientais. [V. Lurçat (ilustr.).Cf. raio.]

sola. *s. f.* Couro grosso, cru ou curtido, usado na confecção dos assentos e espaldares de móveis e dos estrados dos leitos, ou no revestimento de arcas e canastras. §§ Muitas cadeiras do mobiliário luso-brasileiro seiscentista são de sola ora lisa e rústica, ora lavrada com encosto a meia altura e madeiramento retilíneo; depois os espaldares repuxados tornam-se mais altos com remates fusiformes de latão. No séc. XVIII a sola profusamente decorada com arabescos, vasos de flores, cartelas com figuras ou brasões, etc., lembram os brocados antigos; os mais belos encostos e assentos são do período Dom João V*. ~ Nos móveis coloniais, a *sola picada*, usada para refrescar o assento, apresentava orifícios circulares simetricamente distribuídos; aparece em cadeiras e canapés baianos da segunda metade do séc. XVIII. Seu uso prossegue nos móveis até nossos dias. [Cf. couro.]

solitaire. [Fr.] *s. m.* V. *cabaret.*

sopeira. *s. f.* Vasilha grande e funda de forma oval ou redonda dotada de alças e tampa e usada para servir sopa à mesa; terrina. ~ Essa forma se estabelece na Europa no séc. XVI em peças de faiança. As primeiras sopeiras de porcelana foram feitas no séc. XVII, na China, por encomenda, seguindo os modelos europeus. ~ No séc. XVIII, para as grandes baixelas e serviços são executadas belas sopeiras de prata ou de porcelana nos estilos Barroco*, Rococó* e Neoclássico*, nas quais se destacam as alças e os pegadores de variadíssimas formas esculpidas. As sopeiras deste último período apresentam-se às vezes com feitio de urna (com grande diâmetro e pé de pouca altura). [V. *Sheffield plate* (ilustr.) Cf. terrina.]

Soumak. Tapete caucasiano originário da região do mesmo nome, vizinha do porto de Baku no mar Cáspio. Caracteriza-se pela textura rasa – e por ser feito unicamente com os fios da trama e da urdidura. É normalmente de lã e sua trama tem dois fios; um que substitui os nós e é utilizado para decoração e outro que se destina a dar firmeza à peça, como em qualquer tapete oriental. Os fios da trama para o desenho formam alças prendendo dois fios da urdidura; têm diversas cores, conforme os motivos e pode-se ver no avesso pontas de lã das diferentes cores usadas. ~ A decoração é geométrica, tipicamente caucasiana, variada com belas cores. ~ Os tapetes Soumak, embora não tenham veludo, são resistentes graças à qualidade do material e ao tecido muito cerrado. [V. tapete oriental - tapete caucasiano. Cf. *kilim.*]

Spode. Manufatura de faiança e porcelana inglesas fundada no séc. XVIII em Staffordshire por Josiah Spode (1733-1797) que aprendera a arte com o mestre ceramista Thomas Whieldon. No início a fábrica produziu faiança de cor creme, excelente base para decoração azul e branco. ~ Josiah Spode II, em começos do séc. XIX, introduziu a chamada "porcelana híbrida": *bone china** (porcelana de ossos) e *stone china* (porcelana de pedra) combinando propriedades da porcelana de pasta dura. A *bone china* foi empregada em peças no estilo Império*, com ouro e cores. Essa louça, de grande resistência, foi também decorada em azul e branco com desenhos decalcados inspirados em motivos orientais (muitos de influência japonesa) e motivos italianizantes, conquistando um vasto mercado. ~ William Copeland* tornou-se sócio da empresa e, mais tarde (1833), seu dono, associando-se a T. Garret. A Copeland deve-se o aparecimento na Inglaterra da *Parian Ware*, porcelana sem cobertura de esmalte, de alta qualidade. ~ A produção de peças originais e de cópias, que incluía objetos de adorno e serviços de mesa, estendeu-se até o fim deste século com ótimo padrão de qualidade. § A louça é marcada com o nome pintado ou impresso. [V. *bone china*, louça inglesa, *Parian ware* e Staffordshire.]

spot. [Ingl. red. de *spotlight.*] Luminária de parede ou de teto com foco de luz projetado para iluminar um determinado objeto ou uma área limitada. Surgido no séc. XX, sua forma é vinculada ao *design* e seu poder de iluminação acompanha progressos da tecnologia. [V. iluminação.]

Staffordshire. Região da Inglaterra rica em argila e onde se estabeleceram inúmeras manufaturas de cerâmica e de porcelana a partir do séc. XVIII. Tornou-se um dos mais importantes centros de produção da Europa com fábricas de renome como Spode*, Minton*, Wedgwood*, New Hall. ~ As estatuetas de Staffordshire, largamente conhecidas (como o *Toby jug*), começaram a ser lançadas por volta de 1760; eram ingênuas figuras e grupos, e alcançaram grande popularidade. ~ A ampla produção oitocentista em *earthenware** oferece figurinhas de animais, pastores, divindades, figuras alegóricas; destacam-se as estatuetas de personalidades notáveis e populares (a rainha Vitória, George Washington, Garibaldi, Dick Turpin) cheias de vida e de colorido alegre; sua execução, porém, era bastante simples, com a parte de trás tratada de maneira sumária. Apesar disso, o repertório de Staffordshire adornava a maioria das casas inglesas. [V. *creamware*, Minton, Spode e Wedgewood. Cf. *Toby jug*.]

Staffodshire. Dick Turpin, estatueta de earthenware. (Inglaterra - meados do séc. XIX)

Stam, Mart. (1899 - 1986). Arquiteto holandês, *designer* e criador da cadeira com estrutura de aço tubular. Foi o primeiro a constatar a resistência deste material que permitia distribuir o peso em dois suportes em balanço e não nas quatro pernas, com a vantagem da leveza e da simplicidade na construção. Este modelo foi executado em 1926, concomitantemente ao de Mies van der Rohe*; imediatamente aceito, foi aproveitado por Breuer* em 1928. [V. cadeira. Cf. Breuer e Mies van der Rohe.]

Steuben. Manufatura de vidro artístico fundada nos EUA em 1903. Produziu vidro colorido em ricas variedades, como o vidro irizado, especialmente Aurebe em ouro, azul, verde, castanho e vermelho - o mais raro. Em 1934, inicia a produção de peças de cristal transparente. [V. vidro.]

stiacciato. [Ital. 'achatado'.] *s. m.* Técnica de baixo-relevo feito a cinzel e esculpido com pouca profundidade, introduzida no séc. XV pelo escultor italiano Donatello. Por ser muito rasa dava ideia do espaço atmosférico; as formas não eram propriamente modeladas pelo escultor, mas como que "pintadas" em modulações sutis e de grande efeito visual. [V. baixo-relevo.]

Stijl, de. [holandês 'o estilo'.] Movimento criado em 1917 reunindo um grupo de artistas holandeses de vanguarda que defendiam o abstracionismo* e buscavam fórmulas de clareza e equilíbrio para a arte e para o homem. Suas ideias eram expressas na revista do mesmo nome. ~ Os princípios de pureza na expressão plástica defendidos pelo pintor Piet Mondrian norteavam o movimento que daria origem em 1920 ao chamado Neoplasticismo. ~ *De Stijl* influenciou a pintura e as artes decorativas (especialmente o *design* de móveis), as artes gráficas e a arquitetura. [Cf. Rietveld.]

stoneware. [Ingl.] *s.* V. cerâmica (fabricação e tipos de cerâmica).

strapwork. [Ingl.] *s.* Ornato que consiste em motivos semelhantes a fitas entrelaçadas ou interligadas, e que, em geral, apresenta-se em relevo. Parece ter surgido no Renascimento* em obras de estuque talvez inspiradas em motivos da Antiguidade Clássica. ~ Feito em madeira, metal ou gesso, foi muito popular nos Países Baixos onde variações em curvas fantasiosas, tipicamente maneiristas*, foram divulgadas em publicações. Foi introduzido na Inglaterra por entalhadores flamengos e alemães e aparece em muitas peças do mobiliário britânico. [Cf. fita e laçaria.]

Strasbourg. [Cid. da França.] Faiança e porcelana francesas fabricadas nas manufaturas de Estrasburgo e Haguenau (Alsácia) durante o séc. XVIII, sob orientação de diversos membros da família Hannong. § O fundador da indústria de faiança, em 1721, foi Charles-François Hannong, de origem holandesa, fabricante de cachimbos de louça, que se estabeleceu na capital alsaciana. A decoração azul e branco* acompanha os modelos de Rouen com lambrequins* parecendo rendados de ferro. ~ Em 1730, Paul Hannong assumiu a direção; nos lambrequins* (ainda em azul e branco), os motivos se vegetalizam de modo característico e suas pontas se transformam em rosas ou outras flores e em frutas (romãs, maçãs) formando elegantes guirlandas. ~ Na mesma época começam as tentativas de policromia em peças muito bem moldadas como pegadores das tampas ou alças de terrinas. Adotam-se decorações no gênero de Meissen (cenas de caça, *chinoiseries*) ou as *fleurs des Indes* (*Indianischeblumen**). § A técnica de pintura e decoração a alta e baixa temperatura se aprimora; usam-se as cores de esmalte, próprias da porcelana, pouco empregadas na faiança, recorrendo-se a especialistas com experiência nas fábricas alemãs. São características (sobretudo entre 1745 e 1754) as decorações ora feitas com fino traço negro formando contorno (*qualité contournée* 'qualidade contornada'), ora desenhadas sem contorno (*qualité fine* 'qualidade fina'). As belas flores realistas (cravos, tulipas, peônias, miosótis), entre as quais sobressaem as rosas pujantes, passam a ser conhecidas como "*fleurs* (flores) *de Strasbourg*". ~ As peças mais específicas são de autoria de Christian Wilhelm e Maria-Seraphia von Lowerfinck. § Sempre sob a direção de Paul Hannong, entre 1740 e 1750 foram produzidas as melhores peças que incluem sopeiras e terrinas em forma de flores, de conchas, de repolhos, de cabeças de animais como a célebre *hure de sanglier* (cabeça de javali), ao lado de caixas de relógios, apliques para iluminação, talhas de parede para água. Nessas peças desenvolvem-se as curvas do Rococó*. Introduzem-se também os objetos em *trompe l'oeil** como pratos com legumes e frutas de louça absolutamente realistas. Figurinhas de *putti** e outras, muito bem modeladas, são aplicadas em grandes vasos. Todos esses produtos, ainda de faiança, imitam e fazem concorrência à porcelana então em voga. ~ A louça de Strasbourg tem um brilho muito especial e belas cores de esmalte especialmente a púrpura de Cassius, o azul pálido, os tons de roxo e verde; as flores sobressaem num fundo muito branco. § Paul Hannong lançou a porcelana de pasta dura – a primeira a ser produzida na França – mas sua tentativa teve que ser deslocada para Frankenthal* na Alemanha diante do privilégio real concedido a Vincennes-Sèvres*. Só voltaram à França em 1766 (depois da morte de Paul) com Joseph-Adam Hannong, quando cessou o monopólio. A fábrica se ampliou em busca de moldes industriais: serviços de mesa e outras peças de uso doméstico eram catalogadas para a venda ao lado de estatuetas de diversos gêneros. Mas a empresa envolveu-se em dificuldades financeiras e cessou a produção em 1781, fechando definitivamente três anos depois. § Strasbourg e os Hannong produziram a faiança mais fina da França no séc. XVIII e seu estilo de decoração em cores de esmalte foi largamente imitado por outras manufaturas. § As marcas só aparecem regularmente depois de 1754 – um PH em monograma não raro com a barra do "H" em forma de "V". Antes e depois o "H" é aposto (em peças da primeira fase e depois na de Joseph Hannong). [V. faiança e porcelana. Cf. porcelana de Paris, Rouen e Sèvres.]

suástica. [Do sânscrito *svati*, 'bem-estar'.] *s. f.* Cruz com braços iguais dobrados em ângulo reto e voltados na mesma direção – em geral a dos ponteiros dos relógios. Seu grafismo indica movimento de rotação em torno de um centro imóvel. Tem conotação solar quando voltada para a direita, e simboliza prosperidade e boa sorte; são muitíssimo mais numerosas essas versões positivas que evocam o curso do Sol do que as da suástica voltada para a esquerda de conotações negativas, noturnas. ~ Símbolo muito antigo, a suástica foi difundida nas diferentes partes do mundo (Extremo Oriente, Mongólia, Índia, Mesopotâmia, Mediterrâneo, Norte da Europa, América). Na Antiguidade aparece como emblema em moedas e, na Grécia, é motivo de ornatos e barras. Entre os chineses é o símbolo da totalidade dos seres e é a forma primitiva do ideograma que indica as quatro direções do espaço. Na Índia representa o conhecimento e os bons augúrios. Na Europa aparece na arte bizantina e entre os primitivos cristãos acompanha a imagem do Salvador, do Cristo das catacumbas. Foi conhecida então como "cruz gamada" porque os braços reproduzem a letra gama do alfabeto grego. ~ No séc. XX, durante o regime nazista, a suástica negra tornou-se o emblema do partido de Hitler e, embora voltada para a direita, adquiriu conotações de guerra e destruição.

sucupira. *s. f.* Designação comum a várias espécies de *Borodichia*, leguminosa cuja madeira, dura, pesada, resistente, com colorido pardo-acastanhado e estrias muito pronunciadas, tem vasta aplicação.

sulfure. [Fr.] *s. m.* Nas artes decorativas, incrustação de camafeu sob camada de vidro ou cristal, cuja fabricação começou por volta de 1790. A massa vítrea na qual o camafeu era esculpido adquire brilho semelhante ao do sulfato de prata quando em contato com o cristal em fusão (daí o nome). ~ A designação se estendeu, impropriamente, na França, aos pesos de papel feitos de cristal com flores incrustadas. [V. peso de papel.]

Sung. Dinastia chinesa que floresceu entre os sécs. X e XII, período que, apesar dos distúrbios políticos, foi artisticamente muito fecundo em pinturas, esculturas e cerâmica de formas nobres e serenas. ~ As cerâmicas têm qualidades clássicas de simplicidade, de sobriedade e de funcionalidade; além disso forneceram os protótipos nos quais os oleiros chineses se basearam em épocas sucessivas. Essa influência chegou mesmo à cerâmica ocidental. ~ Pelas pinturas da época Sung pode-se observar que as formas básicas dos móveis chineses datam também desse período. [V. *céladon*, cerâmica e China.]

suporte. *s. m.* Nas artes plásticas e decorativas, superfície de materiais diversos – madeira, argamassa, tela, papel, marfim, louça, plástico, etc. – sobre a qual se executa uma pintura ou outro trabalho artístico.

suporte para livros. Par de objetos pesados com uma face perpendicular à base estável, e que se destina a prender livros dispostos verticalmente. São peças decorativas da mais diversa inspiração, destacando-se as formas esculturais em bronze, mármore, etc. ~ A designação "bibliocanto" refere-se a uma chapa de metal dobrada em ângulo reto que tem por fim manter de pé os livros arrumados lado a lado. – Fr.: *serre-livres*.

Suporte para livros estilo art déco.
Assinado M. Le Verrier.

surrealismo. *s. m.* Movimento artístico e literário que floresceu entre as décadas de 1920 e 1940 e cujas manifestações prosseguiram no curso do séc. XX. ~ O poeta e crítico francês André Breton foi seu principal porta-voz e lançou em 1924 o *Manifesto Surrealista* que define o movimento como reunindo os domínios do consciente e do inconsciente de modo que o mundo do sonho e da fantasia se possa ligar ao mundo racional do dia a dia numa "realidade absoluta, uma super-realidade". ~ Inspirados em Freud, os surrealistas viam no inconsciente a fonte de criação artística e qualquer manifestação, por mais absurda ou ilógica que fosse, deveria ser expressa livremente sem interferência da reflexão intelectual. "O irreal é tão verdadeiro quanto o real, os sonhos e a realidade são vasos comunicantes", postulava o manifesto. ~ Era uma nova filosofia, um novo comportamento estético que, embora agressivo em suas proposições, dava ênfase a uma expressão positiva: o homem poderia conquistar a libertação afirmando-se no que tem de mais íntimo e verdadeiro. ~ Na pintura, os artistas vão buscar suas raízes em Bosch (c. 1450 - c. 1516), Goya (1746 - 1828), William Blake (1757 - 1827); representa-se um mundo de sonho, destituído de razão ou lógica, um mundo que não é visto pelos "olhos mortais", no dizer de Blake. As formas figurativas – de execução tecnicamente racional e minuciosa – expressam o abstrato com suas figuras oníricas e livres. ~ Entre os grandes pintores do surrealismo destacam-se Salvador Dali, Marc Chagall, René Magritte, Paul Delvaux, Joan Miró, Paul Klee. § O surrealismo foi decisivo e fecundo; ofereceu uma alternativa ao formalismo cubista e enriqueceu as possibilidades da expressão artística.

tabaqueira. *s. f.* Pequena caixa, em geral decorada, onde se coloca fumo em pó; caixa de rapé. § A prática de inalar uma pitada de rapé tomou vulto na Europa no séc. XVII, depois da introdução do tabaco trazido da América, onde o fumo era hábitual entre os indígenas. ~ Em meados do séc. XVI já o embaixador francês em Lisboa enviou sementes da planta para a rainha Catarina de Médicis em Paris. Na corte de Luís XIV (1638-1715) tornou-se elegante tomar rapé e a moda se espalhou pela Europa. ~ Assim, no dia a dia, o aristocrata ou o homem do povo passaram a trazer consigo as caixinhas com o tabaco moído e aromatizado. Nos salões, o gesto estereotipado de exibir a tabaqueira para retirar o pó, estimulou a criação de modelos que se tornaram importantes itens da joalheria masculina. ~ No séc. XVIII, as tabaqueiras de luxo, de ouro e prata, de pedras semipreciosas, de marfim, de esmalte ou tartaruga atingiram grande requinte; os joalheiros de Paris usavam ouro colorido, incrustações de pedras preciosas, de camafeus. Algumas caixinhas eram tão delicadas que cabiam no bolso do colete. Seu uso denotava status, e alguns nobres tinham numerosa coleção desses objetos. Nas caixas de esmalte as tampas eram decoradas com temas ao gosto da época – cenas, paisagens, flores, *chinoiseries** – e muitas caixas traziam retratos em miniatura. Às vezes havia uma tampa falsa para ocultar pinturas eróticas. ~ De Paris, livros com modelos eram enviados para outros pontos da Europa e, na Alemanha, os joalheiros recorriam à arte dos lapidadores para produzir peças em ágata e outras pedras, montadas em ouro. As caixinhas de porcelana aparecem junto com outros artigos dessa indústria de luxo em plena ascensão. ~ Depois, Genebra torna-se o centro de produção das tabaqueiras que, ao raiar do séc. XIX, já não apresentam a mesma finura; trazem relógios, mecanismos musicais e outras curiosidades, além de formas peculiares – uma bota, um animal. ~ Paralelamente, desde o séc. XVII foram fabricadas tabaqueiras para uso popular de madeira, de estanho, de cobre, de latão, de chifre, de tartaruga e, mais tarde, de *papier mâché**; embora numerosas na época, poucas se conservaram por serem consideradas na ocasião objetos de menor valor. § São curiosíssimas as tabaqueiras chinesas em forma de garrafinhas de porcelana, de jade, de vidro com finas decorações; eram feitas para consumo interno e para exportação. As mais interessantes datam do séc. XVIII e, entre as especialmente delicadas, encontram-se tabaqueiras de vidro transparente com desenhos feitos no interior (o pincel era introduzido pela gargalo). A maioria dessas peças tinham pequena colher para se retirar o rapé. — Fr.: *tabatière*; ingl.: *snuff box*; alem.: *Tabakdose*.

tabela. *s. f.* Parte central do encosto vazado das cadeiras, que consta de uma tábua de madeira recortada em forma de urna ou de balaústre; estende-se do assento (ou de próximo dele) até o topo da moldura. Esse modelo de encosto, que surgiu na Inglaterra e é típico do estilo *Queen Anne** (c.1689-c.1727), aparece vazado em cadeiras e *settees** criados por Chippendale*. §§ A tabela foi muito usada nos móveis luso-brasileiros setecentistas de inspiração inglesa e o requinte nela empregado é o mesmo que caracteriza o mobiliário de luxo dessa fase. — Ingl.: *splat*. (Em fr. usa-se o termo genérico *montant*.)

Tabriz. [Top. persa.] Tapete persa proveniente da cidade do mesmo nome situada no nordeste do atual Irã. Porta de acesso da antiga Pérsia, nas proximidades da fronteira russa e turca, a cidade foi durante séculos um dos centros mais importantes do país e, na Idade Média, foi sua capital. Sofreu muitas invasões, o que contribuiu para o enriquecimento de suas tradições. § No séc. XIX coube a Tabriz um papel importante no renascimento da arte dos tapetes graças à instalação de manufaturas de onde partiram os primeiros exemplares feitos para exportação. Os comerciantes da cidade, desde meados do século, enviavam a Istambul os raros exemplares antigos que conseguiam obter, e logo viram que a procura excedia à oferta; criaram-se, então, as manufaturas que teciam os tapetes nas dimensões e cores encomendadas pelos grandes centros europeus. Assim, os Tabriz não se distinguem por um colorido ou uma decoração particulares, embora cores e desenhos, revivendo os velhos modelos, sejam especialmente belos; grande mérito tiveram então os criadores dos exemplares de exportação. § O fundamento do Tabriz é de algodão com fios duplos na trama. A lã é sólida e um tanto áspera nos exemplares de qualidade média; é atada com nós turcos, já que a população local é de raça e língua turcas. Devido à expansão comercial, adotaram-se qualidades-padrão segundo o número de nós por decímetro quadrado (a qualidade média tem 2.500 nós) e dimensões também convencionais. § A decoração pode ser muito rica e minuciosa com motivos vegetais e outros, ora cobrindo todo o campo, ora com desenhos mais esparsos ou com o campo liso (como em certos tapetes de medalhão e nos tapetes de oração). Além dos exemplares de lã, alguns, feitos de seda, figuram entre os mais belos tapetes que a Pérsia produziu. [V. tapete oriental – tapete persa. Cf. Heriz.]

tábua corrida. Tipo de assoalho em que se empregam tábuas longas justapostas de maior ou menor largura. Outrora comuns nos interiores – entre nós usava-se de preferência o pinho-de-riga – a tábua corrida foi substituída pelos tacos e, no séc. XX, passou a ser material de preço, usado nas construções de luxo. [V. assoalho e pinho-de-riga. Cf. parquê e taco.]

tabuleiro. s. m. Qualquer bandeja grande usada para diferentes fins como levar pão ao forno, depositar e transportar objetos. ~ No quadro de Brüegel, *Banquete Nupcial*, veem-se grandes tabuleiros rústicos, de madeira, carregados por dois homens para conduzir iguarias. ~ São populares os de madeira com borda recortada, pousados sobre cavaletes que servem para expor e vender guloseimas na rua, como os tão conhecidos "tabuleiros da baiana". § No séc. XIX as grandes bandejas ou tabuleiros de metal ou de prata, com cercadura e alças, eram peças de uso nas casas de tratamento para reunir serviços de chá e de café; alguns tinham fundo de madeira aparente ou recoberto por fina chapa de metal e apresentam-se em certos casos com quatro alças para serem carregados por duas pessoas. §§ Em Portugal, no reinado de D. Maria I, os prateiros executam os primeiros tabuleiros, medindo 70, 80 cm; são em estilo Neoclássico*, retangulares ou ovais, com ou sem alças. [V. bandeja.] // Tábua quadrangular e lisa que contém as marcações apropriadas para a disposição e movimentação das peças em certos jogos (xadrez, gamão e outros). Nos tabuleiro as marcas são incrustadas e muitos deles servem de tampo às mesas de jogo*. [V. xadrez.]

Tabuleiro de prata com galeria de acabamento retilíneo e pés de bola.
(Portugal, Porto - séc. XIX - 70 cm X 43 cm)

taça. s. f. Copo de metal, vidro, cristal, louça, etc., que serve para beber; copa. Pode ser alto ou raso, dotado ou não de pé e/ou alças. Historicamente seu uso confunde-se com o copo, a caneca, axícara*, e a forma, mais ou menos aberta, varia em altura e proporção mantendo porém a característica fundamental de uma fácil preensão para o gesto de beber. § Nas jazidas arqueológicas, copas de cerâmica ou de vidro, de uso doméstico, contrastam com os ricos exemplares de cerimônia feitos de metais nobres com expressivas decorações em relevo; assim são as taças sem pé, com uma só asa, das civilizações cretense e micênica. ~ Oleiros e pintores gregos durante cerca de um milênio criaram vasos de cerâmica de grande beleza; entre as figuras neles representadas, Dioniso, o deus do vinho, é visto com seus símbolos: a taça, as uvas, a pele de pantera. Para beber, os gregos tinham taças de cerâmica de formas características: o *kylix* muito aberto, de pouco fundo, pé baixo, espécie de caneca com duas pequenas asas horizontais, e o *kyathos*, copo para beber, espécie de caneca com asa. ~ As taças de aparato helenísticas ou romanas de pé alto dão origem, no cristianismo, ao cálice* litúrgico que irá manter a forma constante, enquanto as taças de uso profano sofrem, com o tempo, inúmeras variações. Das mais diversas formas, são peças domésticas usuais – o homem comum bebe em copas de cerâmica, de estanho, enquanto os nobres são servidos em taças de ouro, de prata. ~ No parco acervo de utensílios das casas medievais, as taças tinham lugar destacado como atesta a designação inglesa do móvel chamado *cupboard* (armário com prateleiras para guardar taças, pratos, etc. [1530]). ~ Com o aumento da riqueza particular no início da Idade Moderna*, a produção de taças torna-se expressiva pelo volume e pelo cuidado na execução, pela variedade de feitios; umas têm pé em forma de balaústre, outras têm asas, outras têm tampa. No Renascimento, taças cinzeladas de ouro, prata, *vermeil*, às vezes com pedras incrustadas, contam-se entre as belas peças de ourivesaria. No séc. XVI, na Alemanha, Albrecht Dürer desenhou uma curiosa taça dupla de linhas elegantes cuja tampa formava uma taça invertida; outra peça um pouco posterior é a *Jungfraubecher* (taça da mocinha) também original: é uma taça dupla, para apostas, em forma de mulher com saia balão segurando acima da cabeça uma vasilha (outra taça) basculante de modo que, com a figura invertida, a saia será uma taça maior com outra menor em posição inferior (a dificuldade será beber, sucessivamente, das duas taças...). ~ No séc. XVII, as copas barrocas* são obras dos grandes artífices de Nurembergue e outras cidades, e assumem aspectos caprichosos: ananás, pinha, pera, ao lado de outras com bojo feito de coco ou de ovo de avestruz, por exemplo, montados em ouro e prata. ~ Na Inglaterra as *standing cups* (copas de pé alto), peças de aparato muito ornamentadas, ombreiam com outras populares, lisas e simples, às vezes sem pé e com inscrições sugestivas que indicam seu uso nos lares, nas universidades. ~ No séc. XIX, com o aparecimento dos serviços de copos de cristal e de vidro, as taças desaparecem do dia a dia e passam a ter valor simbólico e comemorativo: presentes requintados, prêmios esportivos e outros (neste caso as formas são muitas: urnas, ânforas, esculturas, etc.). Só figuram, nas mesas bem postas e bem servidas, ao lado dos copos de água e vinho, taças rasas de champanhe para os brindes convencionais. § Quanto ao material, na Idade Média, as taças eram, normalmente, de metal sendo raras as de cerâmica e de vidro. Do séc. XV, porém, conhecem-se copas de mesa de vidro veneziano e, no século seguinte, alguns exemplares de cerimônia, são de maiólica generosamente decorada. ~ Nos séc. XVIII e XIX na Boêmia, na Alemanha, na Áustria o cristal favorece a feitura de taças de diferentes formas e alturas, às vezes com tampa, talhadas e gravadas por grandes artífices; impressionam pela riqueza e elegância da decoração naturalista, dos brasões, de armas, das efígies, dos dísticos. Veneza mantém, sem interrupção, sua importante tradição na feitura de taças de beber ou de celebração, de fino vidro, e sua produção rivaliza com as das grandes cristalerias europeias. ~ No raiar do séc. XX, as taças em forma de tulipa com linhas *Art Nouveau** trazem a assinatura dos grandes vidreiros como Tiffany. A prata e o metal prateado foram também usados em exemplares de linhas recurvadas ou outros no estilo sóbrio de Mackintosh ou do *Art Déco**. §§ Na descrição da prataria portuguesa antiga mencionam-se, no séc. VI, "copa de pé alto com sua sobrecopa" e, mais tarde, "taça polilobada com pé baixo e duas asas" ou "taça com seu pires semiesférica, de coco revestido de ouro", exemplos que mostram as mesmas tendências de outros centros europeus e que evidenciam a importância de tais objetos para quem os executava ou possuía. [V. prata – História e vidro.] – Fr.: *coupe*, *hanap*; ingl.: *drinking cup*, *wine cup*; alem.: *Becher*

Taça para consomê, de prata, com brasão.
(Holanda - séc. XIX)

tacheado. *s. m.* Decoração feita com tachas enfileiradas em peças de mobiliários; pregaria. ~ As tachas ou pregos visíveis – em geral de latão, normalmente em forma simples de calota, ocasionalmente em forma de pirâmide, de margarida ou outras – começam a ser usadas por volta do séc. XVI sobretudo para dar acabamento e fixar o couro e, mais raramente o tecido, nos encostos e assentos das cadeiras em carreiras simples ou duplas. No séc. XVII a prática se aperfeiçoa sobretudo na Espanha e em Portugal onde artesãos muito hábeis trabalham o couro repuxado das cadeiras já com espaldares recortados. §§ Nos móveis coloniais brasileiros o emprego do tacheado – "pregaria graúda" e "pregaria miúda" – é associado ao uso da sola* em cadeiras, tamboretes, leitos, baús; nestes as carreiras de tachas formam desenhos sugestivos, monogramas, etc. Certas arcas têm também a madeira decorada com tachas.

tachismo. [Do fr. *tachisme*, de *tache*, 'mancha'.] *s. m.* Na pintura abstrata, uso de elementos coloridos de forma imprecisa lançados livremente sobre o suporte, em total independência quanto ao conteúdo e à técnica.

taco. *s. m.* Pequena tábua retilínea de madeira usada no assoalho ora disposta regularmente com peças retangulares que se encaixam, ora com tabuinhas de formatos e cores diferentes, produzindo decorativas figuras geométricas (estrelas, gregas, etc.). [Cf. assoalho, parquê e tábua corrida.]

tafetá. *s. m.* Tecido de seda fina, de brilho discreto, consistente e armado; originalmente feito de seda pura, foi inventado pelos chineses e teve grande aceitação na Europa, sobretudo a partir do séc. XVIII. É usado em vestuário de luxo e em cortinas e outros acessórios de certo requinte. ~ Em decoração, ao lado do tafetá de seda, utiliza-se o tafetá de algodão ou de outra fibra para trabalhos menos luxuosos.

taipa. *s. f.* Na construção de paredes e muros, sistema que tem por base a terra molhada aplicada diretamente, sem preparo especial. As paredes devem ser revestidas de emboço para proteção. ~ Na ***taipa de pilão***, de uso muito antigo, a terra é comprimida dentro de formas de madeira (taipais). Na ***taipa de sopapo*** ou ***de mão***, ou ***pau a pique***, a terra (que para maior resistência pode ser acrescida de capim ou pelos) é atirada simultaneamente por duas pessoas, de cada lado da futura parede, e vai aderir a uma estrutura de paus verticais e horizontais. §§ Esse tipo de construção foi adotado nos edifícios do Brasil colonial. [Cf. adobe.]

Talavera de la Reina. Importante cerâmica espanhola oriunda de um grupo de manufaturas estabelecidas em Castela desde meados do séc. XVI. ~ As primeiras obras executadas foram azulejos e ladrilhos com esmalte* de estanho formando padronagem regular e de belo colorido. Para o Palácio de Escorial, Filipe II (1527-1598) encomendou cerca de 25.000 dessas peças, bem como diversos tipos de vasos. A indústria desenvolveu-se no séc. XVII e os belos azulejos revestiam as paredes de igrejas, mosteiros e palácios da Espanha. ~ As peças de uso doméstico despertavam também grande interesse; corresponderam, na época, à demanda para substituir a prataria de mesa cujo uso estava oficialmente regulamentado. Os modelos, em grande variedade (jarros bojudos ou em forma de elmo, grandes bacias, vasos altos), são decorados com azul-e-branco ou pintados com as cores de alta temperatura em que predominam o verde e o roxo. A ousadia do traço nas cenas de caça, nas paisagens e – como não poderia deixar de ser – nos aspectos das touradas, despertam até hoje grande interesse. ~ No séc. XVIII o prestígio da cerâmica espanhola vai se concentrar em Alcora, mas Talavera sobreviveu realizando reproduções de modelos seiscentistas. [V. cerâmica. Cf. Alcora.]

talha. *s. f.* Abertura ou entalhe feito com buril, cinzel, talha-frio, etc., na superfície da madeira, da pedra, do marfim, do osso e de outros materiais. // A obra assim executada, seja ornato de superfície, seja escultura plena. § A arte de ***talha em madeira***, embora seja uma modalidade da escultura, apresenta peculiaridades determinadas pela natureza da matéria e pela função. A bitola adotada para destacar os relevos ou recuar o fundo, para tornar as arestas mais vivas ou mais suaves, para dar volume ou adelgaçar as formas, difere da que se usa nas obras de pedra, de metal ou de barro. Matéria branda (como o barro), a madeira caracteriza-se pela tensão que oferece devido à natureza fibrosa que permite o entalhe mais livre e fino; macia ou dura, facilita a execução de curvas delicadas, de relevos plenos, mas as obras limitam-se às dimensões próprias dos troncos. ~ A talha em madeira foi especialmente usada nos interiores aos quais dá mais calor e vida do que o peso, a dignidade e imponência do mármore; apresenta-se nas cores e texturas naturais ou recebe pintura e/ou douração. § A madeira foi usada como material escultórico desde a Antiguidade por todas as civilizações do Oriente ao Ocidente. Foi amplamente empregada na Idade Média e, no final do Gótico* (séc. XV), as obras de madeira sobressaem na Europa Central e no sul da Alemanha. Artistas do porte de Tilmann Riemenschneider executam para as igrejas esculturas dramáticas (imagens, grupos para altares, baixos relevos para púlpitos e retábulos) integrados a remates com os ornatos rendados do estilo. Na Espanha, sob orientação de artistas germânicos ou flamengos, a talha policromada e dourada enriquece catedrais e mosteiros. ~ No Renascimento*, com o predomínio do mármore na arquitetura, a talha passa a ter tratamento especial nas graves e pesadas peças de mobiliário ornadas de florões, quadrifólios, grinaldas, folhas de acanto, rosáceas, e gomos, nas cornijas e almofadas. ~ Com o Barroco* (sécs. XVI e XVII), as obras de talha recebem o maior impulso e enriquecem a decoração dos templos, dos móveis. Os entalhadores setecentistas lidando com elementos do Rococó* dão leveza aos trabalhos; com a volta ao espírito clássico (fim do séc. XVIII), o delírio no manejo do buril e do cinzel vai cedendo lugar a decoração mais sóbria. ~ No séc. XIX os processos mecânicos substituem a mão do artífice embora ainda se valorizem os entalhes nos estilos imitativos então em voga. O *Art Nouveau**, com as finas madeiras cortadas em formas curvilíneas, revigora a arte do entalhe nas peças de decoração. ~ No séc. XX, o gosto e os materiais orientam-se para novos caminhos. Na escultura, entretanto, artistas como Henry Moore e Ernst Barlach usam a madeira em obras importantes. § Na África, na Oceania, e entre outros povos, a madeira ainda é o material das esculturas tribais. [V. madeira e v. tb. tocheiro (ilustr.). Cf. entalhe e escultura.]

Coluna salomônica ou torsa com folhagem e figuras vazadas. Obra de talha em madeira. (Itália - séc. XVII)

talha em Portugal e no Brasil. Da Espanha, no séc. XVI, a arte de entalhar passou para Portugal. ~ A talha dourada é o meio de expressão decorativa do Barroco*, aplicada profusamente "forrando de ouro" as igrejas e capelas. Tem lugar de exceção na decoração, ao lado dos azulejos (que, muitas vezes, têm molduras imitando a madeira entalhada). ~ Na descrição da evolução da talha em Portugal, cabe uma comparação sistemática com as obras realizadas no Brasil durante o período colonial e que correspondem às fases lusas que veremos a seguir. ~ Na *primeira fase*, a talha está na base da decoração barroca tipicamente lusa, dos seiscentos (v. nacional português) seguindo tendência da Contrarreforma em vigor na Itália e na Europa central; é eminentemente religiosa numa permanente exposição de pompa e luxo, com o arco pleno* de linhas românicas recoberto de pesados ornatos no transepto e nos altares, ladeado pelas típicas colunas salomônicas de fuste espiralado enriquecido com parras e cachos de uvas. A talha se alastra por todo o interior do templo e nela se integram pinturas, esculturas e azulejos. ~ Na *segunda fase* do Barroco*, o período joanino*, dominam certos elementos romanos: conchas, palmas, plumas, festões, baldaquins, sanefas, figuras alegóricas, anjos e arcanjos, querubins entre volutas; a coluna salomônica torna-se mais leve, os arcos entalhados se integram ao altar-mor das igrejas e às capelas laterais formando um todo de grande unidade. Artistas escultores e entalhadores voltam-se também para obras profanas como a célebre Biblioteca da Universidade de Coimbra, totalmente executada por artistas portugueses (arquitetura e decoração unem-se harmoniosamente nos belos arcos decorados que separam as salas, nas originais colunas de talha azul, vermelho e ouro que sustentam as galerias das estantes). ~ Na *última fase*, até cerca de 1770, domina o Rococó* com as cartelas, os elementos assimétricos e naturalistas do estilo no luxo farto do período Dom José I* em palácios e igrejas. ~ No norte de Portugal o estilo rocalha é mais ornamental e vigoroso e se manifesta na chamada **talha gorda** em composições avantajadas. §§ No Brasil, a arte da talha, favorecida por longa tradição vinda da metrópole e pelo pendor natural dos artistas nativos, encontrou ambiente para desabrochar ora pujante ora requintada. Começa a ser praticada em fins do séc. XVII, com a defasagem natural da absorção da cultura europeia, e se estende até começos do séc. XIX enriquecendo os templos de Minas Gerais, da Bahia, do Rio de Janeiro, do Nordeste, de Goiás. Formas tropicais estilizadas são acrescentadas aos inúmeros motivos importados. ~ Entre os elementos arquitetônicos, com entalhes generosos nascidos de artistas coloniais, mencionaremos alguns exemplos: colunas salomônicas (do séc. XVII, igrejas de N.S. da Conceição de Itanhaém, de N.S. dos Anjos de Cabo Frio e especialmente da igreja do Mosteiro de S. Bento no Rio de Janeiro; séc. XVIII, igrejas de N.S. do Carmo no Recife, de N.S. do Bonsucesso em Caeté e Capela do Padre Faria em Ouro Preto); colunas caneladas com festões e guirlandas (igreja de S. Francisco de Paula do Rio de Janeiro, obra de mestre Valentim*); atlantes ou cariátides que sustentam ou parecem sustentar colunas e balcões (igrejas de S. Francisco em Salvador e de N.S. do Carmo de Sabará, obra do Aleijadinho*); meninos atlantes (igrejas de N.S. do Pilar e Capela do Padre Faria em Ouro Preto); frontais que imitam tecidos com bordados e lambrequins (igrejas de N.S. da Conceição da Praia de Salvador e de N. S. do Pilar em Ouro Preto). ~ Ainda no interior dos templos, os arcos plenos dão equilíbrio a abóbadas, ao arco do cruzeiro, a capelas laterais (igrejas da Ordem Terceira de S. Francisco da Penitência no Rio de Janeiro e de S. Francisco em Salvador); os púlpitos no estilo joanino, via de regra com caixas quadrangulares e dosséis (igrejas de Santo Antônio em João Pessoa, da Ordem Terceira de S. Francisco no Rio, de N. S. do Carmo em Sabará, esta com baixos-relevos do Aleijadinho*, e capela das Jaqueiras no Recife); ainda vale ressaltar os painéis com relevos rococó* em que sobressaem, muito lindas, cabeças coroadas de flores (igreja de N. S. do Carmo no Rio) e o conjunto formado pela tribuna do coro e pelo órgão adornados com guirlandas, também Rococó, em decoração policromada (Matriz de Santo Antônio em Tiradentes). ~ Ao lado de magníficas imagens de santos, de crucifixos dramáticos, aparecem anjos e arcanjos com seus atributos, movimentando-se teatralmente no cenário barroco. Os querubins* misturam-se aos pujantes relevos da decoração, inocentes, sorridentes (igreja de N. S. de Nazaré de Cachoeira do Campo, Igrejas de S. Francisco de Ouro Preto, igreja da Ordem Terceira de N.S. do Carmo do Rio de Janeiro, igreja de N.S. de Bonsucesso de Caeté). ~ A talha seiscentista e setecentista, com riqueza de imaginação e detalhes de alto nível criativo e artesanal, notando-se a sensível diversidade no tratamento da figura humana, ora rude e mesmo desproporcionada, ora equilibrada e desenvolta. ~ Nos sécs. XVII e XVIII, entre os escultores ilustres figuram Frei Agostinho dos Santos, Frei Agostinho de Jesus, Frei Domingos da Conceição, Veiga Vale, Manuel Inácio da Costa, Francisco Xavier de Brito, Mestre Valentim* e, incomparável, o Aleijadinho*, enquanto uma coorte de artesãos anônimos se espalhou por todo o país, dando vida a incontáveis entalhes, a maioria obras religiosas. § O Brasil – que nasceu sob o signo da madeira – tem na sua riqueza florestal matéria-prima variadíssima de extenso uso nas artes populares; à tradição indígena somaram-se a contribuição portuguesa e a africana e os artesãos brasileiros da madeira se espalham pelo Nordeste, por Minas e Goiás, pelo litoral, pelo sul. O homem do povo usa a madeira talhando e esculpindo santos e imagens, figuras e animais votivos, amuletos, ex-votos, figas, brinquedos, utensílios diversos, matrizes de xilogravura, peças decorativas, guarnições do mobiliário das embarcações; suas ferramentas são, não raro, a faca, o canivete, a lixa. As peças entalhadas são policromadas, enceradas, envernizadas, muitas vezes aproveitando a forma da madeira numa ave, numa figura ou num grupo. [V. Barroco brasileiro. Cf. artesanato.]

talher. [Do fr. antigo *tailloir* 'prato em que se cortava a carne'.] *s. m.* Cada um dos utensílios (colher, garfo, faca) usados à mesa, nas refeições, e que formam um conjunto. A designação se estende a qualquer utensílio semelhante destinado a servir, ou a certos fins específicos. § Entre os talheres, a ***faca*** e a ***colher*** teriam surgido como utensílios auxiliares da alimentação em diferentes regiões e contextos sociais desde eras remotas, e a história desses talheres é decorrente dos hábitos alimentares, de épocas e culturas, de materiais disponíveis. As *facas* do homem primitivo – as maiores usadas como arma, as mais curtas para cortar a carne – eram utensílios de pedra talhada. Na Idade do Bronze (c.1500 a.C.) o homem já conhece o preparo das lâminas de metal passando depois a usar o ferro e mais tarde o aço. § As *colheres*, com função de mexer, de servir, de levar alimento à boca, não exigiam material tão resistente e eram, a princípio, de madeira, de osso, de cerâmica, mas, já no Egito* e na Mesopotâmia*, usavam-se colheres de bronze. ~ Na Idade Média* as colheres são de osso, de chifre, de marfim e de metal. ~ No séc. XVII as de prata, pertencentes a pessoas de recursos, têm a concha em forma de figo e a haste fina, hexagonal, muito simples; os modelos vão se apurando e os cabos terminam com formas esculpidas: uma bolota de carvalho, um rombóide, uma pequena imagem da Virgem, um leão, um casco tripartido (séc. XVII) ou apenas a extremidade enrolada para baixo (séc. XVIII). A criação mais elaborada na ourivesaria foi a das *colheres dos apóstolos* que formavam conjunto de treze peças: os doze apóstolos e mais o Cristo. § Na trajetória do talher, o *garfo* tem aparecimento tardio; origina-se de alguma forma de espeto, daí o garfo de uma só ponta conhecido pelos romanos. Nos tempos medievais os garfos eram peças chatas, com duas pontas destinados a trinchar e servir; gradualmente passaram ao uso individual substituindo o par de facas então corrente às refeições (nada requintadas) em que a carne era abundante. As duas pontas se conservam até o séc. XVII quando os garfos já têm três dentes e cabo trabalhado, passando a ter os convencionais quatro dentes por volta de 1750. § Os talheres, avulsos, vão tendendo a formar conjuntos na medida em que se aprimoram os hábitos e, já no séc. XVIII, adquirem características de unidade: os cabos são modelados em estilos bem definidos. Na Inglaterra georgiana* as facas têm o cabo em forma de pistola enquanto as colheres apresentam o modelo *Old English* (inglês antigo) com concha muito pontuda e o cabo voltado para baixo na extremidade; os garfos acompanham essa imagem. Formam-se os conjuntos de talheres, o *Old English* se enriquece com decoração canelada ou peniforme; mais ou menos em 1800 aparece o modelo do "violão", quer com borda simples rodeada de filetes paralelos, quer já com a decoração da concha (*King's pattern*) e, nas peças vitorianas*, atinge-se alto grau de inventividade e rebuscamento. ~ Na França do fim do séc. XVIII surge o modelo do "coração" característico pela simplicidade e elegância: colheres e garfos têm filetes nas bordas que se encontram no topo da haste formando um desenho que lembra um coração. Esses estilos, bem caracterizados, têm sido abundantemente reproduzidos e para se saber a data de fabricação de um talher de prata deve-se observar a marca e não a forma. ~ Modernamente, os modelos simples e funcionais, em que se destacam as criações escandinavas, acompanham as tendências do *design*. § Até o séc. XVII os talheres mais simples tinham cabos de madeira ou de osso, as colheres e garfos eram feitos por modestos funileiros com uma liga de estanho e antimônio. A prata era usada nas mesas abastadas e aristocráticas e o ouro e o *vermeil* nas ocasiões de grande luxo. § No séc. XVIII, entre os ingleses, os talheres de *Sheffield plate* vão substituir os de prata e, por volta de 1850, o metal prateado domina mundialmente o mercado graças aos progressos da galvanização*. ~ Muito aperfeiçoado, o aço inoxidável*, usado desde cerca de 1920, tende a dominar a produção de talheres, faqueiros, baixelas. § O manejo dos talheres convencionais às refeições, favorecendo a estabilidade dos alimentos no prato, desenvolveu não só os hábitos e os gestos de bom tom como os modelos cada vez mais práticos. Assim, no séc. XIX aparecem os *talheres de peixe* com forma característica: garfos leves, de dentes mais curtos e aguçados, ligeiramente curvos e facas que são espátulas não raro gravadas com desenhos; os cabos são de marfim, de madrepérola. Para servir o peixe criam-se peças semelhantes em maiores dimensões. ~ As *colheres* diversificam-se para fins especiais: colheres vazadas e decoradas para açúcar e para azeitonas, para recolher folhas de chá, para frutas; colheres de marfim para ovos quentes, além de conchas de várias dimensões. As *facas* para pão, para queijo, para trinchar atendem às conveniências de suas finalidades; *garfos* de trinchante, de picles e outros vão se incorporando aos faqueiros. § Até o séc. XIX os jogos de viagem incluíam, além dos objetos de toalete, talheres, copos, pratos, xícaras. O uso vem da Idade Média, quando, obviamente, as estalagens não ofereciam condições de conforto e os viajantes levavam suas próprias facas e colheres. Os antigos e requintados estojos de viagem, hoje peças de museu, ainda traziam em seus inúmeros compartimentos os objetos necessários para as refeições. §§ Os talheres portugueses acompanham os modelos europeus. Assim, as colheres do séc. XIV ou XV têm a "pá" com forma de figo, cabo poligonal ou achatado. No séc. XVII as facas têm cabos de pistola, e lâminas que lembram cimitarras; no período joanino* ainda persistem esses modelos de faca junto a outros decorados com conchas e arabescos do Barroco* e do Rococó*. ~ Os talheres de prata figuram entre as obras dos ourives coloniais seguindo as formas da metrópole: o mais corrente foi o modelo do fim do séc. XVIII de cabo cinzelado com canaletas na extremidade; seu trabalho é elegante e limpo. Essas peças são importantes por seu valor histórico uma vez que grande quantidade delas foi fundida para outros fins. [V. colher, faca, faqueiro e v. tb. madrepérola (ilustr.).]

Talheres de prata Dona Maria I. Marcados II (onze) dinheiros. (Portugal - de época)

talho-doce. s. m. Designação comum a diversas técnicas de entalhe de gravuras em metal; gravura a entalhe. ~ Originalmente a palavra designava a gravura a buril sobre placa fina de cobre, donde a denominação de calcografia (do grego *chalkós*, 'cobre'). [V. gravura.]

talismã. s. m. Amuleto de diferentes formas e dimensões cuja força ativa defende seu portador contra correntes maléficas e possibilita a realização de desejos. [V. amuleto.]

tallboy. [Ingl.] s. Cômoda alta com gavetas, dividida em duas seções por uma espécie de cornija. Esse tipo de móvel começa a ser executado na Inglaterra em fins do séc. XVII; é uma cômoda construída sobre outra ligeiramente mais ampla e foi chamado *chest on chest* (cômoda sobre cômoda). O nome *tallboy* surgiu no séc. XVIII e as peças setecentistas e oitocentistas obedeciam aos estilos em voga, como a alternativa do *tallboy* acharoado* com decorações achinesadas na época do grande sucesso da *chinoiserie*. [V. cômoda. Cf. *highboy*.]

Talher de servir peixe. Prata gravada. Cabo de chifre de veado. (Inglaterra - séc. XIX)

Colher de prata inglesa "rat's tail". Colher de prata francesa com motivo de coração.

Tallboy.

tamborete. *s. m.* Pequeno banco retangular, quadrado ou redondo, sem encosto e braços, feito de madeira ou outro material. O termo parece ter origem na palavra francesa *tabouret*, banquinho estofado usado como privilégio pela nobreza de sangue na presença do rei Luís XIV* (séc. XVII). §§ Em Portugal teve o significado alterado: a princípio designou certo tipo de cadeira de encosto muito baixo, sem braços, com assento em geral de sola preso com tachas e, no séc. XVIII, cadeiras de palhinha do mesmo tipo. ~ Mas, já no mesmo século, o tamborete propriamente dito, também chamado ***cadeira rasa****, teve larga difusão tanto na marcenaria fina quanto em peças rústicas do mobiliário luso-brasileiro. • ***Tamborete raso.*** Banquinho leve, elegante, com pernas torneadas e assento de couro lavrado. [V. banco.]

Tanagra. Designação comum às estatuetas* de terracota que começaram a ser produzidas na Grécia a partir do séc. III a. C., e que foram encontradas no local do mesmo nome na Beócia. ~ As encantadoras figurinhas representam principalmente mulheres jovens, levemente sensuais, e nelas sente-se a influência de Praxíteles, escultor grego do séc. IV a. C.; são representadas de pé ou sentadas em atitudes naturais de uma graça sutil, ora risonhas, ora melancólicas. As vestes drapeadas moldam o corpo, algumas usam chapéu de abas ou seguram um leque ou um espelho. § A princípio modeladas à mão, as pequenas esculturas passaram depois a ser feitas com moldes; mais tarde usaram-se fôrmas separadas para as partes do corpo em diversas posições o que possibilitou um grande número de combinações (aliás, continuou a ser o processo adotado na execução das estatuetas de porcelana e de louça conservando-se a mesma prática iniciada pelos gregos). ~ As figuras de Tanagra revestiam-se originalmente de uma camada branca sobre a qual se aplicavam as cores: pele avermelhada ou rosada, cabelos ruivos, olhos azuis, lábios vermelhos, roupas de cores vivas. § Por ocasião de sua descoberta no séc. XIX, tiveram, de imediato um grande sucesso, e foram imitadas e falsificadas com frequência. [V. Grécia.]

T'ang. Dinastia chinesa que, entre 618 e 906, restaurou o prestígio do império; foi um período de expansão territorial, e os contatos com o exterior contribuíram para o florescimento de todas as artes, em especial da cerâmica. Esta tem o repertório de formas enriquecido por modelos estrangeiros que logo adquirem o estilo e o caráter chinês; o aperfeiçoamento técnico do colorido do esmalte permite o aparecimento de cores como vermelho-alaranjado, amarelo-limão, azul-pálido, verde-espinafre, branco translúcido. São dessa época as notáveis esculturas funerárias (cavalos, camelos, homens, mulheres) em cerâmica, esmaltada ou não; no início do séc. XX essas figuras foram tão bem reproduzidas na China que, muitas vezes, as imitações são difíceis de detectar. [V. China.]

tankard. [Ingl.] *s.* Caneca cilíndrica, com tampa, surgida no fim da Idade Média e usada na Escandinávia, na Alemanha, nas Ilhas Britânicas e, mais tarde, na América do Norte. ~ A tampa é presa por uma dobradiça e movimenta-se com o auxílio do polegar apoiado numa espécie de alavanca, em geral trabalhada, e que é como um prolongamento da alça. ~ Os *tankards* variavam de tamanho, mas sua forma se manteve inalterada, apenas sujeita a decorações estilísticas no corpo ou na alça. A grande maioria desses objetos era feita de prata ou de estanho, embora existam outros de cristal ou vidro, de marfim ou de chifre, de cerâmica ou de porcelana, sempre com a tampa de metal. ~ Os *tankards* de prata inglesa e os de cristal da Europa Central são especialmente decorativos e as corporações encomendavam peças especiais representativas de seus ofícios. ~ No séc. XIX, os belos exemplares de prata começaram a ser produzidos para o comércio.

tantalus. [Do antr. latino Tantalus, personagem da mitologia grega que, por seus crimes, foi condenado pelos deuses a padecer fome e sede.] *s. m.* Armação de metal ou madeira, espécie de plataforma quadrangular com bandeja em que são dispostos *decanters* de cristal, de base quadrada, rigorosamente ajustados à peça; tem dois montantes laterais onde se articula, na parte superior e no sentido longitudinal, um dispositivo móvel dotado de fechadura. ~ Foi criado na Inglaterra vitoriana e é uma peça bonita e bem proporcionada na qual as bebidas ficam visíveis mas inacessíveis sem o auxílio de uma chave. [V. *decanter.*]

Tantalus de Sheffield plate. Garrafas de cristal em cut glass. (Inglaterra - séc. XIX)

tapeçaria. s. f. Tecido pesado de lã, quase sempre de forma retangular, em cujos limites se encerra uma composição de caráter pictural ou decorativo; sua técnica tem permanecido praticamente inalterada malgrado a marcada evolução nos estilos e nas finalidades. § No Ocidente a tapeçaria evoluiu das peças quase exclusivamente utilitárias para aquelas de forte impacto visual. Talvez nenhuma outra forma de expressão estética seja capaz de estabelecer uma associação tão próxima entre o social e o ornamental; isto poderá explicar a trajetória única e original da tapeçaria entre as artes europeias. § *Execução*. Na sua feitura, seguindo um cartão*, usam-se teares de alto e baixo liço* (verticais e horizontais) e sua técnica se baseia na passagem dos fios de lã, coloridos, da trama*, enrolados em bilros ou carretéis, alternadamente por cima e por baixo da urdidura*; um pente é usado para empurrar os fios da trama e mantê-los bem unidos de modo que o urdimento fique de todo encoberto. A trama, porém, não é corrida, interrompendo-se os fios segundo as necessidades do desenho e do colorido. A tapeçaria é um trabalho moroso, geralmente feito por diversos tecelões sentados lado a lado; eles seguem o desenho de um cartão de visibilidade bastante difícil e trabalham pelo avesso da obra (no séc. XVIII apareceu um tear oscilante e que facilitava a vista do cartão*). Depois de concluído o trabalho não é fácil discernir qual o tipo de tear que foi usado. ~ A tapeçaria ocidental é feita para ser vista apenas pelo direito e tem os fios da trama pendentes no avesso (outras obras do gênero como os tapetes *kilim* ou certos tecidos pré-colombianos encontrados no Peru têm o mesmo desenho perfeitamente visível nas duas faces). § Quanto ao colorido, tão importante para o resultado da obra, na Idade Média não havia meios tons, a tinturaria era limitada: de 15 a 20 cores feitas de corantes naturais que lograram chegar inalterados a séculos posteriores. Mas, por imposição do gosto vigente, no séc. XVIII, na França, o número de tons chegou a 400 ou 500. ~ O artesão medieval, com tão poucas cores, obtinha efeitos muito especiais de contraste entre formas e o fundo; o volume era magnificamente realçado pelo processo de **hachuras*** em diversas alturas, usadas também nos panejamentos inigualáveis. ~ Os cartões, por outro lado, eram feitos por pessoas intimamente ligadas à técnica e levavam em conta as cores de que dispunham. ~ As tapeçarias mais finas da Europa tinham, a princípio, cerca de 33 pontos por cm^2, mas em outros centros como, p. ex., no Peru, este número podia chegar a 80 pontos ou mais. § *História e temática*. Pouco se conhece sobre as origens da tapeçaria europeia. É provável que seu uso fosse conhecido entre os antigos celtas, mas acredita-se que a arte tenha sido regularmente introduzida pelos árabes, no séc. VIII, através da Península Ibérica a peça mais antiga que se conhece é a tapeçaria da Catedral de Gerona, na Catalunha). ~ As cruzadas foram fator decisivo para o estreitamento das relações com o Oriente Médio onde a tradição desse processo de tecelagem vinha de longa data; seguramente esses tecidos figuravam entre os objetos dos butins e chegaram às regiões frias da Europa, bem providas de lã, onde a tapeçaria teve aceitação como recurso para dar calor e colorido aos despojados interiores. ~ As *tentures* (como chamavam na França e em Flandres) cobriam as paredes de pedra com verdadeiras "narrativas" organizadas em séries; eram também usadas como fundo dos altares e das cadeiras do coro. As *portières* vedavam portas e janelas e impediam as correntes de ar; no mobiliário escasso as tapeçarias davam vida aos leitos, cadeiras e bancos. Eram peças de alto custo, privilégio de poucos, e os grandes senhores, de hábitos itinerantes, levavam-nas enroladas de um local para outro; como os atores e cantores, os tecelões acompanhavam os príncipes, os cavaleiros, o alto clero e, quando as tapeçarias eram danificadas, eles estavam a postos para restaurá-las. ~ Mas, de modo geral, a durabilidade constituía qualidade essencial desses tecidos, o que se prova pelos que ainda podem ser admirados em bom estado. § Já no séc. XII as tapeçarias são organizadas em séries temáticas como as de São Gerão que ainda apresentam influência bizantina em seus motivos simbólicos (touros, grifos). Outras, como as da região renana (talvez tecidas nos mosteiros) tratam de temas retirados dos manuscritos eruditos como a série *Carlos Magno e os filósofos* (séc. XII); algumas dessas primitivas tapeçarias (até o séc. XV) têm especiais atrativos estéticos com assuntos religiosos ao lado de desenhos muitas vezes ingênuos, estilizados e alegóricos, de cores vivas. ~ Nos sécs. XIV e XV a Alemanha renana e a Suíça produzem suas próprias tapeçarias, muitas para casas particulares, com alto senso de fantasia e bom gosto, mais decorativas do que realistas. Aparecem os *Fabeltierteppiche* (tapetes com animais fabulosos), as cenas com *Wilde Leute* (personagens silvestres), que se defrontam com unicórnios* e outros bichos; acompanham os desenhos textos com máximas e provérbios. São típicos também os *Minneteppiche* (tapetes líricos), com temas profanos, cenas de amor cortês, caçadas. § O grande desenvolvimento da tapeçaria dá-se quando os centros de produção se deslocam para Paris e para a Borgonha; em pouco mais de um século a arte muda completamente, evolui da orientação religiosa ou doméstica para as grandes peças complexas que versam sobre temas bíblicos, heróis clássicos e contemporâneos. ~ A tapeçaria ingressa na sua fase áurea. Recebe o incentivo dos poderosos como o rei da França Carlos V e seus irmãos os duques de Berry, Anjou e Borgonha, dotados de excepcional visão artística. Sabe-se que, para esses príncipes, entre 1387 e 1400 foram tecidas cerca de 250 tapeçarias. Dos ateliês de Nicolas Bataille nascem as famosas tapeçarias feitas para Louis D'Anjou, a série do *Apocalipse de São João* que tinha originalmente 152m de extensão e, cujo conjunto, era na época conhecido como *beaux tapis* (belos tapetes); parte dessa obra foi restaurada e encontra-se no museu de Angers (França). Os desenhos magníficos do pintor flamengo Jean de Boudol (ou Jean de Bruges) foram feitos com o auxílio de manuscritos iluminados sobre o Apocalipse e as cenas e alegorias adaptaram-se à técnica e ao ritmo dos murais. Só uma perfeita integração entre concepção do cartão e sua passagem para o tecido permitiu a execução dessa obra em que não faltam dificuldades técnicas. ~ Com a ocupação de Paris pelos ingleses (Guerra dos Cem Anos - 1334 - 1453) as oficinas parisienses e as da região do Loire deslocam-se para **Arras** – importante centro de tecelões desde o séc. XIII – , cuja reputação cresce a ponto da palavra tornar-se sinônimo de tapeçaria (em Portugal eram chamadas "panos de rás"). A vizinha **Tournai**, sua rival, foi outra notável concentração de manufaturas. ~ A concepção plástica se modifica com o agrupamento denso de figuras – característico da arte gótica – , os detalhes são trabalhados e estilizados com rigor técnico e artesanal em sucessivos painéis, cada um parte de uma só história: a *História de Alexandre Magno, A Justiça de Trajano.* ~ No séc. XV, com o patrocínio dos Duques de Borgonha, dá-se um verdadeiro *boom* da tapeçaria que invade a Europa; nela encontra-se um resumo do saber, das ideias, dos feitos de uma sociedade aristocrática, em temas diversificados: ainda persistem as histórias de cavalaria ao lado de fatos históricos, batalhas, até mesmo as *Conquistas Portuguesas* (1471) que se encontram em Pastrana (Portugal). São representadas também cenas da *vida feudal* e temas eclesiásticos ou fabulosos (*Caça ao unicórnio, Triunfos de Petrarca*) em que personagens ricamente vestidos aparecem com seus animais prediletos e objetos de uso profano, sempre em cenas ao ar livre. ~ Essas tapeçarias são como que imersas na natureza, mas numa natureza idealizada: o fundo é trabalhado em *mille fleurs** (mil flores), salpicado de ramos floridos, arbustos, pequenos bichos, é leve e alegre e caracteriza as tapeçarias de *verdure** do fim da Idade Média. § Do último quartel do séc. XV data a série que é um exemplo de beleza plástica, de utilização mural e do sentido social e ético da tapeçaria na sua fase mais pura: **La Dame à la Licorne** (*A Dama do Unicórnio*). Não se conhece o autor dos cartões das seis *tentures* que reproduzem, com fino simbolismo, a alegoria consagrada aos cinco sentidos e mais um painel de introdução ou conclusão com a inscrição *A mon seul désir* (A meu único desejo), cuja leitura pode ser a sujeição aos sentidos ou o domínio sobre eles, conforme a ordem em que se situa na série. Uma dama aristocrática e sua aia aparecem em contextos relativos aos sentidos, assistidas por um leão jovem e esperto e por um bem lançado e doce unicórnio branco. A composição das cenas é equilibrada, piramidal e as principais figuras são dispostas quase que simetricamente realçando os atributos de cada tema. Elas repousam sobre uma espécie de ilha ou tapete azul marinho salpicado de flores e que sobressai do fundo, sem moldura, de um vermelho vivo e totalmente decorado no estilo *mille fleurs*: arbustos ladeiam as personagens e diversos animaizinhos se espalham entre as flores. Essas *tentures* parecem ter ultrapassado o próprio sentido dos cartões na escolha das cores, na elegância, na esbeltez, na expressão um tanto *blasée* da mulher. Traduzem por meio da lã, com surpreendente fidelidade, a flexibilidade dos brocados e do veludo, a transparência da musselina, o brilho das joias, os penteados elaborados. Certos aspectos obscuros que envolvem *La Dame à la Licorne* em nada alteram a mais alta expressão de uma escola em vias de transformação. § O fastígio da corte dos Duques de Borgonha está diretamente ligado ao desenvolvimento sem paralelo das tapeçarias de Flandres no séc. XV; disputadas por toda a Europa, saem dos ateliês de **Bruxelas**, principal centro de tecelagem (por razões econômicas, pela crise na indústria dos tecidos, os tecelões foram ali aproveitados e em cidades vizinhas como Oudenardes, Bruges). A técnica do alto liço sendo muito lenta é substituída pelo baixo liço. Os cartões são propriedade dos grandes tapeceiros que os alteram, vendem ou emprestam. ~ A densidade do método narrativo dos chamados *tapis d'or* (tapetes de ouro), dos sécs. XIV e XV, se atenua e a composição quinhentista se desenvolve numa ordem capaz de revelar as qualidades do tecido, a sutileza das linhas. ~ Já estamos no Renascimento*. Obedece-se às leis da perspectiva, usam-se efeitos arquitetônicos; não se tratava mais de "paredes tecidas" mas de grandes painéis com imponentes molduras trabalhadas com flores, frutas, alegorias, enquadrando, no mesmo material e colorido, cenas de "nobre compostura", cenas históricas, cenas bíblicas; busca-se o rigor figurativo. ~ Nas encomendas de uma sociedade em mutação sente-se o intercâmbio entre o sul e o norte – na Itália os nobres estimulam o aparecimento de ateliês de tapeçaria. Rafael desenha *Os Atos dos Apóstolos* (1515-1519); reproduzem-se motivos dos grotescos*. § A arte sofre brusca modificação no séc. XVII com a intervenção de Rubens e, tecnicamente, aparecem novos problemas: cartões anteriormente em têmpera passam a ser feitos a óleo; o volume, a transparência, até então solucionados pelas *hachuras** exigem maior número de cores. ~ O Barroco*, com sua grandiosidade e energia, é apoiado pela Casa d'Áustria; destacam-se do fundo figuras de heróis, alegorias. No Maneirismo* os artistas, especialmente Bronzino, dedicam-se a valorizar o tratamento estético e artesanal da tapeçaria. § Ainda com Bruxelas em plena atividade, a França volta a ocupar o primeiro plano na tapeçaria com a criação das **Manufaturas Reais dos Gobelins*** (1616). Sobre cartões de Le Brun, de Mignard, expressam-se os valores que surgem: o mito real – o monarca absoluto. Outras manufaturas se desenvolvem (**Aubusson***, **Beauvais***). § No séc. XVIII é manifesto o domínio da França que acelera o processo de reforma da tapeçaria; o velho estilo mural sai de moda, as paredes são decoradas com *boiseries**, papel, tecido. A tapeçaria ainda tem valor, mas deve se adaptar, como gênero decorativo, aos estuques das paredes e dos tetos, a um grande e variado número de móveis; recobre cadeiras e sofás, e procura rivalizar com os quadros. Precisa ser leve para corresponder aos novos valores sociais, ao Rococó*: os temas centrais se reduzem, envolvidos por cercaduras com querubins esvoaçantes, flores, pássaros, vinhas, troféus. Nos cartões de Boucher, de Oudry, o número de cores é imenso. Inventa-se o tear oscilante mais fácil diante das novas exigências. Séries com temas especiais começam a ser feitas para os móveis (assentos, *écrans**). ~ As ideias e as imposições sociais ocasionam a menor procura da tapeçaria no final do séc. XVIII. Uma exceção quanto à qualidade, revela-se nos *tapices de Goya* que desenhou cartões para uma famosa série produzida pela *Fabrica Real de Tapices y Alfombras* de Madrid*. § No séc. XIX não revela a tapeçaria nenhuma originalidade e mantém-se o conceito de que é um "quadro tecido", se possível "pitoresco". ~ William Morris* na Inglaterra faz uma tentativa de renovação que tem menor ressonância do que sua atuação em outros campos das artes decorativas. § No séc. XX, depois da II Guerra Mundial, a arte ressurge na França numa tentativa de reencontrar a pureza medieval; Lurçat reintroduz o *gros point* (ponto grande), reduzindo as cores, e obtém novos valores evocativos e artísticos. § A tapeçaria no Ocidente, que se identificou no passado com a Igreja, o poder, o luxo, a dignidade, teve uma linguagem de tal maneira própria que, à proporção que se foi afastando da estilização, da resolução específica dos problemas de textura e de representação, perdeu a autenticidade inicial. ~ Essa autenticidade foi de certo modo resgatada pelos artistas do séc. XX que passaram a ocupar um lugar especial no tratamento da arte mural com trabalhos figurativos e abstratos que refletem inúmeras tendências. [V. Lurçat*. Cf. tecelagem.]

Tapeçaria de Madeleine Colaço inspirada no Barroco brasileiro. Representa N.S. da Arca. Feita com ponto brasileiro rebordado. (Brasil - c. 1955)

Tapeçaria com galo ass. Lurçat. (França - séc. XX)

tapete. s. m. Tecido de certa espessura feito à mão ou à máquina com fios resistentes e que é constituído de uma só peça; é usado ordinariamente para revestir o piso e abafar os passos, e tem dimensões proporcionais aos compartimentos de uma casa. § Em decoração, joga-se com o tapete não só com vistas a dar uma base homogênea e estável a um ambiente, como também para efeitos estéticos, num amplo leque de opções usando-se desde os exemplares mais finos, vindos do Oriente, até os diversos tipos de produtos industrializados [V. tapete oriental.]. – Fr.: *tapis*; ingl.: *carpet* e *rug*; alem.: *Teppish*; esp.: *alfombra*. • **Tapete feito à mão.** Com raízes nos costumes e na arte popular, este tapete tem múltiplas proveniências e técnicas e aspectos diversos que englobam, basicamente, dois tipos: os *tapetes rasos* e os *tapetes de nós* ou *de pelo*. ~ Os *tapetes rasos* incluem os de tear (*kilim**, tapeçaria*), os de agulha (bordados de diversos modos, destacando-se os de pontos cruzados), os de crochê, os de fibras trançadas, etc. Na Europa, tapetes bordados ou do tipo *kilim* já figuravam entre as ricas artes de Bizâncio*. (v. Arraiolos e Aubusson). ~ *Os tapetes de nós* são de antiga tradição asiática e sua introdução no Ocidente deve-se provavelmente aos árabes que invadiram a Península Ibérica no séc. VIII. ~ Os muçulmanos do norte da África mantinham em suas cortes artesãos que produziam os objetos de metal e de couro, os famosos tecidos e bordados e os tapetes, que o luxo sarraceno exigia. A Espanha foi, por isso, o primeiro país europeu a fabricar e exportar tapetes de nós (Alcaraz, Cuenca), para os quais criou mesmo um tipo de nó; produziu também tapetes rasos, incluindo-se os de belo tecido conhecido como *alpujarreño*. ~ No séc. XIII, D. Leonor de Castela casou-se com Eduardo I da Inglaterra e os tapetes espanhóis causaram admiração na corte. ~ Mas em diversos pontos da Europa o maior interesse pelos tapetes orientais ocorreu a partir das cruzadas que deram a conhecer os riquíssimos recursos decorativos e artesanais do mundo islâmico. De todo modo, essas peças não se destinavam ao chão que, nas casas medievais, era forrado de palha e esteiras. ~ Do séc. XIV em diante certas pinturas europeias representam tapetes que, pelos motivos (octógonos, animais estilizados) parecem provenientes da Ásia Menor (v. tapete turco). ~ Os belos tapetes dão majestade aos quadros religiosos, estendidos aos pés do trono da Virgem com o Menino (Memling, Van Eyck); nas representações de interiores abastados, são vistos geralmente sobre as mesas (Solario: O *Chanceler Morrone*; Holbein: *Os Embaixadores*; Vermeer: *Mulher à janela* e *Mulher adormecida*). ~ Com a intensificação do comércio com o Oriente, já nos sécs. XVII e XVIII, os palácios e ricas residências são atapetados. ~ Em Portugal, em 1665, no inventário do Duque de Bragança, figuram "alcatifas de Castela, da Índia, da Pérsia", além de numerosas "alcatifas de fio" (tapetes rasos). ~ A fabricação de tapetes de nós difundiu-se na Europa a partir do séc. XVII (França, Inglaterra); executam-se belos exemplares, espessos, alguns de grandes dimensões, e cuja decoração acompanha os estilos em vigor (v. Savonnerie). ~ No séc. XX, tapetes de pelo muito alto foram criados para os interiores modernos e entre eles sobressaem os de desenhos geométricos condizentes com o *Art Déco**. Os ateliês de tapetes de pelo continuaram suas atividades em todo o Ocidente. Nenhum tapete de nós, porém, nem mesmo os mais primorosos, logrou alcançar a qualidade e a riqueza inventiva dos tapetes orientais, e nenhum artífice logrou penetrar tão fundo nos segredos da arte. (v. tapete oriental). ~ O **Tapete de pelo industrializado** surge no início do séc. XIX: diante da grande aceitação das peças vindas do Oriente e de seu alto custo, começam a crescer as indústrias que permitem a produção mais rápida e a preços acessíveis. Na Inglaterra, sobretudo, a qualidade era muito boa e seus produtos foram conhecidos como "tapetes Axminster", embora não fossem provenientes dessa localidade (tinham marcas próprias: Wilton, Kidderminster). ~ São diversos os processos de execução, e resultam num veludo* de lã que procura imitar o dos tapetes de nós; repetem-se os desenhos orientais, sobretudo os persas, além de antigos modelos europeus. ~ No séc. XX, ao lado da lã, empregam-se fibras sintéticas (náilon, acrílico), e há importantes inovações na decoração com a introdução de motivos influenciados pelo cubismo, pelo abstracionismo, pelas artes exóticas. [V. tapete oriental. Cf. tecelagem.]

tapete oriental. Qualquer tapete feito à mão, raso ou de nós, proveniente de determinadas regiões da Ásia: Pérsia (atual Irã), Iraque, Cáucaso, Anatólia (Turquia), Ásia central (Turquestão, China), Índia e Paquistão. Trata-se de peças do mais esmerado artesanato cuja ciência, nas diferentes regiões, transmite-se de pais a filhos refletindo vivência de cada povo e expressando, em seus desenhos coloridos, os costumes, os acontecimentos, os símbolos religiosos (na maioria islâmicos). ~ No Oriente, o tapete, estendido no solo, serve para o repouso e a oração, mas tem também outros fins: sela, bolsa, berço, proteção, agasalho. ~ Atribui-se sua invenção, em épocas muito recuadas, aos nômades das montanhas da Ásia central que criaram uma textura imitativa da pelagem macia dos carneiros daquelas paragens como defesa contra o frio. O mais velho exemplar que se conhece, o tapete de Pasyryk, foi encontrado nos montes Altaí, naquela região, e data do séc. V ou IV a. C. Existem referências a tapetes na Bíblia, na *Ilíada*, em crônicas da Pérsia e da China. § *Fabricação e qualidade.* O tapete de nós oriental tem sido executado em diferentes níveis de produção: o dos povos nômades, o das famílias das aldeias, o das pequenas oficinas e o das grandes manufaturas. ~ A *tela* é preparada em *teares manuais* basicamente de três tipos: o horizontal, facilmente desmontável, usado pelos nômades e pelos artesãos das aldeias; o vertical fixo, usado nos povoados e pequenas oficinas; e o mais aperfeiçoado, o vertical com mobilidade, que permite a fabricação de peças de maiores dimensões. ~ Na textura dos tapetes de pelo distinguem-se: *o fundamento*, constituído pela *urdidura** (fios paralelos estendidos no comprimento entre as duas extremidades do tear) e pela *trama** (fios transversais), e a superfície ou *veludo** formada de fios de lãs cortados e presos ao urdimento por pequenos *nós* muito próximos que formam um tecido aveludado suave ao tato e que tem belos efeitos segundo o modo como nele incide a luz. ~ Os tapetes de ponto apertado têm veludo fino e raso; os com menor densidade de nós, de lã mais grossa, são mais espessos. Os nós são amarrados de modos diferentes – nó turco, nó persa, nó *jufti* – e sua execução exige habilidade e paciência dos artífices (em geral mulheres) que trabalham no tear e servem-se de ferramentas rudimentares. Alinham-se os nós em toda a largura do tapete no curso da execução e, à medida que as carreiras são concluídas, elas são ajustadas com dois fios da trama e comprimidas com uma espécie de pente. Vai-se formando o veludo, enquanto no avesso o fundamento fica visível. ~ A finura dos tapetes é determinada pelo número e proximidade dos nós: quanto mais juntos, maiores são os recursos, sobretudo nos desenhos curvilíneos (v. nó). ~ Mas existem outros fatores para valorizar um tapete: considera-se também a qualidade do material, o colorido, a decoração, a idade, o acabamento, o estado. § *Matérias-primas:* a *lã*, o *algodão*, a *seda.* ~ A *lã* é o material por excelência; deve ser brilhante, flexível e elástica. A preferida é a de carneiro, mas certas tribos nômades usam lã de camelo; a lã de cabra (menos resistente) é usada por algumas em acabamentos. A lã de carneiro de fibras longas é retirada do peito e dos flancos do animal e varia de lugar para lugar. Da tosquia dos carneiros de 8 a 13 meses, feita na primavera, obtém-se uma lã superior chamada *kurk*; a de qualidade mais baixa chama-se *tabashi* e é proveniente de carneiros mortos. ~ Em raros tapetes de luxo empregava-se a seda no veludo, em outros, os fios da urdidura e da trama eram enrolados com filamentos de ouro e de prata e adquiriam brilho especial. ~ Quanto ao fundamento, é normalmente de algodão (mais forte, permitindo ponto apertado); só os tapetes dos nômades (Cáucaso, sul da Pérsia e Turquestão) são totalmente feitos de lã. ~ Nos indianos, menos resistentes, o fundamento é de juta. Conforme se vê, todos os materiais têm origem animal ou vegetal; são fortes, mas exigem cuidados especiais (defesa contra umidade, calor, luz, insetos, etc.). § *Execução e acabamento.* Nos tapetes de nós (retangulares), faz-se acabamento nas duas *laterais* e nas duas *cabeceiras.* As *laterais* são rematadas pelo *cordão* de lã – debrum ou ourela – que é a ponta da trama feita com o mesmo fio, ida e volta, reforçada pelo cordão mais ou menos grosso (esse acabamento, quando cortado para restauração, desvaloriza o tapete). As *cabeceiras*, feitas sem nós, apresentam *franja** (fios da urdidura), *kilim** (tecido com naveta e em geral de cor lisa) e, raramente, *macramê**. ~ Começa-se o tapete pela cabeceira inferior e, tanto nesta como na superior, deixa-se algumas fileiras de nós de cor lisa antes de começar os desenhos; no curso do trabalho o excesso de fios de lã é cortado irregularmente à medida que o tapete avança; quando chega ao fim, faz-se a segunda franja (ou o *kilim*) e o tapete vai para o cortador, um especialista munido de uma faquinha própria. Depois de cortado, o tapete é lavado e exposto ao tempo e novamente lavado. ~ Certos tapetes nômades aparecem com uma diferença na largura (até 10cm é considerado normal) pois, devido aos deslocamentos, os teares são desarmados; outros podem se apresentar desiguais nas cabeceiras quando são empregados troncos irregulares nos extremos do tear, mas essas distorções não invalidam um bom tapete. § *Colorido*. Este é um dos principais atrativos dos tapetes orientais. Pela sua importância, a arte da **tinturaria** é tradicionalmente entregue aos homens, enquanto as mulheres dedicam-se à própria tecelagem. Os tintureiros gozam de grande prestígio; cada um tem suas fórmulas e usa de processos que pertenceram aos antepassados. Nas oficinas das cidades persas e turcas existiam verdadeiras corporações que se dedicavam à preparação das tintas e das lãs tingidas. ~ Até o aparecimento das anilinas (c.1860), deviam-se aos mestres tintureiros todas as variadíssimas cores que eram obtidas com corantes extraídos da natureza, a grande maioria de origem vegetal. As cores, brilhantes e firmes, nunca foram suplantadas pelas artificiais. ~ A operação da tintura, tanto nas grandes manufaturas como nas mais distantes aldeias, é complicada: a lã é mergulhada em um **mordente** retirado de substâncias naturais como tâmara, leite, mel, e depois é posta num banho com o **corante** adequado; conforme o matiz desejado, permanece nesse banho algumas horas ou até dias, e cada corante, segundo o tratamento, fornece diferentes matizes. A água também é importante fator para o resultado final. As meadas de lã, depois de tingidas, são postas em varais para secar. ~ Os tons de *vermelho* e seus matizes vão desde os muito sombrios até as cores vivas e alegres; alguns são obtidos com a raiz da garança pulverizada que fornece tonalidades muito belas. O vermelho-acastanhado e o vermelho-tomate resultam da mistura do pigmento da garança com o soro do leite. Os tons de carmim são provenientes da cochonilha e de outros insetos. O *amarelo* é retirado do açafrão e de folhas de vinha. Para o *azul*, a principal fonte é a anileira (do gênero *Indigofera*), sendo que o azul escuro é extraído da borra que adere às paredes da cuba em que o material é posto para fermentar. Quanto ao *verde*, cor difícil, os tintureiros recorrem à mistura do amarelo com o azul acrescida de sulfato de cobre; mais raramente o verde pode ser extraído das bagas do escamboeiro. Para o *negro*, tinge-se a lã com óxido de ferro da pirita ou da noz de galha; mas essa substância tem o inconveniente de, com o tempo, corroer a lã, e certos tapetes antigos chegam a ter os motivos em preto como que raspados, vendo-se o fundamento (esse problema aparece também no verde pela ação do sulfato de cobre). Para aplicação do *branco*, do *cinza*, do *marrom*, usa-se a própria lã natural. ~ Na simbologia das cores, o azul é considerado a cor da atmosfera, da eternidade e aparece com frequência, sobretudo nos fundos; o vermelho representa a alegria, a riqueza; o amarelo denota o fervor religioso e o verde é a cor da bandeira do Profeta: não deve ser pisado e aparece raramente ou em pequenas quantidades. ~ Uma importante característica no colorido dos tapetes orientais é a presença do *abrash** – mudança de tom ou mesmo de cor em certos motivos ou no fundo – perfeitamente natural nos tapetes antigos e nos de nômades. ~ Os corantes artificiais, com todas as gamas de anilinas, apareceram na Pérsia e na Turquia em fins do séc. XIX. Ante a grande demanda de tapetes por parte do mercado europeu, essas tintas, menos difíceis de obter e de custo inferior, tiveram ampla aceitação entre os fabricantes. Mas as cores da anilina eram menos estáveis e não se harmonizavam tão bem quanto as naturais; a qualidade decaiu de tal modo que foram tomadas severas medidas punitivas para impedir sua importação e seu emprego; mais tarde, os corantes químicos foram adotados com melhores resultados, e eles têm sido aplicados em grande parte dos tapetes de manufaturas; mas os nômades continuam a se valer quase que exclusivamente de corantes naturais. § *Decoração*. Os tapetes orientais têm em princípio dois elementos básicos que se completam – o *campo* e as *barras*, onde são dispostos os diversos motivos segundo diferentes critérios quanto à composição e quanto à simbologia. ~ O *campo* ocupa a parte interior do tapete e nele se consideram dois eixos, um transversal, outro longitudinal; os ornatos são colocados simetricamente em relação a esses eixos. Veem-se padrões repetidos ou um ornato central definido – o *medalhão** – muitas vezes complementado, nos cantos do campo, por quadrantes típicos da mesma forma. ~ Os padrões repetidos têm motivos justapostos nas perpendiculares e na diagonal, subdivididos em painéis e gradeados ou unificados com arabescos. O medalhão pode ser circular, alongado, poligonal, elipsoide, estreliforme (com 16 pontas); segundo certos mestres persas ele representa a projeção da cúpula arquitetural das mesquitas e a composição se faz a sua volta. ~ As *barras*, cuja largura corresponde aproximadamente a 1/6 da do tapete, dão a este um enquadramento articulado nos quatro lados; existe em geral uma barra larga acompanhada na parte de fora e na de dentro por tarjas ou faixas estreitas que acentuam o emolduramento do campo; os motivos são muitas vezes os mesmos da parte central ou outros – gregas, zigue-zagues, arabescos, ondas, *running dogs*, pontas de flecha; o que neles importa é o caráter repetitivo, ritmado e envolvente. ~ Certos tapetes de nômades têm regras de composição um tanto diversas, e deve-se considerar ainda os casos de composição assimétrica que ocorre especialmente nos tapetes de oração. § *Motivos*. Estes prendem-se aos símbolos religiosos ou a outros de caráter sociocultural; sua forma pode ser geométrica, estilizada ou naturalista. ~ Os *motivos geométricos* retilíneos, abstratos, refletem um estágio religioso de rigorosa obediência aos textos sagrados; entre eles encontram-se os octógonos, os quadriláteros, os triângulos, os losangos, as estrelas de oito pontas, a cruz de oito pontas enroladas, a cruz grega, a suástica. ~ Os *motivos estilizados* já resultam de um abrandamento na interpretação das leis islâmicas e aceitam-se formas animais e vegetais retilíneas, econômicas, apenas evocadoras da realidade (flores e plantas da região, animais locais como camelos, pavões, pombas, tarântulas, escorpiões, além de espinhas de peixe). A decoração linear, simples, é encontrada nos tapetes dos nômades e das aldeias isoladas (Anatólia, Cáucaso, Ásia central) que conservam os motivos do passado; de fato, os primitivos tapetes, feitos de lã grossa, com menor número de pontos, tinham formas facilmente reconhecíveis. Certas vezes um motivo único se altera em cada padrão. ~ Os desenhos curvilíneos dos *motivos naturalistas* surgem na Pérsia, no séc. XVI aproximadamente, e são produtos das cidades; expressam a visão de mundo dos persas com interpretação mais livre dos temas religiosos. São delicadamente representadas formas botânicas (palmeira, chorão, cipreste, lótus, cravo, tulipa, rosa, acanto, parra, além de palmetas, trifólios, ramagens, gavinhas); desenham-se também animais reais e fantásticos (cavalo, águia, pavão, dragão, serpente) e até figuras humanas. Essas formas ocupam as superfícies do campo e das barras, nunca estão isoladas e como que se interpenetram em movimentos de arcos e espirais; são muitas vezes acompanhadas de estilizações de nuvens, de ondas. Em certos tapetes aparecem inscrições e datas em grafia árabe. ~ Os desenhos dos primitivos tapetes nasciam espontaneamente das mãos das tecelãs ou eram reproduzidos de memória, mas, quando a decoração se tornou mais complexa e densa, recorreu-se ao uso de cartões*. Na Pérsia, a partir do séc. XVI, os tapetes eram feitos sob a direção de um *ustad* (mestre, pintor, autor do cartão), personagem que muito contribuiu para o prestígio da arte islâmica. A prática mais corrente passou a ser o ditado em voz alta: o tapete é descrito num modelo, o *talim*, indicando cada nó (o artesão, diante do tear, não tem ideia de como será o aspecto do tapete); entretanto, mesmo nas grandes manufaturas, as obras não têm uma feitura uniforme e este é um dos traços que jamais poderão ser obtidos na fabricação mecânica. ~ Certos motivos da decoração oriental têm designações próprias como o *boteh**, o *gul**, o *herati**, o *mina-khani**, o *zil-i-sultan** (v., no fim do verbete, ilustr. de *motivos*). § *Classificação*. I) segundo *categorias geográficas*: Pérsia, Cáucaso, Turquia, Afeganistão, Turquestão, China, Índia, e segundo a proveniência: cidades, aldeias e regiões vizinhas (nem sempre correspondem à origem real da produção e sim aos pontos de distribuição comercial); II) segundo a *idade*: antigo (anterior a 1850 e ao uso das anilinas e corantes químicos); semiantigo (posterior a 1850 e até c.1870); usados (de 1870 até c.1910) e novos (posteriores a 1910). Essas datas não são precisas e nem sempre é fácil datar e determinar a idade dos tapetes; por isso deve-se também verificar se o fio foi cardado à mão, analisar as tintas, o desgaste (reparos e recomposições podem desvalorizar e descaracterizar tapetes antigos). Os tapetes recentes, industrializados, são ostensivamente "bem acabados", regulares e de colorido menos harmonioso; III) segundo o *número de nós*: muito grosso (500 nós por decímetro quadrado); médio (500 a 900 nós); fino (até 2.500 nós); muito fino (2.500 a 4.500 nós) e excepcional (acima de 4.500 nós); um tapete de seda pode chegar a 10.000 nós por decímetro quadrado; IV) segundo o *formato* e as *dimensões* que, na mais pura tradição, estão condicionados ao fim a que se destinam e ao tamanho dos teares: o *ghali* (com medidas superiores a 1,90 x 2,80m); o *dozar*, o *sejadeh* e o *galitché* (medindo aproximadamente 1,30-1,40 x 2,00-2,10m); o *kelleghi* ou *kelley* (de formato alongado, medindo 1,50-2,00 x 3,00-6,00m, ou seja, o comprimento com mais do dobro da largura); o *kenareh* (também alongado medindo 0,80-1,20m x 2,50-6,00m); o *yastik*, utilizado em bolsas, selas, etc., medindo cerca de 0,50 x 0,80m. Os formatos *kelley* e *kenareh*, que incluem as passadeiras, decorrem da disposição dos tapetes no chão: segundo o costume, tem-se um tapete central maior ladeado por dois estreitos do mesmo comprimento e, na cabeceira dos três, coloca-se, atravessado, um quarto tapete cujo comprimento equivale à soma da largura dos outros (é em geral um *kelleghi*). Essas designações não correspondem a nomes de tapetes, mas a formatos consagrados pela tradição; é de notar que, a partir do séc. XIX, os tapetes tecidos nas manufaturas têm dimensões variadas para atender à demanda ocidental; V) segundo *tipos especiais de decoração* (a maioria de origem persa): *tapetes de jardim* que reproduzem com maior ou menor estilização os jardins islâmicos com alamedas, canteiros, arbustos floridos, água corrente; *tapetes de caça* que representam cenas de caçadas com figuras a pé e a cavalo, animais abatidos (leões, tigres, panteras)

além da vegetação num cenário naturalista; *tapetes com árvore(s) da vida*, símbolo religioso cuja interpretação varia conforme a região; *tapetes de vasos* caracterizados pela presença de um ou mais vasos de tipo chinês numa densa decoração com padrões de losangos em que se inserem numerosas flores e folhagens; *tapetes de dragões*, cujas cores vibrantes e desenhos vigorosos apresentam um padrão entrelaçado (como o dos vasos); neles aparecem figuras repetidas de dragões chineses e outros animais fantásticos (os mais antigos são provenientes de Kuba, no Cáucaso); VI) segundo a *finalidade*: *tapetes de oração* (estão descritos numa rubrica à parte); *tapetes de lareira*, peças de família que são estendidas diante do fogo; *tapetes de casamento* ou de *dote*, muitos feitos pela própria noiva, em geral pequenos; *tapetes de cemitério*, de colorido sombrio, que cobrem o corpo do morto e depois o túmulo; e ainda tapetes para *selas* e *bolsas*, tapetes para *banho*, tapetes *de parede* (em geral de seda, muito finos e elaborados), tapetes de mesquita ou de Meca (exemplares de qualidade que os maometanos levam como tributo em sua peregrinação). • *Tapete caucasiano*. Os tapetes do Cáucaso são produzidos numa vasta área que se estende do mar Negro ao mar Cáspio e até os confins meridionais do Azerbaijão. É região montanhosa e acidentada com zonas de florestas e de estepes áridas; tem grande diversidade de povos (georgianos, armênios, curdos, tártaros, semitas, turcos) todos com fortes e ancestrais tradições e que se dedicam há muitos séculos à agricultura e à criação de gado e de carneiros, e às atividades artesanais. ~ O fabrico dos tapetes distribui-se nas regiões do Daguestão (centro), Armênia (sul) e Azerbaijão (sudeste). Os tapetes caucasianos, apesar de apresentarem inúmeras variedades (só no Azerbaijão um autor arrolou mais de cem nomes), podem ser englobados em duas grandes famílias: a dos **Kazak** (cores fortes, decoração graúda, ponto médio ou grosso, veludo alto) e a dos **Chirvan** (cores e motivos variados, ponto apertado). ~ Características gerais: Nó *ghiordes*. Veludo – médio, de lã (existem raros tapetes de seda). Fundamentos – urdidura e trama de lã (ocasionalmente de algodão). Laterais – ourela de uma ou mais cores, às vezes debrum. Cabeceiras – *kilim* estreito, às vezes macramê. Cores – vivas e contrastantes (muito amarelo-ouro, muito marfim). Decoração – geométrica, austera (triângulos, estrelas, ganchos angulosos – reminiscência dos braços da suástica) alternada com formas estilizadas de animais (águia, camelo, cão, galo, pombo, pavão, dragão), de folhas e de flores. ~ Os tapetes caucasianos são feitos por tribos nômades e pelas tecelãs das aldeias; atingem preços elevados pois tornam-se cada vez mais raros. Os espécimes mais antigos datam dos sécs. XVI e XVII, mas sabe-se que a produção e o domínio técnico são bem anteriores (o Xá Abbas teria levado para a Pérsia armênios e georgianos para aprimorar a fabricação local). Os exemplares mais recentes são de boa qualidade. [V. Chirvan, Karabagh, Kazak, Tchi tchi]. *Tapete chinês.* Como ocorre com as demais artes chinesas, os tapetes antigos caracterizam-se pelo gosto, pela sobriedade, pela harmonia das cores. Na China ocidental (antigo Turquestão chinês), a arte dos tapetes de nós parece datar das mais recuadas dinastias, embora só sejam conhecidos exemplares feitos a partir dos sécs. XV a XVII. Neles, de modo geral, os motivos são menos concentrados do que em outros tapetes orientais e a decoração básica consta de medalhões onde se inserem a cruz de oito pontas enroladas ou formas florais estilizadas, e de grandes rosáceas. A produção do séc. XVIII é pura, de colorido sóbrio e a do séc. XIX mais viva e contrastante. ~ Modernamente a China produz tapetes na zona leste (Pequim, Tien-Tsin) e no interior (região de Sin-Kiang); a fabricação obedece aos mesmos processos de boa qualidade, e a decoração ora prende-se aos modelos tradicionais, ora a outros de gosto ocidental ou de inspiração caucasiana ou persa. ~ Características gerais: Nó *senneh* e, mais raramente, *ghiordes*. Veludo – alto, de lã macia e brilhante; os motivos, cortados com tesoura, ficam em relevo e sobressaem do campo. Fundamentos – trama e urdimento de fios grossos de algodão o que determina menor densidade de nós. Decoração – sobre o fundo destacam-se, esparsos, motivos com símbolos taoístas e budistas, a flor de lótus, a peônia, a romã, os vasos de flores, os peixes, a suástica, o círculo da felicidade (*shou**), as estrelas de oito pontas enroladas, além de paisagens estilizadas, de pequenas figuras em diversas atividades, de animais, de objetos domésticos (cestas, vasilhas, tabuleiros de xadrez). A água é representada pelas ondas, o céu pelas nuvens. As bordas têm gregas, ganchos enfileirados, pequenas formas estilizadas. Motivos inspirados em outros tapetes orientais são tratados pelos chineses de modo especial e se adaptam às características de sua arte. Cores – da combinação das cores básicas do fundo – azul (profundo ou não), amarelo ou avermelhado – com vasta gama de coloridos resultam efeitos harmoniosos; os tapetes chineses caracterizam-se pela discrição dos tons. [V. China]. *Tapete de oração.* Tipo de tapete oriental de grande importância não só por sua significação para os povos islâmicos, como pelas excepcionais características de qualidade e decoração; é chamado na Pérsia de *namazlik*. Em todas as épocas os tapetes de oração foram usados pelos seguidores de Maomé; o fiel tem seu tapete, de maior ou menor valor, que carrega consigo para cobrir o chão onde irá se prostrar para fazer suas preces cinco vezes por dia. A decoração desses tapetes é inconfundível pela presença do nicho ou *mihrab** que ali figura ritualmente caracterizando a composição, assimétrica no eixo longitudinal. Os *mihrabs* assumem várias formas: nos tapetes da Anatólia (Turquia) – os mais numerosos – os nichos são em geral pontiagudos e de linhas retas com motivos laterais; nos caucasianos e turcomanos são igualmente retilíneos e têm, muitas vezes, o topo achatado; na Pérsia são curvilíneos e elegantes e na Índia são polilobados. Em muitos tapetes veem-se pares de colunas, vasos de flores, motivos vegetais, além de símbolos e objetos rituais (a lâmpada votiva, o jarro-d'água para as abluções, o pente para a barba); em certos tapetes indica-se a posição das mãos durante a reza por meio de sua representação estilizada. O muçulmano prosterna-se na parte central do *mihrab* que deve sempre estar voltado para Meca, a cidade sagrada do Islã. ~ Os tapetes de oração têm dimensões reduzidas (c.1,00-1,20m x 1,50-2,00m) para serem facilmente levados por seus donos; existem, porém, tapetes mais longos (*saffs*) com vários nichos lado a lado, dispostos transversalmente, e que se destinam a mais de uma pessoa. [V. Hadchlu]. *Tapete indiano.* Na tradição artesanal da Índia, os tapetes de pelo, em função do clima, não tiveram a importância de outros artigos de tecelagem como as sedas brilhantes, os tecidos de algodão com variados padrões, os panos de Caxemira. ~ Os muçulmanos de origem turcomana dominaram o norte do país e, atraídos pelos imensos recursos da península, estabeleceram o império Mogol que contou com alguns grandes monarcas; abriram-se as portas à ciência e à arte árabe e persa, e a vida da corte foi marcada pela magnificência e a cultura. Da Pérsia vieram os primeiros mestres tapeteiros e, nos sécs. XVII e XVIII, as manufaturas de tapetes foram subsidiadas pelos soberanos. São dessa época os tapetes de brilho sedoso e veludo muito fino feitos com lã importada de Caxemira. Embora adotassem a decoração corrente no sul e no leste da Pérsia, os tapetes faziam ressaltar os traços nativos: a representação pictórica (sobretudo nos tapetes de caça) e as formas vegetais assumem um luxuriante esplendor. ~ Os tapetes de oração têm um modelo próprio: o *mihrab* é limitado desde a base até a parte média pelo perfil de dois meios ciprestes e a parte superior forma um arco polilobado; tanto o campo, quanto o interior do nicho são povoados por uma multidão de pequenas flores; o colorido é característico pelo emprego de um vermelho-ciclame ou do bordô que ressalta do fundo claro. Mesmo no período áureo, os tapetes da Índia não atingiram a perfeição artística dos modelos persas. ~ O império Mogol termina no séc. XVIII com a ocupação britânica; a produção de tapetes continua no norte, mas a qualidade decai não só quanto ao material como quanto à execução. Das peças posteriores destacam-se, nos sécs. XIX e XX, os tapetes, em geral de grandes dimensões, chamados de Agra. A produção do séc. XX localizou-se também no Paquistão, de onde se originaram modelos do tipo Bukhara* e Hadchlu* que, se por um lado têm grande densidade de nós e preços abordáveis, por outro carecem de brilho e de originalidade. [V. Índia.] **Tapete persa.** A Pérsia (atual Irã) é, por tradição, a terra do artesanato do tapete de nós. A história dessa arte é, pois, inseparável da do povo persa. ~ Acredita-se que, anteriormente à vigência dos Aquêmidas (539-330 a.C.), as tribos nômades já adotassem os tapetes para fins utilitários; mas a primeira referência a seu uso na corte foi durante o reinado de Ciro, o Grande (559-529 a.C.), fundador da dinastia. Depois, nada se registra, e só muito mais tarde, o tapete reaparece com os Sassânidas (224-641); os árabes mencionam a beleza do grande tapete (um quadrado com 25m de lado) feito para o último rei Sassânida, Cosróes. ~ Sob o domínio turco (1037-1194) as artes se desenvolvem e, nas províncias do noroeste (Azerbaijão e Hamadã), as mulheres mostram-se hábeis tecelãs (ali utilizam o nó turco*). ~ Depois da ocupação mongol que devastou o país (séc. XIII), só as tribos nômades mantiveram a tradição; mas aos poucos a arte retorna e, em Tabriz e no Khorasan, soberanos mongóis convertidos ao islamismo passam a valorizar os tapetes. Tamerlão poupou os artistas persas de sua fúria, para que trabalhassem para ele no Turquestão; os desenhos sofrem alguma influência chinesa, absorvida pelos artesãos locais. ~ Os sucessores de Tamerlão dão incremento à arte que floresce e a produção é centralizada nos ateliês da corte. O tapete ganha unidade de estilo dentro da preocupação de aliar o esplendor à alta qualidade. A criação de carneiros e a cultura da plantas corantes são incentivadas. Com os Sevéfidas (1449-1722) e o retorno da dinastia nacional, o xá Isma'Il mantém as mesmas condições de apoio à produção de tapetes. Tabriz é a capital de onde parte a recuperação, e há grande progresso: os mestres miniaturistas (v. miniatura), cujo talento já era consagrado, dirigem os trabalhos e contribuem, pela beleza dos exemplares da corte, pela imaginação dos desenhos e riqueza dos coloridos, para a fixação de uma arte ímpar no gênero. ~ No séc. XVI, em sua fase áurea, a arte passa a ser conhecida e documentada. Os tapetes famosos mais antigos tornam-se modelos preciosos (alguns encontram-se em museus e coleções). Desenvolvem-se as manufaturas com artistas e artesãos da corte em diversos pontos do país (Kashan, Hamadã). ~ Paralelamente os nômades da Ásia central, desde as fronteiras do noroeste da Pérsia até o Turquestão, prosseguem no seu estilo tradicional em locais isolados. ~ O xá Abbas o Grande (1587-1629) realiza a unidade nacional e muda a capital para Ispahan onde cria a manufatura real que produz peças suntuosas, algumas em seda e com fios de ouro e prata. Estabelece laços com países da

Europa e o tapete persa ganha notoriedade: é procurado como produto de luxo e até mesmo como presente oferecido a soberanos. Os famosos "tapetes de vasos*" e outros com profusão de motivos florais e palmetas são conhecidos como *tapetes do xá Abbas*. Do norte do país vêm os tapetes de árvores e os de jardins. As conquistas portuguesas inspiram, no sul (proximidade da Índia), peças com pequenas figuras e navios. ~ Sucessivas guerras ocasionam a decadência e a extinção da dinastia dos Sevéfidas, e não se fabricam mais os belos tapetes. ~ Só no fim do séc. XIX o artesanato renasce graças aos comerciantes de Tabriz que retomam o contato com o exterior; firmas europeias e norte-americanas instalam-se na Pérsia e organizam a produção destinada ao Ocidente. ~ No séc. XX o xá Reza Pahlevi dá prioridade à arte dos tapetes, e as manufaturas imperiais executam peças dignas da melhor tradição do país. ~ Os tapetes persas distinguem-se pelo *tipo de fabricação*: de *nômades*, de *aldeia* e de *manufatura*. Os *nômades* são de pequenas dimensões, na maioria todos de lã; o tear é horizontal, a contagem de pontos baixa; a mulher carda e fia a lã dos carneiros da tribo (Chiraz, Kashgai, Luristan, Bakhtiyar). Os de *aldeia* são do tipo pequeno ou passadeiras; o tear é horizontal ou vertical, o ponto cerrado; a produção é familiar, cada casa tem um ou mais teares, como na região de Hamadã que engloba inúmeras aldeias cada qual com a sua produção típica (Borcialu, Khamseh, Mazlaghan, Lilian). Esses tapetes, como os dos nômades, têm o formato um tanto irregular e os motivos muitas vezes o interrompem, o *abrash** é frequente. Os de *manufatura* têm dimensões maiores e diversas; o tear é sempre vertical, para vários operários; o formato e a decoração são regulares (Tabriz, Ispahan, Senneh, Kachan, Kirman, Saruk, Nahin). ~ Características gerais: Nó *ghiordes* (perto da fronteira turca), *senneh* em outras regiões. Veludo – lã ou excepcionalmente seda; quanto mais elevada é a contagem de pontos mais baixo e resistente é o veludo. Fundamentos – algodão na maioria dos tapetes de aldeia e de manufatura, lã nos dos nômades (mais raramente *kilim*). Colorido – muito rico, valorizando a diversidade de motivos que sobressaem do fundo; as cores são harmoniosas, nem muito escuras, nem muito claras ou vivazes. Decoração – Dominam os desenhos com flores e folhas estilizadas ou naturalistas (narcisos, peônias, tulipas, lírios, rosas, palmetas, parras) que criam opções infinitas. Os mais famosos motivos estilizados são o *herati**, o *mina khani**, o *joshagan*, o *kharshiang**, o *zil-i-sultan**, o *Chah Abassi* (palmeta*) e o muito difundido *boteh**; outras estilizações como as nuvens e as fitas entrelaçadas são de origem chinesa. ~ Foi muito forte a emulação dos tapetes persas, e os modelos antigos têm servido de base para a decoração de tapetes manufaturados que não são senão pálidos reflexos daquelas criações extremamente puras. [V. Bakhtiar, Chiraz, Hamadan, Herat, Heriz, Ispahan, Karadjah, Kashan, Kashgai, Khoravan, Kirman, Mazlaghan, Na'in, Senneh, Serabend, Tabriz]. *Tapete turco*. Na trajetória do tapete oriental rumo à Europa, a Turquia, por sua posição geográfica na península da Ásia Menor, com diversos portos abertos para o Mediterrâneo e o Bósforo, foi de grande importância na difusão e no fornecimento maciço dessa mercadoria. Os tapetes tomaram de assalto a Europa nos sécs. XVI e XVII e, até o séc. XVIII todos os que chegavam do Oriente recebiam a vaga designação de "tapetes turcos". ~ Assim, a Europa cristã, cuja fortuna esteve, em tantas conjunturas, em confronto com os turcos, recebeu, por meio dos artesãos e mercadores desse povo, um novo influxo para as artes decorativas, só comparável ao surto de interesse pelos produtos do Extremo-Oriente ocorrido a partir de princípios de séc. XVI. ~ A arte dos tapetes turcos está ligada especialmente à antiga *Anatólia* que corresponde à atual Turquia asiática (por isso encontra-se às vezes, no comércio, a designação ambígua de "Anatole" para os tapetes dessa região, do Cáucaso, e mesmo do noroeste do Irã). ~ A Anatólia, que foi o centro do Império hitita no II milênio a. C., desempenhou depois papel expressivo no desenvolvimento da metalurgia e no comércio das civilizações do Oriente Médio e das costas do Egeu. ~ Ali estava localizada Troia, ali estabeleceu-se o reino dos Frígios nos sécs. IX e VIII a. C. (cuja capital foi Ghiordes), ali os lídios conheceram grande desenvolvimento (séc. VI a.C.), ali prosperaram, à beira-mar, as célebres colônias gregas da Jônia, berço da cultura ocidental (sécs. VII e VI a.C.). Estas foram submetidas por Creso, o último rei da Lídia, o qual foi, por sua vez subjugado pelos persas depois sucedidos pelos macedônios. ~ A península incorporou-se ao Império Romano e depois ao Império Bizantino até o séc. XI. ~ Tribos muçulmanas da Ásia central, fugindo dos tártaros entram na Anatólia e, no séc. XIII os Seljúcidas, com seus guerreiros, marcam o começo do poder turco no Oriente Médio; sua capital foi Konya, grande centro intelectual e de tecelagem. Os Osmanlis ou Otomanos disputam o poder e, em 1453, os turcos tomam Constantinopla; estabelecem uma cunha na Europa e fecham o comércio terrestre com o Extremo Oriente, abrindo-se então o ciclo das grandes navegações. ~ Seguem-se séculos de guerras entre turcos e cristãos e os muçulmanos são detidos às portas de Viena em 1683 (parte do butim encontra-se nos museus da capital austríaca, incluindo-se magníficos tapetes). A guerra prossegue nos Bálcãs e, até a I Guerra Mundial, o Império Otomano estende-se à Síria, à península arábica, ao Egito. Dividido esse império, Kemal Ataturk abole o sultanato e moderniza o país. ~ Apesar de tão intensos sucessos históricos e da diversidade demográfica, os povos da Anatólia mantêm as atividades artesanais que vêm desde os hititas: mestres na arte da tinturaria, hábeis tecelões, numa corrente contínua criam e recriam seus tapetes; pode-se dizer, aliás, que a Turquia asiática é um dos berços dos tapetes de nós. Os primeiros exemplares conhecidos são provenientes das mesquitas de Konya (sécs. XII e XIII) e foram mencionados por Marco Polo. ~ Depois do séc. XVI, os tapetes turcos seguem a tradição local ou se inspiram nos desenhos persas; os produzidos nos teares da corte, destinados às mesquitas e às residências dos nobres têm cores harmoniosas, desenho amplo e firme; os dos nômades têm pequenas dimensões; os que atendem às exigências dos mercados europeus (Sivas, Ushak, Smyrna) variam de tamanho. Todos, partindo de diferentes pontos do país convergem para o grande centro de exportação que é o porto de Esmirna. ~ No séc. XIX continuou a tradição de boa qualidade associada à decoração sóbria e colorido forte (Yuruk, Ushak, Isparta, Hereke); depois de 1870, porém, a qualidade deixa a desejar pela introdução das anilinas. ~ No séc. XX incentivou-se a produção de boa lã (angorá, *mohair*) e graças a isso foi mantido um bom padrão. ~ Dois tipos de tapetes essencialmente turcos são conhecidos como **tapete Holbein** e **tapete Lotto** (dos nomes dos pintores Hans Holbein e Lorenzo Lotto – que os reproduziram no séc. XVI). Os primeiros são do tipo geométrico da Anatólia Ocidental, com medalhão estreliforme sobre fundo vermelho, e os Lotto têm padrão de arabescos geométricos entrelaçados com fundo avermelhado; estes, nos sécs. XVI e XVII foram também conhecidos como "tapetes da Transilvânia" (local onde eram encontrados). § As mais belas criações turcas são, sem dúvida, os **tapetes de oração** (Ghiordes, Kula, Ladik); sensivelmente mais numerosos do que os de outras proveniências, refletem o fervor religioso desses povos. ~ Características gerais: Nó – *ghiordes* (não usam *senneh*). Veludo – lã de boa qualidade e seda (os mais recentes, de lã ordinária e seda são de pouco valor); o pelo é médio e longo, com exceções (Ghiordes, Kula, Melas). Fundamento – trama sempre de lã, urdidura de lã em 95% dos casos. Acabamento – lateral: ourela; cabeceiras *kilim*. Contagem de pontos – média. Há exceções: os tapetes de seda (Hereke) com até 1.100 nós por decímetro quadrado, enquanto outros têm um número baixo de pontos. Colorido – cores fortes: vermelho-tomate, amarelo-mostarda (fortes mas sem luminosidade), verde-abacate, abóbora (raro), e sempre muito preto; o verde aparece em alguns tapetes de oração. Decoração – geométrica e floral geometrizada (cravos, tulipas); nunca a figura humana nem mesmo animais. [V. Ghiordes, Hereke, Karaman, Ushak, Sivas, Smyrna, Yoruk]. **Tapete turcomano.** Tapete da Ásia Central proveniente dos territórios a leste do mar Cáspio que confinam com o Irã, o Paquistão e a China. Esses territórios formam o Turquestão ocidental que, no mais profundo interior da Ásia, foi palmilhado e dominado por inúmeros povos, hordas sucessivas que iam pressionando as tribos locais. Durante mais de dois mil anos, vieram do oeste os antigos persas, os turcos e os maometanos árabes; do leste, os hunos, os mongóis e os tártaros. As fortes tradições desses povos resultaram num sincretismo religioso que influenciou a cultura da região e se sedimentou tanto no aspecto social e econômico das populações sedentárias quanto nos das tribos nômades. ~ As terras do Turquestão, muito afastadas do mar, têm grandes flutuações de temperatura, zonas áridas e semidesérticas, outras férteis, outras montanhosas, especialmente ao sul onde atingem grandes altitudes. Mas nenhuma dessas características impediu os intensos movimentos migratórios de povos guerreiros e de populações pastoris, e tanto uns como outros marcaram os habitantes da periferia (persas, chineses, indianos). Essas terras foram o cenário e a via natural de contato entre o Extremo Oriente e o Mediterrâneo, percorridas pelas caravanas que propiciaram o intercâmbio comercial e cultural. ~ Foi nestes sítios, no coração da Ásia, que os nômades turcomanos criaram, no correr dos séculos, os tapetes de suas tribos – Salor, Bechir, Pendeh, Saruk, Khiva, Youmoud, Tekke (Bukhara) – ao lado dos tapetes Afghan, dos Beluche, dos Hadchlu. ~ Muitos tapetes antigos não se destinavam ao chão; são bolsas para armazenar gêneros (1,00m x 1,50m), bolsas de sela (dois quadrados unidos de 0,60m), tiras estreitas e muito longas para decorar as tendas e tapetes para vedar-lhes a entrada. § As dimensões tradicionais dos tapetes turcomanos são pequenas, compatíveis com os teares nômades, e sua lã é de alta qualidade. Eles são difíceis de datar, mas sabe-se que, nos tapetes antigos, os octógonos (*guls**) são maiores e que, até cerca de 1930, apenas um terço da produção se destinava à venda. Conhecidos no Ocidente pela beleza e sobriedade do desenho e do colorido e pela qualidade de sua lã, cresceu a procura, e eles passaram a ser executados em manufaturas, por encomenda; são então de maiores dimensões, mas conservam a pureza dos motivos (a produção comercial dos chamados *Bukhara** estendeu-se, depois da II Guerra Mundial, ao Paquistão). A produção moderna origina-se do Afeganistão e outras regiões. ~ Características gerais: Nó *senneh* (o nó *ghiordes* aparece em uma ou duas tribos, e o *jufti*, de execução mais rápida, em alguns tapetes comercializados). Veludo – médio ou baixo sempre de lã (o Khiva. o Afghan e o Yomud são mais altos). Fundamento – urdidura e trama sempre de lã. Acabamento – lateral: ourela (algumas vezes de pelo de cabra) e debrum

PRINCIPAIS CENTROS DE PRODUÇÃO DE TAPETES ORIENTAIS

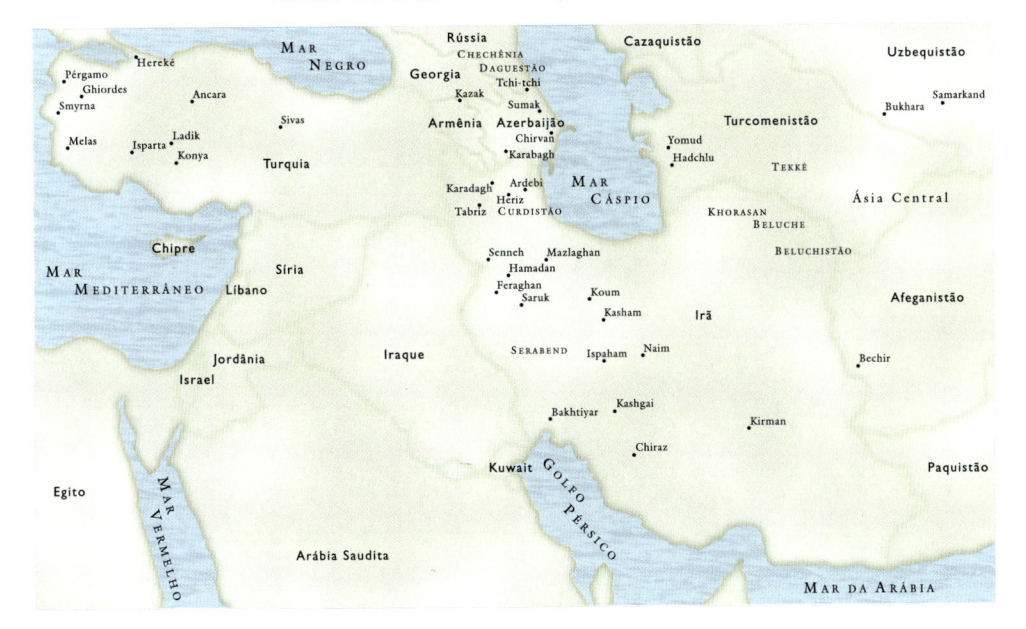

nos Royal Bukhara e Princess Bukhara (Hadchlu); cabeceiras: *kilim* e franja (antes de começar a barra uma parte é feita com a cor de fundo, lisa). Colorido – a quase totalidade dos corantes é vegetal; domina o fundo vermelho em todas as gamas (a cor é retirada da garança, comum nessas regiões semidesérticas, e do sangue de animais), e os motivos são em preto ou marinho escuro com detalhes brancos ou castor (às vezes aparece o marrom e o verde). O colorido sombrio dos Beluche como que contrasta com o sol das montanhas do sul. Decoração – tradicional e estável. O octógono (*gul** ou pata de elefante) aparece na maioria dos tapetes; são simetricamente dispostos em filas ou colunas e apresentam às vezes losangos nos intervalos. Linhas cruzadas formando gradeado retangular ou diagonal que cobre todo o campo são também encontradas em muitos tapetes. As barras são em geral largas e numerosas com desenhos simples: ganchos*, *chevrons**. ~ Nos tapetes turcomanos de oração (Hadchlu), aparece uma cruz e o fundo é coberto por pequenos motivos em forquilha (pássaros estilizados). ~ São designações especiais para os tapetes turcomanos no comércio: Royal Bukhara, Princess Bukhara, Salor Bukhara, Yomud Bukhara, Pakistan Bukhara; esses tapetes, embora tenham a mesma decoração dos Tekké originais, distinguem-se destes pela feitura e pela procedência. [V. Afghan, Beluche, Bukhara, Hadchlu, Tekké.]

Tapete Ispahan (parte). (Pérsia - 220 cm X 180 cm)

Tapete Beluche (parte).
(Ásia Central - 145 cm X 107 cm)

Tapete Kazak (parte). (Cáucaso - 180 cm X 120 cm)

Tapete Tabriz. (parte) (Pérsia - 400 cm × 300 cm)

Tapete Senneh (parte) (Pérsia - 150 cm × 120 cm)

[tapete oriental   tapete oriental]

ALGUNS MOTIVOS SIMBÓLICOS - ANIMAIS

Escorpião. (Ásia central)

Tarântula.
(Ásia central, Cáucaso e China)

Pavão.　　**Galo.**　　**Pomba.**

Kharsiang. (Caranguejo)

Camelos.　　**Cão.**

ALGUNS MOTIVOS SIMBÓLICOS - VEGETAIS

Árvores da vida.
(poder divinino, vida eterna - muito difundido)

Cipreste.
(imortalidade - Pérsia)

Herati. (esp. Pérsia)

Flores. (fortuna, abundância - Pérsia, Turquia)

Roseta. (Pérsia, Turquia)

Lótus.
(pureza, imortalidade - China, Índia)

ALGUNS MOTIVOS SIMBÓLICOS - RECORRENTES

Shou. (China)

Yin-yang. (China, Ásia Central)

Nuvem.
(imortalidade, motivo mongólico
China e Curdistão)

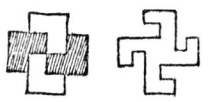

Suástica. (boas intenções - China,
Turquia, Cáucaso e Ásia Central)

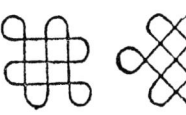

Nó infinito.
(China, Turquia, Cáucaso e Pérsia)

Boteh.
(fecundidade -
Pérsia, Cáucaso)

Pente. (limpeza - Cáucaso)

tapete oriental   tapete oriental

ALGUNS MOTIVOS RECORRENTES - CAMPOS E BARRAS

Octógono. (Ásia central, Cáucaso, China) 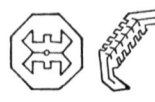   **Folhas.** (Turquia)    **Flores.** (Pérsia, Turquia)

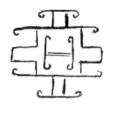

Medalhões.
(Cáucaso)   (China)   (Pérsia)

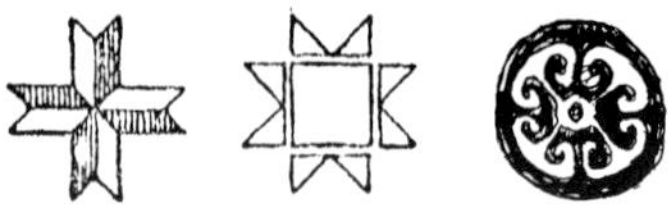

Estrelas de oito pontas.
(Ásia central, Cáucaso, China)

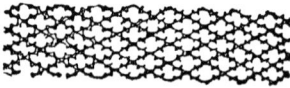

Treliça. (Pérsia, Ásia Central) 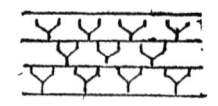   **Copo de vinho.** (Tekké - Ásia central)

BARRAS - ALGUNS MOTIVOS GEOMÉTRICOS - NOS TAPETES CAUCASIANOS, TURCOMANOS E CHINESES

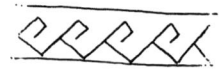

(ganchos)   (running dogs)
            Gregas.   **Triângulos, quadrados, losangos.**

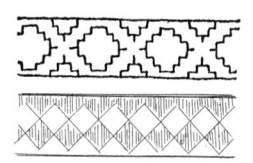

OUTROS MOTIVOS

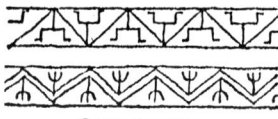

Copos de vinho.    **Folha.** 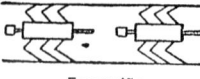   **Escorpião**

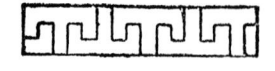

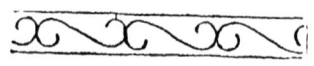

Forma em S.

Forma em T. 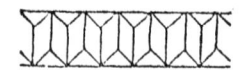   **Forma em Y.**    **Boteh.**

tartaruga. *s. f.* Substância córnea muito dura que se apresenta em placas e constitui a carapaça de certas espécies de tartarugas marinhas encontradas nos oceanos Pacífico e Índico, nas Antilhas, nas costas do Brasil. ~ As lâminas delgadas dessa carapaça são de coloração indelével que pode ser marrom, avermelhada ou cor de âmbar; às vezes têm uma cor dominante mas, em geral, apresentam manchas de bonitas formas irregulares ora translúcidas ora com zonas opacas. A tartaruga amarela conhecida como **tartaruga loura** é obtida do plastrão ou ventre do animal. Mas as lâminas mais perfeitas são extraídas da parte central do dorso e são as preferidas para um trabalho esmerado. ~ A tartaruga é material versátil, relativamente fácil de tratar, mas os processos para seu preparo exigem habilidade e segurança, e pouco têm variado, constituindo, muitas vezes, entre os artesãos, segredos de família. As placas são submetidas ao calor até adquirirem espessura capaz de ter boa aderência como revestimento e, no seu acabamento, recebem polimento até alcançarem brilho lustroso e espelhado. § Considerada um dos tesouros do mar, a tartaruga figura entre as matérias finas tradicionalmente trabalhadas no Extremo Oriente: na China era usada junto com o marfim* na feitura de pequenas esculturas e no revestimento de móveis, e, entre os japoneses, era moldada na forma de pentes e outros pequenos objetos ou incrustada em peças como o *netsuke**. ~ Foi importada e utilizada pelos romanos para decoração de peças de mobiliário. A partir do Renascimento*, foi aplicada pelos ebanistas na superfície muito decorada de contadores* e outros móveis. Contribuiu para caracterizar o complicado revestimento dos móveis de Boulle (séc. XVII) e de seus seguidores. § A tartaruga, por ser agradável ao tato, desfrutou de grande preferência entre os europeus na elaboração de pequenos objetos do dia a dia: caixas diversas (tabaqueiras, caixas de chá), leques, relógios, joias e variados objetos de toalete (em especial pentes – merecem destaque os altos pentes usados como acessórios nos cabelos das espanholas). ~ Modernamente, a verdadeira tartaruga é artigo de luxo e sofre a competição dos plásticos de aparência bastante semelhante; mas o brilho, o toque, a temperatura são diferentes, e para se distinguir a tartaruga autêntica das imitações, submete-se o material ao calor ou aos raios ultravioletas e verifica-se o grau de dureza. No século passado, por motivos ecológicos, com alto risco de extinção, a captura de tartaruga para comercialização foi posta sob controle. [V. Boulle.] – Fr.: *écaille*; ingl.: *tortoiseshell*; alem.: *Schildkröt*.

tatami. [Jap.] *s.* V. esteira.

tâte-vin. [Fr. 'prova-vinho' (tb. se diz *taste-vin*).] *s. m.* Pequena taça de prata, estanho ou metal prateado usada para examinar quantidades moderadas de vinho numa prova de degustação. ~ A degustação é arte especialmente desenvolvida nas regiões produtoras de vinhos de classe, envolve conhecimento e experiência para determinar e apreciar, através de sensações gustativas, olfativas e até visuais, as características do vinho imperceptíveis para um leigo. § Os franceses, cuja produção vinícola é excepcional, criaram taças próprias para essas provas. A mais conhecida é a que se destina aos vinhos da Borgonha; é rasa, com o diâmetro aproximado de uma xícara de chá, tem o fundo ligeiramente convexo e os lados moldados em gomos e decorados com pequenas calotas côncavas na face interna (para refletir a cor do vinho). ~ Todas as taças são dotadas de alça para apoio do polegar e esta alça tem, muitas vezes, a forma de anel para que a taça possa ser pendurada num colar usado pelo provador ou pelo *sommelier*. O *tâte-vin* borguinhão, pela forma e pela significação, foi adotado como emblema da célebre confraria dos "*Chevaliers du tâte-vin*" (cavaleiros do *tâte vin*) fundada na adega do castelo de *Nuits Saint-Georges* (Borgonha). ~ A taça da região de Bordéus não teve a mesma difusão internacional; caracteriza-se pela forma, também rasa, de cone truncado sem alça, e tem o centro acentuadamente convexo.

Tâte-vin de prata para vinho de Borgonha. (França)

Exemplares de tâte-vin de estanho, de uso popular.
(França - séc. XIX, provavelmente)

tazza. [Ital.] *s. f.* Taça para beber, de prata ou de vidro, rasa, com um pé central. Nos sécs. XVI e XVII hábeis prateiros produziram *tazze* elaboradas, muitas vezes com tampa. O termo é impropriamente aplicado a salvas de pé ou a algum recipiente de forma análoga.

Tchi-tchi ou *Tche Tchen*. Tapete do Cáucaso feito por tribos nômades da região oriental. É em geral pequeno e caracteriza-se pela originalidade da decoração. As barras são particularmente importantes e a mais larga (e, às vezes, as secundárias) apresenta um motivo típico: hexágonos alongados, dispostos no enviesado e que se sucedem a intervalos regulares. Os motivos do campo são espécies de losangos muito juntos e rodeados por uma grega de ganchos. O veludo é raso, de qualidade superior, e o número de nós varia entre 2.000 e 3.500 por decímetro quadrado. [V. tapete oriental – tapete caucasiano.]

tea ball. [Ingl. 'bola de chá'] Pequeno recipiente de prata ou metal, esférico ou ovóide, com furinhos no bojo onde são colocadas as folhas de chá; é provido de tampa para ficar bem fechado. Suspenso por uma correntinha, é mergulhado na água fervendo diretamente na xícara ou no bule e, assim, faz-se o chá. [Cf. *tea maker*.]

tea caddy. [Ingl. 'caixa de chá'.] Caixa com tampa destinada a guardar as folhas de chá; é feita de prata, de porcelana, de tartaruga, etc., e foi usada na Inglaterra a partir do séc. XVIII. Os exemplares de prata destinados a uma só qualidade de chá são, em geral, no estilo das outras peças de um serviço, e têm formas características (base circular, retangular, octogonal, tampas trabalhadas). ~ Certos *tea caddies* são divididos em compartimentos onde são ajustados os *canisters*, recipientes de vidro, louça ou prata, cada qual destinado a um tipo de folha. ~ Os *tea caddies* populares eram feitos de madeira e revestidos de estanho. [Cf. *tea poy.*]

Tea caddy de prata, George III. Oitavado, com decoração neoclássica. (Inglaterra - fim do séc. XVIII)

Tea caddy vitoriano, de prata. Decoração em relevo com chinoiserie. (Inglaterra - séc. XIX)

tea kettle. [Ingl. 'chaleira de chá'.] Grande bule de metal com alça, em forma de chaleira, e que é pousado sobre um suporte acoplado a um fogareiro; destina-se a ferver a água para o chá no local onde este é servido. Os prateiros britânicos, a partir do séc. XVIII, esmeraram-se na execução dessas vistosas peças que acompanhavam bule, açucareiro, leiteira e outros apetrechos por ocasião do *afternoon tea*, 'chá da tarde'. No séc. XIX são importantes também os exemplares de metal prateado. [V. Christofle (ilustr.). Cf. bule, samovar e *tea urn.*]

tea maker. [ingl. 'objeto para fazer chá'.] Colher com tampa dotada de furinhos onde se põe o chá que é preparado diretamente na xícara. [Cf. *tea ball.*]

teapoy. [Ingl. adaptação do hindi *tipai*.] Mesinha criada na Inglaterra no período *Regency* (c. 1819), que tem coluna central repousando sobre três pés e cujo tampo pode ser uma bandeja ou uma caixa (*caddy*) com divisões para guardar chá e fazer a mistura das folhas na ocasião de servir. [Cf. *tea caddy* e *tea table*.]

tea table. [Ingl. 'mesa de chá'.] Pequena mesa que, nos salões britânicos é usada, desde o séc. XVIII, à hora de chá, para servi-lo; às vezes tem bandeja ou caixa com tampa para guardar as folhas, outras têm o tampo dobrável à maneira das mesas de jogo e que é aberto quando se necessita de mais espaço. [Cf. *teapoy*.]

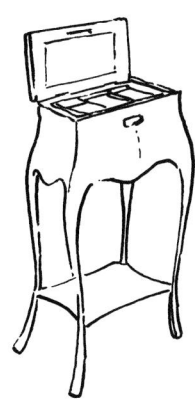

tea urn. [Ingl. 'urna de chá'.] Grande bule em forma de urna, em geral de prata, pousado sobre pedestal e munido de torneirinha; nele se coloca água para fazer o chá. Pela forma elegante, pela decoração e pela utilidade, era peça importante nos salões ingleses do período georgiano em diante. [V. *tea kettle*.]

teca. [De *tekka*, pal. de origem malaia] s. f. Madeira de corte oriunda da Índia, do Sudeste Asiático e da Indonésia. Na Índia, sabe-se que seu uso data de cerca de dois mil anos; mais tarde os europeus a adotaram. De colorido dourado ou amarelo escuro, é muito resistente e presta-se para construção de embarcações, de mobiliário fino, de portas e janelas.

tecelagem. s. f. A arte e a técnica de fazer, no tear, o entrelaçamento e o cruzamento de fios para a confecção de panos, malhas, tapetes, tapeçarias, etc. § O *tear* é o aparelho ou máquina onde são dispostos os fios, em posições previamente estabelecidas, para a feitura dos diversos tipos de tecidos. Basicamente são necessárias duas ordens de fios: a *urdidura*, constituída de fios paralelos estirados no sentido do comprimento e enrolados nas extremidades (e que irão dar princípio e fim à peça executada) e a *trama* cujos fios são passados perpendicularmente aos da urdidura, obedecendo a diferentes ritmos e modos, segundo o resultado desejado; obtém-se, assim, os numerosos tecidos de fios retilíneos, ou outros cujas malhas encadeadas formam padrões e relevos. ~ Os *teares* são de diferentes tipos, posições e dimensões: os *manuais*, até hoje empregados na tecelagem artesanal; os *mecânicos*, mais simples, em que a mão do tecelão tem maior ou menor participação; os *automáticos*, sempre sujeitos a novos aperfeiçoamentos, e que são empregados na grande indústria. § A história dos tecidos confunde-se com a história das civilizações, pois o homem sempre buscou meios para proteger o corpo. ~ Os tecidos de algodão, de lã, de seda, de linho, se distribuíam entre os povos segundo a presença das fibras nativas ou as necessidades do clima ou do uso. No entanto, poucos tecidos antigos permaneceram, porque essas fibras orgânicas não resistem às intempéries ou ao passar do tempo; por isto, a maioria das peças de valor arqueológico foi encontrada no interior das sepulturas. ~ Não se sabe exatamente quando o homem começou a tecer, mas existem imagens de teares primitivos em pinturas de cavernas datando de c. 5000 a. C. ~ Na Índia*, o cultivo do algodão teria dado origem às mais antigas realizações conhecidas (c. 3000 a.C.), enquanto na China*, a seda, cuidadosamente tratada, é a matéria-prima dos tecidos com desenhos elaborados da dinastia Han (séc. II a. C.). O linho e o algodão do Egito* são conhecidos através de representações em pinturas e esculturas e, sobretudo, pelo material preservado nos túmulos devido às condições especiais como temperatura e grau de umidade estáveis, ausência de luz (alguns trajes funerários se desintegraram em contato com o exterior e entre os que se salvaram destacam-se algumas peças de vestuários e as faixas que envolvem as múmias). ~ A arqueologia revela, também, a presença de adiantada arte de tecer nas sepulturas de lugares tão distantes entre si como a Escandinávia e o Peru. ~ Gregos e romanos, embora já dominassem a fabricação de tecidos em certa escala, manifestaram admiração pela bela arte da Mesopotâmia* em textos que descrevem os tecidos ali encontrados, ricamente bordados e entrelaçados de ouro. ~ Os primeiros tecidos cristãos foram descobertos no Egito (séc. II e III) e, na Europa da Alta Idade Média*, a tecelagem teria se espalhado de forma discreta e constante para atender às necessidades da população. Já as camadas mais elevadas começavam a conhecer, pelo intercâmbio das Cruzadas, a riqueza e o luxo dos tecidos e estofos orientais que até então só se haviam incorporado à indústria têxtil de Bizâncio*. De fato, como em outras áreas da cultura e das artes decorativas, a Europa muito deve aos muçulmanos (v. Islã); eles introduziram a tecelagem de alto nível na Sicília (séc. X) e, na Andaluzia (Espanha), os mouros desenvolveram, nos sécs. XIII e XIV, o maior centro têxtil do continente. Naturalmente os detentores do poder – a Igreja e a aristocracia – para suas demonstrações de fausto, asseguravam o sucesso dessas iniciativas. ~ Durante a Idade Média* os tecidos, particularmente tapeçarias e panejamentos de camas, foram de tal importância que apareciam em lugar de destaque nas listas dos bens em testamentos e inventários. As corporações de tecelões gozavam de grande prestígio e os comerciantes de panos de Flandres e da Borgonha dominavam o mercado europeu. Iluminuras e pinturas registram a variedade e a riqueza das fazendas utilizadas nas igrejas e nos palácios, nas casas burguesas, e na indumentária e seus acessórios (rendas*, leques*, etc.). ~ O modo de vestir e os tecidos eram discriminativos das classes sociais e das profissões. ~ A indústria têxtil firma-se em diversas cidades da Itália no séc. XV e produz belíssimos veludos e brocados; a partir do séc. XVII a França torna-se importante produtora de tecidos como artigos de moda e de aparato e, no séc. XVIII, a Inglaterra entra no ramo no início da Revolução Industrial. ~ A tecelagem foi muito impulsionada pelo comércio e pelas primeiras aplicações em grande escala de notáveis inovações nos teares; durante o séc. XIX coube às Ilhas Britânicas a primazia na indústria. § A arte da tecelagem – presente nas peças do vestuário, nas roupas de cama, nos estofos para móveis e outros artigos de decoração, bem como em bandeiras e estandartes, em todos os tipos de panos bordados, em tapetes e redes – enriquece as artes decorativas e manifesta-se nos mais diversos contextos socioculturais. [V. liço, trama e urdidura. Cf. *jacquard*, tapeçaria e tapete.] – Fr.: *tissage*; ingl.: *weaving*; alem.: *Weberai*.

Tê-hua. V. *blanc de Chine*.

Tekké. Tapete oriental tecido pelas tribos das estepes do Turquestão ocidental, população das mais numerosas e poderosas da região. É tapete de pelo raso, muito flexível e brilhante, feito com lã de excelente qualidade (veludo e fundamento), colorido sóbrio e decoração estável caracterizada pela presença dos *guls** ou patas de elefante. ~ No campo, o padrão mais difundido consiste na repetição desses octógonos alongados, em geral com a cercadura decorada e de linhas ondulantes; nos intervalos aparecem motivos menores, (losangos, ou estrelas estilizadas), o todo formando uma espécie de gradeado rectangular. ~ As barras, que podem ter até cinco faixas, têm desenhos análogos mais minuciosos, sendo a central mais larga com *guls* cerradamente justapostos. Nas cabeceiras existe, às vezes, uma barra suplementar larga, menos intrincada e que termina com franja ou *kilim*. ~ A cor básica é o vermelho numa extensa gama de matizes – do vinhoso ao acastanhado. ~ Os tapetes Tekké de oração – os Hadchlu – mantêm o colorido e o tipo de execução, mas os motivos diferem. ~ As dimensões dos Tekké variam, e a densidade dos nós vai de 2.500 a 5.000 por decímetro quadrado. ~ Copiado em outras regiões vizinhas, o Tekké autêntico (*Royal Bukhara*) jamais foi igualado graças à grande habilidade de seus tecelões. Tem sido normalmente comercializado através da cidade de Bukhara. [V. Bukhara, Hadchlu, tapete oriental e tapete turcomano.]

telha. *s. f.* Placa de superfície homogênea, plana ou recurvada, feita de cerâmica, madeira, lâminas de pedra, vidro, zinco, cimento-amianto, plástico, etc., cuja finalidade é cobrir casas e outras construções protegendo-as das intempéries, do frio, do calor do sol. A forma das telhas conservou-se relativamente constante quer na produção artesanal quer na industrialização. [V. telhado.] – Fr.: *tuile*; ingl.: *tile*; alem.: *Ziegel*. • **Telha de canal.** Telha de barro em forma de meia-cana fabricada em dois formatos conjugados: o "canal" (de maior raio) e a "capa", sendo esta assentada com a face convexa para cima, o que dá ao telhado um aspecto ondulado; telha colonial. §§ Usada em Portugal e em certas regiões mediterrâneas, a telha de canal, de barro cozido não vidrado, da cor do tijolo, caracteriza, no Brasil, os edifícios coloniais de alvenaria; muitas vezes é empregada com arremates de feitios arrebitados (de "lança" ou "pomba") para colocação sobre os cunhais nos cantos dos telhados. ~ Telhas de canal portuguesas, feitas de cerâmica vidrada com decoração azul e branco* embelezavam os beirais das casas abastadas. **Telha de escama.** Telha chata (de ardósia, madeira ou outro material) que se assenta por justaposição em fiadas regulares da base ao topo do telhado. **Telha francesa.** Telha retangular, plana, com as bordas dotadas de ressaltos e canaletas que se encaixam em fiadas sucessivas; telha marselhesa ou de Marselha. **Telha vã.** Telha assentada sem argamassa; telha-vã.

Telhas de cerâmica. Beiral do Museu do Açude
Acervo Museus Castro Maya - Rio de Janeiro
(Portugal - Porto - sécs. XIX / XX)

telhado. *s. m.* A parte mais elevada da cobertura exterior de um edifício, geralmente provida de telhas dispostas em toda a superfície. Consta de uma estrutura (madeira, metal, etc.), que lhe dá inclinação, e da cobertura propriamente dita, podendo ter aberturas como claraboias ou trapeiras*. ~ Os telhados ocidentais têm, basicamente, uma armação triangular rígida: a tesoura. Seus planos inclinados (águas*) facilitam o escoamento da chuva e da neve; sua forma, bastante variada, imprime um perfil característico à arquitetura das diferentes regiões. ~ Já a tradição chinesa é marcada por outra concepção da estrutura: um sistema de vigas decrescentes que se sobrepõem, pousadas, nas extremidades, sobre colunas, e separadas por tirantes; isto permite uma grande flexibilidade na forma. Os telhados do Extremo Oriente têm elegante curvatura, ligeiramente côncava, beirais salientes, cantos arrebitados. Eles marcaram, de certo modo, a arquitetura portuguesa dos sécs. XVII e XVIII. [V. telha e tesoura².] // P. ext., qualquer cobertura de uma construção, seja constituída de materiais diversos (folhas secas, zinco, eternite, etc.) sobre armação inclinada, seja de laje com aspecto de terraço. – Fr.: *toit, toiture*; ingl.: *roof, tile roof*; alem.: *ach, Dach, Dachdeckung.*

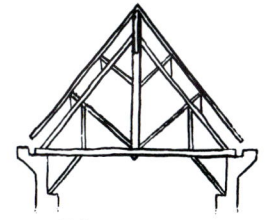

Telhado triangular

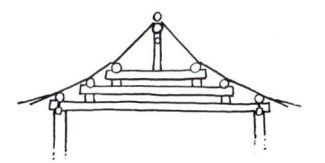

Telhado oriental.

têmpera. *s. f.* Nas artes plásticas, processo de pintura em que os pigmentos são dissolvidos em água e misturados a substâncias não solúveis como clara de ovo, caseína, cola; a emulsão resultante é relativamente espessa e aplica-se sobre um suporte uniforme, em geral preparado com gesso. Apresenta grande diversidade de métodos: tanto pode ser diluída a ponto de lembrar a pintura à base de água, como pode ser densa e alcançar certo grau de profundidade e de intensidade de cor. § A têmpera foi conhecida desde a Antiguidade* e aparece nas pinturas murais do Egito, da Grécia*, de Roma*, da China*. Foi utilizada em Bizâncio* de onde passou à Itália nos sécs. XIII e XIV com Duccio, Giotto e outros. ~ Os artistas, ao aumentarem o teor de óleo de linhaça na têmpera, chegaram, pela supressão da água e dos agentes estabilizadores, à pintura a óleo que começa a predominar a partir do Renascimento*. ~ Os pintores dos painéis de madeira da Idade Média* serviram-se da têmpera para ressaltar as imagens com suas cores vigorosas em contraste com o ouro do fundo ou dos detalhes simbólicos (auréolas, raios). ~ A têmpera exige precisão de traços pois seca rapidamente; quando as camadas são finas, a obra adquire qualidades de secura e solidez, de opacidade e limpidez. ~ As antigas técnicas reviveram no séc. XX valorizadas sobretudo nas obras que exigem segurança e nitidez para refletir uma atmosfera estática (como em certas pinturas abstratas). Com as tintas acrílicas, obtêm-se soluções semelhantes às da têmpera. [V. pintura. Cf. óleo.] – Fr.: *détrempe*; ingl.: *tempera painting*.

Tenreiro, Joaquim (1906-1992). Marceneiro, designer e artista plástico português, radicado no Brasil. Trabalhou na firma Laubisch & Hirth e Leandro Martins, e, em 1940, estabeleceu-se porconta própria, afirmando-se como excelente designer e criador de ambientação de interiores. Sua sensibilidade e profunda ligação com a madeira, especialmente o jacarandá, conferem a Tenreiro a primazia da criação do móvel moderno no Brasil - início de uma riquíssima fase de entrosamento com a arquitetura moderna em pleno vigor. Sua primeira produção independente foi a *poltrona leve*, em 1942, seguindo-se outras criações notáveis como a cadeira de três pernas (com efeitos especiais pelo uso de diferentes madeiras nacionais) e a cadeira de balanço (de notável sobriedade).

Cadeira de balanço de jacarandá com assento e encosto de palhinha (de época)

terraço. *s. m.* Qualquer recinto aberto e pavimentado, em geral descoberto, e que forma a cobertura de um edifício, ou é anexo a uma construção em nível elevado ou ao rés do chão. ~ Terraços-jardins na cobertura dos prédios são largamente empregados na arquitetura contemporânea.

terracota. *s. f.* Cerâmica feita de argila modelada e cozida, de contextura porosa e de coloração que vai do ocre ao avermelhado; só é submetida a uma cozedura e, em geral, não leva esmalte, embora possa ser pintada. ~ Os produtos cerâmicos deste material podem ser tijolos, telhas e similares, vasilhames domésticos, esculturas, baixos-relevos. § Inicialmente de feitura simples, os objetos de terracota, a começar pelas figurinhas votivas, foram muito difundidos entre as antigas civilizações (China, Creta, Etrúria), bem como entre os povos da América Latina. ~ Já mais elaboradas, merecem referência as estatuetas de Tanagra (Grécia) e as obras em relevo de vários tipos que aparecem na arquitetura romana. ~ A terracota reaparece no séc. XV já então revestida de esmalte colorido nos belos baixos-relevos dos Della Robbia. Escultores como Donatello e Verrocchio (séc. XV) usam esse material que é aplicado também nas elegantes estatuetas francesas do séc. XVIII de Houdon e outros artistas. ~ Modernamente, ceramistas e arquitetos, bem como artistas populares reencontram na terracota valor expressivo por suas qualidades plásticas. [V. cerâmica e Tanagra.] – Fr.: *terre cuite*; ingl.: *terra-cotta* (do ital. *terracotta*).

Homem a cavalo, escultura popular, policromada. (Egito - sem data)

terrina. *s. f.* Peça genuinamente europeia, que é funda e dotada de tampa e foi feita inicialmente de faiança. A designação vem do francês *terrine* 'vasilha de terra, de barro' (do adjetivo *terrin* 'de terra') e fixou-se no português (e no inglês *tureen*) no séc. XVIII como "recipiente para servir sopa". Da forma da terrina, originaram-se peças do serviço de mesa (cremeiras*, legumeiras*) em outras dimensões, sempre com tampa, pega e alças. Nos velhos serviços portugueses são muitas vezes designadas como "vasilhas cobertas". § As terrinas de sopa e caldo usadas em Portugal e outros países passaram à China* para retornarem nos primeiros e belos modelos de porcelana para exportação feita no Extremo Oriente. [Cf. sopeira.]

Par de terrinas redondas. Porcelana policromada.
(Japão - séc. XIX)

tesoura[1]. *s. f.* Instrumento usado para cortar formado por dois braços que se cruzam em "X" a fim de sobrepor as duas lâminas e permitir o corte, e por argolas para apreensão com o polegar e o dedo médio. É normalmente peça de cutelaria, feita de aço, mas pode ser decorada, como são as peças feitas em Toledo (Espanha). ~ Em termos decorativos, vale destacar as tesouras de prata do tempo da iluminação a vela e que os portugueses, chamavam "tesoura de espevitar lumes"; depositada em seu "pratinho" ou bandeja, era peça útil que podia ser muito elaborada e elegante. ~ Também com decoração esmerada, contam-se as tesouras para cortar uvas usadas nas mesas bem servidas. [V. estojo (ilustr.). Cf. espevitadeira e tesoura[2].]

tesoura[2]. *s. f.* Armação da cobertura de um edifício formada por um conjunto de vigas de madeira ou de ferro (pernas, pendurais, escoras, pau de fileira, frechais) que se apoiam entre si de modo a sustentar o telhado; asna. [V. telhado. Cf. tesoura[1]]

testeira. *s. f.* Tábua ou trave que une as pernas dianteiras das cadeiras. §§ Por influência espanhola, as cadeiras portuguesas do séc. XVI, sólidas e retilíneas, têm a testeira a princípio com curvas em festões simples, depois com recortes e entalhes, vazados ou não, que dão certo movimento à face anterior do móvel, normalmente severo. Essas formas, anteriores às travessas torneadas do séc. XVIII, foram se acentuando em elegantes volutas e motivos florais nas cadeiras seiscentistas e setecentistas. [V. cadeira e travessa.]

tête à tête. [Fr. 'encontro ou conversação entre duas pessoas'.] V. *cabaret*.

teto. *s. m.* A face superior e interna de uma construção, de um cômodo; é voltada para baixo e faz aresta com as paredes. O teto pode ser plano, de secção poligonal ou arqueado e em forma de cúpula. § Depois dos tetos artesoados ou com vigas aparentes trabalhadas ou pintadas do Renascimento, foi dado especial valor, nas igrejas, palácios, edifícios públicos, às pinturas em perspectiva como as célebres obras de Veronese e Tiepolo. ~ Os tetos dos teatros também têm sido objeto de especial decoração; assim a *Opéra* de Paris enriqueceu seu interior, de decoração historicista, com as pinturas do teto feitas por Chagall em 1964 e que apresentam, num colorido brilhante, imagens características de Paris e temas ligados à ópera e ao balé. §§ No Teatro Municipal do Rio de Janeiro, o pintor Eliseu Visconti* deu ao teto um tratamento pontilhista com uma graciosa guirlanda de bailarinas (1909). § Em arquitetura, o teto está em função do pé-direito. Nas casas, até o começo do séc. XX, os tetos altos estiveram em vigor (cerca de 4,00m de altura) e eram revestidos de madeira (em tábuas unidas ou em almofadas) ou de estuque em geral com relevos; eram também decorados com pinturas alusivas à finalidade dos cômodos. ~ Mais tarde, impõem-se nas construções os tetos baixos para solucionar o problema dos andares superpostos nos edifícios. § Em decoração os tetos devem se harmonizar em altura, revestimento e colorido, com as finalidades e as proporções do ambiente. Os tetos rebaixados dão impressão de intimidades em áreas não muito extensas e aparecem também em peças de distribuição como *halls*, corredores. [Cf. forro[1].] – Fr.: *plafond*; ing.: *ceiling*; alem.: *Dach, Plafond*.

Thonet. Tipo de móveis fabricados por M. Thonet.

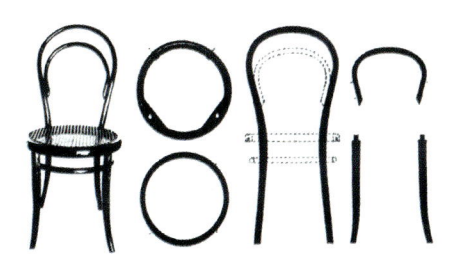

Cadeira nº 14 e suas peças

Consolo: modelo que já aparece nos primeiros catálogos. (séc. XIX ou séc. XX)

Thonet, Michael (1796-1871) Ebanista austríaco e fabricante de móveis, criador de certo tipo de cadeiras e outras peças executadas numa técnica inovadora: o uso da madeira vergada. Tal foi a penetração de seus produtos, que estes estão definitivamente associados a seu nome. § O gênio de Thonet revelou-se a partir de processos artesanais, até atingir o completo domínio das técnicas industriais; graças a sua formação como marceneiro e ebanista, Thonet soube conservar uma boa margem de liberdade para explorar de modo muito pessoal e expressivo as formas que concebeu. ~ Começou a carreira executando móveis no estilo Biedermeier*, porém mais leves. Depois de sucessivas etapas, a trajetória dos móveis Thonet define-se quando estes são apresentados com sucesso na Exposição de Londres de 1851. Em 1870, Thonet já está firmado industrialmente e a eficiência da elaboração aliada à capacidade produtiva irão permitir o baixo custo e o acesso a uma extensa faixa de usuários de cadeiras, sofás, mesas e outras peças. § A célebre *cadeira nº 14*, por exemplo, a que Thonet chamou *Konsumsessel* (cadeira de consumo), comporta apenas seis peças: o encosto curvo que se alonga nas pernas traseiras, o assento circular, os dois pés anteriores, um elemento em curva fechada que une e reforça as pernas. ~ Segue-se a primeira cadeira de balanço, confortável e harmoniosa, com volutas e base basculante característica. §

Os móveis eram feitos normalmente de faia, e podiam se apresentar na cor natural ou pintados em tons de madeira ou em preto. Para descrevê-los, diz o catálogo editado em 1873 (depois da morte de Thonet) para a Exposição Universal de Viena: "A madeira é serrada na direção do fio, depois encurvada numa só peça com a forma desejada; por esse processo é possível unir a solidez à leveza e à elegância. Esses móveis são montados por meio de parafusos e sem o emprego de cola forte. Um caixote contendo três dúzias de cadeiras desmontadas ocupa o volume de 1,00m^3". Este texto era acompanhado por uma página com os modelos numerados e que testemunham a evolução das peças. § Numa época de gosto historicista, dominada pelos vistosos móveis "de estilo", Thonet criou um gênero sólido e prático cuja beleza e simplicidade teve aceitação universal. Ele pode ser considerado um dos precursores importantes das novas concepções do mobiliário do séc. XX. ~ Prescritas as patentes de Thonet, apareceram outras empresas concorrentes das quais a mais importante é a firma J. e J. Kohn que trabalhou com os arquitetos e *designers* vienenses da *Secession* por volta de 1900. §§ Os móveis Thonet, muito populares no Brasil, como em tantos outros lugares, foram conhecidos entre nós como "móveis austríacos".

Tiffany, Louis Comfort (1848-1933) Importante esteta e decorador norte-americano do *Art Nouveau*, famoso sobretudo pela criação das numerosas peças de vidro artístico que levam seu nome. § Nasceu num meio requintado e bem sucedido nos negócios: seu pai, Charles Louis Tiffany foi um importante joalheiro e prateiro de Nova York cujas empresas tiveram grande expansão no séc. XIX. ~ O jovem Louis Comfort dedica-se ao estudo da pintura e das artes em geral, encontra grande afinidade com o esteticismo inglês de William Morris* e Burne-Jones e com as manifestações artísticas do Extremo Oriente* e do mundo islâmico (v. Islã). Torna-se decorador de sucesso mas logo volta-se, fascinado, para o vidro, para suas facilidades de colorido, de formas, de movimento. ~ Admira os objetos de vidro da Antiguidade e encontra na simplicidade de suas linhas a antítese das peças oitocentistas lavradas e moldadas em formas que considera mais apropriadas para o bronze ou a prata. Dedica-se com afinco ao domínio técnico da vidraria artística, e sua intuição leva-o à certeza de que só a perfeita integração de colorido e decoração com o corpo da peça daria à textura e à forma uma "linguagem visual adequada". § Em 1893 Tiffany patenteia um tipo de vidro irisado feito à mão que chama de **Favrile glass**. ~ *Designer* eclético e brilhante, sabe combinar influências diversas ora em peças de acabamento esmerado e de linhas e decoração harmoniosas, ora em vasos nos quais o emprego do ouro e de cores severas dão volume e individualidade a formas muitas vezes únicas. ~ A produção de Tiffany vai se definir em dois planos: um comercial, com belos objetos como taças, xícaras, copos, vasos feitos sobretudo com brilho de efeito dourado, e outro voltado para peças artísticas pessoalmente concebidas por ele. § Estruturalmente, o vidro de Tiffany apresenta-se numa ou em várias camadas, e pode ser transparente, translúcido ou opaco. Depois de cuidadosas experiências, ele encontra a justa medida no irisado (*luster*) com ouro (que aparece no maior número de peças) e, depois, na ordem decrescente, no azul pavão, no verde, no branco, no amarelo, no marrom, no ametista e nas duas cores mais raras, o vermelho e o negro. § Sua obra se agrupa em categorias bem diversas quanto à técnica e às fontes de inspiração. ~ As peças de *luster* dourado entusiasmaram o famoso crítico de arte Samuel Bing que o acolhe no seu *Salon d'Art Nouveau* em Paris para uma exposição em 1895. ~ Tiffany volta-se depois para o vidro de reflexos furta-cores com decoração floral: os próprios vasos com pés altos e esguios, hastes que sustentam recipientes em forma de corolas, têm flexibilidade de um corpo vegetal; outros são concebidos com estrias multicores e ocelos como estilizadas caudas de pavão. ~ Um grupo de peças que exigia habilidade e controle seguiu os processos dos tradicionais pesos de papel franceses com a decoração de flores (narcisos, ipomeias) prensada entre camadas de vidro soprado; os mais raros incorporavam os elementos do vidro *millefiore** tratados para obter efeitos mais diluídos. Tiffany conseguiu superar dificuldades, pois, enquanto os pesos são compactos, pesados, com sólido apoio, os vasos têm a decoração na espessura relativamente delgada de suas paredes. ~ As experiências de Tiffany levam-no à produção do que chamou **Cypriote glass**: inspirado nos exemplos das escavações de Chipre e Oriente Médio, obtém uma superfície rugosa, cores sóbrias, num gênero em que certa assimetria acentua a originalidade do resultado; neste grupo voltado para o passado incluem-se também o vidro marmorizado e o vidro-ágata, multicoloridos e polidos de modo a lembrar as pedras em que se inspiram. ~ Inovadora é a técnica do que ele chamou **Lava glass** cujas formas irregulares têm uma decoração em ouro sobre fundo azul em movimentos aleatórios bem dentro do espírito mais requintado do *Art Nouveau**. § Tiffany logo percebeu a importância da eletricidade na vida moderna, e iniciou, por volta de 1896-97 a série de **lâmpadas*** de mesa e de pé com hastes altas de bronze e cúpulas feitas com trabalho minucioso de vitral em que usa vários tipos de vidro: iluminadas, têm o efeito que as *verrières** só alcançavam com a luz do sol. O sucesso foi contagiante e os abajures iam desde os de vidro verde leitoso até as mais elaboradas combinações de cores. A maioria tem decoração floral estilizada (papoulas, tulipas, narcisos, rosas); talvez a mais notável seja a *Wisteria lamp* (lâmpada da glicínia) tão característica do *Art Noveau* pois nela a forma e a decoração se fundem numa estilização da natureza. ~ A lâmpada com libélulas foi desenhada para a Exposição de Paris de 1900 e se multiplicou em diferentes versões. Ainda entre as lâmpadas de mesa encontra-se a *Lily lamp* (lâmpada de lírios) cujo pé á a reunião de diversas hastes de bronze saindo de uma base de folhas e que se abrem como guarda-chuva tendo cada uma na extremidade uma campânula de vidro irisado. ~ Na primeira década do séc. XX os catálogos de Tiffany oferecem, além das lâmpadas, peças de escritório em que o vidro marmorizado é compartimentado por meio de filetes de bronze. § As marcas mais encontradas são L.C.T. Favrile, L.C.T. seguidos de letras, L.C. Tiffany Favrile, L.C. Tiffany Furnaces, Tiffany CO., N.Y e, nas lâmpadas, Tiffany Studios New York. § Louis Comfort Tiffany deixou um impressionante acervo, e as *Tiffany Furnaces* (fornos Tiffany) existiram até o fim da década de 1920. Seus desenhos inspiraram vidreiros importantes da França, da Alemanha, da Áustria, da antiga Tchecoslováquia, da Escócia. Nos EUA as formas e técnicas foram repetidas por outros vidreiros: Quezal Glass, Handel & Co., Kew Blas. [V. *Art Nouveau*, *luster* e vidro.]

Lâmpada de Tiffany Studios. Cúpula de vidros de cor unidos com filetes de chumbo e decorada com ocelos. Pé de bronze com decoração de cerâmica.

Vitral em curva, com motivos florais (glicínias) no estilo de Tiffany Studios
(220 x 360 cm - parte)

tigelas de pingos. Designação dada em Portugal ao recipiente integrante dos antigos serviços de chá e café, que se destinava a receber resíduos dessas bebidas; tigela de folhas. [Cf. farinheira.] – Ingl.: *slop bowl*.

Tigela de pingos de um serviço de chá de prata.
(Portugal - séc. XIX)

tijolo. *s. m.* Paralelepípedo de barro cozido usado nas construções de alvenaria e que tem, em geral, medidas específicas. ~ O chamado tijolo comum ou cheio é maciço e mede aproximadamente 23cm x 11cm x 6cm, enquanto o tijolo furado produzido industrialmente tem espaços vazados prismáticos ou cilíndricos para aliviar o peso. ~ Como revestimento externo ou em paredes interiores usam-se tijolos prensados de acabamento esmerado. §§ No Brasil, fora dos grandes centros, parte dos tijolos ainda são feitos manualmente em fôrmas de madeira e secos ao sol antes de irem para o forno da olaria, repetindo-se prática de antiquíssima tradição.

tímpano. *s. m.* Na arquitetura clássica, espaço triangular delimitado pelas molduras do frontão: a cimalha ou cornija do entablamento e as empenas ou cornijas laterais. // Na Idade Média, espaço em semicírculo ou em ogiva que remata a parte superior de portas e janelas (passou depois a ter forma triangular, quadrangular, polilobada). ~ Nos portais das igrejas medievais (românicas* e góticas*), os tímpanos eram profusamente ornamentados, limitados por cercaduras decoradas, e tiveram relevante papel* com seus baixos-relevos representando temas sagrados como a vida de Cristo, o Juízo Final, a celebração da Virgem; entre os mais notáveis contam-se os tímpanos da Notre-Dame de Paris, das catedrais de Chartres e de Amiens (na França) e, em Portugal, o da Igreja da Conceição Velha em Lisboa. [V. frontão.]

Tímpano clássico em figuras.

tinteiro. *s. m.* Recipiente dotado ou não de tampa, especial para conter tinta de escrever, e que tem, muitas vezes, dispositivo para a pena ou a caneta. Apresenta-se como peça isolada ou como elemento principal num conjunto com outros acessórios de escrita. ~ Na Europa, a partir do séc. XV, aproximadamente, esses conjuntos constavam de um suporte onde eram dispostos o tinteiro propriamente dito, o porta-penas (de início penas de aves apontadas), o areeiro (caixa de areia para secar a tinta), além do lacre, do castiçal com vela, do canivete, da campainha, etc. ~ No séc. XVII os tinteiros-escritórios de prata (que os ingleses chamam *standish*) eram peças de luxo, obras de prateiros realizadas segundo os estilos; os recipientes para tinta eram em geral de cristal com tampa de metal. ~ Hoje em desuso, os tinteiros (em conjuntos ou avulsos) usados até o início do séc. XX são objetos de coleção com grande variedade de formas criativas. – Fr.: *encrier*; ingl.: *inkstand*; alem.: *Tintenfass*.

Tinteiro de cristal e prata Dona Maria I. Bandeja em forma de barca. (Portugal - de época)

Tinteiro de cristal e prata. Decoração floral art nouveau. (França - de época)

Tinteiros de cristal com tampa de prata.
(provavelmente fim do séc. XIX ou começo do séc. XX)

Tinteiro de porcelana de Meissen. Bandeja com recipientes para tinta e areia. (Alemanha - séc. XVIII)

Tinteiro de prata. Bandeja com recipientes para tinta e areia, e armação elevada com sineta. (França - séc. XIX)

tip-top table. [Ingl.] Mesa de tampo redondo, basculante, com coluna central apoiada em tripé. [Cf. mesa de pé de galo.]

Tip-top table de papier mâché pintado de preto com decoração floral policromada e incrustações de madrepérola, no estilo Napoleão III.
(França - séc. XIX)

Tip-top table de jacarandá com tampo recortado e pé de galo. (Brasil - séc. XVIII)

Toby jug. [Ingl.] Jarro de cerâmica colorida com a forma de um homem sentado usando chapéu de três bicos à moda do séc. XVIII. Muito popular na Inglaterra, foi produzido de início nas Staffordshire* Potteries e depois imitado com variações por outros fabricantes.

tocheiro. s. m. Grande castiçal para vela ou tocha de cera usado outrora para iluminar recintos amplos; tanto pode ser pousado no chão como sobre móveis. Tem, em geral, um pino onde se espeta a vela. ~ Os tocheiros de mesa, medindo cerca de 60cm, são normalmente para uma luz, e deles se conhecem, entre nós, belos exemplares de altar, sobretudo do período Barroco*, feitos de madeira entalhada dourada ou natural, ou de metal; os de prata, dado o peso e o valor desta, têm em geral o corpo e a base de madeira revestida de lâminas de prata lavrada ou repuxada (alguns só têm a parte anterior decorada). ~ Os tocheiros de chão, com mais de 1,50m podiam ter várias luzes e, além da forma normal com base e coluna, apresentavam figuras esculpidas na madeira ou sustentavam vários braços. São especialmente decorativos os **anjos-tocheiros** encontrados nas igrejas portuguesas e brasileiras. [Cf. candelabro e castiçal.]

Anjo-tocheiro de madeira policromada. **Incompleto.** (Minas Gerais - séc. XVII - alt. 150cm)

Par de tocheiros barrocos de talha dourada.
(Áustria - séc. XVIII)

toile de Jouy. [fr.] Tecido de algodão estampado produzido em Jouy-en-Josas (França) a partir de 1760 para fazer concorrência aos algodões estampados importados da Índia* muito procurados. A estamparia mais característica é a monocromática (azul, vermelho, arroxeado, etc.) sobre fundo natural, e representa figuras e cenas da vida campestre setecentista. Os principais desenhos, de J. B. Huet, são alegres, leves, espontâneos e se adaptam às exigências da impressão têxtil. ~ A *toile de Jouy* foi usada para estofamentos e decoração de salões e quartos Rococó* e Luís XVI* e teve grande voga nesses períodos em que a França liderava a renovação da decoração de interiores. Tem sido reproduzida por outros fabricantes, e os desenhos também foram repetidos em papéis de parede. [V. estamparia.]

toko-no-ma. [Jap.] *s.* Na sala principal das casas japonesas, parte recuada, mas bem visível, cuja decoração consta exclusivamente de uma pintura pendurada na parede e de um arranjo floral, num despojamento que dispensa acessórios. O visitante, ao chegar, curva-se para manifestar sua aprovação à arte ali apresentada. ~ O *toko-no-ma* teve origem nos altares zen do período Kamakura* (1192-1333): uma alcova com mesa estreita onde eram colocados um incensório, velas votivas e arranjos florais diante de um *kakemono* budista pendente da parede. [V. *ikebana*, Japão e *kakemono*.]

torçal. *s. m.* Ornato em forma de corda ou cordão. • *Torçal de louro.* Ornato que representa um feixe de folhas de loureiro reunidas por uma fita cruzada ou espiralada. [V. ornato.]

torneado. *s. m.* Trabalho feito em peça de madeira, metal, pedra, barro, marfim, etc. que lhe confere secção circular obtida por meio da rotação do torno, e imprime forma esférica, circular, cônica, helicoidal, cilíndrica ou outras abauladas ou bojudas nos objetos. ~ A designação aplica-se especialmente a um tipo de tratamento dado a certas partes dos móveis como pernas, colunas, balaústres, maçanetas, remates fusiformes. ~ A técnica da madeira torneada, conhecida no Oriente, chegou à Europa no séc. XVI e foi aplicada por torneiros flamengos e italianos às pernas das cadeiras. Os torneados se enriquecem, sobretudo na Península Ibérica, com a chegada dos elaborados móveis indianos; no séc. XVII caracterizam o mobiliário de Portugal, da Espanha e de outros países. [V. torno.]

torno. *s. m.* Aparelho dotado de eixo que fixa e faz girar uma peça de madeira, metal, barro, etc., ali fixada para ser lavrada, desbastada ou polida a fim de alcançar a forma desejada (esfera, cilindro, anel, fuso, etc.) graças ao movimento de rotação. ~ Seu uso é muito antigo e o ***torno manual*** foi conhecido das civilizações da Mesopotâmia, do Egito, da Pérsia; sua evolução culmina com o aparecimento do ***torno mecânico*** capaz de desbastar diversos materiais, especialmente metais. ~ Uma das formas mais elementares do torno é a ***roda de oleiro****.

torso. *s. m.* Em escultura, representação do tronco e do busto da figura humana sem cabeça e sem braços e pernas.

toucador. *s. m.* Móvel com espelho surgido no séc. XVIII, diante do qual as pessoas se penteavam, empoavam, pintavam utilizando os diferentes objetos de toalete. ~ Na França, a mesa de toalete feminina foi concebida, de início como um pequeno móvel com três compartimentos na parte superior: um central fechado por um tampo que, levantado, apresentava um espelho, e os laterais que continham os frascos de perfume, os potes de cremes e pó de arroz, escovas, pentes, etc. A forma variava segundo o gosto e a moda, e havia alguns de aspecto curioso como a *toilette en papillon* (toucador em forma de borboleta) com feitio de coração e gavetas que se abriam para os lados. ~ Para os homens, criou-se um suporte alto, graduável, encimado por espelho e onde se dispunham os apetrechos para barbear, pentear, etc. (os franceses chamavam-no *barbière*, os ingleses *shaving stand*). // P. ext. Cômodo ou compartimento onde ficava o toucador e onde as pessoas se vestiam, se penteavam e se preparavam para a vida social. [V. Beau Brummel, lavatório e penteadeira.] – Fr.: *table de toilette, toilette*; ingl.: *dressing table, toilet stand*.

Móvel de toucador para homem (shaving stand), de altura graduável. (Inglaterra - fim do séc. XIX)

Mesinha de toucador para uso feminino. Tampo de marchetaria com a parte central de levantar. Guarnições de bronze. (França - séc. XIX)

trabalhos de agulha. Quando o homem primitivo uniu duas peles para confeccionar uma tosca vestimenta, foi dado o primeiro passo na arte da costura. § Entre o estilete que furava as peles, muito duras, amarradas com tripas, e a primeira agulha de osso ou madeira com orifício para passar e conduzir um fio na textura mais branda do tecido, milhares e milhares de anos talvez tenham se se escoado. ~ Os pontos de costura esboçaram-se a princípio simples e a eles foram se acrescentando o requinte e a complexidade dos bordados para embelezar as superfícies costuradas ou para enriquecer o acabamento e dar firmeza às bordas. § *História*. Desde muito antes da era cristã as artes da agulha foram praticadas pelas civilizações do Médio e do Extremo Oriente e do Mediterrâneo; depois foram absorvidas pelos povos da Europa através de Bizâncio e do contato com os árabes, e passaram a integrar as atividades desses povos. Ao lado dos trabalhos de *costura* e *bordado* desenvolveram-se outros baseados no uso dos fios amarrados, entrelaçados ou tecidos: o *macramé*, a *rede* e o *filé*, a *renda*. § Na sociedade medieval a costura era entregue às mulheres nas casas das cidades e do campo, enquanto bordadores profissionais e alfaiates que constituíam corporações, atendiam com seu trabalho ao fausto da igreja e dos senhores feudais. ~ Nos castelos, as damas nobres confeccionavam, para uso privado, panos que pendiam de paredes e de portas, bordados narrativos dos feitos de cavalaria, bandeiras e estandartes com símbolos heráldicos. ~ Ainda nos tempos medievais, para as malhas de *tricô* já eram utilizadas duas agulhas próprias numa atividade que, vinda provavelmente do norte da África, se espalhou nos países do Mediterrâneo. O tricô era feito por homens e empregava-se para gorros, agasalhos (as meias só aparecem por volta do séc. XVI) e, especialmente, nas bolsas de cordão para moedas, às vezes com fundo de couro ou de um tecido de contas. O tricô é a técnica empregada na feitura mecânica dos tecidos de malha. ~ Quanto ao *crochê**, com sua agulha de gancho, iniciou-se mais tarde numa diversificação de um tipo de trabalho de bastidor, e passou a dar origem a um tecido a princípio usado como renda e que foi chamado pelos franceses *crochet en air* (gancho no ar). ~ Com o aumento da riqueza nos sécs. XV e XVI, o gosto pelo luxo se manifesta. As famílias de recursos têm suas próprias costureiras e bordadeiras; ao lado das roupas suntuosas, as cortinas das camas eram confeccionadas com tecidos pesados, ora simples ora caindo em panejamentos. ~ No séc. XVII as mulheres das classes populares da Inglaterra, da Itália, de Portugal fazem cobertas de cama acolchoadas (ingl. *quilt*) com pequenos pontos de alinhavo que unem as três camadas de pano formando padrões com desenhos geométricos ou arabescos; muitas vezes, no direito das colchas, eram acrescentadas aplicações coloridas de diferentes formas. Nos EUA, esses trabalhos foram especialmente criativos e neles empregava-se muitas vezes o *patchwork**. ~ Da mesma época são também os bordados em linho cru com lã colorida formando flores e outros desenhos inspirados na estamparia indiana; eram feitos na Inglaterra e conhecidos como *Crewel work*; entre os séc. XVII e XVIII foram usados como cortinas e cortinados. ~ A costura começou a abrir caminho na decoração no séc. XVIII, e já nos salões e quartos setecentistas as sedas e os algodões estampados eram usados com muita propriedade. ~ Entre as inovações no mobiliário francês dessa época aparecem as **mesinhas de costura*** com suas divisões. Os apetrechos de costura (bobinas, carretéis, lançadeiras, furadores, tesouras, dedais) eram elaborados com arte em tartaruga, marfim, metais nobres, esmalte. Não havia um comércio de artigos de armarinho, e agulhas, alfinetes, linhas, fitas eram fornecidos por mascates e vendedores ambulantes. ~ As casas oitocentistas eram decoradas com veludos, cetins e outros tecidos pesados empregados em cortinas* e reposteiros, sanefas*, panos de mesa, colchas*, e dava-se importância à confecção de panejamentos, franzidos e folhos, à aplicação dos forros, às franjas, aos galões de passamanaria*. § Eis que uma grande inovação se introduz: a **máquina de costura** que possibilita o trabalho mais rápido. Foi inventada por volta de 1750 e nos primeiros anos encontrou grande resistência por parte dos que defendiam a costura à mão e dela viviam. Finalmente, em meados do séc. XIX, os americanos Howes e Singer conseguem que suas patentes sejam aceitas. As primeiras máquinas trabalhavam com um só fio executando ponto de cadeia que se desmanchava com facilidade; depois fixou-se o sistema que comporta um mecanismo superior para movimentar o fio da agulha e um inferior que faz trabalhar uma bobina com outro fio. A maior parte da costura de roupas e de decoração passa a ser feita à máquina. Os processos continuaram praticamente os mesmos, apenas a agulha mecanizou-se. § Mas as habilidades manuais não perderam seu papel nas artes decorativas: contribuiu o movimento de apoio às artes menores do inglês William Morris* e, em 1872, inaugura-se na Grã-Bretanha a *School of Art Needlework* (Escola de Trabalhos de Agulha Artísticos), a primeira entre outras no gênero. ~ Abajures, almofadas, cortinados, complementam decorações *Art Nouveau**: Já na era da eletricidade, numa sala de jantar, tem-se, em vez do lustre, um abajur* de seda guarnecido com franjas ou contas, obra de costura armada com habilidade; num quarto de criança, um berço* é adornado com filó, rendas e laços. § Vale salientar a posição ímpar no setor das artes manuais da **alta costura francesa** com sua fantasia, sua aguda noção de moda e de bom gosto, seu domínio absoluto dos segredos da agulha, dos tecidos, dos aviamentos. ~ A arte das **chapeleiras**, envolvendo flores, fitas, rendas, seria também uma fonte de inspiração para a criação de acessórios de salas e quartos. ~ Na década de 1920, os costureiros parisienses, talvez inspirados em desenhos e vinhetas do *Art Nouveau* escocês e vienense (a rosa* de Mackintosh), criam, para os vestidos de baile, rosas estilizadas, chatas (sem pétalas soltas) feitas de cetim ou tafetá dobrado de modo artístico e leve. Na França, nos ambientes *Art Déco**, tornou-se moda valorizar esses ornatos na decoração, e as rosas e botões eram aplicados em abajures, cortinas, braçadeiras. ~ Na mesma época, as almofadas* de seda, veludo, feltro, espalham-se pelo chão, pelos sofás e divãs valorizando tecidos, cores e formas; algumas representam flores, bichos, bonecas, que só mãos muito habilidosas sabiam executar. § Mãos como essas, neste século, são ainda indispensáveis para armar as almofadas, as colchas, as cortinas e panôs, as toalhas e serviços americanos, para dar fantasia a casas equipadas com tantos acessórios funcionais. [V. bordado, *opus anglicanum*, *petit-point* e renda – renda verdadeira.]

trama. *s. f.* Conjunto de fios passados transversalmente no tear, entre os fios da urdidura. [V. tapeçaria, tapete e tecelagem. Cf. liço e urdidura.]

tramela. *s. f.* Peça tosca, de madeira que serve para fechar portas, janelas, postigos, etc. girando sobre um eixo que lhe dá movimento de rotação.

trapeira. *s. f.* Abertura ou janela feita nos telhados de forte inclinação e que dá aspecto característico às fachadas. [V. água furtada e mansarda.]

travessa. *s. f.* Trave de reforço que une as pernas das cadeiras para lhes dar estabilidade. [V. testeira.]

travesseiro chinês. Objeto rígido usado na China para acomodar a cabeça das mulheres sem desmanchar o penteado. Os travesseiros de porcelana decorada têm, para os ocidentais, além do valor artístico, a curiosidade de sua utilização.

Travesseiros de cerâmica produzidos na China durante a dinastia Sung (960-1270).
Acervo Museus Castro Maya - Rio de Janeiro

treliça. *s. f.* Armação reticulada constituída de hastes de madeira ou metal que se cruzam formando quadrados ou losangos vazados. É usada em janelas para vedar a vista e facilitar a circulação do ar; emprega-se também em painéis divisórios, em biombos ou na simples decoração de um móvel. ~ Nos jardins, as treliças servem de suportes para trepadeiras. – Fr.: *treillis*; ingl.: *lattice-work*.

trembleuse. [Fr.] *s.f.* Pires que tem no meio um aro em relevo para segurar a xícara. [V. xícara.]

tremido. *s. f.* Entalhe formado de pequenas ondulações em curvas côncavas e convexas que se sucedem no acabamento de peças de mobiliário. De origem indiana, foi aplicado no séc. XVII por artífices flamengos e passou à Península Ibérica. §§ É típico dos móveis luso-brasileiros e aparece como moldura nas almofadas de arcas, de gavetas e portas de armário, termina o tampo de mesas, e é também ornato de superfícies como a face das caixas das mesas ou das gavetas dos contadores. É recurso muito utilizado em cópias de móveis de época.

tremó. *s. m.* Espaço compreendido entre duas aberturas verticais (portas, janelas) nas paredes internas das casas; é, em geral, decorado com painéis de madeira entalhados ou pintados, ou com espelhos que encimam móveis de luxo (mesas de encostar, jardineiras). – Fr.: *trumeau*.

trifólio. *s. m.* Motivo ornamental trilobado com a forma de um trevo estilizado; corresponde a três círculos que se cruzam e cujos respectivos centros encontram-se nos vértices de um triângulo equilátero. ~ Vazado ou em relevo, é muito encontrado como elemento decorativo do período gótico. [V. folha. Cf. quadrifólio.]

triglifo. *s. m.* Elemento arquitetônico retangular do entablamento dórico constituído de dois sulcos verticais e três ressaltos também verticais. [Cf. métope.)

trilobado. *adj.* Diz-se de arco subdividido em três arcos menores. [V. arco.]

tripé. *s. m.* Base com três pés que servem de apoio e dão equilíbrio a certos objetos e peças de mobiliário (tocheiros, mesinhas de coluna central, vasos, etc.). Os pés têm, muitas vezes, a forma de perna de cabra e são rematados com estilizações de garras ou cascos de animais.

tríptico. *s. m.* Painel dividido em três partes. // Peça pintada ou em baixo-relevo feita de madeira, marfim, metal, etc. , e que é constituída de três painéis ou placas unidas por dobradiças e dispostas de modo que os postigos laterais se fechem sobre a parte central mostrando as faces externas geralmente trabalhadas. ~ Nos retábulos* de madeira pintada, os trípticos podem ter uma base – a predela* – dividida em pequenos quadros. [Cf. díptico e políptico.]

troféu. *s. m.* Ornato representando, em pintura ou escultura, um conjunto de atributos militares (armas, bandeiras, tambores, etc.) agrupados em torno de um capacete, um escudo ou uma armadura para simbolizar a vitória, o triunfo. Foi usado a partir do Renascimento* associado à glória dos grandes monarcas, dos grandes generais e está presente em inúmeras obras arquitetônicas como no Palácio de Versalhes, construído por Luís XIV*. // Ornato de forma análoga constituído por instrumentos musicais e outros objetos.

trompe- l'oeil. [Fr. de *tromper* 'enganar' e *oeil* 'olho'.] *s. m.* Pintura que representa com grande fidelidade um objeto, um local, uma cena, e que cria, pelo emprego de artifícios de perspectiva, de luz e de cor, a ilusão de relevo e realidade. ~ Por obedecer às proporções reais, a pintura em *trompe-l'oeil* foi muito aplicada em murais a partir do Renascimento* para dar equilíbrio a fachadas e paredes internas, reproduzindo elementos arquitetônicos como portas, janelas, óculos, colunas, balaustradas, florões, etc. ~ Reveste-se também de caráter decorativo e narrativo, com figuras e cenas no período Barroco* (são notáveis, por exemplo, os afrescos de Paolo Veronese pintados na vila construída por Palladio* em Maser, na Itália. // P.ext. Qualquer obra em três dimensões fielmente copiada de elementos naturais (frutas, pequenos animais, etc.) e que dá a ilusão de realidade.

tulipa. *s. f.* Flor de aspecto singelo cuja corola, de poucas pétalas, tem a forma de cálice ou de campânula; a haste longa e as folhas lanceoladas dão-lhe forma esguia e graciosa. ~ Nas artes decorativas, tem sido empregada como motivo ornamental em tecidos, tapetes, porcelanas, etc., ora estilizada, ora realista. [Cf. *tulipière*.] // Objeto cuja forma lembra a corola da tulipa; são assim certos copos de pé, campanulados, ou certos quebra-luzes de opalina ou de vidro translúcido usados em lustres ou apliques.

tulipière. [Fr.] *s. f.* Curioso vaso de faiança para tulipas (ou outras flores de haste longa). Tem a forma de um pagode ou de leque, e é dotado de orifícios, cada qual para uma flor. Foi executado em Delft entre os sécs. XVII e XVIII. [V. Delft.]

turíbulo. *s. m.* Vaso de prata ou de outro metal onde se queima incenso nas cerimônias da liturgia cristã; incensório. É suspenso por correntes que facilitam o movimento oscilatório para propagar a fumaça perfumada através dos orifícios existentes na sua parte superior. Pelo aspecto dinâmico e simbólico de seu uso, atrai a atenção e, com formas diversas, tem sido objeto de especiais cuidados quanto à decoração. §§ Na arte sacra luso-brasileira, encontram-se belos exemplares de turíbulos de prata. – Fr.: *encensoir*; ingl.: *censer*.

Turíbulo de prata. (Brasil - séc. XIX)

Turquestão. V. tapete oriental – tapete turcomano.

Turquia. V. tapete oriental – tapete turco.

U

Ukiyo-e. [Jap. 'quadros deste mundo flutuante'.] Importante escola de arte que vigorou no Japão durante o período Edo (1600-1868) e que tem, nas estampas gravadas, a principal forma de expressão. Representa um renascimento das artes de sentido popular, uma vez que, até então, as manifestações estéticas haviam sido elaboradas para os membros da aristocracia e do sacerdócio que dominavam uma sociedade feudal. ~ As escolas clássicas de Kano e Tosa (séc. XVI) com as pinturas em rolo e os biombos, de certo modo influenciaram os grandes mestres de *Ukiyo-e*. § No Japão medieval, a palavra *ukiyo* significava "este mundo flutuante e transitório", expressão budista relacionada, em princípio, com a ideia de "mundo de mistérios, ilusório, passageiro"; mas, no séc. XVII, para o cidadão recentemente liberado do jugo feudal, o sentido se transfere para as significações hedonísticas do ambiente urbano em crescimento: mulheres graciosas e fáceis, intimidades amorosas, atores alegres, ruas movimentadas – o "mundo flutuante". Ao se acrescentar ao vocábulo *ukiyo* o sufixo -*e* "quadros, pinturas" (c. 1680), denomina-se um novo estilo. § Este, revelando grande sutileza no traço e na composição, expressa um jogo de interrelações psicológicas e estéticas. Ocorre no momento da transferência da sede do Estado da cidade de Kioto para Edo (Tóquio), simbolicamente o caminho percorrido (para leste): afasta-se da influência chinesa, tem cunho nacionalista. Ali estão os sinais de novos tempos: conservam-se elementos das antigas tradições, mas dá-se a adaptação a outros valores, a demandas das classes populares do Japão urbano. § *Ukiyo-e* manifestou-se a princípio na pintura; pela aceitação que teve, alguns impressores e artistas de Edo lembraram-se de multiplicar essas obras. As cópias eram feitas a partir de placas de madeira e resultaram no surgimento de uma arte completamente nova. O sucesso das **estampas** deveu-se à habilidade técnica dos gravadores japoneses que herdaram uma experiência de quatro séculos de trabalhos de ilustração de textos budistas e clássicos chineses. Outro fator decisivo foi a excelente qualidade do papel japonês, feito à mão, durável, pouco permeável e que se adaptou às necessidades exatas da gravura em madeira, prestando-se à apresentação de espaços livres e absorvendo lentamente os pigmentos de modo que a estampa, com o tempo, adquiria maior beleza. ~ A ilustração de livros de assuntos eróticos em edições limitadas precedeu a produção das estampas isoladas. ~ As primeiras gravuras em preto e branco e algumas coloridas à mão, começam a ser impressas; em meados do séc. XVII já são produzidas gravuras em cor, num método que permitirá a *Ukiyo-e* atingir a plenitude que irá durar até a morte de **Hiroshige** (1853). ~ No início do séc. XVII, **Harunobu**, com seu gênio sonhador, produziu, entre outras obras, as "estampas-calendário" e os cartões de felicitações. Seguem-se artistas com obras em que se equilibram o realismo e a estilização, umas líricas outras agudamente sugestivas, umas de traços dinâmicos, nervosos que retratam o teatro *Kabuki* e atividades várias, outras que dão novo tratamento à perspectiva. O erotismo tem em **Utamaro** o mestre das figuras femininas enamoradas, sensuais. ~ A fase áurea ocorreu com **Hokusai** e **Hiroshige** cujos temperamentos e biografias contrastantes convergem na temática e no atilado senso estético. ~ **Hokusai** escolhe a meta mais difícil: o homem inserido na natureza, em ousadas visões, numa técnica impecável; é inquieto, polivalente, abundante. As duas séries de *Vistas do Monte Fuji* deste artista são uma síntese do sentido estético japonês; sua famosa e impressionante estampa *A Onda* como que se volta para o espectador e o envolve. ~ **Hiroshige**, atento, ativo, dá expressão à poesia inerente à natureza e seus elementos – a chuva, a neve, a neblina, a obscuridade, a luz – cenários animados pela presença do homem. Vivenciou o *Tokaido*, estrada que unia Kioto a Edo e podia ser palmilhada a pé em duas semanas, oferecendo o espetáculo de aventuras diversas, desde procissões de *daimios* e peregrinações, até os prazeres da companhia feminina. **Hiroshige** criou *As 53 Estações do Caminho de Tokaido* que se pode considerar como o ponto mais sutil de um mundo "flutuante e transitório". § As xilogravuras dos mestres de *Ukiyo-e* são entranhadas de realismo, buscando a vida de todo dia que palpitava em torno do artista. Presencia-se a redução do mundo a um desenho de alta eficiência, talvez comparável à poesia dos *hai-kai*. O desenhista e o gravador japonês atuam com uma caligrafia concisa, ao mesmo tempo nítida e lírica, sem que esta concisão limite o significado das cenas. ~ O *Ukiyo-e* foi uma arte eminentemente popular graças aos temas oferecidos, uma comunhão entre o artista e o público: seus artistas foram representativos de um grupo social, participantes de um determinado processo histórico. § A gravura japonesa constituiu uma das principais contribuições ao mundo das artes visuais e, embora decisiva na abertura de novos caminhos, jamais foi superada ou sequer logrou ser imitada. [V. estampa japonesa e Japão.]

Ulm. Hochschule für Gestaltung [Alem. 'Escola superior de *design*'.] Escola particular fundada em memória de Hans e Sophie Scholl, vítimas do regime nazista. Começou suas atividades em 1955 quando se instalou em prédios projetados por Max Bill; este, oriundo da Bauhaus foi seu diretor até 1956. A escola abrangia quatro áreas; *design* de produtos, arquitetura, comunicação visual e informação. O rigor e o purismo de sua orientação muito contribuíram para o desenvolvimento do *design* no pós-guerra. [V. *design*. Cf. Bauhaus.]

unha. *s. f.* V. *rat-tail*

unicórnio. *s. m.* Animal fabuloso caracterizado por ter um único chifre no meio da testa. Enigmático, foi referido por autores gregos e romanos. Parece estar associado a um certo asno selvagem da Índia; é ali descrito com o corpo deste animal, com chifre espiralado branco na base, preto no meio e vermelho na ponta; a cabeça é também vermelha e os olhos são azuis. § Na China antiga, toma o aspecto bem característico e exótico das entidades do Extremo Oriente: parece ser variante do dragão. É animal de bom augúrio, símbolo de virtudes reais; nos casos de justiça, age contra o culpado. Seu nome, *ch'i-lim* ou *ki-lim*, significa a união dos princípios de *yin* e *yang*. § Na Bíblia existem referências a um animal dotado de um só chifre e, no cristianismo medieval, foi o unicórnio objeto de interpretações alegóricas plenamente elaboradas: é símbolo de virtude, força e pureza, é alegoria da Encarnação, da fecundação da Virgem Maria pelo Espírito Santo. § Na iconografia medieval o unicórnio, em geral branco, aparece com o chifre espiralado, corpo de cavalo, cabeça de cabra, cascos bipartidos e cauda de leão. ~ O delicado animal é muitas vezes associado ao "amor cortês" e aparece frequentemente junto a uma jovem (como na sequência de tapeçarias de *A dama e o unicórnio* do museu de Cluny de Paris). Leve e ágil, despistava os caçadores e, segundo a lenda, só poderia ser dominado por uma virgem (este tema é abordado nas tapeçarias que se encontram no museu dos *Cloisters* de Nova York). ~ Muitas vezes encontramos, nas ilustrações, a luta entre dois unicórnios como representação do conflito interior entre valores antagônicos do mundo cristão: a virgindade e a fecundidade. § Nos tratados de alquimia, está relacionado com o terceiro olho, com o retorno à unidade, com o ouro filosofal. ~ O unicórnio, sempre com as patas dianteiras erguidas, aparece em vários brasões inclusive no do Reino Unido. [V. tapeçaria.]

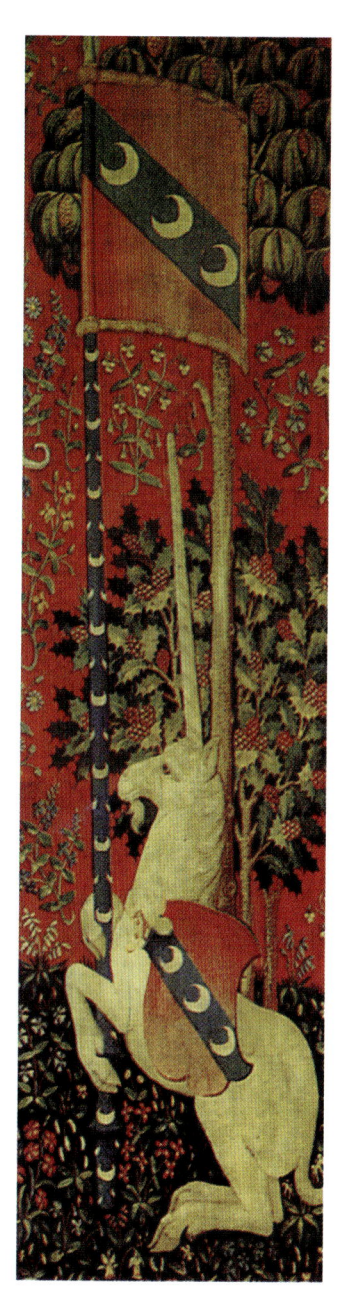

Unicórnio. Detalhe de uma das tapeçarias da série "La dame à la licorne". (c. 1480 - 1490)

urdidura. *s. f.* O conjunto dos fios longitudinais de um tecido. [V. tapeçaria, tapete e tecelagem. Cf. liço e trama.]

urna. *s. f.* Vaso usado pelos antigos para conter as cinzas dos mortos. Não tinha feitio definido, mas tornou-se clássica a forma caracterizada pela abertura larga, o corpo em geral com perfil alongado côncavo ou em curva e contracurva, com duas asas, às vezes com tampa e pedestal; nele acentuam-se traços de vasos helênicos como a ânfora e a cratera. ~ No período helenístico e entre os romanos, urnas ornamentais eram feitas de cerâmica moldada em relevo com cenas mitológicas e históricas. Supõe-se que um desses vasos tenha inspirado a *Ode a uma urna grega* do poeta romântico John Keats. ~ Modelos semelhantes em diversas épocas foram reproduzidos por inúmeras manufaturas, entre as quais as fábricas de cerâmica do Porto (v. cerâmica portuguesa). ~ Forma análoga foi adotada para vasos decorativos de porcelana, de alabastro, de mármore, de metal e para outros recipientes como, p. ex., um certo tipo de samovar inglês do séc. XVIII (v. *tea urn.*). ~ A partir do Neoclássico a urna com diversas variações, foi muito usada como ornamento arquitetônico sobretudo no coroamento de fachadas, ou no remate de móveis (colunas, galerias, frontões partidos). [V. Grécia (ilustr.) e Neoclássico. Cf. vaso.]

Ushak. [Top. turco.] Tapete turco fabricado em Ushak, cidade que, durante o império Otomano, foi grande centro manufatureiro e exportador de tapetes. Desde o séc. XVI esses tapetes eram apreciados na Europa e acredita-se que aqueles conhecidos como *Holbein* e *Lotto* tivessem essa procedência. ~ No séc. XIX seus padrões e medidas deviam se adaptar às exigências do mercado europeu. De textura menos refinada e preço acessível, o Ushak tinha a preferência do consumidor médio e os de grandes dimensões podiam ser vistos em *halls* de hotéis e outros estabelecimentos congêneres. ~ Por ser basicamente destinado ao comércio, o Ushak não apresenta rigor em suas características (cabeceiras, bordas, barras, motivos). Quanto ao colorido, eram comuns os grandes tapetes de fundo vermelho com motivos em azul, verde e ocasionalmente branco. Tem pouca densidade de nós. [V. tapete oriental - tapete turco.]

V

Valência. [Cid. da Espanha.] Local de origem de algumas das mais belas cerâmicas hispano-árabes produzidas a partir do séc. XIV; suas peças com brilho metálico (grandes pratos redondos, *albarelli**, jarros, azulejos) desfrutaram de prestígio nos séculos seguintes. A decoração de rico efeito combinava traçados de formas naturais fortemente estilizadas com outros geométricos de cunho mourisco; certas peças encomendadas pela aristocracia europeia apresentavam ornatos heráldicos e arabescos. Na região de Valência, continuam em atividades manufaturas de cerâmica. [V. cerâmica.]

Valentim da Fonseca e Silva, dito Mestre (1750-1813). Entalhador e escultor brasileiro nascido no Rio de Janeiro. Nesta cidade planejou diversos chafarizes, o terraço do *Passeio Público* e as respectivas esculturas em ferro e cantaria, além do portão do mesmo, bela obra de serralharia com as efígies de D. Maria I e D. Pedro III. A ele se deve a decoração interna das igrejas de N.S. do Carmo, Cruz dos Militares, São Francisco de Paula e Candelária, bem como o desenho das lâmpadas de prata da igreja do Mosteiro de São Bento. ~ Foi educado em Portugal onde adquiriu os conhecimentos de sua arte; a esta soube imprimir características brasileiras. [V. talha e cantaria.]

Val Saint-Lambert. Manufatura de cristais localizada em Seraing, Bélgica, e fundada em 1826. Tornou-se particularmente conhecida a partir de 1880 pela qualidade dos serviços lapidados bastante semelhantes aos de Baccarat*. Teve importante participação no *Art Nouveau** belga aplicando as novas técnicas introduzidas pelos vidreiros de Nancy. Trabalhou para V. Horta* e Van de Velde* e produziu belas luminárias. [V. vidro.]

Cristal Val Saint-Lambert. Copo para vinho branco
(Bélgica - séc. XX)

Van de Velde, Henri (1863-1957). Arquiteto e *designer* belga, um dos pioneiros e propagandistas da arquitetura e das artes decorativas do séc. XX. Distingue-se como adepto das ideias de William Morris* e do arquiteto C. Voysey (1857-1941) nos primórdios do *Art Nouveau*; suas criações são marcadas pela discrição e pelo bom gosto. Em 1896 recebe a encomenda da decoração da loja parisiense de **Samuel Bing** denominada *L'Art Nouveau*. ~ Depois de se dedicar ao *design* de móveis e acessórios de decoração, vai para a Alemanha onde se torna diretor e coordenador da Escola de Artes Aplicadas e da Escola de Belas-Artes de Weimar, defendendo a filosofia da relação entre o artista ou *designer* e a produção industrial. Em 1919 indica Walter Gropius como seu sucessor, nessa escola, lançando assim, indiretamente, as bases para a criação da *Bauhaus**. [V. Art Nouveau e design.]

varanda. *s. f.* Designação genérica de espaço externo, ventilado, que ressalta do corpo de uma casa. É, em geral, coberto e situa-se ao nível do pavimento; pode ser alpendre, ou sacada ampla, com porta(s) para o interior. ~ Nas regiões quentes, a varanda, muitas vezes de telha-vã, é anexa a uma fachada e circunda toda a construção a fim de impedir a incidência do sol diretamente nas paredes. §§ Nas antigas construções do interior do Brasil, a varanda da frente era ponto de acesso à casa; nas varandas laterais, equipadas com redes e móveis simples, passava-se o dia fugindo ao calor (em certas regiões a palavra passou a designar a sala de jantar). // Parte lateral da rede*.

vargueño. [Esp.] *s. m.* Móvel espanhol surgido por volta do séc. XVI (originalmente em Bargas na província de Toledo) e que parece ter evoluído de antigas arcas de igreja. Consiste numa caixa retangular com tampo vertical geralmente de abaixar e fechadura trabalhada; tem no interior inúmeras gavetas e compartimentos. Costuma estar colocado sobre um suporte vazado em arcos segundo protótipos italianos ou franceses do final da Idade Média. O *vargueño* renascentista típico obedece ao estilo mudéjar*, assemelha-se ao contador, seu contemporâneo, e, como este, é fartamente ornamentado; apresenta lavores de talha e incrustações de marfim, madrepérola, madeiras raras de várias cores, e até mesmo de prata e ouro. ~ Na América espanhola foram também executados exemplares desse móvel trazido pelos colonizadores (na língua espanhola usa-se de preferência a designação *bargueño*). [Cf. contador.]

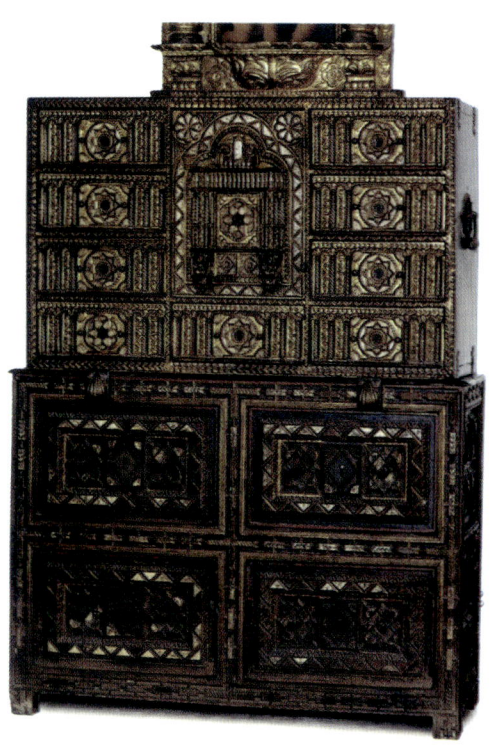

Vargueño com tampo de abaixar. Incrustações de prata, marfim, metal e papel. Base com decoração semelhante. Acervo Museus Castro Maya - Rio de Janeiro (Espanha - séc. XVII)

vaso. *s.m.* Objeto avulso usado como recipiente aberto para finalidades diversas, muito apropriado para o arranjo de flores. Não raro, tem, simplesmente, função ornamental. ~ Os vasos decorativos de cerâmica* ou porcelana*, de vidro* ou cristal*, de cobre ou bronze, e até de metais nobres, têm merecido especial cuidados com pinturas, entalhes, gravações, relevos. Têm em geral perfil equilibrado, mas as formas são livres: cilíndricas, abalaustradas, campanuladas, piriformes, ovoides, muitas vezes acrescidas de asas, bases, pés mais ou menos altos. ~ A partir do Renascimento*, os vasos de formas avantajadas tinham valor como ornato arquitetônico e seus contornos se destacavam no topo das fachadas ou ocupavam nichos; outros, com plantas ornamentais, concorriam para a composição dos jardins. ~ Só mais tarde o vaso passou a guarnecer os interiores. § A China, desde as primeiras dinastias, produziu elegantes vasos de cerâmica e porcelana de dimensões menores e seus modelos foram repetidos na Europa depois do séc. XVI. De origem chinesa (dinastia Ch'ing*) são, também, os grandes jarrões de porcelana com decoração floral e simbólica de alegres coloridos. ~ Nos sécs. XVIII e XIX vasos de porcelana, ricos, imponentes, destinavam-se a adornar lareiras, enquanto Sèvres e outras fábricas executavam jarrões com guarnições de bronze, peças de destaque nos *halls*, nas galerias. ~ Nas casas oitocentistas e nas do séc. XX os vasos eram – e continuam sendo – objetos de adorno obrigatório pelo próprio valor estético (alguns assinados por grandes fabricantes), ou pela função de simples "vasos de flores" com inúmeras variedades. [Cf. flor.]

Vaso Schneider de vidro bicolor.
Coleção Renan Chehuan (alt. 47 cm)

Vaso de vidro negro de forma cônica acentuadamente longa e que se abre em campânula.
(sem indicação de marca - c. 1920 - alt. 56 cm)

Vaso de vidro irisado. Provavelmente Steuben.
(começo do séc. XX - alt. 24 cm)

| vasque   veilleuse |

Grande vaso de vidro opalinado pintado à mão
(França - séc. XIX - alt. 60 cm)

Vasque de vidro moldado com motivo floral.
Ass. Verlys. (França - 1930/1940 - diâmetro 36 cm)

veilleuse. [Fr.] *s. f.* Pequena lâmpada de luz fraca que se deixa acesa a noite; outrora era uma lamparina a óleo, mas, adaptada à eletricidade, tornou-se ocasionalmente peça decorativa feita de *pâte de verre** ou de porcelana. // Pequeno *réchaud* em geral cilíndrico com uma abertura na base para se colocar vela ou recipiente com óleo; serve de suporte a uma chaleirinha ou bule para chá ou infusão; com ela forma um conjunto harmonioso com a mesma decoração. Os primeiros exemplares eram de faiança (Delft e outras), depois as manufaturas de porcelana se esmeraram na criação de bonitos modelos (Sévres, Limoges, *Vieux Paris*).

Vaso de cerâmica art déco em que se destaca decoração floral estilizada. Coleção Renan Chehuan
(antiga Tchecoslováquia - de época - alt. 40 cm)

vasque. [Fr.] *s. f.* Vasilha decorativa redonda de pouca profundidade usada, por suas dimensões (cerca de 40 cm), como centro de mesa; presta-se para arranjos florais não muito altos. Certas *vasques* de vidro ou cerâmica são peças de adorno pelo próprio colorido ou forma, ou pela textura e decoração. ~ Desde começos do séc. XX vidreiros importantes como Gallé, Lalique, e outros adotam nas luminárias de teto, a forma de *vasque* presa por correntes.

Veilleuses de porcelana, pintadas à mão, com paisagens campestres: Chateau de Castellux e Manoir de Bourbon l'Archimbault
(França - séc. XIX)

velino. *s. m.* V. pergaminho.

veludo. *s. m.* Tecido de algodão, seda ou lã de textura complexa e macia com o lado direito coberto de felpas cerradas e curtas normalmente fixadas na urdidura, e com avesso liso. A beleza do veludo depende da densidade e da regularidade das felpas; pode ter toda a superfície aveludada ou apresentar motivos em relevo que deixam visível a base do tecido. ~ O veludo era conhecido na Antiguidade, e começou a ser fabricado na Itália no séc. XII (Veneza, Gênova, Luca, Florença), liso ou com padrões muito recortados com motivos florais e outros; certos veludos com ramagens têm mesmo duas alturas de felpas (veludo de Gênova). ~ Os veludos de seda, brilhantes, flexíveis, eram tecidos luxuosos, muito caros não só pelo material como pela morosidade da execução esmerada. ~ No séc. XVII a França entra na produção do veludo para vestuário e decoração; é o apogeu deste material que tão bem condiz com o aparato típico Barroco*. ~ Nos interiores de meados do séc. XIX espessos e pesados veludos eram usados em cortinas, panos de mesa, estofos, tornando os ambientes abafados, severos. § Tecido que empresta dignidade e estabilidade em decorações de certa imponência, não é apropriado para os climas quentes, ou para salas com grandes aberturas para o exterior. [V, tecelagem.] // P. ext. A superfície dos tapetes de nós. [V. tapete oriental (fabricação e qualidade).]

Veneza. V. renda // V. vidro.

veneziana. *s. f.* Folha de janela articulada à esquadria, que se abre para fora e consta de ripas, normalmente de madeira, montadas numa moldura quadrangular e dispostas horizontalmente de modo a impedir a entrada da luz sem prejuízo da ventilação (tb. se diz persiana). ~ Em certas regiões mediterrâneas esse tipo de janela exterior era usado em lugar das folhas de pau ou de gelosias*. Foi adotada em outros pontos da Europa; nas casas oitocentistas estendeu-se às portas e sacadas, conforme se vê nas características construções de Paris. ~ Com a evolução da arquitetura, a veneziana se apresenta em outras modalidades: de correr lateralmente, de guilhotina, de enrolar ou de levantar obliquamente por meio de dobradiças; outros materiais, como alumínio e material sintético, são também utilizados na sua confecção. §§ No Brasil, a veneziana parece ter sido adotada desde fins dos setecentos e determina o aspecto e o colorido das fachadas de casas dos sécs. XIX e XX. ~ Na antiga arquitetura popular, sobretudo no Rio de Janeiro, é frequente, nas janelas e portas de duas folhas, uma esquadria dividida que apresenta vidraça* na parte superior e veneziana em baixo, conjugando a entrada de luz e a preservação da intimidade; uma folha de pau interna garante a segurança. [V. janela. Cf. persiana.] – Fr.: *persienne*; ingl.: *Venitian blind*.

ventarola. *s. f.* V. leque.

verde. *s. m.* Na natureza é a cor das matas, das ervas, da esmeralda. É refrescante, apaziguadora, envolvente, tonificante. O verde pode ser líquido e brilhante como na esmeralda ou denso como em certos jades. ~ Para os cristãos, simboliza a esperança. ~ Entre os muçulmanos, é a cor sagrada que se opõe à secura do deserto; é a cor do manto do Profeta. ~ Pela força dos contrastes, os movimentos ecológicos celebram no verde o símbolo da energia vital e a volta à natureza ameaçada pela vida vertiginosa, pela paisagem de concreto e aço. § Em decoração, podem-se aplicar as conclusões encontradas nas pesquisas de publicidade: o verde puro é a mais calma das cores, nem alegre nem triste. Mas o mínimo acréscimo quebra esta neutralidade: uma ponta a mais de amarelo evoca a força ativa, jovem, o lado luminoso; se domina o azul, torna-se mais frio, silencioso, sério. ~ O verde imprime equilíbrio ao ambiente: nos tons escuros valoriza a madeira, as tonalidades neutras. É eficiente para realçar as cores pastel (lilás, azul celeste) ou ácidas (amarelo-limão), e encontra nos tons e matizes de sua complementar um elemento de realce: ora um rosa, ora um vermelho. ~ Nos interiores, o verde das plantas dá frescor ao ambiente; no exterior, é o elemento unificador na arte do paisagismo* e dos jardins*. [V. cor.] – Fr.: *vert*; ingl.: *green*; alem.: *Grün*.

verdure. [Fr.] *s. f.* Antiga designação das tapeçarias que representavam a vegetação; podiam ser folhas recortadas e pujantes ou paisagens com bosques em que, muitas vezes, aparecem pássaros e pequenos animais. Essas tapeçarias foram especialmente produzidas pelas manufaturas dominantes no fim da Idade Média e chegaram ao Barroco* (Norte da França, Bélgica). [V. tapeçaria. Cf. *mille fleurs*.]

vermeil. [Fr.] *s.m.* Prata recoberta de ouro usada em baixelas, talheres e outros objetos de luxo. Nas peças antigas, a camada dourada (uma liga de ouro e mercúrio) tem uma tonalidade quente, tirante a vermelho (fr. *vermeil*); esse revestimento foi aplicado inicialmente em joalheria. [V. prata.]

Concha dupla de Sheffield plate com o interior em vermeil. (Inglaterra - séc. XIX)

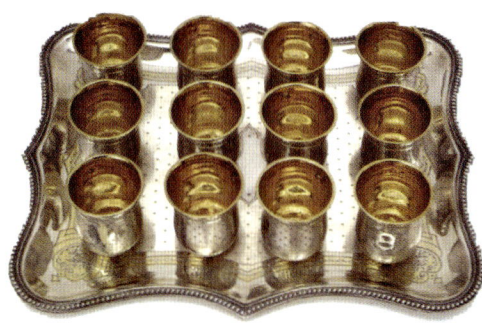

Copinhos para licor, de prata, com o interior em vermeil. (séc. XIX)

vermelho. *s. m.* A cor do sangue vivo – o *encarnado*; a cor da papoula, do gerânio, da flor do *flamboyant* – o *escarlate*; a cor do rubi – o *carmim*, o *carmesim*; a cor do sol poente, da brasa – o *rubro*; a cor da cereja madura, do vinho tinto – a *púrpura*. ~Sua própria intensidade encerra oposição. Pode significar libertação e ação, ardor, força, saúde, Eros triunfante; é a cor do poder, da pompa, é a cor do sagrado; entre os cristãos, é a cor da efusão do sangue por amor. Mas pode significar também sofrimento e opressão, indicar perigo, incitar à vigilância, inibir, fazer parar. ~ O vermelho vivo é diurno, luminoso, excitante, atrai o olhar, é símbolo fundamental da vida; está nas bandeiras, nos estandartes, nos cartazes. Nos tons sombrios, é noturno, secreto, indica o mistério da vida, o amadurecimento, simboliza a destruição pelo sangue derramado. § Em decoração, é cor muito forte, capta e prende o olhar; é a que tem maior presença, portanto exige prudência no trato. Nos detalhes, nos objetos, pode definir contornos, dar dinamismo ao ambiente; combinado com o branco, o creme, o bege, infunde segurança. O branco interposto entre o vermelho e o azul produz uma feliz combinação arejada, jovem. ~ Já os tons escuros, quando violáceos, são severos, lembram a púrpura dos poderosos, distanciam-se da luz, da vida. [V. cor.] – Fr.: *rouge*; ingl.: *red*; alem.: *Rot*; ital.: *rosso*; esp.: *rojo*.

vermiculado. *s. m.* Ornato cujos motivos são pequenas estrias sinuosas e irregulares que se espalham pela superfície decorada. [V. ornato (ilustr.).]

vernis Martin. [Fr.] Designação genérica de um tipo de falsa-laca usado na Europa setecentista para a pintura de móveis, *boiseries**, carruagens, clavicórdios, leques, caixas, etc. ~ A laca importada do Extremo Oriente foi introduzida no Ocidente no séc. XVI, com grande sucesso e constituiu um desafio e um mistério para ebanistas, envernizadores, fabricantes de pequenos objetos de madeira, desafio e mistério comparáveis aos da verdadeira porcelana para os mestres ceramistas. ~ Depois de muitas experiências, no séc. XVIII, na França, os irmãos Martin conseguem, com elementos diversos daqueles usados pelos orientais, um verniz "à maneira chinesa" que serve de fundo a delicados desenhos em especial a *chinoiseries**. ~ O *vernis Martin* é brilhante e pode ser feito em diversas cores, sendo o verde e o vermelho tirante a dourado as mais características. ~ Na decoração Napoleão III*, a laqueação com *vernis Martin* foi aplicada com sucesso nas superfícies negras de mesas, bandejas, escrivaninhas portáteis, etc. com desenhos florais policromados e que levavam às vezes incrustações de madrepérola. [V. laca e verniz e v. tb. cadeira e *étagère* (ilustr.). Cf. acharoado.]

verniz. *s. m.* Solução feita com substâncias resinosas, normalmente sem pigmentos, que se aplica em finas camadas sobre uma superfície e que, ao secar (por evaporação ou solidificação), transforma-se numa película protetora e transparente, de aspecto uniforme e brilhante. ~ Nos acabamentos da madeira, deixa visíveis o colorido e a textura; na pintura, realça os tons dos quadros a óleo; na gravura, preserva as superfícies não desenhadas da mordedura do ácido. • **Verniz a boneca.** Verniz usado pelos lustradores de móveis, aplicado manualmente com uma bola de pano (boneca), em várias camadas, do que resulta uma superfície brilhante e sólida.

Verre Français, Le. V. Schneider.

verrière. [Fr.] *s. m.* Grande abertura de vidro numa parede. [V. vitral.]

vestíbulo. *s. m.* Entrada principal de uma casa ou edifício. Peça às vezes de grandes dimensões, tem portas de distribuição e escadas ou elevadores que levam a outros cômodos ou andares. [V. distribuição interna.]

vide-poches. [Fr. de *vider* 'esvaziar' e *poches* 'bolsos'.] *s. m.* Pequeno móvel surgido no séc. XVIII e destinado a depositar objetos de uso pessoal (abotoaduras, anéis, tabaqueiras, etc.), ou seja, aquilo que se pode trazer no bolso. // P. ext. Pequeno recipiente em geral quadrangular, com cerca de oito centímetros de altura, usado para o mesmo fim.

vidraça. *s. f.* Vidro plano, transparente ou não, montado em caixilhos de madeira ou metal para guarnecer janelas, armações de estufas, claraboias, etc.; é também montado em grandes aberturas nas casas e edifícios da moderna arquitetura ou nas vitrines das lojas. Deixa passar a luz e preserva das intempéries. ~ As primeiras vidraças, das casas ricas do fim da Idade Média* e do Renascimento*, eram esverdeadas e translúcidas, feitas com o vidro que existia então; era vidro soprado com rotação de modo a obter uma placa que se caracterizava pelas marcas circulares em torno de um centro; de pequenas dimensões, o vidro era preso em caixilhos de chumbo à maneira dos vitrais e, ocasionalmente, formavam-se desenhos coloridos. ~ Com os progressos do vidro (séc. XVIII), as vidraças tornaram-se maiores, mais transparentes, os caixilhos mais delgados. ~ No séc. XIX a conquista do vidro plano permite aberturas maiores: o *Palácio de Cristal* construído em Londres para a exposição de 1851, com estrutura de ferro e vidro, foi considerado o máximo do progresso na época. Depois, vieram as grandes vidraças sem caixilhos, feitas de vidro temperado e que se incorporam às fachadas. [V. janela e vidro.] – Fr.: *vitre*; ingl.: *window pane*; alem.: *Fenstercheibe*.

vidro. *s. m.* Substância artificial transparente ou translúcida, dura e frágil, lisa e brilhante obtida pela fusão de silicatos e de solventes alcalinos em presença de outros ingredientes em proporções variadas; a altas temperaturas, forma-se uma matéria pastosa que pode ser modelada enquanto quente e que, ao esfriar, torna-se sólida sem cristalizar. Os silicatos (areia, quartzo, sílex) são vitrificantes, os carbonatos, de sódio e potássio, solventes; o agente endurecedor é geralmente cal, e a estes ingredientes acrescentam-se diversos óxidos metálicos que dão ao vidro qualidades diversas de rigidez, brilho e sobretudo colorido. ~ Absolutamente impermeável, o vidro, entre as múltiplas utilidades, é o material mais adequado para conter líquidos, sendo usado na feitura de riquíssima variedade de vasos, copos, taças, garrafas, frascos de tantas e tantas cores e formatos; é o **vidro oco** já conhecido pelas mais antigas civilizações. Só séculos e séculos mais tarde o homem descobriu a técnica do **vidro plano**. § *História e modos de fabricação.* A arte do vidro é uma "arte do fogo", uma arte de transformação: supõe a persistência e a inventividade do homem prevalecendo sobre a matéria. ~ A este produto, de experiências rudes iniciais, de êxitos e fracassos, os antigos atribuíam uma origem lendária devida ao acaso: mercadores fenícios, ao acender uma fogueira na praia, teriam reunido fortuitamente a mistura básica para que aparecesse o vidro; sabe-se, porém, que isso seria impossível a céu aberto, já que para a fusão da sílica é necessária uma temperatura de 1.600° C. Mas a lenda não desmente que os descobridores do vidro teriam sido mesmo os povos do Oriente Médio ou da Mesopotâmia*, e é certo que ele já era conhecido no IV milênio a. C. ~ Os objetos mais antigos encontrados no Alto Egito* são contas e fragmentos destinados a guarnecer joias; do III e II milênios a. C. já se encontram recipientes cilíndricos provavelmente para unguentos. § As técnicas e as decorações eram surpreendentemente elaboradas. O processo de fabricação consistia numa espécie de moldagem da matéria em fusão em torno de um núcleo de argila ou de outra substância endurecida presa a uma haste. Já se esboçavam os primeiros recursos de decoração: fios coloridos eram enrolados na peça e "penteados" por processos especiais; as cores eram o azul, o amarelo, o verde. Note-se que a massa do vidro tem sempre uma certa coloração. ~ Dentro dos mesmos princípios, e com igual habilidade, formas e cores se diversificaram entre os povos do Mediterrâneo oriental, e depois nas terras cada vez mais extensas do mundo romano. ~ Em Alexandria, filetes de vidro colorido eram cortados e introduzidos na substância a ser moldada: são os primeiros exemplos de *millefiori**. Inseriam-se também na massa partículas de ouro e obtinha-se brilho semelhante ao da pirita natural. O vidro era polido, pintado, gravado em técnicas muito difíceis e já o *intaglio** permitia obter o efeito de diferentes camadas superpostas. § Foi decisiva na vidraria, a invenção, por volta do séc. I, do **canudo de vidreiro** e do **vidro soprado**; o mérito dessa inovação cabe à **Síria** que na época fazia parte do Império Romano (v. Roma). ~ Descobriu-se que a massa vítrea candente posta na extremidade de um tubo podia ser modelada livremente por meio de movimentos ágeis. O vidro se adelgaça, as formas se arredondam, os gargalos se afinam e, às novas formas, são adicionadas alças, pés, elementos decorativos. Essas descobertas liberam a capacidade de produção e a imaginação criadora. A indústria do vidro se amplia e progride nas terras romanas (Oriente Médio, Norte da África, Itália) e, junto com objetos ricos, multiplicam-se os de uso doméstico; um vidro esverdeado foi produzido em números surpreendentes ao lado das peças de luxo azuis, vermelhas, amarelas que exibem extraordinária habilidade profissional. § Nesta arte já se destacam vidreiros da península itálica que desenvolvem técnicas complexas; a indústria transpõe os Alpes, atinge a Gália, a Renânia, sempre localizada junto às grandes florestas capazes de abastecer as fornalhas. ~ Depois da dissolução do Império Romano notam-se características mais locais na produção. A *Síria* continua a ser importantíssimo centro, com ramificações reveladas em escavações no Cáucaso, na Mesopotâmia, na Pérsia. § No séc. VII todo o Oriente Próximo foi ocupado pelos árabes, e a civilização islâmica (v. Islã), em expansão, não descuida do vidro, trazendo contribuições que demonstram virtuosismo e recursos criativos. A inovação mais importante foi o vidro irisado com pós metálicos (*luster*); revivem-se igualmente antigos processos como *millefiore*, lapidação, douração. No séc. XII a *Síria* desenvolve os vidros esmaltados (v. esmalte), alguns com ricos relevos como os de Aleppo, outros com pinturas em miniatura como os de Damasco. Nos sécs. XIV e XV, com a invasão mongólica, extingue-se a secular fabricação de vidro na *Síria*. Os vidreiros se dispersam; uns vão em cativeiro para Samarcanda, outros partem para o Ocidente. § O vidro europeu medieval mais antigo tinha uma coloração característica tirante a verde devido à presença do potássio existente na cinza de carvalho e de faia; essa cor persiste até o séc. XVI quando os vidreiros passam a dominar as técnicas para produção do vidro incolor. ~ Por volta do séc. XII, pequenas placas de *vidro plano* de diferentes cores belíssimas, possibilita a criação de *vitrais*, enquanto o *vidro côncavo* é destinado a objetos de uso (garrafas, taças, copos de diferentes formas). § Em *Veneza**, onde a indústria do vidro já florescia na Alta Idade Média refletindo a arte de Bizâncio*, estabelece-se o mais importante centro. O contato da república dos Doges com a região leste do Mediterrâneo abriu caminho para o domínio do vidro côncavo esmaltado, até então adstrito àquela região. ~ A fabricação se estabelece nas ilhas de Murano* e a imagem das fornalhas em intenso trabalho liga-se a esse local. Desde então, seus segredos do **vidro soprado** serão zelosamente guardados. Dá-se feição ao vidro soprado pelo pinçamento ou pela compressão da massa candente para obter formas especiais; acrescentam-se filamentos em fusão, transparentes ou multicoloridos; inventa-se o vidro craquelê* (*vetro a ghiaccio* 'vidro de gelo') para grandes recipientes e o vidro leitoso (*latticino**). ~ A invenção mais importante, porém, foi um vidro incolor, límpido, que denominam *cristallo* (porque lembra o cristal de rocha); dúctil e de rápido esfriamento, exigia grande destreza dos vidreiros ocasionando a criação de formas de austera simplicidade (séc. XVI). Os venezianos demonstravam requintado bom gosto nas diversas formas de taças e copos a princípio ainda com tendências góticas e logo renascentistas; evoluíram mais tarde para as formas bizarras do maneirismo. Paralelamente, produziam as contas de vidro – ainda hoje famosas – de todas as cores e tamanhos, e uma indústria de imitação de peças preciosas. ~ Veneza exportava seus produtos de elite e, embora os vidreiros de Murano fossem severamente punidos se deixassem a República, a arte veneziana logrou difundir-se "para além dos Alpes"; a fabricação internacional de inspiração italiana tornou-se conhecida como *façon de Venise* (maneira de Veneza). ~ No séc. XVI abriram-se vidrarias na Áustria, na Espanha (Catalunha), nos Países Baixos, na Suécia, na Dinamarca, nos países centro-europeus; as indústrias da Boêmia, da Silésia, da Turíngia, da Francônia, de Hesse, da Saxônia cresciam em número e qualidade, pois os vidreiros gozavam de favores especiais nessas cortes. O vidro tcheco e alemão ainda era esverdeado e não alcançava a pureza daquele produzido em Veneza. ~ Na Alemanha, a fabricação do vidro foi contínua desde os tempos romanos e o vidro germânico – com as características locais próprias de centros isolados – era conhecido como *Waldglas** (vidro de floresta); tinha coloração verde ocasionada pela riqueza de potássio das florestas locais e, no fim da Idade Média, passou à Inglaterra (*wealdglass* 'vidro dos bosques') e à França (*verre à fougéres* 'vidro de samambaias ou fetos arborescentes'). Copos, garrafas outros artigos domésticos foram feitos com este vidro, além de vidraças; são de *Waldglas* os conhecidos copos alemães para vinho do Reno chamados *Römer**. ~ No Renascimento*, as vidrarias centro-europeias, já organizadas, empregam e dominam a técnica da pintura em esmalte. Destacam-se os grandes canecos de cerveja (alem. *Humpen*) com emblemas das corporações ou representativos das cidades (em geral a águia imperial ornada dos brasões locais). Os pintores da **Boêmia*** setentrional esmeram-se na minúcia de cenas de trabalho ou ilustrações de temas fabulosos, tão próprios da imaginação germânica, tudo em colorido expressivo. Os copos e taças para as cortes locais já são de vidro fino, e alguns têm pé alto. § A **gravura do vidro** com ponta de diamante então praticada na Europa Central, é transposta e cresce nos Países Baixos, tornando-se mais flexível; no séc. XVII chega a requintes de delicados motivos florais e arabesco, e de inscrições de epigramas em grego e latim tão ao gosto humanista. No fim do século, ao lado da ponta de diamante, adota-se um processo de gravação giratório, mais elaborado. ~ A exemplo dos venezianos, os vidreiros germânicos produzem uma espécie de **vidro cristalino** de grande limpidez e dureza, e a arte da gravação toma novo impulso; os cortes são mais profundos: taças cobertas e outras peças podem ser decoradas em *Tiefschnitt* (*intaglio,* 'entalhe profundo'). O novo cristal atrai a atenção dos lapidadores de pedras preciosas que iniciam experiências; Caspar Lehman, de Praga, dará o primeiro passo e irá formar discípulos entre os quais Georg Schwarnhardt, fundador em Nurembergue de uma escola de **lapidação** em que são notáveis os desenhos delicados. § No período Barroco*, inúmeras vidrarias da **Europa Central** e seus mestres vidreiros darão notoriedade a essa região e sua avançada técnica irá propiciar as elaboradas decorações setecentistas. Sobretudo o **vidro de Potsdam** (Brandemburgo), de paredes espessas, presta-se aos entalhes; as taças são gravadas em toda a superfície e muitas têm os pés em balaústre encerrando as **bolhas de ar** que atestam a resistência do vidro. Pela primeira vez, em Potsdam, são produzidos em quantidade os vidros rubi e ouro (num processo resultante de antigas experiências alquímicas) que vão se propagar em Nurembergue e Munique, na Boêmia e Silésia. ~ A diversidade de copos de cristal tchecos da época barroca corresponde ao requinte e ao luxo com que começam a ser tratados os serviços de mesa. A qualidade dos entalhes é cada vez mais aperfeiçoada e dominam os ornatos rococó*. ~ Outras técnicas especiais aparecem na Alemanha e na Boêmia, entre elas a *Schwarzlotmalerei* (grisalha*), inspirada nos vitrais; usa-se o preto e a sépia com toques de vermelho e ouro e hábeis pintores realizam delicadas composições às vezes inspiradas nas gravuras da época (esta decoração aparece em copos cilíndricos baixos com três pés de bola). ~ Também é característico da Boêmia o processo do *Zwichenglas*, vidro em três camadas, com uma em folha de ouro, previamente decorada, intercalada entre as duas externas. ~ Paralelamente a esses grandes progressos numa arte em expansão, fabricou-se na Europa, desde o séc. XVII o *Milchglas** (ou *milk glass*), **vidro leitoso** análogo ao *latticino* e que, nos sécs. XVIII e XIX foi usado como uma espécie de sucedâneo da porcelana cujas formas eram imitadas. § Abre-se um novo capítulo na tecnologia do vidro com o aparecimento do **cristal de chumbo**, de brilho e textura muito especiais, inventado em fins do séc. XVII pelo vidreiro londrino George Ravenscroft e por ele chamado *flintglass*. O brilho e a solidez desse novo cristal entra em séria competição com o vidro de potássio da Europa Central; é exportado para a Holanda, onde se encontram os grandes gravadores e, no correr do séc. XVIII, o **vidro inglês** torna-se muito procurado. A princípio os entalhes são em encavo (losangos, hexágonos, caneluras, crescentes) depois em relevo e cobrem toda a superfície num estilo que vai ter grande sucesso no Neoclássico*, o *cutglass** (v. bico de jaca). ~ Os vidreiros irlandeses obtêm um vidro grosso em que podem ser feitos talhos profundos e ali e na Inglaterra aparecem os cortes em pequenas pirâmides e formas hexagonais. O vidro brilha de modo invulgar nessas formas prismáticas. ~ As guerras napoleônicas, com o bloqueio continental, mantiveram isolados do continente os recursos técnicos das ilhas Britânicas e, só depois de 1820, elas penetraram nos grandes centros europeus. Na **Boêmia**, os vidreiros levam essa técnica às últimas consequências numa elaborada interpenetração de formas geométricas. O vidro torna-se sobrecarregado e perde uma das principais características: a qualidade de sua superfície. § Nas primeiras décadas do séc. XIX a Boêmia lidera a produção de vidro tipo cristal: aprimora as cores tão ao gosto romântico. O **cristal da Boêmia*** tem inigualável riqueza de colorido: rubi, azul, verde, violeta, amarelo, em geral com "janelas" ou outros cortes que permitam o aparecimento do vidro transparente (V. *overlay*). Como aconteceu nos áureos tempos de Veneza, outras regiões da Europa (Baviera, Bélgica, França) produzem o cristal *façon de Bohême* (à maneira da Boêmia). Também na Boêmia, em meados do século, fabrica-se o vidro chamado *pâte de riz**. § Merece menção especial na arte da vidraria do princípio dos oitocentos a produção da **opalina*** graças à imaginação e ao bom gosto de vidreiros franceses; outra contribuição importante da França foram os pesos de papel* feitos nas cristalerias de Baccarat, Saint-Louis e Clichy. ~ No mesmo século, técnicas mais apuradas respondendo às necessidades de luxo dos novos e mais numerosos detentores de riqueza, levam à expansão comercial de uma arte até então artesanal. Aperfeiçoa-se o **vidro moldado**, especialmente nos **EUA**, com formas e decoração baseadas nas peças importadas da Inglaterra, da Irlanda, da antiga Tchecoslováquia. Os moldes facilitam a produção em altos números e preços mais acessíveis de copos, compoteiras, vasilhas diversas a princípio em vidro esverdeado depois em diversas cores vivas (às vezes com brilho metálico). § A reação ao sucesso popular do vidro moldado começa a aparecer, na segunda metade do séc. XIX, com o **vidro artístico**, tanto na Europa quanto na América. Ali a novidade é a **amberina** (moldada ou feita à mão) com suas formas ingênuas, coloração que vai do amarelo ao vermelho. ~ Na **Áustria**, o vidreiro Lobmeyer inova nos métodos de gravação e grandes artistas vienenses desenham especialmente para ele peças que conhecem sucesso na Exposição universal de Viena (1873). ~ Na Inglaterra, as concepções do **Arts and Crafts Movement*** são também revolucionárias: nos vitrais, nos objetos em *cameoglass* (camafeu). § Ao lado da produção tradicional com influência do vidro soprado de Murano, desponta um tipo de moderno **vidro de arte** que é admirado nas grandes exposições internacionais da virada do século XIX. Os colecionadores se movimentam, as publicações de arte discutem o valor até mesmo de peças de produção industrial que anunciam uma transformação profunda nas técnicas, nos materiais, na textura, nas formas. Abre-se caminho para as criações do *Art Nouveau** cujos sinais aparecem principalmente entre os vidreiros de **Nancy*** (França): Emile Gallé* explora com mãos de mestre os motivos vegetalizantes, a composição da massa, os efeitos ópticos. Outros artistas vidreiros participam do movimento (Daum*, Richard*); valoriza-se a chamada *pâte de verre** (Dammouse, Decorchemont). ~ O vidro de arte tem ainda grande desempenho nas primeiras décadas do séc. XX com Sabino, Marinot, Schneider*, René Lalique*. Este último retoma, com raro senso estético, a aplicação do vidro artístico à joalheria. ~ Outros países lançam grandes vidreiros: Loetz na Boêmia, Köpping na Alemanha, Tiffany* e Steuben nos EUA; em Viena, um enfoque purista foi muito influenciado por artistas do movimento *Secession**. ~ Entre as duas guerras, prossegue a produção do vidro artístico na antiga Tchecoslováquia (Drahonosky, Horeje), na Áustria (Stephan Rath da firma Lobmeyr, Michael Pwolny), na Alemanha (Bruno Mander), na França (Charles Schneider*, Marc Lalique, Jean Luce, Marcel Goupy). Na Itália, Paolo Verini, sem se submeter aos modelos comercias de Murano, não abandona as técnicas tradicionais em peças elegantes e simples. Na Escandinávia, Orrefors*, Kosta* e outros evoluem numa íntima relação artista-vidreiro movidos pelas novas concepções estéticas e criam *designs* com feitio e efeitos até então desconhecidos. §§ A tradição do fabrico de vidros em Portugal remonta ao fim da Idade Média (Lisboa e arredores especialmente). A Fábrica de Vidros do Covo, a Fábrica Real de Coina ou Fábrica da Marinha Grande, a Fábrica de Vista Alegre* trabalham para a aristocracia em exemplares artesanais (copos brasonados ou com efígies, pratos, frascos armoriados, copos achatados para viagem, galhetes, até pias de água benta). Do séc. XIX conhecem-se belas peças gravadas, lapidadas ou moldadas em trabalhos que se equiparam aos das melhores manufaturas europeias. – Fr.: *verre*; ingl.: *glass*; alem.: *Glass*; ital.: *vetro*. • **Vidro bisotê.** V. bisotê. **Vidro com bolha de ar.** Vidro que apresenta no interior uma bolha em forma de "lágrima" obtida pela introdução de ar na massa do vidro candente; esta operação exige grande destreza por parte do artesão. A bolha de ar aparece nos pés de taças e copos e nas tampas de garrafas. **Vidro em camadas.** V. camafeu e *overlay*. **Vidro em filamentos.** Vidro transparente que recebe filetes de vidro branco ou colorido aplicado sobre a superfície formando desenhos espiralados, reticulados, filigranados ou trançados. **Vidro fosco.** Vidro plano translúcido que resulta do tratamento da superfície do vidro transparente por ação mecânica de esmerilhamento ou jato de areia, ou por ação química de um ácido. ~ Nas vidraças, especialmente as do *Art Nouveau*, faziam-se belos desenhos florais, monogramas, etc., com jato de areia. **Vidro gravado.** Vidro que tem uma técnica de decoração complexa efetuada por meio de pequenos discos ou cilindros com abrasivo que giram ferindo a superfície do vidro para formar desenhos lineares, inscrições, etc., para gravar em encavo (*intaglio*) ou em relevo (camafeu). No vidro gravado com ponta de diamante, este é montado numa haste e possibilita a realização de traços muito finos na superfície lisa do vidro. **Vidro lapidado.** Vidro decorado com entalhes produzidos por lixas rotativas de substância abrasiva que determinam a forma do desbaste. O método foi conhecido pelos romanos, depois esquecido e reviveu no séc. XVII, amplamente usado em peças finas. O cruzamento dos cortes em diedro produz a lapidação facetada em pirâmides ou em prismas hexagonais (e outros) justapostos e que combinados podem produzir uma decoração em relevo que às vezes, chega a cobrir toda a superfície. [V. bico de jaca.] – Fr. *verre taillé en diamant*; ingl.: *cut glass*. **Vidro moldado.** Vidro de fabricação semiautomática em que são utilizados moldes. O processo, conhecido desde a Antiguidade, desenvolveu-se no séc. XIX, prestando-se à produção industrial. **Vidro plano.** Vidro obtido primitivamente pelo processo artesanal do sopro; tomava a forma cilíndrica que era desenrolada, cortada e transformada em chapa. A partir do séc. XVIII a técnica foi se aprimorando: a massa vítrea passa por etapas sucessivas – fundição, resfriamento, laminação, polimento – produzindo chapas mais resistentes, de maiores dimensões. O vidro plano é empregado em grande escala em vidraças*, e espelhos* (estes são, nos de melhor qualidade, de cristal grosso bisotê). **Vidro temperado.** Vidro plano grosso que, por meio de processos térmicos, adquire maior resistência ao impacto sendo por isso usado em portas, janelas, divisórias, bem como no tampo de mesas.

Viena. [Cid. da Áustria.] V. *Alt Wien*.

Xícara de porcelana de Viena.
(Áustria - começo do séc. XIX)

Estatuetas equestres de porcelana.

Vieux Paris. V. porcelana de Paris.

viga. *s. f.* Em construção, peça de estrutura e sustentação longa e retilínea, horizontal ou inclinada que pode ser barra de madeira, de ferro, de concreto armado, etc., e que se assenta em um ou mais apoios. Nas construções, atravessa um vão livre para sustentar grandes cargas. // No Brasil é sinônimo de trave ou barrote.

vime. *s. m.* Vara muito flexível feita com ramos dos arbustos da família das salicáceas; é muito utilizado na feitura de obras trançadas, especialmente móveis de estrutura sólida e leve como as cadeiras de linhas curvas e confortáveis boas para os climas quentes. [V. cadeira, junco e *rattan*.]

Vincennes. [Localidade dos arredores de Paris.] V. Sèvres.

vinhático. *s. m.* Madeira de lei amarelo pardacenta extraída da *Platymenia reticulada* (da família das leguminosas - mimoseáceas); é própria dos climas quentes e ocorre no Brasil (Rio de Janeiro, Espírito Santo, Minas Gerais e Bahia). Tem peso médio, pouca dureza mas grande resistência e durabilidade; as fibras assemelham-se às do mogno com veios sem contrastes. É usada em marcenaria fina, particularmente com acabamento encerado. Foi muito utilizada pelos mestres marceneiros e carpinteiros do período colonial para execução de arcas, armários, mesas, cadeiras, etc. ou de assoalhos, possibilitando muito bom trabalho. É também conhecido como vinhático-amarelo, vinhático-do-campo. [V. madeira.]

violeta. *s.m.* V. roxo.

Virgem Maria. ou simplesmente **Virgem**. Designação geralmente adotada na iconografia cristã para Maria mãe de Jesus. ~ As imagens da Virgem aparecem, de início, nos ícones bizantinos* ou nas paredes das igrejas orientais e românicas* em mosaicos* ou afrescos*; a figura de Nossa Senhora, hierática, é a mediadora entre o Cristo Pantocrátor* e os fiéis. ~ No fim da Idade Média, com a difusão das imagens sacras, a Virgem Maria passa a ser representada com menos rigidez nas sorridentes e doces esculturas góticas francesas, nas humanas figuras da pintura espanhola ou nas místicas representações flamengas. [V. madona e Nossa Senhora.]

Visconti, Eliseu (1867-1944). Pintor brasileiro nascido na Itália, veio com um ano para o Brasil (Rio de Janeiro). Nesta cidade, cursou o conceituado Liceu de Artes e Ofícios, onde teve por mestres Vitor Meireles, Rodolfo Amoedo e Henrique Bernardelli, destacados pintores brasileiros. Aderiu ao grupo dos "modernos" (1888) e completou a formação com outros cursos. Já na República, obteve o prêmio de viagem à Europa, indo para Paris em 1893. Com seu espírito avançado, foi Visconti quem introduziu no Brasil o Impressionismo*. No Teatro Municipal do Rio de Janeiro (1907), realizou pinturas importantes (teto, pano de boca, *foyer*) e seu prestígio era incontestável. ~ Participante do Movimento. *Art Nouveau**, voltou-se também para as artes decorativas e, com seu temperamento sensível e aberto, criou peças em cerâmica e vidro, além de outros projetos no ramo, e de suas incursões nas artes gráficas; dono de um traço seguro e elegante, realizava desenhos com clareza e bom gosto. Disse Visconti: "A arte Decorativa é a procura do belo nos objetos usuais e não deve deter-se nem em definição, nem em particularidades". [Cf. *LaBelle Époque* e impressionismo.]

Visconti. Vaso decorado com flores de maracujá.
(Brasil - séc. XX)

Visconti. Pintura sobre cerâmica levada ao fogo
(Brasil - séc. XX)

Vista Alegre. Porcelana portuguesa de excelente qualidade e grande versatilidade de modelos. ~ As primeiras tentativas de se implantar o fabrico da porcelana em Portugal datam do séc. XVIII, mas a manufatura de porcelana só se estabelece definitivamente na Quinta de Vista Alegre, em Aveiro, em 1824, durante o reinado de D. João VI, por iniciativa de Antonio Ferreira Pinto Basto. ~ Esta fábrica recebe também a concessão real para a produção do vidro* e do cristal*, até então privilégio da Fábrica da Marinha Grande. ~ Paralelamente, mestres oleiros de experiência aplicam-se no empreendimento e, havendo empenho na qualidade do produto, é contratado na Saxônia um artista modelador, bem como artistas pintores. Pinto Basto vai à França para conhecer os processos de Sèvres. ~ A porcelana só alcança o padrão industrial quando se descobre o verdadeiro caulim em Portugal e a produção industrial se estabelece em 1830. ~ A Fábrica de Vista Alegre produziu porcelana artística de diversos tipos, sobretudo entre 1840 e 1870: estatuetas galantes e tipos populares, centros de mesa, candelabros, vasos e urnas, serviços de mesa – alguns de alto luxo – além de peças de *biscuit*. Inspiraram-se em modelos de Meissen*, de Sèvres*, de Capodimonte*, de Chelsea*. A massa, a cozedura, o esmalte, a pintura, nada deixam a dever às outras grandes manufaturas europeias. A Fábrica de Vista Alegre continua mantendo o mesmo padrão nas peças executadas. [V. porcelana. Cf. cerâmica portuguesa.]

Pratos de serviço de jantar de porcelana de Vista Alegre, decorados à mão. (Portugal - séc. XX)

Vitoriano. Estilo eclético e severo de decoração que marcou os interiores britânicos (e norte-americanos) no período do reinado da rainha Vitória (1831-1901) e que se estendeu aos interiores tradicionalistas do Ocidente praticamente até 1914. Na realidade, não se trata de um estilo, mas de um conjunto de tendências que caracterizaram o gosto, os hábitos, as necessidades da classe burguesa. ~ No quadro do séc. XIX, com a revolução industrial, o processo de aburguesamento envolveu os remanescentes da aristocracia, a classe média em ascensão com o progresso industrial e comercial, e até os governantes. Um político inglês dizia: "Se desejo saber o que pensa a burguesia, pergunto à rainha". § As inovações artísticas, até o fim do século precedente, estavam ligadas a uma elite aristocrática requintada, confiante em seu destino e que aceitava sem temor novas e vívidas experiências no campo da arte. Já a burguesia, sem passado, sentia necessidade de se afirmar, de fortalecer suas bases, de revelar estabilidade e respeitabilidade; no campo estético isto se traduziu por uma busca permanente do "já conhecido, já experimentado". § Num contexto em que a ostentação da riqueza iria se apoiar não mais na criação artesanal mas na produção industrial, as soluções decorativas são *sui generis*: madeiras macias vão ser entalhadas mecanicamente à maneira das madeiras duras do Renascimento* e do Barroco*, o ferro fundido será revestido de dourado para imitar o bronze, o metal prateado irá imitar a prata de lei, o vidro moldado irá imitar o cristal lavrado, as fazendas estampadas vão tentar reproduzir padrões de sedas e veludos, o gesso irá simular o mármore, o estuque, irá substituir as *boiseries** e, até mesmo na arquitetura urbana, as casas geminadas darão falsa unidade às fachadas. Mas tudo era sólido, feito para durar. § Ao contrário do que ocorreu em épocas anteriores, a evolução do gosto não seguiu um movimento contínuo, e a introdução de um novo estilo não implicava no abandono de outros; eles coexistiam ecleticamente nas residências particulares, nos hotéis, nos teatros. § Nos primeiros tempos – o *early victorian* (vitoriano da primeira fase) – os móveis ainda seguiam formas e inspiração neoclássica (*Regency**) "enriquecidos" com elementos esculpidos a critério dos fabricantes; correspondiam ao estilo Luís Filipe* na França e Biedermeier* nos países de língua alemã. Era o gênero preferido para os quartos, as salas não muito luxuosas (enquanto *boudoirs** femininos ainda se apegavam à leveza de um Luís XVI*). ~ Outra tendência na Inglaterra levava a reviver o "elisabetano" que, sem qualquer discriminação, incluía, nas reformas arquitetônicas de prédios antigos e no mobiliário, cópias de elementos dos Tudor e dos Stuart (séc. XVI e XVII); destinava-se a dar ideia de luxo, de poder econômico, na aparência grave das salas de jantar, das bibliotecas, dos *halls*, com abundância de entalhes vazados, elementos torneados e torcidos. ~ O *Gothic revival* (Neogótico*), que invadiu a Grã Bretanha, ora volta-se para o romântico, ora para o pitoresco, sem perder o caráter sobrecarregado (às vezes recorrendo até a rendados do ferro fundido). Paralelamente o Neorrococó*, enfeitado com motivos inéditos (como os móveis do norte-americano Belter que conheceram grande sucesso) adapta as formas de cadeiras de medalhão e os amplos sofás às dimensões das crinolinas. ~ Desenvolveu-se, por outro lado, um tipo de decoração inspirada no Oriente Próximo: o estilo Mourisco*, o Turco e outros. Arcos polilobados, paredes lembrando azulejos, móveis com recortes e incrustações que praticamente desaparecem sob macias almofadas, divãs acolchoados, autênticos tapetes preciosos e diversos objetos típicos, decoravam em geral ambientes masculinos: *fumoirs* ou salas de bilhar. § Todas essas modas seriam sobrepujadas pelo **renascentismo*** que irrompeu em meados do século e que seria, sem dúvida, o mais popular dos estilos imitativos. Os móveis neorrenascentistas invadem o mercado britânico; as linhas são retangulares, a estrutura é simples, mas tudo é acrescido de ornatos que deixavam campo livre para interpretações ecléticas* (sobretudo na Grã Bretanha, porque na Alemanha e na Itália, p.ex., havia maior fidelidade aos modelos originais). § A coexistência de estilos teve muito a ver com o maior poder aquisitivo de um número crescente de pessoas e com os progressos técnicos, e a produção em série; perdeu-se a espontaneidade, tudo se englobava num novo gênero que um autor classificou como "doméstico". ~ Como resultado, as formas criativas decaem e as artes decorativas limitam-se a tentativas de impor certos padrões aos fabricantes. ~ A grande *Exposição de Londres de 1851* concebida para mostrar o poderio e o otimismo da era vitoriana, demonstrou a negação de qualquer tentativa séria de renovação do desenho industrial. O resultado foi um tipo de objeto decorativo pesado, mais para fazer vista do que para uso: peças de porcelana gigantescas, prata com excesso de decoração, móveis superesculpidos em imitações grotescas de estilos passados. § Os fabricantes de móveis se adaptaram a todas as categorias de clientes; surgiram grandes firmas. Em Londres, a casa Maple & Co., uma das mais afamadas e conceituadas, passou a se interessar pelo setor de mercado médio. Os catálogos de Maple revelavam a fartura de suas ofertas especialmente em móveis contemporâneos (estofados de couro, camas de metal dourado, *étagères* de diversos tamanhos e feitios, etc., enfim, tudo que é preciso para mobiliar uma casa condignamente do tapete ao lustre. Outra firma, Gillows, mais exclusiva, oferecia cópias muito fiéis de diferentes épocas, com predileção pelo séc. XVIII e reproduziu com perfeição peças de Chippendale*, Sheraton*, Adams*. § Os interiores ingleses procuravam dar a impressão de luxuoso bem-estar e, na decoração, dominavam pesadas e ricas cortinas, chão atapetado; móveis estofados com formas diversas (muito capitonê, muita passamanaria) eram dispostos em profusão, ao lado de colunas com plantas, banquinhos para os pés, mesas de centro, pianos com os pés e a estante decorados, lampiões a gás, objetos decorativos em abundância, num verdadeiro *horror vaccui*. O ambiente era circunspecto, os sons eram abafados pelos veludos, no colorido dominava o vermelho escuro, o verde-garrafa. Tudo isso condicionava a um convívio social exclusivista das grandes famílias, das visitas, dos chás, dos saraus. § O século avança, as reações surgem – o *Arts and Crafts Movement**, Ruskin, William Morris* – e, enquanto o universo vitoriano não aceita fantasias, libertações, abre-se um mundo de arte arejada, renovada, que ora se aproxima das formas da natureza, ora mostra um despojamento sensível e requintado, abrindo novas perspectivas às artes decorativas. É o *Art Nouveau** que se anuncia. [Cf. Napoleão III.]

vitral. *s.m.* Painel translúcido que fecha um vão de parede externa e é constituído de recortes de vidro plano de várias cores reunidos para formar uma composição artística e/ou decorativa; os recortes são fixados por cordões de chumbo que formam um rendilhado negro em contraste com a luminosidade das cores. ~ Concebido para as catedrais e igrejas do fim da Idade Média, o vitral teve, ocasionalmente, aplicação em palácios e residências da mesma época. § *História e técnica.* A arte do vitral, conforme se desenvolveu na Europa no período *gótico* (do séc. XII ao séc. XV), parece ter tido, remotamente, como focos de inspiração o mosaico e o esmalte. No que se refere ao impacto das imagens, o vidro era a solução para substituir, nos grandes vãos das janelas das catedrais, os murais de mosaico* das paredes românicas (v. Românico). Por outro lado, os recursos do esmalte *cloisonné** inspiraram a apresentação das cores em "compartimentos" harmoniosamente dispostos. § O estágio em que se encontrava a produção do vidro nos últimos séculos da Idade Média permitiu a realização dessas grandes vidraças multicores. Concentrou-se a fabricação do vidro numa mistura de 1/3 de areia e 2/3 de sais de potássio; estes últimos obtidos da cinza de faias e fetos arborescentes, exigiam grande quantidade de madeira para a fusão do potássio e da sílica a 1.500, 1.600 graus. Durante a cozedura incorporavam-se sais metálicos para obter os coloridos de azul safira, azul ultramarinho, azul turquesa, tons de verde, de amarelo, de roxo, de vermelho-rubi. ~ O artesão preparava o vidro, o artista compunha as janelas; as cores profundas, ricas como o famoso "azul de Chartres" contrastavam com a opacidade das pedras. Mais tarde, obtendo-se o vidro incolor, este foi decorado com pintura em grisalha* para atenuar a luz. ~ O vidro plano só se obtinha em pequenas dimensões: a massa vítrea era soprada, a ampola era manipulada em forma de cilindro e, enquanto a massa estava quente, se esticava para transformar em folha colorida. § O vitral era executado a partir de um cartão. Selecionavam-se e cortavam-se os vidros das diferentes cores, em seguida procedia-se às emendas com o chumbo que emoldurava cada peça; pela flexibilidade do chumbo, os grandes vitrais (que os franceses chamavam de *verrières*) eram divididos em painéis e reforçados por armações de ferro sem perder a leveza do tratamento. ~ Os primeiros vitrais com figuras datam do séc. XII, na catedral de Augsburgo na Alemanha, na de Canterbury na Inglaterra e, na de Chartres, no vitral de *Notre-Dame de la Grande Verrière*. O maior florescimento da arte ocorreu nos sécs. XIII e XIV principalmente na França, nas catedrais de Chartres, de Bourges, de Tours, de Notre-Dame de Paris, e na joia que é a Sainte-Chapelle, também em Paris. ~ Num lance de progresso, os construtores de catedrais realizam as rosáceas* em que as aberturas em alvenaria são integradas à arquitetura permitindo a fusão de decoração e estrutura; foi o momento áureo da história do vitral. § O papel da luz no espaço interior é constantemente modificado graças à translucidez do vidro. Numa catedral, a incidência da luz natural exterior marca as horas do dia, do brilho da manhã ao rubor do poente ou à diluição luminosa dos dias nublados; a atmosfera interna é ora uma explosão límpida de cores, ora o misterioso filtrar de tons amortecidos pela modulação da luz. § Os temas dos vitrais, como em toda a arte medieval, versam em torno do Antigo e do Novo Testamentos, dos "Romances Espirituais" muito apreciados na época, das vidas de santos; as formas hieráticas animam-se pelo jogo de cores. Os vitrais tornaram-se realidade graças à generosidade dos fiéis (os doadores) e expressam, cada um, a piedade individual ou a de um grupo ou corporação, mas mantêm entre si uma sensível coerência. A leitura das grandes *verrières* faz-se, em geral, de baixo para cima num movimento que traduz elevação; o painel central representa o assunto principal enquanto os laterais são explicativos. ~ No séc. XV as figuras tornam-se mais movimentadas e agrisalha imprime ideia de relevo. A influência da pintura torna-se mais exigente. § Entre os sécs. XVI e XIX, a evolução dos vitrais prende-se especialmente a progressos técnicos, a iconografia acompanha as tendências estéticas, a paleta se amplia, as dimensões se reduzem em função da arquitetura. § Na segunda metade do séc. XIX inicia-se na Inglaterra um renascimento da arte do vitral graças às concepções estéticas dos pré-rafaelitas* conjugados com as atividades artesanais lideradas por William Morris*. ~ O *Art Nouveau**, em torno de 1900, faz renascer os vitrais artísticos para janelas e outros vãos nas decorações de interiores. Arquitetos como o V. Horta*, Mackintosh*, F.L. Wright* recorrem aos vitrais em inúmeros projetos, muitos de autoria dos grandes vidreiros como Tiffanny*. Este e outros vidreiros os empregam num novo tipo de abajur. ~ Em grandes *magasins* da *Belle Époque**, os tetos de vidro colorido, artisticamente montados, são como réplicas materialistas das *verrières* medievais adaptadas aos novos templos de consumo. ~ No séc. XX, o interesse dos pintores e arquitetos, sobretudo depois da II Guerra Mundial, volta-se para o tratamento plástico do vitral. Com as novas técnicas de construção, o vidro é, muitas vezes, engastado no cimento armado. Surgem obras importantes como a Igreja de Maria Königin em Colônia-Marienburgo na Alemanha, a igreja de Saint-Paul de Vence com vitrais de Matisse na França; e os impressionantes vitrais de Chagall *As Doze Tribos de Israel* para a sinagoga de Hadassah, em Jerusalém, são a mais vigorosa e ao mesmo tempo poética revivescência da arte dos mestres medievais. [V. Gótico e vidro.] – Fr.: *vitrail*; ingl.: *stained glass*.

Vitral para bandeira de porta com motivos naturalistas de inspiração art nouveau.
Vibração das cores acentuada por uma cercadura de vidros facetados como pedras semipreciosas.
(França - começo do séc. XX)

Vitral do Palácio Monroe
(Rio de Janeiro - início do séc. XX - 150 cm x 150 cm)

Vitral da Villa Maurina
(Rio de Janeiro - 1915)

vitrine. *s.f.* Pequeno armário envidraçado com estrutura leve e prateleiras destinado a guardar e expor objetos de adorno valiosos e/ou delicados.

voile. [Fr.] *s.m.* Tecido leve, fino e transparente que pode ser de algodão, seda, náilon etc., e que, em decoração, presta-se para confecção de cortinas leves.

voluta. *s. f.* Ornato enrolado em espiral, que pode ter a forma de um "C" ou de um "S". ~ Em arquitetura, é o principal elemento do capitel jônico* e, em certos frontões* barrocos, é o elemento que os caracteriza. ~ A voluta em "S" é, ao mesmo tempo, ornato independente ou constitui o suporte de mísulas* e modilhões*. ~ Esse ornato esculpido em madeira, gesso, etc., ou forjado no ferro, foi largamente empregado no Barroco* e no Rococó*.

Voluta da escadaria do Museu da Inconfidência
(Ouro Preto - MG séc. XVIII)

voyeuse. [Fr.] *s.f.* Cadeira um tanto baixa inventada na França no séc. XVIII para uso nos salões; tinha uma espécie de plataforma estofada no alto do encosto que permitia que os homens nela se apoiassem enquanto observavam como espectadores partidas de cartas e outros jogos. As mulheres usavam cadeira semelhante chamada *voyeuse à genoux* (voyeuse para ficar de joelhos).

Wagner, Otto (1841-1918) Arquiteto austríaco considerado um dos fundadores da moderna arquitetura europeia. Com suas teorias que insistem na função do material e da estrutura como base do desenho, quebrou a arraigada tradição historicista de meados do séc. XIX. Teve formação conservadora, mas depois se afastou dos quadros do que chamou "arquitetos-arqueólogos". Em 1894 foi nomeado professor da Academia de Belas-Artes de Viena e sua atuação foi marcante: derrubou os princípios consagrados no séc. XIX, dos quais havia sido figura representativa. ~ Voltou-se para os problemas do urbanismo e traçou planos para a circulação de Viena. Suas ideias já representavam as tendências que iriam eclodir na virada do século. Associou-se ao movimento *Secession* formado em 1898 por discípulos seus; passou a conhecer a obra de Van de Velde* e da escola de Glasgow (Mackintosh*) e foi por eles influenciado. ~ São numerosos seus trabalhos no estilo *Art Nouveau** notadamente as estações do metrô de Viena, e, nesta cidade, a colorida *Majolikahaus* (casa de ladrilhos), o edifício da *Postsparkasse* (Caixa Econômica dos Correios) considerado um marco da arquitetura moderna (o *hall* central tem o teto com estrutura curva de ferro e vidro), e a igreja de *Steinhof* de linhas paladianas com sua cúpula dourada. ~ Os inúmeros projetos de Wagner foram concebidos num espírito radicalmente moderno e, embora boa parte deles nunca tenham sido realizados, ele exerceu uma ação marcante sobre a nova geração e entre seus discípulos contam-se Joseph Hoffmann* e Joseph Olbrich autor do (Pavilhão de Exposições da *Secession* em Viena). [V. *Secession.*]

Waldglas. [Alem.] V. vidro.

Walter, Amalric (1859-1942). Artista vidreiro francês [V. Daum e Nancy.]

warming pan. [Ingl.] Antigo objeto de uso doméstico em forma de panela com tampa e cabo longo; no recipiente, em geral de cobre, colocavam-se brasas para aquecer as camas. (Em Portugal chama-se "esquentador"). — Fr.: *chauffe-lit.*

Warming pan de latão com tampa decorada
(séc. XIX)

Wedgwood. Importante manufatura de cerâmica da Grã-Bretanha (Burslem, Staffordshire), fundada em 1759 por **Josiah Wedgwood** e cujas atividades ainda se encontram em curso. [V. Wedgewood. Josiah.]

Wedgwood. Josiah (1730-1795). Ilustre ceramista Inglês de reconhecido renome internacional. Fundou a manufatura que leva seu nome. ~ Como especialista e pesquisador no campo da cerâmica, como artista de bom gosto, como administrador e homem de negócios, J. Wedgwood foi uma personalidade marcante no quadro da nascente Revolução Industrial. ~ Desenvolveu a *cream-coloured earthenware* (louça de cor creme), reviveu a faiança vermelha vidrada (*rosso antico*), inventou uma cerâmica negra fina (*basaltes ware*) e, sobretudo, criou a famosa *jasperware*. Esta é uma cerâmica muito fina, dura, fosca, ligeiramente translúcida, de um branco puro mas que pode ter a superfície colorida de verde-claro, de amarelo e especialmente do famoso azul chamado *wedgwood blue*. As finas camadas de cor deixam sobressair a massa branca aplicada, em relevo, nas decorações com figuras e ornatos inspirados em modelos clássicos. A indústria Wedgwood usou *jasperware* ainda no séc. XVIII, em objetos decorativos e serviços de chá, jantar, etc. (realizou uma grande encomenda para a imperatriz Catarina da Rússia). § J. Wedgwood, com aguda visão, voltou-se para o Neoclássico* e o implantou na cerâmica inglesa; denominou sua fábrica de peças ornamentais *Etruria* em homenagem à Antiguidade clássica e ali foram executados objetos que repetem formas e decorações helenísticas (na época chamadas "etruscas") sendo características as cópias de urnas* romanas do séc. I. § O artista mais famoso que trabalhou para essa fábrica foi o escultor John Flaxman que transpôs para *jasperware* suas estatuetas, placas e decorações em baixo-relevo com elegantes figuras de influência greco-romana. § As realizações de J. Wedgwood foram muito diversificadas e ele, com seu senso comercial, impôs-se ao gosto da nova classe que surgia no fim do séc. XVIII. Entrou em séria competição com as fábricas de porcelana e cerâmica do continente que trabalhavam para a aristocracia. Suas criações passaram a ser imitadas em porcelana de *biscuit**. ~ No séc. XIX a indústria Wedgwood fabricou também porcelana (*bone china**) e, nas últimas décadas, acompanhou as novas tendências artísticas. ~ Na década de 1930 produziu peças originais com *designs* simples, e depois voltou-se para as cópias em *jasperware* e *bone china* de modelos do séc. XVIII. [V. cerâmica e porcelana.]

Wedgwood. Par de leiteiras de jasperware azul com figuras neoclássicas, brancas e em relevo. (Inglaterra - séc. XIX)

whatnot. [Ingl.] *s.* Pequeno móvel aberto com prateleiras sustentadas por colunas finas onde se colocam livros e pequenos objetos; caracteriza-se por ter uma ou duas gavetinhas na parte inferior. Foi muito usado na Inglaterra no séc. XIX, e corresponde a uma pequena *étagère**.

Wiener Werkstätte. [Alem. 'Oficina vienense'.] Associação de artistas de vanguarda fundada em Viena em 1897 vinculada ao importante movimento da *Secession*. Inspirada no exemplo da corporação de artesanato de arte fundada pelo requintado artista britânico C. R. Ashbee (1863-1942) reuniu oficinas de diversos ramos e em 1905 tinha cerca de 100 artesãos (joalheiros, marceneiros, trabalhadores em couro, em metal, em vidro além de *designers* sob a direção de J. Hoffmann* e Kolo Moser. A instituição tornou-se importante como centro de *design* e voltou-se para a decoração de interiores. A princípio seguiu a linha mais rigorosa e retilínea dos artistas da *Secession*, depois voltou-se para uma linha mais eclética e continuou seus trabalhos até 1932. [V. *Secession*. Cf. *Arts and Crafts Movement*.]

Cachepô e coluna de cerâmica vidrada fosca com discreta decoração estilizada. Coleção Renan Chehuan (Viena - começos do séc. XX - alt. 120 cm)

William and Mary

William and Mary. Estilo inglês que vigorou durante o reinado de Guilherme de Orange e Maria da Inglaterra (1688-1702) sucessores de Jaime II. ~ Na sua curta vigência, deixou importantes realizações, embora fosse uma transição entre o *Restoration* e o *Queen Anne*. Circunstâncias históricas e o gosto natural dos soberanos determinaram as linhas adotadas nas artes decorativas. Guilherme incentivou a vinda de hábeis artesãos holandeses e de huguenotes franceses refugiados nos Países Baixos, que eram excelentes marceneiros e prateiros; sente-se forte influência do estilo Luís XIV*. § No mobiliário, a estrutura é simples, sólida, retilínea, ainda sugerindo os modelos *Restoration*, mas os entalhes são mais leves nos encostos das cadeiras, nos pés torneados não raro em coluna torsa*. A nogueira substitui o carvalho. *Tallboys** e *lowboys** são peças importantes do período, ao lado de estofados confortáveis com tecidos ricos. ~ A concha em leque (*scallop shell*), as volutas, a folha de acanto aparecem como motivos ornamentais; madeiras coloridas, marfim, metal são empregados em incrustações; nas ferragens, o latão substitui o ferro. ~ Na prata, as peças de todo dia são mais simples, enquanto as de cerimônia (tocheiros, *wine coolers*, jarros de asa perdida) ainda são vistosas, barrocas. ~ Interessando-se a rainha especialmente por bordados de seda e *crewel works*, estes são valorizados nos interiores. ~ O estilo William and Mary atravessou o Atlântico e marcou o colonial americano. [V. *Restoration* e *Queen Anne*. Cf. *Early American*.]

willow pattern. [Ingl. 'motivo do salgueiro'.] Desenho que representa livremente uma paisagem chinesa e que foi usado na Inglaterra para decoração de louça de mesa azul e branco. ~ Acredita-se que tenha sido criado por Thomas Minton* por volta de 1780, e teve imensa repercussão sendo adotado por inúmeros fabricantes. ~ Os elementos essenciais são um salgueiro estilizado ao lado de outras árvores, um templo chinês, uma ponte com personagens, uma ilha distante. Muitas variações foram introduzidas, naturalmente para distinguir os fabricantes; assim o número de maçãs na macieira ao lado do pagode era de início 32 com Minton; Wedgewood colocou 34 maçãs, Leeds 62, Rockingham eliminou-as. [V. louça inglesa e pombinhos.]

windsor chair. [Ingl.] V. cadeira - cadeira Windsor.

wine coaster. [Ingl. 'descanso para garrafas de vinho'.] Recipiente circular com bordas relativamente altas e trabalhadas, usado à mesa para depositar uma garrafa de vinho.

wine cooler. [Ingl. 'esfriadouro para vinho'.] Balde ou outro recipiente usado para refrescar o vinho. [V. balde de gelo. Cf. *monteith* e *rafraichissoir*.]

Wine-cooler georgiano de prata dourada.
(Inglaterra - séc XVIII)

wine label. [Ingl. 'etiqueta de vinho'.] Pequena placa de metal, esmalte ou louça presa a uma corrente que se pendura em garrafa ou *decanter** para indicar o conteúdo. ~ Os *wine labels* ingleses de prata têm moldura decorada e a inscrição vazada ou gravada: *Port*, *Madeira*, *Sherry*, *Whisky*; desde o início do séc. XVIII, são colocados em *decanters* de cristal. (Na Inglaterra são também chamados *bottle tags* 'letreiros de garrafa').

Wine labels de prata repuxada, dois com letras vazadas, um com letras gravadas.
(Inglaterra - séc. XVIII)

wing chair. [Ingl.] V. *bergère*.

W. M. F. [*Würtemberguische Mettalwahrenfabrik*. 'Manufatura de artigos de metal de Würtemberg']. Fábrica alemã fundada em meados do séc. XIX e que produziu objetos de metal (prata, estanho, cobre, latão) seguindo modelos tradicionais; estes, depois, deram lugar às criações do nascente *Jugendstil**. Os objetos domésticos e decorativos eram de excelente qualidade, seguindo os então modernos processos de prateação. Merecem destaque os elegantes castiçais e luminárias, sinuosas figuras femininas à maneira do *Art Nouveau** francês. [V. prateação. Cf. Christofle e Elkington.]

W.M.F. - Caixa no estilo Art Nouveau, pertencente a um conjunto de toalete.
Coleção Renan Chehuan (c. 1900 - alt. 11 cm)

Worcester. [Cid. e condado da Inglaterra.] Porcelana inglesa cuja fábrica teve início em meados do séc. XVIII, e trabalhou a princípio com porcelana de pasta mole e foi das primeiras a usar decalcomania* em algumas decorações, inclusive com retratos. ~ Formas simples eram copiadas da prata ou da porcelana chinesa. Depois de 1760 muitas peças eram pintadas fora da fábrica, por artistas particulares, sobretudo as de um belo azul com reservas, sendo estas preenchidas com flores e pássaros. Exemplares mais luxuosos eram modelados com ornamentos dourados. Destacaram-se em fins do século os modelos neoclássicos*, mais severos e elegantes sendo os mais bonitos da autoria de R. Chamberlain. ~ Já nos oitocentos, a fábrica trabalha com *bone china**, e os ornatos, mais leves, do período anterior, se acentuam no correr do século adaptando-se às exigências de um gosto menos requintado; são em geral peças de fundo creme ou verde claro com ramos de flores, ornatos dourados. ~ Worcester também produziu *Parian ware*. ~ Por volta de 1870, a influência japonesa foi marcante e encontravam-se pratos e outras peças muito bem trabalhados no gênero das porcelanas de Imari* e Arita*. [V. *bone china* e porcelana. Cf. Imari e *Parian Ware*.]

Wright, Frank Lloyd (1867-1959) Um dos mais importantes e criativos arquitetos norte-americanos. ~ Entre seus projetos, implantou o que chamou *Prairie school of architecture*, base da arquitetura residencial do séc. XX. São casas cujos espaços interiores se expandem para o exterior por meio de varandas e terraços; graças a essa forma predominantemente horizontal, as residências parecem brotar do chão. Esse efeito é sublinhado por materiais naturais. Wright chamou seu trabalho de "arquitetura orgânica". ~ Fez projetos não residenciais: o Edifício Larkin em Buffalo (1904), construção audaciosa já dotada de condicionamento de ar e mobiliário de aço incorporado ao projeto. Nos anos seguintes evoluiu para o concreto e para o aço. ~ Projetou o Hotel Imperial de Tóquio previsto para resistir aos terremotos. Na década de 1920 planejou casas feitas com blocos de concreto aparente. ~ O Museu Guggenheim (Nova Iorque), projeto seu, e foi concluído em 1960; o interior é dominado por suave rampa em espiral que sobe do térreo ao último andar. ~ Em quase 70 anos de carreira, F. L. Wright produziu uma enorme variedade de formas arquitetônicas que vão desde edifícios típicos do séc. XIX até projetos ultra-modernos. Foi também *designer* de móveis e pioneiro da tecnologia moderna na arquitetura comercial. Deixou vasta obra publicada que teve ampla repercussão e tornou seus projetos mundialmente conhecidos.

xadrez. *s. m.* Jogo de raciocínio em que se colocam frente a frente dois jogadores diante de um tabuleiro quadrado dividido em 64 quadrados menores alternadamente claros e escuros. Cada jogador manobra dezesseis peças (um grupo claro, um grupo escuro) quE são um rei, uma rainha, duas torres, dois bispos, dois cavalos e oito peões. ~ Diz a lenda que este jogo, muito antigo, originou-se na região do Ganges (Índia). Difundiu-se pelo mundo asiático, chegando à Europa na Alta Idade Média. ~ As peças dos jogos orientais têm, em geral, formas geométricas e simbólicas enquanto as europeias são mais realistas. Ao lado das peças de madeira (mais comuns), outras de cristal, de prata, de faiança, de metal fundido foram produzidas nos centros onde floresciam estes diversos artesanatos. ~ Depois da abertura do comércio com o Extremo Oriente, a China forneceu abundante material em marfim trabalhado ao gosto europeu; sobressaem as peças que têm na base as célebres bolas concêntricas que só os chineses sabem esculpir. § O xadrez, mais do que qualquer jogo tanto desafia o raciocínio dos jogadores quanto instiga a habilidade e a imaginação de artífices qualificados. – Fr.: *échec*; ingl.: *chess*; alem.: *Schach*.

Jogo de xadrez de marfim e madeira lacada. (China - séc. XIX)

xícara. *s. f.* Pequena tigela hemisférica ou cilíndrica dotada de asa e que pousa sobre um pires, formando conjunto; usa-se para beber líquidos geralmente quentes. ~ As xícaras são feitas preferencialmente de porcelana ou faiança e, não raro, têm perfis e decorações no estilo das outras peças dos serviços de chá ou café (bule, cafeteira, leiteira, açucareiro). ~ Surgiram na Europa ao tempo em que o chá, o café e o chocolate foram incorporados à alimentação (séc. XVII); daí, formatos e dimensões que variam das taças maiores, arredondadas, de outras mais altas, neoclássicas até as canequinhas de café. ~ Não eram conhecidas no Extremo Oriente – na China e no Japão bebe-se o chá em tigelas sem asa não raro com tampa. O feitio das xícaras europeias, entretanto, parece inspirado no das tigelas de porcelana chinesa importadas a partir do séc. XVI. (Em Portugal usa-se de preferência a designação de "chávena"). — Fr.: *tasse*; ingl.: *cup*; alem.: *Tasse*.

Xícara de porcelana com três asas, do tipo trembleuse. Pires de metal.

Xícara e pires de porcelana, com bordas azuis e delicada guarnição floral.
(séc. XIX)

Xícara e pires de porcelana de Meissen com pintura floral e decoração em relevo.

[xícara   xícara]

Xícara e pires de porcelana de Meissen com
forma e decoração neoclássicas.
(Alemanha - c. 1830)

Xícara e pires de porcelana de Moscou decorada
de azul e branco, com bordas em relevo.
(Rússia - séc. XIX)

Xícara e pires de porcelana Worcester, com
medalhões. Feitio e decoração neoclássicos.
(Inglaterra - fim do séc. XVIII)

Xícara de porcelana com prato alongado, com alça.
Decoração à mão com paisagem e figura.
(séc. XIX)

[xícara   xícara]

Xícara de porcelana pintada à mão, chamada
"xícara de bigode" devido a suas bordas de forma
característica.

Xícara com tampa e pires, de prata.
Pegador em relevo.
(França - séc. XIX)

Conjunto de cinco xícaras de café e uma de chá,
de porcelana de Meissen e de Viena. (c. 1830)

xilogravura. *s. f.* Nas artes plásticas, técnica de imprimir uma gravura em relevo usando como matriz a madeira. Para o destaque do desenho básico, desbasta-se o bloco, com instrumentos especiais, nas partes que devem ficar em branco; o traçado em relevo aparece e é coberto por uma tinta própria para impressão. A madeira deve ser dura e uniforme, e pode ser cortada tanto na direção dos veios (*gravura de fio*) quanto no sentido perpendicular às fibras (*gravura de topo*). § A técnica da gravura em madeira já teria sido empregada pelas antigas civilizações para imprimir os selos e, no Oriente, para a estamparia de tecidos. É, também, a mais antiga das artes gráficas de reprodução. Conhecida para esse fim na China e no Japão, foi o meio de expressão das magníficas estampas* japonesas. ~ Na Europa seu desenvolvimento deveu-se ao aparecimento do papel (séc. XIV) e à procura de reproduções de pinturas religiosas. Antes da invenção da imprensa (1554), certos livros chegaram a ser impressos com tipos fixos de madeira (cada bloco correspondia a uma página com texto e ilustrações). ~ Com a difusão da imprensa, a gravura em madeira continuou a ser empregada para as ilustrações (a princípio era linear, depois passou a ser mais detalhada). § Tornou-se modo de expressão artística ainda no séc. XVI, sobretudo na Alemanha (as admiráveis xilogravuras de Albrecht Dürer que ilustram a *Vida da Virgem* e a *Paixão*.). ~ No séc. XVIII, na Inglaterra, são notáveis pelo simbolismo as xilos de William Blake e, no séc. XIX, Gustave Doré, na França, e Adolf Menzel, na Alemanha, elevam a xilogravura a um alto padrão na ilustração de diferentes obras. ~ De todas as técnicas de gravura, a xilogravura é aquela em que o artista mais se submete ao meio de expressão. A madeira, com suas fibras, impõe certos limites e exige conhecimento; como que conduz a mão do artista na criação de suas formas. §§ No Brasil, artistas como Oswaldo Goeldi (1895-1961) e Lasar Segall (1891-1957) imprimiram sobre a madeira cenas expressivas da vida de nossas cidades. [V. gravura. Cf. estampa japonesa.] — Fr.: *gravure en bois*; ingl.: *wood engraving*; alem.: *Holzschneidekunst, Xylographie*.

Y

Yi-Hsing. Cerâmica chinesa da província de Kiagsu, em geral vermelha ou marrom, conhecida na Europa a partir da época Ming (séc. XVI). Algumas formas foram reproduzidas nas manufaturas de Meissen* e de Staffordshire*. [V. Ming e porcelana chinesa de exportação.]

yin-yang. Símbolo chinês expresso por um círculo dividido por uma linha sinuosa em duas metades iguais, em forma de gotas, com uma parte escura (*yin*) e uma clara (*yang*). É expressão do dualismo universal em que forças opostas se complementam: o aspecto luminoso e o obscuro, o feminino e o masculino, o negativo e o positivo. ~ Este símbolo é motivo recorrente na arte do Extremo Oriente.

Yomoud. V. Tapete turcomano.

Yuan. Dinastia mongol que governou a China entre 1260 e 1368. ~ Os artistas chineses, reagindo à dominação estrangeira, voltam-se para modelos de épocas anteriores, com poucas inovações. Destaca-se, porém, nesta fase, a introdução da técnica da porcelana azul e branco*. ~ O imperador Kublai Khan*, dessa dinastia, incentivou o contato com o Ocidente e houve intensa exportação de seda para os europeus. O caminho terrestre percorrido pelas caravanas ficou conhecido como a "rota da seda". [V. China.]

Yung Chen. Porcelana chinesa da dinastia Ch'ing (séc. XVIII) cujas melhores peças são decoradas com esmalte rosa (púrpura de Cassius), de origem europeia, o qual constitui a base do colorido da *Famille rose*. [V. *Famille*.]

zarcão. *s. m.* Pigmento mineral vermelho alaranjado com o qual são feitas tintas protetoras contra ferrugem; mínio. ~ A coloração vermelha usada nas miniaturas medievais era obtida com esse pigmento. [V. miniaturas.]

zebrado. *s. m.* Motivo decorativo formado de listas irregulares brancas e pretas lembrando a pelagem da zebra. [V. motivo ornamental.]

zigue-zague. *s. m.* Ornato contínuo constituído de uma linha quebrada com traços horizontais e traços inclinados formando ângulos que se sucedem alternadamente. [V. ornato.]

zil-i-sultan. Motivo de certos tapetes persas (Qum, Veramin) cujo desenho representa dois vasos superpostos. [V. tapete - tapete persa.]

Zil-i-sultan

zodíaco. *s. m.* Faixa da esfera celeste dentro da qual se situa o movimento aparente do Sol, da Lua e dos planetas em relação à Terra durante um ano. Divide-se em doze seções iguais que constituem os doze *signos*, tendo cada qual seu símbolo: Áries, Touro, Gêmeos, Câncer, Leão, Virgem, Libra, Escorpião, Sagitário, Capricórnio, Aquário e Peixes. A estes signos correspondem doze constelações de estrelas fixas conhecidas pelos astrônomos desde a Antiguidade. ~ O zodíaco e seus astros têm sua significação estudada pela astrologia para a qual cada signo é regido por um planeta. ~ O círculo e a faixa zodiacais são frequentemente representados na arte ocidental e, especialmente na Idade Média, aparecem em portadas e decorações internas. [Cf. China (símbolos e motivos ornamentais).]

zoomórfico. *adj.* Que tem forma de animal. [Cf. antropomórfico.]

Zwiebelmuster. [Alem. 'motivo da cebola'.] Desenho ornamental linear que representa flores, folhas e frutas estilizadas, aplicado em azul nos serviços azul e branco* de porcelana de Meissen. É um desenho floral de origem chinesa, e os europeus o reproduziram, ressaltando uma forma que se assemelha a uma cebola. ~ A manufatura de Meissen produziu tais serviços em grande escala, por serem de menor custo, e o motivo foi, depois, repetido por inúmeras outras manufaturas. [V. Meissen.]

Travessa de porcelana de Meissen azul e branco com decoração de Zwiebelmuster.
(Alemanha - XIX)

Alexandre o Grande (360-323 a.C.). Rei da Macedônia. Submeteu a Grécia, lutou contra os persas e conquistou um grande império – v. **Helenismo** e **Mesopotâmia**.

Altdorfer, Albrecht (c. 1480-1538). Pintor e gravador alemão autor do quadro famoso "A vitória de Alexandre". – v. **prata**.

Ariosto, Ludovico (1474-1533). Poeta italiano autor de "Orlando furioso". – v. **Renascimento**.

Aristóteles (384-332 a.C.). Filósofo grego, autor de tratados de biologia, política e metafísica. Foi o fundador da lógica formal e exerceu grande influência sobre a filosofia e a teologia cristãs na Idade média. – v. **biblioteca**.

Arp, Hans (1887-1966). Pintor e escultor francês, um dos fundadores do Dadaísmo com importantes obras surrealistas e abstratas. – v. **escultura**.

Artur, rei (sécs.V ou VI). Lendário chefe galês ou celta cujas aventuras deram origem aos romances do "Ciclo do rei Artur ou da Távola redonda". – v. **mesa**.

Ashbee, Charles Robert (1863-1942). Arquiteto, *designer* e teórico britânico. Participou do movimento *Arts and Crafts* e do *Jugendstil* de Darmstadt. Foi membro da *Art Worker Guild* apoiando as diferentes áreas de criação artesanal (mobiliário, joias, acessórios de decoração). v. *Art nouveau* e *Secession*.

Beardsley, Audrey (1872-1898). Desenhista e ilustrador britânico de requintada tendência esteticista. – v. *Art nouveau*

Behrens, Peter (1868-1940). Arquiteto e *designer* alemão que tb. exerceu atividade didática, além de se dedicar às artes aplicadas. Em seu ateliê (1910), trabalharam Gropius, Mies e Le Corbusier. – v. *design*.

Bellini, Giovanni (c. 1430-1516). Pintor veneziano que deu um novo sentido à profundidade do espaço, à cor e à luz. – v. **retrato**.

Bernini, Gian Lorenzo (1598-1680). Arquiteto e escultor italiano, mestre na instauração do Barroco monumental e dramático. Concebeu vasta obra de forte impacto emocional e decorativo. – v. **baldaquim, Barroco, escultura** e **estátua**.

Bill, Max (1908-1994). Arquiteto, pintor, escultor, *designer* e artista gráfico suíço. Foi pioneiro da arte concreta (abstração racional) e foi também professor e diretor de Escola de Ulm. – v. **Ulm**.

Black, Misha (1910-1977). Arquiteto e *designer* britânico, professor de desenho industrial (*engeneering*) no Royal College of Arts de Londres, - v. *design*.

Blake, William (1757-1827). Poeta, pintor e gravador britânico cuja obra se caracteriza pela livre criatividade e pelo espírito visionário e inovador. – v. **Simbolismo, Surrealismo** e **xilogravura**.

Boccioni, Umberto (1882-1916). Pintor, escultor e teórico italiano, um dos fundadores do Futurismo. – v. *escultura*.

Boldini, Giovanni (1842-1931). Pintor italiano radicado na França, retratista característico da *Belle Epoque*. – v. *Secession*.

Bologna, Giovanni. – v. *Gianbologna*.

Bonnard, Pierre (1867-1947). Pintor e litógrafo francês. Participou do movimento dos Nabis e da escola Neoimpressionista. Sua obra é lírica, intimista, luminosa. Criou expressivos cartazes na *Belle Epoque*. – v. **cartaz,** *Nabis* e **pastel**.

Borromini, Francesco (1599-1667). Arquiteto italiano, um dos mestres do Barroco cujos conhecimentos técnicos permitiram a ousadia estrutural de suas construções, como a cúpula da catedral de Florença. – v. **Barroco**.

Bosch, Hieronymus (c. 1450 -c. 1516). Pintor nascido nos Países Baixos autor de grandes trípticos: "O jardim das delícias", "A tentação de Santo Antônio", "O carro de feno". Sua obra é marcada por impactantes alegorias religiosas de um estranho simbolismo e excelentes qualidades pictóricas. – v. **Surrealismo**.

Botticelli, Sandro (1445-1510). Pintor italiano da primeira fase do Renascimento, autor do "Nascimento de Vênus", da "Primavera", de diversas madonas, que valorizam, num cenário de delicados detalhes decorativos, a beleza feminina. – v. **pré-rafaelita** e **Renascimento**.

Böttger, Johann Friedrich (1682-1719). Ceramista alemão, o primeiro europeu a utilizar a porcelana de pasta dura. – v. **Meissen**.

Boucher, François (1703-1770). Pintor, desenhista, gravador e ilustrador francês, autor de cenas bucólicas e mitológicas ao gosto do séc. XVIII. Produziu cartões para tapeçaria, desenhos para porcelana e *chinoiseries*. – v. **Beauvais, Gobelins, guache, pastel, Sèvres** e **tapeçaria**.

Bourdelle, Antoine (1861-1929). Escultor francês cuja arte vigorosa é inspirada na mitologia grega. Seus baixos-relevos marcam a escultura francesa do séc. XX. – v. **Art déco**.

Bramante, Donato (1444-1514). Arquiteto italiano, dos primeiros a introduzir na Itália os valores clássicos do Renascimento. – v. **Renascimento**.

Brancusi, André (1896-1966). Escultor francês fundador e defensor do movimento surrealista. – v. **Surrealismo**.

Brito, Francisco Xavier de (?-1751). Escultor e entalhador brasileiro autor de belas talhas para a igreja do Ordem Terceira de S. Francisco da Penitência, no Rio de Janeiro, e para igrejas de Minas Gerais (Ouro Preto, Catas Altas, Caeté). – v. **Barroco brasileiro**.

Bronzino, Agnolo di Cosimo, dito Il. (1503-1572). Pintor italiano que desenvolveu um estilo de retratos de aparato com poses características e colorido brilhante. – v. **Maneirismo**, **retrato** e **tapeçaria**.

Bruegel (o Velho), Pieter (c. 1525-1569). Pintor flamengo cuja obra inclui cenas populares de ousado poder narrativo e grande originalidade. – v. **Expressionismo** e **tabuleiro**.

Bruges, Jean ou Hannequin de (ou Jean Bandol). Pintor flamengo do séc. XIV, autor dos cartões do "Apocalipse de S. João". – v. **tapeçaria**.

Brunelleschi, Filippo (1377-1446). Arquiteto italiano cujos inventos possibilitaram as construções renascentistas de grande ousadia estrutural, como a cúpula da catedral de Florença. – v. **Renascimento**.

Buffon, Georges, conde de (1707-1788). Naturalista francês. – v. **Sèvres**.

Burle-Marx, Roberto (1909-1994). Pintor, *designer* e paisagista brasileiro, também autor de tapeçarias e mosaicos. Realizou, entre outros, o projeto paisagístico de Brasília e a implantação dos jardins do Aterro do Flamengo no Rio de Janeiro. Usou e valorizou a vegetação local. – v. **mosaico** e **paisagismo**.

Burne-Jones, sir Edward (1833-1898). Pintor britânico pré-rafaelita cuja obra influenciou o Simbolismo europeu. Foi ilustrador e autor de vitrais, e participou do movimento renovador das artes decorativas. – v. **Morris**, **pré-rafaelitas**, **Simbolismo** e **Tiffany**.

Bustelli, Franz Anton (1723-1763). Escultor (*Modelmeister*) autor de elegantes estatuetas de porcelana no estilo Rococó. – v. **escultura** e **Nymphenburg**.

Calder, Alexander (1898-1976). Escultor norte-americano que inovou com a criação de esculturas cinéticas das quais as mais notáveis são os móbiles. – v. **escultura** e **móbile**.

Callot, Jacques (1592-1635). Pintor e gravador francês que contribuiu para valorizar e dar autonomia à arte da gravura, inovando tanto na técnica quanto na temática. – v. **água forte** e **gravura**.

Camões, Luís de (c. 1525-1580). Poeta português autor de "Os Lusíadas" – poema épico renascentista –, e de expressiva obra lírica. – v. **Renascimento**.

Canova, Antonio (1757-1822). Escultor italiano, principal representante do Neoclassicismo. – v. **Neoclássico**.

Caravaggio, Michelangelo Merisi, dito Il. (1573-1610). Pintor italiano que usou o claro-escuro dramatizando o realismo em contrastes de luz e sombra. – v. **Barroco** e **claro-escuro**.

Carlos Magno (747-814). Rei dos Francos, imperador do Ocidente que unificou os cristãos da Europa. Sua corte tornou-se importante centro político, administrativo e cultural. Incentivou a arte romântica centralizada nos mosteiros. – v. **marfim**.

Carracci, Agostino (1557-1602). Pintor e desenhista italiano, autor de desenhos, de ornatos e alegorias. Seu irmão Annibale (1560-1609), também pintor e desenhista, fundou em Roma a *Accademia degli Incamminati*. Sua arte evoluiu do Maneirismo para o Barroco. – v. **academismo** e **Barroco**.

Carriera, Rosalva (1675-1757). Pintora e miniaturista italiana do período Rococó. – v. **pastel**.

Carrière, Eugene (1849-1906). Pintor e gravador francês vinculado ao Simbolismo. – v. *sanguínea*.

Cassandre, Adolphe Jean-Marie (1901-1968). Artista plástico francês. Dedicou-se à arte publicitária e é autor de quase uma centena de cartazes. – v. **cartaz**.

Cassat, Mary (1844-1926). Pintora e gravadora norte-americana que viveu em Paris e participou do movimento impressionista. – v. **pastel**.

Cervantes, Miguel de (1547-1616). Escritor espanhol, autor do romance picaresco "Don Quijote de La Mancha" e criador dos personagens D. Quixote e Sancho Pança. – v. **Renascimento**.

Ceschiatti, Alfredo (1918-1989). Escultor brasileiro. Suas figuras, de superfícies lisas e linhas despojadas, revestem-se de dignidade e elegância. – v. **escultura**.

Cézanne, Paul (1839-1906). Importante pintor francês do Pós-impressionismo. Transpôs a sensação visual para uma rigorosa construção plástica. Suas obras e ideias influenciaram diversas correntes artísticas do séc. XX. – v. **Impressionismo**, **natureza-morta** e **Pós-impressionismo**.

Chagall, Marc (1887-1985). Pintor russo radicado na França desde 1922. Sua pintura, onírica e espontânea, é uma explosão de lirismo. – V. **Surrealismo, teto** e **vitral**.

Chardin, Jean-Siméon (1699-1779). Pintor francês autor de cenas de gênero – de tocante intimidade –, e de naturezas-mortas. – v. **Barroco** e **pastel**.

Chéret, Jules (1836-1932). Desenhista e litógrafo francês que produziu os primeiros cartazes coloridos na França (ao todo c. de 1200). – v. **cartaz**.

Christus, Petrus (c. 1420-c.1473). Pintor flamengo introdutor da perspectiva linear nos Países Baixos. – v. **Flamengo**.

Clodion, Claude Michel, dito (1738-1814). Escultor francês. – v. **Sévres**.

Clouet, Jean (?-c.1540). e François (c.1522-1572), pai e filho. Pintores franceses da corte dos Valois, autores de retratos muito expressivos, pintados ou desenhados. – v. **retrato**.

Cocteau, Jean (1889-1963). Escritor francês. Deixou elegantes desenhos e atuou em diversas áreas culturais na França. – v. *Art déco*.

Coello. v. Sanchez Coello, Alonso.

Colbert, Jean-Baptiste (1619-1683). Estadista francês, ministro de Luís XIV. – v. **seda**.

Conceição, Frei Domingos da (c. 1643-1718). Escultor e entalhador português radicado no Rio de Janeiro. – v. **Barroco brasileiro, escultura, imagens sacras brasileiras** e **talha**.

Constable, John (1776-1837). Pintor britânico autor de paisagens a um tempo românticas e realistas que muito influenciaram a pintura oitocentista. – v. **aquarela** e **paisagem**.

Corot, Jean-Baptiste Camille (1796-1875). Pintor francês que, pelo tratamento da luminosidade atmosférica, já prenuncia o Impressionismo.

Corregio, Antonio Allegri, dito (c. 1489-1534). Pintor italiano. Tanto nas cenas religiosas quanto nas mitológicas, ressalta qualidades de vigor, lirismo e criatividade na composição que prenunciam o advento da arte barroca. – v. **Maneirismo**.

Courbet, Gustave (1819-1877). Pintor francês, chefe da escola realista. - v. **Realismo** e **retrato**.

Cranach (o Velho), Lucas (1472-1553). Pintor e gravador alemão. Arrojado e eclético, revela ora religiosidade ("Crucificação"), ora sentimento do mundo (retratos, nus femininos) em obras que surpreendem pela liberdade e pela imaginação. – v. **ex-libris**.

Crane, Walter (1845-1915). ilustrador, pintor e desenhista britânico que participou do movimento *Arts and Crafts*. Colaborou com W. Morris e contribuiu para o crescimento da arte da ilustração. – v. *Art nouveau*.

Cuvilliés, Jean François Vinzent Joseph (1695-1768) Arquiteto e decorador francês radicado na Alemanha. Anão da corte do eleitor da Baviera, foi expoente do estilo Rococó germânico. Suas decorações são brilhantes, movimentadas e assimétricas. Como desenhista de elementos decorativos, deixou valiosas pranchas gravadas. – v. **Rococó**.

Dali, Salvador (1904-1989). Pintor espanhol de grande domínio técnico e imaginação fulgurante. A partir de c. de 1920 abraçou o movimento surrealista do qual foi um dos principais representantes. – v. **Surrealismo**.

Daumier, Honoré (1808-1879). Pintor, caricaturista, litógrafo e escultor francês que satirizou a sociedade e a política de seu país. – v. **Expressionismo** e **litografia**.

David, Jacques-Louis (1748-1825). Pintor e desenhista francês da escola neoclássica. Foi o artista mais importante do período da Revolução francesa e do Império. – v. **Jacob, Neoclássico**, *récamier* e **retrato**.

Day, Robin (1915-1994). *Designer* britânico com atuação especial na área de móveis. Projetou os assentos para o Royal Festival Hall de Londres. – v. *design*.

Debret, Jean-Baptiste (1768-1848). Pintor desenhista e gravador francês de formação neoclássica. Viveu no Brasil entre 1816 e 1931; de volta a Paris, publicou "Viagem histórica e pitoresca ao Brasil", com preciosa documentação iconográfica sobre nosso país. – v. **Missão artística francesa** e **papel de parede**.

Degas, Edgar (1834-1839). Pintor francês, um dos maiores representantes da escola impressionista. v. – **Impressionismo, pastel** e **retrato**.

Delacroix, Eugène (1798-1860). Pintor francês da escola romântica, mestre no uso da cor. v. – **escola, gravura** e **retrato**.

Delaunay, Robert (1885-1941). Pintor francês que participou da vanguarda do início do séc. XX, notável pelo dinamismo cromático. – v. **Abstracionismo**.

Della Francesca, Piero – v. **Piero** Della Francesca.

Della Robia, Luca (c. 1399-1482). Escultor e ceramista italiano, pioneiro do Renascimento florentino. Criou esculturas e baixos-relevos e sua obra teve continuação com seus sobrinhos Andrea e Giovanni. – v. **cerâmica, faiança, madona,** *putto*, **ramagem, Renascimento** e **terracota**.

Delvaux, Paul (1897-1994). Pintor belga cuja obra tem características oníricas e misteriosas. – v. **Surrealismo**.

Di Cavalcanti, Emiliano (1897-1976). Pintor e desenhista brasileiro. Sua obra pictórica faz-se notar pelas cores vivas e pelo grafismo sintético. – v. **Expressionismo, preto** e **Semana de arte moderna**.

Donatello (Donato di Beto Bardi), dito (1386-1466). Escultor italiano, um dos maiores de seu tempo. Já prenuncia a pureza clássica aliada ao espírito religioso. – v. **escultura, estátua Renascimento, retrato,** *stiacciato* e **terracota**.

Doré, Gustave (1832-1883). Pintor e ilustrador francês. Imprimiu a sua extensa obra (a Bíblia, as obras de Dante, Cervantes, Rabelais, Balzac e outros) forte caráter romântico. – v. **ilustração** e **xilogravura**.

Dresser, Christopher (1834-1904). Designer e teórico escocês cuja produção abrangeu a prata, a cerâmica, o vidro, os móveis, além de ferro fundido, tecidos, papéis de parede. O rigor e a simplicidade de seus últimos desenhos já prenunciam a Bauhaus. – v. *Art nouveau*.

Dubuffet, Jean (1901-1985). Pintor escultor e gravador francês integrante de Escola de Paris e inventor do *art brut* (arte tosca).

Dubugras, Victor (1868-1933). Arquiteto francês radicado no Brasil, versátil e competente. Familiarizado com as inovações da arquitetura desvinculada do formalismo acadêmico, e apoiado nas conquistas técnicas, gozou de grande prestígio especialmente em S. Paulo. – v. *Art nouveau*.

Duccio di Buoninsegna (c. 1260-1318). Pintor italiano de tradição ítalo-bizantina, foi fundador da escola de Siena em que já transparece a espiritualidade gótica. – v. **têmpera**.

Duchamp, Marcel (1887-1968). Pintor francês originalmente ligado ao Dadaísmo. Irreverente, propugnou uma revolução na arte – a antiarte. Rompeu com os limites da arte tradicional privilegiando os objetos do dia a dia. – v. **Pop art.**

Dufy, Raoul (1877-1953). Pintor e decorador francês notável pelo traço leve e movimentado e pelo colorido iluminado. – v. **Fauvismo**.

Dunand, Jean (1897-1942). Escultor, desenhista e decorador francês nascido na Suíça. Executou elegantes obras de laca e deixou numerosos trabalhos para decoração de interiorres. – v. **Art déco**.

Dürer, Albrecht (1471-1528). Pintor, desenhista e gravador alemão. Mostrou-se um mestre tanto na gravura em cobre como na xilogravura. Entre suas obras-primas, destaca-se o seu auto-retrato da juventude. – v. **água-forte, aquarela, desenho, Expressionismo, ex-libris, gravura, Limosin, prata, Renascimento, retrato, taça** e **xilogravura**.

Eckhout, Albert (c.1610-c.1665). Pintor e desenhista holandês. Veio para o Brasil com Maurício de Nassau (1636-1644) e representou com fidelidade as pessoas, a flora e a fauna do ambiente tropical. – v. **Gobelins**.

Emendabili, Galileu (1898-1974). Escultor e professor italiano, radicado em S. Paulo. – v. **Liceu de Artes** e **Oficios de S. Paulo**.

Ensor, James (1860-1949). Pintor e gravador belga, com obra muito pessoal e versátil, ora expressionista e grotesca, ora onírica e visionária. – v. **Expressionismo**.

Erasmo de Rotterdam (1466-1536). Humanista e escritor holandês. – v. **Renascimento**.

Ernst, Max (1891-1976). Pintor e escultor nascido na Alemanha e que viveu na França e nos E.U. – v. **assemblage**, **colagem** e **Surrealismo**.

Erté (Roman de Tirtoff), dito (1892-1990). Desenhista de modas, decorador e cenarista nascido na Rússia e radicado na França. Voltado para o requinte e o luxo na moda e no teatro, seus desenhos, muito estilizados, valorizam a figura feminina. – v. **Art déco**.

Falconnet, Etienne (1716-1791). Escultor francês. – v. **Sèvres**.

Feininger, Lyonel (1871-1956). Pintor e professor norte-americano radicado na Alemanha até 1937. Sua pintura, esquematizada e geométrica, é iluminada, fluida e transparente. – v. **Bauhaus**.

Ferrez. Os irmãos franceses Marc (1788-1850) escultor e Zéphyrin (1797-1851) escultor, gravador e medalhista, que se estabeleceram no Brasil onde desfrutaram de merecido prestígio como professores, de início da Escola Real de Artes, e depois da Academia Imperial de Belas-Artes, fundada em 1826. – v. **Missão artística francesa**.

Fídias (c. 490-430 a.C.). Escultor ateniense do apogeu do período clássico. Dirigiu os trabalhos de construção e decoração do Partenon da Acrópole de Atenas. – v. **escola**, **escultura** e **marfim**.

Follot, Paul (1877-1941). Decorador e *designer* francês, criador de produtos de luxo (móveis, tecidos, prataria, cerâmica) num estilo elegante e requintado. – v. *Art déco*.

Fontaine, Pierre-François Leonard (1762-1853). Arquiteto e decorador francês prestigiado por Napoleão Bonaparte e, mais tarde, por Luís XVIII e Luís Filipe. – v. **Império**.

Fra Angelico (Guido di Pietro), dito (c.1400-1455). Pintor italiano, monge dominicano (Fra Giovanni da Fiesole). Foi um dos maiores intérpretes da iconografia cristã cuja obra revela um sereno espírito religioso. – v. **pintura** (p. mural).

Fragonard, Jean-Honoré (1732-1806). Pintor e gravador francês do período Rococó, autor de cenas galantes não raro maliciosas. – v. **leque**.

Francesca – v. **Piero Della Francesca**.

Francisco I (1494-1547). Rei de França, amigo da litertura e das artes, patrocinador do Renascimento francês. – v. **Cellini**, e **mobiliário**.

Freud, Sigmund (1856-1939). Médico austríaco fundador da psicanálise. – v. **Surrealismo**.

Fuller, Loïe (1862-1928). Dançarina norte-americana que usou técnicas inovadoras com jogo de luzes e véus esvoaçantes. – v. *Art nouveau* e **estatueta**.

Gabriel, Jacques-Ange (1698-1782). Arquiteto francês a serviço da corte. Realizou importantes obras em Versailles (Petit Trianon) e em Paris. Ali, no projeto da praça da Concórdia, são patentes suas qualidades de urbanista. - v. **Neoclássico** e **sala**.

Gainsborough, Thomas (1727-1788). Pintor britânico autor de retratos e paisagens. – v. **Georgiano** e **retrato**.

Gauguin, Paul (1848-1903). Pintor francês. De inicio, participou do movimento impressionista, depois reagiu adotando um tratamento pictórico com formas definidas por colorido intenso. Influenciou fortemente a pintura do séc. XX (Fauvismo e Nabis) – v. **Impressionismo**, **Nabis** e **Neoimpressionismo**.

Ghiberti, Lorenzo (1378-1455). Arquiteto, escultor, pintor, ourives de grande importância na arte. – v. **bronze**, **porta** e **Renascimento**.

Giacometti, Alberto (1901-1966). Escultor e pintor suíço. Autor de figuras alongadas e leves de caráter expressionista. – v. **escultura**.

Giambologna ou **Giovanni Bologna** ou **Jean de Boulogne**, dito (1529-1608) Escultor flamengo da escola italiana, radicado em Florença. – v. **bronze**, **escultura** e **Maneirismo**.

Gil Vicente (1465?-1640). Escritor e ourives (?) português, da corte de D. Manuel I. – v. **custódia**.

Giorgi, Bruno (1905-19). Escultor brasileiro com obras importantes como o "Monumento à Juventude" no palácio Gustavo Capanema, no Rio e "Os Guerreiros", em Brasília. - v. **estátua**.

Giorgioni, Giorgio da Castelfranco, dito (c.1477-1510). Pintor veneziano cujos quadros, imersos numa luz difusa de colorido suave, transmitem uma atmosfera de mistério e leveza. – v. **paisagem** e **Simbolismo**.

Giotto (di Bondone), (c. 1266-1337). Pintor italiano considerado o mais importante do *quattrocento,* autor dos afrescos da capela Scrovagni

(Pádua) e cujas inovações na representação do espaço e dos volumes, abriu caminho para a pintura renascentista – v. **afresco, pintura** e **têmpera**.

Girardon, François (1628-1615). Escultor francês que trabalhou em Versalhes sob Luís XIV.

Goeldi, Oswaldo (1895-1961). Desenhista e gravador brasileiro, mestre na arte da xilogravura. Sua obra, de caráter expressionista, é marcada por um clima noturno e visionário. – v. **gravura, ilustração** e **xilogravura**.

Goethe, Johann Wolfgang von (1749-1832). Escritor e poeta alemão cuja vasta obra se inicia como um marco do Romantismo e mais tarde evolui para uma posição de cunho clássico. Seu pensamento, de forte teor humanista, influenciou o pensamento ocidental. – v. **silhueta**.

Gonçalves, Nuno (séc. XV). Pintor português de influência flamenga. A ele, ou a sua escola, atribui-se a autoria do célebre "Políptico de S. Vicente" (c. 1460) – v. **flamengo** e **retrato**.

Gonzáles, Julio (1876-1942). Escultor espanhol que encontrou no ferro seu meio de expressão para obras geométricas, quase abstratas. – v. **escultura**.

Goya y Lucientes, Francisco (1746-1828). Grande mestre da pintura espanhola. De início voltou-se para temas populares, destacou-se como retratista e, no fim da vida, evoluiu para um estilo áspero, severo, visionário. Como gravador, deixou obras de grande importância como "Caprichos" e "Desastres da guerra". – v. **aquatinta, cartão, expressionismo, gravura, Madrid, simbolismo, surrealismo** e **tapeçaria**.

Grandjean de Montigny, Auguste Henri Victor (1776-1850). Arquiteto e professor francês. Veio para o Brasil com a Missão Artística de 1816 e foi o introdutor da arquitetura neoclássica em nosso país. Seus projetos se destacam pela elegância das linhas e pelas proporções. – v. **Missão Artística Francesa** e **Neoclássico**.

Greco, Domenicus Theotokopoulos, dito **El** (1541-1614). Pintor espanhol de origem cretense. Fixou-se na cidade de Toledo e desfrutou de grande prestígio. Seu estilo é muito pessoal, maneirista e expressionista; caracteriza-se pelas figuras marcadamente alongadas e pelo colorido místico, quer em personagens sacros, quer em inúmeros retratos. – v. **Barroco, Maneirismo** e **retrato**.

Gris, Juan (1887-1927). Pintor espanhol radicado em Paris. Como Picasso e Braque, foi um dos expoentes da pintura cubista. – v. **Cubismo**.

Grosz, Georg (1893-1959). Pintor e desenhista alemão naturalizado americano. – v. **Expressionismo**.

Grünewald, Mathias (c.1840-1528). Pintor alemão cuja arte se situa numa linha dramática e mística de grande impacto emocional. É figura ímpar entre os artistas de seu tempo. – v. **Expressionismo**.

Guignard, Alberto da Veiga (1896-1962). Pintor brasileiro em cuja obra sobressaem belas paisagens mineiras de colorido delicado e expressivo, perpassadas de lirismo. – v. **retrato**.

Harunobu, Suzuki (séc. XVIII). Pintor e gravador japonês que estabeleceu a técnica das xilogravuras policrômicas. – v. **Japão** e **Ukyio-e**.

Hals, Frans (c.1580-1666). Pintor holandês. Dono de uma técnica livre e ousada, foi autor de retratos e de cenas de gênero. – v. **Barroco** e **retrato**.

Hilliard, Nicholas (1547-1619). Pintor britânico, grande miniaturista elizabetano. Foi também ourives e joalheiro. - v. **miniatura**.

Hiroshige, Ando (1797-1858). Pintor e gravador japonês cujas paisagens causaram grande impressão nos pintores europeus. – v. **estampa japonesa, Japão** e **Ukyio-e**.

Hishikawa, Moronobu (1618-1694). Pintor e gravador japonês, dos primeiros mestres do Ukyio-e. – v. **Japão**.

Hogarth, William (1697-1764). Pintor e gravador britânico, retratista e autor de importantes séries de gravuras de costumes com agudo senso crítico e caricatural. – v. **Georgiano**.

Hokusai, Katsushika (1760-1849). Pintor e gravador japonês, um dos maiores mestres do Ukyio-e; exímio paisagista. É autor da célebre gravura "A Onda". - v. **estampa japonesa, Japão** e **Ukyio-e**.

Holbein, Hans, dito Holbein o Moço (1497-1543). Pintor alemão que viveu na Suíça e na Inglaterra, célebre pelo realismo de seus quadros. – v. **desenho, ex-líbris, miniatura, prata, Renascimento, retrato, sanguínea, tapete oriental** e **tapete turco**.

Hope, Thomas (1769-1831). Escritor, colecionador e *designer* britânico. Conhecedor de antiguidades egípcias e Greco-romanas, teve importante participação na implantação do Neoclassicismo. – v. **Regency**.

Houdon, Jean-Antoine (1741-1828). Escultor francês autor de diversos bustos entre os quais o de Voltaire. – v. **escultura, Sèvres** e **terracota**.

Huet, Jean-Baptiste (1745-1811). Pintor francês especializado na representação de animais e em cenas campestres e de caça. – v. *toile de Jouy*.

Hunt, William H. (1837-1910). Pintor britânico autor de alegorias, apreciado por John Ruskin; foi precursor da pintura simbolista. – v. **Pré-rafaelitas**.

Ingres, Dominique (1780-1867). Pintor francês. Mestre no desenho, mostrou-se original e independente com relação ao movimento romântico. – v. **retrato**.

Itten, Johannes (1888-1967). Pintor, *designer* e professor suíço vinculado à Bauhaus. Ali, ensinou os fundamentos das cores, das texturas, do movimento. Em 1923, abandonou a linha pragmática da escola e dedicou-se ao ensino livre das artes aplicadas. – v. **Bauhaus**.

Jacobsen, Arne (1902-1971). Arquiteto e *designer* dinamarquês. Realizou notáveis obras de arquitetura no estilo Internacional, dedicando-se também a projetos de ordem industrial. Criou uma linha de cadeiras empilháveis e em 1939 as célebres cadeiras "Ovo" e "Cisne", ambas em fibra de vidro, com elegantes formas curvas. – v. *design*.

Jefferson, Thomas (1743-1826). Estadista norte-americano, um dos autores da Declaração da Independência dos E.U.A. (1876). Teve participação decisiva na introdução do Neoclassicismo em seu país. – v. **Neoclássico**.

Jesus, frei Agostinho de (c. 1600-?). Escultor e pintor brasileiro. Monge beneditino, discípulo de frei Agostinho da Piedade, manifestou, em suas criações, influência barroca. – v. **cerâmica, imagens sacras brasileiras** e **talha**.

Jones, Inigo (1573-1652). Arquiteto britânico. Inspetor das Artes na corte de Jaime I, introduziu na Inglaterra o estilo paladiano. – v. **jacobino** e **Palladio**.

Jordaens, Jacob (1503-2578). Pintor flamengo notável pelo realismo de suas obras. – v. **Barroco**.

Josefina de Beauharnais (1763-1814). Imperatriz dos Franceses. Primeira esposa de Napoleão Bonaparte, repudiada por não lhe dar um herdeiro. – v. **Império** e **rosa**.

Jourdain, Francis (1876-1958). Decorador e *designer* francês, defensor da simplicidade linear: "Pode-se decorar luxuosamente uma sala reduzindo ao mínimo o mobiliário", dizia. – v. *Art déco*.

Juhl, Finn (1912-1989). Arquiteto e *designer* dinamarquês. Imprimiu novas e diferentes formas ao mobiliário de seu país, algumas peças inspiradas nos traços de artistas contemporâneos. Voltou-se, igualmente, para projetos industriais. – v. *design*.

Kandinski, Wassili (1866-1944). Pintor russo radicado na Alemanha, mais tarde naturalizado francês. Em Munique, fundou com outros artistas de vanguarda, o grupo *Der blaue Reiter* (O cavaleiro azul). É reconhecido como fundador e expoente do Abstracionismo. – v. **Abstracionismo** e **Bauhaus**.

Kändler, Johann Joachim (1706-1765). Escultor, importante autor de modelos em porcelana (em al. *Modelmeister*). Contribuiu substancialmente para o sucesso da porcelana de Meissen. – v. **Meissen** e **serviços**.

Keats, John (1795-1891). Poeta britânico, expoente do romantismo na Inglaterra. – v. **urna**.

Kent, William (c. 1685-1748). Arquiteto, decorador e desenhista de móveis britânico, precursor do Neoclassicismo. Participou da renovação urbanística de Londres. – v. **jardim**.

Klee, Paul[1] (1891-1940). Pintor suíço radicado na Alemanha. Ensinou na Bauhaus e participou dos movimentos de vanguarda, sempre com enfoque muito pessoal. Dotadas de grande inventividade, suas obras situam-se num universo simbólico ora feérico, ora humanístico. – v. **Abstracionismo, Bauhaus, guache, pastel** e **Surrealismo**.

Klimt, Gustav (1862-1918). Pintor austríaco, um dos fundadores da *Secession* vienense. De início com postura acadêmica de influência *art nouveau*, volta-se depois para obras ousadas de intenso colorido em que não raro se destaca a figura humana num fundo decorativo ricamente elaborado. – v. *Art nouveau*. **Secession** e **Simbolismo**.

Kokoshka, Oskar (1886-1980). Pintor e escritor austríaco, expoente do movimento expressionista. Suas figuras são psicologicamente interpretadas e as paisagens têm uma visão emocionada da natureza. – v. **Expressionismo**.

Lancret, Nicolas (1690-1743). Pintor francês. Suas cenas refletem uma sociedade requintada. – v. **leque** e **Meissen**.

Lao Tse ou **Lao Tzu** (séc. V a.C.). Filósofo chinês a quem se atribui a origem do Taoísmo. – v. **marfim**.

Latour, Maurice Quentin de (1704-1788). Pintor francês, excelente pastelista, autor de retratos de membros da aristocracia. – v. **pastel**.

Lebreton, Joachim (1760-1819). Cidadão francês ligado à administração bonapartista, chefe da missão artística que levou seu nome. – v. **Missão Artística Francesa**.

Le Brun, Charles (1619-1690). Pintor francês influente na corte de Luís XIV. Orientou a decoração de Versalhes. – v. **Gobelins** e **tapeçaria**.

Léger, Fernand (1881-1955). Pintor francês. Valorizou a qualidade plástica de objetos e maquinaria industrial. Sua linguagem expressa, com enérgico grafismo e cores fortes o dinamismo do séc. XX. Na década de 1920, influenciou artistas brasileiros como Tarsila do Amaral. – v. **Art déco**, **cubismo**, **cerâmica** e **preto**.

Leibl, Wilhelm (1844-1900). Pintor alemão vinculado à escola realista. – v. **retrato**.

Le Nain. Os irmãos Antoine, Louis e Mathieu (séc. XVII). Pintores franceses notáveis por cenas com camponeses, de tocante realismo. – v. **Barroco**.

Leonardo Da Vinci (1452-1519). Pintor, escultor, desenhista, arquiteto e erudito italiano, gênio da Renascença cujo talento marcou a arte e a ciência ocidentais. – v. **madona**, **mão**, **sanguínea**, **Renascimento**, **sépia** e *sfumatto*.

Levi, Rino (1901-1965). Arquiteto brasileiro cujos projetos são representativos da moderna arquitetura do séc. XX. – v. **Bauhaus**.

Lippi, Filippo (c. 1406-1469). Um dos mais importantes pintores da primeira fase da Renascença italiana. – v. **madona**.

Lísipo (c. 390 a.C.- ?). Escultor grego que imprimiu a suas figuras um realismo atlético e viril. – v. **Helenismo**.

Loewy, Raymond (1893-1986). *Designer* nascido na França. Em 1909, projetou e construiu um modelo de aeroplano inspirado no primeiro voo de Santos-Dumont. Participou da I guerra mundial e, em 1919, mudou-se para os Estados Unidos onde exerceu intensa e diversificada atividade profissional. – v. *design*.

Lourenço de Médicis (1449-1492). Mecenas italiano que governou Florença e deu apoio ao ideal humanista do Renascimento. – v. **biblioteca**.

Lorrain, Claude (1600-1682). Pintor e desenhista francês, mestre da paisagem, não raro com temas históricos. – v. **Barroco**.

Lotto, Lorenzo (1480-1556). Pintor italiano autor de retratos e de retábulos. – v. **tapete oriental**.

Magalhães, Aloísio (1927-1982). Nascido em Pernambuco, foi um dos precursores das atividades do *design* no Brasil. Participou da estruturação da primeira escola de nível superior, a ESDI (Escola Superior de Desenho Industrial). Em 1979 criou a Fundação Pró-memória e, como Secretário de Cultura do MEC, obteve, junto à UNESCO, o título de Patrimônio Mundial da Humanidade para as cidades de Olinda e Ouro Preto. – v. *design*.

Magritte, René (1898-1967). Pintor belga surrealista cujo elevado nível técnico permitiu-lhe apresentar, em imagens realistas, uma poética interligação de significados. – v. **Surrealismo**.

Maillol, Aristide (1861-1944). Escultor francês muito importante na arte de vanguarda do séc. XX. – v. **escultura**.

Malfatti, Anita (1889-1984). Pintora brasileira que estudou na Alemanha, na França e nos E.U.A. e voltou marcada pelo Pós-impressionismo e pelo Expressionismo. Provocou intensa reação por desrespeitar os cânones acadêmicos (1917/18), mas logrou influenciar a arte moderna que aqui despontava. – v. **Expressionism**o e **Semana de Arte Moderna**.

Mallarmé, Stéphane (1842-1898). Poeta francês cuja obra, restrita e requintada, exerceu forte influência na literatura do séc. XX. – v. **Simbolismo**.

Manet, Édouard (1832-1883). Pintor francês, o primeiro a se desligar audaciosamente da arte dominante, abrindo caminho para o Impressionismo. Com técnica impecável, foi colorista sensível e suas formas dispensam a modelagem dos volumes. Inaugurou nova interpretação no tratamento do espaço. – v. **Impressionismo**, **preto** e **retrato**.

Mansart, Jules-Hardouin (1646-1708). Arquiteto francês a quem o rei Luís XIV encomendou reformas no palácio de Versalhes, além de importantes obras em Paris (a cúpula da capela dos Inválidos, a praça Vendôme). – v. **Le Nôtre**.

Mantegna, Andréa (1431-1506). Pintor italiano cuja linguagem vigorosa, de plasticidade escultural, marcou, em quadros e afrescos, os artistas do norte da Itália. – v. **Renascimento** e **retrato**.

Maquiavel, Niccolo Machiavelli, dito (1469-1527). Estadista e filósofo italiano cujo Tratado – "O Príncipe" (1532) -, contém agudas observações sobre a arte da política. – v. **Renascimento**.

Marco Polo (1254-1324). Viajante veneziano, primeiro europeu a escrever um relato sobre o Extremo Oriente. – v. **lápis lazúli** e **Konya**.

Marcks, Gehard (1889-1981). Escultor alemão. Foi dos primeiros professores da Bauhaus. – v. **Bauhaus**.

Marquet, Albert (1875-1947). Pintor francês, paisagista sensível de colorismo e formas depuradas. – v. **Fauvismo**.

Masaccio, (Tommaso di Giovanni), dito (1401-1428). Pintor italiano da primeira fase do Renascimento florentino. Valorizou o humanismo, representando o homem com expressão e realismo. – v. **pintura** (p. mural) e **Renascimento**.

Mathsson, Bruno (1907-1988). Arquiteto e *designer* sueco. – v. **cadeira**.

Matisse, Henri (1869-1954). Pintor francês, mestre do Fauvismo, grande desenhista e colorista. É considerado um dos mais notáveis e versáteis artistas do séc. XX, - v. **cerâmica, Fauvismo, natureza-morta, linóleo** e **vitral**.

Memling, Hans (c. 1433-1494). Pintor flamengo que viveu em Brugge, autor de delicadas pinturas religiosas e retratista voltado para o cotidiano. – v. **Flamengo, relicário, retrato** e **tapete oriental**.

Menzel, Adolf von (1818-1905). Pintor e litógrafo alemão, estudioso dos efeitos de luz. – v. **xilogravura**.

Meyer, Adolf (1881-1929). Arquiteto alemão. – v. **Bauhaus**.

Michelangelo Buonarotti (1475-1564). Escultor, pintor e arquiteto italiano de excepcional talento, vigor e personalidade, considerado o mais versátil artista da Renascença italiana (Tb. mencionado como Miguel Ângelo) – v. **afresco, escultura, estátua, Maneirismo, mão, perspectiva, Pietà, pintura** (p. mural), **prata, Renascimento** e **sanguínea**.

Miguel Ângelo – v. **Michelangelo**.

Mignard, Pierre (1610-1695). Pintor francês que retratou Luís XIV e Molière. – v. **tapeçaria**.

Millais, Sir John Everett (1829-1896). Pintor e ilustrador britânico cuja linguagem inicial foi simbolista e antiacadêmica. Depois tornou-se o pintor favorito da época vitoriana. – v. **pré-rafaelitas**.

Mindlin, Henrique (1911-1971). Arquiteto brasileiro que trabalhou em S. Paulo e no Rio. Ligado ao movimento da arquitetura internacional e funcional, foi também professor e divulgador das realizações da arquitetura moderna no Brasil. – v. **Funcionalismo**.

Miró, Joan (1893-1983). Pintor espanhol, mestre da arte abstrata, cuja criatividade e delicado surrealismo, são extremamente pessoais pelo dinamismo, leveza, sensibilidade e senso de humor - v. **Abstracionismo, aquatinta, cerâmica** e **Surrealismo**.

Moholy-Nagy (1895-1946). *Designer* e artista plástico húngaro. Foi professor da Bauhaus (Alemanha) e depois radicou-se nos E.U.A. Ligado ao construtivismo, foi artista polivalente (desenho, fotografia, pintura, colagem, assemblage e cinema). V. **Bauhaus, construtivismo** e **cartaz**.

Moll, Karl (1861-1945). Pintor austríaco que participou do movimento da vanguarda vienense no começo do séc. XX. – v. **Secession**.

Mondrian, Piet (1872-1844). Pintor holandês, expoente da abstração geométrica. De grande rigor formal, usa as cores primárias, mais o branco e o cinza, limitados por traços negros retilíneos e em ângulo reto. – v. **Abstracionismo, De Stiyl** e **Rietveld**.

Monet, Claude (1840-1920). Pintor francês, ícone da escola impressionista. Como paisagista, sua obra é universalmente admirada. Grande colorista, demonstrou especial sensibilidade no tratamento da luz (catedral de Chartres em diferentes horas do dia e as célebres "*Nymphéas*"). – v. **estampa japonesa** e **Impressionismo**.

Montaigne, Michel de (1533-1592). Ensaísta e pensador francês". Humanista, manifesta em seus textos, bastante diversificados, cultura, sabedoria e comunicabilidade, aberto às novas ideias e voltado para a "arte de viver". – v. **Renascimento**.

Moore, Henry (1898-1988). Escultor britânico. Trabalhou com volumes que se distribuem na alternância de espaços cheios, densos e outros vazios, intangíveis. Sua escultura tem formas curvas generosas e envolventes, de grande vitalidade. Moore foi autor de obras monumentais que podem ser admiradas em diferentes partes do mundo. – v. **astecas, esculturas** e **talha**.

Moreau, Gustave (1826-1898). Pintor francês. Grande colorista, sua obra se inspira em temas mitológicos e simbólicos envolvidos num luxo exuberante. – v. **pastel** e **Simbolismo**.

Morisot, Berthe (1841-1895). Pintora francesa que participou com destaque do movimento impressionista. – v. **berço**.

Moro, Mor van der Horst, dito Antonio (1519-1596). Pintor holandês que trabalhou como retratista nas cortes de Espanha e em Portugal. – v. **retrato**.

Moser, Koloman ou Kolo (1868-1918). *Designer*, desenhista e pintor austríaco ativamente ligado ao movimento da *Secession* de Viena. Destacou-se no campo das artes gráficas e decorativas (cartazes, publicações), e voltou-se depois para a pintura e suas figuras têm um tratamento místico, herdeiro do Simbolismo. – v. *Art nouveau*, **Hoffmann**, *Secession* e *Wiener Werkstätte*.

Mucha, Alfonse (1860-1888). Desenhista e pintor tcheco vinculado ao *Art nouveau* francês. Foi autor de muitos cartazes elegantes e decorativos. – v. *Art nouveau*, **cartaz** e *Secession*.

Munch, Edvard (1863-1944). Pintor norueguês. Sua obra se reveste de grande expressividade e força dramática e despertou crescente interesse no correr do séc. XX. – v. **Expressionismo** e **Simbolismo**.

Murillo, Bartolomé (1618-1686). Pintor espanhol autor de obras religiosas de caráter piedoso (especialmente as madonas) e também de cenas de gênero de cunho realista. – v. **Barroco**.

Muthesius, Hermann (1871-1927). Arquiteto alemão, escritor e jornalista. Interessou-se pela renovação estética na Grã-Bretanha (o movimento *Arts and Crafts* e seus participantes), cujas ideias absorveu. Divulgou-as por escrito e, através de intensa atividade profissional, foi eficiente divulgador do *design* na Alemanha. – v. *design*.

Myron (séc. V a.C.). Escultor grego, autor da célebre obra "O discóbolo" – o atleta no ato de lançar o disco. – v. **estátua**.

Nash, John (1732-1835). Arquiteto e urbanista britânico, autor, entre outros projetos, do traçado de Regent Street e do Regent`s Park em Londres. – v. **Regency**.

Nervi, Pier Luigi (1891-1979). Arquiteto e engenheiro italiano. Destacou-se na arquitetura do séc. XX pelo emprego inovador do concreto armado e da estrutura metálica. – v. **Funcionalismo** e **Internacional**.

Nery, Ismael (1900-1974). Pintor e desenhista brasileiro. Ligado às inovações da arte no início do séc. XX, é de seus mais notáveis expoentes entre nós, com obras que, fixadas na figura humana, ora se aproximam do expressionismo, ora do surrealismo em traços enérgicos e cores vibrantes.

Nizzoli, Marcelo (1887-1969). *Designer* italiano cuja obra se caracteriza pela elegância das formas. Participou da estética do *Art déco* e desenhou para diversas empresas industriais entre as quais a Olivetti (máquina de escrever). – v. *design*.

Nolde, Emil (1867-1956). Pintor e gravador alemão, representante do movimento expressionista. Sua arte vigorosa foi considerada "decadente" pelos nazistas. – v. **Expressionismo**.

Noyes, Eliot (1910-1977). Arquiteto e *designer* norte-americano que trabalhou com Behrens e Gropius. Como curador do *Museum of Modern Art* de Nova York, criou um departamento específico de desenho industrial. Ali incentivou novos talentos a inovar no campo do viver contemporâneo. Dedicou-se com sucesso ao *design* para diversas empresas. – v. *design*.

Oliver, Isaac (c.1556-1617). Miniaturista britânico de origem huguenote, patrocinado pela corte inglesa. – v. **miniatura**.

Ostrower, Fayga (1920-2002). Gravadora polonesa radicada no Brasil. Exerceu intensa atividade como artista e como professora.

Oud, Jacobus Johannes (1890-1963). Arquiteto holandês pioneiro da moderna arquitetura do séc. XX que participou do movimento de Stijl. Nesse espírito, trabalhou com linhas horizontais e verticais e planos e volumes contrastantes. – v. **Internacional**.

Oudry, Jean-Baptiste (1686-1755). Pintor e desenhista francês que foi diretor dos ateliês de Beauvais e Gobelins. Excelente animalista, seus cartões são movimentados e detalhados ao gosto barroco. – v. **tapeçaria**.

Pancetti, José (1904-1928). Pintor brasileiro autodidata, desde jovem engajou-se na Força naval brasileira e começou produzindo pequenas marinhas. Reconhecido seu talento, passou a dedicar-se exclusivamente à pintura. Sua obra caracteriza-se pelo colorido requintado e pela economia dos valores pictóricos. – v. **retrato**.

Parmiggianino ou **Parmiggiano** (Girolamo Francesco M. Mazzola) dito o (1503-1540). Pintor e desenhista italiano, um dos mestres do Maneirismo. – v. **retrato**.

Percier, Charles (1764-1838). Arquiteto e decorador que trabalhou em colaboração com Pierre Fontaine, sob Napoleão. Foram mestres do estilo Império e a eles se devem alguns belos monumentos de Paris. – v. **Império**.

Petrarca, Francesco (1304-1374). Poeta e humanista italiano. – v. **Renascimento**.

Picasso, Pablo (1881-1973). Pintor, desenhista, gravador e ceramista espanhol que se radicou na França em 1904. Com genial versatilidade, sua arte teve fases distintas, inovadoras que influenciaram a arte do séc. XX. Merece especial referência sua posição de liderança na implantação do Cubismo. – v. **aquatinta, *Art déco, assemblage*, colagem, Cubismo, desenho, gravura, linóleo** e **retrato**.

Piedade, frei Agostinho da (1510-1661). – v. **imagens sacras brasileiras**.

Piero della Francesca (c.1416-1492). Pintor italiano cuja obra, de grande rigor pictórico, é considerada marcante entre as criações do quatrocento. – v. **perspectiva, pintura** (p. mural), **Renascimento** e **retrato**.

Piranesi, Giovanni Battista (1720-1778). Gravador e arquiteto italiano, autor de numerosas água-fortes representando imagens de arquitetura de grande impacto, algumas têm caráter visionário. Foi dos primeiros artistas neoclássicos. – v. **gravura**.

Pisanello, Antonio Pisano, dito (c. 1395-1455). Pintor italiano que expressou a transição entre o Gótico e o realismo pré-renascentista. – v. **retrato**.

Pissaro, Camille (1830-1903). Pintor nascido nas Antilhas e radicado em Paris. Destacou-se por aplicar a técnica impressionista para valorizar a luz em suas paisagens e cenas campestres. – v. **Impressionismo**.

Plutarco (c. 50 d.C.-120). Escritor grego autor de vasta obra em que se destacam as "Vidas paralelas". Retratou a Grécia de seu tempo e influenciou o estudo da História no Ocidente. – v. **Grécia**.

Poiret, Paul (1879-1944). Costureiro e decorador de fértil criatividade. Nas primeiras décadas do séc. XX mudou o conceito da moda feminina e aboliu o uso do espartilho. – v. *Art déco*.

Pollock, Jackson (1912-1056). Pintor norte-americano. Em obras de grandes dimensões, valoriza o automatismo no ato de pintar (pintura gestual). É expoente do expressionismo abstrato. – v. **Abstracionismo**.

Pompadour, Jeanne Augustine Poisson, marquesa de (1725-1764). Favorita de rei Luis XV, participou da vida pública da França. Amava o luxo e teve desempenho destacado no mundo artístico e intelectual. – v. **causeuse, Luis XV** e **Sèvres**.

Pompeia, Raul (1863-1895). Escritor e desenhista, autor do romance "O Ateneu". Participou do movimento abolicionista. – v. **ilustração**.

Portinari, Cândido (1903-1952). Pintor brasileiro cuja vasta obra a abrange diferentes tendências do Modernismo no séc. XX. Depois de 1930, realizou importantes trabalhos para o governo, em que sobressaem os murais sobre temas brasileiros. – v. **afresco, azulejo, contraplacado, expressionismo, ilustração** e **mão**.

Pradiez, Charles Simon (1783-1847). Artista plástico, gravador de medalhas francês que integrou a missão Lebreton. – v. **Missão Artística Francesa**.

Praxiteles (séc. IV a.C.). Escultor grego cujas figuras se destacam pelas curvas elegantes e pela precisão dos movimentos. Influenciou os artistas da época helenística. – v. **escultura, estátua, Helenismo** e **Tanagra**.

Puvis de Chavannes (1874-1898). Pintor francês vinculado ao movimento simbolista. Autor de murais de sóbrio classicismo. – v. ***Secession*** e **Simbolismo**.

Rabelais, François (1494-1558). Escritor francês, típico humanista do Renascimento. Suas obras maiores tratam dos heróis picarescos Gargantua e Pantagruel de modo livre e pitoresco. – v. **Renascimento**.

Rafael, Raphaello Sanzio, dito (1483-1520). Pintor italiano cuja obra reúne a elegância clássica e a acuidade do desenho; o colorido é delicado, a composição harmoniosa e ampla, a figura humana expressiva e realista. São célebres as suas madonas. Trabalhou para o Vaticano dando tratamento elevado a assuntos bíblicos. – v. **afresco, grotesco, madona, pintura** (p. mural), **pré-rafaelitas, Renascimento, sanguínea** e **tapeçaria**.

Redon, Odilon (1840-1816). Pintor, desenhista e gravador francês cuja arte assume aspectos místicos de requintado colorido. V. **pastel**.

Redouté, Pierre-Joseph (1759-1840). Aquarelista e gravador belga. Em Paris, especializou-se em gravuras de plantas, de preferência flores. – v. **rosa**.

Rego Monteiro, Vicente (1889-1970). Pintor, escultor e desenhista brasileiro. Viveu na França antes da 1ª Guerra Mundial; participou do *Salon des Indépendants* (1913) e manteve contato com os artistas de vanguarda que viviam em Paris. No Brasil, juntou-se ao grupo modernista e se interessou pela arte indígena especialmente a marajoara. Sua pintura revela economia de traços e colorido neutro; as figuras, geometricamente delineadas, são severas e hieráticas. Participou de inúmeros e diversificados projetos no âmbito das artes plásticas. – v. **Semana de Arte Moderna**.

Reidy, Afonso Eduardo (1909-1964). Arquiteto e professor brasileiro, foi um dos jovens que formaram o grupo de vanguarda conhecido como "escola carioca" (de arquitetura). São de sua autoria os projetos do Museu de Arte Moderna e do Conjunto Habitacional do Pedregulho, ambos no Rio de Janeiro. Fez parte da equipe que projetou a sede do Ministério da Educação e Saúde (fins da década de 1930), na mesma cidade, onde participou ainda do projeto do Aterro do Flamengo com Lota Macedo Soares e, mais tarde, Burle Marx. – v. **Funcionalismo**.

Reis católicos. Designação do casal de reis da Espanha – Isabel de Castela (1451-1504) e Fernando de Aragão (1452-1516), de cujo casamento resultou o primeiro passo para a unificação do país. Em seu reinado foi descoberta a América (1492).

Rembrandt van Rijn (1606-1669). Pintor e gravador holandês. Profundo conhecedor da alma humana, seus retratos são de rara expressividade. Foi mestre na ciência e na aplicação do claro-escuro tanto nos quadros como nas gravuras. – v. **água-forte, Barroco, claro-escuro, desenho, gravura, ponta-seca** e **retrato**.

Renoir, Auguste (1841-1919). Pintor francês. Um dos grandes mestres do Impressionismo. Deu especial destaque à figura humana e a cenas da vida urbana de sua época. – v. **Impressionismo** e **retrato**.

Reynolds, Sir Joshua (1723-1792). Pintor britânico de grande prestígio na Inglaterra georgiana. Sua obra reveste-se de um aspecto convencional ao retratar a classe dominante. – v. **Georgismo** e **retrato**.

Ribera, José de (1591-1652). Pintor e gravador espanhol cuja se prende à técnica de Caravaggio. – v. **Barroco**.

Riemenschneider, Tilman (c.1460-1531). Escultor alemão do final do Gótico. São notáveis seus trabalhos em madeira, de um realismo dramático. – v. **Renascimento e talha**.

Roberto, Marcelo (1908-1964). Arquiteto brasileiro, participante do grupo de jovens arquitetos conhecido como "escola carioca". Com os irmãos Milton e Maurício constituiu a firma M.M.M. Roberto. Os irmãos Roberto realizaram a primeira construção de grande porte da arquitetura moderna brasileira, o prédio da Associação Brasileira de Imprensa – a ABI -, no Rio de Janeiro. – v. **Funcionalismo**.

Rodin, Auguste (1840-1917). Escultor francês. Com trabalhos vigorosos e inovadores de grande força realista, foi um dos maiores artistas do séc. XX e um marco na escultura ocidental. – v. **escultura, estátua** e *Secession*.

Roller, Alfred (1864-1935). Pintor e desenhista austríaco de recursos polivalentes. Participou da renovação das artes gráficas, foi diretor da Ópera de Viena e revolucionou a técnica dos cenários teatrais. Foi fundador e dirigente da *Secession* vienense. – v. *Secession*.

Romney, George (1754-1802). Pintor britânico. Nos meios aristocráticos, foi retratista de prestígio, com sua figuras elegantes e alongadas, desprovidas de qualquer interpretação psicológica. – v. **Georgiano** e **retrato**.

Rossetti, Dante Gabriel (1828-1882). Pintor inglês. Pertencente a uma família de artistas, foi fundador da irmandade dos pré-rafaelitas. – v. **Morris, pré-rafaelitas** e **Simbolismo**.

Rouault, Georges (1871-1958). Pintor francês caracterizado pelo traço expressivo e pelo intenso colorismo. Usou o preto para delinear suas figuras, à maneira dos vitrais. – v. **aquatinta, Expressionismo, guache** e **preto**.

Rubliov, Andrei (1370-1430). Pintor russo de formação bizantina, famoso autor de ícones cujas figuras são essencialmente desligadas dos valores terrenos. – v. **ícone**.

Rubens, Petrus Paulus (1577-1640). Pintor e diplomata flamengo, chefe de importante escola que desfrutou de grande prestígio. Exímio colorista, seu traço é enérgico e sensual. – v. **Barroco, Jacobino, Luís XIII, prata, retrato, sanguínea** e **tapeçaria**.

Rude, François (1784-1855). Escultor francês de estilo emotivo e dinâmico. – v. **escultura**.

Rugendas, Johann Moritz (1802-1858). Pintor e desenhista alemão. Percorreu o Brasil com a expedição científica de Langsdorff (1821-1829), dela se desligando para viajar por conta própria. Registrou paisagens e tipos (incluindo negros e indígenas) além de cenas de costumes. – v **papel de parede**.

Ruisdael, Jacob van (1628-1682). Pintor holandês, paisagista que mescla lirismo e visão dramática, e como que antecipa o romantismo. – v. **Barroco**.

Ruskin, John (1819-1900). Crítico e historiador de arte britânico que exerceu grande influência nos conceitos da arte ocidental. Enalteceu a Idade média e a arquitetura gótica, e foi inspirador do movimento pré-rafaelita. – v. *Art nouveau*, **Mackmurdo, Morris, pré-rafaelitas** e **Vitoriano**.

Sanchez Coello, Alonso (c. 1635-1693). Pintor espanhol da corte de Felipe II, cuja obra se enquadra no estilo maneirista. – v. **retrato**.

Sargent, John Singer (1856-1925). Pintor britânico da virada do séc. XIX e princípios do séc. XX, muito requisitado pela aristocracia. Seus retratos e cenas são de rara elegância e fino trato pictórico. – v. *Secession*.

Scarpa, Carol (1908-1968). Arquiteto e *designer* italiano. Desenhou peças de vidro para Murano, e dedicou-se a projetos para exposições e museus. Seus móveis são austeros, retilíneos e elegantes. – v. *design*.

Schiele, Egon (1890-1918). Pintor austríaco. Sua arte leva aos limites a crueza e a liberdade expressionistas em interpretações que revelam, nas posições e nas cores agressivas, a dramaticidade de seu espírito. – v. **Expressionismo**.

Schlemmer, Oskar (1888-1943). Pintor e escultor alemão. Abordou o cubismo e voltou-se para arrojadas concepções de forma e composição. Foi professor na Bauhaus onde exerceu sensível influência. Sua obra foi vista como "degenerada" pelo regime nazista. – v. **Bauhaus**.

Scopas (séc. IV a.C.). Escultor grego representativo da arte helenística. – v. **Helenismo**.

Segal, George (1924-2000). Pintor e escultor norte-americano. Embora participante do movimento Pop, a sensibilidade e as intenções do artista apontam interesse pelos seres humanos como se vê nas originais esculturas em gesso. – v. **escultura**.

Segall, Lasar (1881-1957). Pintor, gravador, desenhista e escultor nascido na Lituânia e radicado no Brasil desde 1923. Na Europa ligou-se ao movimento expressionista e, nesta linha, iria adotar temática e colorido característicos da nova terra. – v. **Expressionismo, ilustração, Semana de Arte Moderna** e **xilogravura**.

Segantini, Giovanni (1858-1899). Pintor italiano representativo do Simbolismo e do Neo-impressionismo. – v. *Secession*.

Serpa, Ivan (1923-1973). Pintor, gravador, desenhista e professor. Lecionou em cursos para crianças e adultos e sua influência foi considerável na formação de diversos artistas. – v. **Abstracionismo**.

Severo Ricardo (1869-1940). Arquiteto português. Em sua terra inicia movimento de resgate da genuína arquitetura portuguesa, opondo-se ao gosto vigente no séc. XIX. Muda-se para o Brasil (S. Paulo) onde divulga sua ideias e desempenha grande atividade profissional. Lança o movimento Neocolonial com projetos de linhas e volumes sóbrios e harmoniosos. – v. **Neocolonial**.

Seurat, Georges (1859-1891). Pintor e desenhista criador da técnica pontilhista. Seus quadros têm uma luminosidade vibrante. – v. **Neo-impressionismo**.

Shakespeare, William (1564-1616). Dramaturgo inglês da era elizabetana, expoente do teatro e da literatura ocidentais. – v. **Renascimento**.

Signac, Paul (1863-1935). Pintor francês. Aplicou a técnica pontilhista em seus óleos e aquarelas. – v. **Neoimpressionismo**.

Sisley, Alfred (1839-1899). Pintor britânico. Suas luminosas paisagens estão vinculadas à escola impressionista. – v. **Impressionismo**.

Sluter, Claus (c. 1340-1405). Escultor holandês radicado na corte da Borgonha. Suas obras são realistas com forte carga dramática. – v. **estátua**.

Solario, Andréa (?). Pintor italiano em atividade entre 1490 e 1520. – v. **tapete oriental**.

Steinlein, Théophile Alexandre (1859-1823). Desenhista, gravador e pintor francês que apresenta com dramaticidade e compaixão a vida das pessoas do povo. – v. **cartaz**.

Sue, Louis (1875-1938). *Designer* francês de grande atuação no período *déco*. Sintonizado com a arte de vanguarda, opôs-se ao *Art nouveau* francês e tomou parte na Exposição de artes decorativas de Paris (1925). – v. *Art Déco* e **Cubismo**.

Suger (1081-1150). Monge francês da abadia de Saint-Denis (Paris) a quem se atribuem as primeiras incursões no estilo gótico. – v. **Gótico** e **Românico**.

Sullivan, Louis (1856-1924). Arquiteto norte-americano considerado um dos precursores da moderna arquitetura, em especial no que diz respeito à construção e à estética dos arranha-céus. – v. **Funcionalismo**.

Sunsho, Katsukawa (1726-1792). Pintor e gravador japonês. Viveu em Edo e sabe-se que criou uma escola formadora de muitos artistas. – v. **Ukyio-e**.

Tarsila do Amaral (1886-1973). Pintora brasileira que iniciou os estudos em São Paulo e viveu em Paris nos anos 20, o que marcou definitivamente sua formação. No Brasil, participou do movimento modernista e integrou o Grupo dos Cinco com Anita Malfatti, Mário de Andrade, Oswald de Andrade e Menotti Del Picchia. Sua pintura é livre, de colorido pujante, e voltada para as velhas cidades, a natureza brasileira, o homem do povo. É a fase "Pau Brasil"; na mesma linha, ela adere ao movimento antropofágico. – v. **Semana de Arte Moderna**.

Tasso, Torquato (1544-1595). Poeta italiano, autor de "Jerusalém libertada". – v. **Renascimento**.

Taunay, Nicolas-Antoine (1755-1830) e Auguste (1768-1824), irmãos franceses, respectivamente pintor e escultor. A família deixou raízes no Brasil, por sua obra e descendência. – v. **Missão Artística Francesa**.

Thorvaldsen, Bertel (1770-1844). Escultor dinamarquês, um dos mestres do Neoclassicismo. – v. **Copenhague** e **Neoclássico**.

Ticiano (Tiziano Vecellio), dito (1488-1576). Pintor da Renascença italiana, da escola veneziana, que exerceu grande influência na arte europeia de seu tempo. Senhor de técnica inovadora, foi importante retratista e autor de telas famosas sobre temas mitológicos e bíblicos. – v. **Renascimento** e **retrato**.

Tiepolo, Giovanni Battista (1696-1570). Pintor e gravador italiano. Autor de afrescos decorativos de grandes dimensões, em tetos movimentados, iluminados por uma paleta clara. – v. **pintura** (p. mural) e **teto**.

Tintoretto (Iacopo Robusti), dito (1518-1594). Pintor italiano, da escola veneziana, de grande inventividade. Dedicou-se à pintura religiosa com ardor e comunicabilidade, usando seu virtuosismo na composição e na iluminação. – v. **Maneirismo** e **retrato**.

Toulouse-Lautrec, Henri de (1864-1901). Pintor e desenhista francês. Interpretou cenas da vida boêmia de Paris na *Belle Époque*, com traços característicos do *Art nouveau*. Foi um dos criadores da arte dos cartazes. – v. *Art nouveau*, **cartaz**, **litografia** e **pastel**.

Tudor. Dinastia de origem galesa que, entre 1485 e 1603, ocupou por cinco vezes o trono da Inglaterra. Nessa época de grandes mudanças no modo de vida europeu, implantou-se o estilo Tudor com influência tardia do Renascimento. As fachadas têm decoração específica e surgem nos palácios britânicos os grandes *halls* muito característicos. – v. *hall* e **mobiliário**.

Turner, William (1775-1851). Pintor britânico especialista em paisagens nas quais adota um estilo visionário, surpreendente, em formas difusas e misteriosas cuja luz vibra na atmosfera. – v. **aquarela**, **desenho** e **paisagem**.

Utamaro (1753-1806). Pintor e gravador japonês, dos maiores mestres na arte da estampa. É célebre pela elegância e sensualidade das figuras femininas. – v. **Ukiyo-e**.

Van der Weyden, Roger (1400-1464). Pintor flamengo que, junto com Van Eyck assumiu a renovação da pintura no norte da Europa. – v. **Flamengo**.

Van Dyck ou van Dijck, Anton, ou sir Anthony (1549-1641). Pintor flamengo. Por seu estilo, tipicamente barroco, desfrutou de prestígio junto à aristocracia especialmente na corte inglesa. Virtuoso na arte do retrato, foi autor da representação, em corpo inteiro do elegante e infeliz rei Carlos I. – v. **Barroco, Jacobino** e **retrato**.

Van Eick, Jan (c.1290-1441). Pintor flamengo a serviço dos duques de Borgonha e que foi, como Van der Weyden, inovador da pintura do séc. XV. Ainda trabalhou com o gótico ornamental, mas com novos recursos técnicos (introduziu a pintura a óleo). Seus quadros impressionam pelo realismo. Muito requisitado, afirmou sua fama ao realizar o célebre retábulo do "Cordeiro místico", em Gand (Bélgica). – v. **espelho, Flamengo, óleo, Renascimento, retrato** e **tapete oriental**.

Van Gogh, Vincent (1853-1890). Pintor holandês. De talento excepcional, foi muito adiantado para seu tempo, buscando se expressar por meio de intensa vibração cromática. Inquieto e angustiado, não conheceu o sucesso em vida. Este veio mais tarde em unânime consagração. – v. **amarelo, Expressionismo, Impressionismo, Pós-impressionismo** e **retrato**.

Vasarely, Victor (1908-1997). Pintor e pesquisador francês de origem húngara considerado o papa da **Op-art**. Sua trajetória, a partir do geométrico abstrato, é um constante progresso através da arte cinética e outras pesquisas. Trabalhou em preto e branco e em cores vivas, sempre no sentido de realizar um *"perpetuum mobile* em *trompe l'oiel"*. – v. *Op-art* e **serigrafia**.

Vasco, as irmãs Ana da Cunha Vasco (1881-1938) e Maria da Cunha Vasco (1879-1968) Aquarelistas brasileiras, amadoras de talento cuja obra, esp. paisagens do Rio, foi recuperada para o público no séc. XX. – v. **aquarela**.

Velazquez, Diego (1599-1660). Pintor espanhol da corte de Filipe IV. Grande colorista, retratou reis, nobres, anões, infantes e infantas. Optou por esquemas de composição muito originais no domínio da luz e da disposição do espaço. – v. **Barroco, espelho** e **retrato**.

Vermeer, Johannes (1632-1675). Pintor holandês, dos mais notáveis do séc. XVII. Sua obra é reduzida e de qualidade excepcional (cenas de interior, retratos e uma célebre paisagem: "Vista de Delft"). Com técnica esmerada, revela imagens de introspecção e intimidade. – v. **Barroco, renda** e **tapete oriental**.

Veronese, Paolo (1528-1588). Pintor italiano da escola veneziana. Executou grandes composições com múltiplos personagens vigorosos e belos. Suas obras são dinâmicas e harmoniosas, vinculadas à arquitetura; por isto, soube tão bem lidar com a técnica do *trompe l`oeil*. Sua paleta é clara e dinâmica e os temas, não raro, tratam de assuntos bíblicos ou alegóricos. – v. **escola, pintura** (p. mural), **teto** e *trompe l`oeil*.

Verrocchio, Andréa (1435-1488). Escultor, pintor e ourives italiano. Seu ateliê em Florença foi frequentado por Leonardo da Vinci. – v. **Renascimento, retrato** e **terracota**.

Vinci, Leonardo da – v. **Leonardo da Vinci**.

Viollet-Le-Duc, Eugène (1814-1879). Arquiteto francês defensor do Renascimento gótico. Restaurou diversos monumentos medievais, inclusive a catedral de Notre-Dame de Paris. Embora bom profissional, tomou liberdades que nem sempre receberam aprovação unânime. – v. **Neogótico** e **simetria**.

Vitruvio, Marcus Vitruvius, dito (séc. I d.C.). Arquiteto romano autor de um tratado em que fala de urbanismo, materiais, finalidade das edificações na antiguidade clássica, com destaque na descrição das ordens arquitetônicas. Foi autoridade consultada por arquitetos do Renascimento, do Barroco e do Neoclássico. – v. **ordem** e **Palladio**.

Vlaminck, Maurice (1876-1958). Pintor francês, paisagista que pertenceu ao grupo dos Fauves. – v. **Fauvismo**.

Voysey, Charles Francis Annesley (1857-1941). Arquiteto e *designer* britânico que exerceu influência sobre o nascente *Art nouveau*. Seu traçado é simples e elegante. – v. **Van de Velde**.

Vuillard, Édouard (1868-1940). Pintor francês. Pertenceu ao grupo dos Nabis e sua pintura, de colorido vivo, é marcada por profusos e vibrandes detalhes decorativos. – v. **Nabis** e **pastel**.

Victoria, rainha (1819-1901). Rainha da Grã-Bretanha e Irlanda e imperatriz das Índias. Foi casada com príncipe alemão Alberto de Saxe Coburgo-Gotha e em seu reinado firmou-se o poder do Império britânico. Imprimiu à corte um estilo severo e moralista, e seu longo reinado ficou conhecido como "era vitoriana". – v. **mobiliário** e **Vitoriano**.

Warchavchik, Gregori (1896-1975). Arquiteto brasileiro nascido em Odessa (Rússia). Chegou ao Brasil em 1923; estabeleceu-se em S. Paulo quando ali se implantava o movimento modernista a cujo grupo se uniu. Grande divulgador da arquitetura moderna e das ideias de Le Corbusier. Foi o primeiro a realizar uma residência nesse espírito (naturalmente com decoração *déco*) e teve sucesso, apesar da resistência dos meios conservadores. Mais tarde, mudou-se para o Rio, capital federal, a convite de Lúcio Costa. – v. **Art déco**.

Watteau, Antoine (1684-1721). Pintor francês, desenhista e colorista requintado. Rompeu com a pintura tradicional e seu traço independente registrou tipos do teatro popular e cenas em que ressurge o tema da *fêtes galantes* (festas galantes) – v. **leque**, **Meissen**, **pierrô**, **Régence** e **sanguínea**.

Webb, Phillip (1831-1915). Arquiteto e *designer* britânico. Foi pioneiro no planejamento de interiores e de fachadas inovadoras (a "Red house" de W. Morris); seus projetos já apontam para a arquitetura do séc. XX. – v. **Morris**, **William**.

Weingartner, Pedro (1858-1929). Pintor brasileiro. Teve sua iniciação artística na Alemanha e em Paris. Artista conservador, revela precisão realista no desenho e na descrição do colorido. Tanto realizou grandes telas quanto miniaturas detalhadas. – v. **Belle époque**.

Whistler, James Abbott McNeil (1834-1903). Pintor e gravador norte-americano radicado na Europa (Paris, Londres). Afinado com os pintores franceses não acadêmicos e entusiasta das estampas japonesas, desenvolveu uma arte requintada com sofisticados retratos de corpo inteiro, paisagem noturnas, marinhas. – v. *Art nouveau*, **retrato** e **Secession**.

Wirkkala, Tapio (1915-1985). *Designer*, escultor e artista gráfico finlandês. Artista versátil com raízes na própria experiência artesanal e na tradição do *design* finlandês, dedicou-se ao desenho industrial e suas concepções arrojadas aparecem em marcas como a porcelana Rosenthal e a manufatura Christofle (talheres, baixelas). – v. **design**.

Wren, sir Christopher (1612-1723). Arquiteto, astrônomo e matemático britânico de grande prestígio em seu tempo. Projetou diversas igrejas em Londres, inclusive a catedral de Saint Paul, além de edifícios seculares. – v. **Barroco**.

Zurbarán, Francisco de (1598-1664). Pintor espanhol dedicado à arte religiosa e prestigiado pelo movimento da contrarreforma. Seus santos revelam um misticismo estático grandioso, com domínio das cores e do claro-escuro. – v. **Barroco**.

A

Aalto, Alvar
aba
ábaco
abajur
abelha
abóbada
abrash
abstracionismo
abstrato
acabamento
acadêmico
academismo
acaju
acanto
acessório
acharoado
aclive
aço
aço inoxidável
acrílico
açucareiro
acústica
Adam
Adam, Robert
adega
adobe
aduela
afastamento
Afghan
afresco
ágata
ágate
aglomerado
água
aguada
água forte
água-furtada
águia
alabastro
albarello
Alcobaça
Alcora
alcova
aldrava
alegoria
Aleijadinho
alfaia
algodão
alizar
almofada[1]
almofada[2]
almofadado
almofariz
alpendre
alto-relevo
Alt Wien
alumínio
alvenaria
amarelo
amarração
âmbar
ambiente
âmbula
ampulheta
amuleto
andiroba
ânfora
angelim-rajado
angico-vermelho
anjo
anodizado
antefixo
anthémion
Antiguidade[1]
antiguidade[2]
antimônio
antiquário
antique finished
antropomórfico
anunciação
apainelamento
aparador
aparelhado
aparelho[1]
aparelho[2]
aparente
aplique
aquamanile
aquarela
aquatinta
arabesco
aramado
arandela
arca
arca-banco
arcada
arcaz
arco
arcobotante
arco-cruzeiro
ardósia
área
arenito
aresta
argamassa
argila
argola
Arita
Arlequim
armário
armas
armoriado
aro
arqueta
arquibanco
arquitrave
Arraiolos
Art Déco
arte popular
arte religiosa
artesanato
artesão[1]
artesão[2]
artes aplicadas
artesoado
Art Nouveau
Arts and Crafts Movement
árvore da vida
asa perdida
assemblage
assento
assimetria
assoalho
astecas
atril
Aubusson
austríaco
autenticação
avental
aventurina
azul
azul e branco
azulejo

B

babado
Baccarat
bacia
baixela
baixo-esmalte
baixo-relevo
Bakhtiyar
balaio
balança
balanço
balangandã
balaustrada
balaústre
balcão
baldaquim
balde de gelo
baldrame
bambinela
bambu
banca
bancada[1]
bancada[2]
bancal
banco
bandeira
bandeja
bandô
banheiro
banqueta
banzo
bar
barbotina
barômetro
Barroco
Barroco brasileiro
basculante
basse-taille
batente
batik
baú
Bauhaus
Beau Brummel
Beauvais
beiral
belchior
beliche
Belle Époque
Beluche
Béranger
berço
bergère
Berlin
Bertoia, Harry
bibelô
biblioteca
bicha
bico de jaca
bico de pena
Biedermeier
bilha
bilharda
bilro
biombo
bisagra
biscoiteira
biscuit
bisel
bisotê
Bizâncio
black-a-moor
blanc de chine
bobeche
Boêmia
boiserie
bolacha
bomba
bombê
Bom Pastor
bonbonnière
boneca
bone china
bonheur-du-jour
bonzai
Borcialu
bordado
borla
borne
borrão
boteh
boudoir
Boulle, André-Charles
bow window
braçadeira
braço
branco
brasão
braseiro
brasonado
braúna
Breuer, Marcel
brim
brise-bise
brise-soleil
brita
brocado
bronze
Bruxelas
buclê
Buen Retiro
bufê
bufete
bugia

Nominata

Bukhara
bule
bureau
burgandina
burgau
buril
burilada
busto
butler's tray
butterfly table

C 61

cabaret
cabeceira
cabide
cabinet
cabinetmaker
cabochom
cabra
cabriola
cabriole leg
caçamba
cachaço
cachepô
cachorro
cadeira
cadeiral
cadogan
caduceu
cafeteira
caibro
caixa
caixa-banco
caixilho
caixotão
cake-stand
cal
Caldas da Rainha
caldeira de água-benta
cálice
calvário
cama
camafeu
camaïeu
camilha
cana-da-índia
canapé
canastra
cancelo
candeeiro
candeia
candelabro
canéfora
canela
canelura
cânhamo
canjica
cantaria
cântaro
canterbury
cantilever
cantoneira
cão de chaminé
capela
capela-mor

capitel
capitonê
Capodimonte
caramanchão
cardo
cariátide
carpete
carranca
cartão
cartaz
carteira
cartela
cártula
carvalho
carvão
cassone
castanho
caster
castiçal
catre
caulim
causeuse
cavalete
cavilha
caviúna
caxemira
cebola
céladon
Cellini, Benevenuto
centro de mesa
cerâmica
cerâmica portuguesa
cerejeira
cerimônia do chá
ceroferário
cesta
cestaria
cetim
chafariz
chaise longue
chamalote
champlevé
chanfrado
cha-no-yu
chapisco
charão
charneira
chave
Chelsea
chesterfield
chevron
chiffonnier
chiffonnière
chifre
ch'i-lin
China
Ch'ing
chinoiserie
chintz
Chippendale
Chippendale, Thomas
Chiraz
Chirvan
chocolateira

Christofle
Churrigueresco
ciano
cibório
cigarreira
cimalha
cimento
cinzeiro
cinzel
cinzelado
circulação
cire-perdue
cisne
claraboia
claro-escuro
classicismo
clássico
cloisonné
cobogó
cobre
cobrinha
coco
colagem
colcha
coleção
colher
Colombina
Colonial brasileiro
coluna
Commedia dell'arte
cômoda
cômoda-papeleira
Companhia das Índias
compensado
composê
compósito
compoteira
concha
concreto
concretismo
confident
connaisseur
consolo
construtivismo
contador
contraplacado
contraste
conversadeira
convite
copa
Copeland, William
Copenhague
cópia
copo
cor
coração
corda
Coreia
coríntio
cornija
cornucópia
coroa
Coromandel
corrimão

cortiça
cortina
couro
covilhete
cozinha
craquelê
cratera
creamware
credência
cremeira
crescente
criado-mudo
crisântemo
criselefantino
cristal
cristal de rocha
cristaleira
crochê
croisé
cromagem
crucifixo
cruz
cruzeiro
cubismo
cuenca
cuerda seca
cuia
cumeeira
cupboard
cupido
cúpula
curva e contracurva
custódia
cut-card
cutelaria
cut glass
Cuvilliés, François
cuzquenho

D 119

dadaísmo
daguerreótipo
damasco
damasquinado
Daum
davenport
decadente
decalcomania
decanter
decapê
declive
découpage
defumador
degradê
degrau
delavê
Delft
delineavit
demão
demolição
denteado
dentes
deque
Derby
desbaste

descanso
desenho
desenho industrial
design
desnível
desserte
desvão
detalhe
Deutscheblumen
dez dinheiros
diagonal
diâmetro
diletante
dimensão
dinanderia
dinheiro
dintel
díptico
Diretório
distribuição interna
divã
Divino
divisória
dobradiça
doce de leite
Doccia
Dom João V
Dom João VI
Dom José I
Dona Maria I
donzela
dórico
dossel
double face
Doulton
douração
dragão
drapeado
Dresden
dresser
drop leaf table
drum table
duchesse
dumb waiter
Duncan Phyfe
dunquerque

137 e

Eames, Charles
Early American
earthenware
ebanista
ebanistaria
ébano
ecletismo
écran
Egito
elemento vazado
Elkington
embutido
empena
Empire
emposta
encadernação
encaixe

encarnação
encasque
encáustica
encosto
engobo
ensaiador
ensamblamento
entablamento
entalhe
entrelaçado
enxó
épergne
ergonomia
escabelo
escada
escadaria
escala
Escandinávia
escaninho
escano
escantilhado
escápula
escaravelho
escarradeira
escola
escopro
escrínio
escritório
escrivaninha
escudete
escudo
escultura
esfera armilar
esfinge
esgrafito
esmalte[1]
esmalte[2]
esmalte[3]
esmeril
espaço
espagnolette
espaldar
espátula
espelho[1]
espelho[2]
espelho[3]
espevitadeira
espevitador
espiral
espreguiçadeira
esquadria
esquentador
estado
estala
estampa
estampa japonesa
estampado
estamparia[1]
estamparia[2]
estanho
estante
estátua
estatueta
esteira

estela
estética
estilo
estofamento
estojo
estore
estrela
estribo
estudo
estufa
estuque
étagère
étui
ex-libris
expertise
expressionismo
exterior
Extremo Oriente
ex-voto

165 f

Fabergé, Peter Carl
faca
fachada
facistol
faia
faiança
faldistório
falsificação
famille
faqueiro
farinheira
fauteuil
fauvismo
faux bois
faux marbre
Favrile glass
fechadura
fecho
fecit
Federal
feixe
feltro
fênix
Feraghan
ferragem
ferro
festão
fetiche
fibra
figa
figulina
figura humana
figurativo
filé
filete
filigrana
fio de cabelo
fita
flamengo
flor
florão
flor de lis
Floreal
floreira

flown blue
flûte
Fô
folha
folha de flandres
folhagem
folheado
folheamento
fonte
formalismo
formão
fórmica
forração
forro[1]
forro[2]
fotografia
franja
Frankenthal
frechal
freijó
friso
frontal
frontalidade
frontão
fruteira
fumê
funcional
funcionalismo
Fürstenberg
fusain
fuste
futurismo

183 g

galão
galera
galeria[1]
galeria[2]
galheta
galheteiro
Gallé, Émile
Gallia
galo
galvanoplastia
gamela
gancho
garfo
gárgula
garniture de cheminée
garra
garrafa
Garrard, Robert
gate leg table
Gaudí, Antoni
gaveta
gazebo
gelosia
genuflexório
georgiano
Germain, Thomas
gesso
Ghiordes
Ghoravan
glaze
glíptica

gobelin
Gobelins
goiva
goivado
golfinho
gomil
gomo
gonçalo-alves
gôndola
gongo
gonzo
gorgorão
gota
Gótico
grade
gradeado
grafismo
gral
grandfather clock
granido
granidor
granito[1]
granito[2]
gravata
gravura[1]
gravura[2]
Grécia
greco-romano
grega
grelô
grés
grifo
grisalha
Gropius, Walter
grotesco
guache
guampa
guarda-comida
guarda-fogo
guarda-louça
guarda-roupa
guéridon
guilhochê
guillochis
Guimard, Hector
guirlanda
gul

Habaner
hachura
Hadchlu
Hafner
hall
hall-mark
Hamadan
Han
harpia
Hausmaler
Haviland
Helenismo
Henri II
Hepplewhite
Hepplewhite, George
heráldica

Herat
herati
Hereké
Herend
Heriz
hieratismo
highboy
high-tech
hissope
historiado
historicismo
Höchst
Hoffmann, Josef
holandês
Hope, Thomas
Horta, Victor

ícone
iconografia
Idade Média
Idade Moderna
idealismo
igaçaba
I.H.S.
ikebana
ilharga
iluminação[1]
iluminação[2]
iluminura
ilustração
imagem
imagens sacras brasileiras
Imari
imbuia
imitação
Império
impressionismo
incas
incensório
incrustação
Índia
Indianischeblumen
indiscret
indo-português
ingênuo
inro
intaglio
intarsia
Internacional
Irlanda
Isfahan
Islã
Ispahan

jacarandá
Jacob, Georges
Jacob-Desmalter, François Honoré
jacobino
Jacob Petit
jacquard
Jacobsen, Arn
jade
janela
Japão

199 **H**

205 *i*

219 **J**

japonaiserie
jardim
jardim de inverno
jardineira
jarra
jarrão
jarro
jaspe
jasperware
Jensen, Georg
jequitibá
jirau
joanino
joelheira
joelho
Jones, Inigo
jônico
Jugendstil
junco
junta
juta

kakemono
Kakiemon
Kamakura
K'ang-hsi
Karabagh
Karadagh
Karadjah
Karaman
Kashan
Kashgai
Kashgar
kashmir
Kauffmann, Angelica
Kazak
Kent, William
Kenzan[1]
kenzan[2]
kharsiang
Khorasan
kilim
Kirman
kitsch
Klint, Kaare
Knole
Knoll Associates
Konya
Kosta
Koum
KPM
kylin

lã
laca
lacado
lacagem
laçaria
laço
ladder-back chair
ladrilho
laje
lajota
Lalique, René

231 k

237 *L*

lambrequim
lambri
Lamerie, Paul de
laminado
lâmpada
lampadário
lamparina
lampião
lanceolado
lanterna[1]
lanterna[2]
lapidação
lapinha
lápis-lazúli
laqueado
laranja
lareira
latão
latticework
latticino
Laubisch Hirth
lavanda
lavatório
Leandro Martins
leão
leão de Fo
Le Corbusier
legumeira
leilão
leiteira
leito
leitoril
Leleu, Jean-François
Le Nôtre, André
leopardo
leque[1]
leque[2]
Liberty
Liberty, Sir Arthur
Liceu de Artes e Ofícios de São Paulo
liço
licoreiro
liga
Limoges
Limosin, Léonard
linho
linóleo
lintel
lira
lit à la duchesse
lit à la turque
lit de repos
lit en bateau
litografia
Loetz
Loos, Adolf
lótus
louça
louro[1]
louro[2]
love seat
lowboy
lucarna
Luís XIII

Luís XIV
Luís XV
Luís XVI
Luís Filipe
luminária
luneta
Lurçat, Jean
luster
lustre
luzerna

M 265

macaco
maçaneta
maçaranduba
Macau
Mackintosh, Charles Rennie
Macmurdo, Arthur Heygate
macramê
madeira
madona
madras
madrepérola
Madrid
magenta
mainel
maiólica
majolica
majólica
Majorelle, Louis
malacacheta
Málaga
malaquita
mancebo
mandarim
mandorla
maneira-negra
Maneirismo
manga
mansarda
Manuelino
mão
mão-francesa
marajoara
marcassita
marcenaria
marchand
marchetaria
marco
marfim
margarida
marinha
mármore
marquesa
marquise[1]
marquise[2]
marreco
marroquim
Marseille
Mary Gregory
máscara
mascarão
matelassê
Mazlaghan
medalhão
mediterrâneo
Medusa
meia-água
meia-cana
Meissen
Meissonier, Juste-Aurèle
Mennecy
menuisier
méridienne
mesa
mesa-ninho
mesinha
Mesopotâmia
metal
métope
mezanino
mezzo-tinto
mica
Mies van der Rohe, Ludwig
mihrab
Milão
Milchglas
millefiori
mille fleurs
mina-khani
Ming
miniatura[1]
miniatura[2]
mínio
Minton
Missão Artística Francesa
mísula
móbile
mobiliário
moçárabe
mocho
modelado
modelagem
modernismo
Modern style
modilhão
modulado
módulo
mogno
moiré
moldagem
moldura
molheira
mono
monocromo
monograma
montante
monteith
morcego
mordente
moringa
Morris, William
mosaico
motivo ornamental
Mourisco
Moustiers
móvel
mudéjar
mural

Murano
muxarabi

N 303

N
nabis
nácar
Nacional-Português
naïf
náilon
Na'in
Nancy
Nankim
nanquim
Napoleão III
Nápoles
Nara
natividade
natureza-morta
naveta
nécessaire
Neoclassicismo
Neoclássico
Neocolonial
Neogótico
neoimpressionismo
Neorrenascentismo
Neorrococó
netsuke
Nevers
nicho
niello
nó
nogueira
normando
Nossa Senhora
Nürnberg
Nymphenburg

O 309

objets de vertu
ocelado
ocelo
octógono
óculo
Odiot, Jean-Baptiste
Oeben, Jean-François
ogiva
ogival
oitão
olaria
old English
óleo
olho
olho de boi
olho de perdiz
oliveira
ondas
ônix
onze dinheiros
opala
opalina
op art
opus anglicanum
oratório
ordem

Oriente-Ocidente
ormolu
ornato
Orrefors
osso
ostensório
otomana
Oushak
ourivesaria
ouro
ouroborus
ouropel
oval
óvalo
overlay

P 321

pagode
painel
paisagem
paisagismo
Paisley
palha
palhinha
Palissy, Bernard
paliteiro
Palladio, Andrea
palma
palmatória
palmeta
panô
panóplia
pantalha
Pantocrátor
papel de parede
papeleira
papier mâché
papiro
paquife
paramento
parapeito
parchemin plissé
parede
Parian ware
Paris
parquê
parra
passadeira
passamanaria
passe-partout
passo
pasta dura
pasta mole
pastel
pastiche
pastilha
patchwork
pâte de ris
pâte de verre
pâte dure
patena
pâte sur pâte
pâte tendre
pátina
pátio

pato
pau a pique
paulistinha
pau-marfim
pau-rosa
pau-santo
pau-violeta
pavão
pavimento
pé
peanha
pé de cabra
pé de cachimbo
pé de moleque
pé de palito
pedestal
pé-direito
pedra
pedra de lioz
pedra-sabão
peitoril
peixe
Pennsylvania Dutch
penteadeira
peônia
perfumeiro
pergaminho
peristilo
perna
pérolas
Pérsia
persiana
perspectiva
peso de papel
petit point
petuntse
pewter
Phyfe, Duncan
Pi
pia
pichel
pichorra
piecrust
Pierrô
Pietà
pietra dura
pilar
pilastra
pilgrim's bottle
Pillement, Jean-Baptiste
pilotis
pináculo
pinha
pinho
pinho-de-riga
pintura¹
pintura²
pinxit
pirogravura
piso
píxide
plafonnier
planta¹
planta²

plástico
Plateresco
platibanda
plinto
pochoir
pó de pedra
policromia
políptico
polonais
poltrona
pomba
pombalino
pombinhos
pompeiano
poncheira
ponta de diamante
ponta-seca
pontel
pontilhismo
ponto brasileiro
pop art
porcelana
porcelana chinesa de exportação
porcelana da Cia das Índias
porcelana de Paris
pórfiro
porringer
porta
porta-bibelôs
porta-cartas
porta-cartões
porta-chapéus
porta-copos
portada
porta-guarda-chuvas
porta-guardanapos
porta-janela
porta-joias
portal
porta-missal
porta-paz
porta-relógio
porta-retrato
porta-toalha
pós-impressionismo
pós-modernismo
poster
pote de farmácia
potiche
prata
prata inglesa
prata portuguesa e brasileira
prateação
prateiro
prato
predela
pregaria
preguiceiro
pré-rafaelitas
présentoir
presépio
preto
primitivo
prova-vinho

provençal
prumada
psichê
púcaro
pufe
punção
putto
quadrifólio
quadro
quartetto
quartinha
quarto
quartzo
quattrocento
quebra-luz
Queen Anne
querubim
quilt
quimera
Qum
rabo de andorinha
ráfia
rafraichissoir
Rainha Ana
raios
raku
ramagem
ramalhete
rami
ramo
rampa
Rato
rat-tail
rattan
realismo
reboco
récamier
réchaud
rede
redoma
Régence
Regency
relicário
relógio
Renascença
Renascentismo
Renascimento
renda
rendilhado
reposteiro
repoussé
repuxado
reserva
resplendor
restauração
Restauration
Restoration
retábulo
retrato
Revere, Paul
revestimento
Revolução Industrial

365 Q

367 R

Riesener, Jean-Henri
Rietveld, Gerrit T.
roca¹
roca²
Rocalha
rock garden
Rococó
roda de oleiro
rolo de fumo
Roma
romã
Românico
romantismo
Römer
ronde-bosse
rosa
rosácea
rótula
Rouen
roxo
Ruhlmann, Jacques-Émile
running dog
S
Saarinen, Eero
sabot
sabre
sacada
sacra
saia¹
saia²
saia e camisa
saial
Saint-Cloud
Saint-Louis
sala
saleiro
salgueiro
saltglaze
salva
Samarkand
sambladura
samovar
sanca
sândalo
sanefa
sangue de boi
sanguínea
santo
santo de pau oco
santo de roca
sapata¹
sapata²
sarcófago
sardônica
Sarreguemines
sátiro
Satsuma
saupoudreuse
Savonarola
Savonnerie
Saxe
Sceaux
Schneider

389 S

Secession
secretária
seda
selo
Semana de Arte Moderna
semainier
Senneh
sépia
serigrafia
serpente
serpentina
serralheria
serre-livres
serviço de chá
serviço de copos
serviço de escritório
serviço de jantar ou de mesa
serviço de lavatório
serviço de toalete
serviços
serviteur fidèle
serviteur muet
settee
Sèvres
sfumato
Sheffield plate
Sheraton
Sheraton, Thomas
ship's decanter
Shiraz
Shirvan
Shou
sideboard
side table
silent butler
silhouette
silkscreen
simbolismo
símbolo
simetria
sinais de Cristo
sinete
singerie
Sivas
slop bowl
Smyrna
sobrado
soco
sofá
sofa-table
sol
sola
solitaire
sopeira
Soumak
Spode
spot
Staffordshire
Stam, Mart
Steuben
stiacciato
Stijl, de
stoneware
strapwork

Strasbourg
suástica
sucupira
sulfure
Sung
suporte
suporte para livros
surrealismo

tabaqueira
tabela
Tabriz
tábua corrida
tabuleiro
taça
tacheado
tachismo
taco
tafetá
taipa
Talavera de la Reina
talha
talha em Portugal e no Brasil
talher
talho-doce
talismã
tallboy
tamborete
Tanagra
T'ang
tankard
tantalus
tapeçaria
tapete
tapete oriental
tartaruga
tatami
tâte-vin
tazza
Tchi-Tchi
tea-ball
tea caddy
tea kettle
tea maker
teapoy
tea table
tea urn
teca
tecelagem
Tê-hua
Tekké
telha
telhado
têmpera
Tenreiro
terraço
terracota
terrina
tesoura¹
tesoura²
testeira
tête à tête
teto
Thonet

415 *T*

Thonet, Michael
Tiffany, Louis Comfort
tigela de pingos
tijolo
tímpano
tinteiro
tip-top table
Toby Jug
tocheiro
toile de jouy
toko-no-ma
torçal
torneado
torno
torso
toucador
trabalhos de agulha
trama
tramela
trapeira
travessa
travesseiro chinês
treliça
trembleuse
tremido
tremó
trifólio
triglifo
trilobado
tripé
tríptico
troféu
trompe-l'oeil
tulipa
tulipière
turíbulo
Turquestão
Turquia

Ukiyo-e
Ulm
unha
unicórnio
urdidura
urna
Ushak

Valencia
Fonseca Valentim e Silva, Mestre
Val Saint-Lambert
Van de Velde, Henri
varanda
vargueño
vaso
vasque
veilleuse
velino
veludo
Veneza
veneziana
ventarola
verde
verdure
vermeil

461 *U*

464 *V*

vermelho
vermiculado
vernis Martin
verniz
Verre Français, Le
verrière
vestíbulo
vide-poches
vidraça
vidro
Viena
Vieux Paris
viga
vime
Vincennes
vinhático
Virgem Maria
Visconti, Eliseu
Vista Alegre
Vitoriano
vitral
vitrine
voile
voluta
voyeuse

Wagner, Otto
Waldglas
Walter, Amalric
warming pan
Wedgwood
whatnot
Wiener Werkstätte
William and Mary
willow pattern
windsor chair
wine coaster
wine cooler
wine label
wing chair
W.M.F.
Worcester
Wright, Frank Lloyd

481 *W*

xadrez
xícara
xilogravura

485 *X*

Yi-Hsing
yin-yang
Yomoud
Yuan
Yung Cheng

490 *y*

zarcão
zebrado
zigue-zague
zil-i-sultan
zodíaco
zoomórfico
Zwiebelmuster

491 *Z*

Almeida Santos, José. Manual do colecionador brasileiro. São Paulo: Livraria Martins Editora S.A., 1950.

Andrade, Rodrigo Melo Franco de (org.) et alii. As artes plásticas no Brasil (vol.I). Rio de Janeiro: Companhia de Seguro e Capitalização do Grupo Sul América e Banco Hipotecário, 1952.

Argan, Giulio Carlo. *Arte moderna - do Iluminismo aos movimentos contemporâneos.* São Paulo: Companhia das Letras, 1991.

Arnau,Frank. *El arte de falsificar el arte.* Barcelona - Mexico: Editorial Noguer S.A., l961.

Aronson, Joseph. *The Book of Furniture and Decoration: Period and Modern.* New York: Crown Publishers, 1941.

Artesanato brasileiro. Rio de Janeiro: Edição Funarte, 1978.

Arwas, Victor. *Lalique.* London: Academy Editions, l980.

Ávila, Affonso. et alii. Barroco mineiro - Glossário de arquitetura e ornamentação. [s.l.] Co-edição Fundação João Pinheiro, Fundação Roberto Marinho e Companhia Editora Nacional, [s.d.].

Axel, Jan e **Mc Cready**, Karen. *Porcelain - Traditions of New Visions.* New York: Watson-Cutpill Publications, 1981.

Banister, Judith. *English Silver.* London, New York, Sydney, Toronto: Paul Hamlyn, l969.

Baptista de Oliveira, Fernando. *História e técnica dos tapetes de Arraiolos.* Lisboa: Fundação Calouste Gulbenkian, l973.

Bardi, P. M. *Arte da prata no Brasil* - Arte e cultura II. São Paulo: Banco Sudameris Brasil, 1979.

____.*Arte da cerâmica no Brasil* - Arte e cultura III. São Paulo: Banco Sudameris Brasil, 1980.

____.*Mestres, artífices, oficiais e aprendizes no Brasil* - Arte e cultura IV. São Paulo: Banco Sudameris Brasil, 1981.

Bastian, Jacques. *La faïence et la porcelaine de Strasbourg.* Rennes: Ouest-France, 1982.

Battersby, Martin. *Art Nouveau.* Rio de Janeiro: Ao Livro Técnico S.A., 1969

Bayer, Patricia. *Art Déco Source Book.* New Jersey: The Wellfleet Press, 1988.

Câmara Cascudo, Luís da. Dicionário do Folclore Brasileiro (2 vol.). Rio de Janeiro: Enciclopédia Brasileira - Biblioteca de obras subsidiárias - Instituto Nacional do Livro - Ministério da Educação e Cultura, 1962.

Campbell, Joseph. *O Poder do Mito.* São Paulo: Associação Palas Athena, 1991.

Candilis, G. *et alii. Muebles Thonet.* Barcelona: Editorial Gustavo Gili, S.A., 1981.

Canti, Tilde. *O móvel no Brasil - Origens, evolução e características.* Rio de Janeiro: C.G.P.M., 1985.

____.*O móvel do século XIX no Brasil.* Rio de Janeiro: C.G.P.M., 1988

Carvalho Machado, Paulo Affonso. *Antigüidades brasileiras.* Rio de Janeiro: José Álvaro Editor, 1965.

Castedo, Leopoldo. A History of Latin American Art and Architecture - From pre-columbian times to the present. New York,Washigton: Frederick A. Praeger Publishers, 1969.

Cavalcanti, Carlos. *Como entender a pintura moderna.* Rio de Janeiro: Ed. Civilização Brasileira S.A., 1963.

Chevalier, Jean e **Gheerbrandt**, Alain - *Dictionnaire des symboles.* Paris: Robert Laffont - Jupiter, 1982.

Clark, Kenneth. *Civilização.* Martins Fontes Ed.- Universidade de Brasília, 1980., H. et **Follot**, C. *Histoire du papier peint en France.* Paris: 1935.

Coats, Peter. *Roses.* London: Octopus Books, 1973.

Corona & **Lemos**. *Dicionário de arquitetura brasileira.* São Paulo: Edart, Livraria Edit. Ltda.,1972.

Costa, Lucio. "Documentação necessaria" - in *Revista do Patrimonio Historico e Artistico Nacional.* Rio de Janeiro: Ministerio da Educação e Saude, 1937.

____. "Notas sobre a Evolução do Mobiliario Luso-Brasileiro". - in *Revista do Serviço do Patrimonio Historico e Artistico Nacional* - nº 3. Rio de Janeiro: Ministerio da Educação e Saude, 1939.

Culme, John e **Strang**, John G. *Silver Collecttions.* London, New York, Sydney, Toronto: Hamlyn, [s.d.].

Curtis, Tony. *Furniture 1650-1800 - Antique and their Value.* Glenmayne, Scotland: Lyle Publications, 1981.

____. *Furniture l800-1950 - Antique and their Value.* Glenmayne, Scotland: Lyle Publications, 1981.

Clouzot, H. et Follot. C. *Historie du papier paint en France.* Paris, 1935.

Dampierre, Florence de. *The Decorator.* New York: International Publications Inc., 1989.

Davis, Frank. *et alii. The Pictorial Encyclopedia of Antiques.* London, New York, Sydney, Toronto: [s.d.].

Design método e industrialismo. Mostra Internacional de Design - Centro Cultural Banco do Brasil (Rio de Janeiro), Centro Cultural São Paulo (São Paulo), 1998.

Devèche, André. *Les styles anglais* (2 vol.) - Col. La grammaire des styles. Paris: Librairie Ernest Flammarion, 1947.

Dictionnaire du vin. Bordeaux: Féret e Fils, 1962.

Dreyfus, Jenny. *Artes menores.* São Paulo: Editores Anhembi S.A., 1950.

____. *Louça da Aristocracia no Brasil.* Rio de Janeiro: Monteiro Soares Editores e Livreiros, 1982.

Dousy, Michel. *Guide des secrets de l'antiquaire.* [s.l.]: Stock, 1971.

Ducher, Robert. *Caractéristiques des styles.* Paris: Flammarion, 1944.

Duncan, Alastair. *Luminaire Art Nouveau Art Déco.* Fribourg: Office du Livre, 1980.

Ennès, Pierre. *La verrerie ancienne.* Rennes: Ouest France, 1982.

Erlande, Alain. *La dame à la licorne.* Paris: Éditions de la Réunion des Musées Nationaux, l978.

Etzel, Eduardo. *Imagens religiosas de São Paulo - Apreciação histórica.* São Paulo: Edições Melhoramentos, Editora da Universidade de São Paulo, 1971.

Exhibition of Victorian and Edwardian Decorative Arts. London: Victoria and Albert Museum, l952.

Faure, Élie. *Histoire de l'Art - L'Esprit des Formes.* Paris: Les Éditions Grès & Cie., 1927.

Ficher, Sylvia e **Acavara**,Marlene Milan. *Arquitetura moderna brasileira.* São Paulo: Projeto, 1982.

Fleming, John e **Honour**,Hugh. *The Penguin Dictionary of Decorative Arts.* Harmondsworth: Penguin Books - l979.

Formenton, Fabio. *Le livre du tapis.* [s.l.] Edit. des Deux Coqs d'Or, 1971

Fourest, Henry-Pierre. *La céramique* - Collection Métiers d'Art. Saint-Mandé: Éditons de La Tourelle, 1948.

Franceschi, Humberto. *O ofício da prata no Brasil.* Rio de Janeiro: Studio H.M.F., l988.

Frota, Lélia Coelho. *Tiradentes - Retrato de uma cidade.* Rio de Janeiro: Campos Gerais-Fundação Rodrigo Mello Franco de Andrade, 1993.

Fry, Plantagenet Somerset. *The World of Antiquee.* London: Hamlyn, 1972.

Gans-Ruedin, E. *Connaissance du Tapis.* Fribourg: Office du Livre, 1974.

Garner, Philippe. *The World of Edwardiana.* London, New York, Sydney, Toronto: Hamlyn, 1974.

Ghabib, Georges. *Os Ícones de Cristo - História e Culto.* São Paulo: Paulus, 1977.

Giacometti, Jeanne. *La céramique* (3 vol.) - Les arts décoratifs. Paris: Flammarion, 1935.

Giedion, S. *Arquitectura e Comunidade.* Lisboa: LBL Enciclopédia - Livros do Brasil, 1955.

Gombrich, E.H. *História da Arte.* São Paulo: Círculo do Livro, 1977.

Gomes, Geraldo. "Artistic Intentions in Iron Architecture" - in *The Journal of Decorative and Propaganda Arts* nº21 (Brazil Theme Issue). Miami: The Wolfson Foundation of Decorative and Propaganda Arts, Inc., 1995.

Griffin Lewis, G. *The Practical Book of Oriental Rugs.* Philadelphia, London: J.B. Lipponcott Company, l920.

Grover, Ray Lee. *Art Nouveau Glass.* Rutland, Vermont, Tokyo: Charles E. Tuttle Company, 1967.

Guimbaud, Louis. *La tapisserie de haute et basse lisse.* Paris: Flammarion, 1928.

Hayot, Monelle. "Le marché d'art - L' Empire: les grandes collections font monter la cote." - in *L' Oeil* nº275, juin, 1978.

Herberts, Dr. Kurt. *Les instruments de la création - Outils et techniques des maîtres.* Paris: Hachette, 1961.

Hiesinger, Kathryn Bloom. *Die Meister des Münchener Jugendstils.* Münchener Staatsmuseum, Juni/August. München: Prestel-Verlag, 1989.

Hughes, G. Bernard. *Collector' s Pocket Book.* London: Country Life Ltd., 1967.

Hughes, Therle . *Antiques - illustrated A to Z.* London: Mac Gibbon & Kee, [s. d.]

Ibarra Grasso, D.E. *America en la prehistoria mundial.* Buenos Aires: Tipografia Editora Argentina, 1982.

Jallut, M. *Histoire des styles décoratifs* - Collection pratique de poche. Paris: Librairie Larousse, 1966.

Janneau, Guillaume. *Le luminaire* - Les arts décoratifs. Paris: Flammarion, 1934.

____ . *Dictionnaire des styles.* Paris: Larousse, l966.

____ . *Les meubles* (3 vol.) - Les arts décoratifs. Paris: Flammarion, 1929.

____ . *Les sièges* (2 vol.) - Les Arts décoratifs. Paris: Flammarion,1928.

Jervis, Simon. *The Penguin Dictionary of Design and Designers.* London: Penguin Books, l984.

Joppert, Ricardo. *O alicerce cultural da China.* Rio de Janeiro: Ed. Avenir, 1978.

____ . *Lastro de Arte Oriental na Cultura baiana.* Salvador: Fundação Carlos Costa Pinto, 1997

____ . "O mundo chinês - O mundo indiano - O mundo japonês - Budismo" - in *Oposição complementar Arte Oriental.* Rio de Janeiro: Coleção Castro Maya, 1997.

Knoff, Udo. *Azulejos da Bahia.* Rio de Janeiro: Livraria Kosmos Editora Ltda. - Salvador: Fundação Cultural do Estado da Bahia, 1980.

La mode du châle de cachemire en France. (catálogo)- Musée de la Mode et du Costume. Paris, 1982.

Lambert, Rosemary - *A arte do século XX* - História da arte da Universidade de Cambridge. São Paulo: Círculo do Livro, [s.d.]

Lane, Richard. *Maestros de la estampa japonesa - Su mundo y su obra.* Méjico: Editorial Herrero S.A., [s.d.]

Lathan, Jan. *Art Nouveau - Arts and Crafts - Modern Style - Secession.* Paris: Academy Editions, 1980.

Letts, Rosa Maria. *O Renascimento* -História da Arte da Universidade de Cambridge. São Paulo: Círculo do Livro, [s. d.]

Lise, Prof. Giorgio. *How to recognise Egyptian Art.* [s.

l.]: Macdonald, 1978.

Lichtenfeld, Frederick. *How to collect Old Furniture*. [s. l.]: George Bell & Sons, 1906

Lucie-Smith, Edward. *Symbolist Art*. London: Thames and Hudson Ltd., [s.d.]

Mc Corquodale, Charles. *History of the Interior*. New York, Paris: The Vendôme Press, 1983.

Mang, Karl. "Thonet - La Voie industrielle" - in *Exposition Vienne 1880 à 1914* -"L'Apocalypse joyeuse". Paris: Centre Georges Pompidou, 1986.

Mainstone, Rowland e Madeleine. *O Barroco e o século XVII* - História da Arte da Universidade de Cambridge. São Paulo: Círculo do Livro, [s.d.]

Mannoni, Edith. *Les sulfures et boules presse-papiers* - L'amateur d'art. Paris: Éditions Ch. Massin, [s.d.]

_____ . *Les pâtes de verre - Autour de Daum et Gallé*. Paris: Ch. Massin Éditeur, [s.d.]

Marino, João *et alii*. *Tradição e Ruptura - Síntese de Arte e Cultura Brasileiras* (exposição). São Paulo: Fundação Bienal de São Paulo, 1984/1985.

Martin, Henri. *L' art gothique* - La grammaire des styles. Paris: Librairie d' Art R. Ducher, 1927.

Meco, José. "Azulejos portugueses" - in *Azulejos portugueses - séculos XVII a XX* (exposição realizada a partir do acervo da Câmara Municipal de Lisboa no Museu Histórico Nacional). Rio de Janeiro. 1987.

Mercadante, Paulo *et alii*. *Fazendas - Solares da Região Cafeeira do Brasil Imperial*. Rio de Janeiro: Editora Nova Fronteira, 1998.

Michel, Bernard. "Les Mécènes de la Secession" - in *Exposition Vienne 1880-1938* "L' Apocalypse joyeuse". Paris: Centre Georges Pompidou, 1986.

Mindlin, Henrique E. *Arquitetura Moderna no Brasil*. Rio de Janeiro: Aeroplano Editora, 1999.

Montagu, Jennifer. *Bronzes*. London: Weidenfeld and Nicolson, 1967.

Morris, Elizabeth. *Stained & Decorative Glass*. New York: Exeter Books, 1988.

Mountfield, David. *The Antique Collector Illustrated Book*. London, New York, Sydney, Toronto: Hamlyn, [s.d.]

Nigra O.S.B., Dom Clemente *et alii*. *Museu de Arte Sacra*. São Paulo: Mosteiro da Luz, 1987.

Nutting, Wallace. *Furniture Treasures* (2 vol.). New York: The Macmillan Co., 1948.

Ors, Eugenio d'. *Lo Barroco*. Madrid: Aguilar, 1964.

Ortega y Gasset, José. *La desumanición del arte* (7ª edtión). Madrid: Revista de Occidente, 1962.

Osborne, Harold. *The Oxford Companion to the Decorative Arts*. Oxford, New York: Oxford University Press, 1985.

Pecirka, Jaromir. *L' art et la femme*. Prague: Artia, 1960.

Pepis, Betty. *Interior Decoration A to Z*, [s.d.]

Real, Regina. *Dicionário de Belas-artes* (2 vol.). Rio de Janeiro: Editora Fundo de Cultura, l962.

Redig, Joaquim. *Sentido do design*, 1983.

Reed, Stanley. *Oriental Carpets and Rugs - all colour book*. London: Octopus Books, 1972.

Ridgway, Alan. *Ilustrated Guide to Antique Collecting*. [s.l.]: William Luscomb Publisher Ltd., 1997

Rogers, Joyce. *The Art of Flower Arrangement*. London, New York, Sydney, Toronto: Hamlyn, 1975.

Rorimer, James. *The UnicornTapestries at The Cloisters*. New York: The Metropolitan Museum of Art, 1946.

Salamonde, Eduardo. "Bordalo Pinheiro: o oleiro" - in *Rafael Bordalo Pinheiro - O português tal e qual - Da caricatura à cerâmica* (curadoria de Paulo Henriques). São Paulo: Exposição na Pinacoteca do Estado (curadoria Emanoel Araujo), 1996.

Saldern, A. von. *German Enamelled Glass*. New York: Corning, 1965.

Santos, Reynaldo dos e **Quilhó**, Irene. *Ourivesaria portuguesa nas coleções particulares*. Lisboa, 1974.

Santos Simões, João M. dos. *Azulejos holandeses no Convento de Santo Antônio do Recife*. Recife: Amigos da D.P.H.A.N., 1959.

Savage, George. *Dictionary of Antiques*. London: Barris & Jenkins, 1978.

_____ . *Porcelain through the Ages*. London: Penguin Books - 1954.

Schorske, Carl E. *Vienne fin de siècle - Politique et culture*. Paris: Seuil, 1983.

Schubnel, Henri-Jean. *Gems and Jewels - Uncut Stones and Objets d'Art*. London: Orbis Books, 1973.

Serra, João B. "Bordalo Pinheiro e a Fábrica de Faiança das Caldas da Rainha" - in *Rafael Bordalo Pinheiro - O português tal e qual - Da caricatura à cerâmica* (curadoria de Paulo Henriques). São Paulo: Exposição na Pinacoteca do Estado (curadoria Emanoel Araujo), 1996.

Setton, Kenneth M. "The Norman Conquest" (The complete Bayeux Tapestry photographed in color) - in *National Geographic Magazine*, August 1966.

Shaver-Crandell, Anne. *A Idade Média* - História da arte da Universidade de Cambridge. São Paulo: Círculo do Livro, [s.d.]

Silva, Maria Augusta Machado da. *Ex-votos* e *orantes no Brasil*. Col. Estudos e Documentos (vol VI). Rio de Janeiro: Museu Histórico Nacional, l981.

Sockler, Eduard. "Josef Hoffmann, Adolf Loos et le Kulturgefälle Est-Ouest" - in *Exposition Vienne 1880-1938* "L'Apocalyse joyeuse". Paris: Centre Georges Pompidou, l988.

Sotheby's Concise Encyclopaedia of Porcelain. General Editor David Battic. Boston, Toronto, London: Little, Brown and Company, 1990.

Staffe, la Baronne. *Plaisirs des châteaux et des grandes maisons. Embelissement du logis.* Paris: Ernest Flammarion, 1920.

Sterne, Gabriele. *Jugendstil - Kunstformen zwichen Individualismus und Massengeselschaft.* Köln: Du Mont Bücherverlag, 1986.

Subes, Raymond. *La ferronnerie d'art du XI au XIX siècle - Les arts décoratifs.* Paris: Flammarion, 1928.

Sudjic, Deyan. *Cult Objects.* London: Paladin Granada Publishing, 1985.

Tacla, Zake. *O livro da arte de construir.* São Paulo: Unipress Ed., 1984.

Távora, Bernardo Ferrão Tavares. *Imaginária Luso-Oriental.* Coleção Presença das Imagens. Lisboa: Imprensa Nacional - Casa da Moeda, 1983.

Tesouros artísticos de Portugal. Lisboa: Seleções do Reader!s Digest, 1976.

Thorpe, W. A. *English & Irish Glass.* London, 1929.

Toledo, Benedito Lima de. *Álbum iconográfico da Avenida Paulista.* São Paulo: Editora Ex Libris - João Fortes Engenharia, 1987.

Valadares, Clarival do Prado. *Rio neoclássico.* Rio de Janeiro: Bloch Editores, 1978.

_____ . *Nordeste Histórico e Monumental* - vol. IV. Salvador: Odebrecht S.A., 1991.

Veiga, Jorge Getúlio. *A porcelana da Companhia das Índias nas coleções particulares brasileiras.* Rio de Janeiro: JB Indústrias Gráficas S.A., 1986.

Vergo, Peter. *Art in Vienna 1898-1918.* Ithaca, New York: A Phaidon Book - Cornell University Press, 1981.

_____ ."La Wiener Werkstätte (1903-1913): le paradis terrestre et le chemin de la ruine" - in *ExpositionVienne1880-1938.*

_____ ."L'Apocalypse joyeuse". Paris: Centre Georges Pompidou, 1988.

Viale, Mercedes. *Tapestries* . London, New York, Sydney, Toronto: Paul Hamlyn, 1969.

Vingtaine, Dominique. "Les tentures du Palais des Papes au XVI siècle" - in *Histoires tissées.* Exposition au Petit Palais, Avignon, 1997.

Visconti, Leonardo. "Eliseu Visconti - Introdutor do impressionismo e do design no Brasil". - in *Designe.* Rio de Janeiro: UniverCidade Editora, agosto 1999.

Wardropper, Ian e **Springer Roberts**, Lynn. *European Decorative Arts in The Art Institute of Chicago.* Chicago: The Art Institute of Chicago, 1991.

Watson, sir Francis *et alii. Histoire du mobilier.* Paris: Éditions Atlas, 1984.

Watson, F.J.B. *Furniture - Wallace Collection Catalogues.* London: William Clowes and Sons Ltd., 1956.

Weigert, R. A. *French Tapestry.* London, 1962.

Wölfflin, Enrique. *Conceptos fundamentales en la historia del arte.* Madrid: Espasa-Calpe S.A., 1961.

Woodford, Susan. *A arte de ver a arte* - História da arte da Universidade de Cambridge. São Paulo: Círculo do Livro, [s.d.

_____ . *Grécia e Roma* - História da arte da Universidade de Cambridge. São Paulo: Círculo do Livro, [s.d.]

Wyler, Seymour B. *The Book of Old Silver.* New York: Crow Publishers, [s.d.]

Zanini, Walter (org.) *et alii. História geral da arte no Brasil* (2 vol.). São Paulo: Instituto Walther Moreira Salles, 1983.

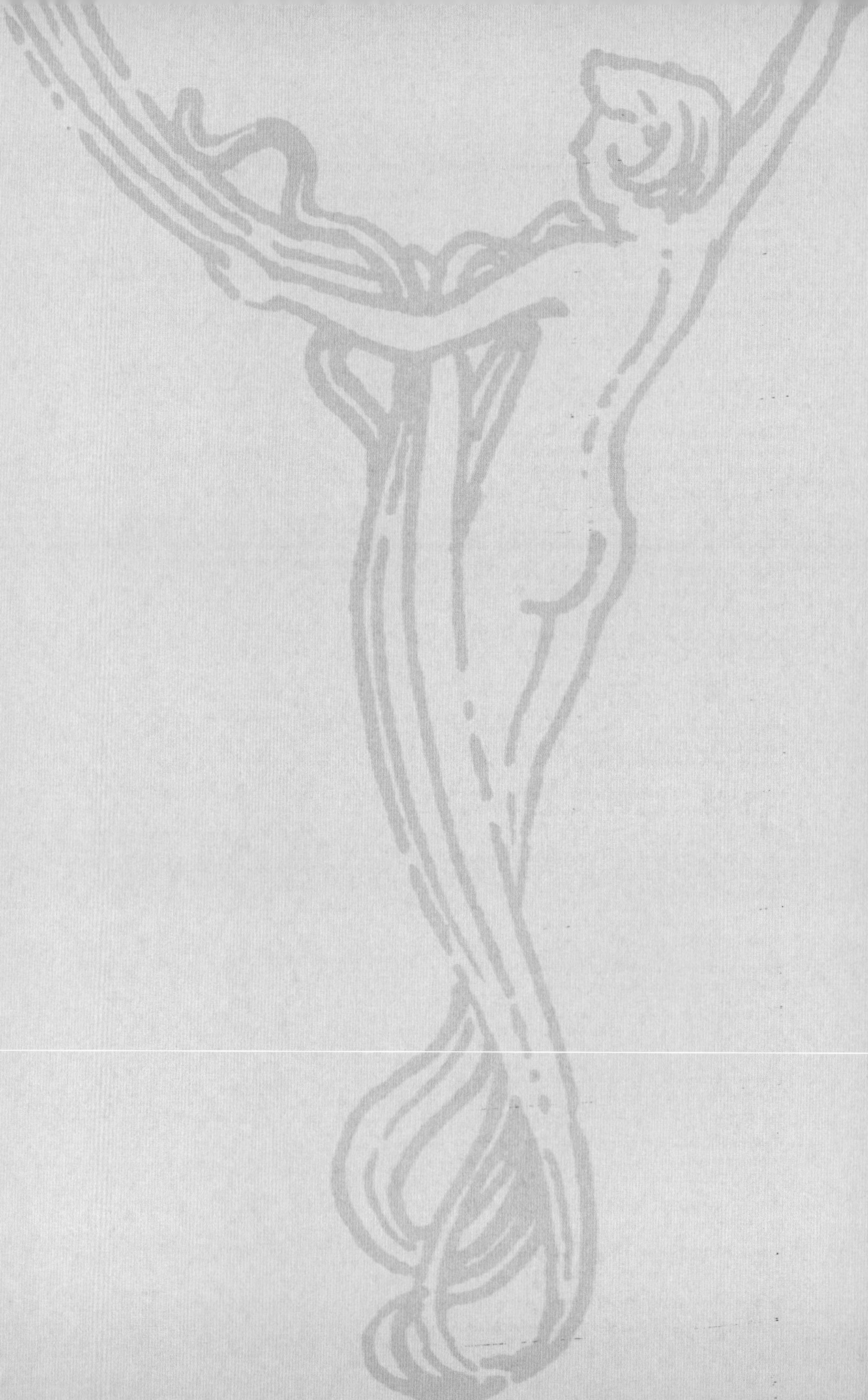

Às vêzes, em dias de luz perfeita e exata,

Em que as cousas têm tôda a realidade que podem ter,

Pergunto a mim próprio devagar

Por que sequer atribuo eu Beleza às cousas.

Uma flor acaso tem beleza?

Tem beleza acaso um fruto?

Não: têm côr e forma

E existência apenas

A beleza é o nome de qualquer cousa que não existe

Que eu dou às cousas em troca do agrado que me dão

Não significa nada.

Então por que digo eu das cousas: são belas?

Sim, mesmo a mim, que vivo só de viver,

Invisíveis, vêm ter comigo as mentiras dos homens

Perante as cousas,

Perante as cousas que simplesmente existem.

Que difícil ser próprio e não ver se não o visível!

Fernando Pessoa / *Obra Poética* — Ficções do interlúdio / Poemas Compl. de A. Caeiro
[231] • XXVI • 11/3/1914 — Rio de Janeiro, GB, Companhia Aguilar Editora, 1965.

DIRETOR EDITORIAL
Carlos Augusto Lacerda

COORDENAÇÃO EDITORIAL
Stella Rodrigo Octavio Moutinho
Nair de Paula Soares

PROJETO EDITORIAL

Texto
Stella Rodrigo Octavio Moutinho

Pesquisa
Stella Rodrigo Octavio Moutinho
Rúbia Braz Bueno do Prado
Ruth Rodrigo Octavio Londres

Seleção iconográfica
Rúbia Braz Bueno do Prado
Ruth Rodrigo Octavio Londres

PROJETO GRÁFICO
DVDI design

Conceituação
Nair de Paula Soares

Capa
Nair de Paula Soares
Joana de Paula Soares

Diagramação
Nair de Paula Soares
Gustavo Castro Neto
Amélia Paes
Flávio Soares
Nathanael Souza

IMAGENS

Fotografia
Paulo Arthur de Andrade Correia
Beto Felício (acervos Renan Chehuan e Ricardo Joppert)
Calino (acervo Museu Histórico Nacional)
José de Paula Machado e Nelson Monteiro (acervo Museu Castro Maya)
Vicente de Mello (acervo Renan Chehuan)

Ilustração
Luiz Cláudio Gonçalves Gomes

PRÉ-IMPRESSÃO E IMPRESSÃO
RR Donnelley

AGRADECIMENTOS ESPECIAIS
Forma S.A. móveis e objetos de arte
Museu Castro Maya
Museu Histórico Nacional
Giovani Mafra e Silva (in memoriam)